P9-DUC-942

Simplified Scientific

# Tables of Houses

## Latitudes 1 to 66 Degrees

*North and South*

WITH

LONGITUDES AND LATITUDES OF ABOUT 4500 CITIES OF
THE WORLD, INCLUDING PRINCIPAL AMERICAN CITIES
AND ALL COUNTY SEATS

COPYRIGHT, 1949
BY
THE ROSICRUCIAN FELLOMSHIP

Thirteenth Printing

**The Rosicrucian Fellowship**
*Mt. Ecclesia*
*Oceanside, California, U.S.A.*

# IMPORTANT NOTICE

These Tables of Houses form an important link in our Simplified System of Astrology. By our original method they are easily usable for both North and South latitude, even by the veriest tyro in Astrology.

To erect a figure for South latitude simply add twelve hours to the Sidereal Time at Birth (see Simplified Scientific Astrology, page 32), and enter the signs and degrees in the houses designated at the bottom of each Table.

To demonstrate our method we will partly cast a figure for a birth, June 15th, 1918, 11:50 a.m., Melbourne, Australia, lat. 38 S., long. 145 E. Melbourne uses 150th Standard Meridian.

|  | H. | M. | S. |
|---|---|---|---|
| S. T. at Greenwich on noon *previous* to birth (June 14th) ........ | 5 | 27 | 00 |
| Less correction 10 sec. for each 15 deg. East long. of birthplace.... |  | 1 | 37 |
|  | 5 | 25 | 23 |
| Interval between previous noon and True Local Time of birth ...... | 23 | 30 | 00 |
| Plus correction of 10 sec. for each hour of above Interval ......... |  | 3 | 55 |
|  | 28 | 59 | 18 |
| Subtract the circle of 24 hours ................................. | 24 |  |  |
| Sidereal Time at Birth ......................................... | 4 | 59 | 18 |
| Add 12 hours for South latitude ................................. | 12 |  |  |
| South Sidereal Time ........................................... | 16 | 59 | 18 |

## Latitude 38° N.

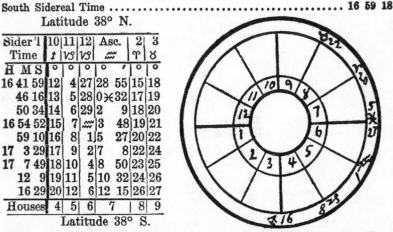

| Sider'l Time | 10 ♐ | 11 ♑ | 12 ♑ | Asc. ♒ | 2 ♈ | 3 ♉ |
|---|---|---|---|---|---|---|
| H M S | ° | ° | ° | ° | ° | ° |
| 16 41 59 | 12 | 4 | 27 | 28 55 | 15 | 18 |
| 46 16 | 13 | 5 | 28 | 0♓32 | 17 | 19 |
| 50 34 | 14 | 6 | 29 | 2    9 | 18 | 20 |
| 16 54 52 | 15 | 7 | ♒3 | 3 48 | 19 | 21 |
| 59 10 | 16 | 8 | 1 | 5 27 | 20 | 22 |
| 17  3 29 | 17 | 9 | 2 | 7    8 | 22 | 24 |
| 17  7 49 | 18 | 10 | 4 | 8 50 | 23 | 25 |
| 12  9 | 19 | 11 | 5 | 10 32 | 24 | 26 |
| 16 29 | 20 | 12 | 6 | 12 15 | 26 | 27 |
| Houses | 4 | 5 | 6 | 7 | 8 | 9 |

## Latitude 38° S.

With this *South* Sidereal Time we turn to our Table of Houses. From the small portion of the proper Table here printed for the convenience of students we see that the nearest Sidereal time is 16 h. 59 m. 10 s. In line with that we find the signs and degrees for our cusps—

$$\text{♐ } 16°,\text{ ♑ } 8°,\text{ ♒ } 1°,\text{ ♓ } 5° 27',\text{ ♈ } 20°,\text{ ♉ } 22°.$$

These we place in the 4th, 5th, 6th, 7th, 8th, and 9th houses as directed at the bottom of our Table, and shown in the figure above.

When that is done it only remains to fill in the opposite degrees and signs in the opposite houses as usual to complete the figures.

As latitude does not enter into the calculation of the planets' places, they are calculated and placed in the same manner as if the figure were for North Latitude.

# LIST OF PRINCIPAL AMERICAN CITIES,
## INCLUDING ALL COUNTY SEATS

| City | Lat. N. | Long. W. | City | Lat. N. | Long. W. |
|---|---|---|---|---|---|
| *Alabama* | | | Hamilton | 34 | 88 |
| Abbeville | 32 | 85 | Hayneville | 32 | 87 |
| Alexander City | 33 | 86 | Heflin | 34 | 86 |
| Andalusia | 31 | 86 | Huntsville | 35 | 87 |
| Anniston | 34 | 86 | Jasper | 34 | 87 |
| Ashland | 33 | 86 | Lafayette | 33 | 85 |
| Athens | 35 | 87 | Linden | 32 | 88 |
| Auburn | 33 | 85 | Livingston | 33 | 88 |
| Bay Minette | 31 | 88 | Luverne | 32 | 86 |
| Bessemer | 33 | 87 | Marion | 33 | 87 |
| Birmingham | 34 | 87 | Mobile | 31 | 88 |
| Brewton | 31 | 87 | Monroeville | 32 | 87 |
| Butler | 32 | 88 | Montgomery | 32 | 86 |
| Camden | 32 | 87 | Moulton | 34 | 87 |
| Carrollton | 33 | 88 | Oneonta | 34 | 86 |
| Centre | 34 | 86 | Opelika | 33 | 85 |
| Centreville | 33 | 87 | Ozark | 31 | 86 |
| Chatom | 31 | 88 | Pell City | 34 | 86 |
| Clanton | 33 | 87 | Phenix City | 32 | 85 |
| Clayton | 32 | 85 | Prattville | 32 | 86 |
| Columbiana | 33 | 87 | Rockford | 33 | 86 |
| Cullman | 34 | 87 | Russellville | 35 | 88 |
| Dadeville | 33 | 86 | Scottsboro | 35 | 86 |
| Decatur | 35 | 87 | Selma | 32 | 87 |
| Dothan | 31 | 85 | Sheffield | 35 | 88 |
| Double Springs | 34 | 87 | Sylacauga | 33 | 86 |
| Elba | 31 | 86 | Talladega | 33 | 86 |
| Enterprise | 31 | 86 | Troy | 32 | 86 |
| Eufaula | 32 | 85 | Tuscaloosa | 33 | 88 |
| Eutaw | 33 | 88 | Tuscumbia | 35 | 88 |
| Evergreen | 31 | 87 | Tuskegee | 32 | 86 |
| Fairfield | 33 | 87 | Union Springs | 32 | 86 |
| Fayette | 34 | 88 | Vernon | 34 | 88 |
| Florence | 35 | 88 | Wedowee | 33 | 85 |
| Fort Payne | 34 | 88 | Wetumpka | 33 | 86 |
| Gadsden | 34 | 86 | *Alaska* | | |
| Geneva | 31 | 86 | Anchorage | 61 | 150 |
| Greensboro | 33 | 88 | Cordova | 61 | 146 |
| Greenville | 32 | 87 | Fairbanks | 65 | 148 |
| Grove Hill | 32 | 88 | Juneau | 58 | 134 |
| Guntersville | 34 | 86 | Ketchikan | 55 | 132 |

| City | Lat. N. | Long. W. | City | Lat. N. | Long. W. |
|------|------|------|------|------|------|
| Nome | 65 | 165 | El Dorado | 33 | 93 |
| Petersburg | 57 | 133 | Eureka Springs | 36 | 94 |
| Sitka | 57 | 135 | Evening Shade | 36 | 92 |
| Valdez | 61 | 146 | Fayetteville | 36 | 94 |
| *Arizona* | | | Fordyce | 34 | 92 |
| | | | Forrest City | 35 | 91 |
| Bisbee | 31 | 110 | Fort Smith | 35 | 94 |
| Casa Grande | 33 | 112 | Greenwood | 35 | 94 |
| Clifton | 33 | 109 | Hamburg | 33 | 92 |
| Douglas | 31 | 110 | Hampton | 34 | 92 |
| Flagstaff | 35 | 112 | Hardy | 36 | 91 |
| Florence | 33 | 111 | Harrisburg | 36 | 91 |
| Globe | 33 | 111 | Harrison | 36 | 93 |
| Holbrook | 35 | 110 | Heber Springs | 35 | 92 |
| Kingman | 35 | 114 | Helena | 35 | 91 |
| Mesa | 33 | 112 | Hope | 34 | 94 |
| Nogales | 31 | 111 | Hot Springs | 35 | 93 |
| Phoenix | 33 | 112 | Huntsville | 36 | 94 |
| Prescott | 35 | 112 | Jacksonville | 35 | 92 |
| Safford | 33 | 110 | Jasper | 36 | 93 |
| Saint Johns | 35 | 109 | Jonesboro | 36 | 91 |
| Tucson | 32 | 111 | Lake City | 36 | 90 |
| Yuma | 33 | 115 | Lake Village | 33 | 91 |
| *Arkansas* | | | Lewisville | 33 | 94 |
| Arkadelphia | 34 | 93 | Little Rock | 35 | 92 |
| Arkansas City | 34 | 91 | Lonoke | 35 | 92 |
| Ashdown | 34 | 94 | Magnolia | 33 | 93 |
| Augusta | 35 | 91 | Malvern | 34 | 93 |
| Batesville | 36 | 92 | Marianna | 35 | 91 |
| Benton | 35 | 93 | Marion | 35 | 90 |
| Bentonville | 36 | 94 | Marshall | 36 | 93 |
| Berryville | 36 | 94 | Melbourne | 36 | 92 |
| Blytheville | 36 | 90 | Mena | 35 | 94 |
| Booneville | 35 | 94 | Monticello | 34 | 92 |
| Camden | 34 | 93 | Morrilton | 35 | 93 |
| Charleston | 35 | 94 | Mountain Home | 36 | 92 |
| Clarendon | 35 | 91 | Mountain View | 36 | 92 |
| Clarksville | 35 | 93 | Mount Ida | 35 | 94 |
| Clinton | 36 | 92 | Murfreesboro | 34 | 94 |
| Conway | 35 | 92 | Nashville | 34 | 94 |
| Corning | 36 | 91 | Newport | 36 | 91 |
| Danville | 35 | 93 | Osceola | 36 | 90 |
| Dardanelle | 35 | 93 | Ozark | 35 | 94 |
| De Queen | 34 | 94 | Paragould | 36 | 90 |
| Des Arc | 35 | 92 | Paris | 35 | 94 |
| De Valls Bluff | 35 | 91 | Perryville | 35 | 93 |
| De Witt | 34 | 91 | | | |

| City | Lat. N. | Long. W. | City | Lat. N. | Long. W. |
|------|---------|----------|------|---------|----------|
| Piggott | 36 | 90 | Gilroy | 37 | 122 |
| Pine Bluff | 34 | 92 | Hanford | 36 | 120 |
| Pocahontas | 36 | 91 | Hayward | 38 | 122 |
| Powhatan | 36 | 91 | Hemet | 34 | 117 |
| Prescott | 34 | 93 | Hollister | 37 | 121 |
| Rison | 34 | 92 | Independence | 37 | 118 |
| Rogers | 36 | 94 | Indio | 34 | 116 |
| Russellville | 35 | 93 | Jackson | 38 | 121 |
| Salem | 36 | 92 | Lafayette | 38 | 122 |
| Searcy | 35 | 92 | Laguna Beach | 34 | 118 |
| Sheridan | 34 | 92 | Lakeport | 39 | 123 |
| Springdale | 36 | 94 | Livermore | 38 | 122 |
| Star City | 34 | 92 | Lodi | 38 | 121 |
| Stuttgart | 35 | 92 | Lompoc | 35 | 120 |
| Texarkana | 33 | 94 | Long Beach | 34 | 118 |
| Van Buren | 35 | 94 | Los Altos | 37 | 122 |
| Waldron | 35 | 94 | Los Angeles | 34 | 118 |
| Walnut Ridge | 36 | 91 | Madera | 37 | 120 |
| Warren | 34 | 92 | Mariposa | 37 | 120 |
| Wynne | 35 | 91 | Markleeville | 39 | 120 |
| Yellville | 36 | 93 | Martinez | 38 | 122 |
| *California* | | | Marysville | 39 | 122 |
| Alameda | 38 | 122 | Merced | 37 | 120 |
| Alturas | 41 | 121 | Modesto | 38 | 121 |
| Anaheim | 34 | 118 | Monterey | 37 | 122 |
| Antioch | 38 | 122 | Napa | 38 | 122 |
| Auburn | 39 | 121 | Nevada City | 39 | 121 |
| Bakersfield | 35 | 119 | Novato | 38 | 123 |
| Banning | 34 | 117 | Oakland | 38 | 122 |
| Barstow | 35 | 117 | Oceanside | 33 | 117 |
| Berkeley | 38 | 122 | Ontario | 34 | 118 |
| Brawley | 33 | 116 | Orange | 34 | 118 |
| Bridgeport | 38 | 119 | Oroville | 40 | 122 |
| Calexico | 33 | 115 | Oxnard | 34 | 119 |
| Chico | 40 | 122 | Palm Springs | 34 | 117 |
| Colusa | 39 | 122 | Palo Alto | 37 | 122 |
| Concord | 38 | 122 | Pasadena | 34 | 118 |
| Corona | 34 | 118 | Petaluma | 38 | 123 |
| Crescent City | 42 | 124 | Placerville | 39 | 121 |
| Davis | 39 | 122 | Pomona | 34 | 118 |
| Delano | 36 | 119 | Porterville | 36 | 119 |
| Downieville | 40 | 121 | Quincy | 40 | 121 |
| El Centro | 33 | 116 | Red Bluff | 40 | 122 |
| Escondido | 33 | 117 | Redding | 41 | 122 |
| Eureka | 41 | 124 | Redwood City | 37 | 122 |
| Fairfield | 38 | 122 | Richmond | 38 | 122 |
| Fresno | 37 | 120 | Riverside | 34 | 117 |

| City | Lat. N. | Long. W. | City | Lat. N. | Long. W. |
|------|---------|----------|------|---------|----------|
| Roseville | 39 | 121 | Canon City | 38 | 105 |
| Sacramento | 39 | 122 | Castle Rock | 39 | 105 |
| Salinas | 37 | 122 | Central City | 40 | 106 |
| San Andreas | 38 | 121 | Cheyenne Wells | 39 | 102 |
| San Bernardino | 34 | 117 | Colorado Springs | 39 | 105 |
| San Clemente | 33 | 118 | Conejos | 37 | 106 |
| San Diego | 33 | 117 | Cortez | 37 | 109 |
| San Fernando | 34 | 118 | Craig | 41 | 108 |
| San Francisco | 38 | 122 | Creede | 38 | 107 |
| San Jose | 37 | 122 | Cripple Creek | 39 | 105 |
| San Leandro | 38 | 122 | Del Norte | 38 | 106 |
| San Luis Obispo | 35 | 121 | Delta | 39 | 108 |
| San Rafael | 38 | 123 | Denver | 40 | 105 |
| Santa Ana | 34 | 118 | Dove Creek | 38 | 109 |
| Santa Barbara | 34 | 120 | Durango | 37 | 108 |
| Santa Cruz | 37 | 122 | Eads | 38 | 103 |
| Santa Maria | 35 | 120 | Eagle | 40 | 107 |
| Santa Monica | 34 | 118 | Fairplay | 39 | 106 |
| Santa Paula | 34 | 119 | Fort Collins | 41 | 105 |
| Santa Rosa | 38 | 123 | Fort Morgan | 40 | 104 |
| Sonora | 38 | 120 | Georgetown | 40 | 106 |
| Stockton | 38 | 121 | Glenwood Springs | 40 | 107 |
| Susanville | 40 | 121 | Golden | 40 | 105 |
| Tracy | 38 | 121 | Grand Junction | 39 | 109 |
| Tulare | 36 | 119 | Greeley | 40 | 105 |
| Ukiah | 39 | 123 | Gunnison | 39 | 107 |
| Vacaville | 38 | 122 | Holyoke | 41 | 102 |
| Vallejo | 38 | 122 | Hot Sulphur Springs | 40 | 106 |
| Ventura | 34 | 119 | Hugo | 39 | 103 |
| Victorville | 35 | 117 | Julesburg | 41 | 102 |
| Visalia | 36 | 119 | Kiowa | 39 | 104 |
| Vista | 33 | 117 | La Junta | 38 | 104 |
| Walnut Creek | 38 | 122 | Lake City | 38 | 107 |
| Watsonville | 37 | 122 | Lamar | 38 | 103 |
| Weaverville | 41 | 123 | Las Animas | 38 | 103 |
| Willows | 40 | 122 | Leadville | 39 | 106 |
| Woodland | 39 | 122 | Littleton | 40 | 105 |
| Yreka | 42 | 123 | Longmont | 40 | 105 |
| Yuba City | 39 | 122 | Loveland | 40 | 105 |
| *Colorado* | | | Meeker | 40 | 108 |
| Akron | 40 | 103 | Montrose | 38 | 108 |
| Alamosa | 37 | 106 | Ordway | 38 | 104 |
| Aspen | 39 | 107 | Ouray | 38 | 108 |
| Boulder | 40 | 105 | Pagosa Springs | 37 | 107 |
| Breckenridge | 39 | 106 | Pueblo | 38 | 105 |
| Brighton | 40 | 105 | Saguache | 38 | 106 |
| Burlington | 39 | 102 | Salida | 39 | 106 |

| City | Lat. N. | Long. W. | City | Lat. N. | Long. W. |
|---|---|---|---|---|---|
| San Luis | 37 | 105 | *Florida* | | |
| Silverton | 38 | 108 | Apalachicola | 30 | 85 |
| Springfield | 37 | 103 | Arcadia | 27 | 82 |
| Steamboat Springs | 40 | 107 | Bartow | 28 | 82 |
| Sterling | 41 | 103 | Belle Glade | 27 | 81 |
| Telluride | 38 | 108 | Blountstown | 30 | 85 |
| Trinidad | 37 | 105 | Bonifay | 31 | 86 |
| Walden | 41 | 106 | Bradenton | 27 | 83 |
| Walsenburg | 38 | 105 | Bristol | 30 | 85 |
| Westcliffe | 38 | 105 | Bronson | 29 | 83 |
| Wray | 40 | 102 | Brooksville | 29 | 82 |
| *Connecticut* | | | Bunnell | 29 | 81 |
| Ansonia | 41 | 73 | Bushnell | 29 | 82 |
| Bridgeport | 41 | 73 | Chipley | 31 | 86 |
| Danbury | 41 | 73 | Clearwater | 28 | 83 |
| Fairfield | 41 | 73 | Cocoa | 28 | 81 |
| Greenwich | 41 | 74 | Crawfordville | 30 | 84 |
| Hartford | 42 | 73 | Crestview | 31 | 87 |
| Litchfield | 42 | 73 | Cross City | 30 | 83 |
| Manchester | 42 | 73 | Dade City | 28 | 82 |
| Meriden | 42 | 73 | Daytona Beach | 29 | 81 |
| Middletown | 42 | 73 | De Funiak Springs | 31 | 86 |
| Milford | 41 | 73 | De Land | 29 | 81 |
| New Britain | 42 | 73 | Fernandina Beach | 31 | 81 |
| New Haven | 41 | 73 | Fort Lauderdale | 26 | 80 |
| New London | 41 | 72 | Fort Myers | 27 | 82 |
| New Milford | 42 | 73 | Fort Pierce | 27 | 80 |
| Norwalk | 41 | 73 | Fort Walton Beach | 30 | 87 |
| Norwich | 42 | 72 | Gainesville | 30 | 82 |
| Putnam | 42 | 72 | Green Cove Springs | 30 | 82 |
| Rockville | 42 | 72 | Inverness | 29 | 82 |
| Seymour | 41 | 73 | Jacksonville | 30 | 82 |
| Shelton | 41 | 73 | Jasper | 31 | 83 |
| Southington | 42 | 73 | Key West | 25 | 82 |
| Stamford | 41 | 74 | Kissimmee | 28 | 81 |
| Torrington | 42 | 73 | La Belle | 27 | 81 |
| Wallingford | 41 | 73 | Lake Butler | 30 | 82 |
| Waterbury | 42 | 73 | Lake City | 30 | 83 |
| Willimantic | 42 | 72 | Lakeland | 28 | 82 |
| Windsor | 42 | 73 | Lake Worth | 27 | 80 |
| *Delaware* | | | Leesburg | 29 | 82 |
| Dover | 39 | 76 | Live Oak | 30 | 83 |
| Georgetown | 39 | 75 | Macclenny | 30 | 82 |
| Wilmington | 40 | 76 | Madison | 30 | 83 |
| *District of Columbia* | | | Marianna | 31 | 85 |
| Washington, D.C. | 39 | 77 | Mayo | 30 | 83 |
| | | | Melbourne | 28 | 81 |

| City | Lat. N. | Long. W. | City | Lat. N. | Long. W. |
|---|---|---|---|---|---|
| Miami | 26 | 80 | Barnesville | 33 | 84 |
| Milton | 31 | 87 | Baxley | 32 | 82 |
| Monticello | 31 | 84 | Blackshear | 31 | 82 |
| Moore Haven | 27 | 81 | Blairsville | 35 | 84 |
| Naples | 26 | 82 | Blakely | 31 | 85 |
| Ocala | 29 | 82 | Blue Ridge | 35 | 84 |
| Okeechobee | 27 | 81 | Brunswick | 31 | 81 |
| Orlando | 29 | 81 | Buchanan | 34 | 85 |
| Palatka | 30 | 82 | Buena Vista | 32 | 85 |
| Panama City | 30 | 86 | Butler | 33 | 84 |
| Pensacola | 30 | 87 | Cairo | 31 | 84 |
| Perry | 30 | 84 | Calhoun | 34 | 85 |
| Pompano Beach | 26 | 80 | Camilla | 31 | 84 |
| Punta Gorda | 27 | 82 | Canton | 34 | 84 |
| Quincy | 31 | 85 | Carnesville | 34 | 83 |
| Saint Augustine | 30 | 81 | Carrollton | 34 | 85 |
| Saint Petersburg | 28 | 83 | Cartersville | 34 | 85 |
| Sanford | 29 | 81 | Cedartown | 34 | 85 |
| Sarasota | 27 | 83 | Chatsworth | 35 | 85 |
| Sebring | 27 | 81 | Clarkesville | 35 | 84 |
| Starke | 30 | 82 | Claxton | 32 | 82 |
| Stuart | 27 | 80 | Clayton | 35 | 83 |
| Tallahassee | 30 | 84 | Cleveland | 35 | 84 |
| Tampa | 28 | 82 | Cochran | 32 | 83 |
| Tavares | 29 | 82 | Colquitt | 31 | 85 |
| Titusville | 29 | 81 | Columbus | 32 | 85 |
| Trenton | 30 | 83 | Conyers | 34 | 84 |
| Vero Beach | 28 | 80 | Cordele | 32 | 84 |
| Wauchula | 28 | 82 | Covington | 34 | 84 |
| West Palm Beach | 27 | 80 | Crawfordville | 34 | 83 |
| Wewahitchka | 30 | 85 | Cumming | 34 | 84 |
| Winter Haven | 28 | 82 | Cusseta | 32 | 85 |
| Winter Park | 29 | 81 | Cuthbert | 32 | 85 |
|  |  |  | Dahlonega | 35 | 84 |
| *Georgia* |  |  | Dallas | 34 | 85 |
| Abbeville | 32 | 83 | Dalton | 35 | 85 |
| Adel | 31 | 83 | Danielsville | 34 | 83 |
| Alamo | 32 | 83 | Darien | 31 | 81 |
| Albany | 32 | 84 | Dawson | 32 | 84 |
| Alma | 32 | 82 | Dawsonville | 34 | 84 |
| Americus | 32 | 84 | Decatur | 34 | 84 |
| Appling | 34 | 82 | Donalsonville | 31 | 85 |
| Ashburn | 32 | 84 | Douglas | 32 | 83 |
| Athens | 34 | 83 | Douglasville | 34 | 85 |
| Atlanta | 34 | 84 | Dublin | 33 | 83 |
| Augusta | 33 | 82 | Eastman | 32 | 83 |
| Bainbridge | 31 | 85 | Eatonton | 33 | 83 |

| City | Lat. N. | Long. W. | City | Lat. N. | Long. W. |
|------|---------|----------|------|---------|----------|
| Elberton | 34 | 83 | Madison | 34 | 83 |
| Ellaville | 32 | 84 | Marietta | 34 | 85 |
| Ellijay | 35 | 84 | Metter | 32 | 82 |
| Fayettville | 33 | 84 | Milledgeville | 33 | 83 |
| Fitzgerald | 32 | 83 | Millen | 33 | 82 |
| Folkston | 31 | 82 | Monroe | 34 | 84 |
| Forsyth | 33 | 84 | Monticello | 33 | 84 |
| Fort Gaines | 32 | 85 | Morgan | 32 | 85 |
| Fort Valley | 33 | 84 | Moultrie | 31 | 84 |
| Franklin | 33 | 85 | Mount Vernon | 32 | 83 |
| Gainesville | 34 | 84 | Nahunta | 31 | 82 |
| Georgetown | 32 | 85 | Nashville | 31 | 83 |
| Gibson | 33 | 83 | Newnan | 33 | 85 |
| Gray | 33 | 84 | Newton | 31 | 84 |
| Greensboro | 34 | 83 | Ocilla | 32 | 83 |
| Greenville | 33 | 85 | Oglethorpe | 32 | 84 |
| Griffin | 33 | 84 | Pearson | 31 | 83 |
| Hamilton | 33 | 85 | Pembroke | 32 | 82 |
| Hartwell | 34 | 83 | Perry | 32 | 84 |
| Hawkinsville | 32 | 83 | Preston | 32 | 85 |
| Hazlehurst | 32 | 83 | Quitman | 31 | 84 |
| Hiawassee | 35 | 84 | Reidsville | 32 | 82 |
| Hinesville | 32 | 82 | Ringgold | 35 | 85 |
| Homer | 34 | 83 | Rome | 34 | 85 |
| Homerville | 31 | 83 | Sandersville | 33 | 83 |
| Irwinton | 33 | 83 | Savannah | 32 | 81 |
| Jackson | 33 | 84 | Soperton | 32 | 83 |
| Jasper | 34 | 84 | Sparta | 33 | 83 |
| Jefferson | 34 | 84 | Springfield | 32 | 81 |
| Jeffersonville | 33 | 83 | Statenville | 31 | 83 |
| Jesup | 32 | 82 | Statesboro | 32 | 82 |
| Jonesboro | 34 | 84 | Summerville | 34 | 85 |
| Knoxville | 33 | 84 | Swainsboro | 33 | 82 |
| La Fayette | 35 | 85 | Sylvania | 33 | 82 |
| La Grange | 33 | 85 | Sylvester | 32 | 84 |
| Lakeland | 31 | 83 | Talbotton | 33 | 85 |
| Lawrenceville | 34 | 84 | Thomaston | 33 | 84 |
| Leesburg | 32 | 84 | Thomasville | 31 | 84 |
| Lexington | 34 | 83 | Thomson | 33 | 82 |
| Lincolnton | 34 | 82 | Tifton | 31 | 84 |
| Louisville | 33 | 82 | Toccoa | 35 | 83 |
| Ludowici | 32 | 82 | Trenton | 35 | 86 |
| Lumpkin | 32 | 85 | Valdosta | 31 | 83 |
| Lyons | 32 | 82 | Vienna | 32 | 84 |
| McDonough | 33 | 84 | Warner Robins | 33 | 84 |
| Macon | 33 | 84 | Warrenton | 33 | 83 |
| McRae | 32 | 83 | Washington | 34 | 83 |

| City | Lat. N. | Long. W. | City | Lat. N. | Long. W. |
|------|---------|----------|------|---------|----------|
| Watkinsville | 34 | 83 | Preston | 42 | 112 |
| Waycross | 31 | 82 | Rexburg | 44 | 112 |
| Waynesboro | 33 | 82 | Rigby | 44 | 112 |
| Winder | 34 | 84 | Rupert | 43 | 114 |
| Woodbine | 31 | 82 | Saint Anthony | 44 | 112 |
| Wrightsville | 33 | 83 | Saint Maries | 47 | 117 |
| Zebulon | 33 | 84 | Salmon | 45 | 114 |
| | | | Sandpoint | 48 | 117 |
| *Hawaii* | | | Shoshone | 43 | 114 |
| Hilo | 20 | 155 | Soda Springs | 43 | 112 |
| Honolulu | 21 | 158 | Twin Falls | 42 | 114 |
| Lihue | 22 | 159 | Wallace | 47 | 116 |
| Wahiawa | 22 | 158 | Weiser | 44 | 117 |
| Wailuku | 21 | 156 | *Illinois* | | |
| *Idaho* | | | Albion | 38 | 88 |
| American Falls | 43 | 113 | Aledo | 41 | 91 |
| Arco | 44 | 113 | Alton | 39 | 90 |
| Blackfoot | 43 | 112 | Aurora | 42 | 88 |
| Boise | 44 | 116 | Belleville | 39 | 90 |
| Bonners Ferry | 49 | 116 | Belvidere | 42 | 89 |
| Burley | 43 | 114 | Benton | 38 | 89 |
| Caldwell | 44 | 117 | Bloomington | 40 | 89 |
| Cascade | 45 | 116 | Cairo | 37 | 89 |
| Challis | 44 | 114 | Cambridge | 41 | 90 |
| Coeur d'Alene | 48 | 117 | Canton | 41 | 90 |
| Council | 45 | 116 | Carbondale | 38 | 89 |
| Driggs | 44 | 111 | Carlinville | 39 | 90 |
| Dubois | 44 | 112 | Carlyle | 39 | 89 |
| Emmett | 44 | 117 | Carmi | 38 | 88 |
| Fairfield | 43 | 115 | Carrollton | 39 | 90 |
| Gooding | 43 | 115 | Carthage | 40 | 91 |
| Grangeville | 46 | 116 | Centralia | 39 | 89 |
| Hailey | 44 | 114 | Champaign | 40 | 88 |
| Idaho City | 44 | 116 | Charleston | 40 | 88 |
| Idaho Falls | 44 | 112 | Chester | 38 | 90 |
| Jerome | 43 | 115 | Chicago | 42 | 88 |
| Lewiston | 46 | 117 | Clinton | 40 | 89 |
| Malad City | 42 | 112 | Danville | 40 | 88 |
| Moscow | 47 | 117 | Decatur | 40 | 89 |
| Mountain Home | 43 | 116 | De Kalb | 42 | 89 |
| Murphy | 43 | 117 | Dixon | 42 | 89 |
| Nampa | 44 | 117 | East Saint Louis | 39 | 90 |
| Nezperce | 46 | 116 | Edwardsville | 39 | 90 |
| Orofino | 46 | 116 | Effingham | 39 | 89 |
| Paris | 42 | 111 | Elgin | 42 | 88 |
| Payette | 44 | 117 | Elizabethtown | 37 | 88 |
| Pocatello | 43 | 112 | Elmhurst | 42 | 88 |

| City | Lat. N. | Long. W. | City | Lat. N. | Long. W. |
|---|---|---|---|---|---|
| Eureka | 41 | 89 | Oregon | 42 | 89 |
| Fairfield | 38 | 88 | Ottawa | 41 | 89 |
| Freeport | 42 | 90 | Paris | 40 | 88 |
| Galena | 42 | 90 | Paxton | 40 | 88 |
| Galesburg | 41 | 90 | Pekin | 41 | 90 |
| Geneva | 42 | 88 | Peoria | 41 | 90 |
| Golconda | 37 | 88 | Petersburg | 40 | 90 |
| Greenville | 39 | 89 | Pinckneyville | 38 | 89 |
| Hardin | 39 | 91 | Pittsfield | 40 | 91 |
| Harrisburg | 38 | 89 | Pontiac | 41 | 89 |
| Havana | 40 | 90 | Princeton | 41 | 89 |
| Hennepin | 41 | 89 | Quincy | 40 | 91 |
| Highland Park | 42 | 88 | Rantoul | 40 | 88 |
| Hillsboro | 39 | 89 | Robinson | 39 | 88 |
| Jacksonville | 40 | 90 | Rockford | 42 | 89 |
| Jerseyville | 39 | 90 | Rock Island | 41 | 91 |
| Joliet | 42 | 88 | Rushville | 40 | 91 |
| Jonesboro | 37 | 89 | Salem | 39 | 89 |
| Kankakee | 41 | 88 | Shawneetown | 38 | 88 |
| Kewanee | 41 | 90 | Shelbyville | 39 | 89 |
| Lacon | 41 | 89 | Springfield | 40 | 90 |
| La Grange | 42 | 88 | Sterling | 42 | 90 |
| La Salle | 41 | 89 | Streator | 41 | 89 |
| Lawrenceville | 39 | 88 | Sullivan | 40 | 89 |
| Lewistown | 40 | 90 | Sycamore | 42 | 89 |
| Lincoln | 40 | 89 | Taylorville | 40 | 89 |
| Louisville | 39 | 88 | Toledo | 39 | 88 |
| McLeansboro | 38 | 89 | Toulon | 41 | 90 |
| Macomb | 40 | 91 | Tuscola | 40 | 88 |
| Marion | 38 | 89 | Urbana | 40 | 88 |
| Marshall | 39 | 88 | Vandalia | 39 | 89 |
| Mattoon | 39 | 88 | Vienna | 37 | 89 |
| Metropolis | 37 | 89 | Virginia | 40 | 90 |
| Monmouth | 41 | 91 | Waterloo | 38 | 90 |
| Monticello | 40 | 89 | Watseka | 41 | 88 |
| Morris | 41 | 88 | Waukegan | 42 | 88 |
| Morrison | 42 | 90 | Wheaton | 42 | 88 |
| Mound City | 37 | 89 | Wilmette | 42 | 88 |
| Mount Carmel | 38 | 88 | Winchester | 40 | 90 |
| Mount Carroll | 42 | 90 | Winnetka | 42 | 88 |
| Mount Sterling | 40 | 91 | Woodstock | 42 | 88 |
| Mount Vernon | 38 | 89 | Yorkville | 42 | 88 |
| Murphysboro | 38 | 89 | *Indiana* | | |
| Nashville | 38 | 89 | Albion | 41 | 85 |
| Newton | 39 | 88 | Anderson | 40 | 86 |
| Olney | 39 | 88 | Angola | 42 | 85 |
| Oquawka | 41 | 91 | Auburn | 41 | 85 |

| City | Lat. N. | Long. W. | City | Lat. N. | Long. W. |
|------|---------|----------|------|---------|----------|
| Bedford | 39 | 86 | Liberty | 40 | 85 |
| Bloomfield | 39 | 87 | Logansport | 41 | 86 |
| Bloomington | 39 | 87 | Madison | 39 | 85 |
| Bluffton | 41 | 85 | Marion | 41 | 86 |
| Boonville | 38 | 87 | Martinsville | 39 | 86 |
| Brazil | 40 | 87 | Michigan City | 42 | 87 |
| Brookville | 39 | 85 | Monticello | 41 | 87 |
| Brownstown | 39 | 86 | Mount Vernon | 38 | 88 |
| Cannelton | 38 | 87 | Muncie | 40 | 85 |
| Columbia City | 41 | 85 | Nashville | 39 | 86 |
| Columbus | 39 | 86 | New Albany | 38 | 86 |
| Connersville | 40 | 85 | New Castle | 40 | 85 |
| Corydon | 38 | 86 | Newport | 40 | 87 |
| Covington | 40 | 87 | Noblesville | 40 | 86 |
| Crawfordsville | 40 | 87 | Paoli | 39 | 86 |
| Crown Point | 41 | 87 | Peru | 41 | 86 |
| Danville | 40 | 87 | Petersburg | 38 | 87 |
| Decatur | 41 | 85 | Plymouth | 41 | 86 |
| Delphi | 41 | 87 | Portland | 40 | 85 |
| Elkhart | 42 | 86 | Princeton | 38 | 88 |
| Elwood | 40 | 86 | Rensselaer | 41 | 87 |
| English | 38 | 86 | Richmond | 40 | 85 |
| Evansville | 38 | 88 | Rising Sun | 39 | 85 |
| Fort Wayne | 41 | 85 | Rochester | 41 | 86 |
| Fowler | 41 | 87 | Rockport | 38 | 87 |
| Frankfort | 40 | 87 | Rockville | 40 | 87 |
| Franklin | 39 | 86 | Rushville | 40 | 85 |
| Gary | 42 | 87 | Salem | 39 | 86 |
| Goshen | 42 | 86 | Scottsburg | 39 | 86 |
| Greencastle | 40 | 87 | Seymour | 39 | 86 |
| Greenfield | 40 | 86 | Shelbyville | 40 | 86 |
| Greensburg | 39 | 85 | Shoals | 39 | 87 |
| Greenwood | 40 | 86 | South Bend | 42 | 86 |
| Hammond | 42 | 88 | Spencer | 39 | 87 |
| Hartford City | 40 | 85 | Sullivan | 39 | 87 |
| Huntington | 41 | 85 | Terre Haute | 39 | 87 |
| Indianapolis | 40 | 86 | Tipton | 40 | 86 |
| Jasper | 38 | 87 | Valparaiso | 41 | 87 |
| Jeffersonville | 38 | 86 | Vernon | 39 | 86 |
| Kentland | 41 | 87 | Versailles | 39 | 85 |
| Knox | 41 | 87 | Vevay | 39 | 85 |
| Kokomo | 40 | 86 | Vincennes | 39 | 88 |
| Lafayette | 40 | 87 | Wabash | 41 | 86 |
| Lagrange | 42 | 85 | Warsaw | 41 | 86 |
| La Porte | 42 | 87 | Washington | 39 | 87 |
| Lawrenceburg | 39 | 85 | Williamsport | 40 | 87 |
| Lebanon | 40 | 86 | | | |

| City | Lat. N. | Long. W. | City | Lat. N. | Long. W. |
|------|------|------|------|------|------|
| Winamac | 41 | 87 | Grundy Center | 42 | 93 |
| Winchester | 40 | 85 | Guthrie Center | 42 | 95 |
| *Iowa* | | | Hampton | 43 | 93 |
| Adel | 42 | 94 | Harlan | 42 | 95 |
| Albia | 41 | 93 | Ida Grove | 42 | 95 |
| Algona | 43 | 94 | Independence | 42 | 92 |
| Allison | 43 | 93 | Indianola | 41 | 94 |
| Ames | 42 | 94 | Iowa City | 42 | 92 |
| Anamosa | 42 | 91 | Jefferson | 42 | 94 |
| Atlantic | 41 | 95 | Keokuk | 40 | 91 |
| Audubon | 42 | 95 | Keosauqua | 41 | 92 |
| Bedford | 41 | 95 | Knoxville | 41 | 93 |
| Bloomfield | 41 | 92 | Le Mars | 43 | 96 |
| Boone | 42 | 94 | Leon | 41 | 94 |
| Burlington | 41 | 91 | Logan | 42 | 96 |
| Carroll | 42 | 95 | Manchester | 42 | 91 |
| Cedar Falls | 43 | 92 | Maquoketa | 42 | 91 |
| Cedar Rapids | 42 | 92 | Marengo | 42 | 92 |
| Centerville | 41 | 93 | Marshalltown | 42 | 93 |
| Chariton | 41 | 93 | Mason City | 43 | 93 |
| Charles City | 43 | 93 | Montezuma | 42 | 93 |
| Cherokee | 43 | 96 | Mount Ayr | 41 | 94 |
| Clarinda | 41 | 95 | Mount Pleasant | 41 | 92 |
| Clarion | 43 | 94 | Muscatine | 41 | 91 |
| Clinton | 42 | 90 | Nevada | 42 | 93 |
| Corning | 41 | 95 | New Hampton | 43 | 92 |
| Corydon | 41 | 93 | Newton | 42 | 93 |
| Council Bluffs | 41 | 96 | Northwood | 43 | 93 |
| Cresco | 43 | 92 | Onawa | 42 | 96 |
| Creston | 41 | 94 | Orange City | 43 | 96 |
| Dakota City | 43 | 94 | Osage | 43 | 93 |
| Davenport | 42 | 91 | Osceola | 41 | 94 |
| Decorah | 43 | 92 | Oskaloosa | 41 | 93 |
| Denison | 42 | 95 | Ottumwa | 41 | 92 |
| Des Moines | 42 | 94 | Pocahontas | 43 | 95 |
| Dubuque | 42 | 91 | Primghar | 43 | 96 |
| Eldora | 42 | 93 | Red Oak | 41 | 95 |
| Elkader | 43 | 91 | Rock Rapids | 43 | 96 |
| Emmetsburg | 43 | 95 | Rockwell City | 42 | 95 |
| Estherville | 43 | 95 | Sac City | 42 | 95 |
| Fairfield | 41 | 92 | Sibley | 43 | 96 |
| Forest City | 43 | 94 | Sidney | 41 | 96 |
| Fort Dodge | 43 | 94 | Sigourney | 41 | 92 |
| Fort Madison | 41 | 91 | Sioux City | 42 | 96 |
| Garner | 43 | 94 | Spencer | 43 | 95 |
| Glenwood | 41 | 96 | Spirit Lake | 43 | 95 |
| Greenfield | 41 | 94 | Storm Lake | 43 | 95 |

| City | Lat. N. | Long. W. | City | Lat. N. | Long. W. |
|---|---|---|---|---|---|
| Tipton | 42 | 91 | Gove | 39 | 100 |
| Toledo | 42 | 93 | Great Bend | 38 | 99 |
| Vinton | 42 | 92 | Greensburg | 38 | 99 |
| Wapello | 41 | 91 | Hays | 39 | 99 |
| Washington | 41 | 92 | Hiawatha | 40 | 96 |
| Waterloo | 43 | 92 | Hill City | 39 | 100 |
| Waukon | 43 | 91 | Holton | 39 | 96 |
| Waverly | 43 | 92 | Howard | 37 | 96 |
| Webster City | 42 | 94 | Hoxie | 39 | 100 |
| West Union | 43 | 92 | Hugoton | 37 | 101 |
| Winterset | 41 | 94 | Hutchison | 38 | 98 |
| *Kansas* | | | Independence | 37 | 96 |
| | | | Iola | 38 | 95 |
| Abilene | 39 | 97 | Jetmore | 38 | 100 |
| Alma | 39 | 96 | Johnson | 38 | 102 |
| Anthony | 37 | 98 | Junction City | 39 | 97 |
| Arkansas City | 37 | 97 | Kansas City | 39 | 95 |
| Ashland | 37 | 100 | Kingman | 38 | 98 |
| Atchison | 40 | 95 | Kinsley | 38 | 99 |
| Atwood | 40 | 101 | La Crosse | 39 | 99 |
| Belleville | 40 | 98 | Lakin | 38 | 101 |
| Beloit | 39 | 98 | Larned | 38 | 99 |
| Burlington | 38 | 96 | Lawrence | 39 | 95 |
| Chanute | 38 | 95 | Leavenworth | 39 | 95 |
| Cimarron | 38 | 100 | Leoti | 38 | 101 |
| Clay Center | 39 | 97 | Liberal | 37 | 101 |
| Coffeyville | 37 | 96 | Lincoln | 39 | 98 |
| Colby | 39 | 101 | Lyndon | 39 | 96 |
| Coldwater | 37 | 99 | Lyons | 38 | 98 |
| Columbus | 37 | 95 | McPherson | 38 | 98 |
| Concordia | 40 | 98 | Manhattan | 39 | 97 |
| Cottonwood Falls | 38 | 97 | Mankato | 40 | 98 |
| Council Grove | 39 | 96 | Marion | 38 | 97 |
| Dighton | 38 | 100 | Marysville | 40 | 97 |
| Dodge City | 38 | 100 | Meade | 37 | 100 |
| El Dorado | 38 | 97 | Medicine Lodge | 37 | 99 |
| Elkhart | 37 | 102 | Minneapolis | 39 | 98 |
| Ellsworth | 39 | 98 | Mound City | 38 | 95 |
| Emporia | 38 | 96 | Ness City | 38 | 100 |
| Erie | 38 | 95 | Newton | 38 | 97 |
| Eureka | 38 | 96 | Norton | 40 | 100 |
| Fort Scott | 38 | 95 | Oakley | 39 | 101 |
| Fredonia | 38 | 96 | Oberlin | 40 | 101 |
| Garden City | 38 | 101 | Olathe | 39 | 95 |
| Garnett | 38 | 95 | Osborne | 39 | 99 |
| Girard | 38 | 95 | Oskaloosa | 39 | 95 |
| Goodland | 39 | 102 | Oswego | 37 | 95 |

| City | Lat. N. | Long. W. | City | Lat. N. | Long. W. |
|---|---|---|---|---|---|
| Ottawa | 39 | 95 | Cadiz | 37 | 88 |
| Paola | 39 | 95 | Calhoun | 38 | 87 |
| Parsons | 37 | 95 | Campbellsville | 37 | 85 |
| Phillipsburg | 40 | 99 | Campton | 38 | 84 |
| Pittsburg | 37 | 95 | Carlisle | 38 | 84 |
| Pratt | 38 | 99 | Carrollton | 39 | 85 |
| Russell | 39 | 99 | Catlettsburg | 38 | 83 |
| Saint Francis | 40 | 102 | Clinton | 37 | 89 |
| Saint John | 38 | 99 | Columbia | 37 | 85 |
| Salina | 39 | 98 | Covington | 39 | 85 |
| Scott City | 38 | 101 | Cynthiana | 38 | 84 |
| Sedan | 37 | 96 | Danville | 38 | 85 |
| Seneca | 40 | 96 | Dixon | 38 | 88 |
| Sharon Springs | 39 | 102 | Eddyville | 37 | 88 |
| Smith Center | 40 | 99 | Edmonton | 37 | 86 |
| Stockton | 39 | 99 | Elizabethtown | 38 | 86 |
| Sublette | 37 | 101 | Elkton | 37 | 87 |
| Syracuse | 38 | 102 | Falmouth | 39 | 84 |
| Topeka | 39 | 96 | Flemingsburg | 38 | 84 |
| Tribune | 38 | 102 | Frankfort | 38 | 85 |
| Troy | 40 | 95 | Franklin | 37 | 87 |
| Ulysses | 38 | 101 | Frenchburg | 38 | 84 |
| Wa Keeny | 39 | 100 | Georgetown | 38 | 85 |
| Washington | 40 | 97 | Glasgow | 37 | 86 |
| Wellington | 37 | 97 | Grayson | 38 | 83 |
| Westmoreland | 39 | 96 | Greensburg | 37 | 86 |
| Wichita | 38 | 97 | Greenup | 39 | 83 |
| Winfield | 37 | 97 | Greenville | 37 | 87 |
| Yates Center | 38 | 96 | Hardinsburg | 38 | 86 |
| *Kentucky* | | | Harlan | 37 | 83 |
| | | | Harrodsburg | 38 | 85 |
| Albany | 37 | 85 | Hartford | 37 | 87 |
| Alexandria | 39 | 84 | Hazard | 37 | 83 |
| Ashland | 38 | 83 | Hawesville | 38 | 87 |
| Barbourville | 37 | 84 | Henderson | 38 | 88 |
| Bardstown | 38 | 85 | Hickman | 37 | 89 |
| Bardwell | 37 | 89 | Hindman | 37 | 83 |
| Beattyville | 38 | 84 | Hodgenville | 38 | 86 |
| Bedford | 39 | 85 | Hopkinsville | 37 | 87 |
| Benton | 37 | 88 | Hyden | 37 | 83 |
| Booneville | 37 | 84 | Independence | 39 | 85 |
| Bowling Green | 37 | 86 | Inez | 38 | 83 |
| Brandenburg | 38 | 86 | Irvine | 38 | 84 |
| Brooksville | 39 | 84 | Jackson | 38 | 83 |
| Brownsville | 37 | 86 | Jamestown | 37 | 85 |
| Burkesville | 37 | 85 | La Grange | 38 | 85 |
| Burlington | 39 | 85 | Lancaster | 38 | 85 |

| City | Lat. N. | Long. W. | City | Lat. N. | Long. W. |
|------|------|------|------|------|------|
| Lawrenceburg | 38 | 85 | Stanton | 38 | 84 |
| Lebanon | 38 | 85 | Taylorsville | 38 | 85 |
| Leitchfield | 37 | 86 | Tompkinsville | 37 | 86 |
| Lexington | 38 | 85 | Vanceburg | 39 | 83 |
| Liberty | 37 | 85 | Versailles | 38 | 85 |
| London | 37 | 84 | Warsaw | 39 | 85 |
| Louisa | 38 | 83 | West Liberty | 38 | 83 |
| Louisville | 38 | 86 | Whitesburg | 37 | 83 |
| McKee | 37 | 84 | Whitley City | 37 | 84 |
| Madisonville | 37 | 87 | Wickliffe | 37 | 89 |
| Manchester | 37 | 84 | Williamsburg | 37 | 84 |
| Marion | 37 | 88 | Williamstown | 39 | 85 |
| Mayfield | 39 | 84 | Winchester | 38 | 84 |
| Maysville | 39 | 84 | *Louisiana* | | |
| Middlesboro | 37 | 84 | Abbeville | 30 | 92 |
| Monticello | 37 | 85 | Alexandria | 31 | 92 |
| Morehead | 38 | 83 | Amite | 31 | 91 |
| Morganfield | 38 | 88 | Arcadia | 33 | 93 |
| Morgantown | 37 | 87 | Bastrop | 33 | 92 |
| Mount Olivet | 39 | 84 | Baton Rouge | 30 | 91 |
| Mount Sterling | 38 | 84 | Benton | 33 | 94 |
| Mount Vernon | 37 | 84 | Bogalusa | 31 | 90 |
| Munfordville | 37 | 86 | Cameron | 30 | 93 |
| Murray | 37 | 88 | Chalmette | 30 | 90 |
| New Castle | 38 | 85 | Clinton | 31 | 91 |
| Nicholasville | 38 | 85 | Colfax | 32 | 93 |
| Owensboro | 38 | 87 | Columbia | 32 | 92 |
| Owenton | 39 | 85 | Convent | 30 | 91 |
| Owingsville | 38 | 84 | Coushatta | 32 | 93 |
| Paducah | 37 | 89 | Covington | 30 | 90 |
| Paintsville | 38 | 83 | Crowley | 30 | 92 |
| Paris | 38 | 84 | De Ridder | 31 | 93 |
| Pikeville | 37 | 83 | Donaldsonville | 30 | 91 |
| Pineville | 37 | 84 | Edgard | 30 | 91 |
| Prestonsburg | 38 | 83 | Eunice | 30 | 92 |
| Princeton | 37 | 88 | Farmerville | 33 | 92 |
| Richmond | 38 | 84 | Franklin | 30 | 92 |
| Russellville | 37 | 87 | Franklinton | 31 | 90 |
| Salyersville | 38 | 83 | Greensburg | 31 | 91 |
| Sandy Hook | 38 | 83 | Gretna | 30 | 90 |
| Scottsville | 37 | 86 | Hahnville | 30 | 90 |
| Shelbyville | 38 | 85 | Hammond | 30 | 90 |
| Shepherdsville | 38 | 86 | Harrisonburg | 32 | 92 |
| Smithland | 37 | 88 | Homer | 33 | 93 |
| Somerset | 37 | 85 | Houma | 30 | 91 |
| Springfield | 38 | 85 | Jena | 32 | 92 |
| Stanford | 38 | 85 | Jennings | 30 | 93 |

| City | Lat. N. | Long. W. | City | Lat. N. | Long. W. |
|------|---------|----------|------|---------|----------|
| Jonesboro | 32 | 93 | Houlton | 46 | 68 |
| Lafayette | 30 | 92 | Kittery | 43 | 71 |
| Lake Charles | 30 | 93 | Lewiston | 44 | 70 |
| Lake Providence | 33 | 91 | Machias | 45 | 67 |
| Leesville | 31 | 93 | Portland | 44 | 70 |
| Livingston | 31 | 91 | Presque Isle | 47 | 68 |
| Mansfield | 32 | 94 | Rockland | 44 | 69 |
| Many | 32 | 93 | Sanford | 43 | 71 |
| Marksville | 31 | 92 | Skowhegan | 45 | 70 |
| Minden | 33 | 93 | South Paris | 44 | 71 |
| Monroe | 33 | 92 | Waterville | 45 | 70 |
| Morgan City | 30 | 91 | Westbrook | 44 | 70 |
| Napoleonville | 30 | 91 | Wiscasset | 44 | 70 |
| Natchitoches | 32 | 93 | *Maryland* | | |
| New Iberia | 30 | 92 | Aberdeen | 40 | 76 |
| New Orleans | 30 | 90 | Annapolis | 39 | 76 |
| New Roads | 31 | 91 | Baltimore | 39 | 77 |
| Oak Grove | 33 | 91 | Bel Air | 40 | 76 |
| Oberlin | 31 | 93 | Bowie | 39 | 77 |
| Opelousas | 31 | 92 | Cambridge | 39 | 76 |
| Plaquemine | 30 | 91 | Centreville | 39 | 76 |
| Pointe a la Hache | 30 | 90 | Chestertown | 39 | 76 |
| Port Allen | 30 | 91 | College Park | 39 | 77 |
| Rayville | 32 | 92 | Cumberland | 40 | 79 |
| Ruston | 33 | 93 | Denton | 39 | 76 |
| Saint Francisville | 31 | 91 | Easton | 39 | 76 |
| Saint Joseph | 32 | 91 | Elkton | 40 | 76 |
| Saint Martinville | 30 | 92 | Ellicott City | 39 | 77 |
| Shreveport | 33 | 94 | Frederick | 39 | 77 |
| Tallulah | 32 | 91 | Hagerstown | 40 | 78 |
| Thibodaux | 30 | 91 | Hyattsville | 39 | 77 |
| Vidalia | 32 | 91 | La Plata | 39 | 77 |
| Ville Platte | 31 | 92 | Leonardtown | 38 | 77 |
| Winnfield | 32 | 93 | Oakland | 39 | 79 |
| Winnsboro | 32 | 92 | Prince Frederick | 39 | 77 |
| *Maine* | | | Princess Anne | 38 | 76 |
| Alfred | 43 | 71 | Rockville | 39 | 77 |
| Auburn | 44 | 70 | Salisbury | 38 | 76 |
| Augusta | 44 | 70 | Snow Hill | 38 | 75 |
| Bangor | 45 | 69 | Towson | 39 | 77 |
| Bath | 44 | 70 | Upper Marlboro | 39 | 77 |
| Belfast | 44 | 69 | Westminster | 40 | 77 |
| Biddeford | 43 | 70 | *Massachusetts* | | |
| Brunswick | 44 | 70 | Amesbury | 43 | 71 |
| Dover-Foxcroft | 45 | 69 | Amherst | 42 | 73 |
| Ellsworth | 45 | 68 | Andover | 43 | 71 |
| Farmington | 45 | 70 | Athol | 43 | 72 |

| City | Lat. N. | Long. W. | City | Lat. N. | Long. W. |
|---|---|---|---|---|---|
| Barnstable | 42 | 70 | Taunton | 42 | 71 |
| Beverly | 43 | 71 | Wakefield | 43 | 71 |
| Boston | 42 | 71 | Walpole | 42 | 71 |
| Brockton | 42 | 71 | Webster | 42 | 72 |
| Cambridge | 42 | 71 | Wellesley | 42 | 71 |
| Clinton | 42 | 72 | Westfield | 42 | 73 |
| Concord | 42 | 71 | Weymouth | 42 | 71 |
| Danvers | 43 | 71 | Woburn | 42 | 71 |
| Dedham | 42 | 71 | Worcester | 42 | 72 |
| Easthampton | 42 | 73 | *Michigan* | | |
| Edgartown | 41 | 71 | Adrian | 42 | 84 |
| Fall River | 42 | 71 | Albion | 42 | 85 |
| Fitchburg | 43 | 72 | Allegan | 43 | 86 |
| Framingham | 42 | 71 | Alpena | 45 | 83 |
| Gardner | 43 | 72 | Ann Arbor | 42 | 84 |
| Gloucester | 43 | 71 | Atlanta | 45 | 84 |
| Greenfield | 43 | 73 | Bad Axe | 44 | 83 |
| Haverhill | 43 | 71 | Baldwin | 44 | 86 |
| Holyoke | 42 | 73 | Battle Creek | 42 | 85 |
| Lawrence | 43 | 71 | Bay City | 44 | 84 |
| Leominster | 43 | 72 | Bellaire | 45 | 85 |
| Lexington | 42 | 71 | Benton Harbor | 42 | 86 |
| Lowell | 43 | 71 | Bessemer | 46 | 90 |
| Lynn | 42 | 71 | Beulah | 45 | 86 |
| Marlboro | 42 | 72 | Big Rapids | 44 | 85 |
| Melrose | 42 | 71 | Birmingham | 43 | 83 |
| Middleboro | 42 | 71 | Cadillac | 44 | 85 |
| Milford | 42 | 72 | Caro | 43 | 83 |
| Nantucket | 41 | 70 | Cassopolis | 42 | 86 |
| Natick | 42 | 71 | Centerville | 42 | 86 |
| New Bedford | 42 | 71 | Charlevoix | 45 | 85 |
| Newburyport | 43 | 71 | Charlotte | 43 | 85 |
| North Adams | 43 | 73 | Cheboygan | 46 | 84 |
| Northampton | 42 | 73 | Coldwater | 42 | 85 |
| North Attleboro | 42 | 72 | Corunna | 43 | 84 |
| Northbridge | 42 | 72 | Crystal Falls | 46 | 88 |
| Norwood | 42 | 71 | Detroit | 42 | 83 |
| Peabody | 43 | 71 | Eagle River | 47 | 88 |
| Pittsfield | 42 | 73 | Escanaba | 46 | 87 |
| Plymouth | 42 | 71 | Flint | 43 | 84 |
| Quincy | 42 | 71 | Gaylord | 45 | 85 |
| Reading | 43 | 71 | Gladwin | 44 | 84 |
| Revere | 42 | 71 | Grand Haven | 43 | 86 |
| Salem | 43 | 71 | Grand Rapids | 43 | 86 |
| Southbridge | 42 | 72 | Grayling | 45 | 85 |
| Springfield | 42 | 73 | Harrison | 44 | 85 |
| Stoughton | 42 | 71 | | | |

| City | Lat. N. | Long. W. | City | Lat. N. | Long. W. |
|---|---|---|---|---|---|
| Harrisville | 45 | 83 | Saint Ignace | 46 | 85 |
| Hart | 44 | 86 | Saint Johns | 43 | 85 |
| Hastings | 43 | 85 | Saint Joseph | 42 | 86 |
| Hillsdale | 42 | 85 | Sandusky | 43 | 83 |
| Holland | 43 | 86 | Sault Sainte Marie | 46 | 84 |
| Houghton | 47 | 89 | Standish | 44 | 84 |
| Howell | 43 | 84 | Stanton | 43 | 85 |
| Ionia | 43 | 85 | Tawas City | 44 | 84 |
| Iron Mountain | 46 | 88 | Traverse City | 45 | 86 |
| Ironwood | 46 | 90 | West Branch | 44 | 84 |
| Ithaca | 43 | 85 | White Cloud | 44 | 86 |
| Jackson | 42 | 84 | Wyandotte | 42 | 83 |
| Kalamazoo | 42 | 86 | Ypsilanti | 42 | 84 |
| Kalkaska | 45 | 85 | *Minnesota* | | |
| Lake City | 44 | 85 | Ada | 47 | 97 |
| L'Anse | 47 | 88 | Aitkin | 47 | 94 |
| Lansing | 43 | 85 | Albert Lea | 44 | 93 |
| Lapeer | 43 | 83 | Alexandria | 46 | 95 |
| Leland | 45 | 86 | Anoka | 45 | 93 |
| Ludington | 44 | 86 | Austin | 44 | 93 |
| Manistee | 44 | 86 | Bagley | 48 | 95 |
| Manistique | 46 | 86 | Baudette | 49 | 95 |
| Marquette | 47 | 87 | Bemidji | 47 | 95 |
| Marshall | 42 | 85 | Benson | 45 | 96 |
| Mason | 45 | 84 | Blue Earth | 44 | 94 |
| Menominee | 45 | 88 | Brainerd | 46 | 94 |
| Midland | 44 | 84 | Breckenridge | 46 | 97 |
| Mio | 45 | 84 | Buffalo | 45 | 94 |
| Monroe | 42 | 83 | Caledonia | 44 | 92 |
| Mount Clemens | 43 | 83 | Cambridge | 46 | 93 |
| Mount Pleasant | 44 | 85 | Carlton | 47 | 92 |
| Munising | 46 | 87 | Center City | 45 | 93 |
| Muskegon | 43 | 86 | Chaska | 45 | 94 |
| Newberry | 46 | 86 | Crookston | 48 | 97 |
| Niles | 42 | 86 | Detroit Lakes | 47 | 96 |
| Ontonagon | 47 | 89 | Duluth | 47 | 92 |
| Owosso | 43 | 84 | Elbow Lake | 46 | 96 |
| Paw Paw | 42 | 86 | Elk River | 45 | 94 |
| Petoskey | 45 | 85 | Fairmont | 44 | 94 |
| Pontiac | 43 | 83 | Faribault | 44 | 93 |
| Port Huron | 43 | 82 | Fergus Falls | 46 | 96 |
| Reed City | 44 | 86 | Foley | 46 | 94 |
| Rogers City | 45 | 84 | Gaylord | 45 | 94 |
| Roscommon | 44 | 85 | Glencoe | 45 | 94 |
| Royal Oak | 42 | 83 | Glenwood | 46 | 95 |
| Saginaw | 43 | 84 | Grand Marais | 48 | 90 |
| Saint Clair Shores | 42 | 83 | | | |

| City | Lat. N. | Long. W. | City | Lat. N. | Long. W. |
|---|---|---|---|---|---|
| Grand Rapids | 47 | 94 | Wabasha | 44 | 92 |
| Granite Falls | 45 | 96 | Wadena | 46 | 95 |
| Hallock | 49 | 97 | Walker | 47 | 95 |
| Hastings | 45 | 93 | Warren | 48 | 97 |
| Hibbing | 47 | 93 | Waseca | 44 | 94 |
| International Falls | 49 | 93 | Wheaton | 46 | 96 |
| Ivanhoe | 44 | 96 | Willmar | 45 | 95 |
| Jackson | 44 | 95 | Windom | 44 | 95 |
| Le Center | 44 | 94 | Winona | 44 | 92 |
| Litchfield | 45 | 95 | Worthington | 44 | 96 |
| Little Falls | 46 | 94 | *Mississippi* | | |
| Long Prairie | 46 | 95 | Aberdeen | 45 | 89 |
| Luverne | 44 | 96 | Ackerman | 33 | 89 |
| Madison | 45 | 96 | Ashland | 35 | 89 |
| Mahnomen | 47 | 96 | Batesville | 34 | 90 |
| Mankato | 44 | 94 | Bay Saint Louis | 30 | 89 |
| Mantorville | 44 | 93 | Bay Springs | 32 | 89 |
| Marshall | 44 | 96 | Belzoni | 33 | 90 |
| Milaca | 46 | 94 | Biloxi | 30 | 89 |
| Minneapolis | 45 | 93 | Booneville | 35 | 89 |
| Montevideo | 45 | 96 | Brandon | 32 | 90 |
| Moorhead | 47 | 97 | Brookhaven | 32 | 90 |
| Mora | 46 | 93 | Canton | 33 | 90 |
| Morris | 46 | 96 | Carrollton | 34 | 90 |
| New Ulm | 44 | 94 | Carthage | 33 | 90 |
| Olivia | 45 | 95 | Charleston | 34 | 90 |
| Ortonville | 45 | 96 | Clarksdale | 34 | 91 |
| Owatonna | 44 | 93 | Cleveland | 34 | 91 |
| Park Rapids | 47 | 95 | Coffeeville | 34 | 90 |
| Pine City | 46 | 93 | Collins | 32 | 90 |
| Pipestone | 44 | 96 | Columbia | 31 | 90 |
| Preston | 44 | 92 | Columbus | 33 | 88 |
| Red Lake Falls | 48 | 96 | Corinth | 35 | 89 |
| Red Wing | 45 | 93 | Decatur | 32 | 89 |
| Redwood Falls | 45 | 95 | De Kalb | 33 | 89 |
| Rochester | 44 | 92 | Ellisville | 32 | 89 |
| Roseau | 49 | 96 | Fayette | 32 | 91 |
| Saint Cloud | 46 | 94 | Forest | 32 | 89 |
| Saint James | 44 | 95 | Fulton | 34 | 88 |
| Saint Paul | 45 | 93 | Greenville | 33 | 91 |
| Saint Peter | 44 | 94 | Greenwood | 34 | 90 |
| Shakopee | 45 | 94 | Grenada | 34 | 90 |
| Slayton | 45 | 96 | Gulfport | 30 | 89 |
| Stillwater | 45 | 93 | Hattiesburg | 31 | 89 |
| Thief River Falls | 48 | 96 | Hazlehurst | 32 | 90 |
| Two Harbors | 47 | 92 | Hernando | 35 | 90 |
| Virginia | 48 | 93 | Holly Springs | 35 | 89 |

| City | Lat. N. | Long. W. | City | Lat. N. | Long. W. |
|------|------|------|------|------|------|
| Houston | 34 | 89 | Tupelo | 34 | 89 |
| Indianola | 33 | 91 | Tylertown | 31 | 90 |
| Iuka | 35 | 88 | Vaiden | 33 | 90 |
| Jackson | 32 | 90 | Vicksburg | 32 | 91 |
| Kosciusko | 33 | 90 | Walthall | 34 | 89 |
| Laurel | 32 | 89 | Water Valley | 34 | 90 |
| Leakesville | 31 | 89 | Waynesboro | 32 | 89 |
| Lexington | 33 | 90 | West Point | 34 | 89 |
| Liberty | 31 | 91 | Wiggins | 31 | 89 |
| Louisville | 33 | 89 | Winona | 33 | 90 |
| Lucedale | 31 | 89 | Woodville | 31 | 91 |
| McComb | 31 | 90 | Yazoo City | 33 | 90 |
| Macon | 33 | 89 | *Missouri* | | |
| Magnolia | 31 | 90 | Albany | 40 | 94 |
| Marks | 34 | 90 | Alton | 37 | 91 |
| Mayersville | 33 | 91 | Ava | 37 | 93 |
| Meadville | 31 | 91 | Benton | 37 | 90 |
| Mendenhall | 32 | 90 | Bethany | 40 | 94 |
| Meridian | 32 | 89 | Bloomfield | 37 | 90 |
| Monticello | 32 | 90 | Bolivar | 38 | 93 |
| Moss Point | 30 | 89 | Boonville | 39 | 93 |
| Natchez | 32 | 91 | Bowling Green | 39 | 91 |
| New Albany | 34 | 89 | Buffalo | 38 | 93 |
| New Augusta | 31 | 89 | Butler | 38 | 94 |
| Okolona | 34 | 89 | California | 39 | 93 |
| Oxford | 34 | 90 | Camdenton | 38 | 93 |
| Pascagoula | 30 | 89 | Cape Girardeau | 37 | 90 |
| Paulding | 32 | 89 | Carrollton | 39 | 94 |
| Philadelphia | 33 | 89 | Carthage | 37 | 94 |
| Picayune | 31 | 90 | Caruthersville | 36 | 90 |
| Pittsboro | 34 | 89 | Cassville | 37 | 94 |
| Pontotoc | 34 | 89 | Centerville | 37 | 91 |
| Poplarville | 31 | 90 | Charleston | 37 | 89 |
| Port Gibson | 32 | 91 | Chillicothe | 40 | 94 |
| Prentiss | 32 | 90 | Clayton | 39 | 90 |
| Purvis | 31 | 89 | Clinton | 38 | 94 |
| Quitman | 32 | 89 | Columbia | 39 | 92 |
| Raleigh | 32 | 90 | Doniphan | 37 | 91 |
| Raymond | 32 | 90 | Edina | 40 | 92 |
| Ripley | 35 | 89 | Eminence | 37 | 91 |
| Rolling Fork | 33 | 91 | Farmington | 38 | 90 |
| Rosedale | 34 | 91 | Fayette | 39 | 93 |
| Sardis | 34 | 90 | Forsyth | 37 | 93 |
| Senatobia | 35 | 90 | Fredericktown | 38 | 90 |
| Starkville | 33 | 89 | Fulton | 39 | 92 |
| Sumner | 34 | 90 | Gainesville | 37 | 92 |
| Tunica | 35 | 90 | | | |

| City | Lat. N. | Long. W. | City | Lat. N. | Long. W. |
|------|---------|----------|------|---------|----------|
| Galena | 37 | 93 | New Madrid | 37 | 90 |
| Gallatin | 40 | 94 | Oregon | 40 | 95 |
| Grant City | 40 | 94 | Osceola | 38 | 94 |
| Greenfield | 37 | 94 | Ozark | 37 | 93 |
| Greenville | 37 | 90 | Palmyra | 40 | 92 |
| Hannibal | 40 | 91 | Paris | 39 | 92 |
| Harrisonville | 39 | 94 | Perryville | 38 | 90 |
| Hartville | 37 | 93 | Pineville | 37 | 94 |
| Hermann | 39 | 91 | Platte City | 39 | 95 |
| Hermitage | 38 | 93 | Plattsburg | 40 | 94 |
| Hillsboro | 38 | 91 | Poplar Bluff | 37 | 90 |
| Houston | 37 | 92 | Potosi | 38 | 91 |
| Huntsville | 39 | 93 | Princeton | 40 | 94 |
| Independence | 39 | 94 | Richmond | 39 | 94 |
| Ironton | 38 | 91 | Rock Port | 40 | 96 |
| Jackson | 37 | 90 | Rolla | 38 | 92 |
| Jefferson City | 39 | 92 | Saint Charles | 39 | 91 |
| Joplin | 37 | 95 | Sainte Genevieve | 38 | 90 |
| Kahoka | 40 | 92 | Saint Joseph | 40 | 95 |
| Kansas City | 39 | 95 | Saint Louis | 39 | 90 |
| Kennett | 36 | 90 | Salem | 38 | 92 |
| Keytesville | 39 | 93 | Savannah | 40 | 95 |
| Kingston | 40 | 94 | Sedalia | 39 | 93 |
| Kirksville | 40 | 93 | Shelbyville | 40 | 92 |
| Lamar | 37 | 94 | Sikeston | 37 | 90 |
| Lancaster | 41 | 93 | Springfield | 37 | 93 |
| Lebanon | 38 | 93 | Steelville | 38 | 91 |
| Lexington | 39 | 94 | Stockton | 38 | 94 |
| Liberty | 39 | 94 | Trenton | 40 | 94 |
| Linn | 38 | 92 | Troy | 39 | 91 |
| Linneus | 40 | 93 | Tuscumbia | 38 | 92 |
| Macon | 40 | 92 | Union | 38 | 91 |
| Marble Hill | 37 | 90 | Unionville | 40 | 93 |
| Marshal | 39 | 93 | Van Buren | 37 | 91 |
| Marshfield | 37 | 93 | Versailles | 38 | 93 |
| Maryville | 40 | 95 | Vienna | 38 | 92 |
| Maysville | 40 | 94 | Warrensburg | 39 | 91 |
| Memphis | 40 | 92 | Warrenton | 39 | 91 |
| Mexico | 39 | 92 | Warsaw | 38 | 93 |
| Milan | 40 | 93 | Waynesville | 38 | 92 |
| Moberly | 39 | 92 | West Plains | 37 | 92 |
| Montgomery City | 39 | 92 | *Montana* | | |
| Monticello | 40 | 92 | Anaconda | 46 | 113 |
| Mount Vernon | 37 | 94 | Baker | 46 | 104 |
| Neosho | 37 | 94 | Big Timber | 46 | 110 |
| Nevada | 38 | 94 | Billings | 46 | 109 |
| New London | 40 | 91 | Boulder | 46 | 112 |

| City | Lat. N. | Long. W. | City | Lat. N. | Long. W. |
|---|---|---|---|---|---|
| Bozeman | 46 | 111 | White Sulphur | | |
| Broadus | 45 | 105 | Springs | 47 | 111 |
| Butte | 46 | 113 | Wibaux | 47 | 104 |
| Chester | 49 | 111 | Winnett | 47 | 108 |
| Chinook | 49 | 109 | Wolf Point | 48 | 106 |
| Choteau | 48 | 112 | *Nebraska* | | |
| Circle | 47 | 106 | Ainsworth | 43 | 100 |
| Columbus | 46 | 109 | Albion | 42 | 98 |
| Conrad | 48 | 112 | Alliance | 42 | 103 |
| Cut Bank | 49 | 112 | Alma | 40 | 99 |
| Deer Lodge | 46 | 113 | Arthur | 42 | 102 |
| Dillon | 45 | 113 | Auburn | 40 | 96 |
| Ekalaka | 46 | 105 | Aurora | 41 | 98 |
| Forsyth | 46 | 107 | Bartlett | 42 | 99 |
| Fort Benton | 48 | 111 | Bassett | 43 | 100 |
| Glasgow | 48 | 107 | Beatrice | 40 | 97 |
| Glendive | 47 | 105 | Beaver City | 40 | 100 |
| Great Falls | 48 | 111 | Benkelman | 40 | 102 |
| Hamilton | 46 | 114 | Blair | 42 | 96 |
| Hardin | 46 | 108 | Brewster | 42 | 100 |
| Harlowton | 46 | 110 | Bridgeport | 42 | 103 |
| Havre | 49 | 110 | Broken Bow | 41 | 100 |
| Helena | 47 | 112 | Burwell | 42 | 99 |
| Hysham | 46 | 107 | Butte | 43 | 99 |
| Jordan | 47 | 107 | Center | 43 | 98 |
| Kalispell | 48 | 114 | Central City | 41 | 98 |
| Lewistown | 47 | 109 | Chadron | 43 | 103 |
| Libby | 48 | 116 | Chappell | 41 | 102 |
| Livingston | 46 | 111 | Clay Center | 41 | 98 |
| Malta | 48 | 108 | Columbus | 41 | 97 |
| Miles City | 46 | 106 | Dakota City | 42 | 96 |
| Missoula | 47 | 114 | David City | 41 | 97 |
| Philipsburg | 46 | 113 | Elwood | 41 | 100 |
| Plentywood | 49 | 105 | Fairbury | 40 | 97 |
| Polson | 48 | 114 | Falls City | 40 | 96 |
| Red Lodge | 45 | 109 | Franklin | 40 | 99 |
| Roundup | 46 | 109 | Fremont | 41 | 97 |
| Ryegate | 46 | 109 | Fullerton | 41 | 98 |
| Scobey | 49 | 105 | Geneva | 41 | 98 |
| Shelby | 49 | 112 | Gering | 42 | 104 |
| Sidney | 48 | 104 | Grand Island | 41 | 98 |
| Stanford | 47 | 110 | Grant | 41 | 102 |
| Superior | 47 | 115 | Greeley | 42 | 99 |
| Terry | 47 | 105 | Harrisburg | 42 | 104 |
| Thompson Falls | 48 | 115 | Harrison | 43 | 104 |
| Townsend | 46 | 112 | Hartington | 43 | 97 |
| Virginia City | 45 | 112 | Hastings | 41 | 98 |

| City | Lat. N. | Long. W. | City | Lat. N. | Long. W. |
|---|---|---|---|---|---|
| Hayes Center | 41 | 101 | Trenton | 40 | 101 |
| Hebron | 40 | 98 | Tryon | 42 | 101 |
| Holdrege | 40 | 99 | Valentine | 43 | 101 |
| Hyannis | 42 | 102 | Wahoo | 41 | 97 |
| Imperial | 41 | 102 | Wayne | 42 | 97 |
| Kearney | 41 | 99 | West Point | 42 | 97 |
| Kimball | 41 | 104 | Wilber | 40 | 97 |
| Lexington | 41 | 100 | York | 41 | 98 |
| Lincoln | 41 | 97 | *Nevada* | | |
| Loup City | 41 | 99 | Austin | 39 | 117 |
| McCook | 40 | 101 | Carson City | 39 | 120 |
| Madison | 42 | 97 | Elko | 41 | 116 |
| Minden | 40 | 99 | Ely | 39 | 115 |
| Mullen | 42 | 101 | Eureka | 40 | 116 |
| Nebraska City | 41 | 96 | Fallon | 39 | 119 |
| Neligh | 42 | 98 | Goldfield | 38 | 117 |
| Nelson | 40 | 98 | Hawthorne | 39 | 119 |
| Norfolk | 42 | 97 | Henderson | 36 | 115 |
| North Platte | 41 | 101 | Las Vegas | 36 | 115 |
| Ogallala | 41 | 102 | Lovelock | 40 | 118 |
| Omaha | 41 | 96 | Minden | 39 | 120 |
| O'Neill | 42 | 99 | Pioche | 38 | 114 |
| Ord | 42 | 99 | Reno | 40 | 120 |
| Osceola | 41 | 98 | Tonopah | 38 | 117 |
| Oshkosh | 41 | 102 | Virginia City | 39 | 120 |
| Papillion | 41 | 96 | Winnemucca | 41 | 118 |
| Pawnee City | 40 | 96 | Yerington | 39 | 119 |
| Pender | 42 | 97 | *New Hampshire* | | |
| Pierce | 42 | 98 | Berlin | 44 | 71 |
| Plattsmouth | 41 | 96 | Claremont | 43 | 72 |
| Ponca | 43 | 97 | Concord | 43 | 72 |
| Red Cloud | 40 | 99 | Derry | 43 | 71 |
| Rushville | 43 | 102 | Dover | 43 | 71 |
| Saint Paul | 41 | 98 | Exeter | 43 | 71 |
| Schuyler | 41 | 97 | Keene | 43 | 72 |
| Scottsbluff | 42 | 104 | Laconia | 44 | 71 |
| Seward | 41 | 97 | Lancaster | 44 | 72 |
| Sidney | 41 | 103 | Lebanon | 44 | 72 |
| Springview | 43 | 100 | Manchester | 43 | 71 |
| Stanton | 42 | 97 | Nashua | 43 | 71 |
| Stapleton | 41 | 101 | Newport | 43 | 72 |
| Stockville | 41 | 100 | Ossipee | 44 | 71 |
| Taylor | 42 | 99 | Portsmouth | 43 | 71 |
| Tecumseh | 40 | 96 | Rochester | 43 | 71 |
| Tekamah | 42 | 96 | Salem | 43 | 71 |
| | | | Somersworth | 43 | 71 |
| Thedford | 42 | 101 | Woodsville | 44 | 72 |

| City | Lat. N. | Long. W. | City | Lat. N. | Long. W. |
|------|---------|----------|------|---------|----------|
| *New Jersey* | | | Westfield | 41 | 74 |
| Asbury Park | 40 | 74 | Woodbury | 40 | 75 |
| Atlantic City | 39 | 74 | *New Mexico* | | |
| Belvidere | 41 | 75 | Alamogordo | 33 | 106 |
| Bound Brook | 41 | 75 | Albuquerque | 35 | 107 |
| Bridgeton | 39 | 75 | Aztec | 37 | 108 |
| Burlington | 40 | 75 | Bernalillo | 35 | 107 |
| Camden | 40 | 75 | Carlsbad | 32 | 104 |
| Cape May | | | Carrizozo | 34 | 106 |
| Court House | 39 | 75 | Clayton | 36 | 103 |
| Dover | 41 | 75 | Clovis | 34 | 103 |
| Elizabeth | 41 | 74 | Deming | 32 | 108 |
| Flemington | 41 | 75 | Estancia | 35 | 106 |
| Freehold | 40 | 74 | Fort Sumner | 34 | 104 |
| Glassboro | 40 | 75 | Gallup | 36 | 109 |
| Hackensack | 41 | 74 | Hobbs | 33 | 103 |
| Hammonton | 40 | 75 | Las Cruces | 32 | 107 |
| Jersey City | 41 | 74 | Las Vegas | 36 | 105 |
| Long Branch | 40 | 74 | Lordsburg | 32 | 109 |
| Madison | 41 | 74 | Los Alamos | 36 | 106 |
| Manville | 41 | 75 | Los Lunas | 35 | 107 |
| Mays Landing | 39 | 75 | Lovington | 33 | 103 |
| Metuchen | 41 | 74 | Mora | 36 | 105 |
| Millville | 39 | 75 | Mosquero | 36 | 104 |
| Montclair | 41 | 74 | Portales | 34 | 103 |
| Morristown | 41 | 74 | Raton | 37 | 104 |
| Mount Holly | 40 | 75 | Reserve | 34 | 109 |
| Newark | 41 | 74 | Roswell | 33 | 105 |
| New Brunswick | 40 | 74 | Santa Fe | 36 | 106 |
| Newton | 41 | 75 | Santa Rosa | 35 | 105 |
| Ocean City | 39 | 75 | Silver City | 33 | 108 |
| Paterson | 41 | 74 | Socorro | 34 | 107 |
| Perth Amboy | 41 | 74 | Taos | 36 | 106 |
| Phillipsburg | 41 | 75 | Tierra Amarilla | 37 | 107 |
| Plainfield | 41 | 74 | Truth or | | |
| Pleasantville | 39 | 75 | Consequences | 33 | 107 |
| Princeton | 40 | 75 | Tucumcari | 35 | 104 |
| Red Bank | 40 | 74 | *New York* | | |
| Ridgewood | 41 | 74 | Albany | 43 | 74 |
| Salem | 40 | 75 | Albion | 43 | 78 |
| Sayreville | 40 | 74 | Amsterdam | 43 | 74 |
| Somerville | 41 | 75 | Auburn | 43 | 77 |
| South River | 40 | 74 | Ballston Spa | 43 | 74 |
| Summit | 41 | 74 | Batavia | 43 | 78 |
| Toms River | 40 | 74 | Bath | 42 | 77 |
| Trenton | 40 | 75 | Beacon | 42 | 74 |
| Vineland | 39 | 75 | Belmont | 42 | 78 |

| City | Lat. N. | Long. W. | City | Lat. N. | Long. W. |
|------|---------|----------|------|---------|----------|
| Binghampton | 42 | 76 | Monticello | 42 | 75 |
| Bronx | 41 | 74 | Newburgh | 41 | 74 |
| Brooklyn | 41 | 74 | New City | 41 | 74 |
| Buffalo | 43 | 79 | New York | 41 | 74 |
| Canandaigua | 43 | 77 | Niagara Falls | 43 | 79 |
| Canton | 45 | 75 | Norwich | 43 | 76 |
| Carmel | 41 | 74 | Ogdensburg | 45 | 75 |
| Catskill | 42 | 74 | Olean | 42 | 78 |
| Cohoes | 43 | 74 | Oneida | 43 | 76 |
| Cooperstown | 43 | 75 | Oneonta | 42 | 75 |
| Corning | 42 | 77 | Ossining | 41 | 74 |
| Cortland | 43 | 76 | Oswego | 43 | 77 |
| Delhi | 42 | 75 | Ovid | 43 | 77 |
| Dunkirk | 42 | 79 | Owego | 42 | 76 |
| Elizabethtown | 44 | 74 | Peekskill | 41 | 74 |
| Elmira | 42 | 77 | Penn Yan | 43 | 77 |
| Fonda | 43 | 74 | Plattsburgh | 45 | 73 |
| Fulton | 43 | 76 | Port Chester | 41 | 74 |
| Geneseo | 43 | 78 | Poughkeepsie | 42 | 74 |
| Geneva | 43 | 77 | Riverhead | 41 | 73 |
| Glen Cove | 41 | 74 | Rochester | 43 | 78 |
| Glens Falls | 43 | 74 | Rome | 43 | 75 |
| Gloversville | 43 | 74 | Saint George | 41 | 74 |
| Goshen | 41 | 74 | Saratoga Springs | 43 | 74 |
| Hempstead | 41 | 74 | Schenectady | 43 | 74 |
| Herkimer | 43 | 75 | Schoharie | 43 | 74 |
| Hornell | 42 | 78 | Syracuse | 43 | 76 |
| Hudson | 42 | 74 | Tonawanda | 43 | 79 |
| Hudson Falls | 43 | 74 | Troy | 43 | 74 |
| Ithaca | 42 | 77 | Utica | 43 | 75 |
| Jamaica | 41 | 74 | Wampsville | 43 | 76 |
| Jamestown | 42 | 79 | Warsaw | 43 | 78 |
| Johnstown | 43 | 74 | Waterloo | 43 | 77 |
| Kingston | 42 | 74 | Watertown | 44 | 76 |
| Lake George | 43 | 74 | Watkins Glen | 42 | 77 |
| Lake Pleasant | 43 | 74 | White Plains | 41 | 74 |
| Lindenhurst | 41 | 73 | *North Carolina* | | |
| Little Falls | 43 | 75 | Albemarle | 35 | 80 |
| Little Valley | 42 | 79 | Asheboro | 36 | 80 |
| Lockport | 43 | 79 | Asheville | 36 | 83 |
| Lowville | 44 | 75 | Bakersville | 36 | 82 |
| Lyons | 43 | 77 | Bayboro | 35 | 77 |
| Malone | 45 | 74 | Beaufort | 35 | 77 |
| Massena | 45 | 75 | Boone | 36 | 82 |
| Mayville | 42 | 80 | Brevard | 35 | 83 |
| Middletown | 41 | 74 | | | |
| Mineola | 41 | 74 | Bryson City | 35 | 83 |

| City | Lat. N. | Long. W. | City | Lat. N. | Long. W. |
|---|---|---|---|---|---|
| Burgaw | 35 | 78 | Marion | 36 | 82 |
| Burlington | 36 | 79 | Marshall | 36 | 83 |
| Burnsville | 36 | 82 | Mocksville | 36 | 81 |
| Camden | 36 | 76 | Monroe | 35 | 81 |
| Carthage | 35 | 79 | Morganton | 36 | 82 |
| Chapel Hill | 36 | 79 | Murphy | 35 | 84 |
| Charlotte | 35 | 81 | Nashville | 36 | 78 |
| Clinton | 35 | 78 | New Bern | 35 | 77 |
| Columbia | 36 | 76 | Newland | 36 | 82 |
| Columbus | 35 | 82 | Newton | 36 | 81 |
| Concord | 35 | 81 | Oxford | 36 | 79 |
| Currituck | 36 | 76 | Pittsboro | 36 | 79 |
| Danbury | 36 | 80 | Plymouth | 36 | 77 |
| Dobson | 36 | 81 | Raeford | 35 | 79 |
| Durham | 36 | 79 | Raleigh | 36 | 79 |
| Edenton | 36 | 77 | Reidsville | 36 | 80 |
| Elizabeth City | 36 | 76 | Roanoke Rapids | 36 | 78 |
| Elizabethtown | 35 | 79 | Robbinsville | 35 | 84 |
| Fayetteville | 35 | 79 | Rockingham | 35 | 80 |
| Franklin | 35 | 83 | Rocky Mount | 36 | 78 |
| Gastonia | 35 | 81 | Roxboro | 36 | 79 |
| Gatesville | 36 | 77 | Rutherfordton | 35 | 82 |
| Graham | 36 | 79 | Salisbury | 36 | 80 |
| Greensboro | 36 | 80 | Sanford | 35 | 79 |
| Greenville | 36 | 77 | Shelby | 35 | 82 |
| Halifax | 36 | 78 | Smithfield | 36 | 78 |
| Hayesville | 35 | 84 | Snow Hill | 35 | 78 |
| Henderson | 36 | 82 | Southport | 34 | 78 |
| Hendersonville | 35 | 82 | Sparta | 37 | 81 |
| Hertford | 36 | 76 | Statesville | 36 | 81 |
| Hickory | 36 | 81 | Swanquarter | 35 | 76 |
| High Point | 36 | 80 | Sylva | 35 | 83 |
| Hillsboro | 36 | 79 | Tarboro | 36 | 78 |
| Jackson | 36 | 77 | Taylorsville | 36 | 81 |
| Jacksonville | 35 | 77 | Thomasville | 36 | 80 |
| Jefferson | 36 | 81 | Trenton | 35 | 77 |
| Kenansville | 35 | 78 | Troy | 35 | 80 |
| Kinston | 35 | 78 | Wadesboro | 35 | 80 |
| Laurinburg | 35 | 79 | Warrenton | 36 | 78 |
| Lenoir | 36 | 82 | Washington | 36 | 77 |
| Lexington | 36 | 80 | Waynesville | 35 | 83 |
| Lillington | 35 | 79 | Wentworth | 36 | 80 |
| Lincolnton | 35 | 81 | Whiteville | 34 | 79 |
| Louisburg | 36 | 78 | Wilkesboro | 36 | 81 |
| Lumberton | 35 | 79 | Williamston | 36 | 77 |
| Manteo | 36 | 76 | Wilmington | 34 | 78 |
| | | | Wilson | 36 | 78 |

| City | Lat. N. | Long. W. | City | Lat. N. | Long. W. |
|------|------|------|------|------|------|
| Windsor | 36 | 77 | New Rockford | 48 | 99 |
| Winston-Salem | 36 | 80 | Rolla | 49 | 100 |
| Winton | 36 | 77 | Rugby | 48 | 100 |
| Yadkinville | 36 | 81 | Stanley | 48 | 102 |
| Yanceyville | 36 | 79 | Stanton | 47 | 101 |
| *North Dakota* | | | Steele | 47 | 100 |
| Amidon | 46 | 103 | Towner | 48 | 100 |
| Ashley | 46 | 99 | Valley City | 47 | 98 |
| Beach | 47 | 104 | Wahpeton | 46 | 97 |
| Bismarck | 47 | 101 | Washburn | 47 | 101 |
| Bottineau | 49 | 100 | Watford City | 48 | 103 |
| Bowbells | 49 | 102 | Williston | 48 | 104 |
| Bowman | 46 | 103 | *Ohio* | | |
| Cando | 48 | 99 | Akron | 41 | 82 |
| Carrington | 47 | 99 | Alliance | 41 | 81 |
| Carson | 46 | 102 | Ashland | 41 | 82 |
| Cavalier | 49 | 98 | Ashtabula | 42 | 81 |
| Center | 47 | 101 | Athens | 39 | 82 |
| Cooperstown | 47 | 98 | Barberton | 41 | 82 |
| Crosby | 49 | 103 | Batavia | 39 | 84 |
| Devils Lake | 48 | 99 | Bellaire | 40 | 81 |
| Dickinson | 47 | 103 | Bellefontaine | 40 | 84 |
| Ellendale | 46 | 99 | Berea | 41 | 82 |
| Fargo | 47 | 97 | Bowling Green | 41 | 84 |
| Fessenden | 48 | 100 | Bryan | 41 | 85 |
| Finley | 48 | 98 | Bucyrus | 41 | 83 |
| Forman | 46 | 98 | Cadiz | 40 | 81 |
| Fort Yates | 46 | 101 | Caldwell | 40 | 82 |
| Grafton | 48 | 97 | Cambridge | 40 | 82 |
| Grand Forks | 48 | 97 | Canton | 41 | 81 |
| Hettinger | 46 | 103 | Carrollton | 41 | 81 |
| Hillsboro | 47 | 97 | Celina | 41 | 85 |
| Jamestown | 47 | 99 | Chardon | 42 | 81 |
| Lakota | 48 | 98 | Chillicothe | 39 | 83 |
| La Moure | 46 | 98 | Cincinnati | 39 | 85 |
| Langdon | 49 | 98 | Circleville | 40 | 83 |
| Linton | 46 | 100 | Cleveland | 41 | 82 |
| Lisbon | 46 | 98 | Columbus | 40 | 83 |
| McClusky | 47 | 100 | Coshocton | 40 | 82 |
| Mandan | 47 | 101 | Dayton | 40 | 84 |
| Manning | 47 | 103 | Defiance | 41 | 84 |
| Medora | 47 | 104 | Delaware | 40 | 83 |
| Minnewaukan | 48 | 99 | East Liverpool | 41 | 81 |
| Minot | 48 | 101 | Eaton | 40 | 85 |
| Mohall | 49 | 102 | Elyria | 41 | 82 |
| Mott | 46 | 102 | Findlay | 41 | 84 |
| Napoleon | 47 | 100 | Fostoria | 41 | 83 |

| City | Lat. N. | Long. W. | City | Lat. N. | Long. W. |
|------|---------|----------|------|---------|----------|
| Fremont | 41 | 83 | Salem | 41 | 81 |
| Gallipolis | 39 | 82 | Sandusky | 41 | 83 |
| Georgetown | 39 | 84 | Sidney | 40 | 84 |
| Greenville | 40 | 85 | Springfield | 40 | 84 |
| Hamilton | 39 | 85 | Steubenville | 40 | 81 |
| Hillsboro | 39 | 84 | Tiffin | 41 | 83 |
| Ironton | 39 | 83 | Toledo | 42 | 84 |
| Jackson | 39 | 83 | Troy | 40 | 84 |
| Jefferson | 42 | 81 | Upper Sandusky | 41 | 83 |
| Kent | 41 | 81 | Urbana | 40 | 84 |
| Kenton | 41 | 84 | Van Wert | 41 | 85 |
| Lancaster | 40 | 83 | Wapakoneta | 41 | 84 |
| Lebanon | 39 | 84 | Warren | 41 | 81 |
| Lima | 41 | 84 | Washington Court | | |
| Lisbon | 41 | 81 | House | 40 | 83 |
| Logan | 40 | 82 | Wauseon | 42 | 84 |
| London | 40 | 83 | Waverly | 39 | 83 |
| Lorain | 41 | 82 | West Union | 39 | 84 |
| McArthur | 39 | 82 | Wilmington | 39 | 84 |
| McConnelsville | 40 | 82 | Woodsfield | 40 | 81 |
| Mansfield | 41 | 83 | Wooster | 41 | 82 |
| Marietta | 39 | 81 | Xenia | 40 | 84 |
| Marion | 41 | 83 | Youngstown | 41 | 81 |
| Martins Ferry | 40 | 81 | Zanesville | 40 | 82 |
| Marysville | 40 | 83 | *Oklahoma* | | |
| Massillon | 41 | 82 | Ada | 35 | 97 |
| Medina | 41 | 82 | Altus | 35 | 99 |
| Mentor | 42 | 81 | Alva | 37 | 99 |
| Middleton | 39 | 84 | Anadarko | 35 | 98 |
| Millersburg | 41 | 82 | Antlers | 34 | 96 |
| Mount Gilead | 41 | 83 | Arapaho | 36 | 99 |
| Mount Vernon | 40 | 82 | Ardmore | 34 | 97 |
| Napoleon | 41 | 84 | Arnett | 36 | 100 |
| Newark | 40 | 82 | Atoka | 34 | 96 |
| New Lexington | 40 | 82 | Bartlesville | 37 | 96 |
| New Philadelphia | 40 | 81 | Beaver | 37 | 101 |
| Norwalk | 41 | 83 | Blackwell | 37 | 97 |
| Ottawa | 41 | 84 | Boise City | 37 | 103 |
| Painesville | 42 | 81 | Broken Arrow | 36 | 96 |
| Parma | 41 | 82 | Buffalo | 37 | 100 |
| Paulding | 41 | 85 | Chandler | 36 | 97 |
| Piqua | 40 | 84 | Cherokee | 37 | 98 |
| Pomeroy | 39 | 82 | Cheyenne | 36 | 100 |
| Port Clinton | 42 | 83 | Chickasha | 35 | 98 |
| Portsmouth | 39 | 83 | Claremore | 36 | 96 |
| Ravenna | 41 | 81 | Coalgate | 35 | 96 |
| Saint Clairsville | 40 | 81 | Cordell | 35 | 99 |

| City | Lat. N. | Long. W. | City | Lat. N. | Long. W. |
|---|---|---|---|---|---|
| Duncan | 34 | 98 | Tahlequah | 36 | 95 |
| Durant | 34 | 96 | Taloga | 36 | 99 |
| Edmond | 36 | 97 | Tishomingo | 34 | 97 |
| El Reno | 36 | 98 | Tulsa | 36 | 96 |
| Enid | 36 | 98 | Vinita | 37 | 95 |
| Eufaula | 35 | 96 | Wagoner | 36 | 95 |
| Fairview | 36 | 98 | Walters | 34 | 98 |
| Frederick | 34 | 99 | Watonga | 36 | 98 |
| Guthrie | 36 | 97 | Waurika | 34 | 98 |
| Guymon | 37 | 101 | Wewoka | 35 | 96 |
| Hobart | 35 | 99 | Wilburton | 35 | 95 |
| Holdenville | 35 | 96 | Woodward | 36 | 99 |
| Hollis | 35 | 100 | *Oregon* | | |
| Hugo | 34 | 96 | Albany | 45 | 123 |
| Idabel | 34 | 95 | Ashland | 42 | 123 |
| Jay | 36 | 95 | Astoria | 46 | 124 |
| Kingfisher | 36 | 98 | Baker | 45 | 118 |
| Lawton | 35 | 98 | Bend | 44 | 121 |
| McAlester | 35 | 96 | Burns | 44 | 119 |
| Madill | 34 | 97 | Canyon City | 44 | 119 |
| Mangum | 35 | 100 | Condon | 45 | 120 |
| Marietta | 34 | 97 | Coos Bay | 43 | 124 |
| Medford | 37 | 98 | Coquille | 43 | 124 |
| Miami | 37 | 95 | Corvallis | 45 | 123 |
| Muskogee | 36 | 95 | Dallas | 45 | 123 |
| Newkirk | 37 | 97 | Enterprise | 45 | 117 |
| Norman | 35 | 97 | Eugene | 44 | 123 |
| Nowata | 37 | 96 | Fossil | 45 | 120 |
| Okemah | 35 | 96 | Gold Beach | 42 | 124 |
| Oklahoma City | 35 | 98 | Grants Pass | 42 | 123 |
| Okmulgee | 36 | 96 | Heppner | 45 | 120 |
| Pauls Valley | 35 | 97 | Hillsboro | 46 | 123 |
| Pawhuska | 37 | 96 | Hood River | 46 | 122 |
| Pawnee | 36 | 97 | Klamath Falls | 42 | 122 |
| Perry | 36 | 97 | La Grande | 45 | 118 |
| Ponca City | 37 | 97 | Lakeview | 42 | 120 |
| Poteau | 35 | 95 | McMinnville | 45 | 123 |
| Pryor | 36 | 95 | Madras | 45 | 121 |
| Purcell | 35 | 97 | Medford | 42 | 123 |
| Sallisaw | 35 | 95 | Moro | 45 | 121 |
| Sapulpa | 36 | 96 | Newport | 45 | 124 |
| Sayre | 35 | 100 | Oregon City | 45 | 123 |
| Shawnee | 35 | 97 | Pendleton | 46 | 119 |
| Stigler | 35 | 95 | Portland | 46 | 123 |
| Stillwater | 36 | 97 | Prineville | 44 | 121 |
| Stilwell | 36 | 95 | Roseburg | 43 | 123 |
| Sulphur | 35 | 97 | | | |

| City | Lat. N. | Long. W. | City | Lat. N. | Long. W. |
|------|---------|----------|------|---------|----------|
| Saint Helens | 46 | 123 | Jim Thorpe | 41 | 76 |
| Salem | 45 | 123 | Johnstown | 40 | 79 |
| The Dalles | 46 | 121 | Kittanning | 41 | 80 |
| Tillamook | 45 | 124 | Lancaster | 40 | 76 |
| Vale | 44 | 117 | Lansdale | 40 | 75 |
| *Pennsylvania* | | | Laporte | 41 | 76 |
| Aliquippa | 41 | 80 | Latrobe | 40 | 79 |
| Allentown | 41 | 75 | Lebanon | 40 | 76 |
| Altoona | 41 | 78 | Lewisburg | 41 | 77 |
| Beaver | 41 | 80 | Lewistown | 41 | 78 |
| Bedford | 40 | 78 | Lock Haven | 41 | 77 |
| Bellefonte | 41 | 78 | McConnellsburg | 40 | 78 |
| Berwick | 41 | 76 | McKeesport | 40 | 80 |
| Bloomsburg | 41 | 76 | Meadville | 42 | 80 |
| Bradford | 42 | 79 | Media | 40 | 75 |
| Brookville | 41 | 79 | Mercer | 41 | 80 |
| Butler | 41 | 80 | Middleburg | 41 | 77 |
| Canonsburg | 40 | 80 | Mifflintown | 41 | 77 |
| Carbondale | 42 | 76 | Milford | 41 | 75 |
| Carlisle | 40 | 77 | Monessen | 40 | 80 |
| Chambersburg | 40 | 78 | Montrose | 42 | 76 |
| Chester | 40 | 75 | Nanticoke | 41 | 76 |
| Clairton | 40 | 80 | New Bloomfield | 40 | 77 |
| Clarion | 41 | 79 | New Castle | 41 | 80 |
| Clearfield | 41 | 78 | New Kensington | 41 | 80 |
| Coatesville | 40 | 76 | Norristown | 40 | 75 |
| Columbia | 40 | 76 | Oil City | 41 | 80 |
| Connellsville | 40 | 80 | Philadelphia | 40 | 75 |
| Coudersport | 42 | 78 | Phoenixville | 40 | 76 |
| Danville | 41 | 77 | Pittsburgh | 40 | 80 |
| Doylestown | 40 | 75 | Pottstown | 40 | 76 |
| Du Bois | 41 | 79 | Pottsville | 41 | 76 |
| Easton | 41 | 75 | Reading | 40 | 76 |
| Ebensburg | 40 | 79 | Ridgway | 41 | 79 |
| Emporium | 42 | 78 | Scranton | 41 | 76 |
| Erie | 42 | 80 | Shamokin | 41 | 77 |
| Franklin | 41 | 80 | Sharon | 41 | 80 |
| Gettysburg | 40 | 77 | Shenandoah | 41 | 76 |
| Greenburg | 40 | 80 | Smethport | 42 | 78 |
| Hanover | 40 | 77 | Somerset | 40 | 79 |
| Harrisburg | 40 | 77 | State College | 41 | 78 |
| Hazleton | 41 | 76 | Stroudsburg | 41 | 75 |
| Hollidaysburg | 40 | 78 | Sunbury | 41 | 77 |
| Honesdale | 42 | 75 | Tionesta | 41 | 79 |
| Huntingdon | 40 | 78 | Towanda | 42 | 76 |
| Indiana | 41 | 79 | Tunkhannock | 42 | 76 |
| Jeannette | 40 | 80 | Uniontown | 40 | 80 |

| City | Lat. N. | Long. W. | City | Lat. N. | Long. W. |
|------|---------|----------|------|---------|----------|
| Warren | 42 | 79 | Hampton | 33 | 81 |
| Washington | 40 | 80 | Hartsville | 34 | 80 |
| Waynesburg | 40 | 80 | Kingstree | 34 | 80 |
| Wellsboro | 42 | 77 | Lancaster | 35 | 81 |
| West Chester | 40 | 76 | Laurens | 35 | 82 |
| Wilkes-Barre | 41 | 76 | Lexington | 34 | 81 |
| Williamsport | 41 | 77 | McCormick | 34 | 82 |
| York | 40 | 77 | Manning | 34 | 80 |
| *Rhode Island* | | | Marion | 34 | 79 |
| Bristol | 42 | 71 | Moncks Corner | 33 | 80 |
| Coventry | 42 | 72 | Newberry | 34 | 82 |
| East Greenwich | 42 | 71 | Orangeburg | 34 | 81 |
| Middletown | 42 | 71 | Pickens | 35 | 83 |
| Newport | 41 | 71 | Ridgeland | 32 | 81 |
| Providence | 42 | 71 | Rock Hill | 35 | 81 |
| Tiverton | 42 | 71 | Saint George | 33 | 81 |
| Warwick | 42 | 71 | Saint Matthews | 34 | 81 |
| Westerly | 41 | 72 | Saluda | 34 | 82 |
| West Kingston | 41 | 72 | Spartanburg | 35 | 82 |
| West Warwick | 42 | 72 | Sumter | 34 | 80 |
| Woonsocket | 42 | 72 | Union | 35 | 82 |
| *South Carolina* | | | Walhalla | 35 | 83 |
| Abbeville | 34 | 82 | Walterboro | 33 | 81 |
| Aiken | 34 | 82 | Winnsboro | 34 | 81 |
| Allendale | 33 | 81 | York | 35 | 81 |
| Anderson | 35 | 83 | *South Dakota* | | |
| Bamberg | 33 | 81 | Aberdeen | 45 | 98 |
| Barnwell | 33 | 81 | Alexandria | 44 | 98 |
| Beaufort | 32 | 81 | Armour | 43 | 98 |
| Bennettsville | 35 | 80 | Belle Fourche | 45 | 104 |
| Bishopville | 34 | 80 | Bison | 46 | 102 |
| Camden | 34 | 81 | Britton | 46 | 98 |
| Charleston | 33 | 80 | Brookings | 44 | 97 |
| Chester | 35 | 81 | Buffalo | 46 | 104 |
| Chesterfield | 35 | 80 | Burke | 43 | 99 |
| Columbia | 34 | 81 | Canton | 43 | 97 |
| Conway | 34 | 79 | Chamberlain | 44 | 99 |
| Darlington | 34 | 80 | Clark | 45 | 98 |
| Dillon | 34 | 79 | Clear Lake | 45 | 97 |
| Easley | 35 | 83 | Custer | 44 | 104 |
| Edgefield | 34 | 82 | Deadwood | 44 | 104 |
| Florence | 34 | 80 | De Smet | 44 | 98 |
| Gaffney | 35 | 82 | Dupree | 45 | 102 |
| Georgetown | 33 | 79 | Elk Point | 43 | 97 |
| Greenville | 35 | 82 | Faulkton | 45 | 99 |
| Greenwood | 34 | 82 | Flandreau | 44 | 97 |
| Greer | 35 | 82 | Fort Pierre | 44 | 100 |

| City | Lat. N. | Long. W. | City | Lat. N. | Long. W. |
|---|---|---|---|---|---|
| Gannvalley | 44 | 99 | Athens | 35 | 85 |
| Gettysburg | 45 | 100 | Benton | 35 | 85 |
| Hayti | 45 | 97 | Blountville | 37 | 82 |
| Highmore | 45 | 99 | Bolivar | 35 | 89 |
| Hot Springs | 43 | 103 | Bristol | 37 | 82 |
| Howard | 44 | 98 | Brownsville | 36 | 89 |
| Huron | 44 | 98 | Byrdstown | 37 | 85 |
| Ipswich | 45 | 99 | Camden | 36 | 88 |
| Kadoka | 44 | 102 | Carthage | 36 | 86 |
| Kennebec | 44 | 100 | Celina | 37 | 85 |
| Lake Andes | 43 | 99 | Centerville | 36 | 87 |
| Leola | 46 | 99 | Charlotte | 36 | 87 |
| McIntosh | 46 | 101 | Chattanooga | 35 | 85 |
| Madison | 44 | 97 | Clarksville | 37 | 87 |
| Martin | 43 | 102 | Cleveland | 35 | 85 |
| Milbank | 45 | 97 | Clinton | 36 | 84 |
| Miller | 45 | 99 | Columbia | 36 | 87 |
| Mitchell | 44 | 98 | Cookeville | 36 | 86 |
| Mound City | 46 | 100 | Covington | 36 | 90 |
| Murdo | 44 | 101 | Crossville | 36 | 85 |
| Olivet | 43 | 98 | Dandridge | 36 | 83 |
| Onida | 45 | 100 | Dayton | 36 | 85 |
| Parker | 43 | 97 | Decatur | 36 | 85 |
| Philip | 44 | 102 | Decaturville | 36 | 88 |
| Pierre | 44 | 100 | Dover | 36 | 88 |
| Plankinton | 44 | 98 | Dresden | 36 | 89 |
| Rapid City | 44 | 103 | Dunlap | 35 | 85 |
| Redfield | 45 | 99 | Dyersburg | 36 | 89 |
| Salem | 44 | 97 | Elizabethton | 36 | 82 |
| Selby | 46 | 100 | Erin | 36 | 88 |
| Sioux Falls | 44 | 97 | Erwin | 36 | 82 |
| Sisseton | 46 | 97 | Fayetteville | 35 | 87 |
| Sturgis | 44 | 104 | Franklin | 36 | 87 |
| Timber Lake | 45 | 101 | Gainesboro | 36 | 86 |
| Tyndall | 43 | 98 | Gallatin | 36 | 86 |
| Vermillion | 43 | 97 | Greeneville | 36 | 83 |
| Watertown | 45 | 97 | Hartsville | 36 | 86 |
| Webster | 45 | 98 | Henderson | 35 | 89 |
| Wessington Springs | 44 | 99 | Hohenwald | 36 | 88 |
| White River | 44 | 101 | Humboldt | 36 | 89 |
| Winner | 43 | 100 | Huntingdon | 36 | 88 |
| Woonsocket | 44 | 98 | Huntsville | 36 | 84 |
| Yankton | 43 | 97 | Jackboro | 36 | 84 |
| *Tennessee* | | | Jackson | 36 | 89 |
| Alamo | 36 | 89 | Jacksboro | 36 | 84 |
| Altamont | 35 | 86 | Jasper | 35 | 86 |
| Ashland City | 36 | 87 | Johnson City | 36 | 82 |

| City | Lat. N. | Long. W. | City | Lat. N. | Long. W. |
|------|---------|----------|------|---------|----------|
| Kingsport | 37 | 83 | Union City | 36 | 89 |
| Kingston | 36 | 85 | Wartburg | 36 | 85 |
| Knoxville | 36 | 84 | Waverly | 36 | 88 |
| Lafayette | 37 | 86 | Waynesboro | 35 | 88 |
| Lawrenceburg | 35 | 87 | Winchester | 35 | 86 |
| Lebanon | 36 | 86 | Woodbury | 36 | 86 |
| Lewisburg | 35 | 87 | *Texas* | | |
| Lexington | 36 | 88 | Abilene | 32 | 100 |
| Linden | 36 | 88 | Albany | 33 | 99 |
| Livingston | 36 | 85 | Alice | 28 | 98 |
| Loudon | 36 | 84 | Alpine | 30 | 104 |
| Lynchburg | 35 | 86 | Alvin | 29 | 95 |
| McMinnville | 36 | 86 | Amarillo | 35 | 102 |
| Madisonville | 36 | 84 | Anahuac | 30 | 95 |
| Manchester | 35 | 86 | Anderson | 30 | 96 |
| Maryville | 36 | 84 | Andrews | 32 | 103 |
| Maynardville | 36 | 84 | Angleton | 29 | 95 |
| Memphis | 35 | 90 | Anson | 33 | 100 |
| Millington | 35 | 90 | Archer City | 34 | 99 |
| Morristown | 36 | 83 | Arlington | 33 | 97 |
| Mountain City | 36 | 82 | Aspermont | 33 | 100 |
| Murfreesboro | 36 | 86 | Athens | 32 | 96 |
| Nashville | 36 | 87 | Austin | 30 | 98 |
| Newport | 36 | 83 | Baird | 32 | 99 |
| Oak Ridge | 36 | 84 | Ballinger | 32 | 100 |
| Paris | 36 | 88 | Bandera | 30 | 99 |
| Pikeville | 36 | 85 | Bastrop | 30 | 97 |
| Pulaski | 35 | 87 | Bay City | 29 | 96 |
| Ripley | 36 | 90 | Baytown | 30 | 95 |
| Rogersville | 36 | 83 | Beaumont | 30 | 94 |
| Rutledge | 36 | 84 | Beeville | 28 | 98 |
| Savannah | 35 | 88 | Bellville | 30 | 96 |
| Selmer | 35 | 89 | Belton | 31 | 97 |
| Sevierville | 36 | 84 | Benjamin | 34 | 100 |
| Shelbyville | 35 | 86 | Big Lake | 31 | 101 |
| Smithville | 36 | 86 | Big Spring | 32 | 101 |
| Sneedville | 37 | 83 | Boerne | 30 | 99 |
| Somerville | 35 | 89 | Bonham | 34 | 96 |
| Sparta | 36 | 85 | Borger | 36 | 101 |
| Spencer | 36 | 85 | Boston | 33 | 94 |
| Springfield | 37 | 87 | Brackettville | 29 | 100 |
| Tazewell | 36 | 84 | Brady | 31 | 99 |
| Tiptonville | 36 | 89 | Breckenridge | 33 | 99 |
| Trenton | 36 | 89 | Brenham | 30 | 96 |
| | | | Brownfield | 33 | 102 |
| Tullahoma | 35 | 86 | Brownsville | 26 | 97 |
| | | | Brownwood | 32 | 99 |

| City | Lat. N. | Long. W. | City | Lat. N. | Long. W. |
|------|---------|----------|------|---------|----------|
| Bryan | 31 | 96 | Eldorado | 31 | 101 |
| Burnet | 31 | 98 | El Paso | 32 | 106 |
| Caldwell | 31 | 97 | Emory | 33 | 96 |
| Cameron | 31 | 97 | Ennis | 32 | 97 |
| Canadian | 36 | 100 | Fairfield | 32 | 96 |
| Canton | 33 | 96 | Falfurrias | 27 | 98 |
| Canyon | 35 | 102 | Farwell | 34 | 103 |
| Carrizo Springs | 29 | 100 | Floresville | 29 | 98 |
| Carthage | 32 | 94 | Floydada | 34 | 101 |
| Center | 32 | 94 | Fort Davis | 31 | 104 |
| Centerville | 31 | 96 | Fort Stockton | 31 | 103 |
| Channing | 36 | 102 | Forth Worth | 33 | 97 |
| Childress | 34 | 100 | Franklin | 31 | 96 |
| Clarendon | 35 | 101 | Fredericksburg | 30 | 99 |
| Clarksville | 34 | 95 | Gail | 33 | 101 |
| Claude | 35 | 101 | Gainesville | 34 | 97 |
| Cleburne | 32 | 97 | Galveston | 29 | 95 |
| Coldspring | 31 | 95 | Garden City | 32 | 101 |
| Coleman | 32 | 99 | Gatesville | 31 | 98 |
| Colorado City | 32 | 101 | Georgetown | 31 | 98 |
| Columbus | 30 | 97 | George West | 28 | 98 |
| Comanche | 32 | 99 | Giddings | 30 | 97 |
| Conroe | 30 | 95 | Gilmer | 33 | 95 |
| Cooper | 33 | 96 | Glen Rose | 32 | 98 |
| Corpus Christi | 28 | 97 | Goldthwaite | 31 | 99 |
| Corsicana | 32 | 96 | Goliad | 29 | 97 |
| Cotulla | 28 | 99 | Gonzales | 30 | 97 |
| Crane | 31 | 102 | Graham | 33 | 99 |
| Crockett | 31 | 95 | Granbury | 32 | 98 |
| Crosbyton | 34 | 101 | Greenville | 33 | 96 |
| Crowell | 34 | 100 | Groesbeck | 32 | 97 |
| Crystal City | 29 | 100 | Groveton | 31 | 95 |
| Cuero | 29 | 97 | Guthrie | 34 | 100 |
| Daingerfield | 33 | 95 | Hallettsville | 29 | 97 |
| Dalhart | 36 | 103 | Hamilton | 32 | 98 |
| Dallas | 33 | 97 | Harlingen | 26 | 98 |
| Decatur | 33 | 98 | Haskell | 33 | 100 |
| Del Rio | 29 | 101 | Hebbronville | 27 | 99 |
| Denison | 34 | 97 | Hemphill | 31 | 94 |
| Denton | 33 | 97 | Hempstead | 30 | 96 |
| Dickens | 34 | 101 | Henderson | 32 | 95 |
| Dimmitt | 35 | 102 | Henrietta | 34 | 98 |
| Dumas | 36 | 102 | Hereford | 35 | 102 |
| Eagle Pass | 29 | 100 | Hillsboro | 32 | 97 |
| Eastland | 32 | 99 | Hondo | 29 | 99 |
| Edinburg | 26 | 98 | Houston | 30 | 95 |
| Edna | 29 | 97 | Huntsville | 31 | 96 |

| City | Lat. N. | Long. W. | City | Lat. N. | Long. W. |
|------|------|------|------|------|------|
| Jacksboro | 33 | 98 | Monahans | 32 | 103 |
| Jasper | 31 | 94 | Montague | 34 | 98 |
| Jayton | 33 | 101 | Morton | 34 | 103 |
| Jefferson | 33 | 94 | Mount Pleasant | 33 | 95 |
| Johnson City | 30 | 98 | Mount Vernon | 33 | 95 |
| Jourdanton | 29 | 99 | Muleshoe | 34 | 103 |
| Junction | 30 | 100 | Nacogdoches | 32 | 95 |
| Karnes City | 29 | 98 | New Braunfels | 30 | 98 |
| Kaufman | 33 | 96 | Newton | 31 | 94 |
| Kermit | 32 | 103 | Odessa | 32 | 102 |
| Kerrville | 30 | 99 | Orange | 30 | 94 |
| Killeen | 31 | 98 | Ozona | 31 | 101 |
| Kingsville | 28 | 98 | Paducah | 34 | 100 |
| Kountze | 30 | 94 | Paint Rock | 32 | 100 |
| La Grange | 30 | 97 | Palestine | 32 | 96 |
| Lake Jackson | 29 | 95 | Palo Pinto | 33 | 98 |
| Lamesa | 33 | 102 | Pampa | 36 | 101 |
| Lampasas | 31 | 98 | Panhandle | 35 | 101 |
| Laredo | 27 | 100 | Paris | 34 | 96 |
| Leakey | 30 | 100 | Pearsall | 29 | 99 |
| Levelland | 34 | 102 | Pecos | 31 | 104 |
| Liberty | 30 | 95 | Perryton | 36 | 101 |
| Linden | 33 | 94 | Pittsburg | 33 | 95 |
| Lipscomb | 36 | 100 | Plains | 33 | 103 |
| Littlefield | 34 | 102 | Plainview | 34 | 102 |
| Livingston | 31 | 95 | Port Arthur | 30 | 94 |
| Llano | 31 | 99 | Port Lavaca | 29 | 97 |
| Lockhart | 30 | 98 | Post | 33 | 101 |
| Longview | 32 | 95 | Quanah | 34 | 100 |
| Lubbock | 34 | 102 | Quitman | 33 | 95 |
| Lufkin | 31 | 95 | Rankin | 31 | 102 |
| McAllen | 26 | 98 | Raymondville | 26 | 98 |
| McKinney | 33 | 97 | Refugio | 28 | 97 |
| Madisonville | 31 | 96 | Richmond | 30 | 96 |
| Marfa | 30 | 104 | Rio Grand City | 26 | 99 |
| Marlin | 31 | 97 | Robert Lee | 32 | 100 |
| Marshall | 33 | 94 | Robstown | 28 | 98 |
| Mason | 31 | 99 | Roby | 33 | 100 |
| Matador | 34 | 101 | Rockport | 28 | 97 |
| Memphis | 35 | 101 | Rocksprings | 30 | 100 |
| Menard | 31 | 100 | Rockwall | 33 | 96 |
| Mentone | 32 | 104 | Rusk | 32 | 95 |
| Meridian | 32 | 98 | San Angelo | 31 | 100 |
| Mertzon | 31 | 101 | San Antonio | 29 | 98 |
| Miami | 36 | 101 | San Augustine | 32 | 94 |
| Midland | 32 | 102 | Sanderson | 30 | 102 |
| Mineral Wells | 33 | 98 | San Diego | 28 | 98 |

| City | Lat. N. | Long. W. | City | N. Lat. | W. Long. |
|------|------|------|------|------|------|
| San Marcos | 30 | 98 | Castle Dale | 39 | 111 |
| San Saba | 31 | 99 | Coalville | 41 | 111 |
| Sarita | 37 | 98 | Duchesne | 40 | 110 |
| Seguin | 30 | 98 | Farmington | 41 | 112 |
| Seminole | 33 | 103 | Fillmore | 39 | 112 |
| Seymour | 34 | 99 | Heber City | 41 | 111 |
| Sherman | 34 | 97 | Junction | 38 | 112 |
| Sierra Blanca | 31 | 105 | Kanab | 37 | 113 |
| Silverton | 34 | 101 | Loa | 38 | 112 |
| Sinton | 28 | 98 | Logan | 42 | 112 |
| Snyder | 33 | 101 | Manila | 41 | 110 |
| Sonora | 31 | 101 | Manti | 39 | 112 |
| Spearman | 36 | 101 | Moab | 39 | 110 |
| Stanton | 32 | 102 | Monticello | 38 | 109 |
| Stephenville | 32 | 98 | Morgan | 41 | 112 |
| Sterling City | 32 | 101 | Murray | 41 | 112 |
| Stinnett | 36 | 101 | Nephi | 40 | 112 |
| Stratford | 36 | 102 | Ogden | 41 | 112 |
| Sulphur Springs | 33 | 96 | Panguitch | 38 | 112 |
| Sweetwater | 32 | 100 | Parowan | 38 | 113 |
| Tahoka | 33 | 102 | Price | 40 | 111 |
| Temple | 31 | 97 | Provo | 40 | 112 |
| Terrell | 33 | 96 | Randolph | 42 | 111 |
| Texarkana | 33 | 94 | Richfield | 39 | 112 |
| Texas City | 29 | 95 | Saint George | 37 | 114 |
| Throckmorton | 33 | 99 | Salt Lake City | 41 | 112 |
| Tilden | 28 | 99 | Tooele | 41 | 112 |
| Tulia | 35 | 102 | Vernal | 40 | 110 |
| Tyler | 32 | 95 | *Vermont* | | |
| Uvalde | 29 | 100 | Barre | 44 | 72 |
| Van Horn | 31 | 105 | Bennington | 43 | 73 |
| Vega | 35 | 102 | Brattleboro | 43 | 73 |
| Vernon | 34 | 99 | Burlington | 44 | 73 |
| Victoria | 29 | 97 | Chelsea | 44 | 72 |
| Waco | 32 | 97 | Guildhall | 45 | 72 |
| Waxahachie | 32 | 97 | Hyde Park | 45 | 73 |
| Weatherford | 33 | 98 | Middlebury | 44 | 73 |
| Wellington | 35 | 100 | Montpelier | 44 | 73 |
| Wharton | 29 | 96 | Newfane | 43 | 73 |
| Wheeler | 35 | 100 | Newport | 45 | 72 |
| Wichita Falls | 34 | 99 | North Hero | 45 | 73 |
| Woodville | 31 | 94 | Rutland | 44 | 73 |
| Zapata | 27 | 99 | Saint Albans | 45 | 73 |
| *Utah* | | | Saint Johnsbury | 44 | 72 |
| Beaver | 38 | 113 | Springfield | 43 | 72 |
| Bountiful | 41 | 112 | Woodstock | 44 | 73 |
| Brigham City | 42 | 112 | | | |

| City | Lat. N. | Long. W. | City | Lat. N. | Long. W. |
|---|---|---|---|---|---|
| *Virginia* | | | Hopewell | 37 | 77 |
| Abingdon | 37 | 82 | Independence | 37 | 81 |
| Accomac | 38 | 76 | Isle of Wight | 37 | 77 |
| Alexandria | 39 | 77 | Jonesville | 37 | 83 |
| Amelia Court House | 37 | 78 | King and Queen | | |
| Amherst | 38 | 79 | Court House | 38 | 77 |
| Appomattox | 37 | 79 | King George | 38 | 77 |
| Arlington | 39 | 77 | King William | 38 | 77 |
| Bedford | 37 | 80 | Lancaster | 38 | 76 |
| Berryville | 39 | 78 | Lawrenceville | 37 | 78 |
| Bland | 37 | 81 | Lebanon | 37 | 82 |
| Bowling Green | 38 | 77 | Leesburg | 39 | 78 |
| Boydton | 37 | 78 | Lexington | 38 | 79 |
| Bristol | 37 | 82 | Louisa | 38 | 78 |
| Buckingham | 38 | 79 | Lovingston | 38 | 79 |
| Charles City | 37 | 77 | Lunenburg | 37 | 78 |
| Charlotte Court | | | Luray | 39 | 78 |
| House | 37 | 79 | Lynchburg | 37 | 79 |
| Charlottesville | 38 | 78 | Madison | 38 | 78 |
| Chatham | 37 | 79 | Manassas | 39 | 77 |
| Chesterfield | 37 | 78 | Marion | 37 | 82 |
| Christiansburg | 37 | 80 | Martinsville | 37 | 80 |
| Clintwood | 37 | 82 | Mathews | 37 | 76 |
| Courtland | 37 | 77 | Monterey | 38 | 80 |
| Covington | 38 | 80 | Montross | 38 | 77 |
| Culpeper | 38 | 78 | New Castle | 38 | 80 |
| Cumberland | 37 | 78 | New Kent | 38 | 77 |
| Danville | 37 | 79 | Newport News | 37 | 76 |
| Dinwiddie | 37 | 78 | Norfolk | 37 | 76 |
| Eastville | 37 | 76 | Nottoway | 37 | 78 |
| Emporia | 37 | 78 | Orange | 38 | 78 |
| Fairfax | 39 | 77 | Palmyra | 38 | 78 |
| Farmville | 37 | 78 | Pearisburg | 37 | 81 |
| Fincastle | 37 | 80 | Petersburg | 37 | 77 |
| Floyd | 37 | 80 | Portsmouth | 37 | 76 |
| Fredericksburg | 38 | 77 | Powhatan | 38 | 78 |
| Front Royal | 39 | 78 | Prince George | 37 | 77 |
| Gate City | 37 | 83 | Pulaski | 37 | 81 |
| Gloucester | 37 | 77 | Radford | 37 | 81 |
| Goochland | 38 | 78 | Richmond | 38 | 77 |
| Grundy | 37 | 82 | Roanoke | 37 | 80 |
| Halifax | 37 | 79 | Rockymount | 37 | 80 |
| Hampton | 37 | 76 | Rustburg | 37 | 79 |
| Hanover | 38 | 77 | Salem | 37 | 80 |
| Harrisonburg | 38 | 79 | Saluda | 38 | 77 |
| Heathsville | 38 | 76 | Spotsylvania | 38 | 78 |
| Hillsville | 37 | 81 | Stafford | 38 | 77 |

| City | Lat. N. | Long. W. | City | Lat. N. | Long. W. |
|---|---|---|---|---|---|
| Stanardsville | 38 | 78 | Olympia | 47 | 123 |
| Staunton | 38 | 79 | Pasco | 46 | 119 |
| Stuart | 37 | 80 | Pomeroy | 46 | 118 |
| Suffolk | 37 | 77 | Port Angeles | 48 | 123 |
| Surry | 37 | 77 | Port Orchard | 48 | 123 |
| Sussex | 37 | 77 | Port Townsend | 48 | 123 |
| Tappahannock | 38 | 77 | Prosser | 46 | 120 |
| Tazewell | 37 | 82 | Pullman | 47 | 117 |
| Vienna | 39 | 77 | Republic | 49 | 119 |
| Warm Springs | 38 | 80 | Richland | 46 | 119 |
| Warrenton | 39 | 78 | Ritzville | 47 | 118 |
| Warsaw | 38 | 77 | Seattle | 48 | 122 |
| Washington | 39 | 78 | Shelton | 47 | 123 |
| Waynesboro | 38 | 79 | South Bend | 47 | 124 |
| Williamsburg | 37 | 77 | Spokane | 48 | 117 |
| Winchester | 39 | 78 | Stevenson | 46 | 122 |
| Wise | 37 | 83 | Tacoma | 47 | 122 |
| Woodstock | 39 | 79 | Vancouver | 46 | 123 |
| Wytheville | 37 | 81 | Walla Walla | 46 | 118 |
| Yorktown | 37 | 77 | Waterville | 48 | 120 |
| *Washington* | | | Wenatchee | 47 | 120 |
| Aberdeen | 47 | 124 | Yakima | 47 | 121 |
| Asotin | 46 | 117 | *West Virginia* | | |
| Auburn | 47 | 122 | Beckley | 38 | 81 |
| Bellingham | 49 | 122 | Berkeley Springs | 40 | 78 |
| Bremerton | 48 | 123 | Bluefield | 37 | 81 |
| Cathlamet | 46 | 123 | Buckhannon | 39 | 80 |
| Chehalis | 47 | 123 | Charleston | 38 | 82 |
| Colfax | 47 | 117 | Charles Town | 39 | 78 |
| Colville | 49 | 118 | Clarksburg | 39 | 80 |
| Coupeville | 48 | 123 | Clay | 38 | 81 |
| Davenport | 48 | 118 | Elizabeth | 39 | 81 |
| Dayton | 46 | 118 | Elkins | 39 | 80 |
| Edmonds | 48 | 122 | Fairmont | 39 | 80 |
| Ellensburg | 47 | 121 | Fayetteville | 38 | 81 |
| Ephrata | 47 | 120 | Franklin | 39 | 79 |
| Everett | 48 | 122 | Glenville | 39 | 81 |
| Friday Harbor | 49 | 123 | Grafton | 39 | 80 |
| Goldendale | 46 | 121 | Grantsville | 39 | 81 |
| Kennewick | 46 | 119 | Hamlin | 38 | 82 |
| Kent | 47 | 122 | Harrisville | 39 | 81 |
| Kelso | 46 | 123 | Hinton | 38 | 81 |
| Longview | 46 | 123 | Huntington | 38 | 82 |
| Montesano | 47 | 124 | Keyser | 39 | 79 |
| Mount Vernon | 48 | 122 | Kingwood | 39 | 80 |
| Newport | 48 | 117 | Lewisburg | 38 | 80 |
| Okanogan | 48 | 120 | Logan | 38 | 82 |

| City | Lat. N. | Long. W. | City | Lat. N. | Long. W. |
|---|---|---|---|---|---|
| Madison | 38 | 82 | Crandon | 46 | 89 |
| Marlinton | 38 | 80 | Darlington | 43 | 90 |
| Martinsburg | 39 | 78 | Dodgeville | 43 | 90 |
| Middlebourne | 39 | 81 | Durand | 45 | 92 |
| Moorefield | 39 | 79 | Eagle River | 46 | 89 |
| Morgantown | 40 | 80 | Eau Claire | 45 | 91 |
| Moundsville | 40 | 81 | Elkhorn | 43 | 89 |
| New Cumberland | 40 | 81 | Ellsworth | 45 | 92 |
| New Martinsville | 40 | 81 | Florence | 46 | 88 |
| Parkersburg | 39 | 82 | Fond du Lac | 44 | 88 |
| Parsons | 39 | 80 | Friendship | 44 | 90 |
| Petersburg | 39 | 79 | Grantsburg | 46 | 93 |
| Philippi | 39 | 80 | Green Bay | 45 | 88 |
| Pineville | 38 | 82 | Green Lake | 44 | 89 |
| Point Pleasant | 39 | 82 | Hayward | 46 | 91 |
| Princeton | 37 | 81 | Hudson | 45 | 93 |
| Ripley | 39 | 82 | Hurley | 46 | 90 |
| Romney | 39 | 79 | Janesville | 43 | 89 |
| Saint Albans | 38 | 82 | Jefferson | 43 | 89 |
| Saint Marys | 39 | 81 | Juneau | 43 | 89 |
| Spencer | 39 | 81 | Kaukauna | 44 | 88 |
| Summersville | 38 | 81 | Kenosha | 43 | 88 |
| Sutton | 39 | 81 | Keshena | 45 | 89 |
| Union | 38 | 81 | Kewaunee | 44 | 88 |
| Wayne | 38 | 82 | La Crosse | 44 | 91 |
| Webster Springs | 38 | 80 | Ladysmith | 45 | 91 |
| Weirton | 40 | 81 | Lancaster | 43 | 91 |
| Welch | 37 | 82 | Madison | 43 | 89 |
| Wellsburg | 40 | 81 | Manitowoc | 44 | 88 |
| Weston | 39 | 80 | Marinette | 45 | 88 |
| West Union | 39 | 81 | Marshfield | 45 | 90 |
| Wheeling | 40 | 81 | Mauston | 44 | 90 |
| Williamson | 38 | 82 | Medford | 45 | 90 |
| Winfield | 39 | 82 | Menomonee Falls | 43 | 88 |
| *Wisconsin* | | | Menominie | 45 | 92 |
| Alma | 44 | 92 | Merrill | 45 | 90 |
| Antigo | 45 | 89 | Milwaukee | 43 | 88 |
| Appleton | 44 | 88 | Monroe | 43 | 90 |
| Ashland | 47 | 91 | Montello | 44 | 89 |
| Balsam Lake | 45 | 92 | Neenah | 44 | 88 |
| Baraboo | 43 | 90 | Neillsville | 45 | 91 |
| Barron | 45 | 92 | Oconto | 45 | 88 |
| Beaver Dam | 43 | 89 | Oshkosh | 44 | 89 |
| Beloit | 43 | 89 | Phillips | 46 | 90 |
| Black River Falls | 44 | 91 | Portage | 44 | 89 |
| Chilton | 44 | 88 | Port Washington | 43 | 88 |
| Chippewa Falls | 45 | 91 | Prairie du Chien | 43 | 91 |

| City | Lat. N. | Long. W. | City | Lat. N. | Long. W. |
|------|---------|----------|------|---------|----------|
| Racine | 43 | 88 | Buffalo | 44 | 107 |
| Rhinelander | 46 | 89 | Casper | 43 | 106 |
| Richland Center | 43 | 90 | Cheyenne | 41 | 105 |
| Shawano | 45 | 89 | Cody | 45 | 109 |
| Sheboygan | 44 | 88 | Douglas | 43 | 105 |
| Shell Lake | 46 | 92 | Evanston | 41 | 111 |
| Sparta | 44 | 91 | Gillette | 44 | 106 |
| Stevens Point | 45 | 90 | Green River | 42 | 109 |
| Sturgeon Bay | 45 | 87 | Jackson | 43 | 111 |
| Superior | 47 | 92 | Kemmerer | 42 | 111 |
| Two Rivers | 44 | 88 | Lander | 43 | 109 |
| Viroqua | 44 | 91 | Laramie | 41 | 106 |
| Washburn | 47 | 91 | Lusk | 43 | 104 |
| Watertown | 43 | 89 | Newcastle | 44 | 104 |
| Waukesha | 43 | 88 | Pinedale | 43 | 110 |
| Waupaca | 44 | 89 | Rawlins | 42 | 107 |
| Wausau | 45 | 90 | Rock Springs | 42 | 109 |
| Wautoma | 44 | 89 | Sheridan | 45 | 107 |
| West Bend | 43 | 88 | Sundance | 44 | 104 |
| Whitehall | 44 | 91 | Thermopolis | 44 | 108 |
| Whitewater | 43 | 89 | Torrington | 42 | 104 |
| Wisconsin Rapids | 44 | 90 | Wheatland | 42 | 105 |
| *Wyoming* | | | Worland | 44 | 108 |
| Basin | 44 | 108 | | | |

# FOREIGN CITIES

| | | | | | | | |
|---|---|---|---|---|---|---|---|
| Aachen. Ger. | 51 | N | 6 E | Asmara. Africa | 15 | N | 39 E |
| Aalborg. Denmark | 57 | N | 10 E | Asnieres. France | 40 | N | 2 E |
| Aalesund. Norway | 62 | N | 6 E | Astrakhan. USSR | 46 | N | 48 E |
| Aarhus. Denmark | 56 | N | 10 E | Asuncion. Paraguay | 25 | S | 57 W |
| Abbeville. France | 50 | N | 2 E | Athens. Greece | 38 | N | 24 E |
| Aberdeen. Scotland | 57 | N | 2 W | Atlixco. Mexico | 19 | N | 99 W |
| Acapulco. Mexico | 17 | N | 100 W | Auckland. N.Z. | 37 | S | 175 E |
| Adalia. Turkey | 37 | N | 31 E | Augsburg. Ger. | 48 | N | 11 E |
| Addis Ababa. Ethiopia | 9 | N | 39 E | Autlan. Mexico | 20 | N | 105 W |
| Adelaide. Australia | 35 | S | 138 E | Aux Cayes. Haiti | 18 | N | 74 W |
| Aden. Arabia | 12 | N | 45 E | Avignon. France | 44 | N | 5 -E |
| Afiun Karahissar. Tur. | 39 | N | 30 E | Ayr. Scotland | 55 | N | 5 W |
| Agana. Guam | 13 | N | 145 E | Bahia Blanca. Arg. | 39 | S | 62 W |
| Agra. India | 27 | N | 78 E | Badajoz. Spain | 39 | N | 7 W |
| Aguascalientes. Mexico | 22 | N | 102 W | Bagdad. Iraq | 33 | N | 44 E |
| Ahmedabad. India | 23 | N | 73 E | Bahia. Brazil | 13 | S | 38 W |
| Airdrie. Scotland | 56 | N | 4 W | Baku. U.S.S.R. | 40 | N | 50 E |
| Ajmere. India | 26 | N | 75 E | Ballarat. Australia | 37 | S | 144 E |
| Akkra. Africa | 5 | N | 0 | Bamako. Mali | 13 | N | 8 W |
| Alicante. Spain | 38 | N | 0 | Bamberg. Ger. | 50 | N | 11 E |
| Aldershot. Eng. | 51 | N | 1 W | Bandong. Java | 7 | S | 108 E |
| Aleppo. Syria | 36 | N | 37 E | Bangalore. India | 13 | N | 78 E |
| Alexandria. Egypt | 31 | N | 30 E | Bangkok. Thailand | 14 | N | 101 E |
| Algiers. Algeria | 37 | N | 3 E | Barcelona. Spain | 41 | N | 2 E |
| Allahabad. India | 25 | N | 82 E | Bareli. India | 28 | N | 80 E |
| Alost. Belgium | 51 | N | 4 E | Bari. Italy | 41 | N | 17 E |
| Altenburg. Germany | 51 | N | 12 E | Barnsley. England | 54 | N | 1 W |
| Altona. Germany | 54 | N | 10 E | Baroda. India | 22 | N | 73 E |
| Amal. Sweden | 59 | N | 13 E | Barquisimeto. Ven. | 10 | N | 69 W |
| Amiens. France | 50 | N | 2 E | Barranquilla. Colm. | 11 | N | 75 W |
| Amoy. China | 24 | N | 118 E | Barrow-in-Furn.. Eng. | 54 | N | 3 W |
| Amritsar. India | 32 | N | 75 E | Basel. Switzerland | 47 | N | 7 E |
| Amsterdam. Holland | 52 | N | 5 E | Bastia. Corsica | 43 | N | 9 E |
| Ancona. Italy | 44 | N | 14 E | Batavia. Java | 6 | S | 107 E |
| Angers. France | 47 | N | 1 W | Bath. England | 51 | N | 2 W |
| Angouleme, France | 46 | N | 0 | Bathurst. Africa | 14 | N | 17 W |
| Ankara. Turkey | 40 | N | 33 E | Batley. England | 54 | N | 2 W |
| Anking. China | 31 | N | 117 E | Battersea, England | 50 | N | 0 |
| Antofagasta. Chile | 24 | S | 70 W | Bautzen. Germany | 51 | N | 14 E |
| Antung. China | 40 | N | 124 E | Bayonne. France | 43 | N | 1 W |
| Antwerp. Belgium | 51 | N | 4 E | Bayreuth. Germany | 50 | N | 12 E |
| Apeldoorn. Holland | 52 | N | 6 E | Bedford. England | 52 | N | 0 |
| Apia. W. Samoa | 14 | S | 172 E | Belfast. Ireland | 55 | N | 6 W |
| Archangel. U. S. S. R. | 65 | N | 41 E | Belfort. France | 48 | N | 7 E |
| Arendal. Norway | 58 | N | 9 E | Belgrade. Yugoslavia | 45 | N | 21 E |
| Arequipa. Peru | 17 | S | 72 W | Belize. Brit. Honduras | 17 | N | 88 W |
| Arles. France | 44 | N | 5 E | Bello Horizonte, Brazil | 20 | S | 44 W |
| Armentieres. France | 51 | N | 3 E | Benares. India | 25 | N | 83 E |
| Arnhem. Holland | 52 | N | 6 E | Bendigo. Australia | 37 | S | 144 E |
| Arras. France | 50 | N | 3 E | Benghazi. Libya | 32 | N | 20 E |
| Arvika. Sweden | 60 | N | 13 E | Berbera. N. E. Africa | 10 | N | 45 E |
| Aschersleben, Ger. | 52 | N | 11 E | Berchem, Belgium | 51 | N | 4 E |

| City | Lat | | Long | |
|------|-----|---|------|---|
| Bergamo, Italy | 46 | N | 10 | E |
| Bergen, Norway | 60 | N | 5 | E |
| Bergerac, France | 45 | N | 1 | E |
| Berlin, Germany | 52 | N | 13 | E |
| Bermondsey, England | 50 | N | 0 | |
| Bern, Switzerland | 47 | N | 7 | E |
| Bernburg, Germany | 52 | N | 12 | E |
| Besancon, France | 47 | N | 6 | E |
| Bethlehem, Palestine | 32 | N | 35 | E |
| Bethnal Green, Eng. | 52 | N | 0 | |
| Beuthen, Germany | 50 | N | 19 | E |
| Beveren, Belgium | 51 | N | 4 | E |
| Bevrouth, Syria | 34 | N | 36 | E |
| Beziers, France | 43 | N | 3 | E |
| Bielefeld, Germany | 52 | N | 8 | E |
| Bienne, Switzerland | 47 | N | 7 | E |
| Bilbao, Spain | 43 | N | 3 | W |
| Birkenhead, England | 53 | N | 3 | W |
| Birmingham, England | 52 | N | 2 | W |
| Blackbern, England | 54 | N | 2 | W |
| Blackpool, England | 54 | N | 3 | W |
| Bloemfontein, S. Africa | 29 | S | 26 | E |
| Blumenau, Brazil | 27 | S | 49 | W |
| Bochum, Germany | 52 | N | 7 | E |
| Bogota, Colombia | 5 | N | 74 | W |
| Bolama, Port Guinea | 12 | N | 16 | W |
| Bologna, Italy | 44 | N | 11 | E |
| Bolton, England | 54 | N | 2 | W |
| Bombay, India | 19 | N | 73 | E |
| Bone, Algeria | 37 | N | 8 | E |
| Bonn, Germany | 51 | N | 7 | E |
| Boras, Sweden | 58 | N | 13 | E |
| Bordeaux, France | 45 | N | 1 | W |
| Borgerhout, Belgium | 51 | N | 4 | E |
| Bothwell, Scotland | 56 | N | 4 | W |
| Boulogne-sur-Mer, Fr. | 51 | N | 2 | E |
| Bourges, France | 47 | N | 2 | E |
| Bournemouth, England | 51 | N | 2 | W |
| Bradford, England | 54 | N | 2 | W |
| Braga, Portugal | 42 | N | 8 | W |
| Brandenburg, Germany | 52 | N | 13 | E |
| Brandon, Man. Can. | 50 | N | 100 | W |
| Brantford, Ont. Can. | 43 | N | 80 | W |
| Brasov, Rumania | 46 | N | 26 | E |
| Bratislava, Czech. | 48 | N | 17 | E |
| Brazzaville, Congo | 4 | S | 15 | E |
| Breda, Holland | 52 | N | 5 | E |
| Bremen, Germany | 53 | N | 9 | E |
| Brescia, Italy | 46 | N | 10 | E |
| Breslau, Poland | 51 | N | 17 | E |
| Brest, France | 48 | N | 3 | W |
| Bridgetown, Barbados | 13 | N | 60 | W |
| Brighton, England | 51 | N | 0 | |
| Brindisi, Italy | 41 | N | 18 | E |
| Brisbane, Australia | 27 | S | 153 | E |
| Bristol, England | 51 | N | 3 | W |
| Brno, Czech. | 49 | N | 17 | E |
| Broken Hill, N.S.W. | 32 | S | 141 | E |
| Brugge, Belgium | 51 | N | 3 | E |
| Brunei, Borneo | 5 | N | 115 | E |
| Brunswick, Germany | 52 | N | 11 | E |
| Brussels, Belgium | 51 | N | 4 | E |
| Bucuresti, Rumania | 44 | N | 26 | E |
| Budapest, Hungary | 48 | N | 19 | E |
| Buenos Aires, Arg. | 35 | S | 58 | W |
| Burgos, Spain | 42 | N | 4 | W |
| Burslem, England | 53 | N | 2 | W |
| Burton-Trent, Eng. | 53 | N | 2 | W |
| Burtrask, Sweden | 65 | N | 21 | E |
| Bury, England | 54 | N | 2 | W |
| Cadiz, Spain | 37 | N | 6 | W |
| Caen, France | 49 | N | 0 | |
| Cagliari, Sardinia | 39 | N | 9 | E |
| Cairo, Egypt | 30 | N | 31 | E |
| Calais, France | 51 | N | 2 | E |
| Calarasi, Rumania | 44 | N | 27 | E |
| Calcutta, India | 23 | N | 88 | E |
| Calgary, Alta. Can. | 51 | N | 114 | W |
| Cali, Colombia | 3 | N | 76 | W |
| Callao, Peru | 12 | S | 77 | W |
| Caltagirone, Sicily | 37 | N | 14 | E |
| Caltanissetta, Sicily | 37 | N | 14 | E |
| Camaguey, Cuba | 21 | N | 78 | W |
| Camberwell, England | 50 | N | 0 | |
| Cambrai, France | 50 | N | 3 | E |
| Cambridge, England | 52 | N | 0 | |
| Campinas, Brazil | 24 | S | 47 | W |
| Canberra, Australia | 35 | S | 150 | E |
| Cannes, France | 44 | N | 7 | E |
| Canton, China | 23 | N | 113 | E |
| Capetown, S. Africa | 34 | S | 19 | E |
| Cap Haitien, Haiti | 20 | N | 72 | W |
| Caracas, Venezuela | 11 | N | 67 | W |
| Carcassonne, France | 43 | N | 2 | E |
| Cardenas, Cuba | 23 | N | 81 | W |
| Cardiff, Wales | 52 | N | 3 | W |
| Carlisle, England | 55 | N | 3 | W |
| Carloforte, Sardinia | 39 | N | 8 | E |
| Carrara, Italy | 44 | N | 10 | E |
| Cartagena, Spain | 38 | N | 1 | W |
| Casablanca, Morocco | 34 | N | 8 | W |
| Castres, France | 44 | N | 2 | E |
| Catania, Sicily | 37 | N | 15 | E |
| Cawnpore, India | 26 | N | 80 | E |

## FOREIGN CITIES

| | | | | | | | |
|---|---|---|---|---|---|---|---|
| Cayenne, Fr. Guiana | 5 | N | 52 W | Coventry, England | 52 | N | 2 W |
| Ceara, Brazil | 4 | S | 38 W | Craiova, Rumania | 44 | N | 24 E |
| Cernauti, Rumania | 48 | N | 26 E | Crema, Italy | 45 | N | 10 E |
| Cette (Sete), France | 43 | N | 4 E | Cremona, Italy | 45 | N | 10 E |
| Ceuta, Sp. Morocco | 36 | N | 6 W | Crewe, England | 53 | N | 2 W |
| Chalons-sur-Marne, Fr. | 49 | N | 4 E | Croydon, England | 51 | N | 0 |
| Chalons-sur-Saone, Fr. | 47 | N | 5 E | Cumberland, Australia | 19 | S | 143 E |
| Changan, China | 34 | N | 109 E | Cuneo, Italy | 44 | N | 8 E |
| Changchow, China | 25 | N | 118 E | Curitiba, Brazil | 25 | S | 49 W |
| Changsha, China | 27 | N | 113 E | Cuzco, Peru | 13 | S | 72 W |
| Changteh, China | 29 | N | 111 E | Czestochowa, Poland | 51 | N | 19 E |
| Charleroi, Belgium | 50 | N | 4 E | Dacca, India | 24 | N | 90 E |
| Charlotte Amalie, V. I. | 18 | N | 65 W | Dairen, China | 39 | N | 122 E |
| Charlottenburg, Ger. | 52 | N | 13 E | Dakar, F. W. Africa | 15 | N | 18 W |
| Charlottetown, P. E. I. | 46 | N | 63 W | Damascus, Syria | 34 | N | 36 E |
| Chartres, France | 48 | N | 1 E | Damietta, Egypt | 31 | N | 32 E |
| Chateauroux, France | 47 | N | 2 E | Danzig, Poland | 54 | N | 19 E |
| Chatham, England | 51 | N | 0 | Dar-es-Salaam, Africa | 7 | S | 39 E |
| Chefoo, China | 37 | N | 122 E | Darlington, England | 55 | N | 2 W |
| Cheliabinsk, U.S.S.R. | 55 | N | 61 E | Darmstadt, Germany | 50 | N | 9 E |
| Cheltenham, England | 51 | N | 2 W | Darwin, Australia | 12 | S | 131 E |
| Chemnitz, Germany | 51 | N | 13 E | Debrecen, Hungary | 47 | N | 22 E |
| Chengtu, China | 31 | N | 104 E | Degerfors, Sweden | 59 | N | 15 E |
| Cherbourg, France | 50 | N | 2 W | Dehra, India | 30 | N | 78 E |
| Chester, England | 53 | N | 3 W | Delft, Holland | 52 | N | 4 E |
| Chihuahua, Mexico | 29 | N | 106 W | Delhi, India | 29 | N | 77 E |
| Chisinau, Rumania | 47 | N | 29 E | Delli, Timor, E. E. I. | 9 | S | 126 E |
| Christiansand, Norway | 58 | N | 8 E | Deptford, England | 50 | N | 0 |
| Christianstad, Sweden | 56 | N | 14 E | Derby, England | 53 | N | 1 W |
| Christiansund, Norway | 63 | N | 8 E | Dessau, Germany | 52 | N | 12 E |
| Chungking, China | 31 | N | 104 E | Deurne, Belgium | 51 | N | 4 E |
| Cienfuegos, Cuba | 22 | N | 80 W | Deventer, Holland | 52 | N | 6 E |
| Clermont, France | 46 | N | 3 E | Devonport, England | 50 | N | 4 W |
| Clichy-la-Garenne, Fr. | 49 | N | 2 E | Dijon, France | 47 | N | 5 E |
| Coatbridge, Scotland | 56 | N | 4 W | Dire Dawa, Ethiopia | 10 | N | 41 E |
| Cochabamba, Bolivia | 18 | S | 67 W | Dnepropetrovsk, USSR | 48 | N | 35 E |
| Coimbra, Portugal | 40 | N | 8 W | Dordrecht, Holland | 52 | N | 5 E |
| Colchester, England | 52 | N | 1 E | Dortmund, Germany | 52 | N | 5 E |
| Cologne, Germany | 51 | N | 7 E | Douai, France | 50 | N | 3 E |
| Colmar, France | 48 | N | 7 E | Douglas, Isle of Man, | 54 | N | 4 W |
| Colombo, Ceylon | 7 | N | 80 E | Dover, England | 51 | N | 1 E |
| Colon, Panama | 9 | N | 80 W | Dragfjord, Finland | 60 | N | 22 E |
| Como, Italy | 46 | N | 9 E | Drammen, Norway | 60 | N | 10 E |
| Concepcion, Chile | 37 | S | 72 W | Drancy, France | 49 | N | 3 E |
| Concordia, Argentine | 31 | S | 58 W | Dresden, Germany | 51 | N | 14 E |
| Constantine, Algeria | 36 | N | 6 E | Dublin, Ireland | 53 | N | 6 W |
| Copenhagen, Denmark | 56 | N | 13 E | Dudley, England | 53 | N | 2 W |
| Cordoba, Argentine | 31 | S | 64 W | Duisburg, Germany | 51 | N | 7 E |
| Cordoba, Spain | 38 | N | 5 W | Dumbarton, Scotland | 56 | N | 5 W |
| Cork, Ireland | 52 | N | 8 W | Dundee, Scotland | 56 | N | 3 W |
| Courbevoie, France | 49 | N | 2 E | Dunedin, New Zealand | 46 | S | 170 E |

| | | | | | | | |
|---|---|---|---|---|---|---|---|
| Dunfermline, Scotland | 56 | N | 3 | W | Fukuoka, Japan | 34 | N | 131 | E |
| Dunkirk, France | 51 | N | 2 | E | Fulham, England | 50 | N | 0 | |
| Durango, Mexico | 24 | N | 105 | W | Funchal, Maderia | 33 | N | 17 | W |
| Durban, S. Africa | 30 | S | 31 | E | Furth, Germany | 49 | N | 11 | E |
| Duren, Germany | 51 | N | 6 | E | Galati, Rumania | 45 | N | 28 | E |
| Dusseldorf, Germany | 51 | N | 7 | E | Gateshead, England | 55 | N | 2 | W |
| Ealing, England | 50 | N | 0 | | Geelong, Australia | 38 | S | 144 | E |
| Eastbourne, England | 51 | N | 0 | | Gefle, Sweden | 61 | N | 17 | E |
| East Ham, England | 50 | N | 0 | | Gelsenkirchen, Ger. | 52 | N | 7 | E |
| East London, S. Africa | 33 | S | 28 | E | Geneva, Switzerland | 46 | N | 6 | E |
| Edinburg, Scotland | 56 | N | 3 | W | Genoa, Italy | 44 | N | 9 | E |
| Edirne, Turkey | 41 | N | 27 | E | Georgetown, Br. Guiana | 7 | N | 58 | W |
| Edmonton, Alta. Can. | 54 | N | 114 | W | Georgetown, Malay Sts. | 5 | N | 100 | E |
| Ehrenfeld, Germany | 51 | N | 7 | E | Gera, Germany | 51 | N | 12 | E |
| Eidsvold, Norway | 60 | N | 11 | E | Germiston, Transvaal | 26 | S | 28 | E |
| Eisenach, Germany | 51 | N | 10 | E | Ghent, Belgium | 51 | N | 4 | E |
| Elbing, Germany | 54 | N | 19 | E | Gibraltar, Spain | 36 | N | 5 | W |
| Elblag, Poland | 54 | N | 19 | E | Giessen, Germany | 51 | N | 9 | E |
| Elsinore, Denmark | 56 | N | 12 | E | Gladbach-Rheydt, Ger. | 51 | N | 6 | E |
| Elvas, Portugal | 39 | N | 7 | W | Glasgow, Scotland | 56 | N | 4 | W |
| Elvrum, Norway | 61 | N | 12 | E | Glauchau, Germany | 51 | N | 13 | E |
| Enfield, England | 52 | N | 0 | | Glemminge, Norway | 67 | N | 11 | E |
| Eno, Finland | 63 | N | 30 | E | Gliwice, Poland | 50 | N | 19 | E |
| Enschede, Holland | 52 | N | 7 | E | Gloucester, England | 52 | N | 2 | W |
| Epinal, France | 48 | N | 6 | E | Gomel, U. S. S. R. | 53 | N | 31 | E |
| Erfurt, Germany | 51 | N | 11 | E | Gorki, U. S. S. R. | 56 | N | 44 | E |
| Eskilstuna, Sweden | 59 | N | 16 | -E | Gorizia, Italy | 46 | N | 14 | E |
| Essen, Germany | 52 | N | 7 | E | Gorlitz, Germany | 51 | N | 15 | E |
| Esslingem, Germany | 49 | N | 9 | E | Gotha, Germany | 51 | N | 11 | E |
| Exeter, England | 51 | N | 4 | W | Goteburg, Sweden | 58 | N | 12 | E |
| Falkirk, Scotland | 56 | N | 4 | W | Gottingen, Germany | 52 | N | 10 | E |
| Falun, Sweden | 61 | N | 16 | E | Gouda, Holland | 52 | N | 5 | E |
| Fano, Italy | 44 | N | 13 | E | Goulburn, Australia | 35 | S | 150 | E |
| Faro , Portugal | 37 | N | 8 | W | Govan, Scotland | 56 | N | 4 | W |
| Fez, Morocco | 34 | N | 6 | W | Graaf-Reinet, S. Africa | 32 | S | 25 | E |
| Fiume, Yugoslavia | 45 | N | 14 | E | Grahamstown, S. Afr. | 33 | S | 27 | E |
| Fleetwood, England | 54 | N | 3 | W | Granada, Spain | 37 | N | 4 | W |
| Flensburg, Germany | 55 | N | 9 | E | Graz, Austria | 47 | N | 16 | E |
| Flers, France | 49 | N | 1 | W | Greenock, Scotland | 56 | N | 5 | W |
| Florence, Italy | 44 | N | 11 | E | Greenwich, England | 51 | N | 0 | |
| Folkestone, England | 51 | N | 1 | E | Grenoble, France | 45 | N | 6 | E |
| Foochow, China | 26 | N | 119 | E | Grimsby, England | 54 | N | 0 | |
| Forssa, Finland | 61 | N | 24 | E | Grodno, Poland | 54 | N | 24 | E |
| Fort-de-France, Martinique | 15 | N | 61 | W | Groningen, Holland | 53 | N | 7 | |
| Frankfort, Germany | 50 | N | 9 | E | Groot Fontein, S. Afr. | 20 | S | 18 | E |
| Fredericia, Denmark | 56 | N | 10 | E | Grozny, U. S. S. R. | 43 | N | 45 | E |
| Fredrikstad, Norway | 59 | N | 11 | E | Grue, Norway | 61 | N | 12 | E |
| Freetown, Africa | 9 | N | 14 | W | Guadalajara, Mexico | 21 | N | 103 | W |
| Freiburg, Germany | 51 | N | 13 | E | Guanajuato, Mexico | 21 | N | 101 | W |
| Freiburg, Switzerland | 47 | N | 7 | E | Guatemala, Guatemala | 15 | N | 90 | W |
| Fremantle, Australia | 32 | S | 131 | E | Guayaquil, Ecuador | 2 | S | 80 | W |

## FOREIGN CITIES

| City | Lat | | Long | |
|---|---|---|---|---|
| Guben, Germany | 52 | N | 15 | E |
| Guelph, Ont. Can. | 44 | N | 80 | W |
| Gympie, Australia | 26 | S | 153 | E |
| Gyor, Hungary | 47 | N | 18 | E |
| Haarlem, Holland | 52 | N | 5 | E |
| Hackney, England | 50 | N | 0 | |
| Haderslev, Denmark | 55 | N | 9 | E |
| Hagen, Germany | 51 | N | 7 | E |
| Haifa, Palestine | 33 | N | 35 | E |
| Haiphong, N. Vietnam | 21 | N | 107 | E |
| Hakodate, Japan | 42 | N | 141 | E |
| Halberstadt, Germany | 52 | N | 11 | E |
| Halden, Norway | 59 | N | 12 | E |
| Halifax, England | 54 | N | 2 | W |
| Halifax, Nova Scotia | 45 | N | 64 | W |
| Halle, Germany | 51 | N | 12 | E |
| Halmstad, Sweden | 57 | N | 13 | E |
| Hamah, Syria | 35 | N | 37 | E |
| Hamamatsu, Japan | 35 | N | 138 | E |
| Hamar, Norway | 61 | N | 11 | E |
| Hamburg, Germany | 54 | N | 10 | E |
| Hamilton, Bermuda | 32 | N | 65 | W |
| Hamilton, Ont. Can. | 43 | N | 80 | W |
| Hamilton, Scotland | 56 | N | 4 | W |
| Hamm, Germany | 52 | N | 8 | E |
| Hammersmith, Eng. | 51 | N | 0 | |
| Hanau, Germany | 50 | N | 9 | E |
| Hangchow, China | 30 | N | 120 | E |
| Hankow, China | 31 | N | 114 | E |
| Hanoi, French I. C. | 21 | N | 106 | E |
| Hanover, Germany | 52 | N | 10 | E |
| Hanyang, China | 30 | N | 114 | E |
| Harar, Ethiopia | 42 | N | 9 | E |
| Harbin, China | 46 | N | 127 | E |
| Harburg, Germany | 53 | N | 10 | E |
| Haugesund, Norway | 60 | N | 10 | E |
| Havana, Cuba | 23 | N | 82 | W |
| Heidelberg, Germany | 49 | N | 9 | E |
| Heilbronn, Germany | 49 | N | 9 | E |
| Helder, Holland | 53 | N | 5 | E |
| Helsinborg, Sweden | 56 | N | 13 | E |
| Helsinki, Finland | 60 | N | 25 | E |
| Hendon, England | 50 | N | 0 | |
| Herisau, Switzerland | 47 | N | 9 | E |
| Hernosand, Sweden | 42 | N | 18 | E |
| Hildesheim, Germany | 52 | N | 10 | E |
| Hilo, Hawaii | 20 | N | 156 | W |
| Hilversum, Holland | 52 | N | 5 | E |
| Hindenburg, Poland | 50 | N | 19 | E |
| Hiroshima, Japan | 34 | N | 132 | E |
| Hobart, Tasmania | 43 | S | 147 | E |
| Holguin, Cuba | 21 | N | 76 | W |
| Homs, Syria | 35 | N | 37 | E |
| Hongkong, China | 22 | N | 114 | E |
| Honolulu, Hawaii | 21 | N | 158 | W |
| Horten, Norway | 59 | N | 10 | E |
| Hove, England | 51 | N | 0 | |
| Howrah, India | 23 | N | 88 | E |
| Hsinking, China | 44 | N | 125 | E |
| Huckow, China | 31 | N | 120 | E |
| Huddersfield, England | 54 | N | 2 | W |
| Hue, S: Vietnam | 17 | N | 107 | E |
| Hull, Que. Can. | 45 | N | 76 | W |
| Hull, England | 54 | N | 2 | W |
| Hyde, England | 53 | N | 2 | W |
| Hyderabad, India | 25 | N | 67 | E |
| Hvvinkaa, Finland | 61 | N | 25 | E |
| Iasi, Rumania | 47 | N | 28 | E |
| Ibadan, Nigeria | 8 | N | 4 | E |
| Ichang, China | 31 | N | 111 | E |
| Ilford, England | 51 | N | 1 | E |
| Ilheus, Brazil | 15 | S | 39 | W |
| Indore, India | 23 | N | 76 | E |
| Innsbruck, Austria | 47 | N | 11 | E |
| Insterburg, USSR | 55 | N | 22 | E |
| Inverness, Scotland | 57 | N | 4 | W |
| Ipswich, Australia | 28 | S | 153 | E |
| Ipswich, England | 52 | N | 1 | E |
| Iquique, Chile | 20 | N | 70 | W |
| Irkutsk, USSR | 52 | N | 102 | E |
| Islington, England | 51 | N | 0 | |
| Ispahan, Iran | 33 | N | 52 | E |
| Istanbul, Turkey | 41 | N | 29 | E |
| Ivanovo, USSR | 57 | N | 41 | E |
| Ivry, France | 49 | N | 3 | E |
| Izmir, Turkey | 38 | N | 27 | E |
| Jabalpur, India | 23 | N | 80 | E |
| Jaffa, Palestine | 32 | N | 35 | E |
| Jaipur, India | 27 | N | 76 | E |
| Jarrow, England | 55 | N | 1 | W |
| Jerez, Spain | 37 | N | 6 | W |
| Jerusalem, Palestine | 32 | N | 35 | E |
| Johannesburg, S. Afr. | 26 | S | 28 | E |
| Jogjakarta, Indonesia | 8 | S | 110 | E |
| Jonkoping, Sweden | 58 | N | 14 | E |
| Juiz de Fors, Brazil | 22 | S | 43 | W |
| Julianehaan, Greenland | 60 | N | 45 | W |
| Jullundur, India | 31 | N | 76 | E |
| Kagoshima, Japan | 31 | N | 131 | E |
| Kaiserslautern, Ger. | 49 | N | 8 | E |
| Kalinin, U.S.S.R. | 57 | N | 36 | E |
| Kampen, Holland | 53 | N | 6 | E |
| Kanezawa, Japan | 37 | N | 137 | E |
| Kano, Nigeria | 12 | N | 67 | E |

## FOREIGN CITIES

| | | | | | | | |
|---|---|---|---|---|---|---|---|
| Karachi, Pakistan | 25 | N | 67 | E | Lanchow, China | 36 | N | 104 | E |
| Karlskrona, Sweden | 56 | N | 16 | E | Landsberg, Germany | 53 | N | 15 | E |
| Karlsruhe, Germany | 49 | N | 8 | E | Landskrona, Sweden | 56 | N | 13 | E |
| Karlstad, Sweden | 59 | N | 13 | E | La Paz, Bolivia | 17 | S | 67 | W |
| Kassel, Germany | 51 | N | 9 | E | La Piedad, Mexico | 20 | N | 102 | W |
| Katowice, Poland | 50 | N | 19 | E | La Plata, Argentine | 34 | S | 58 | W |
| Kaunas, Lithuania | 55 | N | 24 | E | Larisa, Greece | 40 | N | 22 | E |
| Kazan, U.S.S.R. | 56 | N | 49 | E | La Rochelle, France | 47 | N | 1 | W |
| Keighley, England | 54 | N | 2 | W | La Spezia, Italy | 44 | N | 10 | E |
| Keijo, Korea | 37 | N | 127 | E | Launceston, Tasmania | 41 | N | 147 | E |
| Kensington, England | 51 | N | 0 | | Larvik, Norway | 59 | N | 10 | E |
| Kerkyra, Greece | 39 | N | 20 | E | Lausanne, Switzerland | 47 | N | 7 | E |
| Khabarovck, USSR | 49 | N | 135 | E | Laval, France | 48 | N | 1 | W |
| Kharhov, U.S.S.R. | 50 | N | 36 | E | Leeds, England | 54 | N | 2 | W |
| Khartum, Sudan | 16 | N | 33 | E | Leeuwarden, Holland | 53 | N | 6 | E |
| Kiang May, Thailand | 19 | N | 99 | E | Leghorn, Italy | 44 | N | 10 | E |
| Kiel, Germany | 54 | N | 10 | E | Le Havre, France | 49 | N | 0 | |
| Kiev, USSR | 50 | N | 30 | E | Leicester, England | 53 | N | 1 | W |
| Kimberley, S. Africa | 29 | S | 25 | E | Leiden, Holland | 52 | N | 4 | E |
| Kingston, Ont. Can. | 44 | N | 76 | W | Leigh, England | 54 | N | 3 | W |
| Kingston-upon-Hull, England | | | | | Leipzig, Germany | 51 | N | 12 | E |
| | 54 | N | 0 | | Leith, Scotland | 56 | N | 3 | W |
| Kingston, Jamaica | 18 | N | 78 | W | Le Mans, France | 48 | N | 0 | |
| Kingstown, St. Vincent | 13 | N | 61 | W | Leningrad, U.S.S.R. | 60 | N | 30 | E |
| Kingteh-chen, China | 29 | N | 117 | E | Lenvik, Norway | 69 | N | 18 | E |
| Kirin, China | 44 | N | 126 | E | Leon, Mexico | 21 | N | 102 | W |
| Kirkcaldy, Scotland | 56 | N | 3 | W | Leopoldville, Africa | 4 | S | 15 | E |
| Kobe, Japan | 35 | N | 135 | E | Lewisham, England | 51 | N | 1 | E |
| Kolomyya, U.S.S.R. | 48 | N | 25 | E | Leyton, England | 52 | N | 0 | |
| Konakry, Fr. G. Africa | 10 | N | 14 | W | Lhasa, Tibet | 30 | N | 92 | E |
| Konigsberg, U.S.S.R. | 55 | N | 21 | E | Liaoyang, Manchukuo | 41 | N | 123 | E |
| Kotka, Finland | 61 | N | 27 | E | Liege, Belgium | 51 | N | 6 | E |
| Kottbus, Germany | 52 | N | 14 | E | Liegnitz, Poland | 51 | N | 16 | E |
| Kotzebue, Alaska | 52 | N | 14 | E | Lierre, Belgium | 51 | N | 5 | E |
| Koweit, Arabia | 29 | N | 48 | E | Lille, France | 51 | N | 3 | E |
| Krakow, Poland | 50 | N | 20 | E | Lillehammer, Norway | 61 | N | 10 | E |
| Krasnodar, U.S.S.R. | 45 | N | 39 | E | Lima, Peru | 53 | N | 9 | W |
| Krefeld, Germany | 51 | N | 7 | E | Limoges, France | 46 | N | 1 | E |
| Kristinehamm, Sweden | 59 | N | 14 | E | Lincoln, England | 53 | N | 1 | W |
| Kuala Lumpur, Malay | 3 | N | 102 | E | Linden, Germany | 52 | N | 10 | E |
| Kuching, E. I. I. | 1 | N | 111 | E | Linkoping, Sweden | 58 | N | 16 | E |
| Kumamoto, Japan | 33 | N | 131 | E | Linz, Austria | 48 | N | 14 | E |
| Kuopio, Finland | 63 | N | 28 | E | Lisbon, Portugal | 39 | N | 9 | W |
| Kure, Japan | 34 | N | 133 | E | Liverpool, England | 53 | N | 3 | W |
| Kweiyank, China | 26 | N | 106 | E | Lodz, Poland | 52 | N | 19 | E |
| Kyoto, Japan | 35 | N | 136 | E | Lokeren, Belgium | 51 | N | 4 | E |
| La Coruna, Spain | 43 | N | 8 | W | London, Ont. Can. | 43 | N | 81 | W |
| Lagos, Mexico | 21 | N | 102 | W | London, England | 52 | N | 0 | |
| Lagos, Nigeria | 6 | N | 3 | E | Londonderry, Ireland | 55 | N | 7 | W |
| Lahti, Finland | 61 | N | 26 | E | Longton, England | 53 | N | 2 | W |
| Lahore, Pakistan | 32 | N | 74 | E | Lorca, Spain | 38 | N | 2 | W |
| La Louviere, Belgium | 50 | N | 4 | E | Lorient, France | 48 | N | 3 | W |

# FOREIGN CITIES

| City | Lat | | Long | |
|------|-----|---|------|---|
| Lourenco-Marques, Mozambique | 26 | S | 33 | E |
| Louvain, Belgium | 51 | N | 5 | E |
| Lubeck, W. Germany | 54 | N | 11 | E |
| Lublin, Poland | 51 | N | 23 | E |
| Lucca, Italy | 44 | N | 11 | E |
| Lucerne, Switzerland | 47 | N | 8 | E |
| Lucknow, India | 27 | N | 81 | E |
| Ludwigshafen, Ger. | 49 | N | 8 | E |
| Lulea, Sweden | 66 | N | 22 | E |
| Lund, Sweden | 56 | N | 13 | E |
| Lusaka, Zambia | 15 | S | 28 | E |
| Luton, England | 52 | N | 0 | |
| Luxemburg, Luxemburg | 50 | N | 6 | E |
| Lwow, Poland | 50 | N | 24 | E |
| Lyon, France | 46 | N | 5 | E |
| Maastricht, Holland | 51 | N | 6 | E |
| Macao, China | 22 | N | 113 | E |
| Macassar, Celebes | 5 | S | 119 | E |
| Macclesfield, England | 53 | N | 2 | W |
| Maceio, Brazil | 10 | S | 36 | W |
| Madang, New Guinea | 5 | S | 146 | E |
| Madras, India | 13 | N | 80 | E |
| Madrid, Spain | 40 | N | 4 | W |
| Madura, India | 10 | N | 78 | E |
| Mafeking, Africa | 26 | S | 26 | E |
| Magdeburg, Germany | 52 | N | 12 | E |
| Magnitogorsk, U.S.S.R. | 53 | N | 59 | E |
| Maidstone, England | 51 | N | 1 | E |
| Mainz, Germany | 50 | N | 8 | E |
| Maitland, Australia | 33 | S | 152 | E |
| Malaga, Spain | 37 | N | 4 | W |
| Malmo, Sweden | 56 | N | 13 | E |
| Managua, Nicaragua | 12 | N | 86 | W |
| Manchester, England | 53 | N | 2 | W |
| Mandalay, Burma | 22 | N | 96 | E |
| Manila, P. Islands | 15 | N | 121 | E |
| Mannheim, Germany | 49 | N | 9 | E |
| Mantua, Italy | 45 | N | 11 | E |
| Maracaibo, Venezuela | 11 | N | 72 | W |
| Marburg, Germany | 51 | N | 9 | E |
| Mariupol, U.S.S.R. | 47 | N | 37 | E |
| Marsala, Sicily | 38 | N | 13 | E |
| Marseilles, France | 43 | N | 5 | E |
| Maseru, Africa | 29 | S | 27 | E |
| Masqat, Arabia | 24 | N | 59 | E |
| Maturin, Venezuela | 10 | N | 63 | W |
| Mazatlan, Mexico | 23 | N | 107 | W |
| Mbabane, S. Africa | 27 | S | 31 | E |
| Mecca, Arabia | 21 | N | 40 | E |
| Mechelen, Belgium | 51 | N | 4 | E |
| Medellin, Colombia | 6 | N | 76 | W |
| Meerane, Germany | 51 | N | 12 | E |
| Meerut, India | 29 | N | 78 | E |
| Meissen, Germany | 51 | N | 13 | E |
| Melbourne, Australia | 38 | S | 145 | E |
| Mendoza, Argentine | 33 | S | 69 | W |
| Mengtzu, China | 23 | N | 104 | E |
| Mercedes, Uruguay | 33 | S | 58 | W |
| Merida, Mexico | 21 | N | 90 | W |
| Merthyr-Tydfil, Wales | 52 | N | 3 | W |
| Messina, Sicily | 38 | N | 15 | E |
| Metz, France | 49 | N | 6 | E |
| Mexico City, Mexico | 19 | N | 99 | W |
| Middlesborough, Eng. | 55 | N | 1 | W |
| Milan, Italy | 45 | N | 9 | E |
| Minsk, U.S.S.R. | 54 | N | 27 | E |
| Mogadishu, Somali | 2 | N | 46 | E |
| Moji, Japan | 43 | N | 131 | E |
| Monaco | 44 | N | 7 | E |
| Monrovia, Liberia | 6 | N | 11 | W |
| Mons, Belgium | 50 | N | 4 | E |
| Montauban, France | 44 | N | 1 | E |
| Montceau-les-Mines, France | 47 | N | 4 | E |
| Monterrey, Mexico | 25 | N | 100 | W |
| Montevideo, Uruguay | 35 | S | 56 | W |
| Montlucon, France | 46 | N | 3 | E |
| Montpellier, France | 44 | N | 4 | E |
| Montreal, Que. Can. | 46 | N | 74 | W |
| Mora, Sweden | 61 | N | 15 | E |
| Morocco, Morocco | 32 | N | 8 | W |
| Moscow, U.S.S.R. | 56 | N | 38 | E |
| Mosjoen, Norway | 66 | N | 13 | E |
| Mokenes, Norway | 68 | N | 13 | E |
| Motherwell, Scotland | 56 | N | 4 | W |
| Muhlhausen, Germany | 51 | N | 10 | E |
| Mukden, China | 42 | N | 123 | E |
| Mulheim, Germany | 51 | N | 7 | E |
| Mulhouse, France | 48 | N | 7 | E |
| Multan, Pakistan | 30 | N | 72 | E |
| Munich, Germany | 48 | N | 12 | E |
| Munster, Germany | 52 | N | 8 | E |
| Muradabad, India | 29 | N | 79 | E |
| Murcia, Spain | 38 | N | 1 | W |
| Nagasaki, Japan | 33 | N | 130 | E |
| Nagoya, Japan | 35 | N | 137 | E |
| Nagpur, India | 21 | N | 79 | E |
| Nairobi, Africa | 1 | S | 37 | E |
| Namur, Belgium | 50 | N | 5 | E |
| Nan-chang, China | 28 | N | 116 | E |
| Nancy, France | 49 | N | 6 | E |

| | | | | | | | |
|---|---|---|---|---|---|---|---|
| Nanking, China | 32 | N | 119 | E | Osnabruck, Germany | 52 | N | 8 | E |
| Nantes, France | 47 | N | 2 | W | Ostend, Belgium | 51 | N | 3 | E |
| Naples, Italy | 41 | N | 14 | E | Ostersund, Sweden | 63 | N | 15 | E |
| Narbonne, France | 43 | N | 3 | E | Ostrova, Czech. | 50 | N | 13 | E |
| Nassau, Bahama Isl. | 25 | N | 77 | W | Otaru, Japan | 43 | N | 141 | E |
| Nederpalix, Sweden | 66 | N | 23 | E | Ottawa, Ont. Canada | 45 | N | 76 | E |
| Nelson, England | 54 | N | 2 | W | Oulu, Finland | 65 | N | 26 | E |
| Neuchatel, Switzerland | 47 | N | 7 | E | Oviedo, Spain | 42 | N | 6 | W |
| Neuilly-sur-Seine, Fr. | 49 | N | 2 | E | Oxford, England | 52 | N | 1 | W |
| Neumunster, Germany | 54 | N | 10 | E | Paarl, S. Africa | 34 | S | 19 | E |
| Neusatz, Yugoslavia | 45 | N | 20 | E | Pachuca, Mexico | 20 | N | 99 | W |
| Neuss, Germany | 51 | N | 7 | E | Paddington, England | 52 | N | 0 | |
| Nevers, France | 47 | N | 3 | E | Padua, Italy | 45 | N | 12 | E |
| Newcastle, N. S. Wales | 33 | S | 152 | E | Paisley, Scotland | 56 | N | 4 | W |
| Newcastle-on-Tyne, England | | | | | Palembang, Sumatra | 3 | S | 105 | E |
| | 55 | N | 2 | W | Palermo, Sicily | 38 | N | 13 | E |
| Newchwang, China | 41 | N | 123 | E | Palma, Spain | 40 | N | 3 | E |
| Niagara Falls, Ont., Canada | | | | | Pamplona, Spain | 43 | N | 2 | W |
| | 43 | N | 79 | W | Panama, Panama | 9 | N | 80 | W |
| Nice, France | 44 | N | 7 | E | Para, Brazil | 2 | S | 48 | W |
| Nicosia, Cyprus | 35 | N | 33 | E | Paramaribo, D. Guiana | 6 | N | 55 | W |
| Niigata, Japan | 38 | N | 139 | E | Paris, France | 49 | N | 2 | E |
| Niteroi, Brazil | 23 | S | 43 | W | Parral, Mexico | 27 | N | 106 | W |
| Nijmegen, Holland | 52 | N | 6 | E | Parramatta, Australia | 34 | S | 151 | E |
| Nikolaief, U.S.S.R. | 47 | N | 32 | E | Patna, India | 26 | N | 85 | E |
| Nimes, France | 44 | N | 4 | E | Pau, France | 43 | N | 0 | |
| Ningpo, China | 30 | N | 121 | E | Peking, China | 40 | N | 116 | E |
| Nogales, Mexico | 32 | N | 111 | W | Penza, U.S.S.R. | 53 | N | 45 | E |
| Nio, Yugoslavia | 43 | N | 22 | E | Perigueux, France | 45 | N | 1 | E |
| Norrkoping, Sweden | 59 | N | 16 | E | Perm, U.S.S.R. | 58 | N | 56 | E |
| Northampton, Eng. | 52 | N | 1 | W | Pernambuco, Brazil | 8 | S | 35 | W |
| Norwich, England | 53 | N | 1 | E | Perpignan, France | 43 | N | 3 | E |
| Nottingham, England | 53 | N | 1 | W | Perth, Australia | 32 | S | 116 | E |
| Noumea, N. Caledonia | 22 | S | 166 | E | Perth, Scotland | 56 | N | 3 | W |
| Nuremberg, Germany | 49 | N | 11 | E | Peshawar, Pakistan | 34 | N | 72 | E |
| Oberhausen, Germany | 52 | N | 7 | E | Peterborough, Ont., Can. | 44 | N | 78 | W |
| Odense, Denmark | 55 | N | 10 | E | Peterborough, England | 53 | N | 0 | |
| Odessa, U.S.S.R. | 47 | N | 31 | E | Petropavlovsk, USSR | 55 | N | 69 | E |
| Offenbach, Germany | 50 | N | 9 | E | Pforzheim, Germany | 49 | N | 9 | E |
| Okayama, Japan | 35 | N | 134 | E | Petermaritzburg, S. Africa | | | | |
| Oldenburg, Germany | 53 | N | 8 | E | | 30 | S | 30 | E |
| Oldham, England | 55 | N | 2 | W | Pilsen, Czech. | 50 | N | 13 | E |
| Omdurman, Africa | 16 | N | 33 | E | Piraeus, Greece | 38 | N | 23 | E |
| Omsk, U.S.S.R. | 55 | N | 74 | E | Pirmasens, Germany | 49 | N | 8 | E |
| Oporto, Portugal | 41 | N | 9 | W | Pisa, Italy | 44 | N | 10 | E |
| Oran, Algeria | 36 | N | 1 | W | Plauen, Germany | 50 | N | 12 | E |
| Orebro, Sweden | 59 | N | 15 | E | Plovdiv, Bulgaria | 42 | N | 24 | E |
| Orenburg, U.S.S.R. | 52 | N | 55 | E | Plymouth, England | 50 | N | 4 | W |
| Orizaba, Mexico | 19 | N | 97 | W | Poitiers, France | 47 | N | 0 | |
| Orleans, France | 48 | N | 2 | E | Pola, Yugoslavia | 45 | N | 14 | E |
| Osaka, Japan | 35 | N | 136 | E | Ponce, Puerto Rico | 18 | N | 67 | W |
| Oslo, Norway | 60 | N | 11 | E | Pontefract, England | 54 | N | 1 | W |

## FOREIGN CITIES

| | | | | | | | |
|---|---|---|---|---|---|---|---|
| Poona, India | 18 | N | 74 | E | Rouen, France | 49 | N | 1 | E |
| Pori, Finland | 62 | N | 22 | E | Roeselare, Belgium | 51 | N | 3 | E |
| Portalegre, Portugal | 39 | N | 7 | W | Ryojun, China | 39 | N | 121 | E |
| Port Arthur, Ont. Can. | 48 | N | 89 | W | Saarbrucken, Germany | 49 | N | 7 | E |
| Port Au Prince, Haiti | 19 | N | 72 | W | Saigon, S. Vietnam | 11 | N | 107 | E |
| Port Elizabeth, S. Africa | 34 | S | 26 | E | Sakai, Japan | 35 | N | 36 | E |
| Port Louis, Mauritius | 20 | S | 57 | E | Salford, England | 53 | N | 2 | W |
| Port of Spain, Trin. | 11 | N | 61 | W | Salisbury, Africa | 18 | S | 31 | E |
| Port Said, Egypt | 31 | N | 32 | E | Saltillo, Mexico | 25 | N | 101 | W |
| Porto Alegre, Brazil | 30 | S | 51 | W | Salzburg, Austria | 48 | N | 13 | E |
| Porto Novo, Africa | 7 | N | 3 | E | Samarkand, U.S.S.R. | 40 | N | 67 | E |
| Portsmouth, England | 51 | N | 1 | W | Sanaa, Yemen | 15 | N | 45 | E |
| Possneck, Germany | 51 | N | 12 | E | Sandakan, Borneo | 6 | N | 118 | E |
| Potsdam, Germany | 52 | N | 13 | E | San Jose, Costa Rica | 10 | N | 84 | W |
| Poznan, Poland | 52 | N | 17 | E | San Luis, Argentine | 33 | S | 66 | W |
| Prague, Czech. | 50 | N | 14 | E | San Juan, Puerto Rico | 18 | N | 66 | W |
| Preston, England | 54 | N | 3 | W | San Luis Potosi, Mex. | 22 | N | 101 | W |
| Pretoria, S. Africa | 26 | S | 28 | E | San Marino, Italy | 44 | N | 12 | E |
| Puebla, Mexico | 19 | N | 98 | W | San Salvador, C. A. | 14 | N | 89 | W |
| Quebec, Que. Can. | 47 | N | 71 | W | Sante Fe, Argentine | 32 | S | 61 | W |
| Queenstown, S. Africa | 32 | S | 27 | E | Santiago, Cuba | 20 | N | 76 | W |
| Quito, Eucador | 0 | | 78 | W | Santiago, Chile | 33 | S | 71 | W |
| Rabat, Morocco | 34 | N | 7 | W | Santos, Brazil | 24 | S | 46 | W |
| Rabaul, N. Guinea | 4 | S | 152 | E | Sao Paulo, Brazil | 24 | S | 47 | W |
| Randers, Denmark | 56 | N | 10 | E | Sapporo, Japan | 43 | N | 141 | E |
| Rangoon, Burma | 17 | N | 96 | E | Saragossa, Spain | 42 | N | 1 | W |
| Rauma, Finland | 61 | N | 21 | E | Saratov, U.S.S.R. | 52 | N | 46 | E |
| Reading, England | 51 | N | 1 | W | Sarpsborg, Norway | 59 | N | 11 | E |
| Regensburg, Germany | 49 | N | 12 | E | Sasebo, Japan | 33 | N | 129 | E |
| Reggio di Calabria, Sicily | | | | | Scarborough, England | 54 | N | 0 | |
| | 38 | N | 16 | E | Schaerbeek, Belgium | 51 | N | 4 | E |
| Remscheid, Germany | 51 | N | 7 | E | Schaffhausen, Switz. | 48 | N | 9 | E |
| Rennes, France | 48 | N | 2 | W | Schweidnitz, Poland | 51 | N | 11 | E |
| Reykjavik, Iceland | 64 | N | 22 | W | Schwerin, Germany | 54 | N | 11 | E |
| Rheims, France | 49 | N | 4 | E | Sebenico, Yugoslavia | 44 | N | 16 | E |
| Rhondda, Wales | 52 | N | 3 | W | Semarang, Indonesia | 7 | S | 110 | E |
| Richmond, England | 51 | N | 0 | | Sendai, Japan | 38 | N | 141 | E |
| Riga, Latvia | 57 | N | 24 | E | Seraing, Belgium | 51 | N | 5 | E |
| Riobamba, Eucador | 2 | S | 78 | W | Setubal, Portugal | 39 | N | 9 | W |
| Rio de Janeiro, Brazil | 23 | S | 43 | W | Seville, Spain | 37 | N | 6 | W |
| Rochdale, England | 54 | N | 2 | W | Shanghai, China | 31 | N | 122 | E |
| Rochefort, France | 46 | N | 1 | W | Sheffield, England | 53 | N | 1 | W |
| Rochester, England | 51 | N | 0 | | Sherbrooke, Que. Can. | 45 | N | 72 | W |
| Rockhampton, Aust. | 24 | S | 151 | E | Shizuoka, Japan | 35 | N | 138 | E |
| Rome, Italy | 42 | N | 12 | E | Siangtan, China | 28 | N | 113 | E |
| Rosario, Argentine | 33 | S | 61 | W | Singapore, Malay Sts. | 1 | N | 104 | E |
| Roseau, Dominica | 15 | N | 61 | W | Siracusa, Italy | 37 | N | 15 | E |
| Rostock, Germany | 54 | N | 12 | E | Skien, Norway | 59 | N | 10 | E |
| Rostov-Don, U.S.S.R. | 47 | N | 40 | E | Smolensk, U.S.S.R. | 55 | N | 32 | E |
| Rotherham, England | 53 | N | 1 | W | Soderhamn, Sweden | 61 | N | 17 | E |
| Rotterdam, Holland | 52 | N | 5 | E | Sofia, Bulgaria | 43 | N | 23 | E |
| Roubaix, France | 51 | N | 3 | E | Solingen, Germany | 51 | N | 7 | E |

| | | | | | | | |
|---|---|---|---|---|---|---|---|
| Solothurn, Switzerland | 47 | N | 8 | E | Sydney, Australia | 34 S 151 E |
| Soochow, China | 31 | N | 121 | E | Syracuse, Sicily | 37 N 15 E |
| Sosnowiec, Poland | 50 | N | 19 | E | Szeged, Hungary | 46 N 20 E |
| Southampton, England | 51 | N | 1 | W | Tabriz, Iran | 38 N 46 E |
| Southend, England | 52 | N | 1 | E | Taganrog, U.S.S.R. | 47 N 39 E |
| Southport, England | 54 | N | 3 | W | Taihoku, Taiwan | 25 N 122 E |
| South Shields, Eng. | 55 | N | 1 | W | Taiku, Korea | 36 N 128 E |
| Southwark, England | 51 | N | 0 | | Taiyuan, China | 37 N 113 E |
| Spandau, Germany | 53 | N | 13 | E | Tallinn, Estonia | 59 N 25 E |
| Speyer, Germany | 49 | N | 8 | E | Tambov, U.S.S.R. | 53 N 42 E |
| Srinagar, India | 34 | N | 75 | E | Tampere, Finland | 61 N 24 E |
| St. Denis, France | 49 | N | 2 | E | Tampico, Mexico | 22 N 98 W |
| St. Etienne, France | 45 | N | 4 | E | Taranto, Italy | 40 N 17 E |
| St. Gall, Switzerland | 47 | N | 9 | E | Tarbes, France | 43 N 0 |
| St. Gilles, Belgium | 51 | N | 4 | E | Tarnopol, U.S.S.R. | 50 N 26 E |
| St. Helens, England | 53 | N | 3 | W | Tarragona, Spain | 41 N 1 E |
| St. Henri, Que. Can. | 47 | N | 71 | W | Tashkent, U.S.S.R. | 42 N 70 E |
| St. John, New Brunswick | 45 | N | 66 | W | Tegucigalpa, Honduras | 14 N 87 W |
| St. Johns, Nfland. | 48 | N | 53 | W | Teheran, Iran | 36 N 51 E |
| St. Louis, Africa | 16 | N | 17 | W | Tehuantepec, Mexico | 16 N 95 W |
| St. Nazaire, France | 4 | N | 2 | W | Tel Aviv, Israel | 32 N 35 E |
| St. Paul de Loanda, Angola | 9 | S | 13 | E | Tengchow, China | 38 N 121 E |
| St. Pierre, Martinique | 15 | N | 61 | W | Tepic, Mexico | 22 N 105 W |
| St. Quentin, France | 50 | N | 3 | E | Tetuan, Morocco | 36 N 6 W |
| St. Thomas, Ont. Can. | 43 | N | 81 | W | The Hague, Holland | 52 N 4 E |
| Stalingrad, U.S.S.R. | 49 | N | 44 | E | Thessaloniki, Greece | 41 N 23 E |
| Stalino, USSR | 48 | N | 38 | E | Tientsin, China | 39 N 118 E |
| Stanley, Falkland Isl. | 52 | S | 58 | W | Tiflis, U.S.S.R. | 42 N 45 E |
| Stargard, Poland | 53 | N | 15 | E | Tilburg, Holland | 52 N 5 E |
| Stavanger, Norway | 59 | N | 6 | E | Tilsit, U.S.S.R. | 55 N 22 E |
| Stepney, England | 50 | N | 0 | | Timisoara, Rumania | 46 N 21 E |
| Stettin, Poland | 53 | N | 15 | E | Tinn, Norway | 61 N 8 E |
| Stockholm, Sweden | 59 | N | 18 | E | Tirana, Albania | 41 N 20 E |
| Stockport, England | 53 | N | 2 | W | Tlemcen, Algeria | 35 N 2 W |
| Stockton-on-Tees, Eng. | 55 | N | 1 | W | Tokyo, Japan | 36 N 140 E |
| Stoke-upon-Trent, Eng. | 52 | N | 2 | W | Toluca, Mexico | 19 N 100 W |
| Stolp, Poland | 54 | N | 17 | E | Tomsk, U.S.S.R. | 57 N 84 E |
| Stralsund, Germany | 54 | N | 13 | E | Toowoomba, Australia | 28 S 152 E |
| Strasbourg, France | 49 | N | 8 | E | Torun, Poland | 53 N 18 E |
| Stuttgart, Germany | 49 | N | 9 | E | Toronto, Ont. Can. | 44 N 79 W |
| Subotica, Yugoslavia | 46 | N | 20 | E | Torquay, England | 50 N 3 W |
| Sucuowsze, China | 29 | N | 105 | E | Totonicapam, Guatemala | 15 N 91 W |
| Sucre, Bolivia | 19 | S | 65 | W | Tottenham, England | 52 N 0 |
| Sunderland, England | 55 | N | 1 | W | Toulon, France | 43 N 6 E |
| Sundsvall, Sweden | 62 | N | 17 | E | Toulouse, France | 44 N 1 E |
| Surabaya, Java | 7 | S | 113 | E | Tours, France | 47 N 1 E |
| Surakarta, Java | 8 | S | 111 | E | Townsville, Australia | 19 S 147 E |
| Surat, India | 21 | N | 73 | E | Trento, Italy | 46 N 11 E |
| Suva, Fiji Isl. | 18 | S | 178 | E | Treves, Germany | 50 N 7 E |
| Sverdlovsk, U.S.S.R. | 57 | N | 61 | E | Treviso, Italy | 46 N 12 E |
| Swansea, Wales | 52 | N | 4 | W | Trichinopoly, India | 11 N 79 E |
| Swatow, China | 24 | N | 117 | E | Trieste, Italy | 46 N 14 E |

| | | | | | | | |
|---|---|---|---|---|---|---|---|
| Tripoli, Libya | 33 | N | 13 | E | Walthamstow, England | 52 N | 1 E |
| Trondheim, Norway | 63 | N | 11 | E | Wandsworth, England | 51 N | 0 |
| Troyes, France | 48 | N | 4 | E | Wanhsien, China | 31 N | 109 E |
| Trujillo, Peru | 8 | S | 79 | W | Warsaw, Poland | 52 N | 21 E |
| Tsinan, China | 37 | N | 117 | E | Warrington, England | 53 N | 2 W |
| Tsingtao, China | 36 | N | 120 | E | Waterford, Ireland | 52 N | 7 W |
| Tucuman, Argentine | 27 | S | 65 | W | Weihwei, China | 35 N | 114 E |
| Tula, U.S.S.R. | 54 | N | 37 | E | Weimar, Germany | 51 N | 11 E |
| Tunbridge Wells, Eng. | 51 | N | 0 | | Weissenfels, Germany | 51 N | 12 E |
| Tunis, Tunisia | 37 | N | 11 | E | Wellington, N. Zealand | 41 S | 175 E |
| Turin, Italy | 45 | N | 8 | E | Wenchow, China | 28 N | 120 E |
| Turku, Finland | 60 | N | 22 | E | West Bromwich, Eng. | 53 N | 2 W |
| Tynemouth, England | 55 | N | 1 | W | West Ham, England | 52 N | 0 |
| Ufa, U.S.S.R. | 55 | N | 56 | E | Westminster, England | 52 N | 0 |
| Ulm, Germany | 48 | N | 10 | E | Wiener Neustadt, Austria | 48 N | 16 E |
| Umea, Sweden | 64 | N | 21 | E | Wiesbaden, Germany | 50 N | 8 E |
| Upsala, Sweden | 60 | N | 18 | E | Wigan, England | 54 N | 3 W |
| Urga, Mongolia | 48 | N | 107 | E | Willesden, England | 52 N | 0 |
| Uskudar, Turkey | 41 | N | 29 | E | Williamstown, Aust. | 38 S | 145 E |
| Utrecht, Holland | 52 | N | 5 | E | Wilno, U.S.S.R. | 55 N | 25 E |
| Valencia, Spain | 39 | N | 0 | | Windhoek, S. Africa | 23 S | 17 E |
| Vaasa, Finland | 63 | N | 21 | E | Windsor, Ont., Can | 42 N | 83 W |
| Valenciennes, France | 50 | N | 4 | E | Winnipeg, Man., Can. | 50 N | 97 W |
| Valetta, Malta | 36 | N | 14 | E | Winterthur, Switz. | 47 N | 9 E |
| Valladoid, Spain | 42 | N | 5 | W | Witten, Germany | 51 N | 7 E |
| Valparaiso, Chile | 33 | S | 71 | W | Wolverhampton, Eng. | 53 N | 2 W |
| Vancouver, B. C., Can. | 49 | N | 123 | W | Woolwich, England | 51 N | 1 E |
| Varna, Bulgaria | 43 | N | 28 | E | Worcester, England | 52 N | 2 W |
| Veile, Denmark | 56 | N | 10 | E | Worms, Germany | 50 N | 8 E |
| Venice, Italy | 45 | N | 12 | E | Wuchang, China | 30 N | 114 E |
| Vera Cruz, Mexico | 19 | N | 96 | E | Wuhu, China | 31 N | 119 E |
| Verona, Italy | 45 | N | 11 | E | Wuppertal, Germany | 51 N | 7 E |
| Versailles, France | 49 | N | 2 | E | Wurzburg, Germany | 50 N | 10 E |
| Verviers, Belgium | 51 | N | 6 | E | Yangchow, China | 31 N | 120 E |
| Vesteras, Sweden | 60 | N | 17 | E | Yarmouth, England | 53 N | 2 E |
| Vevey, Switzerland | 46 | N | 7 | E | Yawata, Japan | 34 N | 131 E |
| Vicenza, Italy | 46 | N | 12 | E | Yokosuka, Japan | 35 N | 140 E |
| Victoria, B. C. Can. | 48 | N | 123 | W | Yokohama, Japan | 35 N | 139 E |
| Victoria, China | 22 | N | 114 | E | York, England | 54 N | 1 W |
| Vienna, Austria | 48 | N | 16 | E | Ystad, Sweden | 56 N | 14 E |
| Viipuri, USSR | 61 | N | 29 | E | Yunnan, China | 25 N | 103 E |
| Vincennes, France | 49 | N | 2 | E | Zaandam, Holland | 52 N | 5 E |
| Vitebsk, U.S.S.R. | 55 | N | 30 | E | Zacatecas, Mexico | 23 N | 103 W |
| Vladivostok, U.S.S.R. | 43 | N | 132 | E | Zagreb, Yugoslavia | 46 N | 16 E |
| Voronezh, U.S.S.R. | 52 | N | 39 | E | Zanzibar, Africa | 6 S | 39 E |
| Wakayama, Japan | 34 | N | 135 | E | Zomba, Africa | 11 S | 35 E |
| Wakefield, England | 54 | N | 1 | W | Zurich, Switzerland | 47 N | 8 E |
| Wallasey, England | 53 | N | 3 | W | Zwickau, Germany | 51 N | 12 E |
| Walsall, England | 53 | N | 2 | W | Zwolle, Holland | 53 N | 6 E |

# SIMPLIFIED SCIENTIFIC TABLES OF HOUSES

| | Latitude 1° N. | | | | | | Latitude 2° N. | | | | | | Latitude 3° N. | | | | | |
|---|---|---|---|---|---|---|---|---|---|---|---|---|---|---|---|---|---|---|
| **Sider'l Time** | **10** ♈ | **11** ♉ | **12** ♊ | **Asc.** ♋ | **2** ♋ | **3** ♌ | **10** ♈ | **11** ♉ | **12** ♊ | **Asc.** ♋ | **2** ♋ | **3** ♌ | **10** ♈ | **11** ♉ | **12** ♊ | **Asc.** ♋ | **2** ♋ | **3** ♍ |
| **H M S** | ° | ° | ° | ° ' | ° | ° | ° | ° | ° | ° ' | ° | ° | ° | ° | ° | ° ' | ° | ° |
| 0 0 0 | 0 | 2 | 3 | 0 24 | 28 | 28 | 0 | 2 | 3 | 0 48 | 28 | 28 | 0 | 2 | 3 | 1 12 | 28 | 28 |
| 3 40 | 1 | 3 | 3 | 1 14 | 29 | 29 | 1 | 3 | 3 | 1 38 | 29 | 29 | 1 | 3 | 3 | 2 02 | 29 | 29 |
| 7 20 | 2 | 4 | 4 | 2 06 | ♌ | ♍ | 2 | 4 | 4 | 2 29 | ♌ | ♍ | 2 | 4 | 4 | 2 52 | ♌ | ♍ |
| 0 11 0 | 3 | 5 | 5 | 2 55 | 1 | 1 | 3 | 5 | 5 | 3 19 | 1 | 1 | 3 | 5 | 5 | 3 43 | 1 | 1 |
| 14 41 | 4 | 6 | 6 | 3 46 | 2 | 2 | 4 | 6 | 6 | 4 10 | 2 | 2 | 4 | 6 | 6 | 4 34 | 2 | 2 |
| 18 21 | 5 | 7 | 7 | 4 36 | 3 | 3 | 5 | 7 | 7 | 5 00 | 3 | 3 | 5 | 7 | 7 | 5 24 | 3 | 3 |
| 0 22 2 | 6 | 8 | 8 | 5 27 | 4 | 4 | 6 | 8 | 8 | 5 51 | 4 | 4 | 6 | 8 | 8 | 6 15 | 4 | 4 |
| 25 42 | 7 | 9 | 9 | 6 18 | 5 | 5 | 7 | 9 | 9 | 6 41 | 5 | 5 | 7 | 9 | 9 | 7 05 | 5 | 5 |
| 29 23 | 8 | 10 | 10 | 7 08 | 5 | 6 | 8 | 10 | 10 | 7 32 | 5 | 6 | 8 | 10 | 10 | 7 56 | 5 | 6 |
| 0 33 4 | 9 | 11 | 10 | 8 00 | 6 | 7 | 9 | 11 | 10 | 8 23 | 6 | 7 | 9 | 11 | 10 | 8 46 | 6 | 7 |
| 36 45 | 10 | 12 | 11 | 8 51 | 7 | 8 | 10 | 12 | 11 | 9 14 | 7 | 8 | 10 | 12 | 11 | 9 37 | 7 | 8 |
| 40 26 | 11 | 13 | 12 | 9 42 | 8 | 9 | 11 | 13 | 12 | 10 05 | 8 | 9 | 11 | 13 | 12 | 10 28 | 8 | 9 |
| 0 44 8 | 12 | 14 | 13 | 10 33 | 9 | 10 | 12 | 14 | 13 | 10 56 | 9 | 10 | 12 | 14 | 13 | 11 19 | 9 | 10 |
| 47 50 | 13 | 14 | 14 | 11 24 | 10 | 11 | 13 | 14 | 14 | 11 47 | 10 | 11 | 13 | 14 | 14 | 12 10 | 10 | 11 |
| 51 32 | 14 | 15 | 15 | 12 17 | 11 | 12 | 14 | 15 | 15 | 12 39 | 11 | 12 | 14 | 15 | 15 | 13 01 | 11 | 12 |
| 0 55 14 | 15 | 16 | 16 | 13 07 | 12 | 13 | 15 | 16 | 16 | 13 30 | 12 | 13 | 15 | 16 | 16 | 13 53 | 12 | 13 |
| 58 57 | 16 | 17 | 16 | 13 58 | 13 | 14 | 16 | 17 | 16 | 14 21 | 13 | 14 | 16 | 17 | 16 | 14 44 | 13 | 14 |
| 1 2 40 | 17 | 18 | 17 | 14 51 | 14 | 15 | 17 | 18 | 17 | 15 13 | 14 | 15 | 17 | 18 | 17 | 15 35 | 14 | 15 |
| 1 6 23 | 18 | 19 | 18 | 15 41 | 15 | 16 | 18 | 19 | 18 | 16 04 | 15 | 16 | 18 | 19 | 18 | 16 27 | 15 | 16 |
| 10 7 | 19 | 20 | 19 | 16 23 | 15 | 17 | 19 | 20 | 19 | 16 56 | 15 | 17 | 19 | 20 | 19 | 17 18 | 15 | 17 |
| 13 51 | 20 | 21 | 20 | 17 26 | 16 | 18 | 20 | 21 | 20 | 17 48 | 16 | 18 | 20 | 21 | 20 | 18 10 | 16 | 18 |
| 1 17 35 | 21 | 22 | 21 | 18 18 | 17 | 19 | 21 | 22 | 21 | 18 40 | 17 | 19 | 21 | 22 | 21 | 19 02 | 17 | 19 |
| 21 20 | 22 | 23 | 22 | 19 10 | 18 | 20 | 22 | 23 | 22 | 19 32 | 18 | 20 | 22 | 23 | 22 | 19 54 | 18 | 20 |
| 25 6 | 23 | 24 | 23 | 20 03 | 19 | 21 | 23 | 24 | 23 | 20 25 | 19 | 21 | 23 | 24 | 23 | 20 47 | 19 | 21 |
| 1 28 52 | 24 | 25 | 23 | 20 56 | 20 | 22 | 24 | 25 | 23 | 21 18 | 20 | 22 | 24 | 25 | 23 | 21 40 | 20 | 22 |
| 32 38 | 25 | 26 | 24 | 21 49 | 21 | 23 | 25 | 26 | 24 | 22 11 | 21 | 23 | 25 | 26 | 24 | 22 33 | 21 | 23 |
| 36 25 | 26 | 27 | 25 | 22 42 | 22 | 24 | 26 | 27 | 25 | 23 04 | 22 | 24 | 26 | 27 | 25 | 23 26 | 22 | 24 |
| 1 40 12 | 27 | 28 | 26 | 23 35 | 23 | 25 | 27 | 28 | 26 | 23 57 | 23 | 25 | 27 | 28 | 26 | 24 19 | 23 | 25 |
| 44 0 | 28 | 28 | 27 | 24 28 | 24 | 26 | 28 | 28 | 27 | 24 50 | 24 | 26 | 28 | 28 | 27 | 25 12 | 24 | 26 |
| 47 48 | 29 | 29 | 28 | 25 22 | 25 | 27 | 29 | 29 | 28 | 25 44 | 25 | 27 | 29 | 29 | 28 | 26 06 | 25 | 27 |
| **Houses** | 4 | 5 | 6 | 7 | 8 | 9 | 4 | 5 | 6 | 7 | 8 | 9 | 4 | 5 | 6 | 7 | 8 | 9 |

Latitude 1° S.   Latitude 2° S.   Latitude 3° S.

# SIMPLIFIED SCIENTIFIC TABLES OF HOUSES

| | Latitude 1° N. | | | | | | Latitude 2° N. | | | | | | Latitude 3° N. | | | | | |
|---|---|---|---|---|---|---|---|---|---|---|---|---|---|---|---|---|---|---|
| Sider'l Time | 10 ♉ | 11 ♊ | 12 ♊ | Asc. ♋ | 2 ♌ | 3 ♍ | 10 ♉ | 11 ♊ | 12 ♊ | Asc. ♋ | 2 ♌ | 3 ♍ | 10 ♉ | 11 ♊ | 12 ♊ | Asc. ♋ | 2 ♌ | 3 ♍ |
| H M S | ° | ° | ° | ° ′ | ° | ° | ° | ° | ° | ° ′ | ° | ° | ° | ° | ° | ° ′ | ° | ° |
| 1 51 37 | 0 | 0 | 29 | 26 17 | 26 | 28 | 0 | 0 | 29 | 26 38 | 26 | 28 | 0 | 0 | 29 | 26 59 | 26 | 28 |
| 55 27 | 1 | 1 | 29 | 27 11 | 27 | 29 | 1 | 1 | 29 | 27 32 | 27 | 29 | 1 | 1 | 29 | 27 53 | 27 | 29 |
| 59 12 | 2 | 2 | ♋ | 28 06 | 28 | ♎ | 2 | 2 | ♋ | 28 27 | 28 | ♎ | 2 | 2 | ♋ | 28 48 | 28 | ♎ |
| 2 3 8 | 3 | 3 | 1 | 29 01 | 29 | 1 | 3 | 3 | 1 | 29 22 | 29 | 1 | 3 | 3 | 1 | 29 43 | 29 | 1 |
| 6 59 | 4 | 4 | 2 | 29 56 | ♍ | 2 | 4 | 4 | 2 | 0♌17 | ♍ | 2 | 4 | 4 | 2 | 0♌38 | ♍ | 2 |
| 10 51 | 5 | 5 | 3 | 0♌53 | 1 | 3 | 5 | 5 | 3 | 1 13 | 1 | 3 | 5 | 5 | 3 | 1 33 | 1 | 3 |
| 2 14 44 | 6 | 6 | 4 | 1 48 | 2 | 4 | 6 | 6 | 4 | 2 08 | 2 | 4 | 6 | 6 | 4 | 2 28 | 2 | 4 |
| 18 37 | 7 | 7 | 5 | 2 44 | 3 | 5 | 7 | 7 | 5 | 3 04 | 3 | 5 | 7 | 7 | 5 | 3 24 | 3 | 5 |
| 22 31 | 8 | 8 | 6 | 3 42 | 4 | 6 | 8 | 8 | 6 | 4 01 | 4 | 6 | 8 | 8 | 6 | 4 20 | 4 | 6 |
| 2 26 25 | 9 | 9 | 7 | 4 37 | 5 | 7 | 9 | 9 | 7 | 4 57 | 5 | 7 | 9 | 9 | 7 | 5 17 | 5 | 7 |
| 30 20 | 10 | 10 | 7 | 5 35 | 6 | 8 | 10 | 10 | 7 | 5 54 | 6 | 8 | 10 | 10 | 7 | 6 13 | 6 | 8 |
| 34 16 | 11 | 10 | 8 | 6 32 | 7 | 9 | 11 | 10 | 8 | 6 51 | 7 | 9 | 11 | 10 | 8 | 7 10 | 7 | 9 |
| 2 38 13 | 12 | 11 | 9 | 7 29 | 8 | 10 | 12 | 11 | 9 | 7 48 | 8 | 10 | 12 | 11 | 9 | 8 07 | 8 | 10 |
| 42 10 | 13 | 12 | 10 | 8 27 | 9 | 11 | 13 | 12 | 10 | 8 46 | 9 | 11 | 13 | 12 | 10 | 9 05 | 9 | 11 |
| 46 8 | 14 | 13 | 11 | 9 25 | 10 | 12 | 14 | 13 | 11 | 9 44 | 10 | 12 | 14 | 13 | 11 | 10 03 | 10 | 12 |
| 2 50 7 | 15 | 14 | 12 | 10 25 | 11 | 14 | 15 | 14 | 12 | 10 43 | 11 | 14 | 15 | 14 | 12 | 11 01 | 11 | 13 |
| 54 7 | 16 | 15 | 13 | 11 24 | 12 | 15 | 16 | 15 | 13 | 11 42 | 12 | 15 | 16 | 15 | 13 | 12 00 | 12 | 15 |
| 58 7 | 17 | 16 | 14 | 12 23 | 13 | 16 | 17 | 16 | 14 | 12 41 | 13 | 16 | 17 | 16 | 14 | 12 59 | 13 | 16 |
| 3 2 8 | 18 | 17 | 15 | 12 23 | 14 | 17 | 18 | 17 | 15 | 13 40 | 14 | 17 | 18 | 17 | 15 | 13 57 | 14 | 17 |
| 6 9 | 19 | 18 | 16 | 14 23 | 16 | 18 | 19 | 18 | 16 | 14 40 | 16 | 18 | 19 | 18 | 16 | 14 57 | 16 | 18 |
| 10 12 | 20 | 19 | 17 | 15 24 | 17 | 19 | 20 | 19 | 17 | 15 40 | 17 | 19 | 20 | 19 | 17 | 15 56 | 17 | 19 |
| 3 14 15 | 21 | 20 | 18 | 16 25 | 18 | 20 | 21 | 20 | 18 | 16 41 | 18 | 20 | 21 | 20 | 18 | 16 57 | 18 | 20 |
| 18 19 | 22 | 21 | 19 | 17 26 | 19 | 21 | 22 | 21 | 19 | 17 42 | 19 | 21 | 22 | 21 | 19 | 17 58 | 19 | 21 |
| 22 23 | 23 | 22 | 20 | 18 27 | 20 | 22 | 23 | 22 | 20 | 18 43 | 20 | 22 | 23 | 22 | 20 | 18 59 | 20 | 22 |
| 3 26 29 | 24 | 23 | 20 | 19 28 | 21 | 23 | 24 | 23 | 20 | 19 44 | 21 | 23 | 24 | 23 | 20 | 20 00 | 21 | 23 |
| 30 35 | 25 | 24 | 21 | 20 30 | 22 | 24 | 25 | 24 | 21 | 20 46 | 22 | 24 | 25 | 24 | 21 | 21 02 | 22 | 24 |
| 34 41 | 26 | 24 | 22 | 21 34 | 23 | 25 | 26 | 24 | 22 | 21 49 | 23 | 25 | 26 | 24 | 22 | 22 04 | 23 | 25 |
| 3 38 49 | 27 | 25 | 23 | 22 36 | 24 | 26 | 27 | 25 | 23 | 22 51 | 24 | 26 | 27 | 25 | 23 | 23 06 | 24 | 26 |
| 42 57 | 28 | 26 | 24 | 23 40 | 25 | 27 | 28 | 26 | 24 | 23 54 | 25 | 27 | 28 | 26 | 24 | 24 08 | 25 | 27 |
| 47 6 | 29 | 27 | 25 | 24 43 | 27 | 29 | 29 | 27 | 25 | 24 57 | 27 | 29 | 29 | 27 | 25 | 25 11 | 27 | 29 |
| Houses | 4 | 5 | 6 | 7 | 8 | 9 | 4 | 5 | 6 | 7 | 8 | 9 | 4 | 5 | 6 | 7 | 8 | 9 |

Latitude 1° S.        Latitude 2° S.        Latitude 3° S.

# SIMPLIFIED SCIENTIFIC TABLES OF HOUSES

Latitude 1° N.  Latitude 2° N.  Latitude 3° N.

| Sider'l Time | 10 ♊ | 11 ♊ | 12 ♋ | Asc. ♌ | 2 ♍ | 3 ♏ | 10 ♊ | 11 ♊ | 12 ♋ | Asc. ♌ | 2 ♍ | 3 ♏ | 10 ♊ | 11 ♊ | 12 ♋ | Asc. ♌ | 2 ♍ | 3 ♏ |
|---|---|---|---|---|---|---|---|---|---|---|---|---|---|---|---|---|---|---|
| H M S | ° | ° | ° | ° ′ | ° | ° | ° | ° | ° | ° ′ | ° | ° | ° | ° | ° | ° ′ | ° | ° |
| 8 51 15 | 0 | 28 | 26 | 25 46 | 28 | 0 | 0 | 28 | 26 | 26 00 | 28 | 0 | 0 | 28 | 26 | 26 14 | 28 | 0 |
| 55 25 | 1 | 29 | 27 | 26 52 | 29 | 1 | 1 | 29 | 27 | 27 05 | 29 | 1 | 1 | 29 | 27 | 27 18 | 29 | 1 |
| 59 36 | 2 | ♋ | 28 | 27 57 | ♎ | 2 | 2 | ♋ | 28 | 28 10 | ♎ | 2 | 2 | ♋ | 28 | 28 23 | ♎ | 2 |
| 4 8 48 | 3 | 1 | 29 | 29 03 | 1 | 3 | 3 | 1 | 29 | 29 15 | 1 | 3 | 3 | 1 | 29 | 29 27 | 1 | 3 |
| 8 0 | 4 | 2 | ♌ | 0♍08 | 2 | 4 | 4 | 2 | ♌ | 0♍20 | 2 | 4 | 4 | 2 | ♌ | 0♍32 | 2 | 4 |
| 12 13 | 5 | 3 | 1 | 1 13 | 3 | 5 | 5 | 3 | 1 | 1 25 | 3 | 5 | 5 | 3 | 1 | 1 37 | 3 | 5 |
| 4 16 26 | 6 | 4 | 2 | 2 20 | 4 | 6 | 6 | 4 | 2 | 2 31 | 4 | 6 | 6 | 4 | 2 | 2 42 | 4 | 6 |
| 20 40 | 7 | 5 | 3 | 3 26 | 6 | 7 | 7 | 5 | 3 | 3 37 | 6 | 7 | 7 | 5 | 3 | 3 48 | 6 | 7 |
| 24 55 | 8 | 6 | 4 | 4 32 | 7 | 8 | 8 | 6 | 4 | 4 43 | 7 | 8 | 8 | 6 | 4 | 4 54 | 7 | 8 |
| 4 29 10 | 9 | 7 | 5 | 5 40 | 8 | 9 | 9 | 7 | 5 | 5 50 | 8 | 9 | 9 | 7 | 5 | 6 00 | 8 | 9 |
| 33 26 | 10 | 8 | 6 | 6 45 | 9 | 10 | 10 | 8 | 6 | 6 56 | 9 | 10 | 10 | 8 | 6 | 7 06 | 9 | 10 |
| 37 42 | 11 | 9 | 7 | 7 54 | 10 | 11 | 11 | 9 | 7 | 8 03 | 10 | 11 | 11 | 9 | 7 | 8 12 | 10 | 11 |
| 4 41 59 | 12 | 10 | 9 | 9 02 | 11 | 13 | 12 | 10 | 9 | 9 11 | 11 | 13 | 12 | 10 | 9 | 9 20 | 11 | 13 |
| 46 16 | 13 | 11 | 10 | 10 11 | 12 | 14 | 13 | 11 | 10 | 10 19 | 12 | 14 | 13 | 11 | 10 | 10 27 | 12 | 14 |
| 50 34 | 14 | 12 | 11 | 11 19 | 14 | 15 | 14 | 12 | 11 | 11 27 | 14 | 15 | 14 | 12 | 11 | 11 35 | 14 | 15 |
| 4 54 52 | 15 | 13 | 12 | 12 29 | 15 | 16 | 15 | 13 | 12 | 12 36 | 15 | 16 | 15 | 13 | 12 | 12 43 | 15 | 16 |
| 59 10 | 16 | 14 | 13 | 13 37 | 16 | 17 | 16 | 14 | 13 | 13 44 | 16 | 17 | 16 | 14 | 13 | 13 51 | 16 | 17 |
| 5 3 29 | 17 | 15 | 14 | 14 45 | 17 | 18 | 17 | 15 | 14 | 14 52 | 17 | 18 | 17 | 15 | 14 | 14 59 | 17 | 18 |
| 5 7 49 | 18 | 16 | 15 | 15 55 | 18 | 19 | 18 | 16 | 15 | 16 01 | 18 | 19 | 18 | 16 | 15 | 16 07 | 18 | 19 |
| 12 9 | 19 | 17 | 16 | 17 04 | 19 | 20 | 19 | 17 | 16 | 17 10 | 19 | 20 | 19 | 17 | 16 | 17 16 | 19 | 20 |
| 16 29 | 20 | 18 | 17 | 18 15 | 20 | 21 | 20 | 18 | 17 | 18 20 | 20 | 21 | 20 | 18 | 17 | 18 25 | 20 | 21 |
| 5 20 49 | 21 | 19 | 18 | 19 26 | 21 | 22 | 21 | 19 | 18 | 19 30 | 21 | 22 | 21 | 19 | 18 | 19 34 | 21 | 22 |
| 25 9 | 22 | 20 | 19 | 20 36 | 22 | 23 | 22 | 20 | 19 | 20 40 | 22 | 23 | 22 | 20 | 19 | 20 44 | 22 | 23 |
| 29 30 | 23 | 21 | 20 | 21 47 | 24 | 24 | 23 | 21 | 20 | 21 50 | 24 | 24 | 23 | 21 | 20 | 21 53 | 24 | 24 |
| 5 33 51 | 24 | 22 | 21 | 22 58 | 25 | 25 | 24 | 22 | 21 | 23 00 | 25 | 25 | 24 | 22 | 21 | 23 02 | 25 | 25 |
| 38 12 | 25 | 23 | 23 | 24 07 | 26 | 26 | 25 | 23 | 23 | 24 09 | 26 | 26 | 25 | 23 | 23 | 24 11 | 26 | 26 |
| 42 34 | 26 | 24 | 24 | 25 17 | 27 | 27 | 26 | 24 | 24 | 25 19 | 27 | 27 | 26 | 24 | 24 | 25 21 | 27 | 27 |
| 5 46 55 | 27 | 25 | 25 | 26 28 | 28 | 28 | 27 | 25 | 25 | 26 29 | 28 | 28 | 27 | 25 | 25 | 26 30 | 28 | 28 |
| 51 17 | 28 | 26 | 26 | 27 38 | ♏ | ♐ | 28 | 26 | 26 | 27 39 | ♏ | ♐ | 28 | 26 | 26 | 27 40 | 29 | 29 |
| 55 38 | 29 | 27 | 27 | 28 50 | 1 | 1 | 29 | 27 | 27 | 28 50 | 1 | 1 | 29 | 27 | 27 | 28 50 | ♏ | ♐ |
| Houses | 4 | 5 | 6 | 7 | 8 | 9 | 4 | 5 | 6 | 7 | 8 | 9 | 4 | 5 | 6 | 7 | 8 | 9 |

Latitude 1° S.  Latitude 2° S.  Latitude 3° S.

## SIMPLIFIED SCIENTIFIC TABLES OF HOUSES

|  | Latitude 1° N. | | | | | | | Latitude 2° N. | | | | | | | Latitude 3° N. | | | | | | |
|---|---|---|---|---|---|---|---|---|---|---|---|---|---|---|---|---|---|---|---|---|---|
| Sider'l Time | 10 ♋ | 11 ♋ | 12 ♌ | Asc. ♎ | | 2 ♏ | 3 ♐ | 10 ♋ | 11 ♋ | 12 ♌ | Asc. ♎ | | 2 ♏ | 3 ♐ | 10 ♋ | 11 ♋ | 12 ♌ | Asc. ♎ | | 2 ♏ | 3 ♐ |
| H M S | ° | ° | ° | ° | ′ | ° | ° | ° | ° | ° | ° | ′ | ° | ° | ° | ° | ° | ° | ′ | ° | ° |
| 6 0 0 | 0 | 28 | 28 | 0 | 0 | 2 | 2 | 0 | 28 | 28 | 0 | 00 | 2 | 2 | 0 | 28 | 28 | 0 | 00 | 2 | 2 |
| 4 22 | 1 | 29 | 29 | 1 | 10 | 3 | 3 | 1 | 29 | 29 | 1 | 10 | 3 | 3 | 1 | 29 | 29 | 1 | 09 | 3 | 3 |
| 8 43 | 2 | ♌ | ♍ | 2 | 22 | 4 | 4 | 2 | ♌ | ♍ | 2 | 21 | 4 | 4 | 2 | ♌ | ♍ | 2 | 19 | 4 | 4 |
| 6 13 5 | 3 | 1 | 2 | 3 | 32 | 5 | 5 | 3 | 1 | 2 | 3 | 31 | 5 | 5 | 3 | 1 | 2 | 3 | 29 | 5 | 5 |
| 17 26 | 4 | 2 | 3 | 4 | 43 | 6 | 6 | 4 | 2 | 3 | 4 | 41 | 6 | 6 | 4 | 2 | 3 | 4 | 39 | 6 | 6 |
| 21 48 | 5 | 3 | 4 | 5 | 53 | 7 | 7 | 5 | 3 | 4 | 5 | 51 | 7 | 7 | 5 | 3 | 4 | 5 | 48 | 7 | 7 |
| 6 26 9 | 6 | 4 | 5 | 7 | 03 | 9 | 8 | 6 | 4 | 5 | 7 | 00 | 9 | 8 | 6 | 4 | 5 | 6 | 57 | 8 | 8 |
| 30 30 | 7 | 5 | 6 | 8 | 13 | 10 | 9 | 7 | 5 | 6 | 8 | 10 | 10 | 9 | 7 | 5 | 6 | 8 | 06 | 9 | 9 |
| 34 51 | 8 | 7 | 7 | 9 | 24 | 11 | 10 | 8 | 7 | 7 | 9 | 20 | 11 | 10 | 8 | 7 | 7 | 9 | 16 | 10 | 10 |
| 6 39 11 | 9 | 8 | 8 | 10 | 35 | 12 | 11 | 9 | 8 | 8 | 10 | 30 | 12 | 11 | 9 | 8 | 8 | 10 | 25 | 11 | 11 |
| 43 31 | 10 | 9 | 10 | 11 | 45 | 13 | 12 | 10 | 9 | 10 | 11 | 40 | 13 | 12 | 10 | 9 | 10 | 11 | 35 | 13 | 12 |
| 47 51 | 11 | 10 | 11 | 12 | 56 | 14 | 13 | 11 | 10 | 11 | 12 | 50 | 14 | 13 | 11 | 10 | 11 | 12 | 44 | 14 | 13 |
| 6 52 11 | 12 | 11 | 12 | 14 | 05 | 15 | 14 | 12 | 11 | 12 | 13 | 59 | 15 | 14 | 12 | 11 | 12 | 13 | 52 | 15 | 14 |
| 56 31 | 13 | 12 | 13 | 15 | 15 | 16 | 15 | 13 | 12 | 13 | 15 | 08 | 16 | 15 | 13 | 12 | 13 | 15 | 01 | 16 | 15 |
| 7 0 50 | 14 | 13 | 14 | 16 | 23 | 17 | 16 | 14 | 13 | 14 | 16 | 16 | 17 | 16 | 14 | 13 | 14 | 16 | 09 | 17 | 16 |
| 7 5 8 | 15 | 14 | 15 | 17 | 32 | 18 | 17 | 15 | 14 | 15 | 17 | 24 | 18 | 17 | 15 | 14 | 15 | 17 | 16 | 18 | 17 |
| 9 26 | 16 | 15 | 16 | 18 | 41 | 19 | 18 | 16 | 15 | 16 | 18 | 33 | 19 | 18 | 16 | 15 | 16 | 18 | 25 | 19 | 18 |
| 13 44 | 17 | 16 | 18 | 19 | 50 | 20 | 19 | 17 | 16 | 18 | 19 | 41 | 20 | 19 | 17 | 16 | 18 | 19 | 32 | 20 | 19 |
| 7 18 1 | 18 | 17 | 19 | 20 | 58 | 21 | 20 | 18 | 17 | 19 | 20 | 49 | 21 | 20 | 18 | 17 | 19 | 20 | 40 | 21 | 20 |
| 22 18 | 19 | 18 | 20 | 22 | 07 | 23 | 21 | 19 | 18 | 20 | 21 | 57 | 23 | 21 | 19 | 18 | 20 | 21 | 47 | 22 | 21 |
| 26 34 | 20 | 19 | 21 | 23 | 14 | 24 | 22 | 20 | 19 | 21 | 23 | 04 | 24 | 22 | 20 | 19 | 21 | 22 | 54 | 23 | 22 |
| 7 30 50 | 21 | 20 | 22 | 24 | 21 | 25 | 23 | 21 | 20 | 22 | 24 | 10 | 25 | 23 | 21 | 20 | 22 | 23 | 59 | 24 | 23 |
| 35 5 | 22 | 22 | 23 | 25 | 28 | 26 | 24 | 22 | 22 | 23 | 25 | 17 | 26 | 24 | 22 | 22 | 23 | 24 | 06 | 25 | 24 |
| 39 20 | 23 | 23 | 24 | 26 | 34 | 27 | 25 | 23 | 23 | 24 | 26 | 23 | 27 | 25 | 23 | 23 | 24 | 26 | 12 | 26 | 25 |
| 7 43 34 | 24 | 24 | 26 | 27 | 41 | 28 | 26 | 24 | 24 | 26 | 27 | 29 | 28 | 26 | 24 | 24 | 26 | 27 | 17 | 27 | 26 |
| 47 47 | 25 | 25 | 27 | 28 | 47 | 29 | 27 | 25 | 25 | 27 | 28 | 35 | 29 | 27 | 25 | 25 | 27 | 28 | 23 | 28 | 27 |
| 52 0 | 26 | 26 | 28 | 29 | 52 | ♐ | 28 | 26 | 26 | 28 | 29 | 40 | ♐ | 28 | 26 | 26 | 28 | 29 | 28 | 29 | 23 |
| 7 56 12 | 27 | 27 | 29 | 0♏ | 58 | 1 | 29 | 27 | 27 | 29 | 0♏ | 45 | 1 | 29 | 27 | 27 | 29 | 0♏ | 32 | ♐ | 29 |
| 8 0 24 | 28 | 28 | ♎ | 2 | 03 | 2 | ♑ | 28 | 28 | ♎ | 1 | 50 | 2 | ♑ | 28 | 28 | ♎ | 1 | 37 | 1 | ♑ |
| 4 35 | 29 | 29 | 1 | 3 | 08 | 3 | 1 | 29 | 29 | 1 | 2 | 55 | 3 | 1 | 29 | 29 | 1 | 2 | 41 | 2 | 1 |
| Houses | 4 | 5 | 6 | 7 | | 8 | 9 | 4 | 5 | 6 | 7 | | 8 | 9 | 4 | 5 | 6 | 7 | | 8 | 9 |

Latitude 1° S.      Latitude 2° S.      Latitude 3° S.

# SIMPLIFIED SCIENTIFIC TABLES OF HOUSES

|  | Latitude 1° N. | | | | | | Latitude 2° N. | | | | | | Latitude 3° N. | | | | | |
|---|---|---|---|---|---|---|---|---|---|---|---|---|---|---|---|---|---|---|
| Sider'l Time | 10 ♌ | 11 ♍ | 12 ♎ | Asc. ♏ | 2 ♐ | 3 ♑ | 10 ♌ | 11 ♍ | 12 ♎ | Asc. ♏ | 2 ♐ | 3 ♑ | 10 ♌ | 11 ♍ | 12 ♎ | Asc. ♏ | 2 ♐ | 3 ♑ |
| H M S | ° | ° | ° | ° ′ | ° | ° | ° | ° | ° | ° ′ | ° | ° | ° | ° | ° | ° ′ | ° | ° |
| 8 8 45 | 0 | 0 | 2 | 4 15 | 4 | 2 | 0 | 0 | 2 | 4 00 | 4 | 2 | 0 | 0 | 2 | 3 15 | 3 | 1 |
| 12 54 | 1 | 1 | 3 | 5 18 | 5 | 3 | 1 | 1 | 3 | 5 03 | 5 | 3 | 1 | 1 | 3 | 4 48 | 4 | 2 |
| 17 3 | 2 | 2 | 5 | 6 21 | 6 | 4 | 2 | 2 | 5 | 6 06 | 6 | 4 | 2 | 2 | 5 | 5 51 | 5 | 3 |
| 8 21 11 | 3 | 3 | 6 | 7 24 | 7 | 5 | 3 | 3 | 6 | 7 09 | 7 | 5 | 3 | 3 | 6 | 6 54 | 6 | 4 |
| 25 19 | 4 | 5 | 7 | 8 26 | 8 | 6 | 4 | 5 | 7 | 8 11 | 8 | 6 | 4 | 5 | 7 | 7 56 | 7 | 5 |
| 29 26 | 5 | 6 | 8 | 9 30 | 9 | 6 | 5 | 6 | 8 | 9 14 | 9 | 6 | 5 | 6 | 8 | 8 58 | 8 | 6 |
| 8 33 31 | 6 | 7 | 9 | 10 33 | 10 | 7 | 6 | 7 | 9 | 10 16 | 10 | 7 | 6 | 7 | 9 | 9 59 | 9 | 7 |
| 37 37 | 7 | 8 | 10 | 11 34 | 10 | 8 | 7 | 8 | 10 | 11 17 | 10 | 8 | 7 | 8 | 10 | 11 00 | 10 | 8 |
| 41 41 | 8 | 9 | 11 | 12 35 | 11 | 9 | 8 | 9 | 11 | 12 18 | 11 | 9 | 8 | 9 | 11 | 12 01 | 11 | 9 |
| 8 45 45 | 9 | 10 | 12 | 13 36 | 12 | 10 | 9 | 10 | 12 | 13 19 | 12 | 10 | 9 | 10 | 12 | 13 02 | 12 | 10 |
| 49 48 | 10 | 11 | 13 | 14 37 | 13 | 11 | 10 | 11 | 13 | 14 20 | 13 | 11 | 10 | 11 | 13 | 14 03 | 13 | 11 |
| 53 51 | 11 | 12 | 14 | 15 37 | 14 | 12 | 11 | 12 | 14 | 15 20 | 14 | 12 | 11 | 12 | 14 | 15 03 | 14 | 12 |
| 8 57 52 | 12 | 13 | 16 | 16 38 | 15 | 13 | 12 | 13 | 16 | 16 20 | 15 | 13 | 12 | 13 | 15 | 16 02 | 15 | 13 |
| 9 1 53 | 13 | 14 | 17 | 17 37 | 16 | 14 | 13 | 14 | 17 | 17 19 | 16 | 14 | 13 | 14 | 16 | 17 01 | 16 | 14 |
| 5 53 | 14 | 15 | 18 | 18 35 | 17 | 15 | 14 | 15 | 18 | 18 18 | 17 | 15 | 14 | 15 | 18 | 17 59 | 17 | 15 |
| 9 9 53 | 15 | 16 | 19 | 19 36 | 18 | 16 | 15 | 16 | 19 | 19 17 | 18 | 16 | 15 | 16 | 19 | 18 58 | 17 | 16 |
| 13 52 | 16 | 18 | 20 | 20 35 | 19 | 17 | 16 | 18 | 20 | 20 16 | 19 | 17 | 16 | 18 | 20 | 19 57 | 18 | 17 |
| 17 50 | 17 | 19 | 21 | 21 33 | 20 | 18 | 17 | 19 | 21 | 21 14 | 20 | 18 | 17 | 19 | 21 | 20 55 | 19 | 17 |
| 9 21 47 | 18 | 20 | 22 | 22 31 | 21 | 19 | 18 | 20 | 22 | 22 12 | 21 | 19 | 18 | 20 | 22 | 21 53 | 20 | 18 |
| 25 44 | 19 | 21 | 23 | 23 28 | 22 | 20 | 19 | 21 | 23 | 23 09 | 22 | 20 | 19 | 21 | 23 | 22 50 | 21 | 19 |
| 29 40 | 20 | 22 | 24 | 24 26 | 23 | 20 | 20 | 22 | 24 | 24 06 | 23 | 20 | 20 | 22 | 24 | 23 46 | 22 | 20 |
| 9 33 35 | 21 | 23 | 25 | 25 23 | 23 | 21 | 21 | 23 | 25 | 25 03 | 23 | 21 | 21 | 23 | 25 | 24 43 | 23 | 21 |
| 37 29 | 22 | 24 | 26 | 26 19 | 24 | 22 | 22 | 24 | 26 | 25 59 | 24 | 22 | 22 | 24 | 26 | 25 39 | 24 | 22 |
| 41 23 | 23 | 25 | 27 | 27 16 | 25 | 23 | 23 | 25 | 27 | 26 56 | 25 | 23 | 23 | 25 | 27 | 26 36 | 25 | 23 |
| 9 45 16 | 24 | 26 | 28 | 28 13 | 26 | 24 | 24 | 26 | 28 | 27 52 | 26 | 24 | 24 | 26 | 28 | 27 31 | 26 | 24 |
| 49 9 | 25 | 27 | 29 | 29 08 | 27 | 25 | 25 | 27 | 29 | 28 47 | 27 | 25 | 25 | 27 | 29 | 28 26 | 26 | 25 |
| 53 1 | 26 | 28 | ♏ | 0 ♐ 04 | 28 | 26 | 26 | 28 | ♏ | 29 43 | 28 | 26 | 26 | 28 | ♏ | 29 22 | 27 | 26 |
| 9 56 52 | 27 | 29 | 1 | 0 59 | 29 | 27 | 27 | 29 | 1 | 0 ♐ 38 | 29 | 27 | 27 | 29 | 1 | 0 ♐ 17 | 28 | 27 |
| 10 0 43 | 28 | ♎ | 2 | 1 54 | ♑ | 28 | 28 | ♎ | 2 | 1 33 | ♑ | 28 | 28 | ♎ | 2 | 1 12 | 29 | 28 |
| 4 33 | 29 | 1 | 3 | 2 50 | 1 | 29 | 29 | 1 | 3 | 2 28 | 1 | 29 | 29 | 1 | 3 | 2 06 | ♑ | 29 |

| Houses | 4 | 5 | 6 | 7 | 8 | 9 | 4 | 5 | 6 | 7 | 8 | 9 | 4 | 5 | 6 | 7 | 8 | 9 |
|---|---|---|---|---|---|---|---|---|---|---|---|---|---|---|---|---|---|---|

| | Latitude 1° N. | | | | | | Latitude 2° N. | | | | | | Latitude 3° N. | | | | | |
|---|---|---|---|---|---|---|---|---|---|---|---|---|---|---|---|---|---|---|
| Sider'l Time | 10 ♍ | 11 ≏ | 12 ♏ | Asc ♐ | 2 ♑ | 3 ♒ | 10 ♍ | 11 ≏ | 12 ♏ | Asc ♐ | 2 ♑ | 3 ♒ | 10 ♍ | 11 ≏ | 12 ♏ | Asc ♐ | 2 ♑ | 3 ♑ |
| 10  8 23 | 0 | 2 | 4 | 3 44 | 1 | 0 | 0 | 2 | 4 | 3 22 | 1 | 0 | 0 | 2 | 4 | 3 00 | 1 | 29 |
| 12 12 | 1 | 3 | 5 | 4 38 | 2 | 1 | 1 | 3 | 5 | 4 16 | 2 | 1 | 1 | 3 | 5 | 3 54 | 2 | ≈ |
| 16  0 | 2 | 4 | 6 | 5 32 | 3 | 2 | 2 | 4 | 6 | 5 10 | 3 | 2 | 2 | 4 | 6 | 4 48 | 3 | 1 |
| 10 19 48 | 3 | 5 | 7 | 6 25 | 4 | 2 | 3 | 5 | 7 | 6 03 | 4 | 2 | 3 | 5 | 7 | 5 41 | 3 | 2 |
| 23 35 | 4 | 6 | 8 | 7 18 | 5 | 3 | 4 | 6 | 8 | 6 56 | 5 | 3 | 4 | 6 | 8 | 6 34 | 4 | 3 |
| 27 22 | 5 | 7 | 9 | 8 11 | 6 | 4 | 5 | 7 | 9 | 7 49 | 6 | 4 | 5 | 7 | 9 | 7 27 | 5 | 4 |
| 10 31  8 | 6 | 8 | 10 | 9 04 | 7 | 5 | 6 | 8 | 10 | 8 42 | 7 | 5 | 6 | 8 | 9 | 8 20 | 6 | 5 |
| 34 54 | 7 | 9 | 11 | 9 57 | 7 | 6 | 7 | 9 | 11 | 9 35 | 7 | 6 | 7 | 9 | 10 | 9 13 | 7 | 6 |
| 38 40 | 8 | 10 | 12 | 10 51 | 8 | 7 | 8 | 10 | 12 | 10 28 | 8 | 7 | 8 | 10 | 11 | 10 05 | 8 | 7 |
| 10 42 25 | 9 | 11 | 13 | 11 43 | 9 | 8 | 9 | 11 | 13 | 11 20 | 9 | 8 | 9 | 11 | 12 | 10 57 | 9 | 8 |
| 46  9 | 10 | 12 | 14 | 12 35 | 10 | 9 | 10 | 12 | 14 | 12 12 | 10 | 9 | 10 | 12 | 13 | 11 49 | 10 | 9 |
| 49 53 | 11 | 13 | 15 | 13 27 | 11 | 10 | 11 | 13 | 15 | 13 04 | 11 | 10 | 11 | 13 | 14 | 12 41 | 10 | 10 |
| 10 53 37 | 12 | 14 | 15 | 14 19 | 12 | 11 | 12 | 14 | 15 | 13 56 | 12 | 11 | 12 | 14 | 15 | 13 33 | 11 | 11 |
| 57 20 | 13 | 15 | 16 | 15 10 | 13 | 12 | 13 | 15 | 16 | 14 47 | 13 | 12 | 13 | 15 | 16 | 14 24 | 12 | 11 |
| 11  1  3 | 14 | 16 | 17 | 16 02 | 14 | 13 | 14 | 16 | 17 | 15 39 | 14 | 13 | 14 | 16 | 17 | 15 16 | 13 | 12 |
| 11  4 46 | 15 | 17 | 18 | 16 53 | 14 | 14 | 15 | 17 | 18 | 16 30 | 14 | 14 | 15 | 17 | 18 | 16 07 | 14 | 13 |
| 8 28 | 16 | 18 | 19 | 17 44 | 15 | 15 | 16 | 18 | 19 | 17 21 | 15 | 15 | 16 | 18 | 19 | 16 58 | 15 | 14 |
| 12 10 | 17 | 19 | 20 | 18 36 | 16 | 16 | 17 | 19 | 20 | 18 13 | 16 | 16 | 17 | 19 | 20 | 17 50 | 16 | 15 |
| 11 15 52 | 18 | 20 | 21 | 19 27 | 17 | 16 | 18 | 20 | 21 | 19 04 | 17 | 16 | 18 | 20 | 21 | 18 41 | 16 | 16 |
| 19 34 | 19 | 21 | 22 | 20 18 | 18 | 17 | 19 | 21 | 22 | 19 55 | 18 | 17 | 19 | 21 | 21 | 19 32 | 17 | 17 |
| 23 15 | 20 | 22 | 23 | 21 09 | 19 | 18 | 20 | 22 | 23 | 20 46 | 19 | 18 | 20 | 22 | 22 | 20 22 | 18 | 18 |
| 11 26 56 | 21 | 23 | 24 | 22 01 | 20 | 19 | 21 | 23 | 24 | 21 37 | 20 | 19 | 21 | 23 | 23 | 21 13 | 19 | 19 |
| 30 37 | 22 | 24 | 25 | 22 52 | 20 | 20 | 22 | 24 | 25 | 22 28 | 20 | 20 | 22 | 24 | 24 | 22 04 | 20 | 20 |
| 34 18 | 23 | 25 | 25 | 23 43 | 21 | 21 | 23 | 25 | 25 | 23 19 | 21 | 21 | 23 | 25 | 25 | 22 55 | 21 | 21 |
| 11 37 58 | 24 | 26 | 26 | 24 33 | 22 | 22 | 24 | 26 | 26 | 24 09 | 22 | 22 | 24 | 26 | 26 | 23 45 | 22 | 22 |
| 41 39 | 25 | 27 | 27 | 25 24 | 23 | 23 | 25 | 27 | 27 | 25 00 | 23 | 23 | 25 | 27 | 27 | 24 36 | 23 | 23 |
| 45 19 | 26 | 28 | 28 | 26 14 | 24 | 24 | 26 | 28 | 28 | 25 50 | 24 | 24 | 26 | 28 | 28 | 25 26 | 23 | 24 |
| 11 49  0 | 27 | 29 | 29 | 27 05 | 25 | 25 | 27 | 29 | 29 | 26 41 | 25 | 25 | 27 | 29 | 29 | 26 17 | 24 | 25 |
| 52 40 | 28 | ♏ | ♐ | 27 55 | 26 | 26 | 28 | ♏ | ♐ | 27 31 | 26 | 26 | 28 | ♏ | 29 | 27 07 | 25 | 26 |
| 56 20 | 29 | 1 | 1 | 28 46 | 27 | 27 | 29 | 1 | 1 | 28 22 | 27 | 27 | 29 | 1 | ♐ | 27 58 | 26 | 27 |
| Houses | 4 | 5 | 6 | 7 | 8 | 9 | 4 | 5 | 6 | 7 | 8 | 9 | 4 | 5 | 6 | 7 | 8 | 9 |

Latitude 1° N.  Latitude 2° N.  Latitude 3° N.

| Sider'l Time | 10 ♎ | 11 ♏ | 12 ♐ | Asc. ♐ | 2 ♑ | 3 ♒ | 10 ♎ | 11 ♏ | 12 ♐ | Asc. ♐ | 2 ♑ | 3 ♒ | 10 ♎ | 11 ♏ | 12 ♐ | Asc. ♐ | 2 ♑ | 3 ♒ |
|---|---|---|---|---|---|---|---|---|---|---|---|---|---|---|---|---|---|---|
| 12 0 0 | 0 | 2 | 2 | 29 36 | 27 | 28 | 0 | 2 | 2 | 29 12 | 27 | 28 | 0 | 2 | 1 | 28 48 | 27 | 28 |
| 3 40 | 1 | 3 | 3 | 0♑27 | 28 | 29 | 1 | 3 | 3 | 0♑03 | 28 | 29 | 1 | 3 | 2 | 29 39 | 28 | 28 |
| 7 20 | 2 | 4 | 3 | 1 17 | 29 | ♓ | 2 | 4 | 3 | 0 53 | 29 | ♓ | 2 | 4 | 3 | 0♑29 | 29 | 29 |
| 12 11 0 | 3 | 5 | 4 | 2 08 | ♒ | 1 | 3 | 5 | 4 | 1 44 | ♒ | 1 | 3 | 5 | 4 | 1 20 | ♒ | ♓ |
| 14 41 | 4 | 6 | 5 | 2 58 | 1 | 2 | 4 | 6 | 5 | 2 34 | 1 | 2 | 4 | 6 | 4 | 2 10 | 0 | 1 |
| 18 21 | 5 | 7 | 6 | 3 49 | 2 | 2 | 5 | 7 | 6 | 3 25 | 2 | 2 | 5 | 7 | 5 | 3 01 | 1 | 2 |
| 12 22 2 | 6 | 8 | 7 | 4 39 | 3 | 3 | 6 | 8 | 7 | 4 15 | 3 | 3 | 6 | 8 | 6 | 3 51 | 2 | 3 |
| 25 42 | 7 | 9 | 8 | 5 30 | 4 | 4 | 7 | 9 | 8 | 5 05 | 4 | 4 | 7 | 8 | 7 | 4 41 | 3 | 4 |
| 29 23 | 8 | 10 | 9 | 6 21 | 5 | 5 | 8 | 10 | 9 | 5 57 | 5 | 5 | 8 | 9 | 8 | 5 33 | 4 | 5 |
| 12 33 4 | 9 | 10 | 9 | 7 12 | 5 | 6 | 9 | 10 | 9 | 6 48 | 5 | 6 | 9 | 10 | 9 | 6 24 | 5 | 6 |
| 36 45 | 10 | 11 | 10 | 7 53 | 6 | 7 | 10 | 11 | 10 | 7 39 | 6 | 7 | 10 | 11 | 10 | 7 15 | 6 | 7 |
| 40 26 | 11 | 12 | 11 | 8 54 | 7 | 8 | 11 | 12 | 11 | 8 30 | 7 | 8 | 11 | 12 | 11 | 8 06 | 7 | 8 |
| 12 44 8 | 12 | 13 | 12 | 9 45 | 8 | 9 | 12 | 13 | 12 | 9 21 | 8 | 9 | 12 | 13 | 11 | 8 57 | 8 | 9 |
| 47 50 | 13 | 14 | 13 | 10 37 | 9 | 10 | 13 | 14 | 13 | 10 13 | 9 | 10 | 13 | 14 | 12 | 9 49 | 9 | 9 |
| 51 32 | 14 | 15 | 14 | 11 28 | 10 | 11 | 14 | 15 | 14 | 11 04 | 10 | 11 | 14 | 15 | 13 | 10 40 | 10 | 11 |
| 12 55 14 | 15 | 16 | 14 | 12 20 | 11 | 12 | 15 | 16 | 14 | 11 56 | 11 | 12 | 15 | 16 | 14 | 11 32 | 11 | 12 |
| 58 57 | 16 | 17 | 15 | 13 09 | 12 | 13 | 16 | 17 | 15 | 12 46 | 12 | 13 | 16 | 17 | 15 | 12 23 | 11 | 13 |
| 13 2 40 | 17 | 18 | 16 | 14 03 | 13 | 14 | 17 | 18 | 16 | 13 39 | 13 | 14 | 17 | 18 | 16 | 13 15 | 12 | 14 |
| 13 6 23 | 18 | 19 | 17 | 14 55 | 14 | 15 | 18 | 19 | 17 | 14 31 | 14 | 15 | 18 | 19 | 17 | 14 07 | 13 | 15 |
| 10 7 | 19 | 20 | 18 | 15 47 | 15 | 16 | 19 | 20 | 18 | 15 23 | 15 | 16 | 19 | 20 | 17 | 14 59 | 14 | 16 |
| 13 51 | 20 | 21 | 19 | 16 40 | 16 | 17 | 20 | 21 | 19 | 16 16 | 16 | 17 | 20 | 20 | 18 | 15 52 | 15 | 17 |
| 13 17 35 | 21 | 22 | 20 | 17 31 | 17 | 18 | 21 | 22 | 20 | 17 08 | 17 | 18 | 21 | 21 | 19 | 16 45 | 16 | 18 |
| 21 20 | 22 | 23 | 21 | 18 24 | 18 | 19 | 22 | 23 | 21 | 18 01 | 18 | 19 | 22 | 22 | 20 | 17 38 | 17 | 19 |
| 25 6 | 23 | 23 | 21 | 19 17 | 18 | 20 | 23 | 23 | 21 | 18 54 | 18 | 20 | 23 | 23 | 21 | 18 31 | 18 | 20 |
| 13 28 52 | 24 | 24 | 22 | 20 10 | 19 | 21 | 24 | 24 | 22 | 19 47 | 19 | 21 | 24 | 24 | 22 | 19 24 | 19 | 21 |
| 32 38 | 25 | 25 | 23 | 21 04 | 20 | 23 | 25 | 25 | 23 | 20 41 | 20 | 23 | 25 | 25 | 23 | 20 18 | 20 | 22 |
| 36 25 | 26 | 26 | 24 | 21 57 | 21 | 24 | 26 | 26 | 24 | 21 34 | 21 | 24 | 26 | 26 | 24 | 21 11 | 21 | 24 |
| 13 40 12 | 27 | 27 | 25 | 22 51 | 22 | 25 | 27 | 27 | 25 | 22 28 | 22 | 25 | 27 | 27 | 24 | 22 05 | 22 | 25 |
| 44 0 | 28 | 28 | 26 | 23 45 | 23 | 26 | 28 | 28 | 26 | 23 22 | 23 | 26 | 28 | 28 | 25 | 22 59 | 23 | 26 |
| 47 48 | 29 | 29 | 27 | 24 39 | 24 | 24 | 29 | 29 | 27 | 24 16 | 24 | 27 | 29 | 29 | 26 | 23 53 | 24 | 27 |
| Houses | 4 | 5 | 6 | 7 | 8 | 9 | 4 | 5 | 6 | 7 | 8 | 9 | 4 | 5 | 6 | 7 | 8 | 9 |

Latitude 1° S.  Latitude 2° S.  Latitude 3° S.

## SIMPLIFIED SCIENTIFIC TABLES OF HOUSES

|  | Latitude 1° N. | | | | | | Latitude 2° N. | | | | | | Latitude 3° N. | | | | | |
|---|---|---|---|---|---|---|---|---|---|---|---|---|---|---|---|---|---|---|
| Sider'l Tnme H M S | 10 ♏ | 11 ♐ | 12 ♐ | Asc ♑ | 2 ♒ | 3 ♓ | 10 ♏ | 11 ♐ | 12 ♐ | Asc ♑ | 2 ♒ | 3 ♓ | 10 ♏ | 11 ♐ | 12 ♐ | Asc ♑ | 2 ♒ | 3 ♓ |
| 13 51 37 | 0 | 0 | 28 | 25 32 | 25 | 28 | 0 | 0 | 28 | 25 10 | 25 | 28 | 0 | 0 | 27 | 24 48 | 25 | 28 |
| 55 27 | 1 | 1 | 28 | 26 27 | 26 | 29 | 1 | 1 | 28 | 26 05 | 26 | 29 | 1 | 1 | 28 | 25 43 | 26 | 29 |
| 59 17 | 2 | 2 | 29 | 27 22 | 27 | ♈ | 2 | 2 | 29 | 27 00 | 27 | ♈ | 2 | 1 | 29 | 26 38 | 27 | ♈ |
| 14 3 8 | 3 | 3 | ♑ | 28 18 | 28 | 1 | 3 | 3 | ♑ | 27 56 | 28 | 1 | 3 | 2 | ♑ | 27 34 | 28 | 1 |
| 6 59 | 4 | 4 | 1 | 29 14 | 29 | 2 | 4 | 4 | 1 | 28 52 | 29 | 2 | 4 | 3 | 1 | 28 30 | 29 | 2 |
| 10 51 | 5 | 4 | 2 | 0♒10 | ♓ | 3 | 5 | 4 | 2 | 29 48 | ♓ | 3 | 5 | 4 | 1 | 29 26 | ♓ | 3 |
| 14 14 44 | 6 | 5 | 3 | 1 07 | 1 | 4 | 6 | 5 | 3 | 0♒45 | 1 | 4 | 6 | 5 | 2 | 0♒23 | 1 | 4 |
| 18 37 | 7 | 6 | 4 | 2 02 | 2 | 5 | 7 | 6 | 4 | 1 41 | 2 | 5 | 7 | 6 | 3 | 1 20 | 2 | 5 |
| 22 31 | 8 | 7 | 5 | 2 59 | 3 | 6 | 8 | 7 | 5 | 2 38 | 3 | 6 | 8 | 7 | 4 | 2 17 | 3 | 6 |
| 14 26 25 | 9 | 8 | 6 | 3 56 | 5 | 7 | 9 | 8 | 6 | 3 35 | 5 | 7 | 9 | 8 | 5 | 3 14 | 4 | 7 |
| 30 20 | 10 | 9 | 6 | 4 54 | 6 | 8 | 10 | 9 | 6 | 4 33 | 6 | 8 | 10 | 9 | 6 | 4 12 | 5 | 8 |
| 34 16 | 11 | 10 | 7 | 5 51 | 7 | 9 | 11 | 10 | 7 | 5 31 | 7 | 9 | 11 | 10 | 7 | 5 11 | 6 | 9 |
| 14 38 13 | 12 | 11 | 8 | 6 50 | 8 | 10 | 12 | 11 | 8 | 6 30 | 8 | 10 | 12 | 11 | 8 | 6 10 | 7 | 10 |
| 42 10 | 13 | 12 | 9 | 7 49 | 9 | 12 | 13 | 12 | 9 | 7 29 | 9 | 12 | 13 | 12 | 9 | 7 09 | 9 | 12 |
| 46 8 | 14 | 13 | 10 | 8 48 | 10 | 13 | 14 | 13 | 10 | 8 28 | 10 | 13 | 14 | 13 | 10 | 8 08 | 10 | 13 |
| 14 50 7 | 15 | 14 | 11 | 9 47 | 11 | 14 | 15 | 14 | 11 | 9 27 | 11 | 14 | 15 | 13 | 10 | 9 07 | 11 | 14 |
| 54 7 | 16 | 15 | 12 | 10 46 | 12 | 15 | 16 | 15 | 12 | 10 27 | 12 | 15 | 16 | 14 | 11 | 10 08 | 12 | 15 |
| 58 7 | 17 | 15 | 13 | 11 46 | 13 | 16 | 17 | 15 | 13 | 11 27 | 13 | 16 | 17 | 15 | 12 | 11 08 | 13 | 16 |
| 15 2 8 | 18 | 16 | 14 | 12 46 | 14 | 17 | 18 | 16 | 14 | 12 27 | 14 | 17 | 18 | 16 | 13 | 12 08 | 14 | 17 |
| 6 9 | 19 | 17 | 15 | 13 47 | 15 | 18 | 19 | 17 | 15 | 13 28 | 15 | 18 | 19 | 17 | 14 | 13 09 | 15 | 18 |
| 10 12 | 20 | 18 | 16 | 14 47 | 16 | 19 | 20 | 18 | 16 | 14 29 | 16 | 19 | 20 | 18 | 15 | 14 11 | 16 | 19 |
| 15 14 15 | 21 | 19 | 17 | 15 49 | 17 | 20 | 21 | 19 | 17 | 15 31 | 17 | 20 | 21 | 19 | 16 | 15 13 | 17 | 20 |
| 18 19 | 22 | 20 | 18 | 16 51 | 19 | 21 | 22 | 20 | 18 | 16 33 | 19 | 21 | 22 | 20 | 17 | 16 15 | 18 | 21 |
| 22 23 | 23 | 21 | 19 | 17 54 | 20 | 22 | 23 | 21 | 19 | 17 36 | 20 | 22 | 23 | 21 | 18 | 17 18 | 20 | 22 |
| 15 26 29 | 24 | 22 | 19 | 18 55 | 21 | 23 | 24 | 22 | 19 | 18 38 | 21 | 23 | 24 | 22 | 19 | 18 21 | 21 | 23 |
| 30 35 | 25 | 23 | 20 | 19 59 | 22 | 25 | 25 | 23 | 20 | 19 42 | 22 | 25 | 25 | 23 | 20 | 19 25 | 22 | 25 |
| 34 41 | 26 | 24 | 21 | 21 01 | 23 | 26 | 26 | 24 | 21 | 20 45 | 23 | 26 | 26 | 24 | 21 | 20 29 | 23 | 26 |
| 15 38 49 | 27 | 25 | 22 | 22 05 | 24 | 27 | 27 | 25 | 22 | 21 49 | 24 | 27 | 27 | 25 | 22 | 21 33 | 24 | 27 |
| 42 57 | 28 | 26 | 23 | 23 00 | 25 | 28 | 28 | 26 | 23 | 22 54 | 25 | 28 | 28 | 26 | 23 | 22 38 | 25 | 28 |
| 47 6 | 29 | 27 | 24 | 24 15 | 26 | 29 | 29 | 27 | 24 | 23 59 | 26 | 29 | 29 | 27 | 24 | 23 43 | 26 | 29 |
| Houses | 4 | 5 | 6 | 7 | 8 | 9 | 4 | 5 | 6 | 7 | 8 | 9 | 4 | 5 | 6 | 7 | 8 | 9 |

|  | Latitude 1° N. | | | | | | Latitude 2° N. | | | | | | Latitude 3° N. | | | | | |
|---|---|---|---|---|---|---|---|---|---|---|---|---|---|---|---|---|---|---|
| Sider'l Time | 10 ♐ | 11 ♐ | 12 ♑ | Asc. ♒ | 2 ♓ | 3 ♉ | 10 ♐ | 11 ♐ | 12 ♑ | Asc. ♒ | 2 ♓ | 3 ♉ | 10 ♐ | 11 ♐ | 12 ♑ | Asc. ♒ | 2 ♓ | 3 ♉ |
| H M S | ° | ° | ° | ° ' | ° | ° | ° | ° | ° | ° ' | ° | ° | ° | ° | ° | ° ' | ° | ° |
| 15 51 15 | 0 | 28 | 25 | 25 19 | 28 | 0 | 0 | 28 | 25 | 25 04 | 28 | 0 | 0 | 27 | 25 | 24 49 | 28 | 0 |
| 55 25 | 1 | 29 | 26 | 26 25 | 29 | 1 | 1 | 29 | 26 | 26 10 | 29 | 1 | 1 | 28 | 26 | 25 55 | 29 | 1 |
| 59 36 | 2 | ♑ | 27 | 27 30 | ♈ | 2 | 2 | ♑ | 27 | 27 16 | ♈ | 2 | 2 | 29 | 27 | 27 02 | ♈ | 2 |
| 16 3 48 | 3 | 1 | 28 | 28 36 | 1 | 3 | 3 | 1 | 28 | 28 22 | 1 | 3 | 3 | ♑ | 28 | 28 08 | 1 | 3 |
| 8 0 | 4 | 2 | 29 | 29 41 | 2 | 4 | 4 | 2 | 29 | 29 28 | 2 | 4 | 4 | 1 | 29 | 29 15 | 2 | 4 |
| 12 13 | 5 | 3 | ♒ | 0♓48 | 3 | 6 | 5 | 3 | ♒ | 0♓35 | 3 | 6 | 5 | 2 | ♒ | 0♓22 | 3 | 6 |
| 16 16 26 | 6 | 4 | 1 | 1 56 | 5 | 7 | 6 | 4 | 1 | 1 43 | 5 | 7 | 6 | 3 | 1 | 1 30 | 5 | 7 |
| 20 40 | 7 | 4 | 2 | 3 03 | 6 | 8 | 7 | 4 | 2 | 2 51 | 6 | 8 | 7 | 4 | 2 | 2 39 | 6 | 8 |
| 24 55 | 8 | 5 | 3 | 4 11 | 7 | 9 | 8 | 5 | 3 | 3 59 | 7 | 9 | 8 | 5 | 3 | 3 47 | 7 | 9 |
| 16 29 10 | 9 | 6 | 4 | 5 20 | 8 | 10 | 9 | 6 | 4 | 5 08 | 8 | 10 | 9 | 6 | 4 | 4 56 | 8 | 10 |
| 33 26 | 10 | 7 | 6 | 6 28 | 9 | 11 | 10 | 7 | 6 | 6 17 | 9 | 11 | 10 | 7 | 5 | 6 06 | 9 | 11 |
| 37 42 | 11 | 8 | 7 | 7 37 | 10 | 12 | 11 | 8 | 7 | 7 26 | 10 | 12 | 11 | 8 | 6 | 7 15 | 10 | 12 |
| 16 41 59 | 12 | 9 | 8 | 8 45 | 12 | 13 | 12 | 9 | 8 | 8 35 | 12 | 13 | 12 | 9 | 7 | 8 25 | 12 | 13 |
| 46 16 | 13 | 10 | 9 | 9 53 | 13 | 14 | 13 | 10 | 9 | 9 44 | 13 | 14 | 13 | 10 | 8 | 9 35 | 13 | 14 |
| 50 34 | 14 | 11 | 10 | 11 03 | 14 | 15 | 14 | 11 | 10 | 10 54 | 14 | 15 | 14 | 11 | 9 | 10 45 | 14 | 15 |
| 16 54 52 | 15 | 12 | 11 | 12 12 | 15 | 16 | 15 | 12 | 11 | 12 04 | 15 | 16 | 15 | 12 | 10 | 11 56 | 15 | 16 |
| 59 10 | 16 | 13 | 12 | 13 21 | 16 | 17 | 16 | 13 | 12 | 13 14 | 16 | 17 | 16 | 13 | 11 | 13 07 | 16 | 17 |
| 17 3 29 | 17 | 14 | 13 | 14 43 | 17 | 19 | 17 | 14 | 13 | 14 25 | 17 | 19 | 17 | 14 | 13 | 14 18 | 17 | 19 |
| 17 7 49 | 18 | 15 | 14 | 15 44 | 19 | 20 | 18 | 15 | 14 | 15 36 | 19 | 20 | 18 | 15 | 14 | 15 28 | 19 | 20 |
| 12 9 | 19 | 16 | 15 | 16 55 | 20 | 21 | 19 | 16 | 15 | 16 47 | 20 | 21 | 19 | 16 | 15 | 16 41 | 20 | 21 |
| 16 29 | 20 | 17 | 16 | 18 05 | 21 | 22 | 20 | 17 | 16 | 17 59 | 21 | 22 | 20 | 17 | 16 | 17 53 | 21 | 22 |
| 17 20 49 | 21 | 18 | 17 | 19 16 | 22 | 23 | 21 | 18 | 17 | 19 11 | 22 | 23 | 21 | 18 | 17 | 19 06 | 22 | 23 |
| 25 9 | 22 | 19 | 18 | 20 28 | 23 | 24 | 22 | 19 | 18 | 20 23 | 23 | 24 | 22 | 19 | 18 | 20 18 | 23 | 24 |
| 29 30 | 23 | 20 | 20 | 21 39 | 24 | 25 | 23 | 20 | 20 | 21 35 | 24 | 25 | 23 | 20 | 19 | 21 31 | 24 | 25 |
| 17 33 51 | 24 | 21 | 21 | 22 49 | 26 | 26 | 24 | 21 | 21 | 22 46 | 26 | 26 | 24 | 21 | 20 | 22 43 | 26 | 26 |
| 38 12 | 25 | 22 | 22 | 24 01 | 27 | 27 | 25 | 22 | 22 | 23 58 | 27 | 27 | 25 | 22 | 21 | 23 55 | 27 | 27 |
| 42 34 | 26 | 24 | 23 | 25 14 | 28 | 28 | 26 | 24 | 23 | 25 11 | 28 | 28 | 26 | 23 | 23 | 25 08 | 28 | 28 |
| 17 46 55 | 27 | 25 | 24 | 26 25 | 29 | 29 | 27 | 25 | 24 | 26 23 | 29 | 29 | 27 | 24 | 24 | 26 21 | 29 | 29 |
| 51 17 | 28 | 26 | 25 | 27 36 | ♉ | ♊ | 28 | 26 | 25 | 27 35 | ♉ | ♊ | 28 | 25 | 25 | 27 34 | ♉ | ♊ |
| 55 38 | 29 | 27 | 26 | 28 49 | 1 | 1 | 29 | 27 | 26 | 28 48 | 1 | 1 | 29 | 26 | 26 | 28 47 | 1 | 1 |
| Houses | 4 | 5 | 6 | 7 | 8 | 9 | 4 | 5 | 6 | 7 | 8 | 9 | 4 | 5 | 6 | 7 | 8 | 9 |

# SIMPLIFIED SCIENTIFIC TABLES OF HOUSES

| | Latitude 1° N. | | | | | | Latitude 2° N. | | | | | | Latitude 3° N. | | | | | |
|---|---|---|---|---|---|---|---|---|---|---|---|---|---|---|---|---|---|---|
| Sider'l Time | 10 ♑ | 11 ♑ | 12 ≈ | Asc. ♈ | 2 ♉ | 3 ♊ | 10 ♑ | 11 ♑ | 12 ≈ | Asc. ♈ | 2 ♉ | 3 ♊ | 10 ♑ | 11 ♑ | 12 ≈ | Asc. ♈ | 2 ♉ | 3 ♊ |
| H M S | ° | ° | ° | ° ' | ° | ° | ° | ° | ° | ° ' | ° | ° | ° | ° | ° | ° ' | ° | ° |
| 18 0 0 | 0 | 28 | 28 | 0 00 | 2 | 2 | 0 | 28 | 28 | 0 00 | 2 | 2 | 0 | 27 | 27 | 0 00 | 2 | 2 |
| 4 22 | 1 | 29 | 29 | 1 11 | 4 | 3 | 1 | 29 | 29 | 1 12 | 4 | 3 | 1 | 28 | 28 | 1 13 | 4 | 3 |
| 8 43 | 2 | ≈ | ♓ | 2 24 | 5 | 4 | 2 | ≈ | ♓ | 2 25 | 5 | 4 | 2 | ≈ | ♓ | 2 26 | 5 | 4 |
| 18 13 5 | 3 | 1 | 1 | 3 36 | 6 | 5 | 3 | 1 | 1 | 3 37 | 6 | 5 | 3 | 1 | 1 | 3 38 | 6 | 5 |
| 17 26 | 4 | 2 | 2 | 4 47 | 7 | 6 | 4 | 2 | 2 | 4 49 | 7 | 6 | 4 | 2 | 2 | 4 51 | 7 | 6 |
| 21 48 | 5 | 3 | 3 | 6 00 | 8 | 8 | 5 | 3 | 3 | 6 02 | 8 | 8 | 5 | 3 | 3 | 6 04 | 8 | 8 |
| 18 26 9 | 6 | 4 | 4 | 7 11 | 9 | 9 | 6 | 4 | 4 | 7 14 | 9 | 9 | 6 | 4 | 4 | 7 17 | 9 | 9 |
| 30 30 | 7 | 5 | 6 | 8 21 | 10 | 10 | 7 | 5 | 6 | 8 25 | 10 | 10 | 7 | 5 | 5 | 8 29 | 10 | 10 |
| 34 51 | 8 | 6 | 7 | 9 33 | 12 | 11 | 8 | 6 | 7 | 9 37 | 12 | 11 | 8 | 6 | 7 | 9 41 | 12 | 11 |
| 18 39 11 | 9 | 7 | 8 | 10 49 | 13 | 12 | 9 | 7 | 8 | 10 49 | 13 | 12 | 9 | 7 | 8 | 10 54 | 13 | 12 |
| 43 31 | 10 | 8 | 9 | 11 56 | 14 | 13 | 10 | 8 | 9 | 12 01 | 14 | 13 | 10 | 8 | 9 | 12 06 | 14 | 13 |
| 47 51 | 11 | 9 | 10 | 13 07 | 15 | 14 | 11 | 9 | 10 | 13 13 | 15 | 14 | 11 | 9 | 10 | 13 19 | 15 | 14 |
| 18 52 11 | 12 | 10 | 11 | 14 18 | 16 | 15 | 12 | 10 | 11 | 14 24 | 16 | 15 | 12 | 10 | 11 | 14 30 | 16 | 15 |
| 56 31 | 13 | 11 | 13 | 15 28 | 17 | 16 | 13 | 11 | 13 | 15 35 | 17 | 16 | 13 | 11 | 13 | 15 42 | 17 | 16 |
| 19 0 50 | 14 | 13 | 14 | 16 39 | 18 | 17 | 14 | 13 | 14 | 16 46 | 18 | 17 | 14 | 12 | 14 | 16 53 | 18 | 17 |
| 19 5 8 | 15 | 14 | 15 | 17 48 | 19 | 18 | 15 | 14 | 15 | 17 56 | 19 | 18 | 15 | 13 | 15 | 18 04 | 19 | 18 |
| 9 26 | 16 | 15 | 16 | 18 58 | 20 | 19 | 16 | 15 | 16 | 19 06 | 20 | 19 | 16 | 14 | 16 | 19 14 | 20 | 19 |
| 13 44 | 17 | 16 | 17 | 20 07 | 21 | 20 | 17 | 16 | 17 | 20 16 | 21 | 20 | 17 | 16 | 17 | 20 25 | 21 | 20 |
| 19 18 1 | 18 | 17 | 18 | 21 15 | 22 | 21 | 18 | 17 | 18 | 21 25 | 22 | 21 | 18 | 17 | 18 | 21 35 | 22 | 21 |
| 22 18 | 19 | 18 | 20 | 22 20 | 23 | 22 | 19 | 18 | 20 | 22 34 | 23 | 22 | 19 | 18 | 20 | 22 44 | 23 | 22 |
| 26 34 | 20 | 19 | 21 | 23 32 | 24 | 23 | 20 | 19 | 21 | 23 43 | 24 | 23 | 20 | 19 | 21 | 23 54 | 24 | 23 |
| 19 30 50 | 21 | 20 | 22 | 24 41 | 26 | 24 | 21 | 20 | 22 | 24 52 | 26 | 24 | 21 | 20 | 22 | 25 03 | 26 | 24 |
| 35 5 | 22 | 21 | 23 | 25 50 | 27 | 25 | 22 | 21 | 23 | 26 01 | 27 | 25 | 22 | 21 | 23 | 26 12 | 27 | 25 |
| 39 20 | 23 | 22 | 24 | 26 57 | 28 | 26 | 23 | 22 | 24 | 27 09 | 28 | 26 | 23 | 22 | 24 | 27 21 | 28 | 26 |
| 19 43 34 | 24 | 23 | 25 | 28 05 | 29 | 26 | 24 | 23 | 25 | 28 17 | 29 | 26 | 24 | 23 | 25 | 28 29 | 29 | 26 |
| 47 47 | 25 | 24 | 27 | 29 12 | ♊ | 27 | 25 | 24 | 27 | 29 25 | ♊ | 27 | 25 | 24 | 27 | 29 38 | ♊ | 27 |
| 52 0 | 26 | 26 | 28 | 0 ♉ 19 | 1 | 28 | 26 | 26 | 28 | 0 ♉ 32 | 1 | 28 | 26 | 26 | 28 | 0 ♉ 45 | 1 | 28 |
| 19 56 12 | 27 | 27 | 29 | 1 25 | 2 | 29 | 27 | 27 | 29 | 1 38 | 2 | 29 | 27 | 27 | 29 | 1 51 | 2 | 29 |
| 20 0 24 | 28 | 28 | ♈ | 2 30 | 3 | ♋ | 28 | 28 | ♈ | 2 44 | 3 | ♋ | 28 | 28 | ♈ | 2 58 | 3 | ♋ |
| 4 35 | 29 | 29 | 1 | 3 36 | 4 | 1 | 29 | 29 | 1 | 3 50 | 4 | 1 | 29 | 29 | 1 | 4 04 | 4 | 1 |
| Houses | 4 | 5 | 6 | 7 | 8 | 9 | 4 | 5 | 6 | 7 | 8 | 9 | 4 | 5 | 6 | 7 | 8 | 9 |

# SIMPLIFIED SCIENTIFIC TABLES OF HOUSES

Latitude 1° N.   Latitude 2° N.   Latitude 3° N.

| Sider'l Time | Latitude 1° N. | | | | | | Latitude 2° N. | | | | | | Latitude 3° N. | | | | | |
|---|---|---|---|---|---|---|---|---|---|---|---|---|---|---|---|---|---|---|
| | 10 | 11 | 12 | Asc. | 2 | 3 | 10 | 11 | 12 | Asc. | 2 | 3 | 10 | 11 | 12 | Asc. | 2 | 3 |
| H M S | ♒ | ♓ | ♈ | ♉ | ♊ | ♋ | ♒ | ♓ | ♈ | ♉ | ♊ | ♋ | ♒ | ♓ | ♈ | ♉ | ♊ | ♋ |
| 20 8 45 | 1 | 0 | 2 | 4 44 | 5 | 2 | 0 | 0 | 2 | 4 56 | 5 | 2 | 0 | 0 | 2 | 5 11 | 5 | 2 |
| 12 54 | 1 | 1 | 4 | 5 46 | 6 | 3 | 1 | 1 | 4 | 6 01 | 6 | 3 | 1 | 1 | 4 | 6 16 | 6 | 3 |
| 17 3 | 2 | 2 | 5 | 6 50 | 7 | 4 | 2 | 2 | 5 | 7 06 | 7 | 4 | 2 | 2 | 5 | 7 22 | 7 | 4 |
| 20 21 11 | 3 | 3 | 6 | 7 55 | 8 | 5 | 3 | 3 | 6 | 8 11 | 8 | 5 | 3 | 3 | 6 | 8 27 | 8 | 5 |
| 25 19 | 4 | 4 | 7 | 8 59 | 9 | 6 | 4 | 4 | 7 | 9 15 | 9 | 6 | 4 | 4 | 7 | 9 31 | 9 | 6 |
| 29 26 | 5 | 5 | 8 | 10 02 | 10 | 7 | 5 | 5 | 8 | 10 18 | 10 | 7 | 5 | 5 | 8 | 10 34 | 10 | 7 |
| 20 33 31 | 6 | 7 | 9 | 11 06 | 11 | 8 | 6 | 7 | 9 | 11 22 | 11 | 8 | 6 | 6 | 9 | 11 38 | 11 | 8 |
| 37 37 | 7 | 8 | 10 | 12 07 | 11 | 9 | 7 | 8 | 10 | 12 24 | 11 | 9 | 7 | 8 | 10 | 12 41 | 11 | 9 |
| 41 41 | 8 | 9 | 11 | 13 10 | 12 | 10 | 8 | 9 | 11 | 13 27 | 12 | 10 | 8 | 9 | 11 | 13 44 | 12 | 10 |
| 20 45 45 | 9 | 10 | 13 | 14 11 | 13 | 11 | 9 | 10 | 13 | 14 29 | 13 | 11 | 9 | 10 | 13 | 14 47 | 13 | 11 |
| 49 48 | 10 | 11 | 14 | 15 13 | 14 | 12 | 10 | 11 | 14 | 15 31 | 14 | 12 | 10 | 11 | 14 | 15 49 | 14 | 12 |
| 53 51 | 11 | 12 | 15 | 16 14 | 15 | 13 | 11 | 12 | 15 | 16 32 | 15 | 13 | 11 | 12 | 15 | 16 50 | 15 | 13 |
| 20 57 52 | 12 | 13 | 16 | 17 15 | 16 | 14 | 12 | 13 | 16 | 17 33 | 16 | 14 | 12 | 13 | 16 | 17 51 | 16 | 14 |
| 21 1 53 | 13 | 14 | 17 | 18 15 | 17 | 15 | 13 | 14 | 17 | 18 33 | 17 | 15 | 13 | 14 | 17 | 18 51 | 17 | 15 |
| 5 53 | 14 | 15 | 18 | 19 14 | 18 | 15 | 14 | 15 | 18 | 19 33 | 18 | 15 | 14 | 15 | 18 | 19 52 | 18 | 15 |
| 21 9 53 | 15 | 16 | 19 | 20 14 | 19 | 16 | 15 | 16 | 19 | 20 33 | 19 | 16 | 15 | 16 | 19 | 20 52 | 19 | 16 |
| 13 52 | 16 | 17 | 20 | 21 11 | 20 | 17 | 16 | 17 | 20 | 21 32 | 20 | 17 | 16 | 17 | 20 | 21 52 | 20 | 17 |
| 17 50 | 17 | 18 | 21 | 22 11 | 21 | 18 | 17 | 18 | 21 | 22 31 | 21 | 18 | 17 | 18 | 21 | 22 51 | 21 | 18 |
| 21 21 47 | 18 | 20 | 22 | 23 10 | 22 | 19 | 18 | 20 | 22 | 23 30 | 22 | 19 | 18 | 19 | 22 | 23 50 | 22 | 19 |
| 25 44 | 19 | 21 | 23 | 24 09 | 23 | 20 | 19 | 21 | 23 | 24 29 | 23 | 20 | 19 | 21 | 23 | 24 49 | 23 | 20 |
| 29 40 | 20 | 22 | 24 | 25 07 | 24 | 21 | 20 | 22 | 24 | 25 27 | 24 | 21 | 20 | 22 | 24 | 25 47 | 24 | 21 |
| 21 33 35 | 21 | 23 | 25 | 26 05 | 24 | 22 | 21 | 23 | 25 | 26 25 | 24 | 22 | 21 | 23 | 25 | 26 45 | 24 | 22 |
| 37 29 | 22 | 24 | 27 | 27 01 | 25 | 23 | 22 | 24 | 27 | 27 22 | 25 | 23 | 22 | 24 | 27 | 27 43 | 25 | 23 |
| 41 23 | 23 | 25 | 28 | 27 58 | 26 | 24 | 23 | 25 | 28 | 28 19 | 26 | 24 | 23 | 25 | 28 | 28 40 | 26 | 24 |
| 21 45 16 | 24 | 26 | 29 | 28 54 | 27 | 25 | 24 | 26 | 29 | 29 15 | 27 | 25 | 24 | 26 | 29 | 29 36 | 27 | 25 |
| 49 9 | 25 | 27 | ♉ | 29 51 | 28 | 26 | 25 | 27 | ♉ | 0♊12 | 28 | 26 | 25 | 27 | ♉ | 0♊33 | 28 | 26 |
| 53 1 | 26 | 28 | 1 | 0♊47 | 29 | 26 | 26 | 28 | 1 | 1 08 | 29 | 26 | 26 | 28 | 1 | 1 29 | 29 | 26 |
| 21 56 52 | 27 | 29 | 2 | 1 43 | ♋ | 27 | 27 | 29 | 2 | 2 04 | ♋ | 27 | 27 | 29 | 2 | 2 25 | ♋ | 27 |
| 22 0 43 | 28 | ♈ | 3 | 2 39 | 1 | 28 | 28 | ♈ | 3 | 3 00 | 1 | 28 | 28 | ♈ | 3 | 3 21 | 1 | 28 |
| 4 33 | 29 | 1 | 4 | 3 34 | 2 | 29 | 29 | 1 | 4 | 3 55 | 2 | 29 | 29 | 1 | 4 | 4 16 | 2 | 29 |
| Houses | 4 | 5 | 6 | 7 | 8 | 9 | 4 | 5 | 6 | 7 | 8 | 9 | 4 | 5 | 6 | 7 | 8 | 9 |

Latitude 1° S.   Latitude 2° S.   Latitude 3° S.

# SIMPLIFIED SCIENTIFIC TABLES OF HOUSES

|  | Latitude 1° N. | | | | | | Latitude 2° N. | | | | | | Latitude 3° N. | | | | | |
|---|---|---|---|---|---|---|---|---|---|---|---|---|---|---|---|---|---|---|
| Sider'l Time | 10 ♓ | 11 ♈ | 12 ♉ | Asc. ♊ | 2 ♋ | 3 ♌ | 10 ♓ | 11 ♈ | 12 ♉ | Asc. ♊ | 2 ♋ | 3 ♌ | 10 ♓ | 11 ♈ | 12 ♉ | Asc. ♊ | 2 ♋ | 3 ♌ |
| H M S | ° | ° | ° | ° ' | ° | ° | ° | ° | ° | ° ' | ° | ° | ° | ° | ° | ° ' | ° | ° |
| 22 8 23 | 0 | 2 | 5 | 4 50 | 2 | 0 | 0 | 2 | 5 | 4 50 | 2 | 0 | 0 | 2 | 5 | 5 12 | 2 | 0 |
| 12 12 | 1 | 3 | 6 | 5 22 | 3 | 1 | 1 | 3 | 6 | 5 44 | 3 | 1 | 1 | 3 | 6 | 6 06 | 3 | 1 |
| 16 0 | 2 | 4 | 7 | 6 16 | 4 | 2 | 2 | 4 | 7 | 6 38 | 4 | 2 | 2 | 4 | 7 | 7 00 | 4 | 2 |
| 22 19 48 | 3 | 5 | 8 | 7 10 | 5 | 3 | 3 | 5 | 8 | 7 32 | 5 | 3 | 3 | 5 | 8 | 7 54 | 5 | 3 |
| 23 35 | 4 | 6 | 9 | 8 04 | 6 | 4 | 4 | 6 | 9 | 8 26 | 6 | 4 | 4 | 6 | 9 | 8 48 | 6 | 4 |
| 27 22 | 5 | 7 | 10 | 8 56 | 7 | 5 | 5 | 7 | 10 | 9 19 | 7 | 5 | 5 | 7 | 10 | 9 42 | 7 | 5 |
| 22 31 8 | 6 | 9 | 11 | 9 50 | 8 | 6 | 6 | 9 | 11 | 10 13 | 8 | 6 | 6 | 9 | 11 | 10 36 | 8 | 6 |
| 34 54 | 7 | 10 | 12 | 10 43 | 9 | 7 | 7 | 10 | 12 | 11 06 | 9 | 7 | 7 | 10 | 12 | 11 29 | 9 | 7 |
| 38 40 | 8 | 11 | 12 | 11 36 | 9 | 7 | 8 | 11 | 12 | 11 59 | 9 | 7 | 8 | 11 | 12 | 12 22 | 9 | 7 |
| 22 42 25 | 9 | 12 | 13 | 12 29 | 10 | 8 | 9 | 12 | 13 | 12 52 | 10 | 8 | 9 | 12 | 13 | 13 15 | 10 | 8 |
| 46 9 | 10 | 13 | 14 | 13 21 | 11 | 9 | 10 | 13 | 14 | 13 44 | 11 | 9 | 10 | 13 | 14 | 14 07 | 11 | 9 |
| 49 53 | 11 | 14 | 15 | 14 14 | 12 | 10 | 11 | 14 | 15 | 14 37 | 12 | 10 | 11 | 14 | 15 | 15 00 | 12 | 10 |
| 22 53 37 | 12 | 15 | 16 | 15 06 | 13 | 11 | 12 | 15 | 16 | 15 29 | 13 | 11 | 12 | 15 | 16 | 15 52 | 13 | 11 |
| 57 20 | 13 | 16 | 17 | 15 58 | 14 | 12 | 13 | 16 | 17 | 16 21 | 14 | 12 | 13 | 16 | 17 | 16 44 | 14 | 12 |
| 23 1 3 | 14 | 17 | 18 | 16 50 | 15 | 13 | 14 | 17 | 18 | 17 13 | 15 | 13 | 14 | 17 | 18 | 17 36 | 15 | 13 |
| 23 4 46 | 15 | 18 | 19 | 17 41 | 16 | 14 | 15 | 18 | 19 | 18 04 | 16 | 14 | 15 | 18 | 19 | 18 27 | 16 | 14 |
| 8 28 | 16 | 19 | 20 | 18 33 | 16 | 15 | 16 | 19 | 20 | 18 56 | 16 | 15 | 16 | 19 | 20 | 19 19 | 16 | 15 |
| 12 10 | 17 | 20 | 21 | 19 24 | 17 | 16 | 17 | 20 | 21 | 19 47 | 17 | 16 | 17 | 20 | 21 | 20 10 | 17 | 16 |
| 23 15 52 | 18 | 21 | 22 | 20 19 | 18 | 17 | 18 | 21 | 22 | 20 39 | 18 | 17 | 18 | 21 | 22 | 21 02 | 18 | 17 |
| 19 34 | 19 | 22 | 23 | 21 07 | 19 | 18 | 19 | 22 | 23 | 21 30 | 19 | 18 | 19 | 22 | 23 | 21 53 | 19 | 18 |
| 23 15 | 20 | 23 | 24 | 21 57 | 20 | 19 | 20 | 23 | 24 | 22 21 | 20 | 19 | 20 | 23 | 24 | 22 45 | 20 | 19 |
| 23 26 56 | 21 | 24 | 25 | 22 48 | 21 | 20 | 21 | 24 | 25 | 23 12 | 21 | 20 | 21 | 24 | 25 | 23 36 | 21 | 20 |
| 30 37 | 22 | 25 | 25 | 23 39 | 21 | 20 | 22 | 25 | 25 | 24 03 | 21 | 20 | 22 | 25 | 25 | 24 27 | 21 | 20 |
| 34 18 | 23 | 26 | 26 | 24 30 | 22 | 21 | 23 | 26 | 26 | 24 54 | 22 | 21 | 23 | 26 | 26 | 25 18 | 22 | 21 |
| 23 37 58 | 24 | 27 | 27 | 25 21 | 23 | 22 | 24 | 27 | 27 | 25 45 | 23 | 22 | 24 | 27 | 27 | 26 09 | 23 | 22 |
| 41 39 | 25 | 28 | 28 | 26 11 | 24 | 23 | 25 | 28 | 28 | 26 35 | 24 | 23 | 25 | 28 | 28 | 26 59 | 24 | 23 |
| 45 19 | 26 | 28 | 29 | 27 02 | 25 | 24 | 26 | 28 | 29 | 27 26 | 25 | 24 | 26 | 28 | 29 | 27 50 | 25 | 24 |
| 23 49 0 | 27 | 29 | ♊ | 27 52 | 26 | 25 | 27 | 29 | ♊ | 28 16 | 26 | 25 | 27 | 29 | ♊ | 28 40 | 26 | 25 |
| 52 40 | 28 | ♉ | 1 | 28 42 | 27 | 26 | 28 | ♉ | 1 | 29 07 | 27 | 26 | 28 | ♉ | 1 | 29 32 | 27 | 26 |
| 56 20 | 29 | 1 | 2 | 29 33 | 27 | 27 | 29 | 1 | 2 | 29 57 | 27 | 27 | 29 | 1 | 2 | 0♋21 | 27 | 27 |
| Houses | 4 | 5 | 6 | 7 | 8 | 9 | 4 | 5 | 6 | 7 | 8 | 9 | 4 | 5 | 6 | 7 | 8 | 9 |

Latitude 1° S.     Latitude 2° S.     Latitude 3° S.

## SIMPLIFIED SCIENTIFIC TABLES OF HOUSES

Latitude 4° N.        Latitude 5° N.        Latitude 6° N.

| Sider'l Time | 10 ♈ | 11 ♉ | 12 ♊ | Asc. ♋ | 2 ♋ | 3 ♌ | 10 ♈ | 11 ♉ | 12 ♊ | Asc. ♋ | 2 ♋ | 3 ♌ | 10 ♈ | 11 ♉ | 12 ♊ | Asc. ♋ | 2 ♋ | 3 ♌ |
|---|---|---|---|---|---|---|---|---|---|---|---|---|---|---|---|---|---|---|
| H M S | ° | ° | ° | ° ′ | ° | ° | ° | ° | ° | ° ′ | ° | ° | ° | ° | ° | ° ′ | ° | ° |
| 0 0 0 | 0 | 2 | 3 | 1 36 | 29 | 28 | 0 | 3 | 3 | 1 59 | 29 | 28 | 0 | 3 | 4 | 2 23 | 29 | 28 |
| 3 40 | 1 | 3 | 4 | 2 26 | ♌ | 29 | 1 | 4 | 4 | 2 49 | ♌ | 29 | 1 | 4 | 4 | 3 14 | ♌ | 29 |
| 7 20 | 2 | 4 | 5 | 3 16 | 1 | ♍ | 2 | 4 | 5 | 3 40 | 1 | ♍ | 2 | 5 | 5 | 4 04 | 1 | ♍ |
| 0 11 0 | 3 | 5 | 6 | 4 07 | 1 | 1 | 3 | 5 | 6 | 4 30 | 2 | 1 | 3 | 6 | 6 | 4 55 | 2 | 1 |
| 14 41 | 4 | 6 | 7 | 4 58 | 2 | 2 | 4 | 6 | 7 | 5 21 | 3 | 2 | 4 | 6 | 7 | 5 45 | 3 | 2 |
| 18 21 | 5 | 7 | 7 | 5 48 | 3 | 3 | 5 | 7 | 8 | 6 11 | 3 | 3 | 5 | 7 | 8 | 6 35 | 4 | 3 |
| 0 22 2 | 6 | 8 | 8 | 6 39 | 4 | 4 | 6 | 8 | 9 | 7 02 | 4 | 4 | 6 | 8 | 9 | 7 26 | 5 | 4 |
| 25 42 | 7 | 9 | 9 | 7 29 | 5 | 5 | 7 | 9 | 9 | 7 53 | 5 | 5 | 7 | 9 | 10 | 8 17 | 5 | 5 |
| 29 23 | 8 | 10 | 10 | 8 20 | 6 | 6 | 8 | 10 | 10 | 8 43 | 6 | 6 | 8 | 10 | 11 | 9 07 | 6 | 6 |
| 0 38 4 | 9 | 11 | 11 | 9 10 | 7 | 7 | 9 | 11 | 11 | 9 34 | 7 | 7 | 9 | 11 | 11 | 9 58 | 7 | 7 |
| 36 45 | 10 | 12 | 12 | 10 01 | 8 | 8 | 10 | 12 | 12 | 10 24 | 8 | 8 | 10 | 12 | 12 | 10 48 | 8 | 8 |
| 40 26 | 11 | 13 | 13 | 10 51 | 9 | 9 | 11 | 13 | 13 | 11 15 | 9 | 9 | 11 | 13 | 13 | 11 39 | 9 | 9 |
| 0 44 8 | 12 | 14 | 14 | 11 42 | 9 | 10 | 12 | 14 | 14 | 12 06 | 10 | 10 | 12 | 14 | 14 | 12 29 | 10 | 10 |
| 47 50 | 13 | 15 | 14 | 12 33 | 10 | 11 | 13 | 15 | 15 | 12 57 | 11 | 11 | 13 | 15 | 15 | 13 20 | 11 | 11 |
| 51 32 | 14 | 16 | 15 | 13 24 | 11 | 12 | 14 | 16 | 16 | 13 48 | 11 | 12 | 14 | 16 | 16 | 14 11 | 12 | 12 |
| 0 55 14 | 15 | 17 | 16 | 14 16 | 12 | 13 | 15 | 17 | 16 | 14 39 | 12 | 13 | 15 | 17 | 17 | 15 02 | 13 | 13 |
| 58 57 | 16 | 18 | 17 | 15 07 | 13 | 14 | 16 | 18 | 17 | 15 30 | 13 | 14 | 16 | 18 | 18 | 15 53 | 13 | 14 |
| 1 2 40 | 17 | 19 | 18 | 15 58 | 14 | 15 | 17 | 19 | 18 | 16 22 | 14 | 15 | 17 | 19 | 18 | 16 44 | 14 | 15 |
| 1 6 23 | 18 | 19 | 19 | 16 50 | 15 | 16 | 18 | 20 | 19 | 17 13 | 15 | 16 | 18 | 20 | 19 | 17 36 | 15 | 16 |
| 10 7 | 19 | 20 | 20 | 17 41 | 16 | 17 | 19 | 21 | 20 | 18 04 | 16 | 17 | 19 | 21 | 20 | 18 28 | 16 | 17 |
| 13 51 | 20 | 21 | 20 | 18 33 | 17 | 18 | 20 | 21 | 21 | 18 56 | 17 | 18 | 20 | 22 | 21 | 19 20 | 17 | 18 |
| 1 17 35 | 21 | 22 | 21 | 19 25 | 18 | 19 | 21 | 22 | 22 | 19 48 | 18 | 19 | 21 | 22 | 22 | 20 11 | 18 | 19 |
| 21 20 | 22 | 23 | 22 | 20 17 | 19 | 20 | 22 | 23 | 22 | 20 40 | 19 | 20 | 22 | 23 | 23 | 21 03 | 19 | 20 |
| 25 6 | 23 | 24 | 23 | 21 09 | 20 | 21 | 23 | 24 | 23 | 21 32 | 20 | 21 | 23 | 24 | 24 | 21 55 | 20 | 21 |
| 1 28 52 | 24 | 25 | 24 | 22 02 | 21 | 22 | 24 | 25 | 24 | 22 24 | 21 | 22 | 24 | 25 | 24 | 22 47 | 21 | 22 |
| 32 38 | 25 | 26 | 25 | 22 55 | 21 | 23 | 25 | 26 | 25 | 23 16 | 22 | 23 | 25 | 26 | 25 | 23 39 | 22 | 23 |
| 36 25 | 26 | 27 | 26 | 23 48 | 22 | 24 | 26 | 27 | 26 | 24 09 | 23 | 24 | 26 | 27 | 26 | 24 31 | 23 | 24 |
| 1 40 12 | 27 | 28 | 27 | 24 41 | 23 | 25 | 27 | 28 | 27 | 25 02 | 24 | 25 | 27 | 28 | 27 | 25 24 | 24 | 25 |
| 44 0 | 28 | 29 | 27 | 25 34 | 24 | 26 | 28 | 29 | 28 | 25 54 | 25 | 26 | 28 | 29 | 28 | 26 17 | 25 | 26 |
| 47 48 | 29 | ♊ | 28 | 26 28 | 25 | 27 | 29 | ♊ | 29 | 26 48 | 25 | 27 | 29 | ♊ | 29 | 27 10 | 26 | 27 |
| Houses | 4 | 5 | 6 | 7 | 8 | 9 | 4 | 5 | 6 | 7 | 8 | 9 | 4 | 5 | 6 | 7 | 8 | 9 |

Latitude 4° S.        Latitude 5° S.        Latitude 6° S.

# SIMPLIFIED SCIENTIFIC TABLES OF HOUSES

|  | Latitude 4° N. | | | | | | Latitude 5° N. | | | | | | Latitude 6° N. | | | | | |
|---|---|---|---|---|---|---|---|---|---|---|---|---|---|---|---|---|---|---|
| Sider'l Time | 10 ♉ | 11 ♊ | 12 ♊ | Asc. ♋ | 2 ♌ | 3 ♍ | 10 ♉ | 11 ♊ | 12 ♊ | Asc. ♋ | 2 ♌ | 3 ♍ | 10 ♉ | 11 ♊ | 12 ♋ | Asc. ♋ | 2 ♌ | 3 ♍ |
| H M S | ° | ° | ° | ° ' | ° | ° | ° | ° | ° | ° ' | ° | ° | ° | ° | ° | ° ' | ° | ° |
| 1 51 37 | 0 | 1 | 29 | 27 21 | 26 | 28 | 0 | 1 | 29 | 27 42 | 26 | 28 | 0 | 1 | 0 | 28 04 | 27 | 28 |
| 55 27 | 1 | 1 | ♋ | 28 15 | 27 | 29 | 1 | 2 | ♋ | 28 36 | 27 | 29 | 1 | 2 | 1 | 28 58 | 28 | 29 |
| 59 17 | 2 | 2 | 1 | 29 09 | 28 | ♎ | 2 | 3 | 1 | 29 31 | 28 | ♎ | 2 | 3 | 1 | 29 51 | 29 | ♎ |
| 2 3 8 | 3 | 3 | 2 | 0♌04 | 29 | 1 | 3 | 3 | 2 | 0♌25 | 29 | 1 | 3 | 4 | 2 | 0♌46 | ♍ | 1 |
| 6 59 | 4 | 4 | 3 | 0 59 | ♍ | 2 | 4 | 4 | 3 | 1 20 | ♍ | 2 | 4 | 4 | 3 | 1 40 | 0 | 2 |
| 10 51 | 5 | 5 | 4 | 1 54 | 1 | 3 | 5 | 5 | 4 | 2 14 | 1 | 3 | 5 | 5 | 4 | 2 35 | 1 | 3 |
| 2 14 44 | 6 | 6 | 4 | 2 49 | 2 | 4 | 6 | 6 | 5 | 3 10 | 2 | 4 | 6 | 6 | 5 | 3 29 | 2 | 4 |
| 18 37 | 7 | 7 | 5 | 3 44 | 3 | 5 | 7 | 7 | 6 | 4 06 | 3 | 5 | 7 | 7 | 6 | 4 24 | 3 | 5 |
| 22 31 | 8 | 8 | 6 | 4 40 | 4 | 6 | 8 | 8 | 7 | 5 02 | 4 | 6 | 8 | 8 | 7 | 5 20 | 4 | 6 |
| 2 26 25 | 9 | 9 | 7 | 5 37 | 5 | 7 | 9 | 9 | 7 | 5 58 | 5 | 7 | 9 | 9 | 8 | 6 16 | 5 | 7 |
| 30 20 | 10 | 10 | 8 | 6 33 | 6 | 8 | 10 | 10 | 8 | 6 54 | 6 | 8 | 10 | 10 | 9 | 7 12 | 6 | 8 |
| 34 16 | 11 | 11 | 9 | 7 29 | 7 | 9 | 11 | 11 | 9 | 7 51 | 7 | 9 | 11 | 11 | 9 | 8 08 | 7 | 9 |
| 2 38 13 | 12 | 12 | 10 | 8 26 | 8 | 10 | 12 | 12 | 10 | 8 48 | 8 | 10 | 12 | 12 | 10 | 9 05 | 9 | 10 |
| 42 10 | 13 | 13 | 11 | 9 24 | 9 | 11 | 13 | 13 | 11 | 9 44 | 9 | 11 | 13 | 13 | 11 | 10 02 | 10 | 11 |
| 46 8 | 14 | 13 | 12 | 10 22 | 10 | 12 | 14 | 14 | 12 | 10 41 | 10 | 12 | 14 | 14 | 12 | 10 59 | 11 | 12 |
| 2 50 7 | 15 | 14 | 13 | 11 20 | 11 | 13 | 15 | 15 | 13 | 11 38 | 12 | 13 | 15 | 15 | 13 | 11 56 | 12 | 13 |
| 54 7 | 16 | 15 | 13 | 12 19 | 12 | 15 | 16 | 15 | 14 | 12 37 | 13 | 15 | 16 | 16 | 14 | 12 54 | 13 | 14 |
| 58 7 | 17 | 16 | 14 | 13 17 | 14 | 16 | 17 | 16 | 15 | 13 35 | 14 | 16 | 17 | 17 | 15 | 13 52 | 14 | 16 |
| 3 2 8 | 18 | 17 | 15 | 14 15 | 15 | 17 | 18 | 17 | 16 | 14 34 | 15 | 17 | 18 | 17 | 16 | 14 51 | 15 | 17 |
| 6 9 | 19 | 18 | 16 | 15 14 | 16 | 18 | 19 | 18 | 17 | 15 32 | 16 | 18 | 19 | 18 | 17 | 15 50 | 16 | 18 |
| 10 12 | 20 | 19 | 17 | 16 13 | 17 | 19 | 20 | 19 | 17 | 16 31 | 17 | 19 | 20 | 19 | 18 | 16 49 | 17 | 19 |
| 3 14 15 | 21 | 20 | 18 | 17 14 | 18 | 20 | 21 | 20 | 18 | 17 31 | 18 | 20 | 21 | 20 | 19 | 17 48 | 18 | 20 |
| 18 19 | 22 | 21 | 19 | 18 15 | 19 | 21 | 22 | 21 | 19 | 18 32 | 19 | 21 | 22 | 21 | 20 | 18 48 | 19 | 21 |
| 22 23 | 23 | 22 | 20 | 19 16 | 20 | 22 | 23 | 22 | 20 | 19 32 | 20 | 22 | 23 | 22 | 21 | 19 48 | 20 | 22 |
| 3 26 29 | 24 | 23 | 21 | 20 17 | 21 | 23 | 24 | 23 | 21 | 20 33 | 21 | 23 | 24 | 23 | 22 | 20 48 | 21 | 23 |
| 30 35 | 25 | 24 | 22 | 21 18 | 22 | 24 | 25 | 24 | 22 | 21 33 | 22 | 24 | 25 | 24 | 22 | 21 48 | 22 | 24 |
| 34 41 | 26 | 25 | 23 | 22 19 | 23 | 25 | 26 | 25 | 23 | 22 35 | 23 | 25 | 26 | 25 | 23 | 22 49 | 23 | 25 |
| 3 38 49 | 27 | 26 | 24 | 23 21 | 24 | 26 | 27 | 26 | 24 | 23 37 | 24 | 26 | 27 | 26 | 24 | 23 50 | 24 | 26 |
| 42 57 | 28 | 27 | 25 | 24 23 | 25 | 27 | 28 | 27 | 25 | 24 39 | 25 | 27 | 28 | 27 | 25 | 24 52 | 25 | 27 |
| 47 6 | 29 | 28 | 26 | 25 26 | 27 | 29 | 29 | 28 | 26 | 25 41 | 27 | 28 | 29 | 28 | 26 | 25 54 | 27 | 28 |
| Houses | 4 | 5 | 6 | 7 | 8 | 9 | 4 | 5 | 6 | 7 | 8 | 9 | 4 | 5 | 6 | 7 | 8 | 9 |

# SIMPLIFIED SCIENTIFIC TABLES OF HOUSES

| Sider'l Time | Latitude 4° N. | | | | | | Latitude 5° N. | | | | | | Latitude 6° N. | | | | | |
|---|---|---|---|---|---|---|---|---|---|---|---|---|---|---|---|---|---|---|
| | 10 | 11 | 12 | Asc. | 2 | 3 | 10 | 11 | 12 | Asc. | 2 | 3 | 10 | 11 | 12 | Asc. | 2 | 3 |
| H M S | ♊ | ♊ | ♋ | ♌ ° ′ | ♍ | ♏ | ♊ | ♊ | ♋ | ♌ ° ′ | ♍ | ♏ | ♊ | ♊ | ♋ | ♌ ° ′ | ♍ | ♏ |
| 3 51 15 | 0 | 29 | 27 | 26 29 | 28 | 0 | 0 | 29 | 27 | 26 43 | 28 | 0 | 0 | 29 | 27 | 26 56 | 28 | 29 |
| 55 25 | 1 | ♋ | 28 | 27 32 | 29 | 1 | 1 | ♋ | 28 | 27 46 | 29 | 1 | 1 | ♋ | 28 | 27 59 | 29 | ♍ |
| 59 36 | 2 | 1 | 29 | 28 36 | ♎ | 2 | 2 | 1 | 29 | 28 50 | ♎ | 2 | 2 | 1 | 29 | 29 02 | ♎ | 2 |
| 4 3 48 | 3 | 1 | ♌ | 29 40 | 1 | 3 | 3 | 2 | ♌ | 29 53 | 1 | 3 | 3 | 2 | ♌ | 0♍05 | 1 | 3 |
| 8 0 | 4 | 2 | 1 | 0♍44 | 2 | 4 | 4 | 2 | 1 | 0♍57 | 2 | 4 | 4 | 3 | 1 | 1 08 | 2 | 4 |
| 12 13 | 5 | 3 | 2 | 1 49 | 3 | 5 | 5 | 3 | 2 | 2 00 | 3 | 5 | 5 | 4 | 2 | 2 12 | 3 | 5 |
| 4 16 26 | 6 | 4 | 3 | 2 54 | 4 | 6 | 6 | 4 | 3 | 3 05 | 4 | 6 | 6 | 5 | 3 | 3 16 | 4 | 6 |
| 20 40 | 7 | 5 | 4 | 3 59 | 6 | 7 | 7 | 5 | 4 | 4 10 | 5 | 7 | 7 | 6 | 4 | 4 21 | 5 | 7 |
| 24 55 | 8 | 6 | 5 | 5 05 | 7 | 8 | 8 | 6 | 5 | 5 16 | 7 | 8 | 8 | 7 | 5 | 5 26 | 7 | 8 |
| 4 29 10 | 9 | 7 | 6 | 6 11 | 8 | 9 | 9 | 7 | 6 | 6 21 | 8 | 9 | 9 | 8 | 6 | 6 30 | 8 | 9 |
| 33 26 | 10 | 8 | 7 | 7 16 | 9 | 10 | 10 | 8 | 7 | 7 26 | 9 | 10 | 10 | 8 | 7 | 7 35 | 9 | 10 |
| 37 42 | 11 | 9 | 8 | 8 22 | 10 | 11 | 11 | 9 | 8 | 8 32 | 10 | 11 | 11 | 9 | 8 | 8 41 | 10 | 11 |
| 4 41 59 | 12 | 10 | 9 | 9 29 | 11 | 13 | 12 | 10 | 9 | 9 38 | 11 | 12 | 12 | 10 | 9 | 9 47 | 11 | 12 |
| 46 16 | 13 | 11 | 10 | 10 36 | 12 | 14 | 13 | 11 | 10 | 10 44 | 12 | 14 | 13 | 11 | 10 | 10 53 | 12 | 13 |
| 50 34 | 14 | 12 | 11 | 11 43 | 13 | 15 | 14 | 12 | 11 | 11 50 | 13 | 15 | 14 | 12 | 11 | 11 59 | 13 | 15 |
| 4 54 52 | 15 | 13 | 12 | 12 51 | 15 | 16 | 15 | 13 | 12 | 12 56 | 15 | 16 | 15 | 13 | 12 | 13 06 | 14 | 16 |
| 59 10 | 16 | 14 | 13 | 13 58 | 16 | 17 | 16 | 14 | 13 | 14 04 | 16 | 17 | 16 | 14 | 14 | 14 12 | 16 | 17 |
| 5 3 29 | 17 | 15 | 14 | 15 06 | 17 | 18 | 17 | 15 | 14 | 15 12 | 17 | 18 | 17 | 15 | 15 | 15 19 | 17 | 18 |
| 5 7 49 | 18 | 16 | 15 | 16 14 | 18 | 19 | 18 | 16 | 15 | 16 19 | 18 | 19 | 18 | 16 | 16 | 16 26 | 18 | 19 |
| 12 9 | 19 | 17 | 16 | 17 22 | 19 | 20 | 19 | 17 | 17 | 17 27 | 19 | 20 | 19 | 17 | 17 | 17 33 | 19 | 20 |
| 16 29 | 20 | 18 | 17 | 18 30 | 20 | 21 | 20 | 18 | 18 | 18 35 | 20 | 21 | 20 | 18 | 18 | 18 41 | 20 | 21 |
| 5 20 49 | 21 | 19 | 19 | 19 39 | 21 | 22 | 21 | 19 | 19 | 19 43 | 21 | 22 | 21 | 19 | 19 | 19 48 | 21 | 22 |
| 25 9 | 22 | 20 | 20 | 20 48 | 23 | 23 | 22 | 20 | 20 | 20 52 | 22 | 23 | 22 | 20 | 20 | 20 56 | 22 | 23 |
| 29 30 | 23 | 21 | 21 | 21 57 | 24 | 24 | 23 | 21 | 21 | 22 00 | 24 | 24 | 23 | 21 | 21 | 22 04 | 23 | 24 |
| 5 33 51 | 24 | 22 | 22 | 23 05 | 25 | 25 | 24 | 22 | 22 | 23 09 | 25 | 25 | 24 | 22 | 22 | 23 11 | 25 | 25 |
| 38 12 | 25 | 23 | 23 | 24 14 | 26 | 26 | 25 | 23 | 23 | 24 17 | 26 | 26 | 25 | 23 | 23 | 24 19 | 26 | 26 |
| 42 34 | 26 | 24 | 24 | 25 23 | 27 | 27 | 26 | 24 | 24 | 25 26 | 27 | 27 | 26 | 24 | 24 | 25 27 | 27 | 27 |
| 5 46 55 | 27 | 25 | 25 | 26 32 | 28 | 28 | 27 | 25 | 25 | 26 34 | 28 | 28 | 27 | 25 | 25 | 26 35 | 28 | 28 |
| 51 17 | 28 | 26 | 26 | 27 42 | 29 | 29 | 28 | 26 | 26 | 27 43 | 29 | 29 | 28 | 26 | 26 | 27 43 | 29 | 29 |
| 55 38 | 29 | 27 | 27 | 28 51 | ♏ | ♐ | 29 | 27 | 27 | 28 51 | ♏ | ♐ | 29 | 27 | 27 | 28 52 | ♏ | ♐ |
| Houses | 4 | 5 | 6 | 7 | 8 | 9 | 4 | 5 | 6 | 7 | 8 | 9 | 4 | 5 | 6 | 7 | 8 | 9 |

Latitude 4° S.  Latitude 5° S.  Latitude 6° S.

# SIMPLIFIED SCIENTIFIC TABLES OF HOUSES

Latitude 4° N.  Latitude 5° N.  Latitude 6° N.

| Sider'l Time | 10 ♋ | 11 ♋ | 12 ♌ | Asc. ♎ | 2 ♏ | 3 ♐ | 10 ♋ | 11 ♋ | 12 ♌ | Asc. ♎ | 2 ♏ | 3 ♐ | 10 ♋ | 11 ♋ | 12 ♌ | Asc. ♎ | 2 ♏ | 3 ♐ |
|---|---|---|---|---|---|---|---|---|---|---|---|---|---|---|---|---|---|---|
| H M S | ° | ° | ° | ° ′ | ° | ° | ° | ° | ° | ° ′ | ° | ° | ° | ° | ° | ° ′ | ° | ° |
| 6 0 0 | 0 | 28 | 28 | 0 00 | 2 | 2 | 0 | 29 | 20 | 0 00 | 1 | 1 | 0 | 29 | 29 | 0 00 | 1 | 1 |
| 4 22 | 1 | ♌ | ♍ | 1 09 | 3 | 3 | 1 | ♌ | ♍ | 1 09 | 3 | 3 | 1 | ♌ | ♍ | 1 08 | 2 | 2 |
| 8 43 | 2 | 1 | 1 | 2 18 | 4 | 4 | 2 | 1 | 1 | 2 17 | 4 | 4 | 2 | 1 | 1 | 2 17 | 4 | 3 |
| 6 13 5 | 3 | 2 | 2 | 3 28 | 5 | 5 | 3 | 2 | 2 | 3 26 | 5 | 5 | 3 | 2 | 2 | 3 25 | 5 | 4 |
| 17 26 | 4 | 3 | 3 | 4 37 | 6 | 6 | 4 | 3 | 3 | 4 34 | 6 | 6 | 4 | 3 | 3 | 4 33 | 6 | 6 |
| 21 48 | 5 | 4 | 4 | 5 46 | 7 | 7 | 5 | 4 | 4 | 5 43 | 7 | 7 | 5 | 4 | 4 | 5 41 | 7 | 7 |
| 6 26 9 | 6 | 5 | 5 | 6 55 | 8 | 8 | 6 | 5 | 5 | 6 51 | 8 | 8 | 6 | 5 | 5 | 6 49 | 8 | 8 |
| 30 30 | 7 | 6 | 6 | 8 03 | 9 | 9 | 7 | 6 | 6 | 8 00 | 9 | 9 | 7 | 6 | 7 | 7 56 | 9 | 9 |
| 34 51 | 8 | 7 | 7 | 9 12 | 10 | 10 | 8 | 7 | 8 | 9 08 | 10 | 10 | 8 | 7 | 8 | 9 04 | 10 | 10 |
| 6 39 11 | 9 | 8 | 9 | 10 21 | 11 | 11 | 9 | 8 | 9 | 10 17 | 11 | 11 | 9 | 8 | 9 | 10 12 | 11 | 11 |
| 43 31 | 10 | 9 | 10 | 11 30 | 13 | 12 | 10 | 9 | 10 | 11 25 | 12 | 12 | 10 | 9 | 10 | 11 19 | 12 | 12 |
| 47 51 | 11 | 10 | 11 | 12 38 | 14 | 13 | 11 | 10 | 11 | 12 32 | 13 | 13 | 11 | 10 | 11 | 12 27 | 13 | 13 |
| 6 52 11 | 12 | 11 | 12 | 13 46 | 15 | 14 | 12 | 11 | 12 | 13 40 | 15 | 14 | 12 | 11 | 12 | 13 34 | 14 | 14 |
| 56 31 | 13 | 12 | 13 | 14 54 | 16 | 15 | 13 | 12 | 13 | 14 47 | 16 | 15 | 13 | 12 | 13 | 14 41 | 15 | 15 |
| 7 0 50 | 14 | 13 | 14 | 16 02 | 17 | 16 | 14 | 13 | 14 | 15 55 | 17 | 16 | 14 | 13 | 14 | 15 48 | 16 | 16 |
| 7 5 8 | 15 | 14 | 15 | 17 09 | 18 | 17 | 15 | 14 | 15 | 17 02 | 18 | 17 | 15 | 14 | 16 | 16 54 | 18 | 17 |
| 9 26 | 16 | 15 | 17 | 18 17 | 19 | 18 | 16 | 15 | 17 | 18 08 | 19 | 18 | 16 | 15 | 17 | 18 01 | 19 | 18 |
| 13 44 | 17 | 16 | 18 | 19 24 | 20 | 19 | 17 | 16 | 18 | 19 14 | 20 | 19 | 17 | 17 | 18 | 19 07 | 20 | 19 |
| 7 18 1 | 18 | 17 | 19 | 20 31 | 21 | 20 | 18 | 18 | 19 | 20 21 | 21 | 20 | 18 | 18 | 19 | 20 13 | 21 | 20 |
| 22 18 | 19 | 19 | 20 | 21 38 | 22 | 21 | 19 | 19 | 20 | 21 27 | 22 | 21 | 19 | 19 | 20 | 21 19 | 22 | 21 |
| 26 34 | 20 | 20 | 21 | 22 44 | 23 | 22 | 20 | 20 | 21 | 22 33 | 23 | 22 | 20 | 20 | 21 | 22 25 | 23 | 22 |
| 7 30 50 | 21 | 21 | 22 | 23 49 | 24 | 23 | 21 | 21 | 22 | 23 38 | 24 | 23 | 21 | 21 | 22 | 23 30 | 24 | 22 |
| 35 5 | 22 | 22 | 23 | 24 55 | 25 | 24 | 22 | 22 | 23 | 24 44 | 25 | 24 | 22 | 22 | 23 | 24 34 | 25 | 23 |
| 39 20 | 23 | 23 | 24 | 26 01 | 26 | 25 | 23 | 23 | 25 | 25 49 | 26 | 25 | 23 | 23 | 25 | 25 39 | 26 | 24 |
| 7 43 34 | 24 | 24 | 26 | 27 06 | 27 | 26 | 24 | 24 | 26 | 26 55 | 27 | 26 | 24 | 24 | 26 | 26 44 | 27 | 25 |
| 47 47 | 25 | 25 | 27 | 28 11 | 28 | 27 | 25 | 25 | 27 | 28 00 | 28 | 27 | 25 | 25 | 27 | 27 48 | 28 | 26 |
| 52 0 | 26 | 26 | 28 | 29 16 | 29 | 28 | 26 | 26 | 28 | 29 03 | 29 | 27 | 26 | 26 | 28 | 28 52 | 29 | 27 |
| 7 56 12 | 27 | 27 | 29 | 0♏20 | ♐ | 29 | 27 | 27 | 29 | 0♏07 | ♐ | 28 | 27 | 27 | 29 | 29 55 | ♐ | 28 |
| 8 0 24 | 28 | 28 | ♎ | 1 24 | 1 | ♑ | 28 | 28 | ♎ | 1 10 | 1 | 29 | 28 | 28 | ♎ | 0♏58 | 1 | 29 |
| 4 35 | 29 | 29 | 1 | 2 28 | 2 | 1 | 29 | 29 | 1 | 2 14 | 2 | ♑ | 29 | ♍ | 1 | 1 01 | 2 | ♑ |
| Houses | 4 | 5 | 6 | 7 | 8 | 9 | 4 | 5 | 6 | 7 | 8 | 9 | 4 | 5 | 6 | 7 | 8 | 9 |

# SIMPLIFIED SCIENTIFIC TABLES OF HOUSES

|  | Latitude 4° N. | | | | | | | Latitude 5° N. | | | | | | | Latitude 6° N. | | | | | | |
|---|---|---|---|---|---|---|---|---|---|---|---|---|---|---|---|---|---|---|---|---|---|
| Sider'l Time | 10 ♌ | 11 ♍ | 12 ♎ | Asc. ♏ | | 2 ♐ | 3 ♑ | 10 ♌ | 11 ♍ | 12 ♎ | Asc. ♏ | | 2 ♐ | 3 ♑ | 10 ♌ | 11 ♍ | 12 ♎ | Asc. ♏ | | 2 ♐ | 3 ♑ |
| H M S | ° | ° | ° | ° | ′ | ° | ° | ° | ° | ° | ° | ′ | ° | ° | ° | ° | ° | ° | ′ | ° | ° |
| 8  8 45 | 0 | 0 | 2 | 2 | 31 | 3 | 1 | 0 | 0 | 2 | 3 | 17 | 3 | 1 | 0 | 1 | 2 | 3 | 04 | 3 | 1 |
| 12 54 | 1 | 1 | 3 | 4 | 34 | 4 | 2 | 1 | 2 | 3 | 4 | 19 | 4 | 2 | 1 | 2 | 3 | 4 | 06 | 4 | 2 |
| 17  3 | 2 | 3 | 5 | 5 | 37 | 5 | 3 | 2 | 3 | 5 | 5 | .21 | 5 | 3 | 2 | 3 | 5 | 5 | 08 | 5 | 3 |
| 8 21 11 | 3 | 4 | 6 | 6 | 39 | 6 | 4 | 3 | 4 | 6 | 6 | 23 | 6 | 4 | 3 | 4 | 6 | 6 | 10 | 6 | 4 |
| 25 19 | 4 | 5 | 7 | 7 | 41 | 7 | 5 | 4 | 5 | 7 | 7 | 25 | 7 | 5 | 4 | 5 | 7 | 7 | 11 | 7 | 5 |
| 29 26 | 5 | 6 | 8 | 8 | 42 | 8 | 6 | 5 | 6 | 8 | 8 | 27 | 8 | 6 | 5 | 6 | 8 | 8 | 12 | 8 | 6 |
| 8 33 31 | 6 | 7 | 9 | 9 | 43 | 9 | 7 | 6 | 7 | 9 | 9 | 27 | 9 | 7 | 6 | 7 | 9 | 9 | 12 | 8 | 7 |
| 37 37 | 7 | 8 | 10 | 10 | 44 | 10 | 8 | 7 | 8 | 10 | 10 | 28 | 10 | 8 | 7 | 8 | 10 | 10 | 12 | 9 | 8 |
| 41 41 | 8 | 9 | 11 | 11 | 45 | 11 | 9 | 8 | 9 | 11 | 11 | 28 | 11 | 9 | 8 | 9 | 11 | 11 | 12 | 10 | 9 |
| 8 45 45 | 9 | 10 | 12 | 12 | 46 | 12 | 10 | 9 | 10 | 12 | 12 | 29 | 12 | 10 | 9 | 10 | 12 | 12 | 11 | 11 | 10 |
| 49 48 | 10 | 11 | 13 | 13 | 47 | 13 | 11 | 10 | 11 | 13 | 13 | 29 | 13 | 11 | 10 | 11 | 13 | 13 | 11 | 12 | 11 |
| 53 51 | 11 | 12 | 14 | 14 | 46 | 14 | 12 | 11 | 12 | 14 | 14 | 28 | 14 | 12 | 11 | 12 | 14 | 14 | 10 | 13 | 12 |
| 8 57 52 | 12 | 13 | 15 | 15 | 45 | 15 | 13 | 12 | 13 | 15 | 15 | 26 | 14 | 13 | 12 | 13 | 15 | 15 | 09 | 14 | 13 |
| 9  1 53 | 13 | 14 | 16 | 16 | 43 | 16 | 14 | 13 | 14 | 16 | 16 | 25 | 15 | 14 | 13 | 14 | 16 | 16 | 08 | 15 | 13 |
| 5 53 | 14 | 15 | 18 | 17 | 41 | 17 | 15 | 14 | 15 | 17 | 17 | 23 | 16 | 15 | 14 | 16 | 17 | 17 | 06 | 16 | 14 |
| 9  9 53 | 15 | 17 | 19 | 18 | 40 | 17 | 16 | 15 | 17 | 18 | 18 | 22 | 17 | 15 | 15 | 17 | 18 | 18 | 04 | 17 | 15 |
| 13 52 | 16 | 18 | 20 | 19 | 38 | 18 | 17 | 16 | 18 | 20 | 19 | 19 | 18 | 16 | 16 | 18 | 19 | 19 | 01 | 18 | 16 |
| 17 50 | 17 | 19 | 21 | 20 | 36 | 19 | 17 | 17 | 19 | 21 | 20 | 16 | 19 | 17 | 17 | 19 | 20 | 19 | 58 | 19 | 17 |
| 9 21 47 | 18 | 20 | 22 | 21 | 34 | 20 | 18 | 18 | 20 | 22 | 21 | 14 | 20 | 18 | 18 | 20 | 21 | 20 | 55 | 20 | 18 |
| 25 44 | 19 | 21 | 23 | 22 | 31 | 21 | 19 | 19 | 21 | 23 | 22 | 11 | 21 | 19 | 19 | 21 | 23 | 21 | 52 | 21 | 19 |
| 29 40 | 20 | 22 | 24 | 23 | 27 | 22 | 20 | 20 | 22 | 24 | 23 | 08 | 22 | 20 | 20 | 22 | 24 | 22 | 48 | 21 | 20 |
| 9 33 35 | 21 | 23 | 25 | 24 | 23 | 23 | 21 | 21 | 23 | 25 | 24 | 04 | 23 | 21 | 21 | 23 | 25 | 23 | 44 | 22 | 21 |
| 37 29 | 22 | 24 | 26 | 25 | 20 | 24 | 22 | 22 | 24 | 26 | 24 | 59 | 23 | 22 | 22 | 24 | 26 | 24 | 40 | 23 | 22 |
| 41 23 | 23 | 25 | 27 | 26 | 16 | 25 | 23 | 23 | 25 | 27 | 25 | 55 | 24 | 23 | 23 | 25 | 27 | 25 | 36 | 24 | 23 |
| 9 45 16 | 24 | 26 | 28 | 27 | 11 | 26 | 24 | 24 | 26 | 28 | 26 | 50 | 25 | 24 | 24 | 26 | 28 | 26 | 31 | 25 | 24 |
| 49  9 | 25 | 27 | 29 | 28 | 06 | 26 | 25 | 25 | 27 | 29 | 27 | 46 | 26 | 25 | 25 | 27 | 29 | 27 | 25 | 26 | 25 |
| 53  1 | 26 | 28 | ♏ | 29 | 01 | 27 | 26 | 26 | 28 | ♏ | 28 | 40 | 27 | 26 | 26 | 28 | ♏ | 28 | 20 | 27 | 26 |
| 9 56 52 | 27 | 29 | 1 | 29 | 56 | 28 | 27 | 27 | 29 | 1 | 29 | 35 | 28 | 27 | 27 | 29 | 0 | 29 | 14 | 28 | 26 |
| 10  0 43 | 28 | ♎ | 2 | 0 ♐ | 51 | 29 | 28 | 28 | ♎ | 2 | 0 ♐ | 29 | 29 | 27 | 28 | ♎ | 1 | 0 ♐ | 09 | 29 | 27 |
| 4 33 | 29 | 1 | 3 | 1 | 45 ♑ | 29 | 29 | 1 | 3 | 1 | 24 ♑ | 28 | 29 | 1 | 2 | 1 | 02 | 29 | 28 |

| Houses | 4 | 5 | 6 | 7 | | 8 | 9 | 4 | 5 | 6 | 7 | | 8 | 9 | 4 | 5 | 6 | 7 | | 8 | 9 |

Latitude 4° S.          Latitude 5° S.          Latitude 6° S.

# SIMPLIFIED SCIENTIFIC TABLES OF HOUSES

Latitude 4° N.  Latitude 5° N.  Latitude 6° N.

| Sider'l Time | 10 ♍ | 11 ≏ | 12 ♏ | Asc. ♐ | 2 ♑ | 3 ♑ | 10 ♍ | 11 ≏ | 12 ♏ | Asc. ♐ | 2 ♑ | 3 ♑ | 10 ♍ | 11 ≏ | 12 ♏ | Asc. ♐ | 2 ♑ | 3 ♑ |
|---|---|---|---|---|---|---|---|---|---|---|---|---|---|---|---|---|---|---|
| H M S |  |  |  |  |  |  |  |  |  |  |  |  |  |  |  |  |  |  |
| 10 8 23 | 0 | 2 | 4 | 2 39 | 1 | 29 | 0 | 2 | 4 | 2 18 | 1 | 29 | 0 | 2 | 3 | 1 56 | 0 | 29 |
| 12 12 | 1 | 3 | 5 | 3 32 | 2 | ≈ | 1 | 3 | 5 | 3 11 | 1 | ≈ | 1 | 3 | 4 | 2 50 | 1 | ≈ |
| 16 0 | 2 | 4 | 6 | 4 26 | 3 | 1 | 2 | 4 | 5 | 4 04 | 2 | 1 | 2 | 4 | 5 | 3 43 | 2 | 1 |
| 10 19 48 | 3 | 5 | 7 | 5 19 | 3 | 2 | 3 | 5 | 6 | 4 57 | 3 | 2 | 3 | 5 | 6 | 4 36 | 3 | 2 |
| 23 35 | 4 | 6 | 8 | 6 12 | 4 | 3 | 4 | 6 | 7 | 5 50 | 4 | 3 | 4 | 6 | 7 | 5 29 | 4 | 3 |
| 27 22 | 5 | 7 | 9 | 7 05 | 5 | 4 | 5 | 7 | 8 | 6 43 | 5 | 4 | 5 | 7 | 8 | 6 21 | 5 | 4 |
| 10 31 8 | 6 | 8 | 9 | 7 58 | 6 | 5 | 6 | 8 | 9 | 7 35 | 6 | 5 | 6 | 8 | 9 | 7 13 | 6 | 5 |
| 34 54 | 7 | 9 | 10 | 8 51 | 7 | 6 | 7 | 9 | 10 | 8 27 | 7 | 6 | 7 | 9 | 10 | 8 05 | 6 | 6 |
| 38 40 | 8 | 10 | 11 | 9 43 | 8 | 7 | 8 | 10 | 11 | 9 20 | 8 | 7 | 8 | 10 | 11 | 8 57 | 7 | 7 |
| 10 42 25 | 9 | 11 | 12 | 10 35 | 9 | 8 | 9 | 11 | 12 | 10 12 | 8 | 8 | 9 | 11 | 12 | 9 49 | 8 | 8 |
| 46 9 | 10 | 12 | 13 | 11 27 | 10 | 9 | 10 | 12 | 13 | 11 04 | 9 | 8 | 10 | 12 | 13 | 10 40 | 9 | 8 |
| 49 53 | 11 | 13 | 14 | 12 19 | 10 | 10 | 11 | 13 | 14 | 11 55 | 10 | 9 | 11 | 13 | 14 | 11 32 | 10 | 9 |
| 10 53 37 | 12 | 14 | 15 | 13 10 | 11 | 11 | 12 | 14 | 15 | 12 47 | 11 | 10 | 12 | 14 | 15 | 12 24 | 11 | 10 |
| 57 20 | 13 | 15 | 16 | 14 02 | 12 | 11 | 13 | 15 | 16 | 13 38 | 12 | 11 | 13 | 15 | 16 | 13 16 | 12 | 11 |
| 11 1 3 | 14 | 16 | 17 | 14 53 | 13 | 12 | 14 | 16 | 17 | 14 30 | 13 | 12 | 14 | 16 | 17 | 14 07 | 12 | 12 |
| 11 4 46 | 15 | 17 | 18 | 15 44 | 14 | 13 | 15 | 17 | 18 | 15 21 | 14 | 13 | 15 | 17 | 17 | 14 58 | 13 | 13 |
| 8 28 | 16 | 18 | 19 | 16 36 | 15 | 14 | 16 | 18 | 19 | 16 12 | 14 | 14 | 16 | 18 | 18 | 15 49 | 14 | 14 |
| 12 10 | 17 | 19 | 20 | 17 27 | 16 | 15 | 17 | 19 | 19 | 17 03 | 15 | 15 | 17 | 19 | 19 | 16 40 | 15 | 15 |
| 11 15 52 | 18 | 20 | 21 | 18 18 | 16 | 16 | 18 | 20 | 20 | 17 54 | 16 | 16 | 18 | 20 | 20 | 17 31 | 16 | 16 |
| 19 34 | 19 | 21 | 21 | 19 09 | 17 | 17 | 19 | 21 | 21 | 18 45 | 17 | 17 | 19 | 21 | 21 | 18 21 | 17 | 17 |
| 23 15 | 20 | 22 | 22 | 19 59 | 18 | 18 | 20 | 22 | 22 | 19 36 | 18 | 18 | 20 | 22 | 22 | 19 12 | 18 | 18 |
| 11 26 56 | 21 | 23 | 23 | 20 50 | 19 | 19 | 21 | 23 | 23 | 20 27 | 19 | 19 | 21 | 23 | 23 | 20 02 | 19 | 19 |
| 30 37 | 22 | 24 | 24 | 21 40 | 20 | 20 | 22 | 24 | 24 | 21 17 | 20 | 20 | 22 | 24 | 24 | 20 53 | 19 | 20 |
| 34 18 | 23 | 25 | 25 | 22 31 | 21 | 21 | 23 | 25 | 25 | 22 08 | 21 | 21 | 23 | 25 | 25 | 21 43 | 20 | 21 |
| 11 37 58 | 24 | 26 | 26 | 23 21 | 22 | 22 | 24 | 26 | 26 | 22 58 | 21 | 22 | 24 | 26 | 25 | 22 34 | 21 | 22 |
| 41 39 | 25 | 27 | 27 | 24 12 | 23 | 23 | 25 | 27 | 27 | 23 49 | 22 | 23 | 25 | 27 | 26 | 23 25 | 22 | 23 |
| 45 19 | 26 | 28 | 28 | 25 02 | 23 | 24 | 26 | 28 | 27 | 24 39 | 23 | 24 | 26 | 28 | 27 | 24 15 | 23 | 24 |
| 11 49 0 | 27 | 29 | 29 | 25 53 | 24 | 25 | 27 | 29 | 28 | 25 29 | 24 | 25 | 27 | 29 | 28 | 25 05 | 24 | 24 |
| 52 40 | 28 | ♏ | 29 | 26 44 | 25 | 26 | 28 | ♏ | 29 | 26 29 | 25 | 26 | 28 | ♏ | 29 | 25 56 | 25 | 25 |
| 56 20 | 29 | 1 | ♐ | 27 34 | 26 | 27 | 29 | 1 | ♐ | 27 10 | 26 | 26 | 29 | 1 | ♐ | 26 46 | 26 | 26 |
| Houses | 4 | 5 | 6 | 7 | 8 | 9 | 4 | 5 | 6 | 7 | 8 | 9 | 4 | 5 | 6 | 7 | 8 | 9 |

Latitude 4° S.  Latitude 5° S.  Latitude 6° S.

# SIMPLIFIED SCIENTIFIC TABLES OF HOUSES

Latitude 4° N.  Latitude 5° N.  Latitude 6° N.

| Sider'l Time (H M S) | 10 (♎) | 11 (♏) | 12 (♐) | Asc. (♐) | 2 (♑) | 3 (♒) | 10 (♎) | 11 (♏) | 12 (♐) | Asc. (♐) | 2 (♑) | 3 (♒) | 10 (♎) | 11 (♏) | 12 (♐) | Asc. (♐) | 2 (♑) | 3 (♒) |
|---|---|---|---|---|---|---|---|---|---|---|---|---|---|---|---|---|---|---|
| 12 0 0 | 0 | 2 | 1 | 28 24 | 27 | 28 | 0 | 2 | 1 | 28 01 | 27 | 27 | 0 | 2 | 1 | 27 37 | 26 | 27 |
| 3 40 | 1 | 3 | 2 | 29 15 | 28 | 28 | 1 | 3 | 2 | 28 51 | 28 | 28 | 1 | 3 | 2 | 28 27 | 27 | 28 |
| 7 20 | 2 | 4 | 3 | 0♑05 | 29 | 29 | 2 | 4 | 3 | 29 42 | 28 | 29 | 2 | 4 | 2 | 29 18 | 28 | 29 |
| 12 11 0 | 3 | 5 | 4 | 0 56 | ≈≈ | ♓ | 3 | 5 | 3 | 0♑32 | ≈≈ | ♓ | 3 | 5 | 3 | 0♑08 | ≈≈ | ♓ |
| 14 41 | 4 | 6 | 4 | 1 46 | 0 | 1 | 4 | 6 | 4 | 1 23 | ≈≈ | 1 | 4 | 5 | 4 | 0 59 | ≈≈ | 1 |
| 18 21 | 5 | 7 | 5 | 2 37 | 1 | 2 | 5 | 7 | 5 | 2 13 | 1 | 2 | 5 | 6 | 5 | 1 49 | 1 | 2 |
| 12 22 2 | 6 | 8 | 6 | 3 27 | 2 | 3 | 6 | 7 | 6 | 3 04 | 2 | 3 | 6 | 7 | 6 | 2 39 | 2 | 3 |
| 25 42 | 7 | 8 | 7 | 4 18 | 3 | 4 | 7 | 8 | 7 | 3 55 | 3 | 4 | 7 | 8 | 7 | 3 30 | 3 | 4 |
| 29 23 | 8 | 9 | 8 | 5 09 | 4 | 5 | 8 | 9 | 8 | 4 45 | 4 | 5 | 8 | 9 | 8 | 4 21 | 4 | 5 |
| 12 33 4 | 9 | 10 | 9 | 6 00 | 5 | 6 | 9 | 10 | 9 | 5 36 | 5 | 6 | 9 | 10 | 8 | 5 12 | 5 | 6 |
| 36 45 | 10 | 11 | 10 | 6 51 | 6 | 7 | 10 | 11 | 9 | 6 27 | 6 | 7 | 10 | 11 | 9 | 6 03 | 5 | 7 |
| 40 26 | 11 | 12 | 11 | 7 43 | 7 | 8 | 11 | 12 | 10 | 7 19 | 7 | 8 | 11 | 12 | 10 | 6 54 | 6 | 8 |
| 12 44 8 | 12 | 13 | 11 | 8 34 | 8 | 9 | 12 | 13 | 11 | 8 10 | 7 | 9 | 12 | 13 | 11 | 7 46 | 7 | 9 |
| 47 50 | 13 | 14 | 12 | 9 26 | 9 | 10 | 13 | 14 | 12 | 9 02 | 8 | 10 | 13 | 14 | 12 | 8 38 | 8 | 10 |
| 51 32 | 14 | 15 | 13 | 10 17 | 10 | 11 | 14 | 15 | 13 | 9 53 | 9 | 11 | 14 | 15 | 13 | 9 29 | 9 | 11 |
| 12 55 14 | 15 | 16 | 14 | 11 09 | 11 | 12 | 15 | 16 | 14 | 10 45 | 10 | 12 | 15 | 16 | 14 | 10 21 | 10 | 12 |
| 58 57 | 16 | 17 | 15 | 12 00 | 11 | 13 | 16 | 17 | 15 | 11 37 | 11 | 13 | 16 | 17 | 14 | 11 13 | 11 | 13 |
| 13 2 40 | 17 | 18 | 16 | 12 52 | 12 | 14 | 17 | 18 | 15 | 12 29 | 12 | 14 | 17 | 18 | 15 | 12 05 | 12 | 14 |
| 13 6 23 | 18 | 19 | 17 | 13 44 | 13 | 15 | 18 | 19 | 16 | 13 22 | 13 | 15 | 18 | 18 | 16 | 12 57 | 13 | 15 |
| 10 7 | 19 | 20 | 17 | 14 36 | 14 | 16 | 19 | 19 | 17 | 14 14 | 14 | 16 | 19 | 19 | 17 | 13 49 | 14 | 16 |
| 13 51 | 20 | 20 | 18 | 15 29 | 15 | 17 | 20 | 20 | 18 | 15 06 | 15 | 17 | 20 | 20 | 18 | 14 42 | 15 | 17 |
| 13 17 35 | 21 | 21 | 19 | 16 22 | 16 | 18 | 21 | 21 | 19 | 15 59 | 16 | 18 | 21 | 21 | 19 | 15 34 | 16 | 18 |
| 21 20 | 22 | 22 | 20 | 17 15 | 17 | 19 | 22 | 22 | 20 | 16 52 | 17 | 19 | 22 | 22 | 20 | 16 27 | 17 | 19 |
| 25 6 | 23 | 23 | 21 | 18 08 | 18 | 20 | 23 | 23 | 21 | 17 46 | 18 | 20 | 23 | 23 | 20 | 17 21 | 18 | 20 |
| 13 28 52 | 24 | 24 | 22 | 19 01 | 19 | 21 | 24 | 24 | 22 | 18 39 | 19 | 21 | 24 | 24 | 21 | 18 15 | 19 | 21 |
| 32 38 | 25 | 25 | 23 | 19 55 | 20 | 22 | 25 | 25 | 22 | 19 32 | 20 | 22 | 25 | 25 | 22 | 19 09 | 20 | 22 |
| 36 25 | 26 | 26 | 24 | 20 49 | 21 | 23 | 26 | 26 | 23 | 20 26 | 21 | 23 | 26 | 26 | 23 | 20 03 | 21 | 23 |
| 13 40 12 | 27 | 27 | 24 | 21 43 | 22 | 25 | 27 | 27 | 24 | 21 21 | 22 | 25 | 27 | 27 | 24 | 20 57 | 22 | 25 |
| 44 0 | 28 | 28 | 25 | 22 37 | 23 | 26 | 28 | 28 | 25 | 22 15 | 23 | 26 | 28 | 28 | 25 | 21 51 | 23 | 26 |
| 47 48 | 29 | 29 | 26 | 23 31 | 24 | 27 | 29 | 29 | 26 | 23 10 | 24 | 27 | 29 | 29 | 26 | 22 45 | 24 | 27 |
| Houses | 4 | 5 | 6 | 7 | 8 | 9 | 4 | 5 | 6 | 7 | 8 | 9 | 4 | 5 | 6 | 7 | 8 | 9 |

Latitude 4° S.  Latitude 5° S.  Latitude 6° S.

# SIMPLIFIED SCIENTIFIC TABLES OF HOUSES

|  | Latitude 4° N. | | | | | | Latitude 5° N. | | | | | | Latitude 6° N. | | | | | |
|---|---|---|---|---|---|---|---|---|---|---|---|---|---|---|---|---|---|---|
| Sider'l Time | 10 ♏ | 11 ♐ | 12 ♐ | Asc. ♑ | 2 ♒ | 3 ♓ | 10 ♏ | 11 ♐ | 12 ♐ | Asc. ♑ | 2 ♒ | 3 ♓ | 10 ♏ | 11 ♏ | 12 ♐ | Asc. ♑ | 2 ♒ | 3 ♓ |
| H M S | ° | ° | ° | ° ′ | ° | ° | ° | ° | ° | ° ′ | ° | ° | ° | ° | ° | ° ′ | ° | ° |
| 13 51 37 | 0 | 0 | 27 | 24 26 | 25 | 28 | 0 | 29 | 27 | 24 04 | 25 | 28 | 0 | 29 | 26 | 23 40 | 25 | 28 |
| 55 27 | 1 | 1 | 28 | 25 22 | 26 | 29 | 1 | ♐ | 28 | 25 00 | 26 | 29 | 1 | ♐ | 27 | 24 36 | 26 | 29 |
| 59 17 | 2 | 1 | 29 | 26 17 | 27 | ♈ | 2 | 1 | 28 | 25 56 | 27 | ♈ | 2 | 1 | 28 | 25 32 | 27 | ♈ |
| 14  3  8 | 3 | 2 | ♑ | 27 13 | 28 | 1 | 3 | 2 | 29 | 26 51 | 28 | 1 | 3 | 2 | 29 | 26 28 | 28 | 1 |
| 6 59 | 4 | 3 | 1 | 28 09 | 29 | 2 | 4 | 3 | ♑ | 27 47 | 29 | 2 | 4 | 3 | ♑ | 27 24 | 29 | 2 |
| 10 51 | 5 | 4 | 1 | 29 05 | ♓ | 3 | 5 | 4 | 1 | 28 43 | ♓ | 3 | 5 | 4 | 1 | 28 21 | ♓ | 3 |
| 14 14 44 | 6 | 5 | 2 | 0♒02 | 1 | 4 | 6 | 5 | 2 | 29 41 | 1 | 4 | 6 | 5 | 2 | 29 18 | 1 | 4 |
| 18 37 | 7 | 6 | 3 | 0 59 | 2 | 5 | 7 | 6 | 3 | 0♒38 | 2 | 5 | 7 | 6 | 3 | 0♒15 | 2 | 5 |
| 22 31 | 8 | 7 | 4 | 1 56 | 3 | 6 | 8 | 7 | 4 | 1 36 | 3 | 6 | 8 | 7 | 4 | 1 13 | 3 | 6 |
| 14 26 25 | 9 | 8 | 5 | 2 54 | 4 | 7 | 9 | 8 | 5 | 2 33 | 4 | 7 | 9 | 8 | 4 | 2 11 | 4 | 7 |
| 30 20 | 10 | 9 | 6 | 3 52 | 5 | 8 | 10 | 9 | 6 | 3 31 | 5 | 8 | 10 | 9 | 5 | 3 09 | 5 | 8 |
| 34 16 | 11 | 10 | 7 | 4 51 | 6 | 9 | 11 | 10 | 6 | 4 30 | 6 | 9 | 11 | 10 | 6 | 4 08 | 6 | 9 |
| 14 38 13 | 12 | 11 | 8 | 5 50 | 7 | 11 | 12 | 11 | 7 | 5 30 | 7 | 11 | 12 | 10 | 7 | 5 07 | 7 | 11 |
| 42 10 | 13 | 12 | 9 | 6 49 | 9 | 12 | 13 | 12 | 8 | 6 29 | 8 | 12 | 13 | 11 | 8 | 6 07 | 8 | 12 |
| 46  8 | 14 | 12 | 10 | 7 48 | 10 | 13 | 14 | 12 | 9 | 7 29 | 9 | 13 | 14 | 12 | 9 | 7 07 | 9 | 13 |
| 14 50  7 | 15 | 13 | 10 | 8 48 | 11 | 14 | 15 | 13 | 10 | 8 28 | 11 | 14 | 15 | 13 | 10 | 8 08 | 10 | 14 |
| 54  7 | 16 | 14 | 11 | 9 49 | 12 | 15 | 16 | 14 | 11 | 9 29 | 12 | 15 | 16 | 14 | 11 | 9 09 | 12 | 15 |
| 58  7 | 17 | 15 | 12 | 10 50 | 13 | 16 | 17 | 15 | 12 | 10 30 | 13 | 16 | 17 | 15 | 12 | 10 10 | 13 | 16 |
| 15  2  8 | 18 | 16 | 13 | 11 50 | 14 | 17 | 18 | 16 | 13 | 11 32 | 14 | 17 | 18 | 16 | 13 | 11 11 | 14 | 17 |
| 6  9 | 19 | 17 | 14 | 12 51 | 15 | 18 | 19 | 17 | 14 | 12 33 | 15 | 18 | 19 | 17 | 14 | 12 13 | 15 | 18 |
| 10 12 | 20 | 18 | 15 | 13 53 | 16 | 19 | 20 | 18 | 15 | 13 34 | 16 | 19 | 20 | 18 | 15 | 13 16 | 16 | 19 |
| 15 14 15 | 21 | 19 | 16 | 14 55 | 17 | 20 | 21 | 19 | 16 | 14 38 | 17 | 20 | 21 | 19 | 16 | 14 19 | 17 | 20 |
| 18 19 | 22 | 20 | 17 | 15 58 | 18 | 21 | 22 | 20 | 17 | 15 41 | 18 | 21 | 22 | 20 | 17 | 15 22 | 18 | 22 |
| 22 23 | 23 | 21 | 18 | 17 01 | 20 | 22 | 23 | 21 | 18 | 16 45 | 20 | 23 | 23 | 21 | 17 | 16 25 | 19 | 23 |
| 15 26 29 | 24 | 22 | 19 | 18 05 | 21 | 24 | 24 | 22 | 19 | 17 48 | 21 | 24 | 24 | 22 | 18 | 17 29 | 21 | 24 |
| 30 35 | 25 | 23 | 20 | 19 09 | 22 | 25 | 25 | 23 | 20 | 18 52 | 22 | 25 | 25 | 22 | 19 | 18 34 | 22 | 55 |
| 34 41 | 26 | 24 | 21 | 20 13 | 23 | 26 | 26 | 24 | 21 | 19 57 | 23 | 26 | 26 | 23 | 20 | 19 39 | 23 | 26 |
| 15 38 49 | 27 | 25 | 22 | 21 17 | 24 | 27 | 27 | 25 | 22 | 21 03 | 24 | 27 | 27 | 24 | 21 | 20 44 | 24 | 27 |
| 42 57 | 28 | 26 | 23 | 22 22 | 25 | 28 | 28 | 26 | 23 | 22 08 | 25 | 28 | 28 | 25 | 22 | 21 50 | 25 | 28 |
| 47  6 | 29 | 27 | 24 | 23 28 | 26 | 29 | 29 | 26 | 24 | 23 14 | 26 | 29 | 29 | 26 | 23 | 22 56 | 26 | 29 |

| Houses | 4 | 5 | 6 | 7 | 8 | 9 | 4 | 5 | 6 | 7 | 8 | 9 | 4 | 5 | 6 | 7 | 8 | 9 |

Latitude 4° S.   Latitude 5° S.   Latitude 6° S.

# SIMPLIFIED SCIENTIFIC TABLES OF HOUSES

|  | Latitude 4° N. | | | | | | Latitude 5° N. | | | | | | Latitude 6° N. | | | | | |
|---|---|---|---|---|---|---|---|---|---|---|---|---|---|---|---|---|---|---|
| Sider'l Time | 10 ♐ | 11 ♐ | 12 ♑ | Asc. ♒ | 2 ♓ | 3 ♉ | 10 ♐ | 11 ♐ | 12 ♑ | Asc. ♒ | 2 ♓ | 3 ♉ | 10 ♐ | 11 ♐ | 12 ♑ | Asc. ♒ | 2 ♓ | 3 ♉ |
| H M S | ° | ° | ° | ° ' | ° | ° | ° | ° | ° | ° ' | ° | ° | ° | ° | ° | ° ' | ° | ° |
| 15 51 15 | 0 | 27 | 25 | 24 34 | 28 | 0 | 0 | 27 | 25 | 24 19 | 28 | 0 | 0 | 27 | 24 | 24 03 | 28 | 0 |
| 55 25 | 1 | 28 | 26 | 25 41 | 29 | 1 | 1 | 28 | 26 | 25 26 | 29 | 1 | 1 | 28 | 25 | 25 10 | 29 | 1 |
| 59 36 | 2 | 29 | 27 | 26 48 | ♈ | 2 | 2 | 29 | 27 | 26 34 | ♈ | 2 | 2 | 29 | 26 | 26 18 | ♈ | 3 |
| 16 3 48 | 3 ♑ | 28 | 27 55 | | 1 | 3 | 3 ♑ | 28 | 27 41 | | 1 | 4 | 3 ♑ | 27 | 27 26 | | 1 | 4 |
| 8 0 | 4 | 1 | 29 | 29 02 | 2 | 5 | 4 | 1 | 29 | 28 49 | 2 | 5 | 4 | 1 | 28 | 28 34 | 2 | 5 |
| 12 13 | 5 | 2 ♒ | 0♓09 | | 3 | 6 | 5 | 2 ♒ | 29 56 | | 3 | 6 | 5 | 2 | 29 | 29 43 | 3 | 6 |
| 16 16 26 | 6 | 3 | 1 | 1 18 | 5 | 7 | 6 | 3 | 1 1♓05 | | 5 | 7 | 6 | 3 ♒0♓53 | | | 5 | 7 |
| 20 40 | 7 | 4 | 2 | 2 27 | 6 | 8 | 7 | 4 | 2 | 2 15 | 6 | 8 | 7 | 4 | 1 | 2 02 | 6 | 8 |
| 24 55 | 8 | 5 | 3 | 3 36 | 7 | 9 | 8 | 5 | 3 | 3 24 | 7 | 9 | 8 | 5 | 3 | 3 12 | 7 | 9 |
| 16 29 10 | 9 | 6 | 4 | 4 45 | 8 | 10 | 9 | 6 | 4 | 4 34 | 8 | 10 | 9 | 6 | 4 | 4 22 | 8 | 10 |
| 33 26 | 10 | 7 | 5 | 5 55 | 9 | 11 | 10 | 7 | 5 | 5 43 | 9 | 11 | 10 | 7 | 5 | 5 32 | 9 | 11 |
| 37 42 | 11 | 8 | 6 | 7 05 | 10 | 12 | 11 | 8 | 6 | 6 54 | 11 | 12 | 11 | 8 | 6 | 6 44 | 11 | 12 |
| 16 41 59 | 12 | 9 | 7 | 8 15 | 12 | 13 | 12 | 9 | 7 | 8 06 | 12 | 13 | 12 | 9 | 7 | 7 55 | 12 | 14 |
| 46 16 | 13 | 10 | 8 | 9 26 | 13 | 14 | 13 | 10 | 8 | 9 17 | 13 | 15 | 13 | 10 | 8 | 9 07 | 13 | 15 |
| 50 34 | 14 | 11 | 9 | 10 37 | 14 | 16 | 14 | 11 | 9 | 10 29 | 14 | 16 | 14 | 11 | 9 | 10 19 | 14 | 16 |
| 16 54 52 | 15 | 12 | 10 | 11 48 | 15 | 17 | 15 | 12 | 10 | 11 40 | 15 | 17 | 15 | 12 | 10 | 11 31 | 15 | 17 |
| 59 10 | 16 | 13 | 11 | 13 00 | 16 | 18 | 16 | 13 | 11 | 12 52 | 16 | 18 | 16 | 13 | 11 | 12 44 | 17 | 18 |
| 17 3 29 | 17 | 14 | 13 | 14 11 | 17 | 19 | 17 | 14 | 12 | 14 05 | 18 | 19 | 17 | 14 | 12 | 13 56 | 18 | 19 |
| 17 7 49 | 18 | 15 | 14 | 15 23 | 19 | 20 | 18 | 15 | 13 | 15 17 | 19 | 20 | 18 | 15 | 13 | 15 09 | 19 | 20 |
| 12 9 | 19 | 16 | 15 | 16 35 | 20 | 21 | 19 | 16 | 15 | 16 30 | 20 | 21 | 19 | 16 | 14 | 16 22 | 20 | 21 |
| 16 29 | 20 | 17 | 16 | 17 48 | 21 | 22 | 20 | 17 | 16 | 17 42 | 21 | 22 | 20 | 17 | 15 | 17 36 | 21 | 22 |
| 17 20 49 | 21 | 18 | 17 | 19 01 | 22 | 23 | 21 | 18 | 17 | 18 56 | 22 | 23 | 21 | 18 | 17 | 18 50 | 23 | 23 |
| 25 9 | 22 | 19 | 18 | 20 14 | 23 | 24 | 22 | 19 | 18 | 20 09 | 24 | 24 | 22 | 19 | 18 | 20 04 | 24 | 24 |
| 29 30 | 23 | 20 | 19 | 21 27 | 25 | 25 | 23 | 20 | 19 | 21 23 | 25 | 25 | 23 | 20 | 19 | 21 18 | 25 | 25 |
| 17 33 51 | 24 | 21 | 20 | 22 40 | 26 | 26 | 24 | 21 | 20 | 22 36 | 26 | 26 | 24 | 21 | 20 | 22 33 | 26 | 26 |
| 38 12 | 25 | 22 | 21 | 23 53 | 27 | 27 | 25 | 22 | 21 | 23 50 | 27 | 27 | 25 | 22 | 21 | 23 47 | 27 | 28 |
| 42 34 | 26 | 23 | 23 | 25 06 | 28 | 28 | 26 | 23 | 22 | 25 04 | 28 | 28 | 26 | 23 | 22 | 25 01 | 28 | 29 |
| 17 46 55 | 27 | 24 | 24 | 26 20 | 29 | 29 | 27 | 24 | 24 | 26 18 | 29 | ♊ | 27 | 24 | 23 | 26 15 | ♉ | ♊ |
| 51 17 | 28 | 25 | 25 | 27 33 | ♉ | ♊ | 28 | 25 | 25 | 27 32 | ♉ | 1 | 28 | 25 | 25 | 27 30 | 1 | 1 |
| 55 38 | 29 | 26 | 26 | 28 46 | 2 | 2 | 29 | 26 | 26 | 28 46 | 2 | 2 | 29 | 26 | 26 | 28 45 | 2 | 2 |
| Houses | 4 | 5 | 6 | 7 | 8 | 9 | 4 | 5 | 6 | 7 | 8 | 9 | 4 | 5 | 6 | 7 | 8 | 9 |

Latitude 4° S.     Latitude 5° S.     Latitude 6° S.

# SIMPLIFIED SCIENTIFIC TABLES OF HOUSES

|  | Latitude 4° N. | | | | | | Latitude 5° N. | | | | | | Latitude 6° N. | | | | | |
|---|---|---|---|---|---|---|---|---|---|---|---|---|---|---|---|---|---|---|
| Sider'l Time | 10 | 11 | 12 | Asc. | 2 | 3 | 10 | 11 | 12 | Asc. | 2 | 3 | 10 | 11 | 12 | Asc. | 2 | 3 |
|  | VS | VS | ≈ | ♈ | ♉ | Ⅱ | VS | VS | ≈ | ♈ | ♉ | Ⅱ | VS | VS | ≈ | ♈ | ♉ | Ⅱ |
| H M S | ° | ° | ° | ° ' | ° | ° | ° | ° | ° | ° ' | ° | ° | ° | ° | ° | ° ' | ° | ° |
| 18 0 0 | 0 | 27 | 27 | 0 00 | 3 | 3 | 0 | 27 | 27 | 0 00 | 3 | 3 | 0 | 27 | 27 | 0 00 | 3 | 3 |
| 4 22 | 1 | 28 | 28 | 1 14 | 4 | 4 | 1 | 28 | 28 | 1 14 | 4 | 4 | 1 | 28 | 28 | 1 15 | 4 | 4 |
| 8 43 | 2 | ≈ | ♓ | 2 27 | 5 | 5 | 2 | 29 | 29 | 2 28 | 5 | 5 | 2 | 29 | 29 | 2 30 | 5 | 5 |
| 18 13 5 | 3 | 1 | 1 | 3 40 | 6 | 6 | 3 | ≈ | ♓ | 3 42 | 6 | 6 | 3 | ≈ | ♓ | 3 45 | 7 | 6 |
| 17 26 | 4 | 2 | 2 | 4 54 | 7 | 7 | 4 | 2 | 2 | 4 56 | 8 | 7 | 4 | 1 | 2 | 4 59 | 8 | 7 |
| 21 48 | 5 | 3 | 3 | 6 07 | 9 | 8 | 5 | 3 | 3 | 6 10 | 9 | 8 | 5 | 2 | 3 | 6 13 | 9 | 8 |
| 18 26 9 | 6 | 4 | 4 | 7 20 | 10 | 9 | 6 | 4 | 4 | 7 24 | 10 | 9 | 6 | 4 | 4 | 7 27 | 10 | 9 |
| 30 30 | 7 | 5 | 5 | 8 33 | 11 | 10 | 7 | 5 | 5 | 8 37 | 11 | 10 | 7 | 5 | 5 | 8 42 | 11 | 10 |
| 34 51 | 8 | 6 | 7 | 9 46 | 12 | 11 | 8 | 6 | 6 | 9 51 | 12 | 11 | 8 | 6 | 6 | 9 56 | 12 | 11 |
| 18 39 11 | 9 | 7 | 8 | 10 59 | 13 | 12 | 9 | 7 | 8 | 11 04 | 13 | 12 | 9 | 7 | 7 | 11 10 | 13 | 12 |
| 43 31 | 10 | 8 | 9 | 12 12 | 14 | 13 | 10 | 8 | 9 | 12 18 | 14 | 13 | 10 | 8 | 9 | 12 24 | 15 | 13 |
| 47 51 | 11 | 9 | 10 | 13 25 | 15 | 14 | 11 | 9 | 10 | 13 30 | 15 | 14 | 11 | 9 | 10 | 13 38 | 16 | 14 |
| 18 52 11 | 12 | 10 | 11 | 14 37 | 16 | 15 | 12 | 10 | 11 | 14 43 | 17 | 15 | 12 | 10 | 11 | 14 51 | 17 | 15 |
| 56 31 | 13 | 11 | 13 | 15 49 | 17 | 16 | 13 | 11 | 12 | 15 55 | 18 | 16 | 13 | 11 | 12 | 16 04 | 18 | 16 |
| 19 0 50 | 14 | 12 | 14 | 17 00 | 19 | 17 | 14 | 12 | 14 | 17 08 | 19 | 17 | 14 | 12 | 13 | 17 16 | 19 | 17 |
| 19 5 8 | 15 | 13 | 15 | 18 12 | 20 | 18 | 15 | 13 | 15 | 18 20 | 20 | 18 | 15 | 13 | 15 | 18 29 | 20 | 18 |
| 9 26 | 16 | 14 | 16 | 19 23 | 21 | 19 | 16 | 14 | 16 | 19 31 | 21 | 19 | 16 | 14 | 16 | 19 41 | 21 | 19 |
| 13 44 | 17 | 16 | 17 | 20 34 | 22 | 20 | 17 | 15 | 17 | 20 43 | 22 | 20 | 17 | 15 | 17 | 20 53 | 22 | 20 |
| 19 18 1 | 18 | 17 | 18 | 21 45 | 23 | 21 | 18 | 17 | 18 | 21 54 | 23 | 21 | 18 | 16 | 18 | 22 05 | 23 | 21 |
| 22 18 | 19 | 18 | 20 | 22 55 | 24 | 22 | 19 | 18 | 19 | 23 06 | 24 | 22 | 19 | 18 | 19 | 23 16 | 24 | 22 |
| 26 34 | 20 | 19 | 21 | 24 05 | 25 | 23 | 20 | 19 | 21 | 24 17 | 25 | 23 | 20 | 19 | 21 | 24 28 | 25 | 23 |
| 19 30 50 | 21 | 20 | 22 | 25 15 | 26 | 24 | 21 | 20 | 22 | 25 26 | 26 | 24 | 21 | 20 | 22 | 25 38 | 26 | 24 |
| 35 5 | 22 | 21 | 23 | 26 24 | 27 | 25 | 22 | 21 | 23 | 26 36 | 27 | 25 | 22 | 21 | 23 | 26 48 | 27 | 25 |
| 39 20 | 23 | 22 | 24 | 27 33 | 28 | 26 | 23 | 22 | 24 | 27 45 | 28 | 26 | 23 | 22 | 24 | 27 58 | 29 | 26 |
| 19 43 34 | 24 | 23 | 25 | 28 42 | 29 | 27 | 24 | 23 | 25 | 28 55 | 29 | 27 | 24 | 23 | 25 | 29 07 | Ⅱ | 27 |
| 47 47 | 25 | 24 | 27 | 29 51 | Ⅱ | 28 | 25 | 24 | 27 | 0 ♉ 04 | Ⅱ | 28 | 25 | 24 | 27 | 0 ♉ 17 | 1 | 28 |
| 52 0 | 26 | 25 | 28 | 0 ♉ 58 | 1 | 29 | 26 | 25 | 28 | 1 11 | 1 | 29 | 26 | 25 | 28 | 1 26 | 2 | 29 |
| 19 56 12 | 27 | 27 | 29 | 2 05 | 2 | ♋ | 27 | 26 | 29 | 2 19 | 2 | ♋ | 27 | 26 | 29 | 2 34 | 3 | ♋ |
| 20 0 24 | 28 | 28 | ♈ | 3 12 | 3 | 1 | 28 | 28 | ♈ | 3 26 | 3 | 1 | 28 | 27 | ♈ | 3 42 | 4 | 1 |
| 4 35 | 29 | 29 | 1 | 4 19 | 4 | 2 | 29 | 29 | 1 | 4 34 | 4 | 2 | 29 | 29 | 1 | 4 50 | 5 | 2 |
| Houses | 4 | 5 | 6 | 7 | 8 | 9 | 4 | 5 | 6 | 7 | 8 | 9 | 4 | 5 | 6 | 7 | 8 | 9 |

Latitude 4° S.　　　　Latitude 5° S.　　　　Latitude 6° S.

# SIMPLIFIED SCIENTIFIC TABLES OF HOUSES

| | Latitude 4° N. | | | | | | Latitude 5° N. | | | | | | Latitude 6° N. | | | | | |
|---|---|---|---|---|---|---|---|---|---|---|---|---|---|---|---|---|---|---|
| Sider'l Time | 10 ♒ | 11 ♓ | 12 ♈ | Asc. ♉ | 2 ♊ | 3 ♋ | 10 ♒ | 11 ♓ | 12 ♈ | Asc. ♉ | 2 ♊ | 3 ♋ | 10 ♒ | 11 ♓ | 12 ♈ | Asc. ♉ | 2 ♊ | 3 ♋ |
| H M S | ° | ° | ° | ° ′ | ° | ° | ° | ° | ° | ° ′ | ° | ° | ° | ° | ° | ° ′ | ° | ° |
| 20 8 45 | 0 | 0 | 2 | 5 26 | 5 | 3 | 0 | 0 | 2 | 5 41 | 5 | 3 | 0 | 0 | 2 | 5 57 | 6 | 3 |
| 12 54 | 1 | 1 | 4 | 6 32 | 6 | 3 | 1 | 1 | 4 | 6 46 | 6 | 4 | 1 | 1 | 4 | 7 04 | 7 | 4 |
| 17 3 | 2 | 2 | 5 | 7 38 | 7 | 4 | 2 | 2 | 5 | 7 52 | 7 | 5 | 2 | 2 | 5 | 8 10 | 8 | 5 |
| 20 21 11 | 3 | 3 | 6 | 8 43 | 8 | 5 | 3 | 3 | 6 | 8 57 | 8 | 6 | 3 | 3 | 6 | 9 16 | 9 | 6 |
| 25 19 | 4 | 4 | 7 | 9 47 | 9 | 6 | 4 | 4 | 7 | 10 03 | 9 | 6 | 4 | 4 | 7 | 10 21 | 10 | 7 |
| 29 26 | 5 | 5 | 8 | 10 51 | 10 | 7 | 5 | 5 | 8 | 11 08 | 10 | 7 | 5 | 5 | 8 | 11 26 | 11 | 8 |
| 20 33 31 | 6 | 6 | 9 | 11 55 | 11 | 8 | 6 | 6 | 9 | 12 12 | 11 | 8 | 6 | 6 | 9 | 12 31 | 12 | 8 |
| 37 37 | 7 | 8 | 10 | 12 59 | 12 | 9 | 7 | 7 | 10 | 13 15 | 12 | 9 | 7 | 7 | 11 | 13 35 | 13 | 9 |
| 41 41 | 8 | 9 | 12 | 14 02 | 13 | 10 | 8 | 9 | 12 | 14 19 | 13 | 10 | 8 | 8 | 12 | 14 38 | 13 | 10 |
| 20 45 45 | 9 | 10 | 13 | 15 05 | 14 | 11 | 9 | 10 | 13 | 15 22 | 14 | 11 | 9 | 10 | 13 | 15 41 | 14 | 11 |
| 49 48 | 10 | 11 | 14 | 16 07 | 15 | 12 | 10 | 11 | 14 | 16 26 | 15 | 12 | 10 | 11 | 14 | 16 44 | 15 | 12 |
| 53 51 | 11 | 12 | 15 | 17 09 | 16 | 13 | 11 | 12 | 15 | 17 27 | 16 | 13 | 11 | 12 | 15 | 17 47 | 16 | 13 |
| 20 57 52 | 12 | 13 | 16 | 18 10 | 17 | 14 | 12 | 13 | 16 | 18 28 | 17 | 14 | 12 | 13 | 16 | 18 49 | 17 | 14 |
| 21 1 53 | 13 | 14 | 17 | 19 10 | 18 | 15 | 13 | 14 | 17 | 19 30 | 18 | 15 | 13 | 14 | 17 | 19 50 | 18 | 15 |
| 5 53 | 14 | 15 | 18 | 20 11 | 19 | 16 | 14 | 15 | 18 | 20 31 | 19 | 16 | 14 | 15 | 18 | 20 51 | 19 | 16 |
| 21 9 53 | 15 | 16 | 19 | 21 12 | 20 | 17 | 15 | 16 | 19 | 21 32 | 20 | 17 | 15 | 16 | 20 | 21 52 | 20 | 17 |
| 13 52 | 16 | 17 | 20 | 22 12 | 20 | 18 | 16 | 17 | 21 | 22 31 | 21 | 18 | 16 | 17 | 21 | 22 53 | 21 | 18 |
| 17 50 | 17 | 18 | 21 | 23 11 | 21 | 18 | 17 | 18 | 22 | 23 31 | 22 | 19 | 17 | 18 | 22 | 23 53 | 22 | 19 |
| 21 21 47 | 18 | 19 | 23 | 24 10 | 22 | 19 | 18 | 19 | 23 | 24 30 | 23 | 20 | 18 | 19 | 23 | 24 53 | 23 | 20 |
| 25 44 | 19 | 21 | 24 | 25 09 | 23 | 20 | 19 | 21 | 24 | 25 30 | 23 | 20 | 19 | 21 | 24 | 25 52 | 24 | 21 |
| 29 40 | 20 | 22 | 25 | 26 08 | 24 | 21 | 20 | 22 | 25 | 26 29 | 24 | 21 | 20 | 22 | 25 | 26 51 | 25 | 21 |
| 21 33 35 | 21 | 23 | 26 | 27 06 | 25 | 22 | 21 | 23 | 26 | 27 27 | 25 | 22 | 21 | 23 | 26 | 27 49 | 26 | 22 |
| 37 29 | 22 | 24 | 27 | 28 04 | 26 | 23 | 22 | 24 | 27 | 28 24 | 26 | 23 | 22 | 24 | 27 | 28 47 | 26 | 23 |
| 41 23 | 23 | 25 | 28 | 29 01 | 27 | 24 | 23 | 25 | 28 | 29 22 | 27 | 24 | 23 | 25 | 28 | 29 45 | 27 | 24 |
| 21 45 16 | 24 | 26 | 29 | 29 58 | 28 | 25 | 24 | 26 | 29 | 0♊19 | 28 | 25 | 24 | 26 | 29 | 0♊42 | 28 | 25 |
| 49 9 | 25 | 27 | ♉ | 0♊55 | 29 | 26 | 25 | 27 | ♉ | 1 17 | 29 | 26 | 25 | 27 | ♉ | 1 39 | 29 | 26 |
| 53 1 | 26 | 28 | 1 | 1 51 | 29 | 27 | 26 | 28 | 1 | 2 13 | ♋ | 27 | 26 | 28 | 1 | 2 36 | ♋ | 27 |
| 21 56 52 | 27 | 29 | 2 | 2 47 | ♋ | 28 | 27 | 29 | 2 | 3 09 | 1 | 28 | 27 | 29 | 2 | 3 32 | 1 | 28 |
| 22 0 43 | 28 | ♈ | 3 | 3 43 | 1 | 29 | 28 | ♈ | 3 | 4 04 | 2 | 29 | 28 | ♈ | 3 | 4 28 | 2 | 29 |
| 4 33 | 29 | 1 | 4 | 4 38 | 2 | 29 | 29 | 1 | 4 | 5 00 | 2 | ♌ | 29 | 1 | 4 | 5 24 | 3 | ♌ |
| Houses | 4 | 5 | 6 | 7 | 8 | 9 | 4 | 5 | 6 | 7 | 8 | 9 | 4 | 5 | 6 | 7 | 8 | 9 |

Latitude 4° S.     Latitude 5° S.     Latitude 6° S.

# SIMPLIFIED SCIENTIFIC TABLES OF HOUSES

|  | Latitude 4° N. | | | | | | Latitude 5° N. | | | | | | Latitude 6° N. | | | | | |
|---|---|---|---|---|---|---|---|---|---|---|---|---|---|---|---|---|---|---|
| Sider'l Time | 10 | 11 | 12 | Asc. | 2 | 3 | 10 | 11 | 12 | Asc. | 2 | 3 | 10 | 11 | 12 | Asc. | 2 | 3 |
|  | ♓ | ♈ | ♉ | ♊ | ♋ | ♌ | ♓ | ♈ | ♉ | ♊ | ♋ | ♌ | ♓ | ♈ | ♉ | ♊ | ♋ | ♌ |
| H M S |  |  |  | ° ′ |  |  |  |  |  | ° ′ |  |  |  |  |  | ° ′ |  |  |
| 22 8 23 | 0 | 2 | 5 | 5 34 | 3 | 0 | 0 | 2 | 5 | 5 56 | 3 | 1 | 0 | 2 | 5 | 6 20 | 4 | 1 |
| 12 12 | 1 | 3 | 6 | 6 29 | 4 | 1 | 1 | 3 | 6 | 6 50 | 4 | 1 | 1 | 3 | 6 | 7 15 | 4 | 2 |
| 16 0 | 2 | 4 | 7 | 7 23 | 5 | 2 | 2 | 4 | 7 | 7 45 | 5 | 2 | 2 | 4 | 7 | 8 09 | 5 | 2 |
| 22 19 48 | 3 | 5 | 8 | 8 17 | 6 | 3 | 3 | 5 | 8 | 8 39 | 6 | 3 | 3 | 5 | 8 | 9 03 | 6 | 3 |
| 23 35 | 4 | 6 | 9 | 9 11 | 6 | 4 | 4 | 6 | 9 | 9 34 | 7 | 4 | 4 | 6 | 9 | 9 57 | 7 | 4 |
| 27 22 | 5 | 8 | 10 | 10 05 | 7 | 5 | 5 | 8 | 10 | 10 28 | 8 | 5 | 5 | 8 | 10 | 10 51 | 8 | 5 |
| 22 31 8 | 6 | 9 | 11 | 10 59 | 8 | 6 | 6 | 9 | 11 | 11 21 | 8 | 6 | 6 | 9 | 11 | 11 45 | 9 | 6 |
| 34 54 | 7 | 10 | 12 | 11 52 | 9 | 7 | 7 | 10 | 12 | 12 14 | 9 | 7 | 7 | 10 | 12 | 12 39 | 10 | 7 |
| 38 40 | 8 | 11 | 13 | 12 45 | 10 | 8 | 8 | 11 | 13 | 13 08 | 10 | 8 | 8 | 11 | 13 | 13 33 | 10 | 8 |
| 22 42 25 | 9 | 12 | 14 | 13 38 | 11 | 9 | 9 | 12 | 14 | 14 01 | 11 | 9 | 9 | 12 | 14 | 14 26 | 11 | 9 |
| 46 9 | 10 | 13 | 15 | 14 31 | 12 | 10 | 10 | 13 | 15 | 14 54 | 12 | 10 | 10 | 13 | 15 | 15 18 | 12 | 10 |
| 49 53 | 11 | 14 | 16 | 15 24 | 13 | 10 | 11 | 14 | 16 | 15 46 | 13 | 11 | 11 | 14 | 16 | 16 11 | 13 | 11 |
| 22 53 37 | 12 | 15 | 17 | 16 16 | 13 | 11 | 12 | 15 | 17 | 16 38 | 14 | 11 | 12 | 15 | 17 | 17 03 | 14 | 12 |
| 57 20 | 13 | 16 | 18 | 17 08 | 14 | 12 | 13 | 16 | 18 | 17 31 | 15 | 12 | 13 | 16 | 18 | 17 55 | 15 | 12 |
| 23 1 3 | 14 | 17 | 19 | 18 00 | 15 | 13 | 14 | 17 | 19 | 18 23 | 15 | 13 | 14 | 17 | 19 | 18 47 | 16 | 13 |
| 23 4 46 | 15 | 18 | 19 | 18 51 | 16 | 14 | 15 | 18 | 20 | 19 15 | 16 | 14 | 15 | 18 | 20 | 19 39 | 16 | 14 |
| 8 28 | 16 | 19 | 20 | 19 43 | 17 | 15 | 16 | 19 | 21 | 20 07 | 17 | 15 | 16 | 19 | 21 | 20 31 | 17 | 15 |
| 12 10 | 17 | 20 | 21 | 20 34 | 18 | 16 | 17 | 20 | 22 | 20 58 | 18 | 16 | 17 | 20 | 22 | 21 22 | 18 | 16 |
| 23 15 52 | 18 | 21 | 22 | 21 26 | 19 | 17 | 18 | 21 | 23 | 21 50 | 19 | 17 | 18 | 21 | 23 | 22 14 | 19 | 17 |
| 19 34 | 19 | 22 | 23 | 22 17 | 19 | 18 | 19 | 22 | 23 | 22 41 | 20 | 18 | 19 | 22 | 24 | 23 06 | 20 | 18 |
| 23 15 | 20 | 23 | 24 | 23 09 | 20 | 19 | 20 | 23 | 24 | 23 33 | 21 | 19 | 20 | 23 | 25 | 23 57 | 21 | 19 |
| 23 26 56 | 21 | 24 | 25 | 24 00 | 21 | 20 | 21 | 24 | 25 | 24 24 | 21 | 20 | 21 | 24 | 25 | 24 48 | 22 | 20 |
| 30 37 | 22 | 25 | 26 | 24 51 | 22 | 21 | 22 | 25 | 26 | 25 15 | 22 | 21 | 22 | 25 | 26 | 25 39 | 22 | 21 |
| 34 18 | 23 | 26 | 27 | 25 42 | 23 | 22 | 23 | 26 | 27 | 26 05 | 23 | 22 | 23 | 26 | 27 | 26 30 | 23 | 22 |
| 23 37 58 | 24 | 27 | 28 | 26 33 | 24 | 22 | 24 | 27 | 28 | 26 56 | 24 | 23 | 24 | 27 | 28 | 27 21 | 24 | 23 |
| 41 39 | 25 | 28 | 29 | 27 23 | 25 | 23 | 25 | 28 | 29 | 27 47 | 25 | 23 | 25 | 28 | 29 | 28 11 | 25 | 24 |
| 45 19 | 26 | 29 | ♊ | 28 14 | 26 | 24 | 26 | 29 | ♊ | 28 37 | 26 | 24 | 26 | 29 | ♊ | 29 01 | 26 | 25 |
| 23 49 0 | 27 | ♉ | 0 | 29 04 | 26 | 25 | 27 | ♉ | 1 | 29 28 | 27 | 25 | 27 | ♉ | 1 | 29 52 | 27 | 25 |
| 52 40 | 28 | 1 | 1 | 29 55 | 27 | 26 | 28 | 1 | 2 | 0♋18 | 27 | 26 | 28 | 1 | 2 | 0♋42 | 28 | 26 |
| 56 20 | 29 | 2 | 2 | 0♋45 | 28 | 27 | 29 | 2 | 2 | 1 09 | 28 | 27 | 29 | 2 | 3 | 1 33 | 28 | 27 |
| Houses | 4 | 5 | 6 | 7 | 8 | 9 | 4 | 5 | 6 | 7 | 8 | 9 | 4 | 5 | 6 | 7 | 8 | 9 |

## SIMPLIFIED SCIENTIFIC TABLES OF HOUSES

Latitude 7° N.    Latitude 8° N.    Latitude 9° N.

| Sider'l Time H M S | 10 ♈ | 11 ♉ | 12 ♊ | Asc ♋ | 2 ♌ | 3 ♌ | 10 ♈ | 11 ♉ | 12 ♊ | Asc ♋ | 2 ♌ | 3 ♌ | 10 ♈ | 11 ♉ | 12 ♊ | Asc ♋ | 2 ♌ | 3 ♌ |
|---|---|---|---|---|---|---|---|---|---|---|---|---|---|---|---|---|---|---|
| 0  0  0 | 0 | 3 | 4 | 2 48 | 0 | 28 | 0 | 3 | 4 | 3 12 | 0 | 28 | 0 | 3 | 4 | 3 37 | 0 | 28 |
| 3 40 | 1 | 4 | 5 | 3 38 | 0 | 29 | 1 | 4 | 5 | 4 02 | 1 | 29 | 1 | 4 | 5 | 4 27 | 1 | 29 |
| 7 20 | 2 | 5 | 6 | 4 29 | 1 | ♍ | 2 | 5 | 6 | 4 53 | 2 | ♍ | 2 | 5 | 6 | 5 17 | 2 | ♍ |
| 0 11  0 | 3 | 6 | 6 | 5 19 | 2 | 1 | 3 | 6 | 7 | 5 43 | 2 | 1 | 3 | 6 | 7 | 6 07 | 3 | 1 |
| 14 41 | 4 | 7 | 7 | 6 09 | 3 | 2 | 4 | 7 | 8 | 6 33 | 3 | 2 | 4 | 7 | 8 | 6 57 | 3 | 2 |
| 18 21 | 5 | 8 | 8 | 6 59 | 4 | 3 | 5 | 8 | 8 | 7 23 | 4 | 3 | 5 | 8 | 9 | 7 47 | 4 | 3 |
| 0 22  2 | 6 | 8 | 9 | 7 50 | 5 | 4 | 6 | 9 | 9 | 8 13 | 5 | 4 | 6 | 9 | 10 | 8 37 | 5 | 4 |
| 25 42 | 7 | 9 | 10 | 8 41 | 6 | 5 | 7 | 10 | 10 | 9 04 | 6 | 5 | 7 | 10 | 10 | 9 28 | 6 | 5 |
| 29 23 | 8 | 10 | 11 | 9 31 | 7 | 6 | 8 | 10 | 11 | 9 55 | 7 | 6 | 8 | 11 | 11 | 10 18 | 7 | 6 |
| 0 33  4 | 9 | 11 | 12 | 10 21 | 7 | 7 | 9 | 11 | 12 | 10 45 | 8 | 7 | 9 | 12 | 12 | 11 09 | 8 | 7 |
| 36 45 | 10 | 12 | 13 | 11 11 | 8 | 8 | 10 | 12 | 13 | 11 35 | 9 | 8 | 10 | 12 | 13 | 11 59 | 9 | 8 |
| 40 26 | 11 | 13 | 13 | 12 02 | 9 | 9 | 11 | 13 | 14 | 12 26 | 9 | 9 | 11 | 13 | 14 | 12 50 | 10 | 9 |
| 0 44  8 | 12 | 14 | 14 | 12 53 | 10 | 10 | 12 | 14 | 15 | 13 16 | 10 | 10 | 12 | 14 | 15 | 13 40 | 11 | 10 |
| 47 50 | 13 | 15 | 15 | 13 44 | 11 | 11 | 13 | 15 | 15 | 14 07 | 11 | 11 | 13 | 15 | 16 | 14 31 | 11 | 11 |
| 51 32 | 14 | 16 | 16 | 14 35 | 12 | 12 | 14 | 16 | 16 | 14 58 | 12 | 12 | 14 | 16 | 17 | 15 21 | 12 | 12 |
| 0 55 14 | 15 | 17 | 17 | 15 26 | 13 | 13 | 15 | 17 | 17 | 15 49 | 13 | 13 | 15 | 17 | 17 | 16 12 | 13 | 13 |
| 58 57 | 16 | 18 | 18 | 16 16 | 14 | 14 | 16 | 18 | 18 | 16 39 | 14 | 14 | 16 | 18 | 18 | 17 02 | 14 | 14 |
| 1  2 40 | 17 | 19 | 19 | 17 07 | 15 | 15 | 17 | 19 | 19 | 17 30 | 15 | 15 | 17 | 19 | 19 | 17 53 | 15 | 15 |
| 1  6 23 | 18 | 20 | 20 | 17 58 | 16 | 16 | 18 | 20 | 20 | 18 22 | 16 | 16 | 18 | 20 | 20 | 18 44 | 16 | 16 |
| 10  7 | 19 | 21 | 20 | 18 50 | 16 | 17 | 19 | 21 | 21 | 19 13 | 17 | 17 | 19 | 21 | 21 | 19 36 | 17 | 17 |
| 13 51 | 20 | 22 | 21 | 19 41 | 17 | 18 | 20 | 22 | 22 | 20 04 | 18 | 18 | 20 | 22 | 22 | 20 27 | 18 | 18 |
| 1 17 35 | 21 | 23 | 22 | 20 33 | 18 | 19 | 21 | 23 | 22 | 20 56 | 18 | 19 | 21 | 23 | 23 | 21 18 | 19 | 19 |
| 21 20 | 22 | 24 | 23 | 21 25 | 19 | 20 | 22 | 24 | 23 | 21 47 | 19 | 20 | 22 | 24 | 24 | 22 09 | 20 | 20 |
| 25  6 | 23 | 24 | 24 | 22 17 | 20 | 21 | 23 | 25 | 24 | 22 39 | 20 | 21 | 23 | 25 | 24 | 23 01 | 20 | 21 |
| 1 28 52 | 24 | 25 | 25 | 23 09 | 21 | 22 | 24 | 25 | 25 | 23 31 | 21 | 22 | 24 | 26 | 25 | 23 53 | 21 | 22 |
| 32 38 | 25 | 26 | 26 | 24 01 | 22 | 23 | 25 | 26 | 26 | 24 23 | 22 | 23 | 25 | 27 | 26 | 24 45 | 22 | 23 |
| 36 25 | 26 | 27 | 26 | 24 53 | 23 | 24 | 26 | 27 | 27 | 25 15 | 23 | 24 | 26 | 27 | 27 | 25 37 | 23 | 24 |
| 1 40 12 | 27 | 28 | 27 | 25 46 | 24 | 25 | 27 | 28 | 28 | 26 08 | 24 | 25 | 27 | 28 | 28 | 26 29 | 24 | 25 |
| 44  0 | 28 | 29 | 28 | 26 39 | 25 | 26 | 28 | 29 | 28 | 27 00 | 25 | 26 | 28 | 29 | 29 | 27 22 | 25 | 26 |
| 47 48 | 29 | ♊ | 29 | 27 32 | 26 | 27 | 29 | ♊ | 29 | 27 53 | 26 | 27 | 29 | ♊ | ♋ | 28 15 | 26 | 27 |

| Houses | 4 | 5 | 6 | 7 | 8 | 9 | 4 | 5 | 6 | 7 | 8 | 9 | 4 | 5 | 6 | 7 | 8 | 9 |
|---|---|---|---|---|---|---|---|---|---|---|---|---|---|---|---|---|---|---|

Latitude 7° S.    Latitude 8° S.    Latitude 9° S.

# SIMPLIFIED SCIENTIFIC TABLES OF HOUSES

### Latitude 7° N.  Latitude 8° N.  Latitude 9° N.

| Sider'l Time (H M S) | 10 ♉ | 11 ♊ | 12 ♋ | Asc. ♋ | 2 ♌ | 3 ♍ | 10 ♉ | 11 ♊ | 12 ♋ | Asc. ♋ | 2 ♌ | 3 ♍ | 10 ♉ | 11 ♊ | 12 ♋ | Asc. ♋ | 2 ♌ | 3 ♍ |
|---|---|---|---|---|---|---|---|---|---|---|---|---|---|---|---|---|---|---|
| 1 51 37 | 0 | 1 | 0 | 28 25 | 27 | 28 | 0 | 1 | 0 | 28 46 | 27 | 28 | 0 | 1 | 0 | 29 07 | 27 | 28 |
| 55 27 | 1 | 2 | 1 | 29 19 | 28 | 29 | 1 | 2 | 1 | 29 40 | 28 | 29 | 1 | 2 | 1 | 0♌01 | 28 | 29 |
| 59 17 | 2 | 3 | 2 | 0♌13 | 29 | ♎ | 2 | 3 | 2 | 0♌33 | 29 | ♎ | 2 | 3 | 2 | 0 54 | 29 | ♎ |
| 2 3 8 | 3 | 4 | 3 | 1 07 | ♍ | 1 | 3 | 4 | 3 | 1 27 | ♍ | 1 | 3 | 4 | 3 | 1 48 | ♍ | 1 |
| 6 59 | 4 | 5 | 3 | 2 01 | 1 | 2 | 4 | 5 | 4 | 2 21 | 1 | 2 | 4 | 5 | 4 | 2 42 | 1 | 2 |
| 10 51 | 5 | 6 | 4 | 2 55 | 2 | 3 | 5 | 6 | 5 | 3 16 | 2 | 3 | 5 | 6 | 5 | 3 36 | 2 | 3 |
| 2 14 44 | 6 | 6 | 5 | 3 50 | 3 | 4 | 6 | 7 | 6 | 4 10 | 3 | 4 | 6 | 7 | 6 | 4 30 | 3 | 4 |
| 18 37 | 7 | 7 | 6 | 4 44 | 4 | 5 | 7 | 8 | 7 | 5 04 | 4 | 5 | 7 | 8 | 7 | 5 24 | 4 | 5 |
| 22 31 | 8 | 8 | 7 | 5 39 | 5 | 6 | 8 | 8 | 7 | 5 59 | 5 | 6 | 8 | 9 | 8 | 6 19 | 5 | 6 |
| 2 26 25 | 9 | 9 | 8 | 6 35 | 6 | 7 | 9 | 9 | 8 | 6 54 | 6 | 7 | 9 | 9 | 8 | 7 14 | 6 | 7 |
| 30 20 | 10 | 10 | 9 | 7 31 | 7 | 8 | 10 | 10 | 9 | 7 50 | 7 | 8 | 10 | 10 | 9 | 8 09 | 7 | 8 |
| 34 16 | 11 | 11 | 10 | 8 27 | 8 | 9 | 11 | 11 | 10 | 8 46 | 8 | 9 | 11 | 11 | 10 | 9 05 | 8 | 9 |
| 2 38 13 | 12 | 12 | 11 | 9 24 | 9 | 10 | 12 | 12 | 11 | 9 42 | 9 | 10 | 12 | 12 | 11 | 10 01 | 9 | 10 |
| 42 10 | 13 | 13 | 12 | 10 20 | 10 | 11 | 13 | 13 | 12 | 10 39 | 10 | 11 | 13 | 13 | 12 | 10 57 | 10 | 11 |
| 46 8 | 14 | 14 | 12 | 11 17 | 11 | 12 | 14 | 14 | 13 | 11 35 | 11 | 12 | 14 | 14 | 13 | 11 53 | 11 | 12 |
| 2 50 7 | 15 | 15 | 13 | 12 14 | 12 | 13 | 15 | 15 | 14 | 12 32 | 12 | 13 | 15 | 15 | 14 | 12 50 | 12 | 13 |
| 54 7 | 16 | 16 | 14 | 13 12 | 13 | 14 | 16 | 16 | 15 | 13 30 | 13 | 14 | 16 | 16 | 15 | 13 47 | 13 | 14 |
| 58 7 | 17 | 17 | 15 | 14 10 | 14 | 15 | 17 | 17 | 15 | 14 27 | 14 | 15 | 17 | 17 | 16 | 14 45 | 14 | 15 |
| 3 2 8 | 18 | 18 | 16 | 15 08 | 15 | 17 | 18 | 18 | 16 | 15 25 | 15 | 17 | 18 | 18 | 17 | 15 42 | 15 | 16 |
| 6 9 | 19 | 19 | 17 | 16 06 | 16 | 18 | 19 | 19 | 17 | 16 23 | 16 | 18 | 19 | 19 | 18 | 16 40 | 16 | 18 |
| 10 12 | 20 | 19 | 18 | 17 05 | 17 | 19 | 20 | 20 | 18 | 17 21 | 17 | 19 | 20 | 20 | 18 | 17 38 | 17 | 19 |
| 3 14 15 | 21 | 20 | 19 | 18 04 | 18 | 20 | 21 | 21 | 19 | 18 19 | 18 | 20 | 21 | 21 | 19 | 18 36 | 18 | 20 |
| 18 19 | 22 | 21 | 20 | 19 03 | 19 | 21 | 22 | 22 | 20 | 19 20 | 19 | 21 | 22 | 22 | 20 | 19 35 | 19 | 21 |
| 22 23 | 23 | 22 | 21 | 20 03 | 20 | 22 | 23 | 23 | 22 | 20 19 | 20 | 22 | 23 | 23 | 21 | 20 34 | 20 | 22 |
| 3 26 29 | 24 | 23 | 22 | 21 03 | 21 | 23 | 24 | 23 | 22 | 21 18 | 21 | 23 | 24 | 23 | 22 | 21 33 | 21 | 23 |
| 30 35 | 25 | 24 | 23 | 22 04 | 22 | 24 | 25 | 24 | 23 | 22 19 | 22 | 24 | 25 | 24 | 23 | 22 33 | 22 | 24 |
| 34 41 | 26 | 25 | 24 | 23 04 | 23 | 25 | 26 | 25 | 24 | 23 18 | 23 | 25 | 26 | 25 | 24 | 23 33 | 23 | 25 |
| 3 38 49 | 27 | 26 | 25 | 24 05 | 24 | 26 | 27 | 26 | 25 | 24 19 | 24 | 26 | 27 | 26 | 25 | 24 33 | 24 | 26 |
| 42 57 | 28 | 27 | 26 | 25 06 | 26 | 27 | 28 | 27 | 26 | 25 20 | 26 | 27 | 28 | 27 | 26 | 25 34 | 26 | 27 |
| 47 6 | 29 | 28 | 27 | 26 08 | 27 | 28 | 29 | 28 | 27 | 26 21 | 27 | 28 | 29 | 28 | 27 | 26 35 | 27 | 28 |
| Houses | 4 | 5 | 6 | 7 | 8 | 9 | 4 | 5 | 6 | 7 | 8 | 9 | 4 | 5 | 6 | 7 | 8 | 9 |

### Latitude 7° S.  Latitude 8° S.  Latitude 9° S.

# SIMPLIFIED SCIENTIFIC TABLES OF HOUSES

| | Latitude 7° N. | | | | | | Latitude 8° N. | | | | | | Latitude 9° N. | | | | | |
|---|---|---|---|---|---|---|---|---|---|---|---|---|---|---|---|---|---|---|
| Sider'l Time (H M S) | 10 ♊ | 11 ♊ | 12 ♋ | Asc. ♌ (° ') | 2 ♍ | 3 ♎ | 10 ♊ | 11 ♊ | 12 ♋ | Asc. ♌ (° ') | 2 ♍ | 3 ♎ | 10 ♊ | 11 ♊ | 12 ♋ | Asc. ♌ (° ') | 2 ♍ | 3 ♎ |
| 3 51 15 | 0 | 29 | 28 | 27 10 | 28 | 29 | 0 | 29 | 28 | 27 23 | 28 | 29 | 0 | 29 | 28 | 27 36 | 28 | 29 |
| 55 25 | 1 | ♋ | 29 | 28 12 | 29 | ♏ | 1 | ♋ | 29 | 28 26 | 29 | ♏ | 1 | ♋ | 29 | 28 37 | 29 | ♏ |
| 59 36 | 2 | 1 | 29 | 29 14 | ♎ | 2 | 2 | 1 | ♌ | 29 27 | ♎ | 1 | 2 | 1 | ♌ | 29 39 | ♎ | 1 |
| 4 3 48 | 3 | 2 | ♌ | 0 ♍ 17 | 1 | 3 | 3 | 2 | 1 | 0 ♍ 29 | 1 | 3 | 3 | 2 | 1 | 0 ♍ 42 | 1 | 2 |
| 8 0 | 4 | 3 | 1 | 1 20 | 2 | 4 | 4 | 3 | 1 | 1 32 | 2 | 4 | 4 | 3 | 2 | 1 44 | 2 | 4 |
| 12 13 | 5 | 4 | 2 | 2 24 | 3 | 5 | 5 | 4 | 3 | 2 35 | 3 | 5 | 5 | 4 | 3 | 2 46 | 3 | 5 |
| 4 16 26 | 6 | 5 | 3 | 3 28 | 4 | 6 | 6 | 5 | 4 | 3 39 | 4 | 6 | 6 | 5 | 4 | 3 50 | 4 | 6 |
| 20 40 | 7 | 6 | 4 | 4 32 | 5 | 7 | 7 | 6 | 5 | 4 42 | 5 | 7 | 7 | 6 | 5 | 4 53 | 5 | 7 |
| 24 55 | 8 | 7 | 5 | 5 36 | 6 | 8 | 8 | 7 | 6 | 5 46 | 6 | 8 | 8 | 7 | 6 | 5 56 | 6 | 8 |
| 4 29 10 | 9 | 8 | 6 | 6 41 | 8 | 9 | 9 | 8 | 7 | 6 51 | 8 | 9 | 9 | 8 | 7 | 7 00 | 8 | 9 |
| 33 26 | 10 | 9 | 8 | 7 45 | 9 | 10 | 10 | 9 | 8 | 7 55 | 9 | 10 | 10 | 9 | 8 | 8 04 | 9 | 10 |
| 37 42 | 11 | 10 | 9 | 8 50 | 10 | 11 | 11 | 10 | 9 | 9 00 | 10 | 11 | 11 | 10 | 9 | 9 08 | 10 | 11 |
| 4 41 59 | 12 | 11 | 10 | 9 56 | 11 | 12 | 12 | 11 | 10 | 10 04 | 11 | 12 | 12 | 11 | 10 | 10 13 | 11 | 12 |
| 46 16 | 13 | 12 | 11 | 11 01 | 12 | 13 | 13 | 12 | 11 | 11 09 | 12 | 13 | 13 | 12 | 11 | 11 17 | 12 | 13 |
| 50 34 | 14 | 13 | 12 | 12 07 | 13 | 14 | 14 | 13 | 12 | 12 15 | 13 | 14 | 14 | 13 | 12 | 12 22 | 13 | 14 |
| 4 54 52 | 15 | 14 | 13 | 13 13 | 14 | 15 | 15 | 14 | 13 | 13 20 | 14 | 15 | 15 | 14 | 13 | 13 27 | 14 | 15 |
| 59 10 | 16 | 15 | 14 | 14 19 | 15 | 16 | 16 | 15 | 14 | 14 26 | 15 | 16 | 16 | 15 | 14 | 14 33 | 15 | 16 |
| 5 3 29 | 17 | 16 | 15 | 15 25 | 16 | 17 | 17 | 16 | 15 | 15 31 | 16 | 17 | 17 | 16 | 15 | 15 37 | 16 | 17 |
| 5 7 49 | 18 | 17 | 16 | 16 32 | 18 | 18 | 18 | 17 | 16 | 16 38 | 18 | 18 | 18 | 17 | 16 | 16 43 | 18 | 18 |
| 12 9 | 19 | 18 | 17 | 17 39 | 19 | 20 | 19 | 18 | 17 | 17 44 | 19 | 20 | 19 | 18 | 17 | 17 49 | 19 | 20 |
| 16 29 | 20 | 19 | 18 | 18 46 | 20 | 21 | 20 | 19 | 18 | 18 50 | 20 | 21 | 20 | 19 | 18 | 18 55 | 20 | 21 |
| 5 20 49 | 21 | 20 | 19 | 19 53 | 21 | 22 | 21 | 20 | 19 | 19 57 | 21 | 22 | 21 | 20 | 19 | 20 01 | 21 | 22 |
| 25 9 | 22 | 21 | 20 | 21 00 | 22 | 23 | 22 | 21 | 20 | 21 03 | 22 | 23 | 22 | 21 | 20 | 21 07 | 22 | 23 |
| 29 30 | 23 | 22 | 21 | 22 07 | 23 | 24 | 23 | 22 | 21 | 22 11 | 23 | 24 | 23 | 22 | 22 | 22 14 | 23 | 24 |
| 5 33 51 | 24 | 23 | 22 | 23 15 | 24 | 25 | 24 | 23 | 22 | 23 18 | 24 | 25 | 24 | 23 | 23 | 23 20 | 24 | 25 |
| 38 12 | 25 | 24 | 23 | 24 22 | 26 | 26 | 25 | 24 | 24 | 24 24 | 25 | 26 | 25 | 24 | 24 | 24 27 | 25 | 26 |
| 42 34 | 26 | 25 | 24 | 25 29 | 27 | 27 | 26 | 25 | 25 | 25 31 | 27 | 27 | 26 | 25 | 25 | 25 33 | 26 | 27 |
| 5 46 55 | 27 | 26 | 26 | 26 36 | 28 | 28 | 27 | 26 | 26 | 26 39 | 28 | 28 | 27 | 26 | 26 | 26 40 | 28 | 28 |
| 51 17 | 28 | 27 | 27 | 27 44 | 29 | 29 | 28 | 27 | 27 | 27 45 | 29 | 29 | 28 | 27 | 27 | 27 47 | 29 | 29 |
| 55 38 | 29 | 28 | 28 | 28 52 | ♏ | ♐ | 29 | 28 | 28 | 28 53 | ♏ | ♐ | 29 | 28 | 28 | 28 54 | ♏ | ♐ |
| Houses | 4 | 5 | 6 | 7 | 8 | 9 | 4 | 5 | 6 | 7 | 8 | 9 | 4 | 5 | 6 | 7 | 8 | 9 |

Latitude 7° S.　　　　Latitude 8° S.　　　　Latitude 9° S.

# SIMPLIFIED SCIENTIFIC TABLES OF HOUSES

| | Latitude 7° N. | | | | | | Latitude 8° N. | | | | | | Latitude 9° N. | | | | | |
|---|---|---|---|---|---|---|---|---|---|---|---|---|---|---|---|---|---|---|
| Sider'l Time | 10 ♋ | 11 ♋ | 12 ♌ | Asc. ♎ | 2 ♏ | 3 ♐ | 10 ♋ | 11 ♋ | 12 ♌ | Asc. ♎ | 2 ♏ | 3 ♐ | 10 ♋ | 11 ♋ | 12 ♌ | Asc. ♎ | 2 ♏ | 3 ♐ |
| H M S | ° | ° | ° | ° ′ | ° | ° | ° | ° | ° | ° ′ | ° | ° | ° | ° | ° | ° ′ | ° | ° |
| 6 0 0 | 0 | 29 | 29 | 0 00 | 1 | 1 | 0 | 29 | 29 | 0 00 | 1 | 1 | 0 | 29 | 29 | 0 00 | 1 | 1 |
| 4 22 | 1 | ♌ | ♍ | 1 08 | 2 | 2 | 1 | ♌ | ♍ | 1 07 | 2 | 2 | 1 | ♌ | ♍ | 1 06 | 2 | 2 |
| 8 43 | 2 | 1 | 1 | 2 16 | 3 | 3 | 2 | 1 | 1 | 2 15 | 3 | 3 | 2 | 1 | 1 | 2 13 | 3 | 3 |
| 6 13 5 | 3 | 2 | 2 | 3 24 | 4 | 4 | 3 | 2 | 2 | 3 21 | 4 | 4 | 3 | 2 | 2 | 3 20 | 4 | 4 |
| 17 26 | 4 | 3 | 3 | 4 31 | 6 | 5 | 4 | 3 | 3 | 4 29 | 5 | 5 | 4 | 3 | 4 | 4 27 | 5 | 5 |
| 21 48 | 5 | 4 | 4 | 5 38 | 7 | 6 | 5 | 4 | 5 | 5 36 | 6 | 6 | 5 | 4 | 5 | 5 33 | 6 | 6 |
| 6 26 9 | 6 | 5 | 6 | 6 45 | 8 | 7 | 6 | 5 | 6 | 6 42 | 8 | 7 | 6 | 5 | 6 | 6 40 | 7 | 7 |
| 30 30 | 7 | 6 | 7 | 7 53 | 9 | 8 | 7 | 6 | 7 | 7 49 | 9 | 8 | 7 | 6 | 7 | 7 46 | 8 | 8 |
| 34 51 | 8 | 7 | 8 | 9 00 | 10 | 9 | 8 | 7 | 8 | 8 57 | 10 | 9 | 8 | 7 | 8 | 8 53 | 10 | 9 |
| 6 39 11 | 9 | 8 | 9 | 10 07 | 11 | 10 | 9 | 8 | 9 | 10 03 | 11 | 10 | 9 | 8 | 9 | 9 59 | 11 | 10 |
| 43 31 | 10 | 9 | 10 | 11 14 | 12 | 11 | 10 | 9 | 10 | 11 10 | 12 | 11 | 10 | 9 | 10 | 11 05 | 12 | 11 |
| 47 51 | 11 | 10 | 11 | 12 21 | 13 | 12 | 11 | 10 | 11 | 12 16 | 13 | 12 | 11 | 10 | 11 | 12 11 | 13 | 12 |
| 6 52 11 | 12 | 11 | 12 | 13 28 | 14 | 13 | 12 | 11 | 12 | 13 22 | 14 | 13 | 12 | 12 | 12 | 13 17 | 14 | 13 |
| 56 31 | 13 | 12 | 13 | 14 35 | 15 | 14 | 13 | 12 | 14 | 14 29 | 15 | 14 | 13 | 13 | 14 | 14 23 | 15 | 14 |
| 7 0 50 | 14 | 13 | 14 | 15 41 | 16 | 15 | 14 | 14 | 15 | 15 34 | 16 | 15 | 14 | 14 | 15 | 15 27 | 16 | 15 |
| 7 5 8 | 15 | 15 | 16 | 16 47 | 17 | 16 | 15 | 15 | 16 | 16 40 | 17 | 16 | 15 | 15 | 16 | 16 33 | 17 | 16 |
| 9 26 | 16 | 16 | 17 | 17 53 | 18 | 17 | 16 | 16 | 17 | 17 45 | 18 | 17 | 16 | 16 | 17 | 17 38 | 18 | 17 |
| 13 44 | 17 | 17 | 18 | 18 59 | 19 | 18 | 17 | 17 | 18 | 18 51 | 19 | 18 | 17 | 17 | 18 | 18 43 | 19 | 18 |
| 7 18 1 | 18 | 18 | 19 | 20 04 | 20 | 19 | 18 | 18 | 19 | 19 56 | 20 | 19 | 18 | 18 | 19 | 19 47 | 20 | 19 |
| 22 18 | 19 | 19 | 20 | 21 10 | 21 | 20 | 19 | 19 | 20 | 21 00 | 21 | 20 | 19 | 19 | 20 | 20 52 | 21 | 20 |
| 26 34 | 20 | 20 | 21 | 22 15 | 22 | 21 | 20 | 20 | 21 | 22 05 | 22 | 21 | 20 | 20 | 21 | 21 56 | 22 | 21 |
| 7 30 50 | 21 | 21 | 22 | 23 19 | 24 | 22 | 21 | 21 | 22 | 23 09 | 23 | 22 | 21 | 21 | 22 | 23 00 | 23 | 22 |
| 35 5 | 22 | 22 | 23 | 24 24 | 25 | 23 | 22 | 22 | 23 | 24 14 | 24 | 23 | 22 | 22 | 24 | 24 04 | 24 | 23 |
| 39 20 | 23 | 23 | 25 | 25 28 | 26 | 24 | 23 | 23 | 25 | 25 18 | 25 | 24 | 23 | 23 | 25 | 25 07 | 25 | 24 |
| 7 43 34 | 24 | 24 | 26 | 26 32 | 27 | 25 | 24 | 24 | 26 | 26 21 | 26 | 25 | 24 | 24 | 26 | 26 10 | 26 | 25 |
| 47 47 | 25 | 25 | 27 | 27 36 | 28 | 26 | 25 | 25 | 27 | 27 25 | 27 | 26 | 25 | 25 | 27 | 27 14 | 27 | 26 |
| 52 0 | 26 | 26 | 28 | 28 40 | 29 | 27 | 26 | 26 | 28 | 28 28 | 28 | 27 | 26 | 26 | 28 | 28 16 | 28 | 27 |
| 7 56 12 | 27 | 27 | 29 | 29 43 | ♐ | 28 | 27 | 27 | 29 | 29 31 | 29 | 28 | 27 | 28 | 29 | 29 18 | 29 | 28 |
| 8 0 24 | 28 | 28 | ♎ | 0♏46 | 1 | 29 | 28 | 28 | 29 | ♎0♏33 | ♐ | 29 | 28 | 28 | 29 | ♎0♏21 | ♐ | 29 |
| 4 35 | 29 | ♍ | 1 | 1 48 | 1 | ♑ | 29 | ♍ | 1 | 1 34 | 1 | ♑ | 29 | ♍ | 1 | 1 23 | 1 | ♑ |

| Houses | 4 | 5 | 6 | 7 | 8 | 9 | 4 | 5 | 6 | 7 | 8 | 9 | 4 | 5 | 6 | 7 | 8 | 9 |
|---|---|---|---|---|---|---|---|---|---|---|---|---|---|---|---|---|---|---|

Latitude 7° S.  Latitude 8° S.  Latitude 9° S.

# SIMPLIFIED SCIENTIFIC TABLES OF HOUSES

| | Latitude 7° N. | | | | | | Latitude 8° N. | | | | | | Latitude 9° N. | | | | | |
|---|---|---|---|---|---|---|---|---|---|---|---|---|---|---|---|---|---|---|
| Sider'l Time | 10 ♌ | 11 ♍ | 12 ♎ | Asc. ♏ | 2 ♐ | 3 ♑ | 10 ♌ | 11 ♍ | 12 ♎ | Asc. ♏ | 2 ♐ | 3 ♑ | 10 ♌ | 11 ♍ | 12 ♎ | Asc. ♏ | 2 ♐ | 3 ♑ |
| H M S | ° | ° | ° | ° ′ | ° | ° | ° | ° | ° | ° ′ | ° | ° | ° | ° | ° | ° ′ | ° | ° |
| 8 8 45 | 0 | 1 | 2 | 2 50 | 2 | 1 | 0 | 1 | 2 | 2 37 | 2 | 1 | 0 | 1 | 2 | 2 24 | 2 | 1 |
| 12 54 | 1 | 2 | 3 | 3 52 | 3 | 2 | 1 | 2 | 3 | 3 39 | 3 | 2 | 1 | 2 | 3 | 3 25 | 3 | 2 |
| 17 3 | 2 | 3 | 4 | 4 54 | 4 | 3 | 2 | 3 | 4 | 4 40 | 4 | 3 | 2 | 3 | 4 | 4 26 | 4 | 3 |
| 8 21 11 | 3 | 4 | 6 | 5 55 | 5 | 4 | 3 | 4 | 6 | 5 41 | 5 | 4 | 3 | 4 | 6 | 5 27 | 5 | 4 |
| 25 19 | 4 | 5 | 7 | 6 56 | 6 | 5 | 4 | 5 | 7 | 6 42 | 6 | 5 | 4 | 5 | 7 | 6 27 | 6 | 5 |
| 29 26 | 5 | 6 | 8 | 7 56 | 7 | 6 | 5 | 6 | 8 | 7 41 | 7 | 6 | 5 | 6 | 8 | 7 27 | 7 | 6 |
| 8 33 31 | 6 | 7 | 9 | 8 57 | 8 | 7 | 6 | 7 | 9 | 8 42 | 8 | 7 | 6 | 7 | 9 | 8 27 | 8 | 6 |
| 37 37 | 7 | 8 | 10 | 9 57 | 9 | 8 | 7 | 8 | 10 | 9 41 | 9 | 8 | 7 | 8 | 10 | 9 26 | 9 | 7 |
| 41 41 | 8 | 9 | 11 | 10 57 | 10 | 9 | 8 | 9 | 11 | 10 40 | 10 | 9 | 8 | 9 | 11 | 10 25 | 10 | 8 |
| 8 45 45 | 9 | 10 | 12 | 11 56 | 11 | 10 | 9 | 10 | 12 | 11 41 | 11 | 9 | 9 | 10 | 12 | 11 24 | 11 | 9 |
| 49 48 | 10 | 11 | 13 | 12 55 | 12 | 11 | 10 | 11 | 13 | 12 39 | 12 | 10 | 10 | 11 | 13 | 12 22 | 12 | 10 |
| 53 51 | 11 | 12 | 14 | 13 54 | 13 | 11 | 11 | 12 | 14 | 13 37 | 13 | 11 | 11 | 12 | 14 | 13 20 | 12 | 11 |
| 8 57 52 | 12 | 13 | 15 | 14 52 | 14 | 12 | 12 | 13 | 15 | 14 35 | 14 | 12 | 12 | 14 | 15 | 14 18 | 13 | 12 |
| 9 1 53 | 13 | 15 | 16 | 15 50 | 15 | 13 | 13 | 15 | 16 | 15 33 | 15 | 13 | 13 | 15 | 16 | 15 15 | 14 | 13 |
| 5 53 | 14 | 16 | 17 | 16 48 | 16 | 14 | 14 | 16 | 17 | 16 30 | 16 | 14 | 14 | 16 | 17 | 16 13 | 15 | 14 |
| 9 9 53 | 15 | 17 | 18 | 17 46 | 17 | 15 | 15 | 17 | 18 | 17 28 | 16 | 15 | 15 | 17 | 18 | 17 10 | 16 | 15 |
| 13 52 | 16 | 18 | 19 | 18 43 | 18 | 16 | 16 | 18 | 19 | 18 25 | 17 | 16 | 16 | 18 | 19 | 18 07 | 17 | 16 |
| 17 50 | 17 | 19 | 20 | 19 40 | 18 | 17 | 17 | 19 | 20 | 19 21 | 18 | 17 | 17 | 19 | 20 | 19 03 | 18 | 17 |
| 9 21 47 | 18 | 20 | 21 | 20 36 | 19 | 18 | 18 | 20 | 21 | 20 18 | 19 | 18 | 18 | 20 | 21 | 19 59 | 19 | 18 |
| 25 44 | 19 | 21 | 22 | 21 33 | 20 | 19 | 19 | 21 | 22 | 21 14 | 20 | 19 | 19 | 21 | 22 | 20 55 | 20 | 19 |
| 29 40 | 20 | 22 | 23 | 22 29 | 21 | 20 | 20 | 22 | 23 | 22 10 | 21 | 20 | 20 | 22 | 23 | 21 51 | 21 | 20 |
| 9 33 35 | 21 | 23 | 24 | 23 25 | 22 | 21 | 21 | 23 | 24 | 23 06 | 22 | 21 | 21 | 23 | 24 | 22 46 | 22 | 21 |
| 37 29 | 22 | 24 | 25 | 24 21 | 23 | 22 | 22 | 24 | 25 | 24 01 | 23 | 22 | 22 | 24 | 25 | 23 41 | 22 | 21 |
| 41 23 | 23 | 25 | 26 | 25 16 | 24 | 23 | 23 | 25 | 26 | 24 56 | 24 | 22 | 23 | 25 | 26 | 24 36 | 23 | 22 |
| 9 45 16 | 24 | 26 | 27 | 26 10 | 25 | 24 | 24 | 26 | 27 | 25 50 | 24 | 23 | 24 | 26 | 27 | 25 30 | 24 | 23 |
| 49 9 | 25 | 27 | 28 | 27 05 | 26 | 24 | 25 | 27 | 28 | 26 44 | 25 | 24 | 25 | 27 | 28 | 26 24 | 25 | 24 |
| 53 1 | 26 | 28 | 29 | 27 59 | 27 | 25 | 26 | 28 | 29 | 27 39 | 26 | 25 | 26 | 28 | 29 | 27 18 | 26 | 25 |
| 9 56 52 | 27 | 29 | ♏ | 28 53 | 27 | 26 | 27 | 29 | ♏ | 28 33 | 27 | 26 | 27 | 29 | ♏ | 28 12 | 27 | 26 |
| 10 0 43 | 28 | ♎ | 1 | 29 47 | 28 | 27 | 28 | ♎ | 1 | 29 27 | 28 | 27 | 28 | ♎ | 1 | 29 06 | 28 | 27 |
| 4 33 | 29 | 1 | 2 | 0 ♐ 41 | 29 | 28 | 29 | 1 | 2 | 0 ♐ 20 | 29 | 28 | 29 | 1 | 2 | 29 59 | 29 | 28 |
| Houses | 4 | 5 | 6 | 7 | 8 | 9 | 4 | 5 | 6 | 7 | 8 | 9 | 4 | 5 | 6 | 7 | 8 | 9 |

Latitude 7° S.　　　　Latitude 8° S.　　　　Latitude 9° S.

# SIMPLIFIED SCIENTIFIC TABLES OF HOUSES

|  | Latitude 7° N. | | | | | | Latitude 8° N. | | | | | | Latitude 9° N. | | | | | |
|---|---|---|---|---|---|---|---|---|---|---|---|---|---|---|---|---|---|---|
| Sider'l Time | 10 ♍ | 11 ≏ | 12 ♏ | Asc. ♐ | 2 ♑ | 3 ♑ | 10 ♍ | 11 ≏ | 12 ♏ | Asc. ♐ | 2 ♑ | 3 ♑ | 10 ♍ | 11 ≏ | 12 ♏ | Asc. ♐ | 2 ♑ | 3 ♑ |
| H M S | ° | ° | ° | ° ' | ° | ° | ° | ° | ° | ° ' | ° | ° | ° | ° | ° | ° ' | ° | ° |
| 10 8 23 | 0 | 2 | 3 | 1 35 | 0 | 29 | 0 | 2 | 3 | 1 14 | 0 | 29 | 0 | 2 | 3 | 0 53 | 0 | 29 |
| 12 12 | 1 | 3 | 4 | 2 28 | 1 | ≈ | 1 | 3 | 4 | 2 07 | 1 | ≈ | 1 | 3 | 4 | 1 45 | 0 | ≈ |
| 16 0 | 2 | 4 | 5 | 3 21 | 2 | 1 | 2 | 4 | 5 | 3 00 | 2 | 1 | 2 | 4 | 5 | 2 38 | 1 | 1 |
| 10 19 48 | 3 | 5 | 6 | 4 14 | 3 | 2 | 3 | 5 | 6 | 3 52 | 2 | 2 | 3 | 5 | 6 | 3 31 | 2 | 2 |
| 23 35 | 4 | 6 | 7 | 5 07 | 4 | 3 | 4 | 6 | 7 | 4 45 | 3 | 3 | 4 | 6 | 7 | 4 23 | 3 | 3 |
| 27 22 | 5 | 7 | 8 | 5 59 | 4 | 4 | 5 | 7 | 8 | 5 37 | 4 | 4 | 5 | 7 | 8 | 5 15 | 4 | 3 |
| 10 31 8 | 6 | 8 | 9 | 6 51 | 5 | 5 | 6 | 8 | 9 | 6 29 | 5 | 5 | 6 | 8 | 9 | 6 07 | 5 | 4 |
| 34 54 | 7 | 9 | 10 | 7 43 | 6 | 6 | 7 | 9 | 10 | 7 21 | 6 | 5 | 7 | 9 | 10 | 6 59 | 6 | 5 |
| 38 40 | 8 | 10 | 11 | 8 35 | 7 | 6 | 8 | 10 | 11 | 8 13 | 7 | 6 | 8 | 10 | 10 | 7 51 | 6 | 6 |
| 10 42 25 | 9 | 11 | 12 | 9 27 | 8 | 7 | 9 | 11 | 12 | 9 04 | 8 | 7 | 9 | 11 | 11 | 8 42 | 7 | 7 |
| 46 9 | 10 | 12 | 13 | 10 19 | 9 | 8 | 10 | 12 | 12 | 9 56 | 8 | 8 | 10 | 12 | 12 | 9 33 | 8 | 8 |
| 49 53 | 11 | 13 | 14 | 11 10 | 10 | 9 | 11 | 13 | 13 | 10 47 | 9 | 9 | 11 | 13 | 13 | 10 24 | 9 | 9 |
| 10 53 37 | 12 | 14 | 14 | 12 02 | 10 | 10 | 12 | 14 | 14 | 11 38 | 10 | 10 | 12 | 14 | 14 | 11 16 | 10 | 10 |
| 57 20 | 13 | 15 | 15 | 12 53 | 11 | 11 | 13 | 15 | 15 | 12 30 | 11 | 11 | 13 | 15 | 15 | 12 07 | 11 | 11 |
| 1 3 | 14 | 16 | 16 | 13 44 | 12 | 12 | 14 | 16 | 16 | 13 21 | 12 | 12 | 14 | 16 | 16 | 12 58 | 12 | 12 |
| 11 4 46 | 15 | 17 | 17 | 14 34 | 13 | 13 | 15 | 17 | 17 | 14 11 | 13 | 13 | 15 | 17 | 17 | 13 48 | 13 | 13 |
| 8 28 | 16 | 18 | 18 | 15 25 | 14 | 14 | 16 | 18 | 18 | 15 02 | 14 | 14 | 16 | 18 | 18 | 14 39 | 13 | 14 |
| 12 10 | 17 | 19 | 19 | 16 16 | 15 | 15 | 17 | 19 | 19 | 15 53 | 15 | 15 | 17 | 19 | 19 | 15 29 | 14 | 15 |
| 11 15 52 | 18 | 20 | 20 | 17 07 | 16 | 16 | 18 | 20 | 20 | 16 44 | 15 | 16 | 18 | 20 | 19 | 16 20 | 15 | 16 |
| 19 34 | 19 | 21 | 21 | 17 58 | 17 | 17 | 19 | 21 | 21 | 17 34 | 16 | 17 | 19 | 21 | 20 | 17 10 | 16 | 17 |
| 23 15 | 20 | 22 | 22 | 18 49 | 17 | 18 | 20 | 22 | 21 | 18 25 | 17 | 18 | 20 | 22 | 21 | 18 01 | 17 | 18 |
| 11 26 56 | 21 | 23 | 23 | 19 39 | 18 | 19 | 21 | 23 | 22 | 19 15 | 18 | 19 | 21 | 23 | 22 | 18 51 | 18 | 18 |
| 30 37 | 22 | 24 | 23 | 20 29 | 19 | 20 | 22 | 24 | 23 | 20 05 | 19 | 20 | 22 | 24 | 23 | 19 42 | 19 | 19 |
| 34 18 | 23 | 25 | 24 | 21 19 | 20 | 21 | 23 | 25 | 24 | 20 56 | 20 | 20 | 23 | 25 | 24 | 20 32 | 20 | 20 |
| 11 37 58 | 24 | 26 | 25 | 22 10 | 21 | 22 | 24 | 26 | 25 | 21 47 | 21 | 21 | 24 | 26 | 25 | 21 23 | 20 | 21 |
| 41 39 | 25 | 27 | 26 | 23 01 | 22 | 22 | 25 | 27 | 26 | 22 37 | 22 | 22 | 25 | 27 | 26 | 22 13 | 21 | 22 |
| 45 19 | 26 | 28 | 27 | 23 51 | 23 | 23 | 26 | 28 | 27 | 23 27 | 22 | 23 | 26 | 28 | 27 | 23 03 | 22 | 23 |
| 11 49 0 | 27 | 29 | 28 | 24 41 | 24 | 24 | 27 | 29 | 28 | 24 17 | 23 | 24 | 27 | 29 | 27 | 23 53 | 23 | 24 |
| 52 40 | 28 | ♏ | 29 | 25 31 | 24 | 25 | 28 | ♏ | 28 | 25 07 | 24 | 25 | 28 | ♏ | 28 | 24 43 | 24 | 25 |
| 56 20 | 29 | 1 | ♐ | 26 22 | 25 | 26 | 29 | 1 | 29 | 25 58 | 25 | 26 | 29 | 1 | 29 | 25 33 | 25 | 26 |
| Houses | 4 | 5 | 6 | 7 | 8 | 9 | 4 | 5 | 6 | 7 | 8 | 9 | 4 | 5 | 6 | 7 | 8 | 9 |

# 79
## SIMPLIFIED SCIENTIFIC TABLES OF HOUSES

Latitude 7° N.    Latitude 8° N.    Latitude 9° N.

| Sider'l Time | 10 ♎ | 11 ♏ | 12 ♐ | Asc. ♐ | 2 ♑ | 3 ♒ | 10 ♎ | 11 ♏ | 12 ♐ | Asc. ♐ | 2 ♑ | 3 ♒ | 10 ♎ | 11 ♏ | 12 ♐ | Asc. ♐ | 2 ♑ | 3 ♒ |
|---|---|---|---|---|---|---|---|---|---|---|---|---|---|---|---|---|---|---|
| H M S |||||||||||||||||||
| 12 0 0 | 0 | 2 | 0 | 27 12 | 26 | 27 | 0 | 2 | 0 | 26 48 | 26 | 27 | 0 | 2 | 0 | 26 23 | 26 | 27 |
| 3 40 | 1 | 3 | 1 | 28 02 | 27 | 28 | 1 | 3 | 1 | 27 38 | 27 | 28 | 1 | 2 | 1 | 27 14 | 27 | 28 |
| 7 20 | 2 | 4 | 2 | 28 53 | 28 | 29 | 2 | 3 | 2 | 28 28 | 28 | 29 | 2 | 3 | 2 | 28 04 | 27 | 29 |
| 12 11 0 | 3 | 4 | 3 | 29 43 | 29 | ♓ | 3 | 4 | 3 | 29 19 | 29 | ♓ | 3 | 4 | 3 | 28 55 | 28 | ♓ |
| 14 41 | 4 | 5 | 4 | 0♑34 | ♒ | 1 | 4 | 5 | 4 | 0♑09 | ♒ | 1 | 4 | 5 | 3 | 29 45 | 29 | 1 |
| 18 21 | 5 | 6 | 5 | 1 24 | 1 | 2 | 5 | 6 | 4 | 1 00 | 0 | 2 | 5 | 6 | 4 | 0♑35 | ♒ | 2 |
| 12 22 2 | 6 | 7 | 6 | 2 15 | 2 | 3 | 6 | 7 | 5 | 1 51 | 1 | 3 | 6 | 7 | 5 | 1 26 | 1 | 3 |
| 25 42 | 7 | 8 | 6 | 3 05 | 2 | 4 | 7 | 8 | 6 | 2 41 | 2 | 4 | 7 | 8 | 6 | 2 17 | 2 | 4 |
| 29 23 | 8 | 9 | 7 | 3 56 | 3 | 5 | 8 | 9 | 7 | 3 32 | 3 | 5 | 8 | 9 | 7 | 3 08 | 3 | 5 |
| 12 33 4 | 9 | 10 | 8 | 4 47 | 4 | 6 | 9 | 10 | 8 | 4 23 | 4 | 6 | 9 | 10 | 8 | 3 59 | 4 | 6 |
| 36 45 | 10 | 11 | 9 | 5 38 | 5 | 7 | 10 | 11 | 9 | 5 14 | 5 | 7 | 10 | 11 | 9 | 4 50 | 5 | 7 |
| 40 26 | 11 | 12 | 10 | 6 30 | 6 | 8 | 11 | 12 | 10 | 6 06 | 6 | 8 | 11 | 12 | 9 | 5 41 | 6 | 8 |
| 12 44 8 | 12 | 13 | 11 | 7 21 | 7 | 9 | 12 | 13 | 10 | 6 57 | 7 | 9 | 12 | 13 | 10 | 6 32 | 7 | 9 |
| 47 50 | 13 | 14 | 12 | 8 13 | 8 | 10 | 13 | 14 | 11 | 7 49 | 8 | 10 | 13 | 14 | 11 | 7 24 | 8 | 10 |
| 51 32 | 14 | 15 | 12 | 9 04 | 9 | 11 | 14 | 15 | 12 | 8 40 | 9 | 11 | 14 | 14 | 12 | 8 16 | 8 | 11 |
| 12 55 14 | 15 | 16 | 13 | 9 56 | 10 | 12 | 15 | 15 | 13 | 9 32 | 10 | 12 | 15 | 15 | 13 | 9 08 | 9 | 12 |
| 58 57 | 16 | 16 | 14 | 10 48 | 11 | 13 | 16 | 16 | 14 | 10 24 | 11 | 13 | 16 | 16 | 14 | 9 59 | 10 | 13 |
| 13 2 40 | 17 | 17 | 15 | 11 40 | 12 | 14 | 17 | 17 | 15 | 11 16 | 12 | 14 | 17 | 17 | 14 | 10 51 | 11 | 14 |
| 13 6 23 | 18 | 18 | 16 | 12 33 | 13 | 15 | 18 | 18 | 16 | 12 08 | 13 | 15 | 18 | 18 | 15 | 11 44 | 12 | 15 |
| 10 7 | 19 | 19 | 17 | 13 25 | 14 | 16 | 19 | 19 | 16 | 13 01 | 13 | 16 | 19 | 19 | 16 | 12 37 | 13 | 16 |
| 13 51 | 20 | 20 | 18 | 14 18 | 15 | 17 | 20 | 20 | 17 | 13 54 | 14 | 17 | 20 | 20 | 17 | 13 29 | 14 | 17 |
| 13 17 35 | 21 | 21 | 18 | 15 10 | 16 | 18 | 21 | 21 | 18 | 14 47 | 15 | 18 | 21 | 21 | 18 | 14 22 | 15 | 18 |
| 21 20 | 22 | 22 | 19 | 16 03 | 17 | 19 | 22 | 22 | 19 | 15 40 | 16 | 19 | 22 | 22 | 19 | 15 15 | 16 | 19 |
| 25 6 | 23 | 23 | 20 | 16 57 | 18 | 20 | 23 | 23 | 20 | 16 34 | 17 | 20 | 23 | 23 | 20 | 16 09 | 17 | 20 |
| 13 28 52 | 24 | 24 | 21 | 17 51 | 19 | 21 | 24 | 24 | 21 | 17 27 | 18 | 21 | 24 | 24 | 20 | 17 03 | 18 | 21 |
| 32 38 | 25 | 25 | 22 | 18 45 | 19 | 22 | 25 | 25 | 22 | 18 21 | 19 | 22 | 25 | 24 | 21 | 17 57 | 19 | 22 |
| 36 25 | 26 | 26 | 23 | 19 38 | 20 | 23 | 26 | 26 | 22 | 19 15 | 20 | 23 | 26 | 25 | 22 | 18 51 | 20 | 23 |
| 18 40 12 | 27 | 27 | 24 | 20 33 | 21 | 24 | 27 | 26 | 23 | 20 09 | 21 | 25 | 27 | 26 | 23 | 19 45 | 21 | 24 |
| 44 0 | 28 | 27 | 24 | 21 28 | 22 | 25 | 28 | 27 | 24 | 21 04 | 22 | 26 | 28 | 27 | 24 | 20 40 | 22 | 26 |
| 47 48 | 29 | 28 | 25 | 22 22 | 23 | 27 | 29 | 28 | 25 | 21 59 | 23 | 27 | 29 | 28 | 25 | 21 35 | 23 | 27 |

| Houses | 4 | 5 | 6 | 7 | 8 | 9 | 4 | 5 | 6 | 7 | 8 | 9 | 4 | 5 | 6 | 7 | 8 | 9 |

Latitude 7° S.    Latitude 8° S.    Latitude 9° S.

# SIMPLIFIED SCIENTIFIC TABLES OF HOUSES

Latitude 7° N.     Latitude 8° N.     Latitude 9° N.

| Sider'l Time | 10 ♏ | 11 ♏ | 12 ♐ | Asc. ♑ | | 2 ♒ | 3 ♓ | 10 ♏ | 11 ♏ | 12 ♐ | Asc. ♑ | | 2 ♒ | 3 ♓ | 10 ♏ | 11 ♏ | 12 ♐ | Asc. ♑ | | 2 ♒ | 3 ♓ |
|---|---|---|---|---|---|---|---|---|---|---|---|---|---|---|---|---|---|---|---|---|---|
| H M S | ° | ° | ° | ° | ′ | ° | ° | ° | ° | ° | ° | ′ | ° | ° | ° | ° | ° | ° | ′ | ° | ° |
| 13 51 37 | 0 | 29 | 26 | 23 | 17 | 24 | 28 | 0 | 29 | 26 | 22 | 54 | 24 | 28 | 0 | 29 | 26 | 22 | 31 | 24 | 28 |
| 55 27 | 1 | ♐ | 27 | 24 | 13 | 26 | 29 | 1 | ♐ | 27 | 23 | 50 | 25 | 29 | 1 | ♐ | 27 | 23 | 27 | 25 | 29 |
| 59 17 | 2 | 1 | 28 | 25 | 09 | 27 | ♈ | 2 | 1 | 28 | 24 | 46 | 26 | ♈ | 2 | 1 | 27 | 24 | 23 | 26 | ♈ |
| 14 3 8 | 3 | 2 | 29 | 26 | 05 | 28 | 1 | 3 | 2 | 29 | 25 | 42 | 27 | 1 | 3 | 2 | 28 | 25 | 19 | 27 | 1 |
| 6 59 | 4 | 3 | ♑ | 27 | 02 | 29 | 2 | 4 | 3 | 29 | 26 | 39 | 28 | 2 | 4 | 3 | 29 | 26 | 16 | 28 | 2 |
| 10 51 | 5 | 4 | 1 | 27 | 59 | ♓ | 3 | 5 | 4 | ♑ | 27 | 36 | 29 | 3 | 5 | 4 | ♑ | 27 | 13 | 29 | 3 |
| 14 14 44 | 6 | 5 | 2 | 28 | 56 | 1 | 4 | 6 | 5 | 1 | 28 | 33 | ♓ | 4 | 6 | 4 | 1 | 28 | 11 | ♓ | 4 |
| 18 37 | 7 | 6 | 2 | 29 | 53 | 2 | 5 | 7 | 6 | 2 | 29 | 31 | 1 | 5 | 7 | 5 | 2 | 29 | 09 | 1 | 5 |
| 22 31 | 8 | 7 | 3 | 0♒ | 51 | 3 | 6 | 8 | 6 | 3 | 0♒ | 29 | 3 | 6 | 8 | 6 | 3 | 0♒ | 07 | 3 | 6 |
| 14 26 25 | 9 | 7 | 4 | 1 | 49 | 4 | 7 | 9 | 7 | 4 | 1 | 27 | 4 | 7 | 9 | 7 | 4 | 1 | 05 | 4 | 7 |
| 30 20 | 10 | 8 | 5 | 2 | 48 | 5 | 8 | 10 | 8 | 5 | 2 | 26 | 5 | 8 | 10 | 8 | 5 | 2 | 04 | 5 | 8 |
| 34 16 | 11 | 9 | 6 | 3 | 47 | 6 | 9 | 11 | 9 | 6 | 3 | 25 | 6 | 10 | 11 | 9 | 5 | 3 | 04 | 6 | 10 |
| 14 38 13 | 12 | 10 | 7 | 4 | 47 | 7 | 11 | 12 | 10 | 7 | 4 | 25 | 7 | 11 | 12 | 10 | 6 | 4 | 03 | 7 | 11 |
| 42 10 | 13 | 11 | 8 | 5 | 47 | 8 | 12 | 13 | 11 | 8 | 5 | 25 | 8 | 12 | 13 | 11 | 7 | 5 | 04 | 8 | 12 |
| 46 8 | 14 | 12 | 9 | 6 | 47 | 9 | 13 | 14 | 12 | 8 | 6 | 25 | 9 | 13 | 14 | 12 | 8 | 6 | 04 | 9 | 13 |
| 14 50 7 | 15 | 13 | 10 | 7 | 47 | 10 | 14 | 15 | 13 | 9 | 7 | 26 | 10 | 14 | 15 | 13 | 9 | 7 | 06 | 10 | 14 |
| 54 7 | 16 | 14 | 11 | 8 | 48 | 11 | 15 | 16 | 14 | 10 | 8 | 28 | 10 | 15 | 16 | 14 | 10 | 8 | 07 | 11 | 15 |
| 58 7 | 17 | 15 | 12 | 9 | 50 | 13 | 16 | 17 | 15 | 11 | 9 | 30 | 11 | 16 | 17 | 15 | 11 | 9 | 09 | 12 | 16 |
| 15 2 8 | 18 | 16 | 12 | 10 | 51 | 14 | 17 | 18 | 16 | 12 | 10 | 32 | 14 | 17 | 18 | 16 | 12 | 10 | 11 | 14 | 17 |
| 6 9 | 19 | 17 | 13 | 11 | 53 | 15 | 18 | 19 | 17 | 13 | 11 | 33 | 15 | 18 | 19 | 16 | 13 | 11 | 14 | 15 | 18 |
| 10 12 | 20 | 18 | 14 | 12 | 56 | 16 | 19 | 20 | 18 | 14 | 12 | 37 | 16 | 19 | 20 | 17 | 14 | 12 | 17 | 16 | 19 |
| 15 14 15 | 21 | 19 | 15 | 13 | 59 | 17 | 20 | 21 | 18 | 15 | 13 | 40 | 17 | 20 | 21 | 18 | 15 | 13 | 20 | 17 | 21 |
| 18 19 | 22 | 20 | 16 | 15 | 03 | 18 | 22 | 22 | 19 | 16 | 14 | 44 | 18 | 22 | 22 | 19 | 16 | 14 | 25 | 18 | 22 |
| 22 23 | 23 | 20 | 17 | 16 | 07 | 19 | 23 | 23 | 20 | 17 | 15 | 49 | 19 | 23 | 23 | 20 | 17 | 15 | 30 | 19 | 23 |
| 15 26 29 | 24 | 21 | 18 | 17 | 12 | 21 | 24 | 24 | 21 | 18 | 16 | 53 | 20 | 24 | 24 | 21 | 18 | 16 | 35 | 20 | 24 |
| 30 35 | 25 | 22 | 19 | 18 | 17 | 22 | 25 | 25 | 22 | 19 | 17 | 59 | 22 | 25 | 25 | 22 | 19 | 17 | 41 | 22 | 25 |
| 34 41 | 26 | 23 | 20 | 19 | 22 | 23 | 26 | 26 | 23 | 20 | 19 | 04 | 23 | 26 | 26 | 23 | 20 | 18 | 46 | 23 | 26 |
| 15 38 49 | 27 | 24 | 21 | 20 | 27 | 24 | 27 | 27 | 24 | 21 | 20 | 10 | 24 | 27 | 27 | 24 | 21 | 19 | 53 | 24 | 27 |
| 42 57 | 28 | 25 | 22 | 21 | 33 | 25 | 28 | 28 | 25 | 22 | 21 | 17 | 25 | 28 | 28 | 25 | 22 | 21 | 00 | 25 | 28 |
| 47 6 | 29 | 26 | 23 | 22 | 40 | 26 | 29 | 29 | 26 | 23 | 22 | 24 | 26 | 29 | 29 | 26 | 23 | 22 | 07 | 26 | 29 |
| Houses | 4 | 5 | 6 | 7 | | 8 | 9 | 4 | 5 | 6 | 7 | | 8 | 9 | 4 | 5 | 6 | 7 | | 8 | 9 |

Latitude 7° S,     Latitude 8° S.     Latitude 9° S.

# SIMPLIFIED SCIENTIFIC TABLES OF HOUSES

### Latitude 7° N.  Latitude 8° N.  Latitude 9° N.

| Sider'l Time | 10 ♐ | 11 ♐ | 12 ♑ | Asc. ≈ | 2 ♓ | 3 ♉ | 10 ♐ | 11 ♐ | 12 ♑ | Asc. ≈ | 2 ♓ | 3 ♉ | 10 ♐ | 11 ♐ | 12 ♑ | Asc. ≈ | 2 ♓ | 3 ♉ |
|---|---|---|---|---|---|---|---|---|---|---|---|---|---|---|---|---|---|---|
| H M S | ° | ° | ° | ° ′ | ° | ° | ° | ° | ° | ° ′ | ° | ° | ° | ° | ° | ° ′ | ° | ° |
| 15 51 15 | 0 | 27 | 24 | 23 48 | 28 | 0 | 0 | 27 | 24 | 23 32 | 28 | 0 | 0 | 27 | 24 | 23 15 | 28 | 1 |
| 55 25 | 1 | 28 | 25 | 24 55 | 29 | 2 | 1 | 28 | 25 | 24 40 | 29 | 2 | 1 | 28 | 25 | 24 23 | 29 | 2 |
| 59 36 | 2 | 29 | 26 | 26 03 ♈ | | 3 | 2 | 29 | 26 | 25 48 ♈ | | 3 | 2 | 9 | 26 | 25 32 ♈ | | 3 |
| 16 3 48 | 3 ♑ | 27 | 27 | 11 | 1 | 4 | 3 ♑ | 27 | 26 | 57 | 1 | 4 | 3 ♑ | 27 | 26 | 41 | 1 | 4 |
| 8 0 | 4 | 1 | 28 | 28 20 | 2 | 5 | 4 | 1 | 28 | 28 06 | 2 | 5 | 4 | 1 | 28 | 27 51 | 2 | 5 |
| 12 13 | 5 | 2 | 29 | 29 29 | 3 | 6 | 5 | 2 | 29 | 29 15 | 3 | 6 | 5 | 2 | 29 | 29 01 | 3 | 6 |
| 16 16 26 | 6 | 3 ≈ | 0 ♓ | 39 | 5 | 7 | 6 | 3 ≈ | 0 ♓ | 26 | 5 | 7 | 6 | 3 ≈ | 0 ♓ | 12 | 5 | 7 |
| 20 40 | 7 | 4 | 1 | 1 49 | 6 | 8 | 7 | 4 | 1 | 1 36 | 6 | 8 | 7 | 4 | 1 | 1 23 | 6 | 8 |
| 24 55 | 8 | 5 | 2 | 3 00 | 7 | 9 | 8 | 5 | 2 | 2 47 | 7 | 9 | 8 | 5 | 2 | 2 34 | 7 | 9 |
| 16 29 10 | 9 | 6 | 3 | 4 10 | 8 | 10 | 9 | 6 | 3 | 3 59 | 8 | 10 | 9 | 6 | 3 | 3 46 | 8 | 11 |
| 33 26 | 10 | 7 | 4 | 5 21 | 9 | 11 | 10 | 7 | 4 | 5 10 | 9 | 12 | 10 | 6 | 4 | 4 59 | 10 | 12 |
| 37 42 | 11 | 8 | 5 | 6 33 | 11 | 13 | 11 | 8 | 5 | 6 22 | 11 | 13 | 11 | 7 | 5 | 6 11 | 11 | 13 |
| 16 41 59 | 12 | 9 | 7 | 7 45 | 12 | 14 | 12 | 9 | 6 | 7 34 | 12 | 14 | 12 | 8 | 6 | 7 24 | 12 | 14 |
| 46 16 | 13 | 10 | 8 | 8 57 | 13 | 15 | 13 | 10 | 7 | 8 47 | 13 | 15 | 13 | 9 | 7 | 8 37 | 13 | 15 |
| 50 34 | 14 | 11 | 9 | 10 9 | 14 | 16 | 14 | 11 | 8 | 10 00 | 14 | 16 | 14 | 10 | 8 | 9 50 | 14 | 16 |
| 16 54 52 | 15 | 12 | 10 | 11 22 | 15 | 17 | 15 | 12 | 10 | 11 13 | 16 | 17 | 15 | 11 | 9 | 11 04 | 16 | 17 |
| 59 10 | 16 | 13 | 11 | 12 35 | 17 | 18 | 16 | 13 | 11 | 12 27 | 17 | 18 | 16 | 12 | 10 | 12 19 | 17 | 18 |
| 17 3 29 | 17 | 14 | 12 | 13 48 | 18 | 19 | 17 | 14 | 12 | 13 41 | 18 | 19 | 17 | 13 | 12 | 13 33 | 18 | 19 |
| 17 7 49 | 18 | 15 | 13 | 15 02 | 19 | 20 | 18 | 15 | 13 | 14 55 | 19 | 20 | 18 | 14 | 13 | 14 48 | 19 | 20 |
| 12 9 | 19 | 16 | 14 | 16 16 | 20 | 21 | 19 | 16 | 14 | 16 09 | 20 | 21 | 19 | 15 | 14 | 16 03 | 20 | 21 |
| 16 29 | 20 | 17 | 15 | 17 30 | 21 | 22 | 20 | 17 | 15 | 17 24 | 22 | 22 | 20 | 16 | 15 | 17 18 | 22 | 23 |
| 17 20 49 | 21 | 18 | 16 | 18 44 | 23 | 23 | 21 | 18 | 16 | 18 39 | 23 | 23 | 21 | 17 | 16 | 18 33 | 23 | 24 |
| 25 9 | 22 | 19 | 18 | 19 58 | 24 | 24 | 22 | 19 | 17 | 19 54 | 24 | 25 | 22 | 19 | 17 | 19 49 | 24 | 25 |
| 29 30 | 23 | 20 | 19 | 21 14 | 25 | 26 | 23 | 20 | 18 | 21 10 | 25 | 26 | 23 | 20 | 18 | 21 06 | 25 | 26 |
| 17 33 51 | 24 | 21 | 20 | 22 29 | 26 | 27 | 24 | 21 | 20 | 22 25 | 26 | 27 | 24 | 21 | 19 | 22 22 | 26 | 27 |
| 38 12 | 25 | 22 | 21 | 23 44 | 27 | 28 | 25 | 22 | 21 | 23 41 | 28 | 28 | 25 | 22 | 21 | 23 38 | 28 | 28 |
| 42 34 | 26 | 23 | 22 | 24 59 | 29 | 29 | 26 | 23 | 22 | 24 56 | 29 | 29 | 26 | 23 | 22 | 24 53 | 29 | 29 |
| 17 46 55 | 27 | 24 | 23 | 26 14 | ♉ | ♊ | 27 | 24 | 23 | 26 13 | ♉ | ♊ | 27 | 24 | 23 | 26 11 | ♉ | ♊ |
| 51 17 | 28 | 25 | 24 | 27 29 | 1 | 1 | 28 | 25 | 24 | 27 29 | 1 | 1 | 28 | 25 | 24 | 27 27 | 1 | 1 |
| 55 38 | 29 | 26 | 25 | 28 45 | 2 | 2 | 29 | 26 | 25 | 28 45 | 2 | 2 | 29 | 26 | 25 | 28 44 | 2 | 2 |
| Houses | 4 | 5 | 6 | 7 | 8 | 9 | 4 | 5 | 6 | 7 | 8 | 9 | 4 | 5 | 6 | 7 | 8 | 9 |

### Latitude 7° S.  Latitude 8° S.  Latitude 9° S.

# SIMPLIFIED SCIENTIFIC TABLES OF HOUSES

| | Latitude 7° N. | | | | | | Latitude 8° N. | | | | | | Latitude 9° N. | | | | | |
|---|---|---|---|---|---|---|---|---|---|---|---|---|---|---|---|---|---|---|
| Sider'l Time | 10 ♑ | 11 ♑ | 12 ♒ | Asc. ♈ | 2 ♉ | 3 ♊ | 10 ♑ | 11 ♑ | 12 ♒ | Asc. ♈ | 2 ♉ | 3 ♊ | 10 ♑ | 11 ♑ | 12 ♒ | Asc. ♈ | 2 ♉ | 3 ♊ |
| H M S | ° | ° | ° | ° ′ | ° | ° | ° | ° | ° | ° ′ | ° | ° | ° | ° | ° | ° ′ | ° | ° |
| 18 0 0 | 0 | 27 | 27 | 0 00 | 3 | 3 | 0 | 27 | 27 | 0 00 | 3 | 3 | 0 | 27 | 26 | 0 00 | 4 | 3 |
| 18 4 22 | 1 | 28 | 28 | 1 15 | 5 | 4 | 1 | 28 | 28 | 1 15 | 5 | 4 | 1 | 28 | 28 | 1 16 | 5 | 4 |
| 18 8 43 | 2 | 29 | 29 | 2 31 | 6 | 5 | 2 | 29 | 29 | 2 31 | 6 | 5 | 2 | 29 | 29 | 2 33 | 6 | 5 |
| 18 13 5 | 3 | ♒ | ♓ | 3 46 | 7 | 6 | 3 | ♒ | ♓ | 3 47 | 7 | 6 | 3 | ♒ | ♓ | 3 49 | 7 | 6 |
| 18 17 26 | 4 | 1 | 1 | 5 01 | 8 | 7 | 4 | 1 | 1 | 5 04 | 8 | 7 | 4 | 1 | 1 | 5 07 | 8 | 7 |
| 18 21 48 | 5 | 2 | 3 | 6 16 | 9 | 8 | 5 | 2 | 2 | 6 19 | 9 | 8 | 5 | 2 | 2 | 6 22 | 9 | 8 |
| 18 26 9 | 6 | 3 | 4 | 7 31 | 10 | 9 | 6 | 3 | 4 | 7 35 | 10 | 9 | 6 | 3 | 4 | 7 38 | 11 | 9 |
| 18 30 30 | 7 | 4 | 5 | 8 46 | 11 | 10 | 7 | 4 | 5 | 8 50 | 12 | 10 | 7 | 4 | 5 | 8 54 | 12 | 10 |
| 18 34 51 | 8 | 6 | 6 | 10 01 | 12 | 11 | 8 | 5 | 6 | 10 06 | 13 | 11 | 8 | 5 | 6 | 10 11 | 13 | 11 |
| 18 39 11 | 9 | 7 | 7 | 11 16 | 14 | 12 | 9 | 7 | 7 | 11 21 | 14 | 12 | 9 | 6 | 7 | 11 27 | 14 | 13 |
| 18 43 31 | 10 | 8 | 9 | 12 30 | 15 | 13 | 10 | 8 | 8 | 12 36 | 15 | 13 | 10 | 7 | 8 | 12 42 | 15 | 14 |
| 18 47 51 | 11 | 9 | 10 | 13 44 | 16 | 14 | 11 | 9 | 10 | 13 51 | 16 | 14 | 11 | 9 | 10 | 13 57 | 16 | 15 |
| 18 52 11 | 12 | 10 | 11 | 14 58 | 17 | 15 | 12 | 10 | 11 | 15 05 | 17 | 15 | 12 | 10 | 11 | 15 12 | 17 | 16 |
| 18 56 31 | 13 | 11 | 12 | 16 12 | 18 | 16 | 13 | 11 | 12 | 16 19 | 18 | 16 | 13 | 11 | 12 | 16 27 | 18 | 17 |
| 19 0 50 | 14 | 12 | 13 | 17 25 | 19 | 17 | 14 | 12 | 13 | 17 33 | 19 | 17 | 14 | 12 | 13 | 17 41 | 20 | 18 |
| 19 5 8 | 15 | 13 | 15 | 18 38 | 20 | 18 | 15 | 13 | 14 | 18 47 | 20 | 18 | 15 | 13 | 14 | 18 56 | 21 | 19 |
| 19 9 26 | 16 | 14 | 16 | 19 51 | 21 | 19 | 16 | 14 | 16 | 20 00 | 22 | 19 | 16 | 14 | 16 | 20 10 | 22 | 20 |
| 19 13 44 | 17 | 15 | 17 | 21 03 | 22 | 20 | 17 | 15 | 17 | 21 13 | 23 | 20 | 17 | 15 | 17 | 21 23 | 23 | 21 |
| 19 18 1 | 18 | 16 | 18 | 22 15 | 23 | 21 | 18 | 16 | 18 | 22 26 | 24 | 21 | 18 | 16 | 18 | 22 36 | 24 | 22 |
| 19 22 18 | 19 | 17 | 19 | 23 27 | 25 | 22 | 19 | 17 | 19 | 23 38 | 25 | 22 | 19 | 17 | 19 | 23 49 | 25 | 23 |
| 19 26 34 | 20 | 19 | 21 | 24 39 | 26 | 23 | 20 | 18 | 21 | 24 50 | 26 | 23 | 20 | 18 | 20 | 25 01 | 26 | 24 |
| 19 30 50 | 21 | 20 | 22 | 25 50 | 27 | 24 | 21 | 20 | 22 | 26 01 | 27 | 24 | 21 | 19 | 22 | 26 14 | 27 | 24 |
| 19 35 5 | 22 | 21 | 23 | 27 00 | 28 | 25 | 22 | 21 | 23 | 27 13 | 28 | 25 | 22 | 21 | 23 | 27 26 | 28 | 25 |
| 19 39 20 | 23 | 22 | 24 | 28 11 | 29 | 26 | 23 | 22 | 24 | 28 24 | 29 | 26 | 23 | 22 | 24 | 28 37 | 29 | 26 |
| 19 43 34 | 24 | 23 | 25 | 29 21 | ♊ | 27 | 24 | 23 | 25 | 29 34 | ♊ | 27 | 24 | 23 | 25 | 29 48 | ♊ | 27 |
| 19 47 47 | 25 | 24 | 27 | 0 ♉ 31 | 1 | 28 | 25 | 24 | 27 | 0 ♉ 45 | 1 | 28 | 25 | 24 | 27 | 0 ♉ 59 | 1 | 28 |
| 19 52 0 | 26 | 25 | 28 | 1 40 | 2 | 29 | 26 | 25 | 28 | 1 54 | 2 | 29 | 26 | 25 | 28 | 2 09 | 2 | 29 |
| 19 56 12 | 27 | 26 | 29 | 2 49 | 3 | ♋ | 27 | 26 | 29 | 3 03 | 3 | ♋ | 27 | 26 | 29 | 3 19 | 3 | ♋ |
| 20 0 24 | 28 | 27 | ♈ | 3 57 | 4 | 1 | 28 | 27 | ♈ | 4 12 | 4 | 1 | 28 | 27 | ♈ | 4 28 | 4 | 1 |
| 20 4 35 | 29 | 28 | 1 | 5 05 | 5 | 2 | 29 | 28 | 1 | 5 20 | 5 | 2 | 29 | 28 | 1 | 5 37 | 5 | 2 |
| Houses | 4 | 5 | 6 | 7 | 8 | 9 | 4 | 5 | 6 | 7 | 8 | 9 | 4 | 5 | 6 | 7 | 8 | 9 |

Latitude 7° S.    Latitude 8° S.    Latitude 9° S.

# SIMPLIFIED SCIENTIFIC TABLES OF HOUSES

### Latitude 7° N.  Latitude 8° N.  Latitude 9° N.

| Sider'l Time (H M S) | 10 ≈ | 11 ℋ | 12 ♈ | Asc. ♉ | 2 ♊ | 3 ♋ | 10 ≈ | 11 ℋ | 12 ♈ | Asc. ♉ | 2 ♊ | 3 ♋ | 10 ≈ | 11 ≈ | 12 ♈ | Asc. ♉ | 2 ♊ | 3 ♋ |
|---|---|---|---|---|---|---|---|---|---|---|---|---|---|---|---|---|---|---|
| 20 8 45 | 0 | 0 | 2 | 6 12 | 6 | 3 | 0 | 0 | 2 | 6 28 | 6 | 3 | 0 | 29 | 2 | 6 45 | 6 | 3 |
| 12 54 | 1 | 1 | 4 | 7 20 | 7 | 4 | 1 | 1 | 4 | 7 36 | 7 | 4 | 1 | ℋ | 4 | 7 53 | 7 | 4 |
| 17 3 | 2 | 2 | 5 | 8 27 | 8 | 5 | 2 | 2 | 5 | 8 43 | 8 | 5 | 2 | 2 | 5 | 9 00 | 8 | 5 |
| 20 21 11 | 3 | 3 | 6 | 9 33 | 9 | 6 | 3 | 3 | 6 | 9 50 | 9 | 6 | 3 | 3 | 6 | 10 07 | 9 | 6 |
| 25 19 | 4 | 4 | 7 | 10 38 | 10 | 7 | 4 | 4 | 7 | 10 56 | 10 | 7 | 4 | 4 | 7 | 11 14 | 10 | 7 |
| 29 26 | 5 | 5 | 8 | 11 43 | 11 | 8 | 5 | 5 | 8 | 12 01 | 11 | 8 | 5 | 5 | 8 | 12 19 | 11 | 8 |
| 20 33 31 | 6 | 6 | 9 | 12 48 | 12 | 9 | 6 | 6 | 10 | 13 07 | 12 | 9 | 6 | 6 | 10 | 13 25 | 12 | 9 |
| 37 37 | 7 | 7 | 11 | 13 53 | 13 | 10 | 7 | 7 | 11 | 14 11 | 13 | 10 | 7 | 7 | 11 | 14 30 | 13 | 10 |
| 41 41 | 8 | 8 | 12 | 14 57 | 14 | 10 | 8 | 8 | 12 | 15 16 | 14 | 11 | 8 | 8 | 12 | 15 35 | 14 | 11 |
| 20 45 45 | 9 | 10 | 13 | 16 01 | 15 | 11 | 9 | 10 | 13 | 16 20 | 15 | 12 | 9 | 9 | 13 | 16 40 | 15 | 12 |
| 49 48 | 10 | 11 | 14 | 17 04 | 16 | 12 | 10 | 11 | 14 | 17 23 | 16 | 12 | 10 | 11 | 14 | 17 43 | 16 | 13 |
| 53 51 | 11 | 12 | 15 | 18 07 | 17 | 13 | 11 | 12 | 15 | 18 27 | 17 | 13 | 11 | 12 | 15 | 18 46 | 17 | 14 |
| 20 57 52 | 12 | 13 | 16 | 19 09 | 18 | 14 | 12 | 13 | 16 | 19 28 | 18 | 14 | 12 | 13 | 16 | 19 49 | 18 | 14 |
| 21 1 53 | 13 | 14 | 17 | 20 10 | 18 | 15 | 13 | 14 | 17 | 20 30 | 19 | 15 | 13 | 14 | 18 | 20 51 | 19 | 15 |
| 5 53 | 14 | 15 | 19 | 21 12 | 19 | 16 | 14 | 15 | 19 | 21 32 | 20 | 16 | 14 | 15 | 19 | 21 53 | 20 | 16 |
| 21 9 53 | 15 | 16 | 20 | 22 13 | 20 | 17 | 15 | 16 | 20 | 22 34 | 21 | 17 | 15 | 16 | 20 | 22 54 | 21 | 17 |
| 13 52 | 16 | 17 | 21 | 23 13 | 21 | 18 | 16 | 17 | 21 | 23 35 | 22 | 18 | 16 | 17 | 21 | 23 56 | 22 | 18 |
| 17 50 | 17 | 18 | 22 | 24 13 | 22 | 19 | 17 | 18 | 22 | 24 35 | 22 | 19 | 17 | 18 | 22 | 24 56 | 23 | 19 |
| 21 21 47 | 18 | 19 | 23 | 25 13 | 23 | 20 | 18 | 19 | 23 | 25 35 | 23 | 20 | 18 | 19 | 23 | 25 57 | 24 | 20 |
| 25 44 | 19 | 21 | 24 | 26 13 | 24 | 21 | 19 | 20 | 24 | 26 35 | 24 | 21 | 19 | 20 | 24 | 26 56 | 25 | 21 |
| 29 40 | 20 | 22 | 25 | 27 12 | 25 | 22 | 20 | 22 | 25 | 27 34 | 25 | 22 | 20 | 22 | 25 | 27 56 | 25 | 22 |
| 21 33 35 | 21 | 23 | 26 | 28 11 | 26 | 23 | 21 | 23 | 26 | 28 33 | 26 | 23 | 21 | 23 | 26 | 28 55 | 26 | 23 |
| 37 29 | 22 | 24 | 27 | 29 09 | 27 | 23 | 22 | 24 | 27 | 29 31 | 27 | 24 | 22 | 24 | 27 | 29 53 | 27 | 24 |
| 41 23 | 23 | 25 | 28 | 0♊07 | 28 | 24 | 23 | 25 | 28 | 0♊29 | 28 | 24 | 23 | 25 | 29 | 0♊51 | 28 | 25 |
| 21 45 16 | 24 | 26 | 29 | 1 04 | 28 | 25 | 24 | 26 | ♉ | 1 27 | 29 | 25 | 24 | 26 | ♉ | 1 49 | 29 | 26 |
| 49 9 | 25 | 27 | ♉ | 2 01 | 29 | 26 | 25 | 27 | 1 | 2 24 | ♋ | 26 | 25 | 27 | 1 | 2 47 | ♋ | 26 |
| 53 1 | 26 | 28 | 1 | 2 58 | ♋ | 27 | 26 | 28 | 2 | 3 21 | 1 | 27 | 26 | 28 | 2 | 3 44 | 1 | 27 |
| 21 56 52 | 27 | 29 | 2 | 3 55 | 1 | 28 | 27 | 29 | 3 | 4 18 | 1 | 28 | 27 | 29 | 3 | 4 41 | 2 | 28 |
| 22 0 43 | 28 | ♈ | 3 | 4 51 | 2 | 29 | 28 | ♈ | 4 | 5 14 | 2 | 29 | 28 | ♈ | 4 | 5 37 | 3 | 29 |
| 4 33 | 29 | 1 | 4 | 5 47 | 3 | ♌ | 29 | 1 | 5 | 6 10 | 3 | ♌ | 29 | 1 | 5 | 6 33 | 3 | ♌ |
| Houses | 4 | 5 | 6 | 7 | 8 | 9 | 4 | 5 | 6 | 7 | 8 | 9 | 4 | 5 | 6 | 7 | 8 | 9 |

### Latitude 7° S.  Latitude 8° S.  Latitude 9° S.

# SIMPLIFIED SCIENTIFIC TABLES OF HOUSES

Latitude 7° N.  Latitude 8° N.  Latitude 9° N.

| Sider'l Time | 10 ♓ | 11 ♈ | 12 ♉ | Asc. ♊ | 2 ♋ | 3 ♌ | 10 ♓ | 11 ♈ | 12 ♉ | Asc. ♊ | 2 ♋ | 3 ♌ | 10 ♓ | 11 ♈ | 12 ♉ | Asc. ♊ | 2 ♋ | 3 ♌ |
|---|---|---|---|---|---|---|---|---|---|---|---|---|---|---|---|---|---|---|
| H M S | ° | ° | ° | ° ′ | ° | ° | ° | ° | ° | ° ′ | ° | ° | ° | ° | ° | ° ′ | ° | ° |
| 22 8 23 | 0 | 2 | 6 | 6 43 | 4 | 1 | 0 | 2 | 6 | 7 06 | 4 | 1 | 0 | 2 | 6 | 7 29 | 4 | 1 |
| 12 12 | 1 | 3 | 7 | 7 38 | 5 | 2 | 1 | 3 | 7 | 8 01 | 5 | 2 | 1 | 3 | 7 | 8 25 | 5 | 2 |
| 16 0 | 2 | 5 | 8 | 8 32 | 6 | 3 | 2 | 4 | 8 | 8 56 | 6 | 3 | 2 | 4 | 8 | 9 20 | 6 | 3 |
| 22 19 48 | 3 | 6 | 9 | 9 27 | 6 | 3 | 3 | 5 | 9 | 9 51 | 7 | 4 | 3 | 6 | 9 | 10 15 | 7 | 4 |
| 23 35 | 4 | 7 | 10 | 10 22 | 7 | 4 | 4 | 7 | 10 | 10 45 | 8 | 4 | 4 | 7 | 10 | 11 09 | 8 | 5 |
| 27 22 | 5 | 8 | 11 | 11 15 | 8 | 5 | 5 | 8 | 11 | 11 39 | 8 | 5 | 5 | 8 | 11 | 12 03 | 9 | 6 |
| 22 31 8 | 6 | 9 | 11 | 12 09 | 9 | 6 | 6 | 9 | 12 | 12 33 | 9 | 6 | 6 | 9 | 12 | 12 57 | 10 | 6 |
| 34 54 | 7 | 10 | 12 | 13 03 | 10 | 7 | 7 | 10 | 13 | 13 26 | 10 | 7 | 7 | 10 | 13 | 13 51 | 10 | 7 |
| 38 40 | 8 | 11 | 13 | 13 57 | 11 | 8 | 8 | 11 | 14 | 14 20 | 11 | 8 | 8 | 11 | 14 | 14 45 | 11 | 8 |
| 22 42 25 | 9 | 12 | 14 | 14 50 | 12 | 9 | 9 | 12 | 15 | 15 13 | 12 | 9 | 9 | 12 | 15 | 15 38 | 12 | 9 |
| 46 9 | 10 | 13 | 15 | 15 42 | 12 | 10 | 10 | 13 | 16 | 16 06 | 13 | 10 | 10 | 13 | 16 | 16 31 | 13 | 10 |
| 49 53 | 11 | 14 | 16 | 16 35 | 13 | 11 | 11 | 14 | 17 | 16 59 | 14 | 11 | 11 | 14 | 17 | 17 23 | 14 | 11 |
| 22 53 37 | 12 | 15 | 17 | 17 27 | 14 | 12 | 12 | 15 | 17 | 17 52 | 14 | 12 | 12 | 15 | 18 | 18 16 | 15 | 12 |
| 57 20 | 13 | 16 | 18 | 18 20 | 15 | 13 | 13 | 16 | 18 | 18 44 | 15 | 13 | 13 | 16 | 19 | 19 09 | 16 | 13 |
| 23 1 3 | 14 | 17 | 19 | 19 12 | 16 | 14 | 14 | 17 | 19 | 19 36 | 16 | 14 | 14 | 17 | 20 | 20 01 | 16 | 14 |
| 23 4 46 | 15 | 18 | 20 | 20 04 | 17 | 14 | 15 | 18 | 20 | 20 28 | 17 | 15 | 15 | 18 | 21 | 20 52 | 17 | 15 |
| 8 28 | 16 | 19 | 21 | 20 56 | 18 | 15 | 16 | 19 | 21 | 21 20 | 18 | 15 | 16 | 19 | 22 | 21 44 | 18 | 16 |
| 12 10 | 17 | 20 | 22 | 21 47 | 18 | 16 | 17 | 20 | 22 | 22 11 | 19 | 16 | 17 | 20 | 22 | 22 36 | 19 | 16 |
| 23 15 52 | 18 | 21 | 23 | 22 39 | 19 | 17 | 18 | 21 | 23 | 23 03 | 20 | 17 | 18 | 21 | 23 | 23 28 | 20 | 17 |
| 19 34 | 19 | 22 | 24 | 23 30 | 20 | 18 | 19 | 22 | 24 | 23 54 | 20 | 18 | 19 | 22 | 24 | 24 19 | 21 | 18 |
| 23 15 | 20 | 23 | 25 | 24 22 | 21 | 19 | 20 | 23 | 25 | 24 46 | 21 | 19 | 20 | 23 | 25 | 25 10 | 21 | 19 |
| 23 26 56 | 21 | 24 | 26 | 25 13 | 22 | 20 | 21 | 24 | 26 | 25 37 | 22 | 20 | 21 | 24 | 26 | 26 01 | 22 | 20 |
| 30 37 | 22 | 25 | 27 | 26 04 | 23 | 21 | 22 | 25 | 27 | 26 28 | 23 | 21 | 22 | 25 | 27 | 26 52 | 23 | 21 |
| 34 18 | 23 | 26 | 28 | 26 55 | 24 | 22 | 23 | 26 | 28 | 27 19 | 24 | 22 | 23 | 26 | 28 | 27 43 | 24 | 22 |
| 23 37 58 | 24 | 27 | 28 | 27 45 | 24 | 23 | 24 | 27 | 29 | 28 09 | 25 | 23 | 24 | 27 | 29 | 28 34 | 25 | 23 |
| 41 39 | 25 | 28 | 29 | 28 36 | 25 | 24 | 25 | 28 | ♊ | 29 00 | 26 | 24 | 25 | 28 | ♊ | 29 25 | 26 | 24 |
| 45 19 | 26 | 29 | ♊ | 29 26 | 26 | 25 | 26 | 29 | ♊ | 29 51 | 26 | 25 | 26 | 29 | 1 | 0♋15 | 27 | 25 |
| 23 49 0 | 27 | ♉ | 1 | 0♋17 | 27 | 26 | 27 | ♉ | 1 | 0♋41 | 27 | 26 | 27 | ♉ | 2 | 1 05 | 27 | 26 |
| 52 40 | 28 | 1 | 2 | 1 07 | 28 | 26 | 28 | 1 | 2 | 1 32 | 28 | 27 | 28 | 1 | 3 | 1 56 | 28 | 27 |
| 56 20 | 29 | 2 | 3 | 1 58 | 29 | 27 | 29 | 2 | 3 | 2 22 | 29 | 27 | 29 | 2 | 3 | 2 46 | 29 | 28 |
| Houses | 4 | 5 | 6 | 7 | 8 | 9 | 4 | 5 | 6 | 7 | 8 | 9 | 4 | 5 | 6 | 7 | 8 | 9 |

# SIMPLIFIED SCIENTIFIC TABLES OF HOUSES

| | Latitude 10° N. | | | | | | Latitude 11° N. | | | | | | Latitude 12° N. | | | | | |
|---|---|---|---|---|---|---|---|---|---|---|---|---|---|---|---|---|---|---|
| **Sider'l Time** H M S | 10 ♈ | 11 ♉ | 12 ♊ | Asc ♋ | 2 ♌ | 3 ♌ | 10 ♈ | 11 ♉ | 12 ♊ | Asc ♋ | 2 ♌ | 3 ♌ | 10 ♈ | 11 ♉ | 12 ♊ | Asc ♋ | 2 ♌ | 3 ♌ |
| 0  0  0 | 0 | 3 | 5 | 4 00 | 0 | 29 | 0 | 3 | 5 | 4 25 | 1 | 29 | 0 | 3 | 5 | 4 50 | 1 | 29 |
| 3 40 | 1 | 4 | 5 | 4 51 | 1 | ♍ | 1 | 4 | 6 | 5 16 | 1 | ♍ | 1 | 4 | 6 | 5 41 | 2 | ♍ |
| 7 20 | 2 | 5 | 6 | 5 41 | 2 | 0 | 2 | 5 | 7 | 6 06 | 2 | 1 | 2 | 5 | 7 | 6 30 | 2 | 1 |
| 0 11  0 | 3 | 6 | 7 | 6 31 | 3 | 1 | 3 | 6 | 7 | 6 56 | 3 | 1 | 3 | 6 | 8 | 7 20 | 3 | 2 |
| 14 41 | 4 | 7 | 8 | 7 21 | 4 | 2 | 4 | 7 | 8 | 7 46 | 4 | 2 | 4 | 7 | 9 | 8 10 | 4 | 2 |
| 18 21 | 5 | 8 | 9 | 8 11 | 5 | 3 | 5 | 8 | 9 | 8 36 | 5 | 3 | 5 | 8 | 10 | 9 00 | 5 | 3 |
| 0 22  2 | 6 | 9 | 10 | 9 01 | 5 | 4 | 6 | 9 | 10 | 9 26 | 6 | 4 | 6 | 9 | 10 | 9 50 | 6 | 4 |
| 25 42 | 7 | 10 | 11 | 9 51 | 6 | 5 | 7 | 10 | 11 | 10 16 | 7 | 5 | 7 | 10 | 11 | 10 40 | 7 | 5 |
| 29 23 | 8 | 11 | 12 | 10 42 | 7 | 6 | 8 | 11 | 12 | 11 06 | 7 | 6 | 8 | 11 | 12 | 11 30 | 8 | 6 |
| 0 33  4 | 9 | 12 | 12 | 11 32 | 8 | 7 | 9 | 12 | 13 | 11 56 | 8 | 7 | 9 | 12 | 13 | 12 20 | 9 | 7 |
| 36 45 | 10 | 13 | 13 | 12 22 | 9 | 8 | 10 | 13 | 14 | 12 46 | 9 | 8 | 10 | 13 | 14 | 13 10 | 9 | 8 |
| 40 26 | 11 | 14 | 14 | 13 13 | 10 | 9 | 11 | 14 | 15 | 13 37 | 10 | 9 | 11 | 14 | 15 | 14 01 | 10 | 9 |
| 0 44  8 | 12 | 14 | 15 | 14 03 | 11 | 10 | 12 | 15 | 15 | 14 27 | 11 | 10 | 12 | 15 | 16 | 14 51 | 11 | 10 |
| 47 50 | 13 | 15 | 16 | 14 54 | 12 | 11 | 13 | 16 | 16 | 15 18 | 12 | 11 | 13 | 16 | 17 | 15 41 | 12 | 11 |
| 51 32 | 14 | 16 | 17 | 15 44 | 12 | 12 | 14 | 16 | 17 | 16 08 | 13 | 12 | 14 | 17 | 17 | 16 31 | 13 | 12 |
| 0 55 14 | 15 | 17 | 18 | 16 35 | 13 | 13 | 15 | 17 | 18 | 16 59 | 14 | 13 | 15 | 18 | 18 | 17 22 | 14 | 13 |
| 58 57 | 16 | 18 | 19 | 17 26 | 14 | 14 | 16 | 18 | 19 | 17 49 | 14 | 14 | 16 | 18 | 19 | 18 12 | 15 | 14 |
| 1  2 40 | 17 | 19 | 19 | 18 17 | 15 | 15 | 17 | 19 | 20 | 18 39 | 15 | 15 | 17 | 19 | 20 | 19 02 | 16 | 15 |
| 1  6 23 | 18 | 20 | 20 | 19 07 | 16 | 16 | 18 | 20 | 21 | 19 30 | 16 | 16 | 18 | 20 | 21 | 19 53 | 16 | 16 |
| 10  7 | 19 | 21 | 21 | 19 58 | 17 | 17 | 19 | 21 | 21 | 20 21 | 17 | 17 | 19 | 21 | 22 | 20 44 | 17 | 17 |
| 13 51 | 20 | 22 | 22 | 20 49 | 18 | 18 | 20 | 22 | 22 | 21 12 | 18 | 18 | 20 | 22 | 23 | 21 35 | 18 | 18 |
| 1 17 35 | 21 | 23 | 23 | 21 41 | 19 | 19 | 21 | 23 | 23 | 22 03 | 19 | 19 | 21 | 23 | 23 | 22 26 | 19 | 19 |
| 21 20 | 22 | 24 | 24 | 22 32 | 20 | 20 | 22 | 24 | 24 | 22 54 | 20 | 20 | 22 | 24 | 24 | 23 17 | 20 | 20 |
| 25  6 | 23 | 25 | 25 | 23 24 | 21 | 21 | 23 | 25 | 25 | 23 46 | 21 | 21 | 23 | 25 | 25 | 24 08 | 21 | 21 |
| 1 28 52 | 24 | 26 | 26 | 24 15 | 22 | 22 | 24 | 26 | 26 | 24 37 | 22 | 22 | 24 | 26 | 26 | 24 59 | 22 | 22 |
| 32 38 | 25 | 27 | 26 | 25 07 | 22 | 23 | 25 | 27 | 27 | 25 29 | 23 | 23 | 25 | 27 | 27 | 25 51 | 23 | 23 |
| 36 25 | 26 | 28 | 27 | 25 59 | 23 | 24 | 26 | 28 | 28 | 26 20 | 24 | 24 | 26 | 28 | 28 | 26 42 | 24 | 24 |
| 1 40 12 | 27 | 29 | 28 | 26 51 | 24 | 25 | 27 | 29 | 28 | 27 13 | 24 | 25 | 27 | 29 | 29 | 27 34 | 25 | 25 |
| 44  0 | 28 | 29 | 29 | 27 44 | 25 | 26 | 28 | ♊ | 29 | 28 05 | 25 | 26 | 28 | ♊ | ♋ | 28 26 | 26 | 26 |
| 47 48 | 29 | ♊ | ♋ | 28 36 | 26 | 27 | 29 | 0 | ♋ | 28 57 | 26 | 27 | 29 | 1 | 0 | 29 18 | 27 | 27 |
| **Houses** | 4 | 5 | 6 | 7 | 8 | 9 | 4 | 5 | 6 | 7 | 8 | 9 | 4 | 5 | 6 | 7 | 8 | 9 |

Latitude 10° S.    Latitude 11° S.    Latitude 12° S.

# SIMPLIFIED SCIENTIFIC TABLES OF HOUSES

|  | Latitude 10° N. | | | | | | Latitude 11° N. | | | | | | Latitude 12° N. | | | | | |
|---|---|---|---|---|---|---|---|---|---|---|---|---|---|---|---|---|---|---|
| Sider'l Time (H M S) | 10 | 11 | 12 | Asc. | 2 | 3 | 10 | 11 | 12 | Asc. | 2 | 3 | 10 | 11 | 12 | Asc. | 2 | 3 |
|  | ♉ | ♊ | ♋ | ♋ | ♌ | ♍ | ♉ | ♊ | ♋ | ♋ | ♌ | ♍ | ♉ | ♊ | ♋ | ♋ | ♌ | ♍ |
| 1 51 37 | 0 | 1 | 1 | 29 28 | 27 | 28 | 0 | 1 | 1 | 29 49 | 27 | 28 | 0 | 2 | 1 | 0 11 | 27 | 28 |
| 55 27 | 1 | 2 | 2 | 0♌22 | 28 | 29 | 1 | 2 | 2 | 0♌43 | 28 | 29 | 1 | 2 | 2 | 1 04 | 28 | 29 |
| 59 17 | 2 | 3 | 3 | 1 15 | 29 | ♎ | 2 | 3 | 3 | 1 35 | 29 | ♎ | 2 | 3 | 3 | 1 57 | 29 | ♎ |
| 2 3 8 | 3 | 4 | 3 | 2 09♍ | 1 | 3 | 4 | 5 | 4 | 2 29♍ | 1 | 3 | 4 | 5 | 4 | 2 50♍ | 1 |  |
| 6 59 | 4 | 5 | 4 | 3 02 | 1 | 2 | 4 | 5 | 5 | 3 22 | 1 | 2 | 4 | 5 | 5 | 3 43 | 1 | 2 |
| 10 51 | 5 | 6 | 5 | 3 56 | 2 | 3 | 5 | 6 | 5 | 4 16 | 2 | 3 | 5 | 6 | 6 | 4 36 | 2 | 3 |
| 2 14 44 | 6 | 7 | 6 | 4 51 | 3 | 4 | 6 | 7 | 6 | 5 10 | 3 | 4 | 6 | 7 | 7 | 5 30 | 3 | 4 |
| 18 37 | 7 | 8 | 7 | 5 45 | 4 | 5 | 7 | 8 | 7 | 6 04 | 4 | 5 | 7 | 8 | 7 | 6 24 | 4 | 5 |
| 22 31 | 8 | 9 | 8 | 6 40 | 5 | 6 | 8 | 9 | 8 | 6 58 | 5 | 6 | 8 | 9 | 8 | 7 18 | 5 | 6 |
| 2 26 25 | 9 | 10 | 9 | 7 34 | 6 | 7 | 9 | 10 | 9 | 7 52 | 6 | 7 | 9 | 10 | 9 | 8 11 | 6 | 7 |
| 30 20 | 10 | 11 | 10 | 8 29 | 7 | 8 | 10 | 11 | 10 | 8 47 | 7 | 8 | 10 | 11 | 10 | 9 06 | 7 | 8 |
| 34 16 | 11 | 11 | 10 | 9 25 | 8 | 9 | 11 | 12 | 11 | 9 42 | 8 | 9 | 11 | 12 | 11 | 10 01 | 8 | 9 |
| 2 38 13 | 12 | 12 | 11 | 10 21 | 9 | 10 | 12 | 13 | 12 | 10 38 | 9 | 10 | 12 | 13 | 12 | 10 56 | 9 | 10 |
| 42 10 | 13 | 13 | 12 | 11 16 | 10 | 11 | 13 | 13 | 13 | 11 34 | 10 | 11 | 13 | 14 | 13 | 11 52 | 10 | 11 |
| 46 8 | 14 | 14 | 13 | 12 12 | 11 | 12 | 14 | 14 | 13 | 12 29 | 11 | 12 | 14 | 15 | 14 | 12 47 | 11 | 12 |
| 2 50 7 | 15 | 15 | 14 | 13 08 | 12 | 13 | 15 | 15 | 14 | 13 26 | 12 | 13 | 15 | 15 | 13 | 13 43 | 12 | 13 |
| 54 7 | 16 | 16 | 15 | 14 05 | 13 | 14 | 16 | 16 | 15 | 14 22 | 13 | 14 | 16 | 16 | 14 | 14 40 | 13 | 14 |
| 58 7 | 17 | 17 | 16 | 15 02 | 14 | 15 | 17 | 17 | 16 | 15 19 | 14 | 15 | 17 | 17 | 16 | 15 36 | 14 | 15 |
| 3 2 8 | 18 | 18 | 17 | 16 00 | 15 | 16 | 18 | 18 | 17 | 16 16 | 15 | 16 | 18 | 18 | 17 | 16 33 | 15 | 16 |
| 6 9 | 19 | 19 | 18 | 16 57 | 16 | 18 | 19 | 19 | 18 | 17 13 | 16 | 17 | 19 | 19 | 18 | 17 30 | 16 | 17 |
| 10 12 | 20 | 20 | 19 | 17 54 | 17 | 19 | 20 | 20 | 19 | 18 11 | 17 | 19 | 20 | 20 | 19 | 18 27 | 17 | 18 |
| 3 14 15 | 21 | 21 | 20 | 18 53 | 18 | 20 | 21 | 21 | 20 | 19 08 | 18 | 20 | 21 | 21 | 20 | 19 24 | 18 | 20 |
| 18 19 | 22 | 22 | 21 | 19 52 | 19 | 21 | 22 | 22 | 21 | 20 07 | 19 | 21 | 22 | 22 | 21 | 20 23 | 19 | 21 |
| 22 23 | 23 | 23 | 22 | 20 50 | 20 | 22 | 23 | 23 | 22 | 21 05 | 20 | 22 | 23 | 23 | 22 | 21 21 | 20 | 22 |
| 3 26 29 | 24 | 24 | 23 | 21 49 | 21 | 23 | 24 | 24 | 23 | 22 04 | 21 | 23 | 24 | 24 | 23 | 22 19 | 21 | 23 |
| 30 35 | 25 | 25 | 23 | 22 48 | 22 | 24 | 25 | 25 | 24 | 23 03 | 22 | 24 | 25 | 25 | 24 | 23 18 | 22 | 24 |
| 34 41 | 26 | 26 | 24 | 23 48 | 23 | 25 | 26 | 26 | 25 | 24 02 | 23 | 25 | 26 | 26 | 25 | 24 16 | 24 | 25 |
| 3 38 49 | 27 | 26 | 25 | 24 48 | 25 | 26 | 27 | 27 | 26 | 25 02 | 25 | 26 | 27 | 27 | 26 | 25 16 | 25 | 26 |
| 42 57 | 28 | 27 | 26 | 25 49 | 26 | 27 | 28 | 28 | 27 | 26 01 | 26 | 27 | 28 | 28 | 27 | 26 15 | 26 | 27 |
| 47 6 | 29 | 28 | 27 | 26 49 | 27 | 28 | 29 | 29 | 27 | 27 01 | 27 | 28 | 29 | 29 | 28 | 27 15 | 27 | 28 |
| Houses | 4 | 5 | 6 | 7 | 8 | 9 | 4 | 5 | 6 | 7 | 8 | 9 | 4 | 5 | 6 | 7 | 8 | 9 |

# SIMPLIFIED SCIENTIFIC TABLES OF HOUSES

Latitude 10° N.   Latitude 11° N.   Latitude 12° N.

| Sider'l Time H M S | 10 ♊ | 11 ♊ | 12 ♋ | Asc. ♌ | 2 ♍ | 3 ♎ | 10 ♊ | 11 ♊ | 12 ♋ | Asc. ♌ | 2 ♍ | 3 ♎ | 10 ♊ | 11 ♋ | 12 ♋ | Asc. ♌ | 2 ♍ | 3 ♎ |
|---|---|---|---|---|---|---|---|---|---|---|---|---|---|---|---|---|---|---|
| 3 51 15 | 0 | 29 | 28 | 27 49 | 28 | 29 | 0 | 29 | 28 | 28 03 | 28 | 29 | 0 | 0 | 29 | 28 16 | 28 | 29 |
| 55 25 | 1 | ♋ | 29 | 28 51 | 29 | ♏ | 1 | ♋ | 29 | 29 03 | 29 | ♏ | 1 | 1 | ♌ | 29 15 | 29 | ♏ |
| 59 36 | 2 | 1 | ♌ | 29 53 | ♎ | 1 | 2 | 1 | ♌ | 0♍04 | ♎ | 1 | 2 | 2 | 1 | 0♍16 | ♎ | 1 |
| 4 3 48 | 3 | 2 | 1 | 0♍54 | 1 | 2 | 3 | 2 | 1 | 1 06 | 1 | 2 | 3 | 3 | 2 | 1 17 | 1 | 2 |
| 8 0 | 4 | 3 | 2 | 1 56 | 2 | 3 | 4 | 3 | 2 | 2 07 | 2 | 3 | 4 | 4 | 3 | 2 19 | 2 | 3 |
| 12 13 | 5 | 4 | 3 | 2 58 | 3 | 5 | 5 | 4 | 3 | 3 09 | 3 | 4 | 5 | 4 | 4 | 3 20 | 3 | 4 |
| 4 16 26 | 6 | 5 | 4 | 4 01 | 4 | 6 | 6 | 5 | 4 | 4 11 | 4 | 6 | 6 | 5 | 5 | 4 22 | 4 | 5 |
| 20 40 | 7 | 6 | 5 | 5 04 | 5 | 7 | 7 | 6 | 5 | 5 13 | 5 | 7 | 7 | 6 | 6 | 5 24 | 5 | 7 |
| 24 55 | 8 | 7 | 6 | 6 07 | 6 | 8 | 8 | 7 | 6 | 6 16 | 6 | 8 | 8 | 7 | 7 | 6 26 | 6 | 8 |
| 4 29 10 | 9 | 8 | 7 | 7 10 | 8 | 9 | 9 | 8 | 7 | 7 20 | 8 | 9 | 9 | 8 | 8 | 7 29 | 7 | 9 |
| 33 26 | 10 | 9 | 8 | 8 13 | 9 | 10 | 10 | 9 | 8 | 8 23 | 9 | 10 | 10 | 9 | 9 | 8 32 | 9 | 10 |
| 37 42 | 11 | 10 | 9 | 9 17 | 10 | 11 | 11 | 10 | 9 | 9 26 | 10 | 11 | 11 | 10 | 10 | 9 35 | 10 | 11 |
| 4 41 59 | 12 | 11 | 10 | 10 21 | 11 | 12 | 12 | 11 | 10 | 10 29 | 11 | 12 | 12 | 11 | 11 | 10 38 | 11 | 12 |
| 46 16 | 13 | 12 | 11 | 11 26 | 12 | 13 | 13 | 12 | 11 | 11 33 | 12 | 13 | 13 | 12 | 12 | 11 41 | 12 | 13 |
| 50 34 | 14 | 13 | 12 | 12 30 | 13 | 14 | 14 | 13 | 12 | 12 38 | 13 | 14 | 14 | 13 | 13 | 12 45 | 13 | 14 |
| 4 54 52 | 15 | 14 | 13 | 13 34 | 14 | 15 | 15 | 14 | 13 | 13 41 | 14 | 15 | 15 | 14 | 14 | 13 48 | 14 | 15 |
| 59 10 | 16 | 15 | 14 | 14 39 | 15 | 16 | 16 | 15 | 15 | 14 46 | 15 | 16 | 16 | 15 | 15 | 14 52 | 15 | 16 |
| 5 3 29 | 17 | 16 | 15 | 15 44 | 16 | 17 | 17 | 16 | 16 | 15 50 | 16 | 17 | 17 | 16 | 16 | 15 56 | 16 | 17 |
| 5 7 49 | 18 | 17 | 16 | 16 50 | 18 | 18 | 18 | 17 | 17 | 16 55 | 17 | 18 | 18 | 17 | 17 | 17 00 | 17 | 18 |
| 12 9 | 19 | 18 | 17 | 17 55 | 19 | 19 | 19 | 18 | 18 | 18 00 | 19 | 19 | 19 | 18 | 18 | 18 05 | 18 | 19 |
| 16 29 | 20 | 19 | 19 | 19 00 | 20 | 20 | 20 | 19 | 19 | 19 05 | 20 | 20 | 20 | 19 | 19 | 19 09 | 20 | 20 |
| 5 20 49 | 21 | 20 | 20 | 20 06 | 21 | 22 | 21 | 20 | 20 | 20 10 | 21 | 21 | 21 | 20 | 20 | 20 14 | 21 | 21 |
| 25 9 | 22 | 21 | 21 | 21 12 | 22 | 23 | 22 | 21 | 21 | 21 15 | 22 | 22 | 22 | 21 | 21 | 21 19 | 22 | 22 |
| 29 30 | 23 | 22 | 22 | 22 17 | 23 | 24 | 23 | 22 | 22 | 22 21 | 23 | 24 | 23 | 22 | 22 | 22 24 | 23 | 23 |
| 5 33 51 | 24 | 23 | 23 | 23 23 | 24 | 25 | 24 | 23 | 23 | 23 26 | 24 | 25 | 24 | 23 | 23 | 23 29 | 24 | 24 |
| 38 12 | 25 | 24 | 24 | 24 29 | 25 | 26 | 25 | 24 | 24 | 24 31 | 25 | 26 | 25 | 24 | 24 | 24 34 | 25 | 25 |
| 42 34 | 26 | 25 | 25 | 25 35 | 26 | 27 | 26 | 25 | 25 | 25 37 | 26 | 27 | 26 | 25 | 25 | 25 39 | 26 | 27 |
| 5 46 55 | 27 | 26 | 26 | 26 41 | 27 | 28 | 27 | 26 | 26 | 26 43 | 27 | 28 | 27 | 26 | 26 | 26 44 | 27 | 28 |
| 51 17 | 28 | 27 | 27 | 27 48 | 29 | 29 | 28 | 27 | 27 | 27 49 | 28 | 29 | 28 | 27 | 27 | 27 49 | 28 | 29 |
| 55 38 | 29 | 28 | 28 | 28 54 | ♏ | ♐ | 29 | 28 | 28 | 28 55 | ♏ | ♐ | 29 | 28 | 28 | 28 55 | 29 | ♐ |

| Houses | 4 | 5 | 6 | 7 | 8 | 9 | 4 | 5 | 6 | 7 | 8 | 9 | 4 | 5 | 6 | 7 | 8 | 9 |
|---|---|---|---|---|---|---|---|---|---|---|---|---|---|---|---|---|---|---|

Latitude 10° S.   Latitude 11° S.   Latitude 12° S.

# SIMPLIFIED SCIENTIFIC TABLES OF HOUSES

Latitude 10° N.  Latitude 11° N.  Latitude 12° N.

| Sider'l Time (H M S) | Lat. 10° N | | | | | | Lat. 11° N | | | | | | Lat. 12° N | | | | | |
|---|---|---|---|---|---|---|---|---|---|---|---|---|---|---|---|---|---|---|
| | 10 | 11 | 12 | Asc | 2 | 3 | 10 | 11 | 12 | Asc | 2 | 3 | 10 | 11 | 12 | Asc | 2 | 3 |
| | ♋ | ♋ | ♌ | ≏ | ♏ | ♐ | ♋ | ♋ | ♌ | ≏ | ♏ | ♐ | ♋ | ♋ | ♌ | ≏ | ♏ | ♐ |
| 6 0 0 | 0 | 29 | 29 | 0 00 | 1 | 1 | 0 | 29 | 29 | 0 00 | 1 | 1 | 0 | 29 | 0 | 0 00 | 0 | 1 |
| 4 22 | 1 | ♌ | ♍ | 1 06 | 2 | 2 | 1 | ♌ | ♍ | 1 05 | 2 | 2 | 1 | ♌ | 1 | 1 05 | 2 | 2 |
| 8 43 | 2 | 1 | 1 | 2 12 | 3 | 3 | 2 | 1 | 2 | 2 11 | 3 | 3 | 2 | 1 | 2 | 2 11 | 3 | 3 |
| 6 13 5 | 3 | 2 | 3 | 3 19 | 4 | 4 | 3 | 2 | 3 | 3 17 | 4 | 4 | 3 | 2 | 3 | 3 16 | 4 | 4 |
| 17 26 | 4 | 3 | 4 | 4 25 | 5 | 5 | 4 | 3 | 4 | 4 23 | 5 | 5 | 4 | 3 | 4 | 4 21 | 5 | 5 |
| 21 48 | 5 | 4 | 5 | 5 31 | 6 | 6 | 5 | 4 | 5 | 5 29 | 6 | 6 | 5 | 5 | 5 | 5 26 | 6 | 6 |
| 6 26 9 | 6 | 5 | 6 | 6 37 | 7 | 7 | 6 | 5 | 6 | 6 34 | 7 | 7 | 6 | 6 | 6 | 6 31 | 7 | 7 |
| 30 30 | 7 | 6 | 7 | 7 43 | 8 | 8 | 7 | 6 | 7 | 7 39 | 8 | 8 | 7 | 7 | 7 | 7 36 | 8 | 8 |
| 34 51 | 8 | 7 | 8 | 8 48 | 9 | 9 | 8 | 8 | 8 | 8 45 | 9 | 9 | 8 | 8 | 8 | 8 41 | 9 | 9 |
| 6 39 11 | 9 | 8 | 9 | 9 54 | 10 | 10 | 9 | 9 | 9 | 9 50 | 10 | 10 | 9 | 9 | 9 | 9 46 | 10 | 10 |
| 43 31 | 10 | 10 | 10 | 11 00 | 11 | 11 | 10 | 10 | 10 | 10 55 | 11 | 11 | 10 | 10 | 10 | 10 51 | 11 | 11 |
| 47 51 | 11 | 11 | 11 | 12 05 | 13 | 12 | 11 | 11 | 11 | 12 00 | 12 | 12 | 11 | 11 | 12 | 11 55 | 12 | 12 |
| 6 52 11 | 12 | 12 | 12 | 13 10 | 14 | 13 | 12 | 12 | 12 | 13 05 | 13 | 13 | 12 | 12 | 13 | 13 00 | 13 | 13 |
| 56 31 | 13 | 13 | 14 | 14 16 | 15 | 14 | 13 | 13 | 14 | 14 10 | 14 | 14 | 13 | 13 | 14 | 14 04 | 14 | 14 |
| 7 0 50 | 14 | 14 | 15 | 15 21 | 16 | 15 | 14 | 14 | 15 | 15 14 | 15 | 15 | 14 | 14 | 15 | 15 08 | 15 | 15 |
| 7 5 8 | 15 | 15 | 16 | 16 26 | 17 | 16 | 15 | 15 | 16 | 16 19 | 17 | 16 | 15 | 15 | 16 | 16 12 | 16 | 16 |
| 9 26 | 16 | 16 | 17 | 17 30 | 18 | 17 | 16 | 16 | 17 | 17 22 | 18 | 17 | 16 | 16 | 17 | 17 15 | 17 | 17 |
| 13 44 | 17 | 17 | 18 | 18 34 | 19 | 18 | 17 | 17 | 18 | 18 27 | 19 | 18 | 17 | 17 | 18 | 18 19 | 18 | 18 |
| 7 18 1 | 18 | 18 | 19 | 19 39 | 20 | 19 | 18 | 18 | 19 | 19 31 | 20 | 19 | 18 | 18 | 19 | 19 22 | 19 | 19 |
| 22 18 | 19 | 19 | 20 | 20 43 | 21 | 20 | 19 | 19 | 20 | 20 34 | 21 | 20 | 19 | 19 | 20 | 20 25 | 20 | 20 |
| 26 34 | 20 | 20 | 21 | 21 47 | 22 | 21 | 20 | 20 | 21 | 21 37 | 22 | 21 | 20 | 20 | 21 | 21 28 | 21 | 21 |
| 7 30 50 | 21 | 21 | 22 | 22 50 | 23 | 22 | 21 | 21 | 22 | 22 40 | 23 | 22 | 21 | 21 | 23 | 22 31 | 22 | 22 |
| 35 5 | 22 | 22 | 24 | 23 53 | 24 | 23 | 22 | 22 | 24 | 23 44 | 24 | 23 | 22 | 22 | 24 | 23 34 | 23 | 23 |
| 39 20 | 23 | 23 | 25 | 24 56 | 25 | 24 | 23 | 23 | 25 | 24 47 | 25 | 24 | 23 | 23 | 25 | 24 36 | 24 | 24 |
| 7 43 34 | 24 | 24 | 26 | 25 59 | 26 | 25 | 24 | 24 | 26 | 25 49 | 26 | 25 | 24 | 24 | 26 | 25 38 | 25 | 25 |
| 47 47 | 25 | 25 | 27 | 27 02 | 27 | 26 | 25 | 25 | 26 | 26 51 | 27 | 26 | 25 | 25 | 26 | 26 40 | 26 | 26 |
| 52 0 | 26 | 27 | 28 | 28 04 | 28 | 27 | 26 | 27 | 28 | 27 53 | 28 | 27 | 26 | 27 | 28 | 27 41 | 27 | 26 |
| 7 56 12 | 27 | 28 | 29 | 29 06 | 29 | 28 | 27 | 28 | 29 | 28 54 | 29 | 28 | 27 | 28 | 29 | 28 43 | 28 | 27 |
| 8 0 24 | 28 | 29 | ≏ | 0♏07 | ♐ | 29 | 28 | 29 | ≏ | 29 56 | ♐ | 29 | 28 | 29 | ≏ | 29 44 | 29 | 28 |
| 4 35 | 29 | ♍ | 1 | 1♏09 | 1 | ♑ | 29 | ♍ | 1 | 0♏57 | 1 | ♑ | 29 | ♍ | 1 | 0♏45 | ♐ | 29 |
| Houses | 4 | 5 | 6 | 7 | 8 | 9 | 4 | 5 | 6 | 7 | 8 | 9 | 4 | 5 | 6 | 7 | 8 | 9 |

Latitude 10° S.  Latitude 11° S.  Latitude 12° S.

# SIMPLIFIED SCIENTIFIC TABLES OF HOUSES

|  | Latitude 10° N. |  |  |  |  |  | Latitude 11° N. |  |  |  |  |  | Latitude 12° N. |  |  |  |  |  |
|---|---|---|---|---|---|---|---|---|---|---|---|---|---|---|---|---|---|---|
| Sider'l Time | 10 | 11 | 12 | Asc. | 2 | 3 | 10 | 11 | 12 | Asc. | 2 | 3 | 10 | 11 | 12 | Asc. | 2 | 3 |
|  | Ω | ♍ | ≏ | ♏ | ♐ | ♑ | Ω | ♍ | ≏ | ♏ | ♐ | ♑ | Ω | ♍ | ≏ | ♏ | ♐ | ♑ |
| H M S | ° | ° | ° | ° ′ | ° | ° | ° | ° | ° | ° ′ | ° | ° | ° | ° | ° | ° ′ | ° | ° |
| 8 8 45 | 0 | 1 | 2 | 2 11 | 2 | 1 | 0 | 1 | 2 | 1 57 | 2 | 1 | 0 | 1 | 2 | 1 44 | 1 | 0 |
| 12 54 | 1 | 2 | 3 | 3 11 | 3 | 2 | 1 | 2 | 3 | 2 59 | 3 | 1 | 1 | 2 | 3 | 2 45 | 2 | 1 |
| 17 3 | 2 | 3 | 4 | 4 11 | 4 | 3 | 2 | 3 | 4 | 3 59 | 3 | 2 | 2 | 3 | 4 | 3 45 | 3 | 2 |
| 8 21 11 | 3 | 4 | 5 | 5 12 | 5 | 4 | 3 | 4 | 5 | 4 58 | 4 | 3 | 3 | 4 | 5 | 4 44 | 4 | 3 |
| 25 19 | 4 | 5 | 7 | 6 12 | 6 | 4 | 4 | 5 | 7 | 5 58 | 5 | 4 | 4 | 5 | 6 | 5 44 | 5 | 4 |
| 29 26 | 5 | 6 | 8 | 7 12 | 7 | 5 | 5 | 6 | 8 | 6 57 | 6 | 5 | 5 | 6 | 8 | 6 42 | 6 | 5 |
| 8 33 31 | 6 | 7 | 9 | 8 11 | 7 | 6 | 6 | 7 | 9 | 7 56 | 7 | 6 | 6 | 7 | 9 | 7 41 | 7 | 6 |
| 37 37 | 7 | 8 | 10 | 9 10 | 8 | 7 | 7 | 8 | 10 | 8 55 | 8 | 7 | 7 | 8 | 10 | 8 39 | 8 | 7 |
| 41 41 | 8 | 9 | 11 | 10 08 | 9 | 8 | 8 | 9 | 11 | 9 53 | 9 | 8 | 8 | 8 | 9 | 11 9 37 | 9 | 8 |
| 8 45 45 | 9 | 10 | 12 | 11 07 | 10 | 9 | 9 | 10 | 12 | 10 52 | 10 | 9 | 9 | 10 | 12 | 10 36 | 10 | 9 |
| 49 48 | 10 | 11 | 13 | 12 06 | 11 | 10 | 10 | 11 | 13 | 11 49 | 11 | 10 | 10 | 12 | 13 | 11 33 | 11 | 10 |
| 53 51 | 11 | 12 | 14 | 13 03 | 12 | 11 | 11 | 13 | 14 | 12 47 | 12 | 11 | 11 | 13 | 14 | 12 30 | 12 | 11 |
| 8 57 52 | 12 | 14 | 15 | 14 00 | 13 | 12 | 12 | 14 | 15 | 13 44 | 13 | 12 | 12 | 14 | 15 | 13 27 | 13 | 12 |
| 9 1 53 | 13 | 15 | 16 | 14 58 | 14 | 13 | 13 | 15 | 16 | 14 41 | 14 | 13 | 13 | 15 | 16 | 14 24 | 14 | 13 |
| 5 53 | 14 | 16 | 17 | 15 55 | 15 | 14 | 14 | 16 | 17 | 15 38 | 15 | 14 | 14 | 16 | 17 | 15 20 | 14 | 14 |
| 9 9 53 | 15 | 17 | 18 | 16 52 | 16 | 15 | 15 | 17 | 18 | 16 34 | 16 | 15 | 15 | 17 | 18 | 16 17 | 15 | 15 |
| 13 52 | 16 | 18 | 19 | 17 48 | 17 | 16 | 16 | 18 | 19 | 17 31 | 17 | 16 | 16 | 18 | 19 | 17 13 | 16 | 15 |
| 17 50 | 17 | 19 | 20 | 18 44 | 18 | 17 | 17 | 19 | 20 | 18 26 | 17 | 17 | 17 | 19 | 20 | 18 08 | 17 | 16 |
| 9 21 47 | 18 | 20 | 21 | 19 39 | 19 | 18 | 18 | 20 | 21 | 19 22 | 18 | 17 | 18 | 20 | 21 | 19 04 | 18 | 17 |
| 25 44 | 19 | 21 | 22 | 20 35 | 20 | 19 | 19 | 21 | 22 | 20 18 | 19 | 18 | 19 | 21 | 22 | 19 59 | 19 | 18 |
| 29 40 | 20 | 22 | 23 | 21 31 | 20 | 19 | 20 | 22 | 23 | 21 13 | 20 | 19 | 20 | 22 | 23 | 20 54 | 20 | 19 |
| 9 33 35 | 21 | 23 | 24 | 22 26 | 21 | 20 | 21 | 23 | 24 | 22 8 | 21 | 20 | 21 | 23 | 24 | 21 49 | 21 | 20 |
| 37 29 | 22 | 24 | 25 | 23 20 | 22 | 21 | 22 | 24 | 25 | 23 2 | 22 | 21 | 22 | 24 | 25 | 22 42 | 22 | 21 |
| 41 23 | 23 | 25 | 26 | 24 15 | 23 | 22 | 23 | 25 | 26 | 23 56 | 23 | 22 | 23 | 25 | 26 | 23 36 | 23 | 22 |
| 9 45 16 | 24 | 26 | 27 | 25 09 | 24 | 23 | 24 | 26 | 27 | 24 50 | 24 | 23 | 24 | 26 | 27 | 24 30 | 23 | 23 |
| 49 9 | 25 | 27 | 28 | 26 04 | 25 | 24 | 25 | 27 | 28 | 25 44 | 25 | 24 | 25 | 27 | 28 | 25 24 | 24 | 24 |
| 53 1 | 26 | 28 | 29 | 26 58 | 26 | 25 | 26 | 28 | 29 | 26 38 | 26 | 25 | 26 | 28 | 29 | 26 17 | 25 | 25 |
| 9 56 52 | 27 | 29 | ♏ | 27 51 | 27 | 26 | 27 | 29 | ♏ | 27 31 | 26 | 26 | 27 | 29 | ♏ | 27 10 | 26 | 26 |
| 10 0 43 | 28 | ≏ | 1 | 28 45 | 27 | 27 | 28 | ≏ | 1 | 28 25 | 27 | 27 | 28 | ≏ | 1 | 28 03 | 27 | 27 |
| 4 33 | 29 | 1 | 2 | 29 38 | 28 | 28 | 29 | 1 | 2 | 29 17 | 28 | 28 | 29 | 1 | 2 | 28 56 | 28 | 28 |
| Houses | 4 | 5 | 6 | 7 | 8 | 9 | 4 | 5 | 6 | 7 | 8 | 9 | 4 | 5 | 6 | 7 | 8 | 9 |

Latitude 10° S.　　　Latitude 11° S.　　　Latitude 12°S

# SIMPLIFIED SCIENTIFIC TABLES OF HOUSES

Latitude 10° N.    Latitude 11° N.    Latitude 12° N.

| Sider'l Time | 10 ♍ | 11 ≏ | 12 ♏ | Asc. ♐ | 2 ♐ | 3 ♑ | 10 ♍ | 11 ≏ | 12 ♏ | Asc. ♐ | 2 ♐ | 3 ♑ | 10 ♍ | 11 ≏ | 12 ♏ | Asc. ♏ | 2 ♐ | 3 ♑ |
|---|---|---|---|---|---|---|---|---|---|---|---|---|---|---|---|---|---|---|
| H M S | ° | ° | ° | ° ' | ° | ° | ° | ° | ° | ° ' | ° | ° | ° | ° | ° | ° ' | ° | ° |
| 10 8 23 | 0 | 2 | 3 | 0 32 | 29 | 29 | 0 | 2 | 3 | 0 11 | 29 | 29 | 0 | 2 | 3 | 29 49 | 29 | 28 |
| 12 12 | 1 | 3 | 4 | 1 24 | ♑ | ≈ | 1 | 3 | 4 | 1 03 | ♑ | ≈ | 1 | 3 | 3 | 0♐42 | ♑ | 29 |
| 16 0 | 2 | 4 | 5 | 2 16 | 1 | 1 | 2 | 4 | 5 | 1 55 | 1 | 0 | 2 | 4 | 4 | 1 34 | 0 | ≈ |
| 10 19 48 | 3 | 5 | 6 | 3 09 | 2 | 1 | 3 | 5 | 6 | 2 47 | 2 | 1 | 3 | 5 | 5 | 2 26 | 1 | 1 |
| 23 35 | 4 | 6 | 7 | 4 01 | 3 | 2 | 4 | 6 | 6 | 3 40 | 2 | 2 | 4 | 6 | 6 | 3 18 | 2 | 2 |
| 27 22 | 5 | 7 | 8 | 4 53 | 4 | 3 | 5 | 7 | 7 | 4 31 | 3 | 3 | 5 | 7 | 7 | 4 09 | 3 | 3 |
| 10 31 8 | 6 | 8 | 8 | 5 45 | 4 | 4 | 6 | 8 | 8 | 5 23 | 4 | 4 | 6 | 8 | 8 | 5 01 | 4 | 4 |
| 34 54 | 7 | 9 | 9 | 6 36 | 5 | 5 | 7 | 9 | 9 | 6 14 | 5 | 5 | 7 | 9 | 9 | 5 52 | 5 | 5 |
| 38 40 | 8 | 10 | 10 | 7 28 | 6 | 6 | 8 | 10 | 10 | 7 06 | 6 | 6 | 8 | 10 | 10 | 6 43 | 6 | 6 |
| 10 42 25 | 9 | 11 | 11 | 8 19 | 7 | 7 | 9 | 11 | 11 | 7 57 | 7 | 7 | 9 | 11 | 11 | 7 34 | 7 | 7 |
| 46 9 | 10 | 12 | 12 | 9 11 | 8 | 8 | 10 | 12 | 12 | 8 48 | 8 | 8 | 10 | 12 | 12 | 8 25 | 7 | 8 |
| 49 53 | 11 | 13 | 13 | 10 02 | 9 | 9 | 11 | 13 | 13 | 9 39 | 9 | 9 | 11 | 13 | 13 | 9 16 | 8 | 9 |
| 10 53 37 | 12 | 14 | 14 | 10 53 | 10 | 10 | 12 | 14 | 14 | 10 30 | 9 | 10 | 12 | 14 | 14 | 10 07 | 9 | 10 |
| 57 20 | 13 | 15 | 15 | 11 43 | 11 | 11 | 13 | 15 | 15 | 11 21 | 10 | 11 | 13 | 15 | 14 | 10 58 | 10 | 11 |
| 11 1 3 | 14 | 16 | 16 | 12 34 | 11 | 12 | 14 | 16 | 16 | 12 11 | 11 | 12 | 14 | 16 | 15 | 11 48 | 11 | 12 |
| 11 4 46 | 15 | 17 | 17 | 13 25 | 12 | 13 | 15 | 17 | 16 | 13 01 | 12 | 13 | 15 | 17 | 16 | 12 38 | 12 | 12 |
| 8 28 | 16 | 18 | 18 | 14 16 | 13 | 14 | 16 | 18 | 17 | 13 52 | 13 | 14 | 16 | 18 | 17 | 13 29 | 13 | 13 |
| 12 10 | 17 | 19 | 18 | 15 06 | 14 | 15 | 17 | 19 | 18 | 14 42 | 14 | 14 | 17 | 19 | 18 | 14 19 | 13 | 14 |
| 11 15 52 | 18 | 20 | 19 | 15 57 | 15 | 16 | 18 | 20 | 19 | 15 33 | 15 | 15 | 18 | 20 | 19 | 15 09 | 14 | 15 |
| 19 34 | 19 | 21 | 20 | 16 47 | 16 | 16 | 19 | 21 | 20 | 16 23 | 15 | 16 | 19 | 21 | 20 | 15 59 | 15 | 16 |
| 23 15 | 20 | 22 | 21 | 17 38 | 17 | 17 | 20 | 22 | 21 | 17 14 | 16 | 17 | 20 | 22 | 21 | 16 50 | 16 | 17 |
| 11 26 56 | 21 | 23 | 22 | 18 22 | 18 | 18 | 21 | 23 | 22 | 18 04 | 17 | 18 | 21 | 23 | 21 | 17 40 | 17 | 18 |
| 30 37 | 22 | 24 | 23 | 19 18 | 18 | 19 | 22 | 24 | 23 | 18 54 | 18 | 19 | 22 | 24 | 22 | 18 30 | 18 | 19 |
| 34 18 | 23 | 25 | 24 | 20 09 | 19 | 20 | 23 | 25 | 23 | 19 44 | 19 | 20 | 23 | 25 | 23 | 19 20 | 19 | 20 |
| 11 37 58 | 24 | 26 | 25 | 20 59 | 20 | 21 | 24 | 26 | 24 | 20 34 | 20 | 21 | 24 | 26 | 24 | 20 10 | 20 | 21 |
| 41 39 | 25 | 27 | 25 | 21 49 | 21 | 22 | 25 | 27 | 25 | 21 24 | 21 | 22 | 25 | 27 | 25 | 21 00 | 20 | 22 |
| 45 19 | 26 | 28 | 26 | 22 39 | 22 | 23 | 26 | 28 | 26 | 22 14 | 22 | 23 | 26 | 28 | 26 | 21 50 | 21 | 23 |
| 11 49 0 | 27 | 29 | 27 | 23 29 | 23 | 24 | 27 | 29 | 27 | 23 04 | 23 | 24 | 27 | 28 | 27 | 22 40 | 22 | 24 |
| 52 40 | 28 | ♏ | 28 | 24 19 | 24 | 25 | 28 | 29 | 28 | 23 54 | 23 | 25 | 28 | 29 | 28 | 23 30 | 23 | 25 |
| 56 20 | 29 | 0 | 29 | 25 09 | 25 | 26 | 29 | ♏ | 29 | 24 44 | 24 | 26 | 29 | ♏ | 28 | 24 19 | 24 | 26 |
| Houses | 4 | 5 | 6 | 7 | 8 | 9 | 4 | 5 | 6 | 7 | 8 | 9 | 4 | 5 | 6 | 7 | 8 | 9 |

Latitude 10° S.    Latitude 11° S.    Latitude 12° S.

Latitude 10° N.   Latitude 11° N.   Latitude 12° N.

| Sider'l Time | 10 ≏ | 11 ♏ | 12 ♐ | Asc. | 2 ♑ | 3 ♒ | 10 ≏ | 11 ♏ | 12 ♏ | Asc. | 2 ♑ | 3 ♒ | 10 ≏ | 11 ♏ | 12 ♏ | Asc. | 2 ♑ | 3 ♒ |
|---|---|---|---|---|---|---|---|---|---|---|---|---|---|---|---|---|---|---|
| H M S | ° | ° | ° | ° ′ | ° | ° | ° | ° | ° | ° ′ | ° | ° | ° | ° | ° | ° ′ | ° | ° |
| 12 0 0 | 0 | 1 | 0 | 26 00 | 25 | 27 | 0 | 1 | 29 | 25 35 | 25 | 27 | 0 | 1 | 29 | 25 10 | 25 | 27 |
| 3 40 | 1 | 2 | 1 | 26 50 | 26 | 28 | 1 | 2 | ♐ | 26 25 | 26 | 28 | 1 | 2 | ♐ | 26 00 | 26 | 28 |
| 7 20 | 2 | 3 | 1 | 27 40 | 27 | 29 | 2 | 3 | 1 | 27 15 | 27 | 29 | 2 | 3 | 1 | 26 50 | 27 | 29 |
| 12 11 0 | 3 | 4 | 2 | 28 31 | 28 | ♈ | 3 | 4 | 2 | 28 05 | 28 | ♈ | 3 | 4 | 2 | 27 40 | 28 | ♈ |
| 14 41 | 4 | 5 | 3 | 29 21 | 29 | 1 | 4 | 5 | 3 | 28 56 | 29 | 1 | 4 | 5 | 3 | 28 31 | 29 | 1 |
| 18 21 | 5 | 6 | 4 | 0♑11 | ♒ | 2 | 5 | 6 | 4 | 29 46 | ♒ | 2 | 5 | 6 | 4 | 29 21 | 29 | 2 |
| 12 22 2 | 6 | 7 | 5 | 1 02 | 1 | 3 | 6 | 7 | 5 | 0♑37 | 1 | 3 | 6 | 7 | 4 | 0♑11 | ♒ | 3 |
| 25 42 | 7 | 8 | 6 | 1 53 | 2 | 4 | 7 | 8 | 5 | 1 28 | 1 | 4 | 7 | 8 | 5 | 1 02 | 1 | 4 |
| 29 23 | 8 | 9 | 7 | 2 43 | 3 | 5 | 8 | 9 | 6 | 2 19 | 2 | 5 | 8 | 9 | 6 | 1 53 | 2 | 5 |
| 12 33 4 | 9 | 10 | 7 | 3 34 | 4 | 6 | 9 | 10 | 7 | 3 09 | 3 | 6 | 9 | 10 | 7 | 2 44 | 3 | 6 |
| 36 45 | 10 | 11 | 8 | 4 25 | 5 | 7 | 10 | 11 | 8 | 4 00 | 4 | 7 | 10 | 11 | 8 | 3 35 | 4 | 7 |
| 40 26 | 11 | 12 | 9 | 5 17 | 5 | 8 | 11 | 11 | 9 | 4 52 | 5 | 8 | 11 | 11 | 9 | 4 27 | 5 | 8 |
| 12 44 8 | 12 | 13 | 10 | 6 08 | 6 | 9 | 12 | 12 | 10 | 5 43 | 6 | 9 | 12 | 12 | 9 | 5 18 | 6 | 9 |
| 47 50 | 13 | 13 | 11 | 7 00 | 7 | 10 | 13 | 13 | 11 | 6 35 | 7 | 10 | 13 | 13 | 10 | 6 10 | 7 | 10 |
| 51 32 | 14 | 14 | 12 | 7 51 | 8 | 11 | 14 | 14 | 11 | 7 26 | 8 | 11 | 14 | 14 | 11 | 7 01 | 8 | 11 |
| 12 55 14 | 15 | 15 | 13 | 8 43 | 9 | 12 | 15 | 15 | 12 | 8 18 | 9 | 12 | 15 | 15 | 12 | 7 53 | 9 | 12 |
| 58 57 | 16 | 16 | 13 | 9 35 | 10 | 13 | 16 | 16 | 13 | 9 10 | 10 | 13 | 16 | 16 | 13 | 8 45 | 10 | 13 |
| 13 2 40 | 17 | 17 | 14 | 10 28 | 11 | 14 | 17 | 17 | 14 | 10 02 | 11 | 14 | 17 | 17 | 14 | 9 37 | 11 | 14 |
| 13 6 23 | 18 | 18 | 15 | 11 20 | 12 | 15 | 18 | 18 | 15 | 10 55 | 12 | 15 | 18 | 18 | 15 | 10 30 | 12 | 15 |
| 10 7 | 19 | 19 | 16 | 12 13 | 13 | 16 | 19 | 19 | 16 | 11 47 | 13 | 16 | 19 | 19 | 15 | 11 22 | 13 | 16 |
| 13 51 | 20 | 20 | 17 | 13 05 | 14 | 17 | 20 | 20 | 17 | 12 40 | 14 | 17 | 20 | 20 | 16 | 12 15 | 14 | 17 |
| 13 17 35 | 21 | 21 | 18 | 13 59 | 15 | 18 | 21 | 21 | 17 | 13 33 | 15 | 18 | 21 | 21 | 17 | 13 08 | 15 | 18 |
| 21 20 | 22 | 22 | 19 | 14 52 | 16 | 19 | 22 | 22 | 18 | 14 26 | 16 | 19 | 22 | 21 | 18 | 14 01 | 16 | 19 |
| 25 6 | 23 | 23 | 19 | 15 46 | 17 | 20 | 23 | 22 | 19 | 15 21 | 17 | 20 | 23 | 22 | 19 | 14 55 | 17 | 20 |
| 13 28 52 | 24 | 23 | 20 | 16 39 | 18 | 21 | 24 | 23 | 20 | 16 14 | 18 | 21 | 24 | 23 | 20 | 15 49 | 18 | 21 |
| 32 38 | 25 | 24 | 21 | 17 33 | 19 | 22 | 25 | 24 | 21 | 17 08 | 19 | 22 | 25 | 24 | 21 | 16 44 | 19 | 22 |
| 36 25 | 26 | 25 | 22 | 18 28 | 20 | 23 | 26 | 25 | 22 | 18 02 | 20 | 23 | 26 | 25 | 21 | 17 38 | 20 | 23 |
| 13 40 12 | 27 | 26 | 23 | 19 23 | 21 | 24 | 27 | 26 | 23 | 18 57 | 21 | 24 | 27 | 26 | 22 | 18 33 | 21 | 24 |
| 44 0 | 28 | 27 | 24 | 20 17 | 22 | 26 | 28 | 26 | 23 | 19 52 | 22 | 26 | 28 | 27 | 23 | 19 28 | 22 | 26 |
| 47 48 | 29 | 28 | 25 | 21 12 | 23 | 27 | 29 | 28 | 24 | 20 47 | 23 | 27 | 29 | 28 | 24 | 20 23 | 23 | 27 |
| Houses | 4 | 5 | 6 | 7 | 8 | 9 | 4 | 5 | 6 | 7 | 8 | 9 | 4 | 5 | 6 | 7 | 8 | 9 |

Latitude 10° S.   Latitude 11° S.   Latitude 12° S.

# SIMPLIFIED SCIENTIFIC TABLES OF HOUSES

| | Latitude 10° N. | | | | | | Latitude 11° N. | | | | | | Latitude 12° N. | | | | | |
|---|---|---|---|---|---|---|---|---|---|---|---|---|---|---|---|---|---|---|
| Sider'l Time | 10 ♏ | 11 ♏ | 12 ♐ | Asc. ♑ | 2 ♒ | 3 ♓ | 10 ♏ | 11 ♏ | 12 ♐ | Asc. ♑ | 2 ♒ | 3 ♓ | 10 ♏ | 11 ♏ | 12 ♐ | Asc. ♑ | 2 ♒ | 3 ♓ |
| H M S | ° | ° | ° | ° ' | ° | ° | ° | ° | ° | ° ' | ° | ° | ° | ° | ° | ° ' | ° | ° |
| 13 51 37 | 0 | 29 | 25 | 22 07 | 24 | 28 | 0 | 29 | 25 | 21 43 | 24 | 28 | 0 | 29 | 25 | 21 18 | 23 | 28 |
| 55 27 | 1 | ♐ | 26 | 23 04 | 25 | 29 | 1 | ♐ | 26 | 22 39 | 25 | 29 | 1 | ♐ | 26 | 22 15 | 24 | 29 |
| 59 17 | 2 | 1 | 27 | 24 00 | 26 | ♈ | 2 | 1 | 27 | 23 35 | 26 | ♈ | 2 | 0 | 27 | 23 11 | 25 | ♈ |
| 14 3 8 | 3 | 2 | 28 | 24 57 | 27 | 1 | 3 | 2 | 28 | 24 32 | 27 | 1 | 3 | 1 | 27 | 24 08 | 27 | 1 |
| 6 59 | 4 | 3 | 29 | 25 53 | 28 | 2 | 4 | 2 | 29 | 25 29 | 28 | 2 | 4 | 2 | 28 | 25 05 | 28 | 2 |
| 10 51 | 5 | 3 | ♑ | 26 50 | 29 | 3 | 5 | 3 | ♑ | 26 27 | 29 | 3 | 5 | 3 | 29 | 26 03 | 29 | 3 |
| 14 14 44 | 6 | 4 | 1 | 27 48 | ♓ | 4 | 6 | 4 | 0 | 27 24 | ♓ | 4 | 6 | 4 | ♑ | 27 01 | ♓ | 4 |
| 18 37 | 7 | 5 | 2 | 28 47 | 1 | 5 | 7 | 5 | 1 | 28 22 | 1 | 5 | 7 | 5 | 1 | 27 59 | 1 | 5 |
| 22 31 | 8 | 6 | 2 | 29 45 | 2 | 6 | 8 | 6 | 2 | 29 21 | 2 | 6 | 8 | 6 | 2 | 28 58 | 2 | 6 |
| 14 26 25 | 9 | 7 | 3 | 0♒45 | 3 | 7 | 9 | 7 | 3 | 0♒20 | 3 | 7 | 9 | 7 | 3 | 29 56 | 3 | 7 |
| 30 20 | 10 | 8 | 4 | 1 42 | 5 | 8 | 10 | 8 | 4 | 1 19 | 4 | 8 | 10 | 8 | 4 | 0♒56 | 4 | 9 |
| 34 16 | 11 | 9 | 5 | 2 42 | 6 | 10 | 11 | 9 | 5 | 2 19 | 6 | 10 | 11 | 9 | 5 | 1 56 | 5 | 10 |
| 14 38 13 | 12 | 10 | 6 | 3 43 | 7 | 11 | 12 | 10 | 6 | 3 19 | 7 | 11 | 12 | 10 | 6 | 2 57 | 7 | 11 |
| 42 10 | 13 | 11 | 7 | 4 43 | 8 | 12 | 13 | 11 | 7 | 4 20 | 8 | 12 | 13 | 11 | 6 | 3 58 | 8 | 12 |
| 46 8 | 14 | 12 | 8 | 5 44 | 9 | 13 | 14 | 12 | 8 | 5 21 | 9 | 13 | 14 | 11 | 7 | 4 59 | 9 | 13 |
| 14 50 7 | 15 | 13 | 9 | 6 44 | 10 | 14 | 15 | 13 | 9 | 6 23 | 10 | 14 | 15 | 12 | 8 | 6 01 | 10 | 14 |
| 54 7 | 16 | 14 | 10 | 7 46 | 11 | 15 | 16 | 14 | 10 | 7 25 | 11 | 15 | 16 | 13 | 9 | 7 03 | 11 | 15 |
| 58 7 | 17 | 14 | 11 | 8 48 | 12 | 16 | 17 | 14 | 10 | 8 27 | 12 | 16 | 17 | 14 | 10 | 8 06 | 12 | 16 |
| 15 2 8 | 18 | 15 | 12 | 9 51 | 13 | 17 | 18 | 15 | 11 | 9 30 | 13 | 17 | 18 | 15 | 11 | 9 09 | 13 | 17 |
| 6 9 | 19 | 16 | 13 | 10 53 | 15 | 18 | 19 | 16 | 12 | 10 33 | 15 | 18 | 19 | 16 | 12 | 10 12 | 14 | 18 |
| 10 12 | 20 | 17 | 14 | 11 55 | 16 | 20 | 20 | 17 | 13 | 11 37 | 16 | 20 | 20 | 17 | 13 | 11 16 | 16 | 20 |
| 15 14 15 | 21 | 18 | 15 | 13 00 | 17 | 21 | 21 | 18 | 14 | 12 40 | 17 | 21 | 21 | 18 | 14 | 12 20 | 17 | 21 |
| 18 19 | 22 | 19 | 15 | 14 06 | 18 | 22 | 22 | 19 | 15 | 13 46 | 18 | 22 | 22 | 19 | 15 | 13 26 | 18 | 22 |
| 22 23 | 23 | 20 | 16 | 15 11 | 19 | 23 | 23 | 20 | 16 | 14 51 | 19 | 23 | 23 | 20 | 16 | 14 32 | 19 | 23 |
| 15 26 29 | 24 | 21 | 17 | 16 17 | 20 | 24 | 24 | 21 | 17 | 15 57 | 20 | 24 | 24 | 21 | 17 | 15 37 | 20 | 24 |
| 30 35 | 25 | 22 | 18 | 17 22 | 22 | 25 | 25 | 22 | 18 | 17 04 | 22 | 25 | 25 | 22 | 18 | 16 44 | 21 | 25 |
| 34 41 | 26 | 23 | 19 | 18 29 | 23 | 26 | 26 | 23 | 19 | 18 10 | 23 | 26 | 26 | 23 | 19 | 17 51 | 23 | 26 |
| 15 38 49 | 27 | 24 | 20 | 19 37 | 24 | 27 | 27 | 24 | 20 | 19 17 | 24 | 27 | 27 | 24 | 20 | 18 58 | 24 | 27 |
| 42 57 | 28 | 25 | 21 | 20 44 | 25 | 28 | 28 | 25 | 21 | 20 25 | 25 | 28 | 28 | 24 | 21 | 20 07 | 25 | 29 |
| 47 6 | 29 | 26 | 22 | 21 52 | 26 | ♉ | 29 | 26 | 22 | 21 32 | 26 | ♉ | 29 | 25 | 22 | 21 15 | 26 | ♉ |
| Houses | 4 | 5 | 6 | 7 | 8 | 9 | 4 | 5 | 6 | 7 | 8 | 9 | 4 | 5 | 6 | 7 | 8 | 9 |

| Latitude 10° S. | Latitude 11° S. | Latitude 12° S. |
|---|---|---|

# SIMPLIFIED SCIENTIFIC TABLES OF HOUSES

### Latitude 10° N.   Latitude 11° N.   Latitude 12° N.

Column signs: 10 = ♐, 11 = ♐, 12 = ♑, Asc. = ♒, 2 = ♓, 3 = ♉

| Sider'l Time (H M S) | 10 | 11 | 12 | Asc. | 2 | 3 | 10 | 11 | 12 | Asc. | 2 | 3 | 10 | 11 | 12 | Asc. | 2 | 3 |
|---|---|---|---|---|---|---|---|---|---|---|---|---|---|---|---|---|---|---|
| 15 51 15 | 0 | 27 | 23 | 22°59′ | 27 | 1 | 0 | 27 | 23 | 22°42′ | 27 | 1 | 0 | 26 | 23 | 22°24′ | 27 | 1 |
| 55 25 | 1 | 28 | 24 | 24°08′ | 29 | 2 | 1 | 27 | 24 | 23°50′ | 29 | 2 | 1 | 27 | 24 | 23°33′ | 29 | 2 |
| 59 36 | 2 | 29 | 25 | 25°17′ | ♈ | 3 | 2 | 28 | 25 | 25°00′ | ♈ | 3 | 2 | 28 | 25 | 24°44′ | ♈ | 3 |
| 16 3 48 | 3 | ♑ | 26 | 26°27′ | 1 | 4 | 3 | 29 | 26 | 26°11′ | 1 | 4 | 3 | 29 | 26 | 25°54′ | 1 | 4 |
| 8 0 | 4 | 0 | 27 | 27°36′ | 2 | 5 | 4 | ♑ | 27 | 27°21′ | 2 | 5 | 4 | ♑ | 27 | 27°05′ | 2 | 5 |
| 12 13 | 5 | 1 | 28 | 28°45′ | 4 | 6 | 5 | 1 | 28 | 28°32′ | 4 | 6 | 5 | 1 | 28 | 28°17′ | 4 | 6 |
| 16 16 26 | 6 | 2 | 29 | 29°57′ | 5 | 7 | 6 | 2 | 29 | 29°44′ | 5 | 7 | 6 | 2 | 29 | 29°29′ | 5 | 7 |
| 20 40 | 7 | 3 | ♒ | ♓1°09′ | 6 | 8 | 7 | 3 | ♒ | ♓0°55′ | 6 | 8 | 7 | 3 | ♒ | ♓0°41′ | 6 | 9 |
| 24 55 | 8 | 4 | 2 | 2°21′ | 7 | 9 | 8 | 4 | 1 | 2°08′ | 7 | 10 | 8 | 4 | 1 | 1°54′ | 7 | 10 |
| 16 29 10 | 9 | 5 | 3 | 3°33′ | 8 | 11 | 9 | 5 | 2 | 3°21′ | 8 | 11 | 9 | 5 | 2 | 3°08′ | 8 | 11 |
| 33 26 | 10 | 6 | 4 | 4°45′ | 10 | 12 | 10 | 6 | 3 | 4°34′ | 10 | 12 | 10 | 6 | 3 | 4°22′ | 10 | 12 |
| 37 42 | 11 | 7 | 5 | 5°59′ | 11 | 13 | 11 | 7 | 5 | 5°48′ | 11 | 13 | 11 | 7 | 4 | 5°36′ | 11 | 13 |
| 16 41 59 | 12 | 8 | 6 | 7°13′ | 12 | 14 | 12 | 8 | 6 | 7°02′ | 12 | 14 | 12 | 8 | 5 | 6°50′ | 12 | 14 |
| 46 16 | 13 | 9 | 7 | 8°27′ | 13 | 15 | 13 | 9 | 7 | 8°16′ | 13 | 15 | 13 | 9 | 6 | 8°05′ | 13 | 15 |
| 50 34 | 14 | 10 | 8 | 9°41′ | 14 | 16 | 14 | 10 | 8 | 9°31′ | 15 | 16 | 14 | 10 | 8 | 9°21′ | 15 | 16 |
| 16 54 52 | 15 | 11 | 9 | 10°55′ | 16 | 17 | 15 | 11 | 9 | 10°45′ | 16 | 17 | 15 | 11 | 9 | 10°36′ | 16 | 17 |
| 59 10 | 16 | 12 | 10 | 12°11′ | 17 | 18 | 16 | 12 | 10 | 12°01′ | 17 | 18 | 16 | 12 | 10 | 11°52′ | 17 | 19 |
| 17 3 29 | 17 | 13 | 11 | 13°26′ | 18 | 19 | 17 | 13 | 11 | 13°16′ | 18 | 20 | 17 | 13 | 11 | 13°08′ | 18 | 20 |
| 17 7 49 | 18 | 14 | 12 | 14°42′ | 19 | 20 | 18 | 14 | 12 | 14°32′ | 19 | 21 | 18 | 14 | 12 | 14°25′ | 20 | 21 |
| 12 9 | 19 | 15 | 14 | 15°57′ | 21 | 22 | 19 | 15 | 13 | 15°49′ | 21 | 22 | 19 | 15 | 13 | 15°42′ | 21 | 22 |
| 16 29 | 20 | 16 | 15 | 17°13′ | 22 | 23 | 20 | 16 | 14 | 17°05′ | 22 | 23 | 20 | 16 | 14 | 16°59′ | 22 | 23 |
| 17 20 49 | 21 | 17 | 16 | 18°29′ | 23 | 24 | 21 | 17 | 16 | 18°22′ | 23 | 24 | 21 | 17 | 15 | 18°16′ | 23 | 24 |
| 25 9 | 22 | 18 | 17 | 19°45′ | 24 | 25 | 22 | 18 | 17 | 19°39′ | 24 | 25 | 22 | 18 | 17 | 19°34′ | 24 | 25 |
| 29 30 | 23 | 19 | 18 | 21°02′ | 25 | 26 | 23 | 19 | 18 | 20°57′ | 26 | 26 | 23 | 19 | 18 | 20°52′ | 26 | 26 |
| 17 33 51 | 24 | 20 | 19 | 22°18′ | 27 | 27 | 24 | 20 | 19 | 22°14′ | 27 | 27 | 24 | 20 | 19 | 22°10′ | 27 | 27 |
| 38 12 | 25 | 21 | 20 | 23°34′ | 28 | 28 | 25 | 21 | 20 | 23°31′ | 28 | 28 | 25 | 21 | 20 | 23°28′ | 28 | 28 |
| 42 34 | 26 | 23 | 22 | 24°51′ | 29 | 29 | 26 | 23 | 22 | 24°48′ | 29 | 29 | 26 | 23 | 21 | 24°46′ | 29 | 29 |
| 17 46 55 | 27 | 24 | 23 | 26°08′ | ♉ | ♊ | 27 | 23 | 23 | 26°07′ | ♉ | ♊ | 27 | 23 | 22 | 26°05′ | ♉ | ♊ |
| 51 17 | 28 | 25 | 24 | 27°26′ | 1 | 1 | 28 | 24 | 24 | 27°24′ | 1 | 1 | 28 | 24 | 24 | 27°23′ | 2 | 1 |
| 55 38 | 29 | 26 | 25 | 28°43′ | 3 | 2 | 29 | 26 | 25 | 28°43′ | 3 | 2 | 29 | 25 | 25 | 28°42′ | 3 | 3 |

| Houses | 4 | 5 | 6 | 7 | 8 | 9 | 4 | 5 | 6 | 7 | 8 | 9 | 4 | 5 | 6 | 7 | 8 | 9 |
|---|---|---|---|---|---|---|---|---|---|---|---|---|---|---|---|---|---|---|

### Latitude 10° S.   Latitude 11° S.   Latitude 12° S.

# SIMPLIFIED SCIENTIFIC TABLES OF HOUSES

Latitude 10° N.  Latitude 11° N.  Latitude 12° N.

| Sider'l Time | 10 | 11 | 12 | Asc. | 2 | 3 | 10 | 11 | 12 | Asc. | 2 | 3 | 10 | 11 | 12 | Asc. | 2 | 3 |
|---|---|---|---|---|---|---|---|---|---|---|---|---|---|---|---|---|---|---|
| | VS | VS | ≈ | ♈ | ♉ | Π | VS | VS | ≈ | ♈ | ♉ | Π | VS | VS | ≈ | ♈ | ♉ | Π |
| H M S | ° | ° | ° | ° ′ | ° | ° | ° | ° | ° | ° ′ | ° | ° | ° | ° | ° | ° ′ | ° | ° |
| 18 0 0 | 0 | 27 | 26 | 0 00 | 4 | 3 | 0 | 27 | 26 | 0 00 | 4 | 3 | 0 | 26 | 26 | 0 00 | 4 | 4 |
| 4 22 | 1 | 28 | 27 | 1 17 | 5 | 4 | 1 | 28 | 27 | 1 17 | 5 | 4 | 1 | 27 | 27 | 1 18 | 5 | 5 |
| 8 43 | 2 | 29 | 29 | 2 34 | 6 | 5 | 2 | 29 | 29 | 2 36 | 6 | 6 | 2 | 29 | 28 | 2 37 | 6 | 6 |
| 18 13 5 | 3 | ≈ | ♓ | 3 52 | 7 | 6 | 3 | ≈ | ♓ | 3 53 | 7 | 7 | 3 | ≈ | ♓ | 3 55 | 8 | 7 |
| 17 26 | 4 | 1 | 1 | 5 09 | 8 | 7 | 4 | 1 | 1 | 5 12 | 9 | 8 | 4 | 1 | 1 | 5 14 | 9 | 8 |
| 21 48 | 5 | 2 | 2 | 6 26 | 10 | 9 | 5 | 2 | 2 | 6 29 | 10 | 9 | 5 | 2 | 2 | 6 32 | 10 | 9 |
| 18 26 9 | 6 | 3 | 3 | 7 42 | 11 | 10 | 6 | 3 | 3 | 7 46 | 11 | 10 | 6 | 3 | 3 | 7 50 | 11 | 10 |
| 30 30 | 7 | 4 | 5 | 8 58 | 12 | 11 | 7 | 4 | 4 | 9 03 | 12 | 11 | 7 | 4 | 4 | 9 08 | 12 | 11 |
| 34 51 | 8 | 5 | 6 | 10 15 | 13 | 12 | 8 | 5 | 6 | 10 21 | 13 | 12 | 8 | 5 | 6 | 10 26 | 13 | 12 |
| 18 39 11 | 9 | 6 | 7 | 11 31 | 14 | 13 | 9 | 6 | 7 | 11 38 | 14 | 13 | 9 | 6 | 7 | 11 44 | 15 | 13 |
| 43 31 | 10 | 7 | 8 | 12 47 | 15 | 14 | 10 | 7 | 8 | 12 55 | 16 | 14 | 10 | 7 | 8 | 13 01 | 16 | 14 |
| 47 51 | 11 | 8 | 9 | 14 03 | 16 | 15 | 11 | 8 | 9 | 14 11 | 17 | 15 | 11 | 8 | 9 | 14 18 | 17 | 15 |
| 18 52 11 | 12 | 10 | 11 | 15 18 | 18 | 16 | 12 | 9 | 11 | 15 28 | 18 | 16 | 12 | 9 | 10 | 15 35 | 18 | 16 |
| 56 31 | 13 | 11 | 12 | 16 34 | 19 | 17 | 13 | 10 | 12 | 16 44 | 19 | 17 | 13 | 10 | 12 | 16 52 | 19 | 17 |
| 19 0 50 | 14 | 12 | 13 | 17 49 | 20 | 18 | 14 | 12 | 13 | 17 58 | 20 | 18 | 14 | 11 | 13 | 18 08 | 20 | 18 |
| 19 5 8 | 15 | 13 | 14 | 19 05 | 21 | 19 | 15 | 13 | 14 | 19 15 | 21 | 19 | 15 | 13 | 14 | 19 24 | 21 | 19 |
| 9 26 | 16 | 14 | 15 | 20 19 | 22 | 20 | 16 | 14 | 15 | 20 29 | 22 | 20 | 16 | 14 | 15 | 20 39 | 22 | 20 |
| 13 44 | 17 | 15 | 17 | 21 33 | 23 | 21 | 17 | 15 | 17 | 21 44 | 23 | 21 | 17 | 15 | 17 | 21 55 | 24 | 21 |
| 19 18 1 | 18 | 16 | 18 | 22 47 | 24 | 22 | 18 | 16 | 18 | 22 58 | 24 | 22 | 18 | 16 | 18 | 23 10 | 25 | 22 |
| 22 18 | 19 | 17 | 19 | 24 01 | 25 | 23 | 19 | 17 | 19 | 24 12 | 25 | 23 | 19 | 17 | 19 | 24 24 | 26 | 23 |
| 26 34 | 20 | 18 | 20 | 25 15 | 26 | 24 | 20 | 18 | 20 | 25 26 | 27 | 24 | 20 | 18 | 20 | 25 38 | 27 | 24 |
| 19 30 50 | 21 | 19 | 22 | 26 27 | 27 | 25 | 21 | 19 | 22 | 26 39 | 28 | 25 | 21 | 19 | 22 | 26 52 | 28 | 25 |
| 35 5 | 22 | 21 | 23 | 27 39 | 28 | 26 | 22 | 20 | 23 | 27 52 | 29 | 26 | 22 | 20 | 23 | 28 06 | 29 | 26 |
| 39 20 | 23 | 22 | 24 | 28 51 | Π | 27 | 23 | 22 | 24 | 29 05 | Π | 27 | 23 | 21 | 24 | 29 19 | Π | 27 |
| 19 43 34 | 24 | 23 | 25 | 0 ♉ 03 | 1 | 28 | 24 | 23 | 25 | 0 ♉ 16 | 1 | 28 | 24 | 23 | 25 | 0 ♉ 31 | 1 | 28 |
| 47 47 | 25 | 24 | 26 | 1 15 | 2 | 29 | 25 | 24 | 26 | 1 28 | 2 | 29 | 25 | 24 | 26 | 1 43 | 2 | 29 |
| 52 0 | 26 | 25 | 28 | 2 24 | 3 | ♋ | 26 | 25 | 28 | 2 39 | 3 | ♋ | 26 | 25 | 28 | 2 55 | 3 | ♋ |
| 19 56 12 | 27 | 26 | 29 | 3 33 | 4 | 0 | 27 | 26 | 29 | 3 49 | 4 | 1 | 27 | 26 | 29 | 4 06 | 4 | 1 |
| 20 0 24 | 28 | 27 | ♈ | 4 43 | 5 | 1 | 28 | 27 | ♈ | 5 00 | 5 | 2 | 28 | 27 | ♈ | 5 16 | 5 | 2 |
| 4 35 | 29 | 28 | 1 | 5 52 | 6 | 2 | 29 | 28 | 1 | 6 10 | 6 | 3 | 29 | 28 | 1 | 6 27 | 6 | 3 |
| Houses | 4 | 5 | 6 | 7 | 8 | 9 | 4 | 5 | 6 | 7 | 8 | 9 | 4 | 5 | 6 | 7 | 8 | 9 |

Latitude 10° S.  Latitude 11° S.  Latitude 12°S.

# SIMPLIFIED SCIENTIFIC TABLES OF HOUSES

| Latitude 10° N. | | | | | | Latitude 11° N. | | | | | | Latitude 12° N. | | | | | |
|---|---|---|---|---|---|---|---|---|---|---|---|---|---|---|---|---|---|

| Sider'l Time | 10 ≈ | 11 ≈ | 12 ♈ | Asc. ♉ | 2 Ⅱ | 3 ♋ | 10 ≈ | 11 ≈ | 12 ♈ | Asc. ♉ | 2 Ⅱ | 3 ♋ | 10 ≈ | 11 ≈ | 12 ♈ | Asc. ♉ | 2 Ⅱ | 3 ♋ |
|---|---|---|---|---|---|---|---|---|---|---|---|---|---|---|---|---|---|---|
| H M S | ° | ° | ° | ° ′ | ° | ° | ° | ° | ° | ° ′ | ° | ° | ° | ° | ° | ° ′ | ° | ° |
| 20 8 45 | 0 | 29 | 3 | 7 01 | 7 | 3 | 0 | 29 | 3 | 7 18 | 7 | 3 | 0 | 29 | 3 | 7 36 | 7 | 4 |
| 12 54 | 1 | ♓ | 4 | 8 08 | 8 | 4 | 1 | ♓ | 4 | 8 28 | 8 | 4 | 1 | ♓ | 4 | 8 45 | 8 | 5 |
| 17 3 | 2 | 2 | 5 | 9 16 | 9 | 5 | 2 | 2 | 5 | 9 35 | 9 | 5 | 2 | 1 | 5 | 9 53 | 9 | 6 |
| 20 21 11 | 3 | 3 | 6 | 10 23 | 10 | 6 | 3 | 3 | 6 | 10 43 | 10 | 6 | 3 | 3 | 6 | 11 02 | 10 | 6 |
| 25 19 | 4 | 4 | 7 | 11 31 | 11 | 7 | 4 | 4 | 7 | 11 50 | 11 | 7 | 4 | 4 | 7 | 12 09 | 11 | 7 |
| 29 26 | 5 | 5 | 8 | 12 38 | 12 | 8 | 5 | 5 | 8 | 12 56 | 12 | 8 | 5 | 5 | 9 | 13 16 | 12 | 8 |
| 20 33 31 | 6 | 6 | 10 | 13 43 | 13 | 9 | 6 | 6 | 10 | 14 03 | 13 | 9 | 6 | 6 | 10 | 14 23 | 13 | 9 |
| 37 37 | 7 | 7 | 11 | 14 49 | 14 | 10 | 7 | 7 | 11 | 15 09 | 14 | 10 | 7 | 7 | 11 | 15 28 | 14 | 10 |
| 41 41 | 8 | 8 | 12 | 15 54 | 15 | 11 | 8 | 8 | 12 | 16 14 | 15 | 11 | 8 | 8 | 12 | 16 34 | 15 | 11 |
| 20 45 45 | 9 | 9 | 13 | 17 00 | 15 | 12 | 9 | 9 | 13 | 17 20 | 16 | 12 | 9 | 9 | 13 | 17 40 | 16 | 12 |
| 49 48 | 10 | 10 | 14 | 18 05 | 16 | 13 | 10 | 10 | 14 | 18 23 | 17 | 13 | 10 | 10 | 14 | 18 44 | 17 | 13 |
| 53 51 | 11 | 12 | 15 | 19 07 | 17 | 14 | 11 | 12 | 15 | 19 27 | 18 | 14 | 11 | 12 | 16 | 19 48 | 18 | 14 |
| 20 57 52 | 12 | 13 | 17 | 20 09 | 18 | 15 | 12 | 13 | 17 | 20 30 | 19 | 15 | 12 | 13 | 17 | 20 51 | 19 | 15 |
| 21 1 53 | 13 | 14 | 18 | 21 12 | 19 | 16 | 13 | 14 | 18 | 21 33 | 20 | 16 | 13 | 14 | 18 | 21 54 | 20 | 16 |
| 5 53 | 14 | 15 | 19 | 22 14 | 20 | 16 | 14 | 15 | 19 | 22 35 | 20 | 17 | 14 | 15 | 19 | 22 57 | 21 | 17 |
| 21 9 53 | 15 | 16 | 20 | 23 16 | 21 | 17 | 15 | 16 | 20 | 23 37 | 21 | 18 | 15 | 16 | 20 | 23 59 | 22 | 18 |
| 13 52 | 16 | 17 | 21 | 24 16 | 22 | 18 | 16 | 17 | 21 | 24 39 | 22 | 18 | 16 | 17 | 21 | 25 01 | 23 | 19 |
| 17 50 | 17 | 18 | 22 | 25 17 | 23 | 19 | 17 | 18 | 22 | 25 40 | 23 | 19 | 17 | 18 | 22 | 26 02 | 24 | 19 |
| 21 21 47 | 18 | 19 | 23 | 26 17 | 24 | 20 | 18 | 19 | 23 | 26 41 | 24 | 20 | 18 | 19 | 23 | 27 03 | 24 | 20 |
| 25 44 | 19 | 20 | 24 | 27 18 | 25 | 21 | 19 | 20 | 24 | 27 41 | 25 | 21 | 19 | 20 | 25 | 28 04 | 25 | 21 |
| 29 40 | 20 | 22 | 25 | 28 18 | 26 | 22 | 20 | 22 | 26 | 28 41 | 26 | 22 | 20 | 21 | 26 | 29 04 | 26 | 22 |
| 21 33 35 | 21 | 23 | 27 | 29 15 | 27 | 23 | 21 | 23 | 27 | 29 40 | 27 | 23 | 21 | 23 | 27 | 0Ⅱ04 | 27 | 23 |
| 37 29 | 22 | 24 | 28 | 0Ⅱ15 | 28 | 24 | 22 | 24 | 28 | 0Ⅱ39 | 28 | 24 | 22 | 24 | 28 | 1 02 | 28 | 24 |
| 41 23 | 23 | 25 | 29 | 1 13 | 28 | 25 | 23 | 25 | 29 | 1 38 | 29 | 25 | 23 | 25 | 29 | 2 01 | 29 | 25 |
| 21 45 16 | 24 | 26 | ♉ | 2 12 | 29 | 26 | 24 | 26 | ♉ | 2 36 | ♋ | 26 | 24 | 26 | ♉ | 2 59 | ♋ | 26 |
| 49 9 | 25 | 27 | 1 | 3 10 | ♋ | 27 | 25 | 27 | 1 | 3 33 | 0 | 27 | 25 | 27 | 1 | 3 57 | 1 | 27 |
| 53 1 | 26 | 28 | 2 | 4 07 | 1 | 27 | 26 | 28 | 2 | 4 31 | 1 | 28 | 26 | 28 | 2 | 4 55 | 2 | 28 |
| 21 56 52 | 27 | 29 | 3 | 5 03 | 2 | 28 | 27 | 29 | 3 | 5 28 | 2 | 28 | 27 | 29 | 3 | 5 52 | 3 | 29 |
| 22 0 43 | 28 | ♈ | 4 | 6 00 | 3 | 29 | 28 | ♈ | 4 | 6 25 | 3 | 29 | 28 | ♈ | 5 | 6 49 | 3 | ♌ |
| 4 33 | 29 | 1 | 5 | 6 56 | 4 | ♌ | 29 | 1 | 5 | 7 21 | 4 | ♌ | 29 | 1 | 6 | 7 45 | 4 | 0 |
| Houses | 4 | 5 | 6 | 7 | 8 | 9 | 4 | 5 | 6 | 7 | 8 | 9 | 4 | 5 | 6 | 7 | 8 | 9 |

Latitude 10° S.     Latitude 11° S.     Latitude 12°S.

# SIMPLIFIED SCIENTIFIC TABLES OF HOUSES

Latitude 10° N.  Latitude 11° N.  Latitude 12° N.

| Sider'l Time | 10 ♓ | 11 ♈ | 12 ♉ | Asc. ♊ | 2 ♋ | 3 ♌ | 10 ♓ | 11 ♈ | 12 ♉ | Asc. ♊ | 2 ♋ | 3 ♌ | 10 ♓ | 11 ♈ | 12 ♉ | Asc. ♊ | 2 ♋ | 3 ♌ |
|---|---|---|---|---|---|---|---|---|---|---|---|---|---|---|---|---|---|---|
| H M S | ° | ° | ° | ° ′ | ° | ° | ° | ° | ° | ° ′ | ° | ° | ° | ° | ° | ° ′ | ° | ° |
| 22 8 23 | 0 | 2 | 6 | 7 53 | 5 | 1 | 0 | 2 | 6 | 8 17 | 5 | 1 | 0 | 2 | 6 | 8 42 | 5 | 1 |
| 12 12 | 1 | 3 | 7 | 8 48 | 5 | 2 | 1 | 3 | 7 | 9 13 | 6 | 2 | 1 | 3 | 7 | 9 37 | 6 | 2 |
| 16 0 | 2 | 4 | 8 | 9 43 | 6 | 3 | 2 | 4 | 8 | 10 08 | 7 | 3 | 2 | 4 | 8 | 10 32 | 7 | 3 |
| 22 19 48 | 3 | 6 | 9 | 10 37 | 7 | 4 | 3 | 6 | 9 | 11 03 | 7 | 4 | 3 | 6 | 9 | 11 27 | 8 | 4 |
| 23 35 | 4 | 7 | 10 | 11 32 | 8 | 5 | 4 | 7 | 10 | 11 58 | 8 | 5 | 4 | 7 | 10 | 12 22 | 9 | 5 |
| 27 22 | 5 | 8 | 11 | 12 27 | 9 | 6 | 5 | 8 | 11 | 12 52 | 9 | 6 | 5 | 8 | 11 | 13 16 | 9 | 6 |
| 22 31 8 | 6 | 9 | 12 | 13 21 | 10 | 7 | 6 | 9 | 12 | 13 46 | 10 | 7 | 6 | 9 | 12 | 14 11 | 10 | 7 |
| 34 54 | 7 | 10 | 13 | 14 14 | 11 | 7 | 7 | 10 | 13 | 14 39 | 11 | 8 | 7 | 10 | 13 | 15 05 | 11 | 8 |
| 38 40 | 8 | 11 | 14 | 15 08 | 11 | 8 | 8 | 11 | 14 | 15 34 | 12 | 8 | 8 | 11 | 14 | 15 59 | 12 | 9 |
| 22 42 25 | 9 | 12 | 15 | 16 01 | 12 | 9 | 9 | 12 | 15 | 16 27 | 13 | 9 | 9 | 12 | 15 | 16 52 | 13 | 9 |
| 46 9 | 10 | 13 | 16 | 16 55 | 13 | 10 | 10 | 13 | 16 | 17 20 | 13 | 10 | 10 | 13 | 16 | 17 45 | 14 | 10 |
| 49 53 | 11 | 14 | 17 | 17 47 | 14 | 11 | 11 | 14 | 17 | 18 13 | 14 | 11 | 11 | 14 | 17 | 18 38 | 15 | 11 |
| 22 53 37 | 12 | 15 | 18 | 18 40 | 15 | 12 | 12 | 15 | 18 | 19 05 | 15 | 12 | 12 | 15 | 18 | 19 30 | 15 | 12 |
| 57 20 | 13 | 16 | 19 | 19 32 | 16 | 13 | 13 | 16 | 19 | 19 58 | 16 | 13 | 13 | 16 | 19 | 20 23 | 16 | 13 |
| 23 1 3 | 14 | 17 | 20 | 20 25 | 17 | 14 | 14 | 17 | 20 | 20 50 | 17 | 14 | 14 | 17 | 20 | 21 15 | 17 | 14 |
| 23 4 46 | 15 | 18 | 21 | 21 17 | 17 | 15 | 15 | 18 | 21 | 21 42 | 18 | 15 | 15 | 18 | 21 | 22 07 | 18 | 15 |
| 8 28 | 16 | 19 | 22 | 22 09 | 18 | 16 | 16 | 19 | 22 | 22 34 | 19 | 16 | 16 | 19 | 22 | 22 59 | 19 | 16 |
| 12 10 | 17 | 20 | 23 | 23 00 | 19 | 17 | 17 | 20 | 23 | 23 25 | 19 | 17 | 17 | 20 | 23 | 23 50 | 20 | 17 |
| 23 15 52 | 18 | 21 | 24 | 23 52 | 20 | 17 | 18 | 21 | 24 | 24 17 | 20 | 18 | 18 | 21 | 24 | 24 42 | 21 | 18 |
| 19 34 | 19 | 22 | 25 | 24 43 | 21 | 18 | 19 | 22 | 25 | 25 08 | 21 | 19 | 19 | 22 | 25 | 25 33 | 21 | 19 |
| 23 15 | 20 | 23 | 25 | 25 35 | 22 | 19 | 20 | 23 | 26 | 26 00 | 22 | 19 | 20 | 23 | 26 | 26 25 | 22 | 19 |
| 23 26 56 | 21 | 24 | 26 | 26 26 | 23 | 20 | 21 | 24 | 27 | 26 51 | 23 | 20 | 21 | 24 | 27 | 27 16 | 23 | 20 |
| 30 37 | 22 | 25 | 27 | 27 17 | 23 | 21 | 22 | 25 | 28 | 27 41 | 24 | 21 | 22 | 25 | 28 | 28 07 | 24 | 21 |
| 34 18 | 23 | 26 | 28 | 28 07 | 24 | 22 | 23 | 26 | 29 | 28 32 | 25 | 22 | 23 | 26 | 29 | 28 58 | 25 | 22 |
| 23 37 58 | 24 | 27 | 29 | 28 58 | 25 | 23 | 24 | 27 | 29 | 29 23 | 25 | 23 | 24 | 27 | ♊ | 29 49 | 26 | 23 |
| 41 39 | 25 | 28 | ♊ | 29 49 | 26 | 24 | 25 | 28 | ♊ | 0♋14 | 26 | 24 | 25 | 28 | 1 | 0♋39 | 26 | 24 |
| 45 19 | 26 | 29 | 1 | 0♋39 | 27 | 25 | 26 | 29 | 1 | 1 04 | 27 | 25 | 26 | 29 | 1 | 1 29 | 27 | 25 |
| 23 49 0 | 27 | ♉ | 2 | 1 29 | 28 | 26 | 27 | ♉ | 2 | 1 55 | 28 | 26 | 27 | ♉ | 2 | 2 20 | 28 | 26 |
| 52 40 | 28 | 1 | 3 | 2 20 | 29 | 27 | 28 | 1 | 3 | 2 45 | 29 | 27 | 28 | 1 | 3 | 3 10 | 29 | 27 |
| 56 20 | 29 | 2 | 4 | 3 10 | 29 | 28 | 29 | 2 | 4 | 3 35 | ♌ | 28 | 29 | 2 | 4 | 4 00 | ♌ | 28 |

| Houses | 4 | 5 | 6 | 7 | 8 | 9 | 4 | 5 | 6 | 7 | 8 | 9 | 4 | 5 | 6 | 7 | 8 | 9 |
|---|---|---|---|---|---|---|---|---|---|---|---|---|---|---|---|---|---|---|

Latitude 10° S.  Latitude 11° S.  Latitude 12° S.

# SIMPLIFIED SCIENTIFIC TABLES OF HOUSES

Latitude 13° N.  Latitude 14° N.  Latitude 15° N.

| Sider'l Time | 10 ♈ | 11 ♉ | 12 ♊ | Asc. ♋ | 2 ♌ | 3 ♌ | 10 ♈ | 11 ♉ | 12 ♊ | Asc. ♋ | 2 ♌ | 3 ♌ | 10 ♈ | 11 ♉ | 12 ♊ | Asc. ♋ | 2 ♌ | 3 ♌ |
|---|---|---|---|---|---|---|---|---|---|---|---|---|---|---|---|---|---|---|
| H M S | ° | ° | ° | ° ' | ° | ° | ° | ° | ° | ° ' | ° | ° | ° | ° | ° | ° ' | ° | ° |
| 0 0 0 | 0 | 3 | 5 | 5 15 | 1 | 29 | 0 | 3 | 6 | 5 40 | 1 | 29 | 0 | 3 | 6 | 6 05 | 1 | 29 |
| 3 40 | 1 | 4 | 6 | 6 05 | 2 | ♍ | 1 | 4 | 6 | 6 30 | 2 | ♍ | 1 | 4 | 7 | 6 55 | 2 | ♍ |
| 7 20 | 2 | 5 | 7 | 6 55 | 3 | 1 | 2 | 5 | 7 | 7 20 | 3 | 1 | 2 | 5 | 8 | 7 45 | 3 | 1 |
| 0 11 0 | 3 | 6 | 8 | 7 45 | 4 | 2 | 3 | 6 | 8 | 8 09 | 4 | 2 | 3 | 6 | 9 | 8 35 | 4 | 2 |
| 14 41 | 4 | 7 | 9 | 8 35 | 4 | 3 | 4 | 7 | 9 | 8 59 | 5 | 3 | 4 | 7 | 9 | 9 24 | 5 | 3 |
| 18 21 | 5 | 8 | 10 | 9 24 | 5 | 3 | 5 | 8 | 10 | 9 49 | 5 | 4 | 5 | 8 | 10 | 10 14 | 6 | 4 |
| 0 22 2 | 6 | 9 | 11 | 10 14 | 6 | 4 | 6 | 9 | 11 | 10 39 | 6 | 4 | 6 | 9 | 11 | 11 04 | 7 | 5 |
| 25 42 | 7 | 10 | 12 | 11 04 | 7 | 5 | 7 | 10 | 12 | 11 29 | 7 | 5 | 7 | 10 | 12 | 11 53 | 7 | 5 |
| 29 23 | 8 | 11 | 12 | 11 54 | 8 | 6 | 8 | 11 | 13 | 12 19 | 8 | 6 | 8 | 11 | 13 | 12 43 | 8 | 6 |
| 0 33 4 | 9 | 12 | 13 | 12 44 | 9 | 7 | 9 | 12 | 14 | 13 09 | 9 | 7 | 9 | 12 | 14 | 13 33 | 9 | 7 |
| 36 45 | 10 | 13 | 14 | 13 34 | 10 | 8 | 10 | 13 | 14 | 13 58 | 10 | 8 | 10 | 13 | 15 | 14 23 | 10 | 8 |
| 40 26 | 11 | 14 | 15 | 14 25 | 10 | 9 | 11 | 14 | 15 | 14 48 | 11 | 9 | 11 | 14 | 16 | 15 13 | 11 | 9 |
| 0 44 8 | 12 | 15 | 16 | 15 15 | 11 | 10 | 12 | 15 | 16 | 15 38 | 12 | 10 | 12 | 15 | 16 | 16 03 | 12 | 10 |
| 47 50 | 13 | 16 | 17 | 16 05 | 12 | 11 | 13 | 16 | 17 | 16 29 | 12 | 11 | 13 | 16 | 17 | 16 53 | 13 | 11 |
| 51 32 | 14 | 17 | 18 | 16 55 | 13 | 12 | 14 | 17 | 18 | 17 19 | 13 | 12 | 14 | 17 | 18 | 17 43 | 14 | 12 |
| 0 55 14 | 15 | 18 | 19 | 17 45 | 14 | 13 | 15 | 18 | 19 | 18 09 | 14 | 13 | 15 | 18 | 19 | 18 32 | 14 | 13 |
| 58 57 | 16 | 19 | 19 | 18 35 | 15 | 14 | 16 | 19 | 20 | 18 59 | 15 | 14 | 16 | 19 | 20 | 19 22 | 15 | 14 |
| 1 2 40 | 17 | 20 | 20 | 19 26 | 16 | 15 | 17 | 20 | 21 | 19 49 | 16 | 15 | 17 | 20 | 21 | 20 12 | 16 | 15 |
| 1 6 23 | 18 | 20 | 21 | 20 16 | 17 | 16 | 18 | 21 | 21 | 20 40 | 17 | 16 | 18 | 21 | 22 | 21 02 | 17 | 16 |
| 10 7 | 19 | 21 | 22 | 21 07 | 18 | 17 | 19 | 22 | 22 | 21 30 | 18 | 17 | 19 | 22 | 23 | 21 52 | 18 | 17 |
| 13 51 | 20 | 22 | 23 | 21 58 | 18 | 18 | 20 | 22 | 23 | 22 20 | 19 | 18 | 20 | 23 | 23 | 22 43 | 19 | 18 |
| 1 17 35 | 21 | 23 | 24 | 22 48 | 19 | 19 | 21 | 23 | 24 | 23 11 | 20 | 19 | 21 | 24 | 24 | 23 34 | 20 | 19 |
| 21 20 | 22 | 24 | 25 | 23 39 | 20 | 20 | 22 | 24 | 25 | 24 02 | 20 | 20 | 22 | 24 | 25 | 24 25 | 21 | 20 |
| 25 6 | 23 | 25 | 26 | 24 30 | 21 | 21 | 23 | 25 | 26 | 24 53 | 21 | 21 | 23 | 25 | 26 | 25 15 | 22 | 21 |
| 1 28 52 | 24 | 26 | 26 | 25 21 | 22 | 22 | 24 | 26 | 27 | 25 44 | 22 | 22 | 24 | 26 | 27 | 26 06 | 22 | 22 |
| 32 38 | 25 | 27 | 27 | 26 13 | 23 | 23 | 25 | 27 | 28 | 26 35 | 23 | 23 | 25 | 27 | 28 | 26 57 | 23 | 23 |
| 36 25 | 26 | 28 | 28 | 27 04 | 24 | 24 | 26 | 28 | 28 | 27 26 | 24 | 24 | 26 | 28 | 29 | 27 48 | 24 | 24 |
| 1 40 12 | 27 | 29 | 29 | 27 56 | 25 | 25 | 27 | 29 | 29 | 28 18 | 25 | 25 | 27 | 29 | ♋ | 28 40 | 25 | 25 |
| 44 0 | 28 | ♊ | ♋ | 28 48 | 26 | 26 | 28 | ♊ | ♋ | 29 09 | 26 | 26 | 28 | ♊ | 0 | 29 31 | 26 | 26 |
| 47 48 | 29 | 1 | 1 | 29 40 | 27 | 27 | 29 | 1 | 1 | 0♌01 | 27 | 27 | 29 | 1 | 1 | 0♌23 | 27 | 27 |
| Houses | 4 | 5 | 6 | 7 | 8 | 9 | 4 | 5 | 6 | 7 | 8 | 9 | 4 | 5 | 6 | 7 | 8 | 9 |

Latitude 13° S.  Latitude 14° S.  Latitude 15° S.

| Sider'l Time | Latitude 13° N. | | | | | | Latitude 14° N. | | | | | | Latitude 15° N. | | | | | |
|---|---|---|---|---|---|---|---|---|---|---|---|---|---|---|---|---|---|---|
| | 10 | 11 | 12 | Asc. | 2 | 3 | 10 | 11 | 12 | Asc. | 2 | 3 | 10 | 11 | 12 | Asc. | 2 | 3 |
| | ♉ | ♊ | ♋ | ♌ | ♌ | ♍ | ♉ | ♊ | ♋ | ♌ | ♌ | ♍ | ♉ | ♊ | ♋ | ♌ | ♌ | ♍ |
| H M S | ° | ° | ° | ° ′ | ° | ° | ° | ° | ° | ° ′ | ° | ° | ° | ° | ° | ° ′ | ° | ° |
| 1 51 37 | 0 | 2 | 2 | 0 32 | 28 | 28 | 0 | 2 | 2 | 0 53 | 28 | 28 | 0 | 2 | 2 | 1 14 | 28 | 28 |
| 55 27 | 1 | 3 | 2 | 1 25 | 29 | 29 | 1 | 3 | 3 | 1 45 | 29 | 29 | 1 | 3 | 3 | 2 06 | 29 | 29 |
| 59 17 | 2 | 4 | 3 | 2 17 | ♍ | ♎ | 2 | 4 | 4 | 2 37 | ♍ | ♎ | 2 | 4 | 4 | 2 59 | ♍ | ♎ |
| 2 3 8 | 3 | 4 | 4 | 3 10 | 0 | 1 | 3 | 5 | 5 | 3 30 | 1 | 1 | 3 | 5 | 5 | 3 51 | 1 | 1 |
| 6 59 | 4 | 5 | 5 | 4 03 | 1 | 2 | 4 | 6 | 5 | 4 23 | 2 | 2 | 4 | 6 | 6 | 4 44 | 2 | 2 |
| 10 51 | 5 | 6 | 6 | 4 56 | 2 | 3 | 5 | 6 | 6 | 5 16 | 3 | 3 | 5 | 7 | 7 | 5 36 | 3 | 3 |
| 2 14 44 | 6 | 7 | 7 | 5 49 | 3 | 4 | 6 | 7 | 7 | 6 09 | 3 | 4 | 6 | 8 | 7 | 6 29 | 4 | 4 |
| 18 37 | 7 | 8 | 8 | 6 43 | 4 | 5 | 7 | 8 | 8 | 7 03 | 4 | 5 | 7 | 8 | 8 | 7 23 | 5 | 5 |
| 22 31 | 8 | 9 | 9 | 7 37 | 5 | 6 | 8 | 9 | 9 | 7 57 | 5 | 6 | 8 | 9 | 9 | 8 16 | 6 | 6 |
| 2 26 25 | 9 | 10 | 10 | 8 31 | 6 | 7 | 9 | 10 | 10 | 8 50 | 6 | 7 | 9 | 10 | 10 | 9 10 | 7 | 7 |
| 30 20 | 10 | 11 | 10 | 9 25 | 7 | 8 | 10 | 11 | 11 | 9 44 | 7 | 8 | 10 | 11 | 11 | 10 03 | 7 | 8 |
| 34 16 | 11 | 12 | 11 | 10 20 | 8 | 9 | 11 | 12 | 12 | 10 38 | 8 | 9 | 11 | 12 | 12 | 10 57 | 8 | 9 |
| 2 38 13 | 12 | 13 | 12 | 11 15 | 9 | 10 | 12 | 13 | 12 | 11 33 | 9 | 10 | 12 | 13 | 13 | 11 51 | 9 | 10 |
| 42 10 | 13 | 14 | 13 | 12 10 | 10 | 11 | 13 | 14 | 13 | 12 28 | 10 | 11 | 13 | 14 | 14 | 12 46 | 10 | 11 |
| 46 8 | 14 | 15 | 14 | 13 05 | 11 | 12 | 14 | 15 | 14 | 13 23 | 11 | 12 | 14 | 15 | 15 | 13 41 | 11 | 12 |
| 2 50 7 | 15 | 16 | 15 | 14 01 | 12 | 13 | 15 | 16 | 15 | 14 19 | 12 | 13 | 15 | 16 | 15 | 14 36 | 12 | 13 |
| 54 7 | 16 | 17 | 16 | 14 57 | 13 | 14 | 16 | 17 | 16 | 15 14 | 13 | 14 | 16 | 17 | 16 | 15 31 | 13 | 14 |
| 58 7 | 17 | 17 | 17 | 15 53 | 14 | 15 | 17 | 18 | 17 | 16 10 | 14 | 15 | 17 | 18 | 17 | 16 27 | 14 | 15 |
| 3 2 8 | 18 | 18 | 18 | 16 49 | 15 | 16 | 18 | 19 | 18 | 17 06 | 15 | 16 | 18 | 19 | 18 | 17 23 | 15 | 16 |
| 6 9 | 19 | 19 | 19 | 17 46 | 16 | 17 | 19 | 19 | 19 | 18 02 | 16 | 17 | 19 | 20 | 19 | 18 19 | 16 | 17 |
| 10 12 | 20 | 20 | 20 | 18 43 | 17 | 18 | 20 | 20 | 20 | 18 59 | 17 | 18 | 20 | 21 | 20 | 19 15 | 17 | 18 |
| 3 14 15 | 21 | 21 | 20 | 19 40 | 18 | 19 | 21 | 21 | 21 | 19 56 | 18 | 19 | 21 | 22 | 21 | 20 12 | 18 | 19 |
| 18 19 | 22 | 22 | 21 | 20 38 | 19 | 20 | 22 | 22 | 22 | 20 54 | 19 | 20 | 22 | 22 | 22 | 21 09 | 19 | 20 |
| 22 23 | 23 | 23 | 22 | 21 36 | 20 | 21 | 23 | 23 | 23 | 21 51 | 20 | 22 | 23 | 23 | 23 | 22 07 | 21 | 21 |
| 3 26 29 | 24 | 24 | 23 | 22 34 | 21 | 23 | 24 | 24 | 23 | 22 49 | 21 | 23 | 24 | 24 | 24 | 23 04 | 22 | 23 |
| 30 35 | 25 | 25 | 24 | 23 33 | 22 | 24 | 25 | 25 | 24 | 23 47 | 22 | 24 | 25 | 25 | 25 | 24 02 | 23 | 24 |
| 34 41 | 26 | 26 | 25 | 24 31 | 24 | 25 | 26 | 26 | 25 | 24 45 | 24 | 25 | 26 | 26 | 26 | 25 00 | 24 | 25 |
| 3 38 49 | 27 | 27 | 26 | 25 30 | 25 | 26 | 27 | 27 | 26 | 25 44 | 25 | 26 | 27 | 27 | 27 | 25 58 | 25 | 26 |
| 42 57 | 28 | 28 | 27 | 26 29 | 26 | 27 | 28 | 28 | 27 | 26 42 | 26 | 27 | 28 | 28 | 28 | 26 57 | 26 | 27 |
| 47 6 | 29 | 29 | 28 | 27 28 | 27 | 28 | 29 | 29 | 28 | 27 41 | 27 | 28 | 29 | 29 | 29 | 27 55 | 27 | 28 |
| Houses | 4 | 5 | 6 | 7 | 8 | 9 | 4 | 5 | 6 | 7 | 8 | 9 | 4 | 5 | 6 | 7 | 8 | 9 |

Latitude 13° S.    Latitude 14° S.    Latitude 15° S.

# SIMPLIFIED SCIENTIFIC TABLES OF HOUSES

Latitude 13° N.  Latitude 14° N.  Latitude 15° N.

| Sider'l Time (H M S) | 10 ∏ | 11 ♋ | 12 ♋ | Asc Ω | 2 ♍ | 3 ♎ | 10 ∏ | 11 ♋ | 12 ♋ | Asc Ω | 2 ♍ | 3 ♎ | 10 ∏ | 11 ♋ | 12 ♋ | Asc Ω | 2 ♍ | 3 ♎ |
|---|---|---|---|---|---|---|---|---|---|---|---|---|---|---|---|---|---|---|
| 3 51 15 | 0 | 0 | 29 | 28 28 | 28 | 29 | 0 | 0 | 29 | 28 41 | 28 | 29 | 0 | 0 | 29 | 28 54 | 28 | 29 |
| 55 25 | 1 | 1 | Ω | 29 28 | 29 | ♏ | 1 | 1 | Ω | 29 41 | 29 | ♏ | 1 | 1 | Ω | 29 53 | 29 | ♏ |
| 59 36 | 2 | 2 | 1 | 0♍29 | ♎ | 1 | 2 | 2 | 1 | 0♍41 | ♎ | 1 | 2 | 2 | 1 | 0♍53 | ♎ | 1 |
| 4 3 48 | 3 | 3 | 2 | 1 29 | 1 | 2 | 3 | 3 | 2 | 1 41 | 1 | 2 | 3 | 3 | 2 | 1 53 | 1 | 2 |
| 8 0 | 4 | 4 | 3 | 2 30 | 2 | 3 | 4 | 4 | 3 | 2 41 | 2 | 3 | 4 | 4 | 3 | 2 53 | 2 | 3 |
| 12 13 | 5 | 5 | 4 | 3 31 | 3 | 4 | 5 | 5 | 4 | 3 42 | 3 | 4 | 5 | 5 | 4 | 3 53 | 3 | 4 |
| 4 16 26 | 6 | 6 | 5 | 4 32 | 4 | 5 | 6 | 6 | 5 | 4 43 | 4 | 5 | 6 | 6 | 5 | 4 54 | 4 | 5 |
| 20 40 | 7 | 6 | 6 | 5 34 | 5 | 6 | 7 | 7 | 6 | 5 44 | 5 | 6 | 7 | 7 | 6 | 5 55 | 5 | 6 |
| 24 55 | 8 | 7 | 7 | 6 36 | 6 | 7 | 8 | 8 | 7 | 6 46 | 6 | 7 | 8 | 8 | 7 | 6 56 | 6 | 7 |
| 4 29 10 | 9 | 8 | 8 | 7 39 | 7 | 8 | 9 | 9 | 8 | 7 48 | 7 | 8 | 9 | 9 | 8 | 7 57 | 7 | 8 |
| 33 26 | 10 | 9 | 9 | 8 41 | 9 | 10 | 10 | 10 | 9 | 8 50 | 8 | 10 | 10 | 10 | 9 | 8 58 | 8 | 9 |
| 37 42 | 11 | 10 | 10 | 9 43 | 10 | 11 | 11 | 11 | 10 | 9 52 | 10 | 11 | 11 | 11 | 10 | 10 00 | 10 | 10 |
| 4 41 59 | 12 | 11 | 11 | 10 46 | 11 | 12 | 12 | 12 | 11 | 10 54 | 11 | 12 | 12 | 12 | 11 | 11 02 | 11 | 12 |
| 46 16 | 13 | 12 | 12 | 11 49 | 12 | 13 | 13 | 13 | 12 | 11 56 | 12 | 13 | 13 | 13 | 12 | 12 04 | 12 | 13 |
| 50 34 | 14 | 13 | 13 | 12 52 | 13 | 14 | 14 | 14 | 13 | 12 59 | 13 | 14 | 14 | 14 | 13 | 13 06 | 13 | 14 |
| 4 54 52 | 15 | 14 | 14 | 13 55 | 14 | 15 | 15 | 15 | 14 | 14 02 | 14 | 15 | 15 | 15 | 14 | 14 09 | 14 | 15 |
| 59 10 | 16 | 15 | 15 | 14 59 | 15 | 16 | 16 | 16 | 15 | 15 05 | 15 | 16 | 16 | 16 | 15 | 15 11 | 15 | 16 |
| 5 3 29 | 17 | 16 | 16 | 16 02 | 16 | 17 | 17 | 17 | 16 | 16 08 | 16 | 17 | 17 | 17 | 16 | 16 14 | 16 | 17 |
| 5 7 49 | 18 | 17 | 17 | 17 06 | 17 | 18 | 18 | 18 | 17 | 17 11 | 17 | 18 | 18 | 18 | 17 | 17 17 | 17 | 18 |
| 12 9 | 19 | 18 | 18 | 18 10 | 18 | 19 | 19 | 19 | 18 | 18 15 | 18 | 19 | 19 | 19 | 18 | 18 20 | 18 | 19 |
| 16 29 | 20 | 19 | 19 | 19 14 | 19 | 20 | 20 | 20 | 19 | 19 19 | 19 | 20 | 20 | 20 | 19 | 19 23 | 19 | 20 |
| 5 20 49 | 21 | 20 | 20 | 20 18 | 21 | 21 | 21 | 20 | 20 | 20 22 | 20 | 21 | 21 | 21 | 20 | 20 26 | 20 | 21 |
| 25 9 | 22 | 21 | 21 | 21 22 | 22 | 22 | 22 | 22 | 21 | 21 26 | 22 | 22 | 22 | 22 | 22 | 21 30 | 21 | 22 |
| 29 30 | 23 | 22 | 22 | 22 28 | 23 | 23 | 23 | 23 | 22 | 22 30 | 23 | 23 | 23 | 23 | 23 | 22 33 | 22 | 23 |
| 5 33 51 | 24 | 23 | 23 | 23 32 | 24 | 24 | 24 | 23 | 23 | 23 34 | 24 | 24 | 24 | 24 | 24 | 23 37 | 24 | 24 |
| 38 12 | 25 | 24 | 24 | 24 36 | 25 | 25 | 25 | 24 | 25 | 24 38 | 25 | 25 | 25 | 25 | 25 | 24 41 | 25 | 25 |
| 42 34 | 26 | 25 | 25 | 25 40 | 26 | 26 | 26 | 26 | 25 | 25 42 | 26 | 26 | 26 | 26 | 26 | 25 44 | 26 | 26 |
| 5 46 55 | 27 | 26 | 26 | 26 46 | 27 | 27 | 27 | 27 | 26 | 26 47 | 27 | 27 | 27 | 27 | 27 | 26 48 | 27 | 27 |
| 51 17 | 28 | 27 | 28 | 27 50 | 28 | 28 | 28 | 28 | 27 | 27 51 | 28 | 28 | 28 | 28 | 28 | 27 52 | 28 | 28 |
| 55 38 | 29 | 28 | 29 | 28 55 | 29 | ♐ | 29 | 29 | 29 | 28 56 | 29 | 29 | 29 | 29 | 29 | 28 56 | 29 | 29 |
| Houses | 4 | 5 | 6 | 7 | 8 | 9 | 4 | 5 | 6 | 7 | 8 | 9 | 4 | 5 | 6 | 7 | 8 | 9 |

Latitude 13° S.  Latitude 14° S.  Latitude 15° S.

# SIMPLIFIED SCIENTIFIC TABLES OF HOUSES

Latitude 13° N.    Latitude 14° N.    Latitude 15° N.

| Sider'l Time (H M S) | 10 | 11 | 12 | Asc. | 2 | 3 | 10 | 11 | 12 | Asc. | 2 | 3 | 10 | 11 | 12 | Asc. | 2 | 3 |
|---|---|---|---|---|---|---|---|---|---|---|---|---|---|---|---|---|---|---|
| | ♋ | ♋ | ♍ | ♎ | ♏ | ♐ | ♋ | ♌ | ♍ | ♎ | ♏ | ♐ | ♋ | ♌ | ♍ | ♎ | ♏ | ♐ |
| 6 0 0 | 0 | 29 | 0 | 0 00 | 0 | 1 | 0 | 0 | 0 | 0 00 | 0 | 0 | 0 | 0 | 0 | 0 00 | 0 | 0 |
| 4 22 | 1 | ♌ | 1 | 1 05 | 1 | 2 | 1 | 1 | 1 | 1 04 | 1 | 1 | 1 | 1 | 1 | 1 04 | 1 | 1 |
| 8 43 | 2 | 2 | 2 | 2 10 | 2 | 3 | 2 | 2 | 2 | 2 09 | 2 | 2 | 2 | 2 | 2 | 2 08 | 2 | 2 |
| 6 13 5 | 3 | 3 | 3 | 3 14 | 4 | 4 | 3 | 3 | 3 | 3 13 | 3 | 3 | 3 | 3 | 3 | 3 12 | 3 | 3 |
| 17 26 | 4 | 4 | 4 | 4 20 | 5 | 5 | 4 | 4 | 4 | 4 18 | 4 | 4 | 4 | 4 | 4 | 4 16 | 4 | 4 |
| 21 48 | 5 | 5 | 5 | 5 24 | 6 | 6 | 5 | 5 | 5 | 5 22 | 5 | 6 | 5 | 5 | 5 | 5 19 | 5 | 5 |
| 6 26 9 | 6 | 6 | 6 | 6 28 | 7 | 7 | 6 | 6 | 6 | 6 26 | 7 | 7 | 6 | 6 | 6 | 6 23 | 6 | 6 |
| 30 30 | 7 | 7 | 7 | 7 32 | 8 | 8 | 7 | 7 | 7 | 7 30 | 8 | 8 | 7 | 7 | 8 | 7 27 | 7 | 7 |
| 34 51 | 8 | 8 | 8 | 8 38 | 9 | 9 | 8 | 8 | 8 | 8 34 | 9 | 9 | 8 | 8 | 9 | 8 30 | 8 | 8 |
| 6 39 11 | 9 | 9 | 9 | 9 42 | 10 | 10 | 9 | 9 | 10 | 9 38 | 10 | 10 | 9 | 9 | 10 | 9 34 | 10 | 9 |
| 43 31 | 10 | 10 | 11 | 10 46 | 11 | 11 | 10 | 10 | 11 | 10 41 | 11 | 11 | 10 | 10 | 11 | 10 37 | 11 | 10 |
| 47 51 | 11 | 11 | 12 | 11 50 | 12 | 12 | 11 | 11 | 12 | 11 45 | 12 | 12 | 11 | 11 | 12 | 11 40 | 12 | 11 |
| 6 52 11 | 12 | 12 | 13 | 12 54 | 13 | 13 | 12 | 12 | 13 | 12 49 | 13 | 13 | 12 | 12 | 13 | 12 43 | 13 | 12 |
| 56 31 | 13 | 13 | 14 | 13 58 | 14 | 14 | 13 | 13 | 14 | 13 52 | 14 | 14 | 13 | 13 | 14 | 13 46 | 14 | 13 |
| 7 0 50 | 14 | 14 | 15 | 15 01 | 15 | 15 | 14 | 14 | 15 | 14 55 | 15 | 15 | 14 | 14 | 15 | 14 49 | 15 | 14 |
| 7 5 8 | 15 | 15 | 16 | 16 05 | 16 | 16 | 15 | 15 | 16 | 15 58 | 16 | 16 | 15 | 15 | 16 | 15 51 | 16 | 15 |
| 9 26 | 16 | 16 | 17 | 17 08 | 17 | 17 | 16 | 16 | 17 | 17 01 | 17 | 17 | 16 | 16 | 17 | 16 54 | 17 | 16 |
| 13 44 | 17 | 17 | 18 | 18 11 | 18 | 18 | 17 | 17 | 18 | 18 04 | 18 | 18 | 17 | 17 | 18 | 17 56 | 18 | 17 |
| 7 18 1 | 18 | 18 | 19 | 19 14 | 19 | 19 | 18 | 18 | 19 | 19 06 | 19 | 19 | 18 | 18 | 19 | 18 58 | 19 | 18 |
| 22 18 | 19 | 19 | 20 | 20 17 | 20 | 20 | 19 | 19 | 20 | 20 08 | 20 | 20 | 19 | 19 | 20 | 20 00 | 20 | 19 |
| 26 34 | 20 | 20 | 21 | 21 19 | 21 | 21 | 20 | 20 | 21 | 21 10 | 21 | 21 | 20 | 20 | 21 | 21 02 | 21 | 20 |
| 7 30 50 | 21 | 22 | 23 | 22 21 | 22 | 22 | 21 | 22 | 23 | 22 12 | 22 | 21 | 21 | 22 | 23 | 22 03 | 22 | 21 |
| 35 5 | 22 | 23 | 24 | 23 24 | 23 | 23 | 22 | 23 | 24 | 23 14 | 23 | 22 | 22 | 23 | 24 | 23 04 | 23 | 22 |
| 39 20 | 23 | 24 | 25 | 24 26 | 24 | 24 | 23 | 24 | 25 | 24 16 | 24 | 23 | 23 | 24 | 25 | 24 05 | 24 | 23 |
| 7 43 34 | 24 | 25 | 26 | 25 28 | 25 | 24 | 24 | 25 | 26 | 25 17 | 25 | 24 | 24 | 25 | 26 | 25 06 | 25 | 24 |
| 47 47 | 25 | 26 | 27 | 26 29 | 26 | 25 | 25 | 26 | 27 | 26 18 | 26 | 25 | 25 | 26 | 27 | 26 07 | 26 | 25 |
| 52 0 | 26 | 27 | 28 | 27 30 | 27 | 26 | 26 | 27 | 28 | 27 19 | 27 | 26 | 26 | 27 | 28 | 27 07 | 27 | 26 |
| 7 56 12 | 27 | 28 | 29 | 28 31 | 28 | 27 | 27 | 28 | 29 | 28 19 | 28 | 27 | 27 | 28 | 29 | 28 07 | 28 | 27 |
| 8 0 24 | 28 | 29 | ≏ | 29 31 | 29 | 28 | 28 | 29 | ≏ | 29 19 | 29 | 28 | 28 | 29 | ≏ | 29 07 | 29 | 28 |
| 4 35 | 29 | ♍ | 1 | 0♏32 | ♐ | 29 | 29 | ♍ | 1 | 0♏19 | ♐ | 29 | 29 | ♍ | 1 | 0♏07 | ♐ | 29 |
| Houses | 4 | 5 | 6 | 7 | 8 | 9 | 4 | 5 | 6 | 7 | 8 | 9 | 4 | 5 | 6 | 7 | 8 | 9 |

Latitude 13° S.    Latitude 14° S.    Latitude 15° S.

# SIMPLIFIED SCIENTIFIC TABLES OF HOUSES

### Latitude 13° N.  Latitude 14° N.  Latitude 15° N.

| Sider'l Time | 10 | 11 | 12 | Asc. | 2 | 3 | 10 | 11 | 12 | Asc. | 2 | 3 | 10 | 11 | 12 | Asc. | 2 | 3 |
|---|---|---|---|---|---|---|---|---|---|---|---|---|---|---|---|---|---|---|
| | Ω | ♍ | ≏ | ♏ | ♐ | ♑ | Ω | ♍ | ≏ | ♏ | ♐ | ♑ | Ω | ♍ | ≏ | ♏ | ♐ | ♑ |
| H M S | ° | ° | ° | ° ′ | ° | ° | ° | ° | ° | ° ′ | ° | ° | ° | ° | ° | ° ′ | ° | ° |
| 8 8 45 | 0 | 1 | 2 | 1 32 | 1 | 0 | 0 | 1 | 2 | 1 19 | 1 | 0 | 0 | 1 | 2 | 1 06 | 1 | 0 |
| 12 54 | 1 | 2 | 3 | 2 32 | 2 | 1 | 1 | 2 | 3 | 2 19 | 2 | 1 | 1 | 2 | 3 | 2 05 | 2 | 1 |
| 17 3 | 2 | 3 | 4 | 3 31 | 3 | 2 | 2 | 3 | 4 | 3 18 | 3 | 2 | 2 | 3 | 4 | 3 03 | 2 | 2 |
| 8 21 11 | 3 | 4 | 5 | 4 30 | 4 | 3 | 3 | 4 | 5 | 4 16 | 4 | 3 | 3 | 4 | 5 | 4 02 | 3 | 3 |
| 25 19 | 4 | 5 | 6 | 5 29 | 5 | 4 | 4 | 5 | 6 | 5 15 | 5 | 4 | 4 | 5 | 6 | 5 00 | 4 | 4 |
| 29 26 | 5 | 6 | 8 | 6 27 | 6 | 5 | 5 | 6 | 7 | 6 13 | 6 | 5 | 5 | 6 | 7 | 5 58 | 5 | 5 |
| 8 33 31 | 6 | 7 | 9 | 7 26 | 7 | 6 | 6 | 7 | 9 | 7 11 | 7 | 6 | 6 | 7 | 8 | 6 56 | 6 | 6 |
| 37 37 | 7 | 8 | 10 | 8 24 | 8 | 7 | 7 | 8 | 10 | 8 09 | 7 | 7 | 7 | 9 | 9 | 7 53 | 7 | 7 |
| 41 41 | 8 | 9 | 11 | 9 22 | 9 | 8 | 8 | 10 | 11 | 9 06 | 8 | 8 | 8 | 10 | 11 | 8 51 | 8 | 8 |
| 8 45 45 | 9 | 11 | 12 | 10 20 | 10 | 9 | 9 | 11 | 12 | 10 04 | 9 | 9 | 9 | 11 | 12 | 9 48 | 9 | 8 |
| 49 48 | 10 | 12 | 13 | 11 17 | 10 | 10 | 10 | 12 | 13 | 11 01 | 10 | 10 | 10 | 12 | 13 | 10 45 | 10 | 9 |
| 53 51 | 11 | 13 | 14 | 12 14 | 11 | 11 | 11 | 13 | 14 | 11 58 | 11 | 11 | 11 | 13 | 14 | 11 41 | 11 | 10 |
| 8 57 52 | 12 | 14 | 15 | 13 11 | 12 | 12 | 12 | 14 | 15 | 12 54 | 12 | 11 | 12 | 14 | 15 | 12 37 | 12 | 11 |
| 9 1 53 | 13 | 15 | 16 | 14 07 | 13 | 13 | 13 | 15 | 16 | 13 50 | 13 | 12 | 13 | 15 | 16 | 13 33 | 13 | 12 |
| 5 53 | 14 | 16 | 17 | 15 03 | 14 | 13 | 14 | 16 | 17 | 14 46 | 14 | 13 | 14 | 16 | 17 | 14 29 | 14 | 13 |
| 9 9 53 | 15 | 17 | 18 | 15 59 | 15 | 14 | 15 | 17 | 18 | 15 41 | 15 | 14 | 15 | 17 | 18 | 15 24 | 15 | 14 |
| 13 52 | 16 | 18 | 19 | 16 55 | 16 | 15 | 16 | 18 | 19 | 16 37 | 16 | 15 | 16 | 18 | 19 | 16 19 | 15 | 15 |
| 17 50 | 17 | 19 | 20 | 17 50 | 17 | 16 | 17 | 19 | 20 | 17 32 | 17 | 16 | 17 | 19 | 20 | 17 14 | 16 | 16 |
| 9 21 47 | 18 | 20 | 21 | 18 45 | 18 | 17 | 18 | 20 | 21 | 18 27 | 18 | 17 | 18 | 20 | 21 | 18 09 | 17 | 17 |
| 25 44 | 19 | 21 | 22 | 19 40 | 19 | 18 | 19 | 21 | 22 | 19 22 | 18 | 18 | 19 | 21 | 22 | 19 03 | 18 | 18 |
| 29 40 | 20 | 22 | 23 | 20 35 | 20 | 19 | 20 | 22 | 23 | 20 16 | 19 | 19 | 20 | 22 | 23 | 19 57 | 19 | 19 |
| 9 33 35 | 21 | 23 | 24 | 21 29 | 20 | 20 | 21 | 23 | 24 | 21 10 | 20 | 20 | 21 | 23 | 23 | 20 50 | 20 | 20 |
| 37 29 | 22 | 24 | 25 | 22 23 | 21 | 21 | 22 | 24 | 25 | 22 03 | 21 | 21 | 22 | 24 | 24 | 21 44 | 21 | 21 |
| 41 23 | 23 | 25 | 26 | 23 17 | 22 | 22 | 23 | 25 | 26 | 22 57 | 22 | 22 | 23 | 25 | 25 | 22 37 | 22 | 22 |
| 9 45 16 | 24 | 26 | 27 | 24 11 | 23 | 23 | 24 | 26 | 27 | 23 51 | 23 | 23 | 24 | 26 | 26 | 23 31 | 23 | 22 |
| 49 9 | 25 | 27 | 28 | 25 04 | 24 | 24 | 25 | 27 | 27 | 24 44 | 24 | 24 | 25 | 27 | 27 | 24 24 | 23 | 23 |
| 53 1 | 26 | 28 | 29 | 25 57 | 25 | 25 | 26 | 28 | 28 | 25 37 | 25 | 24 | 26 | 28 | 28 | 25 16 | 24 | 24 |
| 9 56 52 | 27 | 29 | ♏ | 26 50 | 26 | 26 | 27 | 29 | 29 | 26 30 | 25 | 25 | 27 | 29 | 29 | 26 09 | 25 | 25 |
| 10 0 43 | 28 | ≏ | 0 | 27 43 | 27 | 26 | 28 | ≏ | ♏ | 27 23 | 26 | 26 | 28 | ≏ | ♏ | 27 01 | 26 | 26 |
| 4 33 | 29 | 1 | 1 | 28 35 | 28 | 27 | 29 | 1 | 1 | 28 15 | 27 | 27 | 29 | 1 | 1 | 27 54 | 27 | 27 |

| Houses | 4 | 5 | 6 | 7 | 8 | 9 | 4 | 5 | 6 | 7 | 8 | 9 | 4 | 5 | 6 | 7 | 8 | 9 |
|---|---|---|---|---|---|---|---|---|---|---|---|---|---|---|---|---|---|---|

### Latitude 13° S.  Latitude 14° S.  Latitude 15° S.

## SIMPLIFIED SCIENTIFIC TABLES OF HOUSES

### Latitude 13° N.    Latitude 14° N.    Latitude 15° N.

| Sider'l Time H M S | 10 ♍ | 11 ≏ | 12 ♏ | Asc. ♏ | 2 ♐ | 3 ♑ | 10 ♍ | 11 ≏ | 12 ♏ | Asc. ♏ | 2 ♐ | 3 ♑ | 10 ♍ | 11 ≏ | 12 ♏ | Asc. ♏ | 2 ♐ | 3 ♑ |
|---|---|---|---|---|---|---|---|---|---|---|---|---|---|---|---|---|---|---|
| 10 8 23 | 0 | 2 | 2 | 29 28 | 28 | 28 | 0 | 2 | 2 | 29 07 | 28 | 28 | 0 | 2 | 2 | 28 04 | 28 | 28 |
| 12 12 | 1 | 3 | 3 | 0♐20 | 29 | 29 | 1 | 3 | 3 | 29 59 | 29 | 29 | 1 | 3 | 3 | 29 37 | 29 | 29 |
| 16 0 | 2 | 4 | 4 | 1 12 | ♑ | ≈ | 2 | 4 | 4 | 0♐51 | ♑ | ≈ | 2 | 4 | 4 | 0♐29 | ♑ | ≈ |
| 10 19 48 | 3 | 5 | 5 | 2 04 | 1 | 1 | 3 | 5 | 5 | 1 42 | 1 | 1 | 3 | 5 | 5 | 1 20 | 0 | 1 |
| 23 35 | 4 | 6 | 6 | 2 56 | 2 | 2 | 4 | 6 | 6 | 2 34 | 2 | 2 | 4 | 6 | 6 | 2 12 | 1 | 2 |
| 27 22 | 5 | 7 | 7 | 3 47 | 3 | 3 | 5 | 7 | 7 | 3 25 | 2 | 3 | 5 | 7 | 7 | 3 03 | 2 | 3 |
| 10 31 8 | 6 | 8 | 8 | 4 39 | 4 | 4 | 6 | 8 | 8 | 4 16 | 3 | 4 | 6 | 8 | 8 | 3 54 | 3 | 4 |
| 34 54 | 7 | 9 | 9 | 5 30 | 4 | 5 | 7 | 9 | 9 | 5 07 | 4 | 5 | 7 | 9 | 9 | 4 45 | 4 | 5 |
| 38 40 | 8 | 10 | 10 | 6 21 | 5 | 6 | 8 | 10 | 10 | 5 58 | 5 | 6 | 8 | 10 | 10 | 5 35 | 5 | 6 |
| 10 42 25 | 9 | 11 | 11 | 7 12 | 6 | 7 | 9 | 11 | 10 | 6 49 | 6 | 7 | 9 | 11 | 10 | 6 26 | 6 | 6 |
| 46 9 | 10 | 12 | 12 | 8 02 | 7 | 8 | 10 | 12 | 11 | 7 40 | 7 | 8 | 10 | 12 | 11 | 7 17 | 7 | 7 |
| 49 53 | 11 | 13 | 12 | 8 53 | 8 | 9 | 11 | 13 | 12 | 8 30 | 8 | 8 | 11 | 13 | 12 | 8 08 | 7 | 8 |
| 10 53 37 | 12 | 14 | 13 | 9 44 | 9 | 10 | 12 | 14 | 13 | 9 20 | 9 | 9 | 12 | 14 | 13 | 8 58 | 8 | 9 |
| 57 20 | 13 | 15 | 14 | 10 34 | 10 | 10 | 13 | 15 | 14 | 10 11 | 9 | 10 | 13 | 15 | 14 | 9 48 | 9 | 10 |
| 11 1 3 | 14 | 16 | 15 | 11 25 | 11 | 11 | 14 | 16 | 15 | 11 01 | 10 | 11 | 14 | 16 | 15 | 10 38 | 10 | 11 |
| 11 4 46 | 15 | 17 | 16 | 12 15 | 11 | 12 | 15 | 17 | 16 | 11 51 | 11 | 12 | 15 | 17 | 16 | 11 28 | 11 | 12 |
| 8 28 | 16 | 18 | 17 | 13 05 | 12 | 13 | 16 | 18 | 17 | 12 41 | 12 | 13 | 16 | 18 | 16 | 12 17 | 12 | 13 |
| 12 10 | 17 | 19 | 18 | 13 55 | 13 | 14 | 17 | 19 | 18 | 13 31 | 13 | 14 | 17 | 19 | 17 | 13 07 | 13 | 14 |
| 11 15 52 | 18 | 20 | 19 | 14 45 | 14 | 15 | 18 | 20 | 18 | 14 22 | 14 | 15 | 18 | 20 | 18 | 13 57 | 14 | 15 |
| 19 34 | 19 | 21 | 20 | 15 35 | 15 | 16 | 19 | 21 | 19 | 15 12 | 15 | 16 | 19 | 21 | 19 | 14 47 | 14 | 16 |
| 23 15 | 20 | 22 | 20 | 16 26 | 16 | 17 | 20 | 22 | 20 | 16 02 | 16 | 17 | 20 | 22 | 20 | 15 37 | 15 | 17 |
| 11 26 56 | 21 | 23 | 21 | 17 16 | 17 | 18 | 21 | 23 | 21 | 16 51 | 16 | 18 | 21 | 23 | 21 | 16 27 | 16 | 18 |
| 30 37 | 22 | 24 | 22 | 18 06 | 18 | 19 | 22 | 24 | 22 | 17 41 | 17 | 19 | 22 | 24 | 22 | 17 17 | 17 | 19 |
| 34 18 | 23 | 25 | 23 | 18 56 | 18 | 20 | 23 | 25 | 23 | 18 31 | 18 | 20 | 23 | 25 | 23 | 18 07 | 18 | 20 |
| 11 37 58 | 24 | 26 | 24 | 19 46 | 19 | 21 | 24 | 26 | 24 | 19 21 | 19 | 21 | 24 | 25 | 23 | 18 56 | 19 | 21 |
| 41 39 | 25 | 27 | 25 | 20 36 | 20 | 22 | 25 | 26 | 25 | 20 11 | 20 | 22 | 25 | 26 | 24 | 19 46 | 20 | 22 |
| 45 19 | 26 | 27 | 26 | 21 25 | 21 | 23 | 26 | 27 | 25 | 21 01 | 21 | 23 | 26 | 27 | 25 | 20 36 | 21 | 23 |
| 11 49 0 | 27 | 28 | 26 | 22 15 | 22 | 24 | 27 | 28 | 26 | 21 51 | 22 | 24 | 27 | 28 | 26 | 21 25 | 21 | 24 |
| 52 40 | 28 | 29 | 27 | 23 05 | 23 | 25 | 28 | 29 | 27 | 22 40 | 23 | 25 | 28 | 29 | 27 | 22 15 | 22 | 25 |
| 56 20 | 29 | ♏ | 28 | 23 55 | 24 | 26 | 29 | ♏ | 28 | 23 30 | 24 | 26 | 29 | ♏ | 28 | 23 05 | 23 | 26 |
| Houses | 4 | 5 | 6 | 7 | 8 | 9 | 4 | 5 | 6 | 7 | 8 | 9 | 4 | 5 | 6 | 7 | 8 | 9 |

### Latitude 13° S.    Latitude 14° S.    Latitude 15° S.

# SIMPLIFIED SCIENTIFIC TABLES OF HOUSES

### Latitude 13° N.  Latitude 14° N.  Latitude 15° N.

| Sider'l Time | 10 ≏ | 11 ♏ | 12 ♏ | Asc. ↗ | | 2 ♑ | 3 ≈ | 10 ≏ | 11 ♏ | 12 ♏ | Asc. ↗ | | 2 ♑ | 3 ≈ | 10 ≏ | 11 ♏ | 12 ♏ | Asc. ↗ | | 2 ♑ | 3 ≈ |
|---|---|---|---|---|---|---|---|---|---|---|---|---|---|---|---|---|---|---|---|---|---|
| 12 0 0 | 0 | 1 | 29 | 24 | 45 | 25 | 27 | 0 | 1 | 29 | 24 | 20 | 24 | 27 | 0 | 1 | 29 | 23 | 55 | 24 | 27 |
| 3 40 | 1 | 2 | ↗ | 25 | 35 | 26 | 28 | 1 | 2 | ↗ | 25 | 10 | 25 | 28 | 1 | 2 | 29 | 24 | 45 | 25 | 28 |
| 7 20 | 2 | 3 | 1 | 26 | 25 | 26 | 29 | 2 | 3 | 0 | 26 | 00 | 26 | 29 | 2 | 3 | ↗ | 25 | 35 | 26 | 29 |
| 12 11 0 | 3 | 4 | 2 | 27 | 15 | 27 | ♓ | 3 | 4 | 1 | 26 | 50 | 27 | ♓ | 3 | 4 | 1 | 26 | 25 | 27 | ♓ |
| 14 41 | 4 | 5 | 2 | 28 | 06 | 28 | 1 | 4 | 5 | 2 | 27 | 40 | 28 | 1 | 4 | 5 | 2 | 27 | 15 | 28 | 1 |
| 18 21 | 5 | 6 | 3 | 28 | 56 | 29 | 2 | 5 | 6 | 3 | 28 | 31 | 29 | 2 | 5 | 6 | 3 | 28 | 05 | 29 | 2 |
| 12 22 2 | 6 | 7 | 4 | 29 | 46 | ≈ | 3 | 6 | 7 | 4 | 29 | 21 | ≈ | 3 | 6 | 7 | 4 | 28 | 55 | ≈ | 3 |
| 25 42 | 7 | 8 | 5 | 0♑ | 37 | 1 | 4 | 7 | 8 | 5 | 0♑ | 12 | 1 | 4 | 7 | 7 | 4 | 29 | 46 | 0 | 4 |
| 29 23 | 8 | 9 | 6 | 1 | 28 | 2 | 5 | 8 | 9 | 6 | 1 | 03 | 2 | 5 | 8 | 8 | 5 | 0♑ | 37 | 1 | 5 |
| 12 33 4 | 9 | 10 | 7 | 2 | 19 | 3 | 6 | 9 | 9 | 6 | 1 | 53 | 3 | 6 | 9 | 9 | 6 | 1 | 28 | 2 | 6 |
| 36 45 | 10 | 10 | 7 | 3 | 10 | 4 | 7 | 10 | 10 | 7 | 2 | 44 | 4 | 7 | 10 | 10 | 7 | 2 | 19 | 3 | 7 |
| 40 26 | 11 | 11 | 8 | 4 | 01 | 5 | 8 | 11 | 11 | 8 | 3 | 35 | 4 | 8 | 11 | 11 | 8 | 3 | 10 | 4 | 8 |
| 12 44 8 | 12 | 12 | 9 | 4 | 52 | 6 | 9 | 12 | 12 | 9 | 4 | 27 | 5 | 9 | 12 | 12 | 9 | 4 | 01 | 5 | 9 |
| 47 50 | 13 | 13 | 10 | 5 | 44 | 7 | 10 | 13 | 13 | 10 | 5 | 19 | 6 | 10 | 13 | 13 | 10 | 4 | 53 | 6 | 10 |
| 51 32 | 14 | 14 | 11 | 6 | 36 | 8 | 11 | 14 | 14 | 11 | 6 | 10 | 7 | 11 | 14 | 14 | 10 | 5 | 44 | 7 | 11 |
| 12 55 14 | 15 | 15 | 12 | 7 | 28 | 8 | 12 | 15 | 15 | 11 | 7 | 02 | 8 | 12 | 15 | 15 | 11 | 6 | 36 | 8 | 12 |
| 58 57 | 16 | 16 | 12 | 8 | 20 | 9 | 13 | 16 | 16 | 12 | 7 | 54 | 9 | 13 | 16 | 16 | 12 | 7 | 28 | 9 | 13 |
| 13 2 40 | 17 | 17 | 13 | 9 | 12 | 10 | 14 | 17 | 17 | 13 | 8 | 46 | 10 | 14 | 17 | 17 | 13 | 8 | 20 | 10 | 14 |
| 13 6 23 | 18 | 18 | 14 | 10 | 04 | 11 | 15 | 18 | 18 | 14 | 9 | 39 | 11 | 15 | 18 | 17 | 14 | 9 | 13 | 11 | 15 |
| 10 7 | 19 | 19 | 15 | 10 | 57 | 12 | 16 | 19 | 19 | 15 | 10 | 32 | 12 | 16 | 19 | 18 | 15 | 10 | 06 | 12 | 16 |
| 13 51 | 20 | 20 | 16 | 11 | 50 | 13 | 17 | 20 | 19 | 16 | 11 | 25 | 13 | 17 | 20 | 19 | 15 | 10 | 59 | 13 | 17 |
| 13 17 35 | 21 | 20 | 17 | 12 | 43 | 14 | 18 | 21 | 20 | 17 | 12 | 18 | 14 | 18 | 21 | 20 | 16 | 11 | 52 | 14 | 18 |
| 21 20 | 22 | 21 | 18 | 13 | 36 | 15 | 19 | 22 | 21 | 17 | 13 | 11 | 15 | 19 | 22 | 21 | 17 | 12 | 45 | 15 | 19 |
| 25 6 | 23 | 22 | 19 | 14 | 30 | 16 | 20 | 23 | 22 | 18 | 14 | 05 | 16 | 20 | 23 | 22 | 18 | 13 | 39 | 16 | 20 |
| 13 28 52 | 24 | 23 | 19 | 15 | 24 | 17 | 21 | 24 | 23 | 19 | 14 | 59 | 17 | 21 | 24 | 23 | 19 | 14 | 33 | 17 | 21 |
| 32 38 | 25 | 24 | 20 | 16 | 19 | 18 | 22 | 25 | 24 | 20 | 15 | 53 | 18 | 22 | 25 | 24 | 20 | 15 | 28 | 18 | 22 |
| 36 25 | 26 | 25 | 21 | 17 | 13 | 19 | 23 | 26 | 25 | 21 | 16 | 48 | 19 | 23 | 26 | 25 | 21 | 16 | 22 | 19 | 23 |
| 13 40 12 | 27 | 26 | 22 | 18 | 08 | 20 | 24 | 27 | 26 | 22 | 17 | 43 | 20 | 24 | 27 | 26 | 21 | 17 | 17 | 20 | 24 |
| 44 0 | 28 | 27 | 23 | 19 | 03 | 21 | 25 | 28 | 27 | 23 | 18 | 38 | 21 | 25 | 28 | 27 | 22 | 18 | 12 | 21 | 25 |
| 47 48 | 29 | 28 | 24 | 19 | 58 | 22 | 27 | 29 | 28 | 23 | 19 | 33 | 22 | 27 | 29 | 27 | 23 | 19 | 07 | 22 | 27 |
| Houses | 4 | 5 | 6 | 7 | | 8 | 9 | 4 | 5 | 6 | 7 | | 8 | 9 | 4 | 5 | 6 | 7 | | 8 | 9 |

### Latitude 13° S.  Latitude 14° S.  Latitude 15° S.

# SIMPLIFIED SCIENTIFIC TABLES OF HOUSES

### Latitude 13° N.  Latitude 14° N.  Latitude 15° N.

| Sider'l Time | 10 ♏ | 11 ♏ | 12 ♐ | Asc. ♑ | 2 ♒ | 3 ♓ | 10 ♏ | 11 ♏ | 12 ♐ | Asc. ♑ | 2 ♒ | 3 ♓ | 10 ♏ | 11 ♏ | 12 ♐ | Asc. ♑ | 2 ♒ | 3 ♓ |
|---|---|---|---|---|---|---|---|---|---|---|---|---|---|---|---|---|---|---|
| H M S | ° | ° | ° | ° ′ | ° | ° | ° | ° | ° | ° ′ | ° | ° | ° | ° | ° | ° ′ | ° | ° |
| 13 51 37 | 0 | 29 | 25 | 20 54 | 23 | 28 | 0 | 28 | 24 | 20 29 | 23 | 28 | 0 | 28 | 24 | 20 03 | 23 | 28 |
| 55 27 | 1 | 29 | 25 | 21 51 | 24 | 29 | 1 | 29 | 25 | 21 26 | 24 | 29 | 1 | 29 | 25 | 21 00 | 24 | 29 |
| 59 17 | 2 | ♐ | 26 | 22 47 | 26 | ♈ | 2 | ♐ | 26 | 22 23 | 25 | ♈ | 2 | ♐ | 26 | 21 57 | 25 | ♈ |
| 14 3 8 | 3 | 1 | 27 | 23 44 | 27 | 1 | 3 | 1 | 27 | 23 20 | 26 | 1 | 3 | 1 | 27 | 22 54 | 26 | 1 |
| 6 59 | 4 | 2 | 28 | 24 41 | 28 | 2 | 4 | 2 | 28 | 24 17 | 27 | 2 | 4 | 2 | 28 | 23 52 | 27 | 2 |
| 10 51 | 5 | 3 | 29 | 25 39 | 29 | 3 | 5 | 3 | 29 | 25 14 | 29 | 3 | 5 | 3 | 28 | 24 50 | 28 | 3 |
| 14 14 44 | 6 | 4 | ♑ | 26 37 | ♓ | 4 | 6 | 4 | ♑ | 26 12 | ♓ | 4 | 6 | 4 | 29 | 25 48 | 29 | 4 |
| 18 37 | 7 | 5 | 1 | 27 35 | 1 | 5 | 7 | 5 | 0 | 27 11 | 1 | 5 | 7 | 5 | ♑ | 26 47 | ♓ | 5 |
| 22 31 | 8 | 6 | 2 | 28 34 | 2 | 6 | 8 | 6 | 1 | 28 10 | 2 | 6 | 8 | 6 | 1 | 27 46 | 2 | 6 |
| 14 26 25 | 9 | 7 | 3 | 29 33 | 3 | 7 | 9 | 7 | 2 | 29 09 | 3 | 7 | 9 | 6 | 2 | 28 45 | 3 | 7 |
| 30 20 | 10 | 8 | 3 | 0♒33 | 4 | 9 | 10 | 7 | 3 | 0♒09 | 4 | 9 | 10 | 7 | 3 | 29 45 | 4 | 9 |
| 34 16 | 11 | 9 | 4 | 1 33 | 5 | 10 | 11 | 8 | 4 | 1 10 | 5 | 10 | 11 | 8 | 4 | 0♒46 | 5 | 10 |
| 14 38 13 | 12 | 9 | 5 | 2 33 | 6 | 11 | 12 | 9 | 5 | 2 11 | 6 | 11 | 12 | 9 | 5 | 1 47 | 6 | 11 |
| 42 10 | 13 | 10 | 6 | 3 35 | 7 | 12 | 13 | 10 | 6 | 3 12 | 7 | 12 | 13 | 10 | 6 | 2 48 | 7 | 12 |
| 46 8 | 14 | 11 | 7 | 4 36 | 9 | 13 | 14 | 11 | 7 | 4 13 | 9 | 13 | 14 | 11 | 7 | 3 50 | 8 | 13 |
| 14 50 7 | 15 | 12 | 8 | 5 38 | 10 | 14 | 15 | 12 | 8 | 5 15 | 10 | 14 | 15 | 12 | 7 | 4 53 | 10 | 14 |
| 54 7 | 16 | 13 | 9 | 6 41 | 11 | 15 | 16 | 13 | 9 | 6 18 | 11 | 15 | 16 | 13 | 8 | 5 56 | 11 | 15 |
| 58 7 | 17 | 14 | 10 | 7 44 | 12 | 16 | 17 | 14 | 10 | 7 22 | 12 | 16 | 17 | 14 | 9 | 6 59 | 12 | 16 |
| 15 2 8 | 18 | 15 | 11 | 8 47 | 13 | 17 | 18 | 15 | 11 | 8 25 | 13 | 17 | 18 | 15 | 10 | 8 02 | 13 | 18 |
| 6 9 | 19 | 16 | 12 | 9 50 | 14 | 19 | 19 | 16 | 12 | 9 29 | 14 | 19 | 19 | 16 | 11 | 9 07 | 14 | 19 |
| 10 12 | 20 | 17 | 13 | 10 55 | 16 | 20 | 20 | 17 | 12 | 10 34 | 15 | 20 | 20 | 17 | 12 | 10 12 | 15 | 20 |
| 15 14 15 | 21 | 18 | 14 | 12 00 | 17 | 21 | 21 | 18 | 13 | 11 39 | 17 | 21 | 21 | 17 | 13 | 11 18 | 17 | 21 |
| 18 19 | 22 | 19 | 15 | 13 05 | 18 | 22 | 22 | 19 | 14 | 12 45 | 18 | 22 | 22 | 18 | 14 | 12 24 | 18 | 22 |
| 22 23 | 23 | 20 | 16 | 14 11 | 19 | 23 | 23 | 19 | 15 | 13 51 | 19 | 23 | 23 | 19 | 15 | 13 30 | 19 | 23 |
| 15 26 29 | 24 | 21 | 17 | 15 17 | 20 | 24 | 24 | 20 | 16 | 14 58 | 20 | 24 | 24 | 20 | 16 | 14 37 | 20 | 24 |
| 30 35 | 25 | 22 | 18 | 16 25 | 21 | 25 | 25 | 21 | 17 | 16 05 | 21 | 25 | 25 | 21 | 17 | 15 45 | 21 | 25 |
| 34 41 | 26 | 22 | 19 | 17 32 | 23 | 26 | 26 | 22 | 18 | 17 12 | 23 | 26 | 26 | 22 | 18 | 16 53 | 23 | 27 |
| 15 38 49 | 27 | 23 | 20 | 18 40 | 24 | 27 | 27 | 23 | 19 | 18 21 | 24 | 28 | 27 | 23 | 19 | 18 01 | 24 | 28 |
| 42 57 | 28 | 24 | 21 | 19 48 | 25 | 29 | 28 | 24 | 20 | 19 29 | 25 | 29 | 28 | 24 | 20 | 19 10 | 25 | 29 |
| 47 6 | 29 | 25 | 22 | 20 57 | 26 | ♉ | 29 | 25 | 21 | 20 38 | 26 | ♉ | 29 | 25 | 21 | 20 20 | 26 | ♉ |
| Houses | 4 | 5 | 6 | 7 | 8 | 9 | 4 | 5 | 6 | 7 | 8 | 9 | 4 | 5 | 6 | 7 | 8 | 9 |

### Latitude 13° S.  Latitude 14° S.  Latitude 15° S.

# SIMPLIFIED SCIENTIFIC TABLES OF HOUSES

### Latitude 13° N.    Latitude 14° N.    Latitude 15° N.

| Time Sider'l | Latitude 13° N. | | | | | | Latitude 14° N. | | | | | | Latitude 15° N. | | | | | |
|---|---|---|---|---|---|---|---|---|---|---|---|---|---|---|---|---|---|---|
| H M S | 10 ♐ | 11 ♐ | 12 ♑ | Asc ♒ | 2 ♓ | 3 ♉ | 10 ♐ | 11 ♐ | 12 ♑ | Asc ♒ | 2 ♓ | 3 ♉ | 10 ♐ | 11 ♐ | 12 ♑ | Asc ♒ | 2 ♓ | 3 ♉ |
| 15 51 15 | 0 | 26 | 23 | 22 07 | 27 | 1 | 0 | 26 | 22 | 21 49 | 27 | 1 | 0 | 26 | 22 | 21 31 | 27 | 1 |
| 55 25 | 1 | 27 | 24 | 23 17 | 29 | 2 | 1 | 27 | 23 | 22 59 | 29 | 2 | 1 | 27 | 23 | 22 42 | 29 | 2 |
| 59 36 | 2 | 28 | 25 | 24 27 | ♈ | 3 | 2 | 28 | 24 | 24 10 | ♈ | 3 | 2 | 28 | 24 | 23 53 | ♈ | 3 |
| 16 3 48 | 3 | 29 | 26 | 25 38 | 1 | 4 | 3 | 29 | 25 | 25 22 | 1 | 4 | 3 | 29 | 25 | 25 05 | 1 | 4 |
| 8 0 | 4 | ♑ | 27 | 26 50 | 2 | 5 | 4 | ♑ | 26 | 26 33 | 2 | 5 | 4 | ♑ | 26 | 26 17 | 2 | 6 |
| 12 13 | 5 | 1 | 28 | 28 01 | 4 | 6 | 5 | 1 | 27 | 27 45 | 4 | 7 | 5 | 1 | 27 | 27 29 | 4 | 7 |
| 16 16 26 | 6 | 2 | 29 | 29 14 | 5 | 8 | 6 | 2 | 28 | 28 59 | 5 | 8 | 6 | 2 | 28 | 28 43 | 5 | 8 |
| 20 40 | 7 | 3 | ♒ | 0 ♓ 27 | 6 | 9 | 7 | 3 | 29 | 0 ♓ 12 | 6 | 9 | 7 | 3 | 29 | 29 57 | 6 | 9 |
| 24 55 | 8 | 4 | 1 | 1 41 | 7 | 10 | 8 | 4 | ♒ | 1 26 | 7 | 10 | 8 | 4 | ♒ | 1 ♓ 12 | 7 | 10 |
| 16 29 10 | 9 | 5 | 2 | 2 55 | 9 | 11 | 9 | 5 | 2 | 2 41 | 9 | 11 | 9 | 5 | 1 | 2 26 | 9 | 11 |
| 33 26 | 10 | 6 | 3 | 4 09 | 10 | 12 | 10 | 6 | 3 | 3 56 | 10 | 12 | 10 | 6 | 2 | 3 41 | 10 | 12 |
| 37 42 | 11 | 7 | 4 | 5 24 | 11 | 13 | 11 | 7 | 4 | 5 11 | 11 | 13 | 11 | 7 | 3 | 4 57 | 11 | 13 |
| 16 41 59 | 12 | 8 | 5 | 6 38 | 12 | 14 | 12 | 8 | 5 | 6 26 | 12 | 14 | 12 | 8 | 5 | 6 14 | 12 | 14 |
| 46 16 | 13 | 9 | 6 | 7 54 | 13 | 15 | 13 | 9 | 6 | 7 42 | 14 | 15 | 13 | 9 | 6 | 7 31 | 14 | 16 |
| 50 34 | 14 | 10 | 7 | 9 10 | 15 | 16 | 14 | 10 | 7 | 8 59 | 15 | 17 | 14 | 10 | 7 | 8 48 | 15 | 17 |
| 16 54 52 | 15 | 11 | 8 | 10 26 | 16 | 18 | 15 | 11 | 8 | 10 16 | 16 | 18 | 15 | 11 | 8 | 10 05 | 16 | 18 |
| 59 10 | 16 | 12 | 10 | 11 43 | 17 | 19 | 16 | 12 | 9 | 11 33 | 17 | 19 | 16 | 12 | 9 | 11 23 | 17 | 19 |
| 17 3 29 | 17 | 13 | 11 | 12 59 | 18 | 20 | 17 | 13 | 10 | 12 50 | 19 | 20 | 17 | 13 | 10 | 12 41 | 19 | 20 |
| 17 7 49 | 18 | 14 | 12 | 14 16 | 20 | 21 | 18 | 14 | 12 | 14 08 | 20 | 21 | 18 | 14 | 11 | 13 59 | 20 | 21 |
| 12 9 | 19 | 15 | 13 | 15 34 | 21 | 22 | 19 | 15 | 13 | 15 26 | 21 | 22 | 19 | 15 | 12 | 15 18 | 21 | 22 |
| 16 29 | 20 | 16 | 14 | 16 52 | 22 | 23 | 20 | 16 | 14 | 16 45 | 22 | 23 | 20 | 16 | 14 | 16 38 | 22 | 23 |
| 17 20 49 | 21 | 17 | 15 | 18 10 | 23 | 24 | 21 | 17 | 15 | 18 03 | 23 | 24 | 21 | 17 | 15 | 17 57 | 24 | 24 |
| 25 9 | 22 | 18 | 16 | 19 28 | 25 | 25 | 22 | 18 | 16 | 19 22 | 25 | 25 | 22 | 18 | 16 | 19 17 | 25 | 25 |
| 29 30 | 23 | 19 | 17 | 20 47 | 26 | 26 | 23 | 19 | 17 | 20 42 | 26 | 26 | 23 | 19 | 17 | 20 37 | 26 | 26 |
| 17 33 51 | 24 | 20 | 19 | 22 06 | 27 | 27 | 24 | 20 | 18 | 22 02 | 27 | 27 | 24 | 20 | 18 | 21 57 | 27 | 28 |
| 38 12 | 25 | 21 | 20 | 23 24 | 28 | 28 | 25 | 21 | 20 | 23 21 | 28 | 29 | 25 | 21 | 19 | 23 17 | 29 | 29 |
| 42 34 | 26 | 22 | 21 | 24 43 | 29 | 29 | 26 | 22 | 21 | 24 40 | ♉ | ♊ | 26 | 22 | 21 | 24 37 | ♉ | ♊ |
| 17 46 55 | 27 | 23 | 22 | 26 03 | ♉ | ♊ | 27 | 23 | 22 | 26 01 | 1 | 1 | 27 | 23 | 22 | 25 58 | 1 | 1 |
| 51 17 | 28 | 24 | 23 | 27 21 | 2 | 2 | 28 | 24 | 23 | 27 20 | 2 | 2 | 28 | 24 | 23 | 27 18 | 2 | 2 |
| 55 38 | 29 | 25 | 25 | 28 41 | 3 | 3 | 29 | 25 | 24 | 28 41 | 3 | 3 | 29 | 25 | 24 | 28 39 | 3 | 3 |
| Houses | 4 | 5 | 6 | 7 | 8 | 9 | 4 | 5 | 6 | 7 | 8 | 9 | 4 | 5 | 6 | 7 | 8 | 9 |

### Latitude 13° S.    Latitude 14° S.    Latitude 15° S.

# SIMPLIFIED SCIENTIFIC TABLES OF HOUSES

### Latitude 13° N.     Latitude 14° N.     Latitude 15° N.

| Sider'l Time (H M S) | 10 ♑ | 11 ♑ | 12 ≈ | Asc. ♈ | 2 ♉ | 3 ♊ | 10 ♑ | 11 ♑ | 12 ≈ | Asc. ♈ | 2 ♉ | 3 ♊ | 10 ♑ | 11 ♑ | 12 ≈ | Asc. ♈ | 2 ♉ | 3 ♊ |
|---|---|---|---|---|---|---|---|---|---|---|---|---|---|---|---|---|---|---|
| 18 0 0 | 0 | 26 | 26 | 0 00 | 4 | 4 | 0 | 26 | 26 | 0 00 | 4 | 4 | 0 | 26 | 25 | 0 00 | 5 | 4 |
| 4 22 | 1 | 27 | 27 | 1 19 | 5 | 5 | 1 | 27 | 27 | 1 19 | 6 | 5 | 1 | 27 | 27 | 1 21 | 6 | 5 |
| 8 43 | 2 | 28 | 28 | 2 39 | 7 | 6 | 2 | 28 | 28 | 2 40 | 7 | 6 | 2 | 28 | 28 | 2 42 | 7 | 6 |
| 18 13 5 | 3 | 29 | 29 | 3 57 | 8 | 7 | 3 | 29 | 29 | 3 59 | 8 | 7 | 3 | 29 | 29 | 4 02 | 8 | 7 |
| 17 26 | 4 | ≈ | ♓ | 5 17 | 9 | 8 | 4 | ≈ | ♓ | 5 20 | 9 | 8 | 4 | ≈ | ♓ | 5 23 | 9 | 8 |
| 21 48 | 5 | 2 | 2 | 6 36 | 10 | 9 | 5 | 1 | 2 | 6 39 | 10 | 9 | 5 | 1 | 1 | 6 43 | 11 | 9 |
| 18 26 9 | 6 | 3 | 3 | 7 54 | 11 | 10 | 6 | 3 | 3 | 7 58 | 12 | 10 | 6 | 2 | 3 | 8 03 | 12 | 10 |
| 30 30 | 7 | 4 | 4 | 9 13 | 13 | 11 | 7 | 4 | 4 | 9 18 | 13 | 11 | 7 | 4 | 4 | 9 23 | 13 | 11 |
| 34 51 | 8 | 5 | 5 | 10 32 | 14 | 12 | 8 | 5 | 5 | 10 38 | 14 | 12 | 8 | 5 | 5 | 10 43 | 14 | 12 |
| 18 39 11 | 9 | 6 | 7 | 11 50 | 15 | 13 | 9 | 6 | 7 | 11 57 | 15 | 13 | 9 | 6 | 6 | 12 03 | 15 | 13 |
| 43 31 | 10 | 7 | 8 | 13 08 | 16 | 14 | 10 | 7 | 8 | 13 15 | 16 | 14 | 10 | 7 | 8 | 13 22 | 16 | 14 |
| 47 51 | 11 | 8 | 9 | 14 26 | 17 | 15 | 11 | 8 | 9 | 14 34 | 17 | 15 | 11 | 8 | 9 | 14 42 | 18 | 15 |
| 18 52 11 | 12 | 9 | 10 | 15 44 | 18 | 16 | 12 | 9 | 10 | 15 52 | 18 | 16 | 12 | 9 | 10 | 16 01 | 19 | 16 |
| 56 31 | 13 | 10 | 12 | 17 01 | 19 | 17 | 13 | 10 | 11 | 17 10 | 20 | 17 | 13 | 10 | 11 | 17 19 | 20 | 17 |
| 19 0 50 | 14 | 11 | 13 | 18 17 | 20 | 18 | 14 | 11 | 13 | 18 27 | 21 | 18 | 14 | 11 | 13 | 18 37 | 21 | 18 |
| 19 5 8 | 15 | 12 | 14 | 19 34 | 22 | 19 | 15 | 12 | 14 | 19 44 | 22 | 19 | 15 | 12 | 14 | 19 55 | 22 | 19 |
| 9 26 | 16 | 14 | 15 | 20 50 | 23 | 20 | 16 | 13 | 15 | 21 01 | 23 | 20 | 16 | 13 | 15 | 21 12 | 23 | 20 |
| 13 44 | 17 | 15 | 17 | 22 06 | 24 | 21 | 17 | 15 | 16 | 22 18 | 24 | 21 | 17 | 14 | 16 | 22 29 | 24 | 21 |
| 19 18 1 | 18 | 16 | 18 | 23 22 | 25 | 22 | 18 | 16 | 18 | 23 34 | 25 | 22 | 18 | 16 | 18 | 23 46 | 25 | 22 |
| 22 18 | 19 | 17 | 19 | 24 36 | 26 | 23 | 19 | 17 | 19 | 24 49 | 26 | 23 | 19 | 17 | 19 | 25 03 | 27 | 23 |
| 26 34 | 20 | 18 | 20 | 25 51 | 27 | 24 | 20 | 18 | 20 | 26 04 | 27 | 24 | 20 | 18 | 20 | 26 19 | 28 | 24 |
| 19 30 50 | 21 | 19 | 21 | 27 05 | 28 | 25 | 21 | 19 | 21 | 27 19 | 28 | 25 | 21 | 19 | 21 | 27 34 | 29 | 25 |
| 35 5 | 22 | 20 | 23 | 28 19 | 29 | 26 | 22 | 20 | 23 | 28 34 | 29 | 26 | 22 | 20 | 23 | 28 48 | ♊ | 26 |
| 39 20 | 23 | 21 | 24 | 29 33 | ♊ | 27 | 23 | 21 | 24 | 29 48 | ♊ | 27 | 23 | 21 | 24 | 0 ♉ 03 | 1 | 27 |
| 19 43 34 | 24 | 22 | 25 | 0 ♉ 46 | 1 | 28 | 24 | 22 | 25 | 1 ♉ 01 | 2 | 28 | 24 | 22 | 25 | 1 17 | 2 | 28 |
| 47 47 | 25 | 24 | 26 | 1 59 | 2 | 29 | 25 | 23 | 26 | 2 15 | 3 | 29 | 25 | 23 | 26 | 2 31 | 3 | 29 |
| 52 0 | 26 | 25 | 28 | 3 10 | 3 | ♋ | 26 | 25 | 28 | 3 27 | 4 | ♋ | 26 | 24 | 28 | 3 43 | 4 | ♋ |
| 19 56 12 | 27 | 26 | 29 | 4 22 | 4 | 1 | 27 | 26 | 29 | 4 38 | 5 | 1 | 27 | 26 | 29 | 4 55 | 5 | 1 |
| 20 0 24 | 28 | 27 | ♈ | 5 33 | 5 | 2 | 28 | 27 | ♈ | 5 50 | 6 | 2 | 28 | 27 | ♈ | 6 07 | 6 | 2 |
| 4 35 | 29 | 28 | 1 | 6 43 | 6 | 3 | 29 | 28 | 1 | 7 01 | 7 | 3 | 29 | 28 | 1 | 7 18 | 7 | 3 |
| Houses | 4 | 5 | 6 | 7 | 8 | 9 | 4 | 5 | 6 | 7 | 8 | 9 | 4 | 5 | 6 | 7 | 8 | 9 |

### Latitude 13° S.     Latitude 14° S.     Latitude 15° S.

# SIMPLIFIED SCIENTIFIC TABLES OF HOUSES

Latitude 13° N.  Latitude 14° N.  Latitude 15° N.

| Sider'l Time | 10 | 11 | 12 | Asc. | 2 | 3 | 10 | 11 | 12 | Asc. | 2 | 3 | 10 | 11 | 12 | Asc. | 2 | 3 |
|---|---|---|---|---|---|---|---|---|---|---|---|---|---|---|---|---|---|---|
| | ♒ | ♒ | ♈ | ♉ | Π | ♋ | ♒ | ♒ | ♈ | ♉ | Π | ♋ | ♒ | ♒ | ♈ | ♉ | Π | ♋ |
| H M S | ° | ° | ° | ° ′ | ° | ° | ° | ° | ° | ° ′ | ° | ° | ° | ° | ° | ° ′ | ° | ° |
| 20 8 45 | 0 | 29 | 3 | 7 53 | 7 | 4 | 0 | 29 | 3 | 8 11 | 8 | 4 | 0 | 29 | 3 | 8 29 | 8 | 4 |
| 12 54 | 1 | ♓ | 4 | 9 03 | 8 | 5 | 1 | ♓ | 4 | 9 22 | 9 | 5 | 1 | ♓ | 4 | 9 40 | 9 | 5 |
| 17 3 | 2 | 1 | 5 | 10 12 | 9 | 6 | 2 | 1 | 5 | 10 31 | 10 | 6 | 2 | 1 | 5 | 10 50 | 10 | 6 |
| 20 21 11 | 3 | 3 | 6 | 11 20 | 10 | 7 | 3 | 2 | 6 | 11 39 | 11 | 7 | 3 | 2 | 6 | 11 59 | 11 | 7 |
| 25 19 | 4 | 4 | 7 | 12 28 | 11 | 8 | 4 | 4 | 7 | 12 48 | 12 | 8 | 4 | 3 | 7 | 13 07 | 12 | 8 |
| 29 26 | 5 | 5 | 9 | 13 35 | 12 | 8 | 5 | 5 | 9 | 13 55 | 13 | 9 | 5 | 5 | 9 | 14 15 | 13 | 9 |
| 20 33 31 | 6 | 6 | 10 | 14 43 | 13 | 9 | 6 | 6 | 10 | 15 02 | 14 | 10 | 6 | 6 | 10 | 15 23 | 14 | 10 |
| 37 37 | 7 | 7 | 11 | 15 49 | 14 | 10 | 7 | 7 | 11 | 16 09 | 15 | 11 | 7 | 7 | 11 | 16 30 | 15 | 11 |
| 41 41 | 8 | 8 | 12 | 16 55 | 15 | 11 | 8 | 8 | 12 | 17 15 | 16 | 11 | 8 | 8 | 12 | 17 36 | 16 | 12 |
| 20 45 45 | 9 | 9 | 13 | 18 00 | 16 | 12 | 9 | 9 | 13 | 18 21 | 17 | 12 | 9 | 9 | 13 | 18 42 | 17 | 13 |
| 49 48 | 10 | 10 | 14 | 19 05 | 17 | 13 | 10 | 10 | 15 | 19 26 | 18 | 13 | 10 | 10 | 15 | 19 48 | 18 | 13 |
| 53 51 | 11 | 11 | 16 | 20 10 | 18 | 14 | 11 | 11 | 16 | 20 31 | 18 | 14 | 11 | 11 | 16 | 20 53 | 19 | 14 |
| 20 57 52 | 12 | 13 | 17 | 21 13 | 19 | 15 | 12 | 13 | 17 | 21 35 | 19 | 15 | 12 | 12 | 17 | 21 58 | 20 | 15 |
| 21 1 53 | 13 | 14 | 18 | 22 16 | 20 | 16 | 13 | 14 | 18 | 22 38 | 20 | 16 | 13 | 14 | 18 | 23 01 | 21 | 16 |
| 5 53 | 14 | 15 | 19 | 23 19 | 21 | 17 | 14 | 15 | 19 | 23 42 | 21 | 17 | 14 | 15 | 19 | 24 04 | 22 | 17 |
| 21 9 53 | 15 | 16 | 20 | 24 22 | 22 | 18 | 15 | 16 | 20 | 24 45 | 22 | 18 | 15 | 16 | 20 | 25 07 | 23 | 18 |
| 13 52 | 16 | 17 | 21 | 25 24 | 23 | 19 | 16 | 17 | 21 | 25 47 | 23 | 19 | 16 | 17 | 22 | 26 10 | 23 | 19 |
| 17 50 | 17 | 18 | 23 | 26 25 | 24 | 20 | 17 | 18 | 23 | 26 48 | 24 | 20 | 17 | 18 | 23 | 27 12 | 24 | 20 |
| 21 21 47 | 18 | 19 | 24 | 27 27 | 25 | 21 | 18 | 19 | 24 | 27 49 | 25 | 21 | 18 | 19 | 24 | 28 13 | 25 | 21 |
| 25 44 | 19 | 20 | 25 | 28 37 | 26 | 21 | 19 | 20 | 25 | 28 50 | 26 | 22 | 19 | 20 | 25 | 29 14 | 26 | 22 |
| 29 40 | 20 | 21 | 26 | 29 27 | 27 | 22 | 20 | 21 | 26 | 29 51 | 27 | 23 | 20 | 21 | 26 | 0Π15 | 27 | 23 |
| 21 33 35 | 21 | 23 | 27 | 0Π27 | 27 | 23 | 21 | 23 | 27 | 0Π51 | 28 | 23 | 21 | 23 | 27 | 1 15 | 28 | 24 |
| 37 29 | 22 | 24 | 28 | 1 26 | 28 | 24 | 22 | 24 | 28 | 1 50 | 29 | 24 | 22 | 24 | 28 | 2 14 | 29 | 24 |
| 41 23 | 23 | 25 | 29 | 2 25 | 29 | 25 | 23 | 25 | 29 | 2 49 | ♋ | 25 | 23 | 25 | ♉ | 3 13 | ♋ | 25 |
| 21 45 16 | 24 | 26 | ♉ | 3 23 | ♋ | 26 | 24 | 26 | ♉ | 3 48 | 0 | 26 | 24 | 26 | 1 | 4 12 | 1 | 26 |
| 49 9 | 25 | 27 | 1 | 4 21 | 1 | 27 | 25 | 27 | 1 | 4 46 | 1 | 27 | 25 | 27 | 2 | 5 10 | 2 | 27 |
| 53 1 | 26 | 28 | 2 | 5 19 | 2 | 28 | 26 | 28 | 3 | 5 43 | 2 | 28 | 26 | 28 | 3 | 6 08 | 2 | 28 |
| 21 56 52 | 27 | 29 | 3 | 6 16 | 3 | 29 | 27 | 29 | 4 | 6 40 | 3 | 29 | 27 | 29 | 4 | 7 06 | 3 | 29 |
| 22 0 43 | 28 | ♈ | 4 | 7 13 | 4 | ♌ | 28 | ♈ | 5 | 7 37 | 4 | ♌ | 28 | ♈ | 5 | 8 03 | 4 | ♌ |
| 4 33 | 29 | 1 | 6 | 8 09 | 5 | 1 | 29 | 1 | 6 | 8 34 | 5 | 1 | 29 | 1 | 6 | 9 00 | 5 | 1 |
| Houses | 4 | 5 | 6 | 7 | 8 | 9 | 4 | 5 | 6 | 7 | 8 | 9 | 4 | 5 | 6 | 7 | 8 | 9 |

Latitude 13° S.  Latitude 14° S.  Latitude 15° S.

# SIMPLIFIED SCIENTIFIC TABLES OF HOUSES

Latitude 13° N.  Latitude 14° N.  Latitude 15° N.

| Sider'l Time | 10 ♓ | 11 ♈ | 12 ♉ | Asc. ♊ | 2 ♋ | 3 ♌ | 10 ♓ | 11 ♈ | 12 ♉ | Asc. ♊ | 2 ♋ | 3 ♌ | 10 ♓ | 11 ♈ | 12 ♉ | Asc. ♊ | 2 ♋ | 3 ♌ |
|---|---|---|---|---|---|---|---|---|---|---|---|---|---|---|---|---|---|---|
| H M S | ° | ° | ° | ° ′ | ° | ° | ° | ° | ° | ° ′ | ° | ° | ° | ° | ° | ° ′ | ° | ° |
| 22 8 23 | 0 | 2 | 7 | 9 06 | 5 | 1 | 0 | 2 | 7 | 9 31 | 6 | 2 | 0 | 2 | 7 | 9 57 | 6 | 2 |
| 12 12 | 1 | 3 | 8 | 10 02 | 6 | 2 | 1 | 3 | 8 | 10 27 | 7 | 2 | 1 | 3 | 8 | 10 53 | 7 | 3 |
| 16 0 | 2 | 5 | 9 | 10 57 | 7 | 3 | 2 | 4 | 9 | 11 22 | 7 | 3 | 2 | 5 | 9 | 11 48 | 8 | 3 |
| 22 19 48 | 3 | 6 | 10 | 11 52 | 8 | 4 | 3 | 6 | 10 | 12 17 | 8 | 4 | 3 | 6 | 10 | 12 43 | 9 | 4 |
| 23 35 | 4 | 7 | 11 | 12 47 | 9 | 5 | 4 | 7 | 11 | 13 12 | 9 | 5 | 4 | 7 | 11 | 13 38 | 9 | 5 |
| 27 22 | 5 | 8 | 12 | 13 41 | 10 | 6 | 5 | 8 | 12 | 14 7 | 10 | 6 | 5 | 8 | 12 | 14 32 | 10 | 6 |
| 22 31 8 | 6 | 9 | 13 | 14 36 | 11 | 7 | 6 | 9 | 13 | 15 1 | 11 | 7 | 6 | 9 | 13 | 15 27 | 11 | 7 |
| 34 54 | 7 | 10 | 14 | 15 30 | 11 | 8 | 7 | 10 | 14 | 15 55 | 12 | 8 | 7 | 10 | 14 | 16 21 | 12 | 8 |
| 38 40 | 8 | 11 | 15 | 16 24 | 12 | 9 | 8 | 11 | 15 | 16 49 | 13 | 9 | 8 | 11 | 15 | 17 15 | 13 | 9 |
| 22 42 25 | 9 | 12 | 16 | 17 17 | 13 | 10 | 9 | 12 | 16 | 17 42 | 13 | 10 | 9 | 12 | 16 | 18 8 | 14 | 10 |
| 46 9 | 10 | 13 | 17 | 18 10 | 14 | 10 | 10 | 13 | 17 | 18 35 | 14 | 11 | 10 | 13 | 17 | 19 1 | 15 | 11 |
| 49 53 | 11 | 14 | 18 | 19 03 | 15 | 11 | 11 | 14 | 18 | 19 28 | 15 | 11 | 11 | 14 | 18 | 19 54 | 15 | 12 |
| 22 53 37 | 12 | 15 | 19 | 19 56 | 16 | 12 | 12 | 15 | 19 | 20 21 | 16 | 12 | 12 | 15 | 19 | 20 47 | 16 | 13 |
| 57 20 | 13 | 16 | 20 | 20 48 | 17 | 13 | 13 | 16 | 20 | 21 14 | 17 | 13 | 13 | 16 | 20 | 21 40 | 17 | 13 |
| 23 1 3 | 14 | 17 | 21 | 21 40 | 18 | 14 | 14 | 17 | 21 | 22 6 | 18 | 14 | 14 | 17 | 21 | 22 32 | 18 | 14 |
| 23 4 46 | 15 | 18 | 22 | 22 32 | 18 | 15 | 15 | 18 | 22 | 22 58 | 19 | 15 | 15 | 18 | 22 | 23 24 | 19 | 15 |
| 8 28 | 16 | 19 | 22 | 23 24 | 19 | 16 | 16 | 19 | 23 | 23 50 | 19 | 16 | 16 | 19 | 23 | 24 16 | 20 | 16 |
| 12 10 | 17 | 20 | 23 | 24 16 | 20 | 17 | 17 | 20 | 24 | 24 41 | 20 | 17 | 17 | 20 | 24 | 25 7 | 20 | 17 |
| 23 15 52 | 18 | 21 | 24 | 25 08 | 21 | 18 | 18 | 21 | 25 | 25 33 | 21 | 18 | 18 | 21 | 25 | 25 59 | 21 | 18 |
| 19 34 | 19 | 22 | 25 | 25 59 | 22 | 19 | 19 | 22 | 26 | 26 25 | 22 | 19 | 19 | 22 | 26 | 26 50 | 22 | 19 |
| 23 15 | 20 | 23 | 26 | 26 50 | 23 | 20 | 20 | 23 | 26 | 27 16 | 23 | 20 | 20 | 23 | 27 | 27 41 | 23 | 20 |
| 23 26 56 | 21 | 24 | 27 | 27 41 | 23 | 20 | 21 | 24 | 27 | 28 7 | 24 | 21 | 21 | 24 | 28 | 28 32 | 24 | 21 |
| 30 37 | 22 | 25 | 28 | 28 32 | 24 | 21 | 22 | 25 | 28 | 28 57 | 24 | 21 | 22 | 25 | 29 | 29 23 | 25 | 22 |
| 34 18 | 23 | 26 | 29 | 29 23 | 25 | 22 | 23 | 26 | 29 | 29 48 | 25 | 22 | 23 | 26 | Ⅱ | 0♋14 | 26 | 23 |
| 23 37 58 | 24 | 27 | Ⅱ | 0♋14 | 26 | 23 | 24 | 27 | Ⅱ | 0♋39 | 26 | 23 | 24 | 27 | 0 | 1 5 | 26 | 23 |
| 41 39 | 25 | 28 | 1 | 1 04 | 27 | 24 | 25 | 28 | 1 | 1 29 | 27 | 24 | 25 | 28 | 1 | 1 55 | 27 | 24 |
| 45 19 | 26 | 29 | 2 | 1 54 | 28 | 25 | 26 | 29 | 2 | 2 20 | 28 | 25 | 26 | 29 | 2 | 2 45 | 28 | 25 |
| 23 49 0 | 27 | ♉ | 3 | 2 45 | 28 | 26 | 27 | ♉ | 3 | 3 10 | 29 | 26 | 27 | ♉ | 3 | 3 35 | 29 | 26 |
| 52 40 | 28 | 1 | 4 | 3 35 | 29 | 27 | 28 | 1 | 4 | 4 0 | ♌ | 27 | 28 | 1 | 4 | 4 25 | ♌ | 27 |
| 56 20 | 29 | 2 | 4 | 4 25 | ♌ | 28 | 29 | 2 | 5 | 4 50 | 0 | 28 | 29 | 2 | 5 | 5 15 | 1 | 28 |
| Houses | 4 | 5 | 6 | 7 | 8 | 9 | 4 | 5 | 6 | 7 | 8 | 9 | 4 | 5 | 6 | 7 | 8 | 9 |

Latitude 13° S.  Latitude 14° S.  Latitude 15° S.

Latitude 16° N.   Latitude 17° N.   Latitude 18° N.

| Sider'l Time (H M S) | 10 ♈ | 11 ♉ | 12 ♊ | Asc. ♋ | 2 ♌ | 3 ♌ | 10 ♈ | 11 ♉ | 12 ♊ | Asc. ♋ | 2 ♌ | 3 ♌ | 10 ♈ | 11 ♉ | 12 ♊ | Asc. ♋ | 2 ♌ | 3 ♌ |
|---|---|---|---|---|---|---|---|---|---|---|---|---|---|---|---|---|---|---|
| 0 0 0 | 0 | 3 | 6 | 6 30 | 2 | 29 | 0 | 4 | 6 | 6 56 | 2 | 29 | 0 | 4 | 7 | 7 22 | 2 | 29 |
| 3 40 | 1 | 4 | 7 | 7 20 | 3 | ♍ | 1 | 5 | 7 | 7 45 | 3 | ♍ | 1 | 5 | 8 | 8 12 | 3 | ♍ |
| 7 20 | 2 | 5 | 8 | 8 10 | 3 | 1 | 2 | 6 | 8 | 8 35 | 4 | 1 | 2 | 6 | 9 | 9 1 | 4 | 1 |
| 0 11 0 | 3 | 6 | 9 | 9 00 | 4 | 2 | 3 | 7 | 9 | 9 25 | 4 | 2 | 3 | 7 | 9 | 9 51 | 5 | 2 |
| 14 41 | 4 | 7 | 10 | 9 49 | 5 | 3 | 4 | 7 | 10 | 10 14 | 5 | 3 | 4 | 8 | 10 | 10 40 | 6 | 3 |
| 18 21 | 5 | 8 | 11 | 10 39 | 6 | 4 | 5 | 8 | 11 | 11 4 | 6 | 4 | 5 | 9 | 11 | 11 29 | 6 | 4 |
| 0 22 2 | 6 | 9 | 12 | 11 28 | 7 | 5 | 6 | 9 | 12 | 11 53 | 7 | 5 | 6 | 10 | 12 | 12 19 | 7 | 5 |
| 25 42 | 7 | 10 | 12 | 12 18 | 8 | 6 | 7 | 10 | 13 | 12 43 | 8 | 6 | 7 | 11 | 13 | 13 8 | 8 | 6 |
| 29 23 | 8 | 11 | 13 | 13 07 | 9 | 6 | 8 | 11 | 14 | 13 32 | 9 | 7 | 8 | 11 | 14 | 13 57 | 9 | 7 |
| 0 33 4 | 9 | 12 | 14 | 13 57 | 9 | 7 | 9 | 12 | 14 | 14 22 | 10 | 7 | 9 | 12 | 15 | 14 47 | 10 | 8 |
| 36 45 | 10 | 13 | 15 | 14 47 | 10 | 8 | 10 | 13 | 15 | 15 12 | 10 | 8 | 10 | 13 | 16 | 15 36 | 11 | 8 |
| 40 26 | 11 | 14 | 16 | 15 36 | 11 | 9 | 11 | 14 | 16 | 16 1 | 11 | 9 | 11 | 14 | 17 | 16 26 | 12 | 9 |
| 0 44 8 | 12 | 15 | 17 | 16 26 | 12 | 10 | 12 | 15 | 17 | 16 51 | 12 | 10 | 12 | 15 | 17 | 17 15 | 12 | 10 |
| 47 50 | 13 | 16 | 18 | 17 16 | 13 | 11 | 13 | 16 | 18 | 17 41 | 13 | 11 | 13 | 16 | 18 | 18 5 | 13 | 11 |
| 51 32 | 14 | 17 | 19 | 18 06 | 14 | 12 | 14 | 17 | 19 | 18 30 | 14 | 12 | 14 | 17 | 19 | 18 54 | 14 | 12 |
| 0 55 14 | 15 | 18 | 19 | 18 56 | 15 | 13 | 15 | 18 | 20 | 19 20 | 15 | 13 | 15 | 18 | 20 | 19 44 | 15 | 13 |
| 58 57 | 16 | 19 | 20 | 19 46 | 15 | 14 | 16 | 19 | 21 | 20 9 | 16 | 14 | 16 | 19 | 21 | 20 33 | 16 | 14 |
| 1 2 40 | 17 | 20 | 21 | 20 36 | 16 | 15 | 17 | 20 | 21 | 20 59 | 17 | 15 | 17 | 20 | 22 | 21 23 | 17 | 15 |
| 1 6 23 | 18 | 21 | 22 | 21 26 | 17 | 16 | 18 | 21 | 22 | 21 49 | 17 | 16 | 18 | 21 | 23 | 22 13 | 18 | 16 |
| 10 7 | 19 | 22 | 23 | 22 16 | 18 | 17 | 19 | 22 | 23 | 22 39 | 18 | 17 | 19 | 22 | 23 | 23 3 | 19 | 17 |
| 13 51 | 20 | 23 | 24 | 23 06 | 19 | 18 | 20 | 23 | 24 | 23 29 | 19 | 18 | 20 | 23 | 24 | 23 53 | 19 | 18 |
| 1 17 35 | 21 | 24 | 25 | 23 56 | 20 | 19 | 21 | 24 | 25 | 24 20 | 20 | 19 | 21 | 24 | 25 | 24 43 | 20 | 19 |
| 21 20 | 22 | 25 | 25 | 24 47 | 21 | 20 | 22 | 25 | 26 | 25 10 | 21 | 20 | 22 | 25 | 26 | 25 33 | 21 | 20 |
| 25 6 | 23 | 26 | 26 | 25 37 | 22 | 21 | 23 | 26 | 27 | 26 1 | 22 | 21 | 23 | 26 | 27 | 26 23 | 22 | 21 |
| 1 28 52 | 24 | 27 | 27 | 26 28 | 23 | 22 | 24 | 27 | 28 | 26 51 | 23 | 22 | 24 | 27 | 28 | 27 13 | 23 | 22 |
| 32 38 | 25 | 27 | 28 | 27 19 | 24 | 23 | 25 | 28 | 28 | 27 42 | 24 | 23 | 25 | 28 | 29 | 28 4 | 24 | 23 |
| 36 25 | 26 | 28 | 29 | 28 10 | 24 | 24 | 26 | 28 | 29 | 28 32 | 25 | 24 | 26 | 29 | 29 | 28 54 | 25 | 24 |
| 1 40 12 | 27 | 29 | ♋ | 29 01 | 25 | 25 | 27 | 29 | ♋ | 29 23 | 26 | 25 | 27 | 29 | ♋ | 29 45 | 26 | 25 |
| 44 0 | 28 | Ⅱ | 1 | 29 52 | 26 | 26 | 28 | Ⅱ | 1 | 0♌14 | 26 | 26 | 28 | Ⅱ | 1 | 0♌36 | 27 | 26 |
| 47 48 | 29 | 1 | 2 | 0♌43 | 27 | 27 | 29 | 1 | 2 | 1 5 | 27 | 27 | 29 | 1 | 2 | 1 27 | 27 | 27 |

| Houses | 4 | 5 | 6 | 7 | 8 | 9 | 4 | 5 | 6 | 7 | 8 | 9 | 4 | 5 | 6 | 7 | 8 | 9 |
|---|---|---|---|---|---|---|---|---|---|---|---|---|---|---|---|---|---|---|

Latitude 16° S.   Latitude 17° S.   Latitude 18° S.

## SIMPLIFIED SCIENTIFIC TABLES OF HOUSES

Latitude 16° N.  Latitude 17° N.  Latitude 18° N.

| Sider'l Time (H M S) | 16N 10 ♉ | 16N 11 Ⅱ | 16N 12 ♋ | 16N Asc ♌ | 16N 2 ♌ | 16N 3 ♍ | 17N 10 ♉ | 17N 11 Ⅱ | 17N 12 ♋ | 17N Asc ♌ | 17N 2 ♌ | 17N 3 ♍ | 18N 10 ♉ | 18N 11 Ⅱ | 18N 12 ♋ | 18N Asc ♌ | 18N 2 ♌ | 18N 3 ♍ |
|---|---|---|---|---|---|---|---|---|---|---|---|---|---|---|---|---|---|---|
| 1 51 37 | 0 | 2 | 2 | 1 35 | 28 | 28 | 0 | 2 | 3 | 1 56 | 28 | 28 | 0 | 2 | 3 | 2 18 | 28 | 28 |
| 55 27 | 1 | 3 | 3 | 2 27 | 29 | 29 | 1 | 3 | 4 | 2 48 | 29 | 29 | 1 | 3 | 4 | 3 9 | 29 | 29 |
| 59 17 | 2 | 4 | 4 | 3 19 | ♍ | ♎ | 2 | 4 | 4 | 3 40 | ♍ | ♎ | 2 | 4 | 5 | 4 1 | ♍ | ♎ |
| 2 3 8 | 3 | 5 | 5 | 4 11 | 1 | 1 | 3 | 5 | 5 | 4 32 | 1 | 1 | 3 | 5 | 6 | 4 53 | 1 | 1 |
| 6 59 | 4 | 6 | 6 | 5 03 | 2 | 2 | 4 | 6 | 6 | 5 24 | 2 | 2 | 4 | 6 | 7 | 5 45 | 2 | 2 |
| 10 51 | 5 | 7 | 7 | 5 56 | 3 | 3 | 5 | 7 | 7 | 6 17 | 3 | 3 | 5 | 7 | 7 | 6 37 | 3 | 3 |
| 2 14 44 | 6 | 8 | 8 | 6 49 | 4 | 4 | 6 | 8 | 8 | 7 9 | 4 | 4 | 6 | 8 | 8 | 7 29 | 4 | 4 |
| 18 37 | 7 | 9 | 9 | 7 42 | 5 | 5 | 7 | 9 | 9 | 8 2 | 5 | 5 | 7 | 9 | 9 | 8 21 | 5 | 5 |
| 22 31 | 8 | 10 | 9 | 8 35 | 6 | 6 | 8 | 10 | 10 | 8 55 | 6 | 6 | 8 | 10 | 10 | 9 14 | 6 | 6 |
| 2 26 25 | 9 | 10 | 10 | 9 28 | 7 | 7 | 9 | 11 | 11 | 9 48 | 7 | 7 | 9 | 11 | 11 | 10 7 | 7 | 7 |
| 30 20 | 10 | 11 | 11 | 10 22 | 8 | 8 | 10 | 12 | 12 | 10 41 | 8 | 8 | 10 | 12 | 12 | 11 0 | 8 | 8 |
| 34 16 | 11 | 12 | 12 | 11 16 | 9 | 9 | 11 | 12 | 12 | 11 34 | 9 | 9 | 11 | 13 | 13 | 11 53 | 9 | 9 |
| 2 38 13 | 12 | 13 | 13 | 12 10 | 10 | 10 | 12 | 13 | 13 | 12 28 | 10 | 10 | 12 | 14 | 14 | 12 47 | 10 | 10 |
| 42 10 | 13 | 14 | 14 | 13 04 | 11 | 11 | 13 | 14 | 14 | 13 22 | 11 | 11 | 13 | 14 | 15 | 13 41 | 11 | 11 |
| 46 8 | 14 | 15 | 15 | 13 59 | 12 | 12 | 14 | 15 | 15 | 14 17 | 12 | 12 | 14 | 15 | 15 | 14 35 | 12 | 12 |
| 2 50 7 | 15 | 16 | 16 | 14 54 | 12 | 13 | 15 | 16 | 16 | 15 12 | 13 | 13 | 15 | 16 | 16 | 15 29 | 13 | 13 |
| 54 7 | 16 | 17 | 17 | 15 49 | 13 | 14 | 16 | 17 | 17 | 16 6 | 14 | 14 | 16 | 17 | 17 | 16 23 | 14 | 14 |
| 58 7 | 17 | 18 | 18 | 16 44 | 14 | 15 | 17 | 18 | 18 | 17 1 | 15 | 15 | 17 | 18 | 18 | 17 18 | 15 | 15 |
| 3 2 8 | 18 | 19 | 18 | 17 40 | 15 | 16 | 18 | 19 | 19 | 17 56 | 16 | 16 | 18 | 19 | 19 | 18 13 | 16 | 16 |
| 6 9 | 19 | 20 | 19 | 18 36 | 16 | 17 | 19 | 20 | 20 | 18 52 | 17 | 17 | 19 | 20 | 20 | 19 8 | 17 | 17 |
| 10 12 | 20 | 21 | 20 | 19 32 | 17 | 18 | 20 | 21 | 21 | 19 48 | 18 | 18 | 20 | 21 | 21 | 20 4 | 18 | 18 |
| 3 14 15 | 21 | 22 | 21 | 20 28 | 19 | 19 | 21 | 22 | 22 | 20 44 | 19 | 19 | 21 | 22 | 22 | 21 0 | 19 | 19 |
| 18 19 | 22 | 23 | 22 | 21 25 | 20 | 20 | 22 | 23 | 23 | 21 40 | 20 | 20 | 22 | 23 | 23 | 21 56 | 20 | 20 |
| 22 23 | 23 | 24 | 23 | 22 22 | 21 | 21 | 23 | 24 | 24 | 22 37 | 21 | 21 | 23 | 24 | 24 | 22 52 | 21 | 21 |
| 3 26 29 | 24 | 24 | 24 | 23 19 | 22 | 22 | 24 | 25 | 25 | 23 34 | 22 | 22 | 24 | 25 | 25 | 23 48 | 22 | 22 |
| 30 35 | 25 | 25 | 25 | 24 16 | 23 | 23 | 25 | 26 | 26 | 24 31 | 23 | 23 | 25 | 26 | 26 | 24 45 | 23 | 23 |
| 34 41 | 26 | 26 | 26 | 25 13 | 24 | 25 | 26 | 27 | 27 | 25 28 | 24 | 25 | 26 | 27 | 27 | 25 42 | 24 | 24 |
| 3 38 49 | 27 | 27 | 27 | 26 11 | 25 | 26 | 27 | 27 | 27 | 26 25 | 25 | 26 | 27 | 28 | 28 | 26 39 | 25 | 25 |
| 42 57 | 28 | 28 | 28 | 27 09 | 26 | 27 | 28 | 28 | 28 | 27 23 | 26 | 27 | 28 | 29 | 29 | 27 36 | 26 | 27 |
| 47 6 | 29 | 29 | 29 | 28 08 | 27 | 28 | 29 | 29 | 29 | 28 21 | 27 | 28 | 29 | 30 | 30 | 28 34 | 27 | 28 |

| Houses | 4 | 5 | 6 | 7 | 8 | 9 | 4 | 5 | 6 | 7 | 8 | 9 | 4 | 5 | 6 | 7 | 8 | 9 |

Latitude 16° S.  Latitude 17° S.  Latitude 18° S.

# SIMPLIFIED SCIENTIFIC TABLES OF HOUSES

| | Latitude 16° N. | | | | | | Latitude 17° N. | | | | | | Latitude 18° N. | | | | | |
|---|---|---|---|---|---|---|---|---|---|---|---|---|---|---|---|---|---|---|
| Sider'l Time | 10 ♊ | 11 ♋ | 12 ♌ | Asc. ♌ | 2 ♍ | 3 ♎ | 10 ♊ | 11 ♋ | 12 ♌ | Asc. ♌ | 2 ♍ | 3 ♎ | 10 ♊ | 11 ♋ | 12 ♌ | Asc. ♌ | 2 ♍ | 3 ♎ |
| H M S | ° | ° | ° | ° ' | ° | ° | ° | ° | ° | ° ' | ° | ° | ° | ° | ° | ° ' | ° | ° |
| 3 51 15 | 0 | 0 | 0 | 29 07 | 28 | 29 | 0 | 0 | 0 | 29 20 | 28 | 29 | 0 | 0 | 0 | 29 33 | 28 | 29 |
| 55 25 | 1 | 1 | 1 | 0♍06 | 29 | ♏ | 1 | 1 | 1 | 0♍18 | 29 | ♏ | 1 | 1 | 1 | 0♍31 | 29 | ♏ |
| 59 36 | 2 | 2 | 2 | 1 05 | ♎ | 1 | 2 | 2 | 2 | 1 17 | ♎ | 1 | 2 | 2 | 2 | 1 29 | ♎ | 1 |
| 4 3 48 | 3 | 3 | 3 | 2 04 | 1 | 2 | 3 | 3 | 3 | 2 16 | 1 | 2 | 3 | 3 | 3 | 2 28 | 1 | 2 |
| 8 0 | 4 | 4 | 4 | 3 04 | 2 | 3 | 4 | 4 | 4 | 3 15 | 2 | 3 | 4 | 4 | 4 | 3 27 | 2 | 3 |
| 12 13 | 5 | 5 | 5 | 4 04 | 3 | 4 | 5 | 5 | 5 | 4 15 | 3 | 4 | 5 | 5 | 5 | 4 26 | 3 | 4 |
| 4 16 26 | 6 | 6 | 6 | 5 04 | 4 | 5 | 6 | 6 | 6 | 5 15 | 4 | 5 | 6 | 6 | 6 | 5 25 | 4 | 5 |
| 20 40 | 7 | 7 | 6 | 6 05 | 5 | 6 | 7 | 7 | 7 | 6 15 | 5 | 6 | 7 | 7 | 7 | 6 25 | 5 | 6 |
| 24 55 | 8 | 8 | 7 | 7 06 | 6 | 7 | 8 | 8 | 8 | 7 15 | 6 | 7 | 8 | 8 | 8 | 7 25 | 6 | 7 |
| 4 29 10 | 9 | 9 | 8 | 8 07 | 7 | 8 | 9 | 9 | 9 | 8 16 | 7 | 8 | 9 | 9 | 9 | 8 25 | 7 | 8 |
| 33 26 | 10 | 10 | 9 | 9 08 | 8 | 9 | 10 | 10 | 10 | 9 17 | 8 | 9 | 10 | 10 | 10 | 9 25 | 8 | 9 |
| 37 42 | 11 | 11 | 10 | 10 09 | 9 | 10 | 11 | 11 | 11 | 10 17 | 9 | 10 | 11 | 11 | 11 | 10 25 | 9 | 10 |
| 4 41 59 | 12 | 12 | 11 | 11 10 | 11 | 11 | 12 | 12 | 12 | 11 18 | 11 | 11 | 12 | 12 | 12 | 11 26 | 10 | 11 |
| 46 16 | 13 | 13 | 12 | 12 12 | 12 | 12 | 13 | 13 | 13 | 12 19 | 12 | 12 | 13 | 13 | 13 | 12 27 | 12 | 12 |
| 50 34 | 14 | 14 | 13 | 13 14 | 13 | 14 | 14 | 14 | 14 | 13 21 | 13 | 13 | 14 | 14 | 14 | 13 28 | 13 | 13 |
| 4 54 52 | 15 | 15 | 14 | 14 16 | 14 | 15 | 15 | 15 | 15 | 14 22 | 14 | 14 | 15 | 15 | 15 | 14 29 | 14 | 14 |
| 59 10 | 16 | 16 | 16 | 15 18 | 15 | 16 | 16 | 16 | 16 | 15 24 | 15 | 16 | 16 | 16 | 16 | 15 30 | 15 | 15 |
| 5 3 29 | 17 | 17 | 17 | 16 20 | 16 | 17 | 17 | 17 | 17 | 16 26 | 16 | 17 | 17 | 17 | 17 | 16 31 | 16 | 16 |
| 5 7 49 | 18 | 18 | 18 | 17 22 | 17 | 18 | 18 | 18 | 18 | 17 28 | 17 | 18 | 18 | 18 | 18 | 17 33 | 17 | 18 |
| 12 9 | 19 | 19 | 19 | 18 25 | 18 | 19 | 19 | 19 | 19 | 18 30 | 18 | 19 | 19 | 19 | 19 | 18 35 | 18 | 19 |
| 16 29 | 20 | 20 | 20 | 19 28 | 19 | 20 | 20 | 20 | 20 | 19 32 | 19 | 20 | 20 | 20 | 20 | 19 37 | 19 | 20 |
| 5 20 49 | 21 | 21 | 21 | 20 31 | 20 | 21 | 21 | 21 | 21 | 20 35 | 20 | 21 | 21 | 21 | 21 | 20 39 | 20 | 21 |
| 25 9 | 22 | 22 | 22 | 21 34 | 21 | 22 | 22 | 22 | 22 | 21 37 | 21 | 22 | 22 | 22 | 22 | 21 41 | 21 | 22 |
| 29 30 | 23 | 23 | 23 | 22 37 | 22 | 23 | 23 | 23 | 23 | 22 40 | 22 | 23 | 23 | 23 | 23 | 22 44 | 22 | 23 |
| 5 33 51 | 24 | 24 | 24 | 23 40 | 23 | 24 | 24 | 24 | 24 | 23 42 | 23 | 24 | 24 | 24 | 24 | 23 46 | 23 | 24 |
| 38 12 | 25 | 25 | 25 | 24 43 | 25 | 25 | 25 | 25 | 25 | 24 45 | 24 | 25 | 25 | 25 | 25 | 24 48 | 24 | 25 |
| 42 34 | 26 | 26 | 26 | 25 46 | 26 | 26 | 26 | 26 | 26 | 25 48 | 25 | 26 | 26 | 26 | 26 | 25 50 | 25 | 26 |
| 5 46 55 | 27 | 27 | 27 | 26 50 | 27 | 27 | 27 | 27 | 27 | 26 51 | 27 | 27 | 27 | 27 | 27 | 26 52 | 26 | 27 |
| 51 17 | 28 | 28 | 28 | 27 53 | 28 | 28 | 28 | 28 | 28 | 27 54 | 28 | 28 | 28 | 28 | 28 | 27 55 | 27 | 28 |
| 55 38 | 29 | 29 | 29 | 28 57 | 29 | 29 | 29 | 29 | 29 | 28 57 | 29 | 29 | 29 | 29 | 29 | 28 58 | 29 | 29 |
| Houses | 4 | 5 | 6 | 7 | 8 | 9 | 4 | 5 | 6 | 7 | 8 | 9 | 4 | 5 | 6 | 7 | 8 | 9 |

Latitude 16° S.　　　　Latitude 17° S.　　　　Latitude 18° S.

## SIMPLIFIED SCIENTIFIC TABLES OF HOUSES

Latitude 16° N.   Latitude 17° N.   Latitude 18° N.

| Sider'l Time (H M S) | 10 ♋ | 11 ♌ | 12 ♍ | Asc ♎ | 2 ♏ | 3 ♐ | 10 ♋ | 11 ♌ | 12 ♍ | Asc ♎ | 2 ♏ | 3 ♐ | 10 ♋ | 11 ♌ | 12 ♍ | Asc ♎ | 2 ♏ | 3 ♐ |
|---|---|---|---|---|---|---|---|---|---|---|---|---|---|---|---|---|---|---|
| 6 0 0 | 0 | 0 | 0 | 0 00 | 0 | 0 | 0 | 0 | 0 | 0 00 | 0 | 0 | 0 | 0 | 0 | 0 00 | 0 | 0 |
| 4 22 | 1 | 1 | 1 | 1 03 | 1 | 1 | 1 | 1 | 1 | 1 03 | 1 | 1 | 1 | 1 | 1 | 1 02 | 1 | 1 |
| 8 43 | 2 | 2 | 2 | 2 07 | 2 | 2 | 2 | 2 | 2 | 2 06 | 2 | 2 | 2 | 2 | 2 | 2 05 | 2 | 2 |
| 6 13 5 | 3 | 3 | 3 | 3 10 | 3 | 3 | 3 | 3 | 3 | 3 09 | 3 | 3 | 3 | 3 | 3 | 3 08 | 3 | 3 |
| 17 26 | 4 | 4 | 4 | 4 14 | 4 | 4 | 4 | 4 | 4 | 4 12 | 4 | 4 | 4 | 4 | 4 | 4 10 | 4 | 4 |
| 21 48 | 5 | 5 | 5 | 5 17 | 5 | 5 | 5 | 5 | 5 | 5 15 | 5 | 5 | 5 | 5 | 5 | 5 12 | 5 | 5 |
| 6 26 9 | 6 | 6 | 7 | 6 20 | 6 | 6 | 6 | 6 | 7 | 6 18 | 6 | 6 | 6 | 6 | 7 | 6 14 | 6 | 6 |
| 30 30 | 7 | 7 | 8 | 7 23 | 7 | 7 | 7 | 7 | 8 | 7 20 | 7 | 7 | 7 | 7 | 8 | 7 16 | 7 | 7 |
| 34 51 | 8 | 8 | 9 | 8 26 | 8 | 8 | 8 | 8 | 9 | 8 23 | 8 | 8 | 8 | 8 | 9 | 8 19 | 8 | 8 |
| 6 39 11 | 9 | 9 | 10 | 9 29 | 9 | 9 | 9 | 9 | 10 | 9 25 | 9 | 9 | 9 | 9 | 10 | 9 21 | 9 | 9 |
| 43 31 | 10 | 10 | 11 | 10 32 | 10 | 10 | 10 | 10 | 11 | 10 28 | 10 | 10 | 10 | 10 | 11 | 10 23 | 10 | 10 |
| 47 51 | 11 | 11 | 12 | 11 35 | 11 | 11 | 11 | 11 | 12 | 11 30 | 11 | 11 | 11 | 11 | 12 | 11 25 | 11 | 11 |
| 6 52 11 | 12 | 12 | 13 | 12 38 | 12 | 12 | 12 | 12 | 13 | 12 32 | 12 | 12 | 12 | 12 | 13 | 12 27 | 12 | 12 |
| 56 31 | 13 | 13 | 14 | 13 40 | 13 | 13 | 13 | 13 | 14 | 13 34 | 13 | 13 | 13 | 13 | 14 | 13 29 | 13 | 13 |
| 7 0 50 | 14 | 14 | 15 | 14 42 | 14 | 14 | 14 | 14 | 15 | 14 36 | 14 | 14 | 14 | 14 | 15 | 14 30 | 14 | 14 |
| 7 5 8 | 15 | 15 | 16 | 15 44 | 15 | 15 | 15 | 15 | 16 | 15 38 | 15 | 15 | 15 | 15 | 16 | 15 31 | 15 | 15 |
| 9 26 | 16 | 16 | 17 | 16 46 | 16 | 16 | 16 | 16 | 17 | 16 39 | 16 | 16 | 16 | 16 | 17 | 16 32 | 16 | 16 |
| 13 44 | 17 | 18 | 18 | 17 48 | 17 | 17 | 17 | 18 | 18 | 17 41 | 17 | 17 | 17 | 18 | 18 | 17 33 | 17 | 17 |
| 7 18 1 | 18 | 19 | 19 | 18 50 | 18 | 18 | 18 | 19 | 19 | 18 42 | 18 | 18 | 18 | 19 | 20 | 18 34 | 18 | 18 |
| 22 18 | 19 | 20 | 21 | 19 51 | 19 | 19 | 19 | 20 | 21 | 19 43 | 19 | 19 | 19 | 20 | 21 | 19 35 | 19 | 19 |
| 26 34 | 20 | 21 | 22 | 20 52 | 20 | 20 | 20 | 21 | 22 | 20 43 | 20 | 20 | 20 | 21 | 22 | 20 35 | 20 | 20 |
| 7 30 50 | 21 | 22 | 23 | 21 53 | 21 | 21 | 21 | 22 | 23 | 21 44 | 21 | 21 | 21 | 22 | 23 | 21 35 | 21 | 21 |
| 35 5 | 22 | 23 | 24 | 22 54 | 22 | 22 | 22 | 23 | 24 | 22 45 | 22 | 22 | 22 | 23 | 24 | 22 35 | 22 | 22 |
| 39 20 | 23 | 24 | 25 | 23 55 | 23 | 23 | 23 | 24 | 25 | 23 45 | 23 | 23 | 23 | 24 | 25 | 23 35 | 23 | 23 |
| 7 43 34 | 24 | 25 | 26 | 24 56 | 24 | 24 | 24 | 25 | 26 | 24 45 | 24 | 24 | 24 | 25 | 26 | 24 35 | 24 | 24 |
| 47 47 | 25 | 26 | 27 | 25 56 | 25 | 25 | 25 | 26 | 27 | 25 45 | 25 | 25 | 25 | 26 | 27 | 25 34 | 25 | 25 |
| 52 0 | 26 | 27 | 28 | 26 56 | 26 | 26 | 26 | 27 | 28 | 26 45 | 26 | 26 | 26 | 27 | 28 | 26 33 | 26 | 26 |
| 7 56 12 | 27 | 28 | 29 | 27 56 | 27 | 27 | 27 | 27 | 27 | 27 44 | 27 | 27 | 27 | 27 | 27 | 27 32 | 27 | 27 |
| 8 0 24 | 28 | 29 | ≏ | 28 55 | 28 | 28 | 28 | 28 | 28 | 28 43 | 28 | 28 | 28 | 28 | ≏ | 28 31 | 28 | 28 |
| 4 35 | 29 | ♍ | 1 | 29 54 | 29 | 29 | 29 | 29 | 29 | 29 42 | 29 | 29 | 29 | ♍ | 1 | 29 29 | 29 | 29 |
| **Houses** | 4 | 5 | 6 | 7 | 8 | 9 | 4 | 5 | 6 | 7 | 8 | 9 | 4 | 5 | 6 | 7 | 8 | 9 |

Latitude 16° S.   Latitude 17° S.   Latitude 18° S.

# SIMPLIFIED SCIENTIFIC TABLES OF HOUSES

Latitude 16° N.    Latitude 17° N.    Latitude 18° N.

| Sider'l Time (H M S) | 10 ♌ | 11 ♍ | 12 ≏ | Asc ♏ (° ′) | 2 ♐ | 3 ♑ | 10 ♌ | 11 ♍ | 12 ≏ | Asc ♏ (° ′) | 2 ♐ | 3 ♑ | 10 ♌ | 11 ♍ | 12 ≏ | Asc ♏ (° ′) | 2 ♐ | 3 ♑ |
|---|---|---|---|---|---|---|---|---|---|---|---|---|---|---|---|---|---|---|
| 8 8 45 | 0 | 1 | 2 | 0 53 | 0 | 0 | 0 | 1 | 2 | 0 40 | 0 | 0 | 0 | 1 | 2 | 0 27 | 0 | 0 |
| 12 54 | 1 | 2 | 3 | 1 52 | 1 | 1 | 1 | 2 | 3 | 1 39 | 1 | 1 | 1 | 2 | 3 | 1 26 | 1 | 0 |
| 17 | 2 | 3 | 4 | 2 51 | 2 | 2 | 2 | 3 | 4 | 2 37 | 2 | 2 | 2 | 3 | 4 | 2 24 | 2 | 1 |
| 8 21 11 | 3 | 4 | 5 | 3 49 | 3 | 3 | 3 | 4 | 5 | 3 35 | 3 | 3 | 3 | 5 | 5 | 3 21 | 3 | 2 |
| 25 19 | 4 | 5 | 6 | 4 47 | 4 | 4 | 4 | 5 | 6 | 4 32 | 4 | 3 | 4 | 6 | 6 | 4 18 | 4 | 3 |
| 29 26 | 5 | 6 | 7 | 5 44 | 5 | 5 | 5 | 7 | 7 | 5 29 | 5 | 4 | 5 | 7 | 7 | 5 15 | 5 | 4 |
| 8 33 31 | 6 | 8 | 8 | 6 41 | 6 | 6 | 6 | 8 | 8 | 6 26 | 6 | 5 | 6 | 8 | 8 | 6 12 | 5 | 5 |
| 37 37 | 7 | 9 | 9 | 7 38 | 7 | 7 | 7 | 9 | 9 | 7 23 | 7 | 6 | 7 | 9 | 9 | 7 08 | 6 | 6 |
| 41 41 | 8 | 10 | 10 | 8 35 | 8 | 7 | 8 | 10 | 10 | 8 20 | 8 | 7 | 8 | 10 | 10 | 8 4 | 7 | 7 |
| 8 45 45 | 9 | 11 | 11 | 9 32 | 9 | 8 | 9 | 11 | 11 | 9 16 | 8 | 8 | 9 | 11 | 11 | 9 0 | 8 | 8 |
| 49 48 | 10 | 12 | 13 | 10 28 | 10 | 9 | 10 | 12 | 12 | 10 12 | 9 | 9 | 10 | 12 | 12 | 9 56 | 9 | 9 |
| 53 51 | 11 | 13 | 14 | 11 24 | 11 | 10 | 11 | 13 | 13 | 11 8 | 10 | 10 | 11 | 13 | 13 | 10 52 | 10 | 10 |
| 8 57 52 | 12 | 14 | 15 | 12 20 | 12 | 11 | 12 | 14 | 14 | 12 4 | 11 | 11 | 12 | 14 | 14 | 11 47 | 11 | 11 |
| 9 1 53 | 13 | 15 | 16 | 13 16 | 12 | 12 | 13 | 15 | 15 | 12 59 | 12 | 12 | 13 | 15 | 15 | 12 42 | 12 | 12 |
| 5 53 | 14 | 16 | 17 | 14 11 | 13 | 13 | 14 | 16 | 16 | 13 54 | 13 | 13 | 14 | 16 | 16 | 13 37 | 13 | 13 |
| 9 9 53 | 15 | 17 | 18 | 15 06 | 14 | 14 | 15 | 17 | 17 | 14 48 | 14 | 14 | 15 | 17 | 17 | 14 31 | 14 | 14 |
| 13 52 | 16 | 18 | 18 | 16 01 | 15 | 15 | 16 | 18 | 18 | 15 43 | 15 | 15 | 16 | 18 | 18 | 15 25 | 15 | 15 |
| 17 50 | 17 | 19 | 19 | 16 56 | 16 | 16 | 17 | 19 | 19 | 16 38 | 16 | 16 | 17 | 19 | 19 | 16 19 | 15 | 16 |
| 9 21 47 | 18 | 20 | 20 | 17 50 | 17 | 17 | 18 | 20 | 20 | 17 32 | 17 | 17 | 18 | 20 | 20 | 17 13 | 16 | 16 |
| 25 44 | 19 | 21 | 21 | 18 44 | 18 | 18 | 19 | 21 | 21 | 18 26 | 18 | 18 | 19 | 21 | 21 | 18 7 | 17 | 17 |
| 29 40 | 20 | 22 | 22 | 19 38 | 19 | 19 | 20 | 22 | 22 | 19 19 | 19 | 19 | 20 | 22 | 22 | 19 0 | 18 | 18 |
| 9 33 35 | 21 | 23 | 23 | 20 32 | 20 | 20 | 21 | 23 | 23 | 20 12 | 19 | 19 | 21 | 23 | 23 | 19 53 | 19 | 19 |
| 37 29 | 22 | 24 | 24 | 21 25 | 21 | 20 | 22 | 24 | 24 | 21 5 | 20 | 20 | 22 | 24 | 24 | 20 46 | 20 | 20 |
| 41 23 | 23 | 25 | 25 | 22 18 | 21 | 21 | 23 | 25 | 25 | 21 58 | 21 | 21 | 23 | 25 | 25 | 21 39 | 21 | 21 |
| 9 45 16 | 24 | 26 | 26 | 23 11 | 22 | 22 | 24 | 26 | 26 | 22 51 | 22 | 22 | 24 | 26 | 26 | 22 31 | 22 | 22 |
| 49 9 | 25 | 27 | 27 | 24 04 | 23 | 23 | 25 | 27 | 27 | 23 43 | 23 | 23 | 25 | 27 | 27 | 23 23 | 23 | 23 |
| 53 1 | 26 | 28 | 28 | 24 57 | 24 | 24 | 26 | 28 | 28 | 24 36 | 24 | 24 | 26 | 28 | 28 | 24 15 | 23 | 24 |
| 9 56 52 | 27 | 29 | 29 | 25 49 | 25 | 25 | 27 | 29 | 29 | 25 28 | 25 | 25 | 27 | 29 | 29 | 25 7 | 24 | 25 |
| 10 0 43 | 28 | ≏ | ♏ | 26 41 | 26 | 26 | 28 | ≏ | ♏ | 26 20 | 26 | 26 | 28 | ≏ | ♏ | 25 59 | 25 | 26 |
| 4 33 | 29 | 1 | 1 | 27 33 | 27 | 27 | 29 | 1 | 1 | 27 12 | 26 | 27 | 29 | 1 | 1 | 26 51 | 26 | 27 |
| **Houses** | 4 | 5 | 6 | 7 | 8 | 9 | 4 | 5 | 6 | 7 | 8 | 9 | 4 | 5 | 6 | 7 | 8 | 9 |

Latitude 16° S.    Latitude 17° S.    Latitude 18° S.

Latitude 16° N.  Latitude 17° N.  Latitude 18° N.

| Sider'l Time | 10 ♍ | 11 ≏ | 12 ♏ | Asc. ♏ | 2 ♐ | 3 ♑ | 10 ♍ | 11 ≏ | 12 ♏ | Asc. ♏ | 2 ♐ | 3 ♑ | 10 ♍ | 11 ≏ | 12 ♏ | Asc. ♏ | 2 ♐ | 3 ♑ |
|---|---|---|---|---|---|---|---|---|---|---|---|---|---|---|---|---|---|---|
| H M S | ° | ° | ° | ° ′ | ° | ° | ° | ° | ° | ° ′ | ° | ° | ° | ° | ° | ° ′ | ° | ° |
| 10 8 23 | 0 | 2 | 2 | 28 25 | 28 | 28 | 0 | 2 | 2 | 28 4 | 27 | 28 | 0 | 2 | 2 | 27 42 | 27 | 28 |
| 12 12 | 1 | 3 | 3 | 29 17 | 28 | 29 | 1 | 3 | 3 | 28 55 | 28 | 29 | 1 | 3 | 3 | 28 33 | 28 | 29 |
| 16 0 | 2 | 4 | 4 | 0♐08 | 29 | ≈ | 2 | 4 | 4 | 29 46 | 29 | ≈ | 2 | 4 | 3 | 29 24 | 29 | ≈ |
| 10 19 48 | 3 | 5 | 5 | 0 59 | V3 | 1 | 3 | 5 | 4 | 0♐37 | V3 | 1 | 3 | 5 | 4 | 0♐15 | V3 | 1 |
| 23 35 | 4 | 6 | 6 | 1 50 | 1 | 2 | 4 | 6 | 5 | 1 28 | 1 | 2 | 4 | 6 | 5 | 1 6 | 1 | 1 |
| 27 22 | 5 | 7 | 6 | 2 41 | 2 | 3 | 5 | 7 | 6 | 2 18 | 2 | 2 | 5 | 7 | 6 | 1 56 | 1 | 2 |
| 10 31 8 | 6 | 8 | 7 | 3 32 | 3 | 3 | 6 | 8 | 7 | 3 9 | 2 | 3 | 6 | 8 | 7 | 2 47 | 2 | 3 |
| 34 54 | 7 | 9 | 8 | 4 23 | 4 | 4 | 7 | 9 | 8 | 3 59 | 3 | 4 | 7 | 9 | 8 | 3 37 | 3 | 4 |
| 38 40 | 8 | 10 | 9 | 5 13 | 5 | 5 | 8 | 10 | 9 | 4 50 | 4 | 5 | 8 | 10 | 9 | 4 27 | 4 | 5 |
| 10 42 25 | 9 | 11 | 10 | 6 04 | 5 | 6 | 9 | 11 | 10 | 5 40 | 5 | 6 | 9 | 11 | 10 | 5 17 | 5 | 6 |
| 46 9 | 10 | 12 | 11 | 6 54 | 6 | 7 | 10 | 12 | 11 | 6 31 | 6 | 7 | 10 | 12 | 11 | 6 7 | 6 | 7 |
| 49 53 | 11 | 13 | 12 | 7 44 | 7 | 8 | 11 | 13 | 12 | 7 21 | 7 | 8 | 11 | 13 | 11 | 6 57 | 7 | 8 |
| 10 53 37 | 12 | 14 | 13 | 8 34 | 8 | 9 | 12 | 14 | 13 | 8 11 | 8 | 9 | 12 | 14 | 12 | 7 47 | 7 | 9 |
| 57 20 | 13 | 15 | 14 | 9 24 | 9 | 10 | 13 | 15 | 13 | 9 1 | 9 | 10 | 13 | 15 | 13 | 8 37 | 8 | 10 |
| 11 1 3 | 14 | 16 | 15 | 10 14 | 10 | 11 | 14 | 16 | 14 | 9 51 | 9 | 11 | 14 | 16 | 14 | 9 27 | 9 | 11 |
| 11 4 46 | 15 | 17 | 15 | 11 04 | 11 | 12 | 15 | 17 | 15 | 10 40 | 10 | 12 | 15 | 17 | 15 | 10 16 | 10 | 12 |
| 8 28 | 16 | 18 | 16 | 11 54 | 11 | 13 | 16 | 18 | 16 | 11 30 | 11 | 13 | 16 | 18 | 16 | 11 6 | 11 | 13 |
| 12 10 | 17 | 19 | 17 | 12 44 | 12 | 14 | 17 | 19 | 17 | 12 19 | 12 | 14 | 17 | 19 | 17 | 11 55 | 12 | 14 |
| 11 15 52 | 18 | 20 | 18 | 13 34 | 13 | 15 | 18 | 20 | 18 | 13 9 | 13 | 15 | 18 | 20 | 18 | 12 45 | 13 | 15 |
| 19 34 | 19 | 21 | 19 | 14 24 | 14 | 16 | 19 | 21 | 19 | 13 59 | 14 | 16 | 19 | 21 | 18 | 13 34 | 13 | 16 |
| 23 15 | 20 | 22 | 20 | 15 13 | 15 | 17 | 20 | 22 | 20 | 14 48 | 15 | 17 | 20 | 22 | 19 | 14 24 | 14 | 17 |
| 11 26 56 | 21 | 23 | 21 | 16 03 | 16 | 18 | 21 | 23 | 20 | 15 38 | 16 | 18 | 21 | 22 | 20 | 15 13 | 15 | 18 |
| 30 37 | 22 | 24 | 21 | 16 53 | 17 | 19 | 22 | 23 | 21 | 16 28 | 16 | 19 | 22 | 23 | 21 | 16 3 | 16 | 19 |
| 34 18 | 23 | 24 | 22 | 17 42 | 18 | 20 | 23 | 24 | 22 | 17 17 | 17 | 20 | 23 | 24 | 22 | 16 52 | 17 | 19 |
| 11 37 58 | 24 | 25 | 23 | 18 32 | 18 | 21 | 24 | 25 | 23 | 18 7 | 18 | 21 | 24 | 25 | 23 | 17 41 | 18 | 20 |
| 41 39 | 25 | 26 | 24 | 19 21 | 19 | 22 | 25 | 26 | 24 | 18 56 | 19 | 22 | 25 | 26 | 24 | 18 31 | 19 | 21 |
| 45 19 | 26 | 27 | 25 | 20 11 | 20 | 23 | 26 | 27 | 25 | 19 46 | 20 | 23 | 26 | 27 | 24 | 19 20 | 20 | 22 |
| 11 49 0 | 27 | 28 | 26 | 21 00 | 21 | 24 | 27 | 28 | 26 | 20 35 | 21 | 23 | 27 | 28 | 25 | 20 9 | 21 | 23 |
| 52 40 | 28 | 29 | 27 | 21 50 | 22 | 25 | 28 | 29 | 26 | 21 25 | 22 | 24 | 28 | 29 | 26 | 20 59 | 21 | 24 |
| 56 20 | 29 | m | 27 | 22 40 | 23 | 26 | 29 | m | 27 | 22 15 | 23 | 25 | 29 | m | 27 | 21 48 | 22 | 25 |
| Houses | 4 | 5 | 6 | 7 | 8 | 9 | 4 | 5 | 6 | 7 | 8 | 9 | 4 | 5 | 6 | 7 | 8 | 9 |

Latitude 16° S.  Latitude 17° S.  Latitude 18° S.

# SIMPLIFIED SCIENTIFIC TABLES OF HOUSES

|  | Latitude 16° N. | | | | | | Latitude 17° N. | | | | | | Latitude 18° N. | | | | | |
|---|---|---|---|---|---|---|---|---|---|---|---|---|---|---|---|---|---|---|
| **Sider'l Time** | 10 ≏ | 11 ♏ | 12 ♏ | Asc. ♐ | 2 ♈ | 3 ♒ | 10 ≏ | 11 ♏ | 12 ♏ | Asc. ♐ | 2 | 3 ♒ | 10 ≏ | 11 ♏ | 12 ♏ | Asc. ♐ | 2 | 3 ♒ |
| H M S | ° | ° | ° | ° ' | ° | ° | ° | ° | ° | ° ' | ° | ° | ° | ° | ° | ° ' | ° | ° |
| 12 0 0 | 0 | 1 | 28 | 23 30 | 24 | 27 | 0 | 1 | 28 | 23 4 | 24 | 26 | 0 | 1 | 28 | 22 38 | 23 | 26 |
| 3 40 | 1 | 2 | 29 | 24 20 | 25 | 27 | 1 | 2 | 29 | 23 54 | 24 | 27 | 1 | 2 | 29 | 23 27 | 24 | 27 |
| 7 20 | 2 | 3 | ♐ | 25 09 | 26 | 28 | 2 | 3 | ♐ | 24 43 | 25 | 28 | 2 | 3 | 29 | 24 17 | 25 | 28 |
| 12 11 0 | 3 | 4 | 1 | 25 59 | 27 | 29 | 3 | 4 | 1 | 25 33 | 26 | 29 | 3 | 4 | ♐ | 25 7 | 26 | 29 |
| 14 41 | 4 | 5 | 2 | 26 49 | 27 | ♓ | 4 | 5 | 1 | 26 23 | 27 | ♓ | 4 | 4 | 1 | 25 57 | 27 | ♓ |
| 18 21 | 5 | 6 | 3 | 27 39 | 28 | 1 | 5 | 5 | 2 | 27 13 | 28 | 1 | 5 | 5 | 2 | 26 47 | 28 | 1 |
| 12 22 2 | 6 | 6 | 3 | 28 29 | 29 | 2 | 6 | 6 | 3 | 28 3 | 29 | 2 | 6 | 6 | 3 | 27 37 | 29 | 2 |
| 25 42 | 7 | 7 | 4 | 29 20 | ♒ | 4 | 7 | 7 | 4 | 28 54 | ♒ | 3 | 7 | 7 | 4 | 28 27 | ♒ | 3 |
| 29 23 | 8 | 8 | 5 | 0♑11 | 1 | 5 | 8 | 8 | 5 | 29 45 | 1 | 4 | 8 | 8 | 5 | 29 18 | 1 | 4 |
| 12 33 4 | 9 | 9 | 6 | 1 02 | 2 | 6 | 9 | 9 | 6 | 0♑36 | 2 | 5 | 9 | 9 | 5 | 0♑8 | 2 | 5 |
| 36 45 | 10 | 10 | 7 | 1 52 | 3 | 7 | 10 | 10 | 7 | 1 26 | 3 | 6 | 10 | 10 | 6 | 0 58 | 2 | 6 |
| 40 26 | 11 | 11 | 8 | 2 43 | 4 | 8 | 11 | 11 | 7 | 2 18 | 4 | 8 | 11 | 11 | 7 | 1 50 | 3 | 7 |
| 12 44 8 | 12 | 12 | 8 | 3 35 | 5 | 9 | 12 | 12 | 8 | 3 9 | 5 | 9 | 12 | 12 | 8 | 2 42 | 4 | 8 |
| 47 50 | 13 | 13 | 9 | 4 27 | 6 | 10 | 13 | 13 | 9 | 4 1 | 6 | 10 | 13 | 13 | 9 | 3 34 | 5 | 10 |
| 51 32 | 14 | 14 | 10 | 5 18 | 7 | 11 | 14 | 14 | 10 | 4 52 | 7 | 11 | 14 | 14 | 10 | 4 25 | 6 | 11 |
| 12 55 14 | 15 | 15 | 11 | 6 10 | 8 | 12 | 15 | 15 | 11 | 5 44 | 8 | 12 | 15 | 15 | 14 | 10 5 17 | 7 | 12 |
| 58 57 | 16 | 16 | 12 | 7 02 | 9 | 13 | 16 | 16 | 15 | 11 6 36 | 8 | 13 | 16 | 15 | 11 | 6 9 | 8 | 13 |
| 13 2 40 | 17 | 16 | 13 | 7 54 | 10 | 14 | 17 | 16 | 12 | 7 28 | 9 | 14 | 17 | 16 | 12 | 7 1 | 9 | 14 |
| 13 6 23 | 18 | 17 | 13 | 8 47 | 11 | 15 | 18 | 17 | 13 | 8 20 | 10 | 15 | 18 | 17 | 13 | 7 53 | 10 | 15 |
| 10 7 | 19 | 18 | 14 | 9 39 | 12 | 16 | 19 | 18 | 14 | 9 13 | 11 | 16 | 19 | 18 | 14 | 8 46 | 11 | 16 |
| 13 51 | 20 | 19 | 15 | 10 32 | 13 | 17 | 20 | 19 | 15 | 10 6 | 12 | 17 | 20 | 19 | 15 | 9 39 | 12 | 17 |
| 13 17 35 | 21 | 20 | 16 | 11 25 | 14 | 18 | 21 | 20 | 16 | 10 59 | 13 | 18 | 21 | 20 | 15 | 10 32 | 13 | 18 |
| 21 20 | 22 | 21 | 17 | 12 19 | 15 | 19 | 22 | 21 | 17 | 11 52 | 14 | 19 | 22 | 21 | 16 | 11 26 | 14 | 19 |
| 25 6 | 23 | 22 | 18 | 13 13 | 16 | 20 | 23 | 22 | 17 | 12 46 | 15 | 20 | 23 | 22 | 17 | 12 20 | 15 | 20 |
| 13 28 52 | 24 | 23 | 19 | 14 07 | 17 | 21 | 24 | 23 | 18 | 13 41 | 16 | 21 | 24 | 23 | 18 | 13 14 | 16 | 21 |
| 32 38 | 25 | 24 | 19 | 15 02 | 18 | 22 | 25 | 24 | 19 | 14 35 | 17 | 22 | 25 | 23 | 19 | 14 8 | 17 | 22 |
| 36 25 | 26 | 25 | 20 | 15 56 | 19 | 23 | 26 | 24 | 20 | 15 30 | 18 | 23 | 26 | 24 | 20 | 15 3 | 18 | 23 |
| 13 40 12 | 27 | 25 | 21 | 16 51 | 20 | 24 | 27 | 25 | 21 | 16 25 | 20 | 24 | 27 | 25 | 21 | 15 58 | 19 | 24 |
| 44 0 | 28 | 26 | 22 | 17 46 | 21 | 25 | 28 | 26 | 22 | 17 20 | 21 | 25 | 28 | 26 | 21 | 16 53 | 20 | 25 |
| 47 48 | 29 | 27 | 23 | 18 42 | 22 | 27 | 29 | 27 | 23 | 18 15 | 22 | 27 | 29 | 27 | 22 | 17 49 | 21 | 27 |
| **Houses** | 4 | 5 | 6 | 7 | 8 | 9 | 4 | 5 | 6 | 7 | 8 | 9 | 4 | 5 | 6 | 7 | 8 | 9 |

# SIMPLIFIED SCIENTIFIC TABLES OF HOUSES

Latitude 16° N.    Latitude 17° N.    Latitude 18° N.

| Sider'l Time | 10 ♏ | 11 ♏ | 12 ♐ | Asc. ♑ | 2 ♒ | 3 ♓ | 10 ♏ | 11 ♏ | 12 ♐ | Asc. ♑ | 2 ♒ | 3 ♓ | 10 ♏ | 11 ♏ | 12 ♐ | Asc. ♑ | 2 ♒ | 3 ♓ |
|---|---|---|---|---|---|---|---|---|---|---|---|---|---|---|---|---|---|---|
| H M S | ° | ° | ° | ° ' | ° | ° | ° | ° | ° | ° ' | ° | ° | ° | ° | ° | ° ' | ° | ° |
| 13 51 37 | 0 | 28 | 24 | 19 38 | 23 | 28 | 0 | 28 | 23 | 19 11 | 23 | 28 | 0 | 28 | 23 | 18 45 | 22 | 28 |
| 55 27 | 1 | 29 | 25 | 20 34 | 24 | 29 | 1 | 29 | 24 | 20 9 | 24 | 29 | 1 | 29 | 24 | 19 42 | 23 | 29 |
| 59 17 | 2 | ♐ | 25 | 21 31 | 25 | ♈ | 2 | ♐ | 25 | 21 6 | 25 | ♈ | 2 | ♐ | 25 | 20 39 | 25 | ♈ |
| 14 3 8 | 3 | 1 | 26 | 22 28 | 26 | 1 | 3 | 1 | 26 | 22 3 | 26 | 1 | 3 | 1 | 26 | 21 36 | 26 | 1 |
| 6 59 | 4 | 2 | 27 | 23 26 | 27 | 2 | 4 | 2 | 27 | 23 1 | 27 | 2 | 4 | 2 | 27 | 22 34 | 27 | 2 |
| 10 51 | 5 | 3 | 28 | 24 24 | 28 | 3 | 5 | 3 | 28 | 23 59 | 28 | 3 | 5 | 2 | 28 | 23 32 | 28 | 3 |
| 14 14 44 | 6 | 4 | 29 | 25 23 | 29 | 4 | 6 | 3 | 29 | 24 58 | 29 | 4 | 6 | 3 | 28 | 24 31 | 29 | 4 |
| 18 37 | 7 | 5 | ♑ | 26 22 | ♓ | 5 | 7 | 4 | ♑ | 25 57 | ♓ | 5 | 7 | 4 | 29 | 25 30 | ♓ | 5 |
| 22 31 | 8 | 5 | 1 | 27 21 | 1 | 6 | 8 | 5 | 0 | 26 56 | 1 | 6 | 8 | 5 | ♑ | 26 30 | 1 | 6 |
| 14 26 25 | 9 | 6 | 2 | 28 20 | 3 | 7 | 9 | 6 | 1 | 27 55 | 2 | 8 | 9 | 6 | 1 | 27 30 | 2 | 8 |
| 30 20 | 10 | 7 | 3 | 29 20 | 4 | 9 | 10 | 7 | 2 | 28 55 | 4 | 9 | 10 | 7 | 2 | 28 30 | 3 | 9 |
| 34 16 | 11 | 8 | 4 | 0♒21 | 5 | 10 | 11 | 8 | 3 | 29 56 | 5 | 10 | 11 | 8 | 3 | 29 31 | 5 | 10 |
| 14 38 13 | 12 | 9 | 4 | 1 22 | 6 | 11 | 12 | 9 | 4 | 0♒57 | 6 | 11 | 12 | 9 | 4 | 0♒33 | 6 | 11 |
| 42 10 | 13 | 10 | 5 | 2 24 | 7 | 12 | 13 | 10 | 5 | 2 0 | 7 | 12 | 13 | 10 | 5 | 1 35 | 7 | 12 |
| 46 8 | 14 | 11 | 6 | 3 26 | 8 | 13 | 14 | 11 | 6 | 3 2 | 8 | 13 | 14 | 11 | 6 | 2 37 | 8 | 13 |
| 14 50 7 | 15 | 12 | 7 | 4 29 | 9 | 14 | 15 | 12 | 7 | 4 5 | 9 | 14 | 15 | 12 | 7 | 3 40 | 9 | 14 |
| 54 7 | 16 | 13 | 8 | 5 32 | 11 | 15 | 16 | 13 | 8 | 5 8 | 10 | 15 | 16 | 13 | 8 | 4 44 | 10 | 15 |
| 58 7 | 17 | 14 | 9 | 6 36 | 12 | 16 | 17 | 14 | 9 | 6 12 | 12 | 16 | 17 | 14 | 8 | 5 48 | 12 | 17 |
| 15 2 8 | 18 | 15 | 10 | 7 40 | 13 | 18 | 18 | 15 | 10 | 7 16 | 13 | 18 | 18 | 14 | 9 | 6 52 | 13 | 18 |
| 6 9 | 19 | 15 | 11 | 8 44 | 14 | 19 | 19 | 15 | 11 | 8 21 | 14 | 19 | 19 | 15 | 10 | 7 57 | 14 | 19 |
| 10 12 | 20 | 16 | 12 | 9 49 | 15 | 20 | 20 | 16 | 12 | 9 27 | 15 | 20 | 20 | 16 | 11 | 9 3 | 15 | 20 |
| 15 14 15 | 21 | 17 | 13 | 10 54 | 16 | 21 | 21 | 17 | 13 | 10 33 | 16 | 21 | 21 | 17 | 12 | 10 10 | 16 | 21 |
| 18 19 | 22 | 18 | 14 | 12 01 | 18 | 22 | 22 | 18 | 14 | 11 40 | 18 | 22 | 22 | 18 | 13 | 11 17 | 18 | 22 |
| 22 23 | 23 | 19 | 15 | 13 08 | 19 | 23 | 23 | 19 | 14 | 12 47 | 19 | 23 | 23 | 19 | 14 | 12 24 | 19 | 23 |
| 15 26 29 | 24 | 20 | 16 | 14 16 | 20 | 24 | 24 | 20 | 15 | 13 55 | 20 | 24 | 24 | 20 | 15 | 13 32 | 20 | 24 |
| 30 35 | 25 | 21 | 17 | 15 24 | 21 | 26 | 25 | 21 | 16 | 15 3 | 21 | 26 | 25 | 21 | 16 | 14 41 | 21 | 26 |
| 34 41 | 26 | 22 | 18 | 16 32 | 22 | 27 | 26 | 22 | 17 | 16 11 | 22 | 27 | 26 | 22 | 17 | 15 49 | 22 | 27 |
| 15 38 49 | 27 | 23 | 19 | 17 41 | 24 | 28 | 27 | 23 | 18 | 17 20 | 24 | 28 | 27 | 23 | 18 | 16 59 | 24 | 28 |
| 42 57 | 28 | 24 | 20 | 18 50 | 25 | 29 | 28 | 24 | 19 | 18 30 | 25 | 29 | 28 | 24 | 19 | 18 10 | 25 | 29 |
| 47 6 | 29 | 25 | 21 | 20 01 | 26 | ♉ | 29 | 25 | 20 | 19 41 | 26 | ♉ | 29 | 25 | 20 | 19 21 | 26 | ♉ |
| Houses | 4 | 5 | 6 | 7 | 8 | 9 | 4 | 5 | 6 | 7 | 8 | 9 | 4 | 5 | 6 | 7 | 8 | 9 |

Latitude 16° S.    Latitude 17° S.    Latitude 18° S.

# SIMPLIFIED SCIENTIFIC TABLES OF HOUSES

Latitude 16° N.  Latitude 17° N.  Latitude 18° N.

| Sider'l Time (H M S) | 10 ♐ | 11 ♐ | 12 ♑ | Asc. ♒ | 2 ♓ | 3 ♉ | 10 ♐ | 11 ♐ | 12 ♑ | Asc. ♒ | 2 ♓ | 3 ♉ | 10 ♐ | 11 ♐ | 12 ♑ | Asc. ♒ | 2 ♓ | 3 ♉ |
|---|---|---|---|---|---|---|---|---|---|---|---|---|---|---|---|---|---|---|
| 15 51 15 | 0 | 26 | 22 | 21 12 | 27 | 1 | 0 | 26 | 21 | 20 52 | 27 | 1 | 0 | 26 | 21 | 20 33 | 27 | 1 |
| 55 25 | 1 | 27 | 23 | 22 33 | 29 | 2 | 1 | 27 | 22 | 22 3 | 29 | 2 | 1 | 26 | 22 | 21 45 | 29 | 2 |
| 59 36 | 2 | 28 | 24 | 23 35 | ♈ | 3 | 2 | 28 | 23 | 23 16 | ♈ | 3 | 2 | 27 | 23 | 22 58 | ♈ | 4 |
| 16 3 48 | 3 | 29 | 25 | 24 47 | 1 | 5 | 3 | 29 | 24 | 24 29 | 1 | 5 | 3 | 28 | 24 | 24 11 | 1 | 5 |
| 8 0 | 4 | ♑ | 26 | 26 00 | 2 | 6 | 4 | 29 | 26 | 25 42 | 2 | 6 | 4 | 29 | 25 | 25 25 | 2 | 6 |
| 12 13 | 5 | 1 | 27 | 27 13 | 4 | 7 | 5 | ♑ | 27 | 26 56 | 4 | 7 | 5 | ♑ | 26 | 26 39 | 4 | 7 |
| 16 16 26 | 6 | 2 | 28 | 28 27 | 5 | 8 | 6 | 1 | 28 | 28 11 | 5 | 8 | 6 | 1 | 27 | 27 54 | 5 | 8 |
| 20 40 | 7 | 3 | 29 | 29 42 | 6 | 9 | 7 | 2 | 29 | 29 26 | 6 | 9 | 7 | 2 | 28 | 29 9 | 6 | 9 |
| 24 55 | 8 | 4 | ♒ | 0♓57 | 7 | 10 | 8 | 3 | ♒ | 0♓42 | 7 | 10 | 8 | 3 | 29 | 0♓26 | 7 | 10 |
| 16 29 10 | 9 | 5 | 1 | 2 13 | 9 | 11 | 9 | 4 | 1 | 1 58 | 9 | 11 | 9 | 4 | ♒ | 1 43 | 9 | 11 |
| 33 26 | 10 | 5 | 2 | 3 29 | 10 | 12 | 10 | 5 | 2 | 3 15 | 10 | 12 | 10 | 5 | 2 | 3 0 | 10 | 13 |
| 37 42 | 11 | 6 | 3 | 4 45 | 11 | 13 | 11 | 6 | 3 | 4 31 | 11 | 13 | 11 | 6 | 3 | 4 17 | 11 | 14 |
| 16 41 59 | 12 | 7 | 4 | 6 02 | 12 | 15 | 12 | 7 | 4 | 5 48 | 12 | 15 | 12 | 7 | 4 | 5 35 | 13 | 15 |
| 46 16 | 13 | 8 | 5 | 7 19 | 14 | 16 | 13 | 8 | 5 | 7 6 | 14 | 16 | 13 | 8 | 5 | 6 54 | 14 | 16 |
| 50 34 | 14 | 9 | 7 | 8 36 | 15 | 17 | 14 | 9 | 7 | 8 24 | 15 | 17 | 14 | 9 | 6 | 8 13 | 15 | 17 |
| 16 54 52 | 15 | 10 | 8 | 9 54 | 16 | 18 | 15 | 10 | 7 | 9 43 | 16 | 18 | 15 | 10 | 7 | 9 32 | 16 | 18 |
| 59 10 | 16 | 11 | 9 | 11 13 | 17 | 19 | 16 | 11 | 9 | 11 2 | 18 | 19 | 16 | 11 | 8 | 10 52 | 18 | 19 |
| 17 3 29 | 17 | 12 | 10 | 12 32 | 19 | 20 | 17 | 12 | 10 | 12 22 | 19 | 20 | 17 | 12 | 9 | 12 12 | 19 | 20 |
| 17 7 49 | 18 | 13 | 11 | 13 51 | 20 | 21 | 18 | 13 | 11 | 13 42 | 20 | 21 | 18 | 13 | 11 | 13 32 | 20 | 21 |
| 12 9 | 19 | 14 | 12 | 15 11 | 21 | 22 | 19 | 14 | 12 | 15 2 | 21 | 22 | 19 | 14 | 12 | 14 53 | 21 | 23 |
| 16 29 | 20 | 16 | 13 | 16 30 | 22 | 23 | 20 | 15 | 13 | 16 23 | 23 | 23 | 20 | 15 | 13 | 16 15 | 23 | 24 |
| 17 20 49 | 21 | 17 | 14 | 17 50 | 24 | 24 | 21 | 16 | 14 | 17 44 | 24 | 25 | 21 | 16 | 14 | 17 37 | 24 | 25 |
| 25 9 | 22 | 18 | 16 | 19 11 | 25 | 26 | 22 | 17 | 15 | 19 5 | 25 | 26 | 22 | 17 | 15 | 18 59 | 25 | 26 |
| 29 30 | 23 | 19 | 17 | 20 32 | 26 | 27 | 23 | 18 | 17 | 20 27 | 26 | 27 | 23 | 18 | 16 | 20 21 | 27 | 27 |
| 17 33 51 | 24 | 20 | 18 | 21 52 | 27 | 28 | 24 | 19 | 18 | 21 48 | 28 | 28 | 24 | 19 | 18 | 21 43 | 28 | 28 |
| 38 12 | 25 | 21 | 19 | 23 13 | 29 | 29 | 25 | 21 | 19 | 23 10 | 29 | 29 | 25 | 20 | 19 | 23 6 | 29 | 29 |
| 42 34 | 26 | 22 | 20 | 24 34 | ♉ | ♊ | 26 | 22 | 20 | 24 31 | ♉ | ♊ | 26 | 21 | 20 | 24 28 | ♉ | ♊ |
| 17 46 55 | 27 | 23 | 22 | 25 56 | 1 | 1 | 27 | 23 | 21 | 25 53 | 1 | 1 | 27 | 22 | 21 | 25 51 | 2 | 1 |
| 51 17 | 28 | 24 | 23 | 27 17 | 2 | 2 | 28 | 24 | 23 | 27 15 | 3 | 2 | 28 | 24 | 22 | 27 14 | 3 | 2 |
| 55 38 | 29 | 25 | 24 | 28 39 | 4 | 3 | 29 | 25 | 24 | 28 37 | 4 | 3 | 29 | 25 | 24 | 28 37 | 4 | 3 |
| Houses | 4 | 5 | 6 | 7 | 8 | 9 | 4 | 5 | 6 | 7 | 8 | 9 | 4 | 5 | 6 | 7 | 8 | 9 |

Latitude 16° S.  Latitude 17° S.  Latitude 18° S.

# SIMPLIFIED SCIENTIFIC TABLES OF HOUSES

**Latitude 16° N.  Latitude 17° N.  Latitude 18° N.**

| Sider'l Time | 10 ♑ | 11 ♑ | 12 ♒ | Asc. ♈ | 2 ♉ | 3 ♊ | 10 ♑ | 11 ♑ | 12 ♒ | Asc. ♈ | 2 ♉ | 3 ♊ | 10 ♑ | 11 ♑ | 12 ♒ | Asc. ♈ | 2 ♉ | 3 ♊ |
|---|---|---|---|---|---|---|---|---|---|---|---|---|---|---|---|---|---|---|
| H M S | ° | ° | ° | ° ' | ° | ° | ° | ° | ° | ° ' | ° | ° | ° | ° | ° | ° ' | ° | ° |
| 18 0 0 | 0 | 26 | 25 | 0 00 | 5 | 4 | 0 | 26 | 25 | 0 0 | 5 | 4 | 0 | 26 | 25 | 0 0 | 5 | 4 |
| 4 22 | 1 | 27 | 26 | 1 21 | 6 | 5 | 1 | 27 | 26 | 1 23 | 6 | 5 | 1 | 27 | 26 | 1 23 | 6 | 5 |
| 8 43 | 2 | 28 | 28 | 2 43 | 7 | 6 | 2 | 28 | 27 | 2 45 | 7 | 6 | 2 | 28 | 27 | 2 46 | 8 | 6 |
| 18 13 5 | 3 | 29 | 29 | 4 04 | 8 | 7 | 3 | 29 | 29 | 4 7 | 9 | 7 | 3 | 29 | 28 | 4 9 | 9 | 8 |
| 17 26 | 4 | ♒ | ✕ | 5 26 | 10 | 8 | 4 | ♒ | ✕ | 5 29 | 10 | 8 | 4 | ♒ | ✕ | 5 32 | 10 | 9 |
| 21 48 | 5 | 1 | 1 | 6 47 | 11 | 9 | 5 | 1 | 1 | 6 50 | 11 | 9 | 5 | 1 | 1 | 6 54 | 11 | 10 |
| 18 26 9 | 6 | 2 | 3 | 8 08 | 12 | 10 | 6 | 2 | 2 | 8 ♒12 | 12 | 11 | 6 | 2 | 2 | 8 17 | 12 | 11 |
| 30 30 | 7 | 3 | 4 | 9 28 | 13 | 11 | 7 | 3 | 4 | 9 33 | 13 | 12 | 7 | 3 | 3 | 9 39 | 14 | 12 |
| 34 51 | 8 | 4 | 5 | 10 49 | 14 | 12 | 8 | 4 | 5 | 10 55 | 15 | 13 | 8 | 4 | 5 | 11 1 | 15 | 13 |
| 18 39 11 | 9 | 6 | 6 | 12 10 | 16 | 13 | 9 | 5 | 6 | 12 16 | 16 | 14 | 9 | 5 | 6 | 12 23 | 16 | 14 |
| 43 31 | 10 | 7 | 8 | 13 30 | 17 | 14 | 10 | 7 | 7 | 13 37 | 17 | 15 | 10 | 6 | 7 | 13 45 | 17 | 15 |
| 47 51 | 11 | 8 | 9 | 14 49 | 18 | 15 | 11 | 8 | 9 | 14 58 | 18 | 16 | 11 | 7 | 9 | 15 7 | 18 | 16 |
| 18 52 11 | 12 | 9 | 10 | 16 09 | 19 | 16 | 12 | 9 | 10 | 16 18 | 19 | 17 | 12 | 9 | 10 | 16 28 | 19 | 17 |
| 56 31 | 13 | 10 | 11 | 17 28 | 20 | 17 | 13 | 10 | 11 | 17 38 | 20 | 18 | 13 | 10 | 11 | 17 48 | 21 | 18 |
| 19 0 50 | 14 | 11 | 13 | 18 47 | 21 | 18 | 14 | 11 | 12 | 18 58 | 21 | 19 | 14 | 11 | 12 | 19 8 | 22 | 19 |
| 19 5 8 | 15 | 12 | 14 | 20 06 | 22 | 20 | 15 | 12 | 14 | 20 17 | 23 | 20 | 15 | 12 | 14 | 20 28 | 23 | 20 |
| 9 26 | 16 | 13 | 15 | 21 24 | 23 | 21 | 16 | 13 | 15 | 21 36 | 24 | 21 | 16 | 13 | 15 | 21 47 | 24 | 21 |
| 13 44 | 17 | 14 | 16 | 22 41 | 25 | 22 | 17 | 14 | 16 | 22 54 | 25 | 22 | 17 | 14 | 16 | 23 6 | 25 | 22 |
| 19 18 1 | 18 | 15 | 18 | 23 58 | 26 | 23 | 18 | 15 | 17 | 24 12 | 26 | 23 | 18 | 15 | 17 | 24 25 | 26 | 23 |
| 22 18 | 19 | 17 | 19 | 25 15 | 27 | 24 | 19 | 16 | 19 | 25 29 | 27 | 24 | 19 | 16 | 19 | 25 43 | 27 | 24 |
| 26 34 | 20 | 18 | 20 | 26 31 | 28 | 25 | 20 | 18 | 20 | 26 45 | 28 | 25 | 20 | 17 | 20 | 27 0 | 28 | 25 |
| 19 30 50 | 21 | 19 | 21 | 27 47 | 29 | 25 | 21 | 19 | 21 | 28 2 | 29 | 26 | 21 | 19 | 21 | 28 17 | 29 | 26 |
| 35 5 | 22 | 20 | 23 | 29 03 | ♊ | 26 | 22 | 20 | 23 | 29 18 | ♊ | 27 | 22 | 20 | 23 | 29 34 | ♊ | 27 |
| 39 20 | 23 | 21 | 24 | 0♉18 | 1 | 27 | 23 | 21 | 24 | 0♉34 | 1 | 28 | 23 | 21 | 24 | 0♉51 | 2 | 28 |
| 19 43 34 | 24 | 22 | 25 | 1 33 | 2 | 28 | 24 | 22 | 25 | 1 49 | 2 | 29 | 24 | 22 | 25 | 2 6 | 3 | 29 |
| 47 47 | 25 | 23 | 26 | 2 47 | 3 | 29 | 25 | 23 | 26 | 3 4 | 3 | ♋ | 25 | 23 | 26 | 3 21 | 4 | ♋ |
| 52 0 | 26 | 24 | 28 | 4 00 | 4 | ♋ | 26 | 24 | 28 | 4 18 | 4 | 1 | 26 | 24 | 28 | 4 35 | 5 | 1 |
| 19 56 12 | 27 | 25 | 29 | 5 13 | 5 | 1 | 27 | 25 | 29 | 5 31 | 6 | 1 | 27 | 25 | 29 | 5 49 | 6 | 2 |
| 20 0 24 | 28 | 27 | ♈ | 6 25 | 6 | 2 | 28 | 27 | ♈ | 6 44 | 7 | 2 | 28 | 26 | ♈ | 7 2 | 7 | 3 |
| 4 35 | 29 | 28 | 1 | 7 37 | 7 | 3 | 29 | 28 | 1 | 7 57 | 8 | 3 | 29 | 28 | 1 | 8 15 | 8 | 4 |
| Houses | 4 | 5 | 6 | 7 | 8 | 9 | 4 | 5 | 6 | 7 | 8 | 9 | 4 | 5 | 6 | 7 | 8 | 9 |

**Latitude 16° S.  Latitude 17° S.  Latitude 18° S.**

# SIMPLIFIED SCIENTIFIC TABLES OF HOUSES

Latitude 16° N.  Latitude 17° N.  Latitude 18° N.

| Sider'l Time | 10 ♒ | 11 ♒ | 12 ♈ | Asc. ♉ | 2 ♊ | 3 ♋ | 10 ♒ | 11 ♒ | 12 ♈ | Asc. ♉ | 2 ♊ | 3 ♋ | 10 ♒ | 11 ♒ | 12 ♈ | Asc. ♉ | 2 ♊ | 3 ♋ |
|---|---|---|---|---|---|---|---|---|---|---|---|---|---|---|---|---|---|---|
| H M S | ° | ° | ° | ° ′ | ° | ° | ° | ° | ° | ° ′ | ° | ° | ° | ° | ° | ° ′ | ° | ° |
| 20 8 45 | 0 | 29 | 3 | 8 48 | 8 | 4 | 0 | 29 | 3 | 9 8 | 9 | 4 | 0 | 29 | 3 | 9 27 | 9 | 4 |
| 12 54 | 1 | ♓ | 4 | 9 59 | 9 | 5 | 1 | ♓ | 4 | 10 19 | 10 | 5 | 1 | ♓ | 4 | 10 39 | 10 | 5 |
| 17 3 | 2 | 1 | 5 | 11 10 | 10 | 6 | 2 | 1 | 5 | 11 30 | 11 | 6 | 2 | 1 | 5 | 11 50 | 11 | 6 |
| 20 21 11 | 3 | 2 | 6 | 12 19 | 11 | 7 | 3 | 2 | 6 | 12 40 | 12 | 7 | 3 | 2 | 6 | 13 1 | 12 | 7 |
| 25 19 | 4 | 3 | 8 | 13 28 | 12 | 8 | 4 | 3 | 8 | 13 49 | 13 | 8 | 4 | 3 | 8 | 14 11 | 13 | 8 |
| 29 26 | 5 | 5 | 9 | 14 36 | 13 | 9 | 5 | 4 | 9 | 14 57 | 14 | 9 | 5 | 4 | 9 | 15 19 | 14 | 9 |
| 20 33 31 | 6 | 6 | 10 | 15 44 | 14 | 10 | 6 | 6 | 10 | 16 5 | 15 | 10 | 6 | 6 | 10 | 16 28 | 15 | 10 |
| 37 37 | 7 | 7 | 11 | 16 52 | 15 | 11 | 7 | 7 | 11 | 17 13 | 16 | 11 | 7 | 7 | 11 | 17 36 | 16 | 11 |
| 41 41 | 8 | 8 | 12 | 17 59 | 16 | 12 | 8 | 8 | 12 | 18 20 | 16 | 12 | 8 | 8 | 12 | 18 43 | 17 | 12 |
| 20 45 45 | 9 | 9 | 14 | 19 06 | 17 | 13 | 9 | 9 | 14 | 19 27 | 17 | 13 | 9 | 9 | 14 | 19 50 | 18 | 13 |
| 49 48 | 10 | 10 | 15 | 20 11 | 18 | 14 | 10 | 10 | 15 | 20 33 | 18 | 14 | 10 | 10 | 15 | 20 57 | 19 | 14 |
| 53 51 | 11 | 11 | 16 | 21 16 | 19 | 15 | 11 | 11 | 16 | 21 39 | 19 | 15 | 11 | 11 | 16 | 22 3 | 20 | 15 |
| 20 57 52 | 12 | 12 | 17 | 22 20 | 20 | 15 | 12 | 12 | 17 | 22 44 | 20 | 16 | 12 | 12 | 17 | 23 8 | 21 | 16 |
| 21 1 53 | 13 | 14 | 18 | 23 24 | 21 | 16 | 13 | 14 | 18 | 23 48 | 21 | 17 | 13 | 13 | 18 | 24 12 | 22 | 17 |
| 5 53 | 14 | 15 | 19 | 24 28 | 22 | 17 | 14 | 15 | 20 | 24 52 | 22 | 17 | 14 | 15 | 20 | 25 16 | 22 | 18 |
| 21 9 53 | 15 | 16 | 21 | 25 31 | 23 | 18 | 15 | 16 | 21 | 25 55 | 23 | 18 | 15 | 16 | 21 | 26 20 | 23 | 18 |
| 13 52 | 16 | 17 | 22 | 26 34 | 24 | 19 | 16 | 17 | 22 | 26 58 | 24 | 19 | 16 | 17 | 22 | 27 23 | 24 | 19 |
| 17 50 | 17 | 18 | 23 | 27 36 | 25 | 20 | 17 | 18 | 23 | 28 0 | 25 | 20 | 17 | 18 | 23 | 28 25 | 25 | 20 |
| 21 21 47 | 18 | 19 | 24 | 28 38 | 26 | 21 | 18 | 19 | 24 | 29 3 | 26 | 21 | 18 | 19 | 24 | 29 27 | 26 | 21 |
| 25 44 | 19 | 20 | 25 | 29 39 | 26 | 22 | 19 | 20 | 25 | 0 ♊ 4 | 27 | 22 | 19 | 20 | 25 | 0 ♊ 29 | 27 | 22 |
| 29 40 | 20 | 21 | 26 | 0 ♊ 40 | 27 | 23 | 20 | 21 | 26 | 1 5 | 28 | 23 | 20 | 21 | 27 | 1 30 | 28 | 23 |
| 21 33 35 | 21 | 23 | 27 | 1 40 | 28 | 24 | 21 | 22 | 28 | 2 5 | 29 | 24 | 21 | 22 | 28 | 2 30 | 29 | 24 |
| 37 29 | 22 | 24 | 29 | 2 39 | 29 | 25 | 22 | 24 | 29 | 3 4 | 29 | 25 | 22 | 24 | 29 | 3 30 | ♋ | 25 |
| 41 23 | 23 | 25 | ♉ | 3 38 | ♋ | 25 | 23 | 25 | ♉ | 4 3 | ♋ | 26 | 23 | 25 | ♉ | 4 30 | 1 | 26 |
| 21 45 16 | 24 | 26 | 1 | 4 37 | 1 | 26 | 24 | 26 | 1 | 5 2 | 1 | 27 | 24 | 26 | 1 | 5 29 | 2 | 27 |
| 49 9 | 25 | 27 | 2 | 5 36 | 2 | 27 | 25 | 27 | 2 | 6 1 | 2 | 27 | 25 | 27 | 2 | 6 28 | 2 | 28 |
| 53 1 | 26 | 28 | 3 | 6 34 | 3 | 28 | 26 | 28 | 3 | 6 59 | 3 | 28 | 26 | 28 | 3 | 7 26 | 3 | 28 |
| 21 56 52 | 27 | 29 | 4 | 7 32 | 4 | 29 | 27 | 29 | 4 | 7 57 | 4 | 29 | 27 | 29 | 4 | 8 24 | 4 | 29 |
| 22 0 43 | 28 | ♈ | 5 | 8 29 | 5 | ♌ | 28 | ♈ | 5 | 8 54 | 5 | ♌ | 28 | ♈ | 5 | 9 21 | 5 | ♌ |
| 4 33 | 29 | 1 | 6 | 9 26 | 5 | 1 | 29 | 1 | 6 | 9 51 | 6 | 1 | 29 | 1 | 7 | 10 18 | 6 | 1 |
| Houses | 4 | 5 | 6 | 7 | 8 | 9 | 4 | 5 | 6 | 7 | 8 | 9 | 4 | 5 | 6 | 7 | 8 | 9 |

Latitude 16° S.  Latitude 17° S.  Latitude 18° S.

## SIMPLIFIED SCIENTIFIC TABLES OF HOUSES

Latitude 16° N.  Latitude 17° N.  Latitude 18° N.

| Sider'l Time (H M S) | 10 ♓ | 11 ♈ | 12 ♉ | Asc. ♊ | 2 ♋ | 3 ♌ | 10 ♓ | 11 ♈ | 12 ♉ | Asc. ♊ | 2 ♋ | 3 ♌ | 10 ♓ | 11 ♈ | 12 ♉ | Asc. ♊ | 2 ♋ | 3 ♌ |
|---|---|---|---|---|---|---|---|---|---|---|---|---|---|---|---|---|---|---|
| 22 8 23 | 0 | 2 | 7 | 10 22 | 6 | 2 | 0 | 2 | 7 | 10 49 | 7 | 2 | 0 | 2 | 8 | 11 15 | 7 | 2 |
| 22 12 12 | 1 | 3 | 8 | 11 18 | 7 | 3 | 1 | 3 | 8 | 11 45 | 7 | 3 | 1 | 3 | 9 | 12 11 | 8 | 3 |
| 22 16 0 | 2 | 5 | 9 | 12 14 | 8 | 4 | 2 | 5 | 9 | 12 40 | 8 | 4 | 2 | 5 | 10 | 13 7 | 9 | 4 |
| 22 19 48 | 3 | 6 | 10 | 13 9 | 9 | 5 | 3 | 6 | 10 | 13 35 | 9 | 5 | 3 | 6 | 11 | 14 2 | 9 | 5 |
| 22 23 35 | 4 | 7 | 11 | 14 4 | 10 | 5 | 4 | 7 | 12 | 14 30 | 10 | 6 | 4 | 7 | 12 | 14 57 | 10 | 6 |
| 22 27 22 | 5 | 8 | 12 | 14 58 | 11 | 6 | 5 | 8 | 13 | 15 25 | 11 | 6 | 5 | 8 | 13 | 15 52 | 11 | 7 |
| 22 31 8 | 6 | 9 | 13 | 15 53 | 11 | 7 | 6 | 9 | 14 | 16 19 | 12 | 7 | 6 | 9 | 14 | 16 46 | 12 | 7 |
| 22 34 54 | 7 | 10 | 14 | 16 47 | 12 | 8 | 7 | 10 | 15 | 17 14 | 13 | 8 | 7 | 10 | 15 | 17 40 | 13 | 8 |
| 22 38 40 | 8 | 11 | 15 | 17 41 | 13 | 9 | 8 | 11 | 16 | 18 8 | 13 | 9 | 8 | 11 | 16 | 18 34 | 14 | 9 |
| 22 42 25 | 9 | 12 | 16 | 18 35 | 14 | 10 | 9 | 12 | 17 | 19 1 | 14 | 10 | 9 | 12 | 17 | 19 28 | 15 | 10 |
| 22 46 9 | 10 | 13 | 17 | 19 28 | 15 | 11 | 10 | 13 | 18 | 19 54 | 15 | 11 | 10 | 13 | 18 | 20 21 | 15 | 11 |
| 22 49 53 | 11 | 14 | 18 | 20 21 | 16 | 12 | 11 | 14 | 19 | 20 47 | 16 | 12 | 11 | 14 | 19 | 21 14 | 16 | 12 |
| 22 53 37 | 12 | 15 | 19 | 21 13 | 17 | 13 | 12 | 15 | 20 | 21 40 | 17 | 13 | 12 | 15 | 20 | 22 7 | 17 | 13 |
| 22 57 20 | 13 | 16 | 20 | 22 6 | 17 | 14 | 13 | 16 | 21 | 22 32 | 18 | 14 | 13 | 16 | 21 | 22 59 | 18 | 14 |
| 23 1 3 | 14 | 17 | 21 | 22 58 | 18 | 14 | 14 | 17 | 22 | 23 24 | 19 | 15 | 14 | 17 | 22 | 23 51 | 19 | 15 |
| 23 4 46 | 15 | 18 | 22 | 23 50 | 19 | 15 | 15 | 18 | 22 | 24 16 | 19 | 15 | 15 | 18 | 23 | 24 43 | 20 | 16 |
| 23 8 28 | 16 | 19 | 23 | 24 42 | 20 | 16 | 16 | 19 | 23 | 25 8 | 20 | 16 | 16 | 19 | 24 | 25 35 | 20 | 16 |
| 23 12 10 | 17 | 20 | 24 | 25 33 | 21 | 17 | 17 | 20 | 24 | 25 59 | 21 | 17 | 17 | 20 | 25 | 26 26 | 21 | 17 |
| 23 15 52 | 18 | 21 | 25 | 26 25 | 22 | 18 | 18 | 21 | 25 | 26 51 | 22 | 18 | 18 | 22 | 26 | 27 18 | 22 | 18 |
| 23 19 34 | 19 | 22 | 26 | 27 17 | 22 | 19 | 19 | 22 | 26 | 27 42 | 23 | 19 | 19 | 23 | 27 | 28 10 | 23 | 19 |
| 23 23 15 | 20 | 23 | 27 | 28 8 | 23 | 20 | 20 | 24 | 27 | 28 34 | 23 | 20 | 20 | 24 | 28 | 29 2 | 24 | 20 |
| 23 26 56 | 21 | 24 | 28 | 28 58 | 24 | 21 | 21 | 25 | 28 | 29 24 | 24 | 21 | 21 | 25 | 28 | 29 52 | 25 | 21 |
| 23 30 37 | 22 | 25 | 29 | 29 49 | 25 | 22 | 22 | 26 | 29 | 0♋15 | 25 | 22 | 22 | 26 | 29 | 0♋42 | 25 | 22 |
| 23 34 18 | 23 | 26 | ♊ | 0♋40 | 26 | 23 | 23 | 27 | ♊ | 1 6 | 26 | 23 | 23 | 27 | ♊ | 1 33 | 26 | 23 |
| 23 37 58 | 24 | 28 | 1 | 1 31 | 27 | 24 | 24 | 28 | 1 | 1 57 | 27 | 24 | 24 | 28 | 1 | 2 23 | 27 | 24 |
| 23 41 39 | 25 | 29 | 2 | 2 21 | 27 | 24 | 25 | 29 | 2 | 2 47 | 28 | 25 | 25 | 29 | 2 | 3 13 | 28 | 25 |
| 23 45 19 | 26 | ♉ | 3 | 3 11 | 28 | 25 | 26 | ♉ | 3 | 3 37 | 29 | 25 | 26 | ♉ | 3 | 4 3 | 29 | 26 |
| 23 49 0 | 27 | 1 | 3 | 4 1 | 29 | 26 | 27 | 1 | 4 | 4 27 | 29 | 26 | 27 | 1 | 4 | 4 53 | ♌ | 26 |
| 23 52 40 | 28 | 2 | 4 | 4 51 | ♌ | 27 | 28 | 2 | 5 | 5 17 | ♌ | 27 | 28 | 2 | 5 | 5 43 | 1 | 27 |
| 23 56 20 | 29 | 3 | 5 | 5 40 | 1 | 28 | 29 | 3 | 6 | 6 6 | 1 | 28 | 29 | 3 | 6 | 6 33 | 1 | 28 |
| Houses | 4 | 5 | 6 | 7 | 8 | 9 | 4 | 5 | 6 | 7 | 8 | 9 | 4 | 5 | 6 | 7 | 8 | 9 |

Latitude 16° S.  Latitude 17° S.  Latitude 18° S.

# SIMPLIFIED SCIENTIFIC TABLES OF HOUSES

Latitude 19° N.  Latitude 20° N.  Latitude 21° N.

| Sider'l Time (H M S) | 10 ♈ | 11 ♉ | 12 ♊ | Asc. ♋ | 2 ♌ | 3 ♌ | 10 ♈ | 11 ♉ | 12 ♊ | Asc. ♋ | 2 ♌ | 3 ♌ | 10 ♈ | 11 ♉ | 12 ♊ | Asc. ♋ | 2 ♌ | 3 ♌ |
|---|---|---|---|---|---|---|---|---|---|---|---|---|---|---|---|---|---|---|
| 0 0 0 | 0 | 4 | 7 | 7 47 | 2 | 29 | 0 | 4 | 7 | 8 14 | 3 | 29 | 0 | 4 | 8 | 8 41 | 3 | 29 |
| 3 40 | 1 | 5 | 8 | 8 37 | 3 | ♍ | 1 | 5 | 8 | 9 4 | 4 | ♍ | 1 | 5 | 9 | 9 30 | 4 | ♍ |
| 7 20 | 2 | 6 | 9 | 9 27 | 4 | 1 | 2 | 6 | 9 | 9 54 | 4 | 1 | 2 | 6 | 9 | 10 20 | 5 | 1 |
| 0 11 0 | 3 | 7 | 10 | 10 16 | 5 | 2 | 3 | 7 | 10 | 10 42 | 5 | 2 | 3 | 7 | 10 | 11 9 | 5 | 2 |
| 14 41 | 4 | 8 | 11 | 11 6 | 6 | 3 | 4 | 8 | 11 | 11 32 | 6 | 3 | 4 | 8 | 11 | 11 58 | 6 | 3 |
| 18 21 | 5 | 9 | 12 | 11 55 | 7 | 4 | 5 | 9 | 12 | 12 21 | 7 | 4 | 5 | 9 | 12 | 12 47 | 7 | 4 |
| 0 22 2 | 6 | 10 | 12 | 12 44 | 7 | 5 | 6 | 10 | 13 | 13 10 | 8 | 5 | 6 | 10 | 13 | 13 36 | 8 | 5 |
| 25 42 | 7 | 11 | 13 | 13 33 | 8 | 6 | 7 | 11 | 14 | 13 59 | 9 | 6 | 7 | 11 | 14 | 14 25 | 9 | 6 |
| 29 23 | 8 | 12 | 14 | 14 23 | 9 | 7 | 8 | 12 | 14 | 14 49 | 9 | 7 | 8 | 12 | 15 | 15 14 | 10 | 7 |
| 0 33 4 | 9 | 13 | 15 | 15 12 | 10 | 8 | 9 | 13 | 15 | 15 38 | 10 | 8 | 9 | 13 | 16 | 16 3 | 10 | 8 |
| 36 45 | 10 | 14 | 16 | 16 1 | 11 | 9 | 10 | 14 | 16 | 16 26 | 11 | 9 | 10 | 14 | 17 | 16 52 | 11 | 9 |
| 40 26 | 11 | 14 | 17 | 16 51 | 12 | 9 | 11 | 15 | 17 | 17 16 | 12 | 10 | 11 | 15 | 17 | 17 41 | 12 | 10 |
| 0 44 8 | 12 | 15 | 18 | 17 40 | 13 | 10 | 12 | 16 | 18 | 18 5 | 13 | 10 | 12 | 16 | 18 | 18 30 | 13 | 11 |
| 47 50 | 13 | 16 | 19 | 18 29 | 13 | 11 | 13 | 17 | 19 | 18 54 | 14 | 11 | 13 | 17 | 19 | 19 19 | 14 | 11 |
| 51 32 | 14 | 17 | 19 | 19 18 | 14 | 12 | 14 | 17 | 20 | 19 43 | 15 | 12 | 14 | 18 | 20 | 20 8 | 15 | 12 |
| 0 55 14 | 15 | 18 | 20 | 20 8 | 15 | 13 | 15 | 18 | 21 | 20 33 | 15 | 13 | 15 | 19 | 21 | 20 57 | 16 | 13 |
| 58 57 | 16 | 19 | 21 | 20 57 | 16 | 14 | 16 | 19 | 21 | 21 22 | 16 | 14 | 16 | 20 | 22 | 21 46 | 16 | 14 |
| 1 2 40 | 17 | 20 | 22 | 21 47 | 17 | 15 | 17 | 20 | 22 | 22 11 | 17 | 15 | 17 | 20 | 23 | 22 35 | 17 | 15 |
| 1 6 23 | 18 | 21 | 23 | 22 37 | 18 | 16 | 18 | 21 | 23 | 23 1 | 18 | 16 | 18 | 21 | 24 | 23 25 | 18 | 16 |
| 10 7 | 19 | 22 | 24 | 23 26 | 19 | 17 | 19 | 22 | 24 | 23 50 | 19 | 17 | 19 | 22 | 24 | 24 14 | 19 | 17 |
| 13 51 | 20 | 23 | 25 | 24 16 | 20 | 18 | 20 | 23 | 25 | 24 39 | 20 | 18 | 20 | 23 | 25 | 25 3 | 20 | 18 |
| 1 17 35 | 21 | 24 | 26 | 25 6 | 20 | 19 | 21 | 24 | 26 | 25 29 | 21 | 19 | 21 | 24 | 26 | 25 52 | 21 | 19 |
| 21 20 | 22 | 25 | 26 | 25 56 | 21 | 20 | 22 | 25 | 27 | 26 19 | 22 | 20 | 22 | 25 | 27 | 26 42 | 22 | 20 |
| 25 6 | 23 | 26 | 27 | 26 46 | 22 | 21 | 23 | 26 | 28 | 27 9 | 22 | 21 | 23 | 26 | 28 | 27 32 | 23 | 21 |
| 1 28 52 | 24 | 27 | 28 | 27 36 | 23 | 22 | 24 | 27 | 28 | 27 59 | 23 | 22 | 24 | 27 | 29 | 28 22 | 23 | 22 |
| 32 38 | 25 | 28 | 29 | 28 27 | 24 | 23 | 25 | 28 | 29 | 28 49 | 24 | 23 | 25 | 28 | 30 | 29 11 | 24 | 23 |
| 36 25 | 26 | 29 | ♋ | 29 16 | 25 | 24 | 26 | 29 | ♋ | 29 39 | 25 | 24 | 26 | 29 | ♋ | 0 ♌ 1 | 25 | 24 |
| 1 40 12 | 27 | ♊ | 1 | 0 ♌ 7 | 26 | 25 | 27 | ♊ | 1 | 0 ♌ 29 | 26 | 25 | 27 | ♊ | 1 | 0 51 | 26 | 25 |
| 44 0 | 28 | 1 | 2 | 0 58 | 27 | 26 | 28 | 1 | 2 | 1 19 | 27 | 26 | 28 | 1 | 2 | 1 41 | 27 | 26 |
| 47 48 | 29 | 2 | 2 | 1 48 | 28 | 27 | 29 | 2 | 3 | 2 10 | 28 | 27 | 29 | 2 | 3 | 2 32 | 28 | 27 |
| Houses | 4 | 5 | 6 | 7 | 8 | 9 | 4 | 5 | 6 | 7 | 8 | 9 | 4 | 5 | 6 | 7 | 8 | 9 |

Latitude 19° S.  Latitude 20° S.  Latitude 21° S.

Latitude 19° N.　　　Latitude 20° N.　　　Latitude 21° N.

| Sider'l Time | 10 | 11 | 12 | Asc. | 2 | 3 | 10 | 11 | 12 | Asc. | 2 | 3 | 10 | 11 | 12 | Asc. | 2 | 3 |
|---|---|---|---|---|---|---|---|---|---|---|---|---|---|---|---|---|---|---|
| | ♉ | ♊ | ♋ | ♌ | ♌ | ♍ | ♉ | ♊ | ♋ | ♌ | ♌ | ♍ | ♉ | ♊ | ♋ | ♌ | ♌ | ♍ |
| H M S | ° | ° | ° | ° | ′ | ° | ° | ° | ° | ° | ′ | ° | ° | ° | ° | ° | ′ | ° |
| 1 51 37 | 0 | 2 | 3 | 2 | 39 | 29 | 28 | 0 | 3 | 4 | 3 | 1 | 29 | 28 | 0 | 3 | 4 | 3 | 22 | 29 | 28 |
| 55 27 | 1 | 3 | 4 | 3 | 30 | 29 | 29 | 1 | 4 | 4 | 3 | 52 | ♍ | 29 | 1 | 4 | 5 | 4 | 13 | ♍ | 29 |
| 59 17 | 2 | 4 | 5 | 4 | 21 | ♍ | ♎ | 2 | 4 | 5 | 4 | 43 | 1 | ♎ | 2 | 5 | 6 | 5 | 4 | 1 | ♎ |
| 2 3 8 | 3 | 5 | 6 | 5 | 13 | 1 | 1 | 3 | 5 | 6 | 5 | 34 | 1 | 1 | 3 | 6 | 7 | 5 | 55 | 2 | 1 |
| 6 59 | 4 | 6 | 7 | 6 | 5 | 2 | 2 | 4 | 6 | 7 | 6 | 25 | 2 | 2 | 4 | 6 | 7 | 6 | 46 | 3 | 2 |
| 10 51 | 5 | 7 | 8 | 6 | 57 | 3 | 3 | 5 | 7 | 8 | 7 | 17 | 3 | 3 | 5 | 7 | 8 | 7 | 38 | 3 | 3 |
| 2 14 44 | 6 | 8 | 9 | 7 | 49 | 4 | 4 | 6 | 8 | 9 | 8 | 9 | 4 | 4 | 6 | 8 | 9 | 8 | 27 | 4 | 4 |
| 18 37 | 7 | 9 | 9 | 8 | 41 | 5 | 5 | 7 | 9 | 10 | 9 | 1 | 5 | 5 | 7 | 9 | 10 | 9 | 21 | 5 | 5 |
| 22 31 | 8 | 10 | 10 | 9 | 34 | 6 | 6 | 8 | 10 | 11 | 9 | 53 | 6 | 6 | 8 | 10 | 11 | 10 | 13 | 6 | 6 |
| 2 26 25 | 9 | 11 | 11 | 10 | 26 | 7 | 7 | 9 | 11 | 12 | 10 | 45 | 7 | 7 | 9 | 11 | 12 | 11 | 5 | 7 | 7 |
| 30 20 | 10 | 12 | 12 | 11 | 19 | 8 | 8 | 10 | 12 | 12 | 11 | 38 | 8 | 8 | 10 | 12 | 13 | 11 | 58 | 8 | 8 |
| 34 16 | 11 | 13 | 13 | 12 | 12 | 9 | 9 | 11 | 13 | 13 | 12 | 31 | 9 | 9 | 11 | 13 | 14 | 12 | 50 | 9 | 9 |
| 2 38 13 | 12 | 14 | 14 | 13 | 5 | 10 | 10 | 12 | 14 | 14 | 13 | 24 | 10 | 10 | 12 | 14 | 14 | 13 | 42 | 10 | 10 |
| 42 10 | 13 | 15 | 15 | 13 | 59 | 11 | 11 | 10 | 13 | 15 | 14 | 18 | 11 | 11 | 13 | 15 | 15 | 14 | 36 | 11 | 11 |
| 46 8 | 14 | 16 | 16 | 14 | 53 | 12 | 12 | 14 | 16 | 16 | 15 | 11 | 12 | 12 | 14 | 16 | 16 | 15 | 29 | 12 | 12 |
| 2 50 7 | 15 | 16 | 17 | 15 | 47 | 13 | 13 | 15 | 17 | 17 | 16 | 4 | 13 | 13 | 15 | 17 | 17 | 16 | 22 | 13 | 13 |
| 54 7 | 16 | 17 | 17 | 16 | 41 | 14 | 14 | 16 | 18 | 18 | 16 | 58 | 14 | 14 | 16 | 18 | 18 | 17 | 15 | 14 | 14 |
| 58 7 | 17 | 18 | 18 | 17 | 35 | 15 | 15 | 17 | 18 | 19 | 17 | 52 | 15 | 15 | 17 | 19 | 19 | 18 | 9 | 15 | 15 |
| 3 2 8 | 18 | 19 | 19 | 18 | 30 | 16 | 16 | 18 | 19 | 20 | 18 | 47 | 16 | 16 | 18 | 20 | 20 | 19 | 03 | 16 | 16 |
| 6 9 | 19 | 20 | 20 | 19 | 25 | 17 | 17 | 19 | 20 | 20 | 19 | 41 | 17 | 17 | 19 | 21 | 21 | 19 | 57 | 17 | 17 |
| 10 12 | 20 | 21 | 21 | 20 | 20 | 18 | 18 | 20 | 21 | 21 | 20 | 36 | 18 | 18 | 20 | 21 | 22 | 20 | 52 | 18 | 18 |
| 3 14 15 | 21 | 22 | 22 | 21 | 15 | 19 | 19 | 21 | 22 | 22 | 21 | 31 | 19 | 19 | 21 | 22 | 23 | 21 | 47 | 19 | 19 |
| 18 19 | 22 | 23 | 23 | 22 | 11 | 20 | 20 | 22 | 23 | 23 | 22 | 26 | 20 | 20 | 22 | 23 | 23 | 22 | 42 | 20 | 20 |
| 22 23 | 23 | 24 | 24 | 23 | 7 | 21 | 21 | 23 | 24 | 24 | 23 | 22 | 21 | 21 | 23 | 24 | 24 | 23 | 37 | 21 | 21 |
| 3 26 29 | 24 | 25 | 25 | 24 | 3 | 22 | 22 | 24 | 25 | 25 | 24 | 18 | 22 | 22 | 24 | 25 | 25 | 24 | 33 | 22 | 22 |
| 30 35 | 25 | 26 | 26 | 25 | 0 | 23 | 23 | 25 | 26 | 26 | 25 | 14 | 23 | 23 | 25 | 26 | 26 | 25 | 28 | 23 | 23 |
| 34 41 | 26 | 27 | 27 | 25 | 56 | 24 | 24 | 26 | 27 | 27 | 26 | 10 | 24 | 24 | 26 | 27 | 27 | 26 | 24 | 24 | 24 |
| 3 38 49 | 27 | 28 | 28 | 26 | 53 | 25 | 25 | 27 | 28 | 28 | 27 | 6 | 25 | 25 | 27 | 28 | 28 | 27 | 20 | 25 | 25 |
| 42 57 | 28 | 29 | 29 | 27 | 50 | 26 | 26 | 28 | 29 | 29 | 28 | 3 | 26 | 26 | 28 | 29 | 29 | 28 | 17 | 26 | 26 |
| 47 6 | 29 | ♋ | ♌ | 28 | 47 | 27 | 28 | 29 | ♋ | ♌ | 29 | 0 | 27 | 27 | 29 | ♋ | ♌ | 29 | 13 | 27 | 27 |
| Houses | 4 | 5 | 6 | 7 | 8 | 9 | 4 | 5 | 6 | 7 | 8 | 9 | 4 | 5 | 6 | 7 | 8 | 9 |

Latitude 19° S.　　　Latitude 20° S.　　　Latitude 21° S.

Latitude 19° N.  Latitude 20° N.  Latitude 21° N.

| Sider'l Time | 10 ♊ | 11 ♋ | 12 ♌ | Asc. ° | Asc. ' ♌ | 2 ♍ | 3 ≏ | 10 ♊ | 11 ♋ | 12 ♌ | Asc. ° | Asc. ' ♌ | 2 ♍ | 3 ≏ | 10 ♊ | 11 ♋ | 12 ♌ | Asc. ° | Asc. ' ♍ | 2 ♍ | 3 ≏ |
|---|---|---|---|---|---|---|---|---|---|---|---|---|---|---|---|---|---|---|---|---|---|
| H M S | ° | ° | ° | ° | ′ | ° | ° | ° | ° | ° | ° | ′ | ° | ° | ° | ° | ° | ° | ′ | ° | ° |
| 3 51 15 | 0 | 1 | 0 | 29 | 45 | 28 | 29 | 0 | 1 | 1 | 29 | 58 | 28 | 28 | 0 | 1 | 1 | 0 | 10 | 28 | 28 |
| 55 25 | 1 | 2 | 1 | 0♍ | 43 | 29 | ♏ | 1 | 2 | 2 | 0♍ | 55 | 29 | ♏ | 1 | 2 | 2 | 1 | 7 | 29 | 29 |
| 59 36 | 2 | 3 | 2 | 1 | 41 | ≏ | 1 | 2 | 3 | 3 | 1 | 53 | ≏ | 1 | 2 | 3 | 3 | 2 | 5 | ≏ | ♏ |
| 4 3 48 | 3 | 4 | 3 | 2 | 39 | 1 | 2 | 3 | 4 | 4 | 2 | 51 | 1 | 2 | 3 | 4 | 4 | 3 | 2 | 1 | 2 |
| 8 0 | 4 | 4 | 4 | 3 | 37 | 2 | 3 | 4 | 5 | 5 | 3 | 49 | 2 | 3 | 4 | 5 | 5 | 4 | 0 | 2 | 3 |
| 12 13 | 5 | 5 | 5 | 4 | 36 | 3 | 4 | 5 | 6 | 5 | 4 | 47 | 3 | 4 | 5 | 6 | 6 | 4 | 58 | 3 | 4 |
| 4 16 26 | 6 | 6 | 6 | 5 | 35 | 4 | 5 | 6 | 7 | 6 | 5 | 46 | 4 | 5 | 6 | 7 | 7 | 5 | 56 | 4 | 5 |
| 20 40 | 7 | 7 | 7 | 6 | 35 | 5 | 6 | 7 | 8 | 7 | 6 | 45 | 5 | 6 | 7 | 8 | 8 | 6 | 55 | 5 | 6 |
| 24 55 | 8 | 8 | 8 | 7 | 35 | 6 | 7 | 8 | 8 | 8 | 7 | 44 | 6 | 7 | 8 | 9 | 9 | 7 | 53 | 6 | 7 |
| 4 29 10 | 9 | 9 | 9 | 8 | 34 | 7 | 8 | 9 | 9 | 9 | 8 | 43 | 7 | 8 | 9 | 10 | 10 | 8 | 52 | 7 | 8 |
| 33 26 | 10 | 10 | 10 | 9 | 34 | 8 | 9 | 10 | 10 | 10 | 9 | 43 | 8 | 9 | 10 | 11 | 11 | 9 | 51 | 8 | 9 |
| 37 42 | 11 | 11 | 11 | 10 | 34 | 9 | 10 | 11 | 11 | 11 | 10 | 42 | 9 | 10 | 11 | 12 | 12 | 10 | 50 | 9 | 10 |
| 4 41 59 | 12 | 12 | 12 | 11 | 34 | 10 | 11 | 12 | 12 | 12 | 11 | 42 | 10 | 11 | 12 | 13 | 13 | 11 | 50 | 10 | 11 |
| 46 16 | 13 | 13 | 13 | 12 | 34 | 11 | 12 | 13 | 13 | 13 | 12 | 42 | 11 | 12 | 13 | 13 | 14 | 12 | 49 | 11 | 12 |
| 50 34 | 14 | 14 | 14 | 13 | 35 | 12 | 13 | 14 | 14 | 14 | 13 | 42 | 12 | 13 | 14 | 14 | 15 | 13 | 49 | 12 | 13 |
| 4 54 52 | 15 | 15 | 15 | 14 | 36 | 13 | 14 | 15 | 15 | 15 | 14 | 42 | 13 | 14 | 15 | 15 | 16 | 14 | 49 | 13 | 14 |
| 59 10 | 16 | 16 | 16 | 15 | 37 | 14 | 15 | 16 | 16 | 16 | 15 | 43 | 14 | 15 | 16 | 16 | 17 | 15 | 50 | 14 | 15 |
| 5 3 29 | 17 | 17 | 17 | 16 | 38 | 16 | 16 | 17 | 17 | 17 | 16 | 43 | 16 | 16 | 17 | 17 | 18 | 16 | 49 | 16 | 16 |
| 5 7 49 | 18 | 18 | 18 | 17 | 39 | 17 | 17 | 18 | 18 | 18 | 17 | 44 | 17 | 17 | 18 | 18 | 19 | 17 | 50 | 17 | 17 |
| 12 9 | 19 | 19 | 19 | 18 | 40 | 18 | 18 | 19 | 19 | 19 | 18 | 45 | 18 | 18 | 19 | 19 | 20 | 18 | 50 | 18 | 18 |
| 16 29 | 20 | 20 | 20 | 19 | 41 | 19 | 19 | 20 | 20 | 20 | 19 | 46 | 19 | 19 | 20 | 20 | 21 | 19 | 51 | 19 | 19 |
| 5 20 49 | 21 | 21 | 21 | 20 | 43 | 20 | 20 | 21 | 21 | 21 | 20 | 47 | 20 | 20 | 21 | 21 | 22 | 20 | 51 | 20 | 20 |
| 25 9 | 22 | 22 | 22 | 21 | 45 | 21 | 21 | 22 | 22 | 22 | 21 | 48 | 21 | 21 | 22 | 22 | 23 | 21 | 52 | 21 | 21 |
| 29 30 | 23 | 23 | 23 | 22 | 47 | 22 | 22 | 23 | 23 | 23 | 22 | 50 | 22 | 22 | 23 | 23 | 24 | 22 | 53 | 22 | 22 |
| 5 33 51 | 24 | 24 | 24 | 23 | 48 | 23 | 24 | 24 | 24 | 24 | 23 | 51 | 23 | 23 | 24 | 24 | 25 | 23 | 54 | 23 | 23 |
| 38 12 | 25 | 25 | 25 | 24 | 50 | 24 | 25 | 25 | 25 | 26 | 24 | 52 | 24 | 25 | 25 | 25 | 26 | 24 | 55 | 24 | 24 |
| 42 34 | 26 | 26 | 26 | 25 | 52 | 25 | 26 | 26 | 26 | 27 | 25 | 53 | 25 | 26 | 26 | 26 | 27 | 25 | 55 | 25 | 25 |
| 5 46 55 | 27 | 27 | 27 | 26 | 54 | 26 | 27 | 27 | 27 | 28 | 26 | 55 | 26 | 27 | 27 | 27 | 28 | 26 | 56 | 26 | 26 |
| 51 17 | 28 | 28 | 28 | 27 | 56 | 27 | 28 | 28 | 28 | 29 | 27 | 57 | 27 | 28 | 28 | 28 | 29 | 27 | 57 | 27 | 27 |
| 55 38 | 29 | 29 | ♍ | 28 | 58 | 28 | 29 | 29 | 29 | 29 | ♍ | 28 | 59 | 28 | 29 | 29 | 29 | ♍ | 28 | 59 | 28 | 29 |

| Houses | 4 | 5 | 6 | 7 | | 8 | 9 | 4 | 5 | 6 | 7 | | 8 | 9 | 4 | 5 | 6 | 7 | | 8 | 9 |

Latitude 19° S.  Latitude 20° S.  Latitude 21° S.

# SIMPLIFIED SCIENTIFIC TABLES OF HOUSES

Latitude 19° N.  Latitude 20° N.  Latitude 21° N.

| Sider'l Time | 10 ♋ | 11 ♌ | 12 ♍ | Asc. ♎ | 2 ♏ | 3 ♐ | 10 ♋ | 11 ♌ | 12 ♍ | Asc. ♎ | 2 ♏ | 3 ♐ | 10 ♋ | 11 ♌ | 12 ♍ | Asc. ♎ | 2 ♏ | 3 ♐ |
|---|---|---|---|---|---|---|---|---|---|---|---|---|---|---|---|---|---|---|
| H M S | ° | ° | ° | ° ' | ° | ° | ° | ° | ° | ° ' | ° | ° | ° | ° | ° | ° ' | ° | ° |
| 6 0 0 | 0 | 0 | 1 | 0 29 | 0 | 0 | 0 | 0 | 1 | 0 29 | 0 | 0 | 0 | 1 | 1 | 0 29 | 0 | 0 |
| 4 22 | 1 | 1 | 2 | 1 02 | ♏ | 1 | 1 | 1 | 2 | 1 01 | ♏ | 1 | 1 | 2 | 2 | 1 01 | ♏ | 1 |
| 8 43 | 2 | 2 | 3 | 2 04 | 2 | 2 | 2 | 2 | 3 | 2 03 | 1 | 2 | 2 | 3 | 3 | 2 03 | 1 | 2 |
| 6 13 5 | 3 | 3 | 4 | 3 06 | 3 | 3 | 3 | 3 | 4 | 3 05 | 2 | 3 | 3 | 4 | 4 | 3 04 | 2 | 3 |
| 17 26 | 4 | 4 | 5 | 4 08 | 4 | 4 | 4 | 4 | 5 | 4 07 | 3 | 4 | 4 | 5 | 5 | 4 05 | 3 | 4 |
| 21 48 | 5 | 5 | 6 | 5 10 | 5 | 5 | 5 | 5 | 6 | 5 08 | 4 | 5 | 5 | 6 | 6 | 5 05 | 4 | 5 |
| 6 26 9 | 6 | 6 | 7 | 6 12 | 6 | 6 | 6 | 6 | 7 | 6 09 | 6 | 6 | 6 | 7 | 7 | 6 06 | 5 | 6 |
| 30 30 | 7 | 7 | 8 | 7 13 | 7 | 7 | 7 | 7 | 8 | 7 10 | 7 | 7 | 7 | 8 | 8 | 7 07 | 6 | 7 |
| 34 51 | 8 | 8 | 9 | 8 15 | 8 | 8 | 8 | 8 | 9 | 8 12 | 8 | 8 | 8 | 9 | 9 | 8 08 | 7 | 8 |
| 6 39 11 | 9 | 9 | 10 | 9 17 | 9 | 9 | 9 | 9 | 10 | 9 13 | 9 | 9 | 9 | 10 | 10 | 9 10 | 8 | 9 |
| 43 31 | 10 | 11 | 11 | 10 19 | 10 | 10 | 10 | 10 | 11 | 10 14 | 10 | 10 | 10 | 11 | 11 | 10 11 | 9 | 10 |
| 47 51 | 11 | 12 | 12 | 11 20 | 11 | 11 | 11 | 11 | 12 | 11 15 | 11 | 11 | 11 | 12 | 12 | 11 12 | 10 | 11 |
| 6 52 11 | 12 | 13 | 13 | 12 21 | 12 | 12 | 12 | 12 | 13 | 12 16 | 12 | 12 | 12 | 13 | 13 | 12 12 | 10 | 11 |
| 56 31 | 13 | 14 | 14 | 13 22 | 13 | 13 | 13 | 13 | 14 | 13 17 | 13 | 13 | 13 | 14 | 14 | 13 13 | 11 | 12 |
| 7 0 50 | 14 | 15 | 15 | 14 23 | 14 | 14 | 14 | 14 | 15 | 14 17 | 15 | 14 | 14 | 15 | 16 | 14 14 | 11 | 13 |
| 7 5 8 | 15 | 16 | 16 | 15 24 | 15 | 15 | 15 | 15 | 16 | 15 18 | 17 | 15 | 15 | 16 | 17 | 15 15 | 11 | 14 |
| 9 26 | 16 | 17 | 17 | 16 25 | 16 | 16 | 16 | 16 | 17 | 16 18 | 18 | 16 | 16 | 17 | 18 | 16 16 | 11 | 15 |
| 13 44 | 17 | 18 | 19 | 17 26 | 17 | 17 | 17 | 17 | 18 | 17 18 | 19 | 17 | 17 | 18 | 19 | 17 17 | 11 | 16 |
| 7 18 1 | 18 | 19 | 20 | 18 26 | 18 | 18 | 18 | 18 | 19 | 18 18 | 20 | 18 | 18 | 19 | 20 | 18 18 | 10 | 17 |
| 22 18 | 19 | 20 | 21 | 19 26 | 19 | 19 | 19 | 19 | 20 | 19 18 | 21 | 19 | 19 | 20 | 21 | 19 18 | 10 | 18 |
| 26 34 | 20 | 21 | 22 | 20 26 | 20 | 20 | 20 | 20 | 21 | 20 17 | 22 | 20 | 20 | 21 | 22 | 20 17 | 9 | 19 |
| 7 30 50 | 21 | 22 | 23 | 21 26 | 21 | 21 | 21 | 21 | 22 | 21 17 | 23 | 21 | 21 | 22 | 23 | 21 17 | 8 | 20 |
| 35 5 | 22 | 23 | 24 | 22 25 | 22 | 22 | 22 | 22 | 23 | 22 16 | 24 | 22 | 22 | 23 | 24 | 22 16 | 7 | 21 |
| 39 20 | 23 | 24 | 25 | 23 25 | 23 | 23 | 23 | 23 | 24 | 23 15 | 25 | 23 | 23 | 24 | 25 | 23 15 | 5 | 22 |
| 7 43 34 | 24 | 25 | 26 | 24 25 | 24 | 24 | 24 | 24 | 25 | 24 14 | 26 | 24 | 24 | 25 | 26 | 24 14 | 4 | 23 |
| 47 47 | 25 | 26 | 27 | 25 24 | 25 | 25 | 25 | 25 | 26 | 25 13 | 27 | 25 | 25 | 26 | 27 | 25 13 | 2 | 24 |
| 52 0 | 26 | 27 | 28 | 26 23 | 26 | 26 | 26 | 26 | 27 | 26 11 | 28 | 26 | 26 | 27 | 28 | 26 11 | 0 | 25 |
| 7 56 12 | 27 | 28 | 29 | 27 21 | 27 | 26 | 27 | 28 | 29 | 27 09 | ♐ | 26 | 26 | 27 | 28 | 29 25 58 | 26 | 26 |
| 8 0 24 | 28 | 29 | ≏ | 28 19 | 28 | 27 | 28 | 29 | ≏ | 28 07 | 27 | 27 | 28 | ♍ | ≏ | 26 55 | 27 | 27 |
| 4 35 | 29 | ♍ | 1 | 29 17 | 29 | 28 | 29 | ♍ | 1 | 29 05 | 28 | 28 | 29 | 1 | 1 | 27 53 | 28 | 28 |
| **Houses** | 4 | 5 | 6 | 7 | 8 | 9 | 4 | 5 | 6 | 7 | 8 | 9 | 4 | 5 | 6 | 7 | 8 | 9 |

Latitude 19° S.  Latitude 20° S.  Latitude 21° S.

# SIMPLIFIED SCIENTIFIC TABLES OF HOUSES

### Latitude 19° N.  Latitude 20° N.  Latitude 21° N.

| Sider'l Time | 10 ♌ | 11 ♍ | 12 ♎ | Asc. ♏ | 2 ♐ | 3 ♐ | 10 ♌ | 11 ♍ | 12 ♎ | Asc. ♏ | 2 ♏ | 3 ♐ | 10 ♌ | 11 ♍ | 12 ♎ | Asc. ♎ | 2 ♏ | 3 ♐ |
|---|---|---|---|---|---|---|---|---|---|---|---|---|---|---|---|---|---|---|
| H M S | ° | ° | ° | ° ' | ° | ° | ° | ° | ° | ° ' | ° | ° | ° | ° | ° | ° ' | ° | ° |
| 8 8 45 | 0 | 1 | 2 | 0 15 | 0 | 29 | 0 | 2 | 2 | 0 2 | 29 | 29 | 0 | 2 | 2 | 29 50 | 29 | 29 |
| 12 54 | 1 | 2 | 3 | 1 13 | 0 | ♑ | 1 | 3 | 3 | 1 0 | ♐ | ♑ | 1 | 3 | 3 | 0♏47 | ♐ | ♑ |
| 17 3 | 2 | 4 | 4 | 2 10 | 1 | 1 | 2 | 4 | 4 | 1 57 | 1 | 1 | 2 | 4 | 4 | 1 43 | 1 | 1 |
| 8 21 11 | 3 | 5 | 5 | 3 7 | 2 | 2 | 3 | 5 | 5 | 2 54 | 2 | 2 | 3 | 5 | 5 | 2 40 | 2 | 2 |
| 25 19 | 4 | 6 | 6 | 4 4 | 3 | 3 | 4 | 6 | 6 | 3 50 | 3 | 3 | 4 | 6 | 6 | 3 36 | 3 | 3 |
| 29 26 | 5 | 7 | 7 | 5 0 | 4 | 4 | 5 | 7 | 7 | 4 46 | 4 | 4 | 5 | 7 | 7 | 4 32 | 4 | 4 |
| 8 33 31 | 6 | 8 | 8 | 5 57 | 5 | 5 | 6 | 8 | 8 | 5 42 | 5 | 5 | 6 | 8 | 8 | 5 27 | 5 | 5 |
| 37 37 | 7 | 9 | 9 | 6 53 | 6 | 6 | 7 | 9 | 9 | 6 38 | 6 | 6 | 7 | 9 | 9 | 6 23 | 6 | 6 |
| 41 41 | 8 | 10 | 10 | 7 49 | 7 | 7 | 8 | 10 | 10 | 7 34 | 7 | 7 | 8 | 10 | 10 | 7 18 | 7 | 7 |
| 8 45 45 | 9 | 11 | 11 | 8 45 | 8 | 8 | 9 | 11 | 11 | 8 29 | 8 | 8 | 9 | 11 | 11 | 8 13 | 7 | 8 |
| 49 48 | 10 | 12 | 12 | 9 40 | 9 | 9 | 10 | 12 | 12 | 9 24 | 9 | 9 | 10 | 12 | 12 | 9 8 | 8 | 9 |
| 53 51 | 11 | 13 | 13 | 10 35 | 10 | 10 | 11 | 13 | 13 | 10 19 | 10 | 10 | 11 | 13 | 13 | 10 3 | 9 | 9 |
| 8 57 52 | 12 | 14 | 14 | 11 30 | 11 | 11 | 12 | 14 | 14 | 11 13 | 10 | 11 | 12 | 14 | 14 | 10 57 | 10 | 10 |
| 9 1 53 | 13 | 15 | 15 | 12 25 | 12 | 12 | 13 | 15 | 15 | 12 8 | 11 | 12 | 13 | 15 | 15 | 11 51 | 11 | 11 |
| 5 53 | 14 | 16 | 16 | 13 19 | 13 | 13 | 14 | 16 | 16 | 13 2 | 12 | 12 | 14 | 16 | 16 | 12 45 | 12 | 12 |
| 9 9 53 | 15 | 17 | 17 | 14 13 | 13 | 13 | 15 | 17 | 17 | 13 56 | 13 | 13 | 15 | 17 | 17 | 13 38 | 13 | 13 |
| 13 52 | 16 | 18 | 18 | 15 7 | 14 | 14 | 16 | 18 | 18 | 14 49 | 14 | 14 | 16 | 18 | 18 | 14 31 | 14 | 14 |
| 17 50 | 17 | 19 | 19 | 16 1 | 15 | 15 | 17 | 19 | 19 | 15 42 | 15 | 15 | 17 | 19 | 19 | 15 24 | 15 | 15 |
| 9 21 47 | 18 | 20 | 20 | 16 55 | 16 | 16 | 18 | 20 | 20 | 16 36 | 16 | 16 | 18 | 20 | 20 | 16 18 | 16 | 16 |
| 25 44 | 19 | 21 | 21 | 17 48 | 17 | 17 | 19 | 21 | 21 | 17 29 | 17 | 17 | 19 | 21 | 21 | 17 10 | 16 | 17 |
| 29 40 | 20 | 22 | 22 | 18 41 | 18 | 18 | 20 | 22 | 22 | 18 22 | 18 | 18 | 20 | 22 | 22 | 18 2 | 17 | 18 |
| 9 33 35 | 21 | 23 | 23 | 19 34 | 19 | 19 | 21 | 23 | 23 | 19 15 | 18 | 19 | 21 | 23 | 23 | 18 55 | 18 | 19 |
| 37 29 | 22 | 24 | 24 | 20 26 | 20 | 20 | 22 | 24 | 24 | 20 7 | 19 | 20 | 22 | 24 | 24 | 19 47 | 19 | 20 |
| 41 23 | 23 | 25 | 25 | 21 19 | 21 | 21 | 23 | 25 | 25 | 20 59 | 20 | 21 | 23 | 25 | 25 | 20 39 | 20 | 21 |
| 9 45 16 | 24 | 26 | 26 | 22 11 | 21 | 22 | 24 | 26 | 26 | 21 51 | 21 | 22 | 24 | 26 | 26 | 21 31 | 21 | 22 |
| 49 9 | 25 | 27 | 27 | 23 3 | 22 | 23 | 25 | 27 | 27 | 22 43 | 22 | 23 | 25 | 27 | 27 | 22 22 | 22 | 23 |
| 53 1 | 26 | 28 | 28 | 23 55 | 23 | 24 | 26 | 28 | 28 | 23 35 | 23 | 24 | 26 | 28 | 28 | 23 14 | 23 | 24 |
| 9 56 52 | 27 | 29 | 29 | 24 47 | 24 | 25 | 27 | 29 | 29 | 24 26 | 24 | 25 | 27 | 29 | 29 | 24 5 | 23 | 24 |
| 10 0 43 | 28 | ♎ | ♏ | 25 39 | 25 | 26 | 28 | ♎ | 29 | 25 17 | 25 | 26 | 28 | ♎ | 29 | 24 56 | 24 | 25 |
| 4 33 | 29 | 1 | 1 | 26 30 | 26 | 27 | 29 | 1 | ♏ | 26 8 | 26 | 26 | 29 | 1 | ♏ | 25 47 | 25 | 26 |

| Houses | 4 | 5 | 6 | 7 | 8 | 9 | 4 | 5 | 6 | 7 | 8 | 9 | 4 | 5 | 6 | 7 | 8 | 9 |
|---|---|---|---|---|---|---|---|---|---|---|---|---|---|---|---|---|---|---|

### Latitude 19° S.  Latitude 20° S.  Latitude 21° S.

## SIMPLIFIED SCIENTIFIC TABLES OF HOUSES

Latitude 19° N.  Latitude 20° N.  Latitude 21° N.

| Sider'l Time | 10 ♍ | 11 ♎ | 12 ♏ | Asc. ♏ | 2 ♐ | 3 ♑ | 10 ♍ | 11 ♎ | 12 ♏ | Asc. ♏ | 2 ♐ | 3 ♑ | 10 ♍ | 11 ♎ | 12 ♏ | Asc. ♏ | 2 ♐ | 3 ♑ |
|---|---|---|---|---|---|---|---|---|---|---|---|---|---|---|---|---|---|---|
| H M S | ° | ° | ° | ° ' | ° | ° | ° | ° | ° | ° ' | ° | ° | ° | ° | ° | ° ' | ° | ° |
| 10 8 23 | 0 | 2 | 1 | 27 21 | 27 | 28 | 0 | 2 | 1 | 26 59 | 26 | 27 | 0 | 2 | 1 | 26 38 | 26 | 27 |
| 12 12 | 1 | 3 | 2 | 28 12 | 28 | 28 | 1 | 3 | 2 | 27 50 | 27 | 28 | 1 | 3 | 2 | 27 28 | 27 | 28 |
| 16 0 | 2 | 4 | 3 | 29 2 | 28 | 29 | 2 | 4 | 3 | 28 41 | 28 | 29 | 2 | 4 | 3 | 28 19 | 28 | 29 |
| 10 19 48 | 3 | 5 | 4 | 29 53 | 29 | ♒ | 3 | 5 | 4 | 29 31 | 29 | ♒ | 3 | 5 | 4 | 29 9 | 29 | ♒ |
| 23 35 | 4 | 6 | 5 | 0 ↗ 44 | ♑ | 1 | 4 | 6 | 5 | 0 ↗ 21 | ♑ | 1 | 4 | 6 | 5 | 29 59 | 30 | 1 |
| 27 22 | 5 | 7 | 6 | 1 33 | 1 | 2 | 5 | 7 | 6 | 1 11 | 1 | 2 | 5 | 7 | 6 | 0 ↗ 49 | ♑ | 2 |
| 10 31 8 | 6 | 8 | 7 | 2 24 | 2 | 3 | 6 | 8 | 7 | 2 1 | 2 | 3 | 6 | 8 | 7 | 1 38 | 1 | 3 |
| 34 54 | 7 | 9 | 8 | 3 14 | 3 | 4 | 7 | 9 | 8 | 2 51 | 2 | 4 | 7 | 9 | 7 | 2 28 | 2 | 4 |
| 38 40 | 8 | 10 | 9 | 4 4 | 4 | 5 | 8 | 10 | 8 | 3 41 | 3 | 5 | 8 | 10 | 8 | 3 18 | 3 | 5 |
| 10 42 25 | 9 | 11 | 10 | 4 54 | 4 | 6 | 9 | 11 | 9 | 4 31 | 4 | 6 | 9 | 11 | 9 | 4 8 | 4 | 6 |
| 46 9 | 10 | 12 | 10 | 5 44 | 5 | 7 | 10 | 12 | 10 | 5 21 | 5 | 7 | 10 | 12 | 10 | 4 57 | 5 | 7 |
| 49 53 | 11 | 13 | 11 | 6 34 | 6 | 8 | 11 | 13 | 11 | 6 10 | 6 | 8 | 11 | 13 | 11 | 5 46 | 6 | 8 |
| 10 53 37 | 12 | 14 | 12 | 7 23 | 7 | 9 | 12 | 14 | 12 | 6 59 | 7 | 9 | 12 | 14 | 12 | 6 35 | 6 | 9 |
| 57 20 | 13 | 15 | 13 | 8 13 | 8 | 10 | 13 | 15 | 13 | 7 49 | 8 | 10 | 13 | 15 | 13 | 7 25 | 7 | 10 |
| 11 1 3 | 14 | 16 | 14 | 9 3 | 9 | 11 | 14 | 16 | 14 | 8 38 | 9 | 11 | 14 | 16 | 14 | 8 14 | 8 | 10 |
| 11 4 46 | 15 | 17 | 15 | 9 52 | 10 | 12 | 15 | 17 | 15 | 9 27 | 9 | 12 | 15 | 17 | 14 | 9 3 | 9 | 11 |
| 8 28 | 16 | 18 | 16 | 10 42 | 11 | 13 | 16 | 18 | 15 | 10 17 | 10 | 13 | 16 | 18 | 15 | 9 52 | 10 | 12 |
| 12 10 | 17 | 19 | 17 | 11 31 | 11 | 14 | 17 | 19 | 16 | 11 6 | 11 | 13 | 17 | 19 | 16 | 10 41 | 11 | 13 |
| 11 15 52 | 18 | 20 | 17 | 12 20 | 12 | 15 | 18 | 20 | 17 | 11 55 | 12 | 14 | 18 | 19 | 17 | 11 30 | 12 | 14 |
| 19 34 | 19 | 21 | 18 | 13 9 | 13 | 16 | 19 | 20 | 18 | 12 44 | 13 | 15 | 19 | 20 | 18 | 12 19 | 13 | 15 |
| 23 15 | 20 | 21 | 19 | 13 59 | 14 | 16 | 20 | 21 | 19 | 13 34 | 14 | 16 | 20 | 21 | 19 | 13 8 | 13 | 16 |
| 11 26 56 | 21 | 22 | 20 | 14 48 | 15 | 17 | 21 | 22 | 20 | 14 22 | 15 | 17 | 21 | 22 | 20 | 13 57 | 14 | 17 |
| 30 37 | 22 | 23 | 21 | 15 37 | 16 | 18 | 22 | 23 | 21 | 15 11 | 16 | 18 | 22 | 23 | 20 | 14 46 | 15 | 18 |
| 34 18 | 23 | 24 | 22 | 16 27 | 17 | 19 | 23 | 24 | 21 | 16 1 | 16 | 19 | 23 | 24 | 21 | 15 35 | 16 | 19 |
| 11 37 58 | 24 | 25 | 23 | 17 16 | 18 | 20 | 24 | 25 | 22 | 16 50 | 17 | 20 | 24 | 25 | 22 | 16 24 | 17 | 20 |
| 41 39 | 25 | 26 | 23 | 18 5 | 18 | 21 | 25 | 26 | 23 | 17 39 | 18 | 21 | 25 | 26 | 23 | 17 13 | 18 | 21 |
| 45 19 | 26 | 27 | 24 | 18 54 | 19 | 22 | 26 | 27 | 24 | 18 28 | 19 | 22 | 26 | 27 | 24 | 18 2 | 19 | 22 |
| 11 49 0 | 27 | 28 | 25 | 19 44 | 20 | 23 | 27 | 28 | 25 | 19 18 | 20 | 23 | 27 | 28 | 25 | 18 51 | 20 | 23 |
| 52 40 | 28 | 29 | 26 | 20 33 | 21 | 24 | 28 | 29 | 26 | 20 6 | 21 | 24 | 28 | 29 | 25 | 19 40 | 21 | 24 |
| 56 20 | 29 | ♏ | 27 | 21 23 | 22 | 25 | 29 | ♏ | 26 | 20 56 | 22 | 25 | 29 | ♏ | 26 | 20 30 | 21 | 25 |
| Houses | 4 | 5 | 6 | 7 | 8 | 9 | 4 | 5 | 6 | 7 | 8 | 9 | 4 | 5 | 6 | 7 | 8 | 9 |

Latitude 19° S.  Latitude 20° S.  Latitude 21° S.

# SIMPLIFIED SCIENTIFIC TABLES OF HOUSES

Latitude 19° N.  Latitude 20° N.  Latitude 21° N.

| Sider'l Time H M S | 10 ≏ | 11 ♏ | 12 ♏ | Asc. ♐ | 2 ♑ | 3 ♒ | 10 ≏ | 11 ♏ | 12 ♏ | Asc. ♐ | 2 ♑ | 3 ♒ | 10 ≏ | 11 ♏ | 12 ♏ | Asc. ♐ | 2 ♑ | 3 ♒ |
|---|---|---|---|---|---|---|---|---|---|---|---|---|---|---|---|---|---|---|
| 12  0  0 | 0 | 1 | 28 | 22 13 | 23 | 26 | 0 | 1 | 27 | 21 46 | 23 | 26 | 0 | 1 | 27 | 21 19 | 22 | 26 |
| 3 40 | 1 | 2 | 28 | 23  1 | 24 | 27 | 1 | 2 | 28 | 22 35 | 24 | 27 | 1 | 2 | 28 | 22  8 | 23 | 27 |
| 7 20 | 2 | 3 | 29 | 23 50 | 25 | 28 | 2 | 2 | 29 | 23 24 | 25 | 28 | 2 | 2 | 29 | 22 58 | 24 | 28 |
| 12 11  0 | 3 | 3 | ♐ | 24 40 | 26 | 29 | 3 | 3 | ♐ | 24 15 | 25 | 29 | 3 | 3 | 30 | 23 48 | 25 | 29 |
| 14 41 | 4 | 4 | 1 | 25 30 | 27 | ℋ | 4 | 4 | 1 | 25  4 | 26 | ℋ | 4 | 4 | ♐ | 24 37 | 26 | ℋ |
| 18 21 | 5 | 5 | 2 | 26 21 | 28 | 1 | 5 | 5 | 1 | 25 54 | 27 | 1 | 5 | 5 | 1 | 25 27 | 27 | 1 |
| 12 22  2 | 6 | 6 | 3 | 27 11 | 28 | 2 | 6 | 6 | 2 | 26 44 | 28 | 2 | 6 | 6 | 2 | 26 17 | 28 | 2 |
| 25 42 | 7 | 7 | 3 | 28  1 | 29 | 3 | 7 | 7 | 3 | 27 34 | 29 | 3 | 7 | 7 | 3 | 27  7 | 29 | 3 |
| 29 23 | 8 | 8 | 4 | 28 52 | ♒ | 4 | 8 | 8 | 4 | 28 25 | ♒ | 4 | 8 | 8 | 4 | 27 57 | ♒ | 4 |
| 12 33  4 | 9 | 9 | 5 | 29 42 | 1 | 5 | 9 | 9 | 5 | 29 15 | 1 | 5 | 9 | 9 | 5 | 28 47 | 1 | 5 |
| 36 45 | 10 | 10 | 6 | 0♑33 | 2 | 6 | 10 | 10 | 6 | 0 ♑ 6 | 2 | 6 | 10 | 10 | 5 | 29 37 | 2 | 6 |
| 40 26 | 11 | 11 | 7 | 1 24 | 3 | 7 | 11 | 11 | 7 | 0 56 | 3 | 7 | 11 | 11 | 6 | 0♑28 | 3 | 7 |
| 12 44  8 | 12 | 12 | 8 | 2 15 | 4 | 8 | 12 | 12 | 7 | 1 47 | 4 | 8 | 12 | 11 | 7 | 1 20 | 4 | 8 |
| 47 50 | 13 | 13 | 8 | 3  6 | 5 | 9 | 13 | 13 | 8 | 2 38 | 5 | 9 | 13 | 12 | 8 | 2 11 | 5 | 9 |
| 51 32 | 14 | 13 | 9 | 3 58 | 6 | 10 | 14 | 14 | 9 | 3 30 | 6 | 10 | 14 | 13 | 9 | 3  2 | 6 | 10 |
| 12 55 14 | 15 | 14 | 10 | 4 50 | 7 | 11 | 15 | 14 | 10 | 4 22 | 7 | 11 | 15 | 14 | 10 | 3 54 | 6 | 11 |
| 58 57 | 16 | 15 | 11 | 5 42 | 8 | 12 | 16 | 15 | 11 | 5 14 | 8 | 12 | 16 | 15 | 10 | 4 46 | 7 | 12 |
| 13  2 40 | 17 | 16 | 12 | 6 34 | 9 | 14 | 17 | 16 | 12 | 6  6 | 9 | 14 | 17 | 16 | 11 | 5 38 | 8 | 14 |
| 13  6 23 | 18 | 17 | 13 | 7 26 | 10 | 15 | 18 | 17 | 12 | 6 58 | 10 | 15 | 18 | 17 | 12 | 6 30 | 9 | 15 |
| 10  7 | 19 | 18 | 13 | 8 19 | 11 | 16 | 19 | 18 | 13 | 7 51 | 11 | 16 | 19 | 18 | 13 | 7 23 | 10 | 16 |
| 13 51 | 20 | 19 | 14 | 9 12 | 12 | 17 | 20 | 19 | 14 | 8 44 | 12 | 17 | 20 | 19 | 14 | 8 16 | 11 | 17 |
| 13 17 35 | 21 | 20 | 15 | 10  5 | 13 | 18 | 21 | 20 | 15 | 9 37 | 13 | 18 | 21 | 20 | 15 | 9  9 | 12 | 18 |
| 21 20 | 22 | 21 | 16 | 10 59 | 14 | 19 | 22 | 21 | 16 | 10 30 | 14 | 19 | 22 | 20 | 16 | 10  2 | 13 | 19 |
| 25  6 | 23 | 22 | 17 | 11 53 | 15 | 20 | 23 | 21 | 17 | 11 25 | 15 | 20 | 23 | 21 | 16 | 10 56 | 14 | 20 |
| 13 28 52 | 24 | 22 | 18 | 12 47 | 16 | 21 | 24 | 22 | 17 | 12 19 | 16 | 21 | 24 | 22 | 17 | 11 51 | 15 | 21 |
| 32 38 | 25 | 23 | 19 | 13 41 | 17 | 22 | 25 | 23 | 18 | 13 14 | 17 | 22 | 25 | 23 | 18 | 12 45 | 17 | 22 |
| 36 25 | 26 | 24 | 19 | 14 36 | 18 | 23 | 26 | 24 | 19 | 14  9 | 18 | 23 | 26 | 24 | 19 | 13 40 | 18 | 23 |
| 13 40 12 | 27 | 25 | 20 | 15 31 | 19 | 24 | 27 | 25 | 20 | 15  4 | 19 | 24 | 27 | 25 | 20 | 14 36 | 19 | 24 |
| 44  0 | 28 | 26 | 21 | 16 26 | 20 | 25 | 28 | 26 | 21 | 15 59 | 20 | 25 | 28 | 26 | 21 | 15 31 | 20 | 25 |
| 47 48 | 29 | 27 | 22 | 17 22 | 21 | 26 | 29 | 27 | 22 | 16 54 | 21 | 26 | 29 | 27 | 21 | 16 26 | 21 | 26 |
| Houses | 4 | 5 | 6 | 7 | 8 | 9 | 4 | 5 | 6 | 7 | 8 | 9 | 4 | 5 | 6 | 7 | 8 | 9 |

Latitude 19° S.  Latitude 20° S.  Latitude 21° S.

# SIMPLIFIED SCIENTIFIC TABLES OF HOUSES

### Latitude 19° N.  Latitude 20° N.  Latitude 21° N.

| Sider'l Time | 10 ♏ | 11 ♏ | 12 ♐ | Asc. ♑ | 2 ≈ | 3 )( | 10 ♏ | 11 ♏ | 12 ♐ | Asc. ♑ | 2 ≈ | 3 )( | 10 ♏ | 11 ♏ | 12 ♐ | Asc. ♑ | 2 ≈ | 3 )( |
|---|---|---|---|---|---|---|---|---|---|---|---|---|---|---|---|---|---|---|
| H M S | ° | ° | ° | ° ' | ° | ° | ° | ° | ° | ° ' | ° | ° | ° | ° | ° | ° ' | ° | ° |
| 13 51 37 | 0 | 28 | 23 | 18 18 | 22 | 28 | 0 | 28 | 23 | 17 50 | 22 | 28 | 0 | 28 | 22 | 17 22 | 22 | 28 |
| 55 27 | 1 | 29 | 24 | 19 15 | 23 | 29 | 1 | 29 | 23 | 18 48 | 23 | 29 | 1 | 28 | 23 | 18 20 | 23 | 29 |
| 59 17 | 2 | ♐ | 25 | 20 12 | 24 | ♈ | 2 | 29 | 24 | 19 45 | 24 | ♈ | 2 | 29 | 24 | 19 17 | 24 | ♈ |
| 14 3 8 | 3 | 1 | 25 | 21 9 | 25 | 1 | 3 | ♐ | 25 | 20 42 | 25 | 1 | 3 | ♐ | 25 | 20 14 | 25 | 1 |
| 6 59 | 4 | 1 | 26 | 22 7 | 27 | 2 | 4 | 1 | 26 | 21 40 | 26 | 2 | 4 | 1 | 26 | 21 13 | 26 | 2 |
| 10 51 | 5 | 2 | 27 | 23 6 | 28 | 3 | 5 | 2 | 27 | 22 39 | 27 | 3 | 5 | 2 | 27 | 22 12 | 27 | 3 |
| 14 14 44 | 6 | 3 | 28 | 24 5 | 29 | 4 | 6 | 3 | 28 | 23 37 | 29 | 4 | 6 | 3 | 28 | 23 10 | 28 | 4 |
| 18 37 | 7 | 4 | 29 | 25 4 | )( | 5 | 7 | 4 | 29 | 24 37 | )( | 5 | 7 | 4 | 28 | 24 9 | 29 | 5 |
| 22 31 | 8 | 5 | ♑ | 26 4 | 1 | 6 | 8 | 5 | ♑ | 25 37 | 1 | 6 | 8 | 5 | 29 | 25 9 | )( | 6 |
| 14 26 25 | 9 | 6 | 1 | 27 4 | 2 | 8 | 9 | 6 | 1 | 26 36 | 2 | 8 | 9 | 6 | ♑ | 26 9 | 2 | 8 |
| 30 20 | 10 | 7 | 2 | 28 4 | 3 | 9 | 10 | 7 | 1 | 27 37 | 3 | 9 | 10 | 7 | 1 | 27 10 | 3 | 9 |
| 34 16 | 11 | 8 | 3 | 29 5 | 4 | 10 | 11 | 8 | 2 | 28 38 | 4 | 10 | 11 | 7 | 2 | 28 11 | 4 | 10 |
| 14 38 13 | 12 | 9 | 4 | 0 ≈ 7 | 6 | 11 | 12 | 9 | 3 | 29 40 | 5 | 11 | 12 | 8 | 3 | 29 13 | 5 | 11 |
| 42 10 | 13 | 10 | 4 | 1 10 | 7 | 12 | 13 | 9 | 4 | 0 ≈ 43 | 7 | 12 | 13 | 9 | 4 | 0 ≈ 16 | 6 | 12 |
| 46 8 | 14 | 10 | 5 | 2 12 | 8 | 13 | 14 | 10 | 5 | 1 46 | 8 | 13 | 14 | 10 | 5 | 1 20 | 8 | 13 |
| 14 50 7 | 15 | 11 | 6 | 3 15 | 9 | 14 | 15 | 11 | 6 | 2 49 | 9 | 14 | 15 | 11 | 6 | 2 23 | 9 | 14 |
| 54 7 | 16 | 12 | 7 | 4 19 | 10 | 15 | 16 | 12 | 7 | 3 53 | 10 | 16 | 16 | 12 | 7 | 3 27 | 10 | 16 |
| 58 7 | 17 | 13 | 8 | 5 23 | 11 | 17 | 17 | 13 | 8 | 4 58 | 11 | 17 | 17 | 13 | 8 | 4 32 | 11 | 17 |
| 15 2 8 | 18 | 14 | 9 | 6 28 | 13 | 18 | 18 | 14 | 9 | 6 3 | 12 | 18 | 18 | 14 | 8 | 5 37 | 12 | 18 |
| 6 9 | 19 | 15 | 10 | 7 33 | 14 | 19 | 19 | 15 | 10 | 7 9 | 14 | 19 | 19 | 15 | 9 | 6 44 | 14 | 19 |
| 10 12 | 20 | 16 | 11 | 8 39 | 15 | 20 | 20 | 16 | 11 | 8 15 | 15 | 20 | 20 | 16 | 10 | 7 50 | 15 | 20 |
| 15 14 15 | 21 | 17 | 12 | 9 46 | 16 | 21 | 21 | 17 | 12 | 9 22 | 16 | 21 | 21 | 17 | 11 | 8 57 | 16 | 21 |
| 18 19 | 22 | 18 | 13 | 10 54 | 17 | 22 | 22 | 18 | 13 | 10 30 | 17 | 22 | 22 | 18 | 12 | 10 5 | 17 | 22 |
| 22 23 | 23 | 19 | 14 | 12 1 | 19 | 23 | 23 | 19 | 14 | 11 38 | 19 | 23 | 23 | 18 | 13 | 11 13 | 19 | 24 |
| 15 26 29 | 24 | 20 | 15 | 13 10 | 20 | 25 | 24 | 20 | 15 | 12 47 | 20 | 25 | 24 | 19 | 14 | 12 22 | 20 | 25 |
| 30 35 | 25 | 21 | 16 | 14 19 | 21 | 26 | 25 | 21 | 16 | 13 56 | 21 | 26 | 25 | 20 | 15 | 13 32 | 21 | 26 |
| 34 41 | 26 | 22 | 17 | 15 27 | 22 | 27 | 26 | 21 | 17 | 15 5 | 22 | 27 | 26 | 21 | 16 | 14 42 | 22 | 27 |
| 15 38 49 | 27 | 23 | 18 | 16 38 | 24 | 28 | 27 | 22 | 18 | 16 16 | 24 | 28 | 27 | 22 | 17 | 15 53 | 24 | 28 |
| 42 57 | 28 | 23 | 19 | 17 49 | 25 | 29 | 28 | 23 | 19 | 17 27 | 25 | 29 | 28 | 23 | 18 | 17 5 | 25 | 29 |
| 47 6 | 29 | 24 | 20 | 18 59 | 26 | ♉ | 29 | 24 | 20 | 18 39 | 26 | ♉ | 29 | 24 | 19 | 18 18 | 26 | ♉ |
| Houses | 4 | 5 | 6 | 7 | 8 | 9 | 4 | 5 | 6 | 7 | 8 | 9 | 4 | 5 | 6 | 7 | 8 | 9 |

### Latitude 19° S.  Latitude 20° S.  Latitude 21° S.

# SIMPLIFIED SCIENTIFIC TABLES OF HOUSES

Latitude 19° N.   Latitude 20° N.   Latitude 21° N.

| Sider'l Time (H M S) | 10 ♐ | 11 ♐ | 12 ♑ | Asc ♒ (° ') | 2 ♓ | 3 ♉ | 10 ♐ | 11 ♐ | 12 ♑ | Asc ♒ (° ') | 2 ♓ | 3 ♉ | 10 ♐ | 11 ♐ | 12 ♑ | Asc ♒ (° ') | 2 ♓ | 3 ♉ |
|---|---|---|---|---|---|---|---|---|---|---|---|---|---|---|---|---|---|---|
| 15 51 15 | 0 | 25 | 21 | 20 12 | 27 | 1 | 0 | 25 | 21 | 19 52 | 27 | 1 | 0 | 25 | 20 | 19 31 | 27 | 2 |
| 55 25 | 1 | 26 | 22 | 21 25 | 29 | 2 | 1 | 26 | 22 | 21 4 | 29 | 3 | 1 | 26 | 21 | 20 44 | 29 | 3 |
| 59 36 | 2 | 27 | 23 | 22 38 | ♈ | 4 | 2 | 27 | 23 | 22 18 | ♈ | 4 | 2 | 27 | 22 | 21 58 | ♈ | 4 |
| 16 3 48 | 3 | 28 | 24 | 23 52 | 1 | 5 | 3 | 28 | 24 | 23 32 | 1 | 5 | 3 | 28 | 23 | 23 13 | 1 | 5 |
| 8 0 | 4 | 29 | 25 | 25 6 | 2 | 6 | 4 | 29 | 25 | 24 47 | 2 | 6 | 4 | 29 | 24 | 24 28 | 2 | 6 |
| 12 13 | 5 | ♑ | 26 | 26 21 | 4 | 7 | 5 | ♑ | 26 | 26 2 | 4 | 7 | 5 | ♑ | 25 | 25 43 | 4 | 7 |
| 16 16 26 | 6 | 1 | 27 | 27 36 | 5 | 8 | 6 | 1 | 27 | 27 18 | 5 | 8 | 6 | 1 | 26 | 26 59 | 5 | 8 |
| 20 40 | 7 | 2 | 28 | 28 52 | 6 | 9 | 7 | 2 | 28 | 28 35 | 6 | 9 | 7 | 2 | 28 | 28 17 | 6 | 9 |
| 24 55 | 8 | 3 | 29 | 0♓ 10 | 8 | 10 | 8 | 3 | 29 | 29 53 | 8 | 11 | 8 | 3 | 29 | 29 36 | 8 | 11 |
| 16 29 10 | 9 | 4 | ♒ | 1 27 | 9 | 12 | 9 | 4 | ♒ | 1♓ 11 | 9 | 12 | 9 | 4 | ♒ | 0♓ 54 | 9 | 12 |
| 33 26 | 10 | 5 | 1 | 2 45 | 10 | 13 | 10 | 5 | 1 | 2 29 | 10 | 13 | 10 | 5 | 1 | 2 13 | 10 | 13 |
| 37 42 | 11 | 6 | 2 | 4 3 | 11 | 14 | 11 | 6 | 2 | 3 48 | 11 | 14 | 11 | 6 | 2 | 3 33 | 12 | 14 |
| 16 41 59 | 12 | 7 | 4 | 5 22 | 13 | 15 | 12 | 7 | 3 | 5 7 | 13 | 15 | 12 | 7 | 3 | 4 53 | 13 | 15 |
| 46 16 | 13 | 8 | 5 | 6 41 | 14 | 16 | 13 | 8 | 4 | 6 26 | 14 | 16 | 13 | 8 | 4 | 6 13 | 14 | 16 |
| 50 34 | 14 | 9 | 6 | 8 1 | 15 | 17 | 14 | 9 | 6 | 7 46 | 15 | 17 | 14 | 9 | 5 | 7 34 | 15 | 17 |
| 16 54 52 | 15 | 10 | 7 | 9 20 | 17 | 18 | 15 | 10 | 7 | 9 8 | 17 | 18 | 15 | 10 | 6 | 8 56 | 17 | 18 |
| 59 10 | 16 | 11 | 8 | 10 41 | 18 | 20 | 16 | 11 | 8 | 10 29 | 18 | 19 | 16 | 11 | 8 | 10 18 | 18 | 20 |
| 17 3 29 | 17 | 12 | 9 | 12 1 | 19 | 21 | 17 | 12 | 9 | 11 51 | 19 | 21 | 17 | 12 | 9 | 11 41 | 19 | 21 |
| 17 7 49 | 18 | 13 | 10 | 13 23 | 20 | 22 | 18 | 13 | 10 | 13 13 | 20 | 22 | 18 | 13 | 10 | 13 3 | 21 | 22 |
| 12 9 | 19 | 14 | 11 | 14 45 | 22 | 23 | 19 | 14 | 11 | 14 36 | 22 | 23 | 19 | 14 | 11 | 14 26 | 22 | 23 |
| 16 29 | 20 | 15 | 13 | 16 7 | 23 | 24 | 20 | 15 | 12 | 15 59 | 23 | 24 | 20 | 15 | 12 | 15 50 | 23 | 24 |
| 17 20 49 | 21 | 16 | 14 | 17 29 | 24 | 25 | 21 | 16 | 14 | 17 22 | 24 | 25 | 21 | 16 | 13 | 17 14 | 24 | 25 |
| 25 9 | 22 | 17 | 15 | 18 52 | 25 | 26 | 22 | 17 | 15 | 18 46 | 26 | 26 | 22 | 17 | 14 | 18 39 | 26 | 26 |
| 29 30 | 23 | 18 | 16 | 20 16 | 27 | 27 | 23 | 18 | 16 | 20 10 | 27 | 27 | 23 | 18 | 16 | 20 4 | 27 | 27 |
| 17 33 51 | 24 | 19 | 17 | 21 38 | 28 | 28 | 24 | 19 | 17 | 21 33 | 28 | 28 | 24 | 19 | 17 | 21 28 | 28 | 28 |
| 38 12 | 25 | 20 | 19 | 23 1 | 29 | 29 | 25 | 20 | 18 | 22 57 | 29 | 29 | 25 | 20 | 18 | 22 53 | ♉ | 29 |
| 42 34 | 26 | 21 | 20 | 24 25 | ♉ | ♊ | 26 | 21 | 19 | 24 21 | ♉ | ♊ | 26 | 21 | 19 | 24 18 | 1 | ♊ |
| 17 46 55 | 27 | 22 | 21 | 25 49 | 2 | 1 | 27 | 22 | 21 | 25 45 | 2 | 1 | 27 | 22 | 20 | 25 44 | 2 | 2 |
| 51 17 | 28 | 23 | 22 | 27 12 | 3 | 2 | 28 | 23 | 22 | 27 10 | 3 | 3 | 28 | 23 | 22 | 27 9 | 3 | 3 |
| 55 38 | 29 | 24 | 23 | 28 36 | 4 | 3 | 29 | 24 | 23 | 28 35 | 4 | 4 | 29 | 24 | 23 | 28 34 | 5 | 4 |
| Houses | 4 | 5 | 6 | 7 | 8 | 9 | 4 | 5 | 6 | 7 | 8 | 9 | 4 | 5 | 6 | 7 | 8 | 9 |

Latitude 19° S.   Latitude 20° S.   Latitude 21° S.

# SIMPLIFIED SCIENTIFIC TABLES OF HOUSES

Latitude 19° N.  Latitude 20° N.  Latitude 21° N.

| Sider'l Time (H M S) | 10 ♑ | 11 ♑ | 12 ♒ | Asc ♈ ° | ′ | 2 ♉ | 3 II | 10 ♑ | 11 ♑ | 12 ♒ | Asc ♈ ° | ′ | 2 ♉ | 3 II | 10 ♑ | 11 ♑ | 12 ♒ | Asc ♈ ° | ′ | 2 ♉ | 3 II |
|---|---|---|---|---|---|---|---|---|---|---|---|---|---|---|---|---|---|---|---|---|---|
| 18 0 0 | 0 | 25 | 25 | 0 | 0 | 5 | 5 | 0 | 25 | 24 | 0 | 0 | 6 | 5 | 0 | 25 | 24 | 0 | 0 | 6 | 5 |
| 18 4 22 | 1 | 27 | 26 | 1 | 24 | 7 | 6 | 1 | 26 | 26 | 1 | 25 | 7 | 6 | 1 | 26 | 25 | 1 | 26 | 7 | 6 |
| 18 8 43 | 2 | 28 | 27 | 2 | 48 | 8 | 7 | 2 | 27 | 27 | 2 | 50 | 8 | 7 | 2 | 27 | 27 | 2 | 51 | 8 | 7 |
| 18 13 5 | 3 | 29 | 28 | 4 | 11 | 9 | 8 | 3 | 29 | 28 | 4 | 15 | 9 | 8 | 3 | 28 | 28 | 4 | 16 | 10 | 8 |
| 18 17 26 | 4 | ♒ | ♓ | 5 | 35 | 10 | 9 | 4 | ♒ | 29 | 5 | 39 | 11 | 9 | 4 | ♒ | 29 | 5 | 42 | 11 | 9 |
| 18 21 48 | 5 | 1 | 1 | 6 | 59 | 11 | 10 | 5 | 1 | ♓ | 7 | 3 | 12 | 10 | 5 | 1 | ♓ | 7 | 7 | 12 | 10 |
| 18 26 9 | 6 | 2 | 2 | 8 | 22 | 13 | 11 | 6 | 2 | 2 | 8 | 27 | 13 | 11 | 6 | 2 | 2 | 8 | 32 | 13 | 11 |
| 18 30 30 | 7 | 3 | 3 | 9 | 44 | 14 | 12 | 7 | 3 | 3 | 9 | 50 | 14 | 12 | 7 | 3 | 3 | 9 | 56 | 14 | 12 |
| 18 34 51 | 8 | 4 | 5 | 11 | 8 | 15 | 13 | 8 | 4 | 4 | 11 | 14 | 15 | 13 | 8 | 4 | 4 | 11 | 21 | 16 | 13 |
| 18 39 11 | 9 | 5 | 6 | 12 | 31 | 16 | 14 | 9 | 5 | 6 | 12 | 38 | 16 | 14 | 9 | 5 | 6 | 12 | 46 | 17 | 14 |
| 18 43 31 | 10 | 6 | 7 | 13 | 53 | 17 | 15 | 10 | 6 | 7 | 14 | 1 | 18 | 15 | 10 | 6 | 7 | 14 | 10 | 18 | 15 |
| 18 47 51 | 11 | 7 | 8 | 15 | 15 | 18 | 16 | 11 | 7 | 8 | 15 | 24 | 19 | 16 | 11 | 7 | 8 | 15 | 34 | 19 | 16 |
| 18 52 11 | 12 | 8 | 10 | 16 | 37 | 19 | 17 | 12 | 8 | 10 | 16 | 47 | 20 | 17 | 12 | 8 | 9 | 16 | 57 | 20 | 17 |
| 18 56 31 | 13 | 10 | 11 | 17 | 59 | 21 | 18 | 13 | 9 | 11 | 18 | 9 | 21 | 18 | 13 | 9 | 11 | 18 | 19 | 21 | 18 |
| 19 0 50 | 14 | 11 | 12 | 19 | 11 | 22 | 19 | 14 | 11 | 12 | 19 | 31 | 22 | 19 | 14 | 10 | 12 | 19 | 42 | 22 | 19 |
| 19 5 8 | 15 | 12 | 13 | 20 | 40 | 23 | 20 | 15 | 12 | 13 | 20 | 52 | 23 | 20 | 15 | 12 | 13 | 21 | 4 | 24 | 20 |
| 19 9 26 | 16 | 13 | 15 | 21 | 59 | 24 | 21 | 16 | 13 | 15 | 22 | 14 | 24 | 21 | 16 | 13 | 15 | 22 | 26 | 25 | 21 |
| 19 13 44 | 17 | 14 | 16 | 23 | 19 | 25 | 22 | 17 | 14 | 16 | 23 | 34 | 26 | 22 | 17 | 14 | 16 | 23 | 47 | 26 | 22 |
| 19 18 1 | 18 | 15 | 17 | 24 | 38 | 26 | 23 | 18 | 15 | 17 | 24 | 53 | 27 | 23 | 18 | 15 | 17 | 25 | 7 | 27 | 23 |
| 19 22 18 | 19 | 16 | 19 | 25 | 57 | 28 | 24 | 19 | 16 | 19 | 26 | 12 | 28 | 24 | 19 | 16 | 18 | 26 | 27 | 28 | 24 |
| 19 26 34 | 20 | 17 | 20 | 27 | 15 | 29 | 25 | 20 | 17 | 20 | 27 | 31 | 29 | 25 | 20 | 17 | 20 | 27 | 47 | 29 | 25 |
| 19 30 50 | 21 | 18 | 21 | 28 | 33 | II | 26 | 21 | 18 | 21 | 28 | 49 | II | 26 | 21 | 18 | 21 | 29 | 6 | II | 26 |
| 19 35 5 | 22 | 20 | 22 | 29 | 50 | 1 | 27 | 22 | 19 | 22 | 0 ♉ | 7 | 1 | 27 | 22 | 19 | 22 | 0 ♉ | 24 | 1 | 27 |
| 19 39 20 | 23 | 21 | 24 | 1 ♉ | 8 | 2 | 28 | 23 | 21 | 24 | 1 | 25 | 2 | 28 | 23 | 21 | 24 | 1 | 43 | 2 | 28 |
| 19 43 34 | 24 | 22 | 25 | 2 | 24 | 3 | 29 | 24 | 22 | 25 | 2 | 42 | 3 | 29 | 24 | 22 | 25 | 3 | 1 | 4 | 29 |
| 19 47 47 | 25 | 23 | 26 | 3 | 39 | 4 | ♋ | 25 | 23 | 26 | 3 | 58 | 4 | ♋ | 25 | 23 | 26 | 4 | 17 | 5 | ♋ |
| 19 52 0 | 26 | 24 | 28 | 4 | 54 | 5 | 1 | 26 | 24 | 28 | 5 | 13 | 5 | 1 | 26 | 24 | 28 | 5 | 32 | 6 | 1 |
| 19 56 12 | 27 | 25 | 29 | 6 | 8 | 6 | 2 | 27 | 25 | 29 | 6 | 28 | 6 | 2 | 27 | 25 | 29 | 6 | 47 | 7 | 2 |
| 20 0 24 | 28 | 26 | ♈ | 7 | 22 | 7 | 3 | 28 | 26 | ♈ | 7 | 42 | 7 | 3 | 28 | 26 | ♈ | 8 | 2 | 8 | 3 |
| 20 4 35 | 29 | 28 | 1 | 8 | 35 | 8 | 4 | 29 | 28 | 1 | 8 | 56 | 8 | 4 | 29 | 28 | 1 | 9 | 16 | 9 | 4 |

| Houses | 4 | 5 | 6 | 7 | | 8 | 9 | 4 | 5 | 6 | 7 | | 8 | 9 | 4 | 5 | 6 | 7 | | 8 | 9 |

Latitude 19° S.  Latitude 20° S.  Latitude 21° S.

# SIMPLIFIED SCIENTIFIC TABLES OF HOUSES

Latitude 19° N.  Latitude 20° N.  Latitude 21° N.

| Sider'l Time | 10 | 11 | 12 | Asc. | 2 | 3 | 10 | 11 | 12 | Asc. | 2 | 3 | 10 | 11 | 12 | Asc. | 2 | 3 |
|---|---|---|---|---|---|---|---|---|---|---|---|---|---|---|---|---|---|---|
| H M S | ♒ | ♒ | ♈ | ♉ | ♊ | ♋ | ♒ | ♒ | ♈ | ♉ | ♊ | ♋ | ♒ | ♒ | ♈ | ♉ | ♊ | ♋ |
| 20 8 45 | 0 | 29 | 3 | 9 48 | 9 | 5 | 0 | 29 | 3 | 10 8 | 9 | 5 | 0 | 28 | 3 | 10 29 | 10 | 5 |
| 12 54 | 1 | ♒ | 4 | 11 1 | 10 | 6 | 1 | ♒ | 4 | 11 21 | 10 | 6 | 1 | ♒ | 4 | 11 42 | 11 | 6 |
| 17 3 | 2 | 1 | 5 | 12 11 | 11 | 7 | 2 | 1 | 5 | 12 33 | 11 | 7 | 2 | 1 | 5 | 12 55 | 12 | 7 |
| 20 21 11 | 3 | 2 | 6 | 13 22 | 12 | 7 | 3 | 2 | 6 | 13 44 | 12 | 8 | 3 | 2 | 6 | 14 7 | 13 | 8 |
| 25 19 | 4 | 3 | 8 | 14 33 | 13 | 8 | 4 | 3 | 8 | 14 55 | 13 | 9 | 4 | 3 | 8 | 15 18 | 14 | 9 |
| 29 26 | 5 | 4 | 9 | 15 41 | 14 | 9 | 5 | 4 | 9 | 16 4 | 14 | 9 | 5 | 4 | 9 | 16 28 | 15 | 10 |
| 20 33 31 | 6 | 5 | 10 | 16 50 | 15 | 10 | 6 | 5 | 10 | 17 13 | 15 | 10 | 6 | 5 | 10 | 17 38 | 16 | 11 |
| 37 37 | 7 | 7 | 11 | 17 59 | 16 | 11 | 7 | 7 | 11 | 18 22 | 16 | 11 | 7 | 6 | 11 | 18 47 | 17 | 12 |
| 41 41 | 8 | 8 | 13 | 19 6 | 17 | 12 | 8 | 8 | 13 | 19 30 | 17 | 12 | 8 | 8 | 13 | 19 55 | 18 | 12 |
| 20 45 45 | 9 | 9 | 14 | 20 14 | 18 | 13 | 9 | 9 | 14 | 20 38 | 18 | 13 | 9 | 9 | 14 | 21 3 | 19 | 13 |
| 49 48 | 10 | 10 | 15 | 21 21 | 19 | 14 | 10 | 10 | 15 | 21 45 | 19 | 14 | 10 | 10 | 15 | 22 10 | 20 | 14 |
| 53 51 | 11 | 11 | 16 | 22 27 | 20 | 15 | 11 | 11 | 16 | 22 51 | 20 | 15 | 11 | 11 | 16 | 23 16 | 21 | 15 |
| 57 52 | 12 | 12 | 17 | 23 32 | 21 | 16 | 12 | 12 | 18 | 23 57 | 21 | 16 | 12 | 12 | 18 | 24 23 | 22 | 16 |
| 21 1 53 | 13 | 13 | 19 | 24 37 | 22 | 17 | 13 | 13 | 19 | 25 2 | 22 | 17 | 13 | 13 | 19 | 25 28 | 22 | 17 |
| 5 53 | 14 | 15 | 20 | 25 41 | 23 | 18 | 14 | 14 | 20 | 26 7 | 23 | 18 | 14 | 14 | 20 | 26 33 | 23 | 18 |
| 21 9 53 | 15 | 16 | 21 | 26 45 | 24 | 19 | 15 | 16 | 21 | 27 11 | 24 | 19 | 15 | 16 | 21 | 27 37 | 24 | 19 |
| 13 52 | 16 | 17 | 22 | 27 48 | 25 | 20 | 16 | 17 | 22 | 28 14 | 25 | 20 | 16 | 17 | 22 | 28 40 | 25 | 20 |
| 17 50 | 17 | 18 | 23 | 28 50 | 26 | 20 | 17 | 18 | 23 | 29 17 | 26 | 21 | 17 | 18 | 24 | 29 44 | 26 | 21 |
| 21 21 47 | 18 | 19 | 24 | 29 53 | 26 | 21 | 18 | 19 | 24 | 0♊20 | 27 | 21 | 18 | 19 | 25 | 0♊47 | 27 | 22 |
| 25 44 | 19 | 20 | 26 | 0♊55 | 27 | 22 | 19 | 20 | 26 | 1 22 | 28 | 22 | 19 | 20 | 26 | 1 49 | 28 | 23 |
| 29 40 | 20 | 21 | 27 | 1 56 | 28 | 23 | 20 | 21 | 27 | 2 23 | 29 | 23 | 20 | 21 | 27 | 2 50 | 29 | 23 |
| 21 33 35 | 21 | 22 | 28 | 2 56 | 29 | 24 | 21 | 22 | 28 | 3 24 | 29 | 24 | 21 | 22 | 28 | 3 51 | ♋ | 24 |
| 37 29 | 22 | 24 | 29 | 3 56 | ♋ | 25 | 22 | 24 | 29 | 4 23 | ♋ | 25 | 22 | 24 | 29 | 4 51 | 1 | 25 |
| 41 23 | 23 | 25 | ♉ | 4 56 | 1 | 26 | 23 | 25 | ♉ | 5 23 | 1 | 26 | 23 | 25 | 1 | 5 51 | 2 | 26 |
| 21 45 16 | 24 | 26 | 1 | 5 55 | 2 | 27 | 24 | 26 | 1 | 6 23 | 2 | 27 | 24 | 26 | 2 | 6 50 | 2 | 27 |
| 49 9 | 25 | 27 | 2 | 6 54 | 3 | 28 | 25 | 27 | 3 | 7 21 | 3 | 28 | 25 | 27 | 3 | 7 48 | 3 | 28 |
| 53 1 | 26 | 28 | 3 | 7 53 | 4 | 29 | 26 | 28 | 4 | 8 20 | 4 | 29 | 26 | 28 | 4 | 8 47 | 4 | 29 |
| 21 56 52 | 27 | 29 | 5 | 8 51 | 5 | 29 | 27 | 29 | 5 | 9 18 | 5 | ♌ | 27 | 29 | 5 | 9 46 | 5 | ♌ |
| 22 0 43 | 28 | ♈ | 6 | 9 48 | 5 | ♌ | 28 | ♈ | 6 | 10 15 | 6 | 1 | 28 | ♈ | 6 | 10 43 | 6 | 1 |
| 4 33 | 29 | 1 | 7 | 10 45 | 6 | 1 | 29 | 1 | 7 | 11 12 | 7 | 1 | 29 | 1 | 7 | 11 40 | 7 | 2 |
| Houses | 4 | 5 | 6 | 7 | 8 | 9 | 4 | 5 | 6 | 7 | 8 | 9 | 4 | 5 | 6 | 7 | 8 | 9 |

Latitude 19° S.  Latitude 20° S.  Latitude 21° S.

Latitude 19° N.  Latitude 20° N.  Latitude 21° N.

| Sider'l Time (H M S) | 10 ♓ | 11 ♈ | 12 ♉ | Asc. Ⅱ | 2 ♋ | 3 ♌ | 10 ♓ | 11 ♈ | 12 ♉ | Asc. Ⅱ | 2 ♋ | 3 ♌ | 10 ♓ | 11 ♈ | 12 ♉ | Asc. Ⅱ | 2 ♋ | 3 ♌ |
|---|---|---|---|---|---|---|---|---|---|---|---|---|---|---|---|---|---|---|
| 22 8 23 | 0 | 2 | 8 | 11 42 | 7 | 2 | 0 | 2 | 8 | 12 10 | 7 | 2 | 0 | 2 | 8 | 12 39 | 8 | 2 |
| 12 12 | 1 | 3 | 9 | 12 38 | 8 | 3 | 1 | 4 | 9 | 13 6 | 8 | 3 | 1 | 4 | 9 | 13 35 | 9 | 3 |
| 16 0 | 2 | 5 | 10 | 13 34 | 9 | 4 | 2 | 5 | 10 | 14 1 | 9 | 4 | 2 | 5 | 10 | 14 30 | 9 | 4 |
| 22 19 48 | 3 | 6 | 11 | 14 29 | 10 | 5 | 3 | 6 | 11 | 14 56 | 10 | 5 | 3 | 6 | 11 | 15 24 | 10 | 5 |
| 23 35 | 4 | 7 | 12 | 15 24 | 11 | 6 | 4 | 7 | 12 | 15 51 | 11 | 6 | 4 | 7 | 12 | 16 20 | 11 | 6 |
| 27 22 | 5 | 8 | 13 | 16 19 | 11 | 7 | 5 | 8 | 13 | 16 46 | 12 | 7 | 5 | 8 | 13 | 17 15 | 12 | 7 |
| 22 31 8 | 6 | 9 | 14 | 17 13 | 12 | 8 | 6 | 9 | 14 | 17 41 | 13 | 8 | 6 | 9 | 15 | 18 9 | 13 | 8 |
| 34 54 | 7 | 10 | 15 | 18 7 | 13 | 8 | 7 | 10 | 15 | 18 35 | 13 | 9 | 7 | 10 | 16 | 19 4 | 14 | 9 |
| 38 40 | 8 | 11 | 16 | 19 1 | 14 | 9 | 8 | 11 | 16 | 19 30 | 14 | 9 | 8 | 11 | 17 | 19 58 | 14 | 10 |
| 22 42 25 | 9 | 12 | 17 | 19 55 | 15 | 10 | 9 | 12 | 17 | 20 23 | 15 | 10 | 9 | 12 | 18 | 20 51 | 15 | 10 |
| 46 9 | 10 | 13 | 18 | 20 48 | 16 | 11 | 10 | 13 | 18 | 21 16 | 16 | 11 | 10 | 13 | 19 | 21 44 | 16 | 11 |
| 49 53 | 11 | 14 | 19 | 21 41 | 17 | 12 | 11 | 14 | 19 | 22 9 | 17 | 12 | 11 | 14 | 20 | 22 37 | 17 | 12 |
| 22 53 37 | 12 | 15 | 20 | 22 34 | 17 | 13 | 12 | 15 | 20 | 23 2 | 18 | 13 | 12 | 15 | 21 | 23 30 | 18 | 13 |
| 57 20 | 13 | 16 | 21 | 23 26 | 18 | 14 | 13 | 16 | 21 | 23 54 | 18 | 14 | 13 | 16 | 22 | 24 22 | 19 | 14 |
| 23 1 3 | 14 | 17 | 22 | 24 18 | 19 | 15 | 14 | 17 | 22 | 24 46 | 19 | 15 | 14 | 18 | 23 | 25 14 | 20 | 15 |
| 23 4 46 | 15 | 18 | 23 | 25 10 | 20 | 16 | 15 | 19 | 23 | 25 38 | 20 | 16 | 15 | 19 | 24 | 26 6 | 20 | 16 |
| 8 28 | 16 | 20 | 24 | 26 2 | 21 | 17 | 16 | 20 | 24 | 26 30 | 21 | 17 | 16 | 20 | 24 | 26 58 | 21 | 17 |
| 12 10 | 17 | 21 | 25 | 26 54 | 22 | 17 | 17 | 21 | 25 | 27 22 | 22 | 18 | 17 | 21 | 25 | 27 49 | 22 | 18 |
| 23 15 52 | 18 | 22 | 26 | 27 45 | 23 | 18 | 18 | 22 | 26 | 28 13 | 23 | 18 | 18 | 22 | 26 | 28 40 | 23 | 19 |
| 19 34 | 19 | 23 | 27 | 28 36 | 23 | 19 | 19 | 23 | 27 | 29 4 | 23 | 19 | 19 | 23 | 27 | 29 32 | 24 | 19 |
| 23 15 | 20 | 24 | 28 | 29 27 | 24 | 20 | 20 | 24 | 28 | 29 54 | 24 | 20 | 20 | 24 | 28 | 0♋23 | 25 | 20 |
| 23 26 56 | 21 | 25 | 29 | 0♋18 | 25 | 21 | 21 | 25 | 29 | 0♋45 | 25 | 21 | 21 | 25 | 29 | 1 13 | 25 | 21 |
| 30 37 | 22 | 26 | Ⅱ | 1 8 | 26 | 22 | 22 | 26 | Ⅱ | 1 35 | 26 | 22 | 22 | 26 | Ⅱ | 2 3 | 26 | 22 |
| 34 18 | 23 | 27 | 1 | 1 59 | 27 | 23 | 23 | 27 | 1 | 2 26 | 27 | 23 | 23 | 27 | 1 | 2 53 | 27 | 23 |
| 23 37 58 | 24 | 28 | 2 | 2 49 | 27 | 24 | 24 | 28 | 2 | 3 16 | 28 | 24 | 24 | 28 | 2 | 3 43 | 28 | 24 |
| 41 39 | 25 | 29 | 3 | 3 39 | 28 | 25 | 25 | 29 | 3 | 4 6 | 29 | 25 | 25 | 29 | 3 | 4 33 | 29 | 25 |
| 45 19 | 26 | ♉ | 4 | 4 30 | 29 | 26 | 26 | ♉ | 4 | 4 56 | 29 | 26 | 26 | ♉ | 4 | 5 23 | ♌ | 26 |
| 23 49 0 | 27 | 1 | 5 | 5 20 | ♌ | 27 | 27 | 1 | 5 | 5 45 | ♌ | 27 | 27 | 1 | 5 | 6 12 | 0 | 27 |
| 52 40 | 28 | 2 | 6 | 6 10 | 1 | 27 | 28 | 2 | 6 | 6 36 | 1 | 28 | 28 | 2 | 6 | 7 7 | 1 | 28 |
| 56 20 | 29 | 3 | 7 | 6 59 | 2 | 28 | 29 | 3 | 7 | 7 25 | 2 | 28 | 29 | 3 | 7 | 7 52 | 3 | 28 |
| Houses | 4 | 5 | 6 | 7 | 8 | 9 | 4 | 5 | 6 | 7 | 8 | 9 | 4 | 5 | 6 | 7 | 8 | 9 |

Latitude 19° S.  Latitude 20° S.  Latitude 21° S.

# SIMPLIFIED SCIENTIFIC TABLES OF HOUSES

Latitude 22° N.    Latitude 23° N.    Latitude 24° N.

Asc. values are given as degrees and minutes. The "2" and "3" columns are the 2nd and 3rd house cusps.

| Sider'l Time | 10 ♈ | 11 ♉ | 12 ♊ | Asc. ♋ | 2 ♌ | 3 ♌ | 10 ♈ | 11 ♉ | 12 ♊ | Asc. ♋ | 2 ♌ | 3 ♌ | 10 ♈ | 11 ♉ | 12 ♊ | Asc. ♋ | 2 ♌ | 3 ♍ |
|---|---|---|---|---|---|---|---|---|---|---|---|---|---|---|---|---|---|---|
| H M S | ° | ° | ° | ° ' | ° | ° | ° | ° | ° | ° ' | ° | ° | ° | ° | ° | ° ' | ° | ° |
| 0 0 0 | 0 | 4 | 8 | 9 9 | 3 | 29 | 0 | 4 | 8 | 9 36 | 3 | 29 | 0 | 4 | 9 | 10 4 | 4 | 0 |
| 0 3 40 | 1 | 5 | 9 | 9 58 | 4 | ♍ | 1 | 5 | 9 | 10 25 | 4 | ♍ | 1 | 5 | 10 | 10 53 | 5 | 1 |
| 0 7 20 | 2 | 6 | 10 | 10 47 | 5 | 1 | 2 | 6 | 10 | 11 14 | 5 | 1 | 2 | 6 | 11 | 11 41 | 5 | 1 |
| 0 11 0 | 3 | 7 | 11 | 11 36 | 6 | 2 | 3 | 7 | 11 | 12 2 | 6 | 2 | 3 | 7 | 11 | 12 30 | 6 | 2 |
| 0 14 41 | 4 | 8 | 11 | 12 25 | 6 | 3 | 4 | 8 | 12 | 12 51 | 7 | 3 | 4 | 8 | 12 | 13 18 | 7 | 3 |
| 0 18 21 | 5 | 9 | 12 | 13 14 | 7 | 4 | 5 | 9 | 13 | 13 40 | 8 | 4 | 5 | 9 | 13 | 14 7 | 8 | 4 |
| 0 22 2 | 6 | 10 | 13 | 14 3 | 8 | 5 | 6 | 10 | 14 | 14 29 | 8 | 5 | 6 | 10 | 14 | 14 55 | 9 | 5 |
| 0 25 42 | 7 | 11 | 14 | 14 52 | 9 | 6 | 7 | 11 | 15 | 15 17 | 9 | 6 | 7 | 11 | 15 | 15 44 | 10 | 6 |
| 0 29 23 | 8 | 12 | 15 | 15 41 | 10 | 7 | 8 | 12 | 15 | 16 6 | 10 | 7 | 8 | 12 | 16 | 16 32 | 10 | 7 |
| 0 33 4 | 9 | 13 | 16 | 16 30 | 11 | 8 | 9 | 13 | 16 | 16 55 | 11 | 8 | 9 | 13 | 17 | 17 21 | 11 | 8 |
| 0 36 45 | 10 | 14 | 17 | 17 19 | 12 | 9 | 10 | 14 | 17 | 17 44 | 12 | 9 | 10 | 14 | 18 | 18 10 | 12 | 9 |
| 0 40 26 | 11 | 15 | 18 | 18 8 | 12 | 10 | 11 | 15 | 18 | 18 32 | 13 | 10 | 11 | 15 | 19 | 18 58 | 13 | 10 |
| 0 44 8 | 12 | 16 | 19 | 18 56 | 13 | 11 | 12 | 16 | 19 | 19 21 | 14 | 11 | 12 | 16 | 19 | 19 46 | 14 | 11 |
| 0 47 50 | 13 | 17 | 19 | 19 45 | 14 | 11 | 13 | 17 | 20 | 20 9 | 14 | 12 | 13 | 17 | 20 | 20 35 | 15 | 12 |
| 0 51 32 | 14 | 18 | 20 | 20 34 | 15 | 12 | 14 | 18 | 21 | 20 58 | 15 | 12 | 14 | 18 | 21 | 21 23 | 15 | 13 |
| 0 55 14 | 15 | 19 | 21 | 21 23 | 16 | 13 | 15 | 19 | 22 | 21 47 | 16 | 13 | 15 | 19 | 22 | 22 11 | 16 | 13 |
| 0 58 57 | 16 | 20 | 22 | 22 11 | 17 | 14 | 16 | 20 | 22 | 22 35 | 17 | 14 | 16 | 20 | 23 | 22 59 | 17 | 14 |
| 1 2 40 | 17 | 21 | 23 | 23 0 | 17 | 15 | 17 | 21 | 23 | 23 24 | 18 | 15 | 17 | 21 | 24 | 23 48 | 18 | 15 |
| 1 6 23 | 18 | 22 | 24 | 23 50 | 18 | 16 | 18 | 22 | 24 | 24 13 | 19 | 16 | 18 | 22 | 25 | 24 37 | 19 | 16 |
| 1 10 7 | 19 | 22 | 25 | 24 39 | 19 | 17 | 19 | 23 | 25 | 25 2 | 20 | 17 | 19 | 23 | 26 | 25 25 | 20 | 17 |
| 1 13 51 | 20 | 23 | 26 | 25 28 | 20 | 18 | 20 | 24 | 26 | 25 51 | 20 | 18 | 20 | 24 | 26 | 26 14 | 21 | 18 |
| 1 17 35 | 21 | 24 | 26 | 26 17 | 21 | 19 | 21 | 25 | 27 | 26 40 | 21 | 19 | 21 | 25 | 27 | 27 3 | 21 | 19 |
| 1 21 20 | 22 | 25 | 27 | 27 6 | 22 | 20 | 22 | 26 | 28 | 27 29 | 22 | 20 | 22 | 26 | 28 | 27 52 | 22 | 20 |
| 1 25 6 | 23 | 26 | 28 | 27 56 | 23 | 21 | 23 | 27 | 29 | 28 18 | 23 | 21 | 23 | 27 | 29 | 28 41 | 23 | 21 |
| 1 28 52 | 24 | 27 | 29 | 28 46 | 24 | 22 | 24 | 27 | 29 | 29 8 | 24 | 22 | 24 | 28 | ♋ | 29 29 | 24 | 22 |
| 1 32 38 | 25 | 28 | ♋ | 29 35 | 24 | 23 | 25 | 28 | ♋ | 29 57 | 25 | 23 | 25 | 29 | 1 | 0♌18 | 25 | 23 |
| 1 36 25 | 26 | 29 | 1 | 0♌25 | 25 | 24 | 26 | 29 | 1 | 0♌46 | 26 | 24 | 26 | ♊ | 2 | 1 7 | 26 | 24 |
| 1 40 12 | 27 | ♊ | 2 | 1 15 | 26 | 25 | 27 | ♊ | 2 | 1 36 | 27 | 25 | 27 | ♊ | 2 | 1 57 | 27 | 25 |
| 1 44 0 | 28 | 1 | 2 | 2 5 | 27 | 26 | 28 | 1 | 3 | 2 25 | 28 | 26 | 28 | 1 | 3 | 2 47 | 28 | 26 |
| 1 47 48 | 29 | 2 | 3 | 2 55 | 28 | 27 | 29 | 2 | 4 | 3 15 | 29 | 27 | 29 | 2 | 4 | 3 36 | 29 | 27 |

| Houses | 4 | 5 | 6 | 7 | 8 | 9 | 4 | 5 | 6 | 7 | 8 | 9 | 4 | 5 | 6 | 7 | 8 | 9 |

Latitude 22° S.    Latitude 23° S.    Latitude 24° S.

# SIMPLIFIED SCIENTIFIC TABLES OF HOUSES

Latitude 22° N.     Latitude 23° N.     Latitude 24° N.

| Sider'l Time | 10 ♉ | 11 ♊ | 12 ♋ | Asc. ♌ | 2 ♌ | 3 ♍ | 10 ♉ | 11 ♊ | 12 ♋ | Asc. ♌ | 2 ♌ | 3 ♍ | 10 ♉ | 11 ♊ | 12 ♋ | Asc. ♌ | 2 ♌ | 3 ♍ |
|---|---|---|---|---|---|---|---|---|---|---|---|---|---|---|---|---|---|---|
| H M S | ° | ° | ° | ° ′ | ° | ° | ° | ° | ° | ° ′ | ° | ° | ° | ° | ° | ° ′ | ° | ° |
| 1 51 37 | 0 | 3 | 4 | 3 45 | 29 | 28 | 0 | 3 | 5 | 4 7 | 29 | 28 | 0 | 3 | 5 | 4 30 | 29 | 28 |
| 55 27 | 1 | 4 | 5 | 4 36 | ♍ | 29 | 1 | 4 | 5 | 4 57 | ♍ | 29 | 1 | 4 | 6 | 5 20 | ♍ | 29 |
| 59 17 | 2 | 5 | 6 | 5 26 | 1 | ≏ | 2 | 5 | 6 | 5 48 | 1 | ≏ | 2 | 5 | 7 | 6 10 | 1 | ≏ |
| 2 3 8 | 3 | 6 | 7 | 6 17 | 2 | 1 | 3 | 6 | 7 | 6 38 | 2 | 1 | 3 | 6 | 8 | 7 0 | 2 | 1 |
| 6 59 | 4 | 7 | 8 | 7 8 | 3 | 2 | 4 | 7 | 8 | 7 29 | 3 | 2 | 4 | 7 | 8 | 7 50 | 3 | 2 |
| 10 51 | 5 | 8 | 9 | 7 59 | 4 | 3 | 5 | 8 | 9 | 8 20 | 4 | 3 | 5 | 8 | 9 | 8 41 | 4 | 3 |
| 2 14 44 | 6 | 9 | 9 | 8 50 | 4 | 4 | 6 | 9 | 10 | 9 11 | 5 | 4 | 6 | 9 | 10 | 9 31 | 5 | 4 |
| 18 37 | 7 | 9 | 10 | 9 42 | 5 | 5 | 7 | 10 | 11 | 10 2 | 6 | 5 | 7 | 10 | 11 | 10 22 | 6 | 5 |
| 22 31 | 8 | 10 | 11 | 10 34 | 6 | 6 | 8 | 11 | 12 | 10 54 | 7 | 6 | 8 | 11 | 12 | 11 13 | 7 | 6 |
| 2 26 25 | 9 | 11 | 12 | 11 26 | 7 | 7 | 9 | 12 | 12 | 11 45 | 7 | 7 | 9 | 12 | 13 | 12 5 | 8 | 7 |
| 30 20 | 10 | 12 | 13 | 12 18 | 8 | 8 | 10 | 12 | 13 | 12 37 | 8 | 8 | 10 | 13 | 14 | 12 59 | 9 | 8 |
| 34 16 | 11 | 13 | 14 | 13 10 | 9 | 9 | 11 | 13 | 14 | 13 29 | 9 | 9 | 11 | 14 | 15 | 13 48 | 9 | 9 |
| 2 38 13 | 12 | 14 | 15 | 14 2 | 10 | 10 | 12 | 14 | 15 | 14 21 | 10 | 10 | 12 | 15 | 16 | 14 39 | 10 | 10 |
| 42 10 | 13 | 15 | 16 | 14 55 | 11 | 11 | 13 | 15 | 16 | 15 13 | 11 | 11 | 13 | 15 | 16 | 15 31 | 11 | 11 |
| 46 8 | 14 | 16 | 16 | 15 48 | 12 | 12 | 14 | 16 | 17 | 16 6 | 12 | 12 | 14 | 16 | 17 | 16 23 | 12 | 12 |
| 2 50 7 | 15 | 17 | 17 | 16 41 | 13 | 13 | 15 | 17 | 18 | 16 58 | 13 | 13 | 15 | 17 | 18 | 17 15 | 13 | 13 |
| 54 7 | 16 | 18 | 18 | 17 34 | 14 | 14 | 16 | 18 | 19 | 17 51 | 14 | 14 | 16 | 18 | 19 | 18 8 | 14 | 14 |
| 58 7 | 17 | 19 | 19 | 18 28 | 15 | 15 | 17 | 19 | 20 | 18 44 | 15 | 15 | 17 | 19 | 20 | 19 1 | 15 | 15 |
| 3 2 8 | 18 | 20 | 20 | 19 21 | 16 | 16 | 18 | 20 | 20 | 19 37 | 16 | 16 | 18 | 20 | 21 | 19 54 | 16 | 16 |
| 6 9 | 19 | 21 | 21 | 20 15 | 17 | 17 | 19 | 21 | 21 | 20 31 | 17 | 17 | 19 | 21 | 22 | 20 47 | 17 | 17 |
| 10 12 | 20 | 22 | 22 | 21 9 | 18 | 18 | 20 | 22 | 22 | 21 25 | 18 | 18 | 20 | 22 | 23 | 21 40 | 18 | 18 |
| 3 14 15 | 21 | 23 | 23 | 22 4 | 19 | 19 | 21 | 23 | 23 | 22 19 | 19 | 19 | 21 | 23 | 24 | 22 34 | 19 | 19 |
| 18 19 | 22 | 23 | 24 | 22 59 | 20 | 20 | 22 | 24 | 24 | 23 13 | 20 | 20 | 22 | 24 | 24 | 23 28 | 20 | 20 |
| 22 23 | 23 | 24 | 25 | 23 54 | 21 | 21 | 23 | 25 | 25 | 24 8 | 21 | 21 | 23 | 25 | 25 | 24 22 | 21 | 21 |
| 3 26 29 | 24 | 25 | 26 | 24 49 | 22 | 22 | 24 | 26 | 26 | 25 3 | 22 | 22 | 24 | 26 | 26 | 25 17 | 22 | 22 |
| 30 35 | 25 | 26 | 26 | 25 44 | 23 | 23 | 25 | 27 | 27 | 25 58 | 23 | 23 | 25 | 27 | 27 | 26 11 | 23 | 23 |
| 34 41 | 26 | 27 | 27 | 26 40 | 24 | 24 | 26 | 27 | 28 | 26 53 | 24 | 24 | 26 | 28 | 28 | 27 5 | 24 | 24 |
| 3 38 49 | 27 | 28 | 28 | 27 36 | 25 | 25 | 27 | 28 | 29 | 27 48 | 25 | 25 | 27 | 29 | 29 | 28 0 | 25 | 25 |
| 42 57 | 28 | 29 | 29 | 28 32 | 26 | 26 | 28 | 29 | ♌ | 28 44 | 26 | 26 | 28 | 30 | ♌ | 28 56 | 26 | 26 |
| 47 6 | 29 | ♋ | ♌ | 29 28 | 27 | 27 | 29 | ♋ | 1 | 29 40 | 27 | 27 | 29 | ♋ | 1 | 29 51 | 27 | 27 |

| Houses | 4 | 5 | 6 | 7 | 8 | 9 | 4 | 5 | 6 | 7 | 8 | 9 | 4 | 5 | 6 | 7 | 8 | 9 |

Latitude 22° S.     Latitude 23° S.     Latitude 24° S.

# SIMPLIFIED SCIENTIFIC TABLES OF HOUSES

Latitude 22° N.        Latitude 23° N.        Latitude 24° N.

| Sider'l Time | 10 ♊ | 11 ♋ | 12 ♌ | Asc. ♍ | 2 ♍ | 3 ♎ | 10 ♊ | 11 ♋ | 12 ♌ | Asc. ♍ | 2 ♍ | 3 ♎ | 10 ♊ | 11 ♋ | 12 ♌ | Asc. ♍ | 2 ♍ | 3 ♎ |
|---|---|---|---|---|---|---|---|---|---|---|---|---|---|---|---|---|---|---|
| 3 51 15 | 0 | 1 | 1 | 0 24 | 28 | 28 | 0 | 1 | 2 | 0 37 | 28 | 28 | 0 | 1 | 2 | 0 52 | 28 | 28 |
| 55 25 | 1 | 2 | 2 | 1 21 | 29 | 29 | 1 | 2 | 2 | 1 33 | 29 | 29 | 1 | 2 | 3 | 1 47 | 29 | 29 |
| 59 36 | 2 | 3 | 3 | 2 17 | ♎ | ♏ | 2 | 3 | 3 | 2 29 | ♎ | ♏ | 2 | 3 | 4 | 2 43 | ♎ | ♏ |
| 4 3 48 | 3 | 4 | 4 | 3 15 | 1 | 1 | 3 | 4 | 4 | 3 26 | 1 | 1 | 3 | 4 | 5 | 3 39 | 1 | 1 |
| 8 0 | 4 | 5 | 5 | 4 12 | 2 | 2 | 4 | 5 | 5 | 4 23 | 2 | 2 | 4 | 5 | 6 | 4 36 | 2 | 2 |
| 12 13 | 5 | 6 | 6 | 5 10 | 3 | 4 | 5 | 6 | 6 | 5 20 | 3 | 3 | 5 | 6 | 7 | 5 33 | 3 | 3 |
| 4 16 26 | 6 | 7 | 7 | 6 8 | 4 | 5 | 6 | 7 | 7 | 6 17 | 4 | 4 | 6 | 7 | 8 | 6 29 | 4 | 4 |
| 20 40 | 7 | 8 | 8 | 7 6 | 5 | 6 | 7 | 8 | 8 | 7 15 | 5 | 5 | 7 | 8 | 9 | 7 26 | 5 | 5 |
| 24 55 | 8 | 9 | 9 | 8 4 | 6 | 7 | 8 | 9 | 9 | 8 13 | 6 | 7 | 8 | 9 | 9 | 8 23 | 6 | 6 |
| 4 29 10 | 9 | 10 | 10 | 9 3 | 7 | 8 | 9 | 10 | 10 | 9 11 | 7 | 8 | 9 | 10 | 10 | 9 21 | 7 | 7 |
| 33 26 | 10 | 11 | 11 | 10 1 | 8 | 9 | 10 | 11 | 11 | 10 9 | 8 | 9 | 10 | 11 | 11 | 10 19 | 8 | 9 |
| 37 42 | 11 | 12 | 12 | 11 0 | 9 | 10 | 11 | 12 | 12 | 11 8 | 9 | 10 | 11 | 12 | 12 | 11 17 | 9 | 10 |
| 4 41 59 | 12 | 13 | 13 | 11 59 | 10 | 11 | 12 | 13 | 13 | 12 6 | 10 | 11 | 12 | 13 | 13 | 12 15 | 10 | 11 |
| 46 16 | 13 | 14 | 14 | 12 58 | 11 | 12 | 13 | 14 | 14 | 13 4 | 11 | 12 | 13 | 14 | 14 | 13 13 | 11 | 12 |
| 50 34 | 14 | 15 | 15 | 13 57 | 12 | 13 | 14 | 15 | 15 | 14 3 | 12 | 13 | 14 | 15 | 15 | 14 11 | 12 | 13 |
| 4 54 52 | 15 | 16 | 16 | 14 57 | 13 | 14 | 15 | 16 | 16 | 15 2 | 13 | 14 | 15 | 16 | 16 | 15 9 | 13 | 14 |
| 59 10 | 16 | 17 | 17 | 15 57 | 14 | 15 | 16 | 17 | 17 | 16 1 | 14 | 15 | 16 | 17 | 17 | 16 8 | 14 | 15 |
| 5 3 29 | 17 | 18 | 18 | 16 56 | 16 | 16 | 17 | 18 | 18 | 17 0 | 15 | 16 | 17 | 18 | 18 | 17 7 | 15 | 16 |
| 5 7 49 | 18 | 19 | 19 | 17 56 | 17 | 17 | 18 | 19 | 19 | 18 0 | 16 | 17 | 18 | 19 | 19 | 18 5 | 16 | 17 |
| 12 9 | 19 | 20 | 20 | 18 56 | 18 | 18 | 19 | 20 | 20 | 18 39 | 18 | 18 | 19 | 20 | 20 | 19 4 | 17 | 18 |
| 16 29 | 20 | 21 | 21 | 19 56 | 19 | 19 | 20 | 21 | 21 | 19 59 | 19 | 19 | 20 | 21 | 21 | 20 4 | 18 | 19 |
| 5 20 49 | 21 | 22 | 22 | 20 56 | 20 | 20 | 21 | 22 | 22 | 21 0 | 20 | 20 | 21 | 22 | 22 | 21 4 | 19 | 20 |
| 25 9 | 22 | 23 | 23 | 21 56 | 21 | 21 | 22 | 23 | 23 | 22 0 | 21 | 21 | 22 | 23 | 23 | 22 4 | 21 | 21 |
| 29 30 | 23 | 24 | 24 | 22 57 | 22 | 22 | 23 | 24 | 24 | 23 0 | 22 | 22 | 23 | 24 | 24 | 23 3 | 22 | 22 |
| 5 33 51 | 24 | 25 | 25 | 23 57 | 23 | 23 | 24 | 25 | 25 | 24 0 | 23 | 23 | 24 | 25 | 25 | 24 3 | 22 | 23 |
| 38 12 | 25 | 26 | 26 | 24 58 | 24 | 24 | 25 | 26 | 26 | 24 59 | 24 | 24 | 25 | 26 | 26 | 25 2 | 24 | 24 |
| 42 34 | 26 | 27 | 27 | 25 58 | 25 | 25 | 26 | 27 | 27 | 25 59 | 25 | 25 | 26 | 27 | 27 | 26 2 | 25 | 25 |
| 5 46 55 | 27 | 28 | 28 | 26 59 | 26 | 26 | 27 | 28 | 28 | 26 59 | 26 | 26 | 27 | 28 | 28 | 27 1 | 26 | 26 |
| 51 17 | 28 | 29 | 29 | 27 59 | 27 | 27 | 28 | 29 | 29 | 27 59 | 27 | 27 | 28 | 29 | 29 | 28 0 | 27 | 27 |
| 55 38 | 29 | ♌ | ♍ | 29 0 | 28 | 28 | 29 | ♌ | ♍ | 29 0 | 28 | 28 | 29 | ♌ | ♍ | 29 0 | 28 | 28 |

| Houses | 4 | 5 | 6 | 7 | 8 | 9 | 4 | 5 | 6 | 7 | 8 | 9 | 4 | 5 | 6 | 7 | 8 | 9 |

Latitude 22° S.        Latitude 23° S.        Latitude 24° S.

# SIMPLIFIED SCIENTIFIC TABLES OF HOUSES

Latitude 22° N.   Latitude 23° N.   Latitude 24° N.

Ascendant values are given as degree and minutes (° '). Within the columns the zodiac glyphs mark a cusp entering 0° of a new sign (♍ Virgo, ♎ Libra, ♏ Scorpio, ♐ Sagittarius).

| Sider'l Time (H M S) | 22°: 10 ♋ | 11 ♌ | 12 ♍ | Asc ♎ | 2 ♎ | 3 ♏ | 23°: 10 ♋ | 11 ♌ | 12 ♍ | Asc ♎ | 2 ♏ | 3 ♐ | 24°: 10 ♋ | 11 ♌ | 12 ♍ | Asc ♎ | 2 ♎ | 3 ♏ |
|---|---|---|---|---|---|---|---|---|---|---|---|---|---|---|---|---|---|---|
| 6 0 0 | 0 | 1 | 1 | 0 0 | 29 | 29 | 0 | 1 | 1 | 0 0 | 29 | 29 | 0 | 1 | 1 | 0 0 | 29 | 29 |
| 6 4 22 | 1 | 2 | 2 | 1 2 | ♏ | ♐ | 1 | 2 | 2 | 1 0 | ♏ | ♐ | 1 | 2 | 2 | 1 0 | ♏ | ♐ |
| 6 8 43 | 2 | 3 | 3 | 2 3 | 1 | 1 | 2 | 3 | 3 | 2 1 | 1 | 1 | 2 | 3 | 3 | 2 0 | 1 | 1 |
| 6 13 5 | 3 | 4 | 4 | 3 3 | 2 | 2 | 3 | 4 | 4 | 3 1 | 2 | 2 | 3 | 4 | 4 | 2 59 | 2 | 2 |
| 6 17 26 | 4 | 5 | 5 | 4 4 | 3 | 3 | 4 | 5 | 5 | 4 1 | 3 | 3 | 4 | 5 | 5 | 3 58 | 3 | 3 |
| 6 21 48 | 5 | 6 | 6 | 5 4 | 4 | 4 | 5 | 6 | 6 | 5 1 | 4 | 4 | 5 | 6 | 6 | 4 58 | 4 | 4 |
| 6 26 9 | 6 | 7 | 7 | 6 5 | 5 | 5 | 6 | 7 | 7 | 6 0 | 5 | 5 | 6 | 7 | 8 | 5 58 | 5 | 5 |
| 6 30 30 | 7 | 8 | 8 | 7 5 | 6 | 6 | 7 | 8 | 8 | 7 1 | 6 | 6 | 7 | 8 | 9 | 6 59 | 6 | 6 |
| 6 34 51 | 8 | 9 | 9 | 8 6 | 7 | 7 | 8 | 9 | 9 | 8 2 | 7 | 7 | 8 | 9 | 9 | 7 59 | 7 | 7 |
| 6 39 11 | 9 | 10 | 10 | 9 6 | 8 | 8 | 9 | 10 | 10 | 9 2 | 8 | 8 | 9 | 10 | 11 | 8 58 | 8 | 8 |
| 6 43 31 | 10 | 11 | 11 | 10 6 | 9 | 9 | 10 | 11 | 11 | 10 1 | 9 | 9 | 10 | 11 | 12 | 9 57 | 9 | 9 |
| 6 47 51 | 11 | 12 | 12 | 11 6 | 10 | 10 | 11 | 12 | 12 | 11 1 | 10 | 10 | 11 | 12 | 13 | 10 56 | 10 | 10 |
| 6 52 11 | 12 | 13 | 13 | 12 6 | 11 | 11 | 12 | 13 | 14 | 12 0 | 11 | 11 | 12 | 13 | 14 | 11 55 | 11 | 11 |
| 6 56 31 | 13 | 14 | 14 | 13 6 | 12 | 12 | 13 | 14 | 15 | 13 0 | 12 | 12 | 13 | 14 | 15 | 12 53 | 12 | 12 |
| 7 0 50 | 14 | 15 | 15 | 14 5 | 13 | 13 | 14 | 15 | 16 | 13 59 | 13 | 13 | 14 | 15 | 16 | 13 52 | 13 | 13 |
| 7 5 8 | 15 | 16 | 17 | 15 5 | 14 | 14 | 15 | 16 | 17 | 14 58 | 14 | 14 | 15 | 16 | 17 | 14 51 | 14 | 14 |
| 7 9 26 | 16 | 17 | 18 | 16 4 | 15 | 15 | 16 | 17 | 18 | 15 57 | 15 | 15 | 16 | 17 | 18 | 15 49 | 15 | 15 |
| 7 13 44 | 17 | 18 | 19 | 17 4 | 16 | 16 | 17 | 18 | 19 | 16 56 | 16 | 16 | 17 | 18 | 19 | 16 47 | 16 | 16 |
| 7 18 1 | 18 | 19 | 20 | 18 3 | 17 | 17 | 18 | 19 | 20 | 17 54 | 17 | 17 | 18 | 19 | 20 | 17 45 | 17 | 17 |
| 7 22 18 | 19 | 20 | 21 | 19 2 | 18 | 18 | 19 | 20 | 21 | 18 52 | 18 | 18 | 19 | 20 | 21 | 18 43 | 18 | 18 |
| 7 26 34 | 20 | 21 | 22 | 20 1 | 19 | 19 | 20 | 21 | 22 | 19 51 | 19 | 19 | 20 | 21 | 22 | 19 41 | 19 | 19 |
| 7 30 50 | 21 | 22 | 23 | 20 59 | 20 | 20 | 21 | 22 | 23 | 20 49 | 20 | 20 | 21 | 22 | 23 | 20 39 | 20 | 20 |
| 7 35 5 | 22 | 23 | 24 | 21 58 | 21 | 21 | 22 | 23 | 24 | 21 47 | 21 | 21 | 22 | 23 | 24 | 21 37 | 21 | 21 |
| 7 39 20 | 23 | 24 | 25 | 22 56 | 22 | 22 | 23 | 24 | 25 | 22 45 | 22 | 22 | 23 | 24 | 25 | 22 34 | 21 | 22 |
| 7 43 34 | 24 | 25 | 26 | 23 54 | 23 | 23 | 24 | 26 | 26 | 23 43 | 23 | 23 | 24 | 26 | 26 | 23 31 | 22 | 23 |
| 7 47 47 | 25 | 26 | 27 | 24 52 | 24 | 24 | 25 | 27 | 27 | 24 40 | 24 | 24 | 25 | 27 | 27 | 24 27 | 23 | 24 |
| 7 52 0 | 26 | 27 | 28 | 25 50 | 25 | 25 | 26 | 28 | 28 | 25 37 | 25 | 25 | 26 | 28 | 28 | 25 24 | 24 | 25 |
| 7 56 12 | 27 | 28 | 29 | 26 47 | 26 | 26 | 27 | 29 | 29 | 26 34 | 26 | 26 | 27 | 29 | 29 | 26 20 | 25 | 26 |
| 8 0 0 | 28 | 29 | ♎ | 27 44 | 27 | 27 | 28 | ♍ | ♎ | 27 31 | 27 | 27 | 28 | ♍ | ♎ | 27 17 | 26 | 27 |
| 8 4 35 | 29 | ♍ | 1 | 28 41 | 28 | 28 | 29 | 1 | 1 | 28 27 | 28 | 28 | 29 | 1 | 1 | 28 13 | 27 | 28 |

| Houses | 4 | 5 | 6 | 7 | 8 | 9 | 4 | 5 | 6 | 7 | 8 | 9 | 4 | 5 | 6 | 7 | 8 | 9 |

# SIMPLIFIED SCIENTIFIC TABLES OF HOUSES

Latitude 22° N.　　　　Latitude 23° N.　　　　Latitude 24° N.

| Sider'l Time | 10 Ω | 11 ♍ | 12 ≏ | Asc. ≏ | 2 ♏ | 3 ♐ | 10 Ω | 11 ♍ | 12 ≏ | Asc. ≏ | 2 ♏ | 3 ♐ | 10 Ω | 11 ♍ | 12 ≏ | Asc. ≏ | 2 ♏ | 3 ♐ |
|---|---|---|---|---|---|---|---|---|---|---|---|---|---|---|---|---|---|---|
| H M S | | | | | | | | | | | | | | | | | | |
| 8 8 45 | 0 | 2 | 2 | 29 38 | 29 | 29 | 0 | 2 | 2 | 29 25 | 28 | 29 | 0 | 2 | 2 | 29 13 | 28 | 29 |
| 12 54 | 1 | 3 | 3 | 0♏34 | ♐ | ♑ | 1 | 3 | 3 | 0♏21 | 29 | ♑ | 1 | 3 | 3 | 0 ♏9 | 29 | ♑ |
| 17 3 | 2 | 4 | 4 | 1 30 | 1 | 1 | 2 | 4 | 4 | 1 17 | ♐ | 1 | 2 | 4 | 4 | 1 4 | ♐ | 0 |
| 8 21 11 | 3 | 5 | 5 | 2 26 | 2 | 2 | 3 | 5 | 5 | 2 13 | 1 | 2 | 3 | 5 | 5 | 2 0 | 1 | 1 |
| 25 19 | 4 | 6 | 6 | 3 22 | 3 | 3 | 4 | 6 | 6 | 3 8 | 2 | 3 | 4 | 6 | 6 | 2 55 | 2 | 2 |
| 29 26 | 5 | 7 | 7 | 4 18 | 4 | 4 | 5 | 7 | 7 | 4 3 | 3 | 3 | 5 | 7 | 7 | 3 49 | 3 | 3 |
| 8 33 31 | 6 | 8 | 8 | 5 13 | 4 | 5 | 6 | 8 | 8 | 4 58 | 4 | 4 | 6 | 8 | 8 | 4 43 | 4 | 4 |
| 37 37 | 7 | 9 | 9 | 6 8 | 5 | 6 | 7 | 9 | 9 | 5 53 | 5 | 5 | 7 | 9 | 9 | 5 38 | 5 | 5 |
| 41 41 | 8 | 10 | 10 | 7 3 | 6 | 7 | 8 | 10 | 10 | 6 48 | 6 | 6 | 8 | 10 | 10 | 6 32 | 6 | 6 |
| 8 45 45 | 9 | 11 | 11 | 7 58 | 7 | 7 | 9 | 11 | 11 | 7 42 | 7 | 7 | 9 | 11 | 11 | 7 26 | 6 | 7 |
| 49 48 | 10 | 12 | 12 | 8 52 | 8 | 8 | 10 | 12 | 12 | 8 36 | 8 | 8 | 10 | 12 | 12 | 8 20 | 7 | 8 |
| 53 51 | 11 | 13 | 13 | 9 47 | 9 | 9 | 11 | 13 | 13 | 9 30 | 9 | 9 | 11 | 13 | 13 | 9 13 | 8 | 9 |
| 8 57 52 | 12 | 14 | 14 | 10 41 | 10 | 10 | 12 | 14 | 14 | 10 24 | 10 | 10 | 12 | 14 | 14 | 10 6 | 9 | 10 |
| 9 1 53 | 13 | 15 | 15 | 11 34 | 11 | 11 | 13 | 15 | 15 | 11 17 | 10 | 11 | 13 | 15 | 15 | 10 59 | 10 | 11 |
| 5 53 | 14 | 16 | 16 | 12 28 | 12 | 12 | 14 | 16 | 16 | 12 10 | 11 | 12 | 14 | 16 | 16 | 11 52 | 11 | 12 |
| 9 9 53 | 15 | 17 | 17 | 13 21 | 13 | 13 | 15 | 17 | 17 | 13 3 | 12 | 13 | 15 | 17 | 17 | 12 45 | 12 | 13 |
| 13 52 | 16 | 18 | 18 | 14 14 | 13 | 14 | 16 | 18 | 18 | 13 55 | 13 | 14 | 16 | 18 | 18 | 13 37 | 13 | 14 |
| 17 50 | 17 | 19 | 19 | 15 7 | 14 | 15 | 17 | 19 | 19 | 14 48 | 14 | 15 | 17 | 19 | 19 | 14 29 | 14 | 15 |
| 9 21 47 | 18 | 20 | 20 | 16 0 | 15 | 16 | 18 | 20 | 20 | 15 40 | 15 | 16 | 18 | 20 | 20 | 15 21 | 14 | 15 |
| 25 44 | 19 | 21 | 21 | 16 52 | 16 | 17 | 19 | 21 | 21 | 16 32 | 16 | 17 | 19 | 21 | 21 | 16 12 | 15 | 16 |
| 29 40 | 20 | 22 | 22 | 17 44 | 17 | 18 | 20 | 22 | 22 | 17 24 | 17 | 18 | 20 | 22 | 22 | 17 4 | 16 | 17 |
| 9 33 35 | 21 | 23 | 23 | 18 36 | 18 | 19 | 21 | 23 | 23 | 18 16 | 18 | 18 | 21 | 23 | 22 | 17 45 | 17 | 18 |
| 37 29 | 22 | 24 | 24 | 19 28 | 19 | 20 | 22 | 24 | 24 | 19 7 | 18 | 19 | 22 | 24 | 23 | 18 47 | 18 | 19 |
| 41 23 | 23 | 25 | 24 | 20 20 | 20 | 20 | 23 | 25 | 24 | 19 59 | 19 | 20 | 23 | 25 | 24 | 19 38 | 19 | 20 |
| 9 45 16 | 24 | 26 | 25 | 21 12 | 20 | 21 | 24 | 26 | 25 | 20 50 | 20 | 21 | 24 | 26 | 25 | 20 29 | 20 | 21 |
| 49 9 | 25 | 27 | 26 | 22 3 | 21 | 22 | 25 | 27 | 26 | 21 41 | 21 | 22 | 25 | 27 | 26 | 21 19 | 21 | 22 |
| 53 1 | 26 | 28 | 27 | 22 54 | 22 | 23 | 26 | 28 | 27 | 22 32 | 22 | 23 | 26 | 28 | 27 | 22 10 | 22 | 23 |
| 9 56 52 | 27 | 29 | 28 | 23 45 | 23 | 24 | 27 | 29 | 28 | 23 23 | 23 | 24 | 27 | 29 | 28 | 23 0 | 22 | 24 |
| 10 0 43 | 28 | ≏ | 29 | 24 36 | 24 | 25 | 28 | ≏ | 29 | 24 13 | 24 | 25 | 28 | ≏ | 29 | 23 50 | 23 | 25 |
| 4 33 | 29 | 1 | ♏ | 25 26 | 25 | 26 | 29 | 1 | ♏ | 25 4 | 25 | 26 | 29 | 1 | ♏ | 24 40 | 24 | 26 |
| Houses | 4 | 5 | 6 | 7 | 8 | 9 | 4 | 5 | 6 | 7 | 8 | 9 | 4 | 5 | 6 | 7 | 8 | 9 |

# SIMPLIFIED SCIENTIFIC TABLES OF HOUSES

Latitude 22° N.     Latitude 23° N.     Latitude 24° N.

| Sider'l Time | 10 ♍ | 11 ≏ | 12 ♏ | Asc. ♏ | 2 ♐ | 3 ♑ | 10 ♍ | 11 ≏ | 12 ♏ | Asc. ♏ | 2 ♐ | 3 ♑ | 10 ♍ | 11 ≏ | 12 ♏ | Asc. ♏ | 2 ♐ | 3 ♑ |
|---|---|---|---|---|---|---|---|---|---|---|---|---|---|---|---|---|---|---|
| H M S | ° | ° | ° | ° ' | ° | ° | ° | ° | ° | ° ' | ° | ° | ° | ° | ° | ° ' | ° | ° |
| 10 8 23 | 0 | 2 | 1 | 26 17 | 26 | 27 | 0 | 2 | 1 | 25 55 | 25 | 27 | 0 | 2 | 1 | 25 33 | 25 | 27 |
| 12 12 | 1 | 3 | 2 | 27 7 | 27 | 28 | 1 | 3 | 2 | 26 45 | 26 | 28 | 1 | 3 | 1 | 26 23 | 26 | 28 |
| 16 0 | 2 | 4 | 3 | 27 57 | 27 | 29 | 2 | 4 | 3 | 27 35 | 27 | 29 | 2 | 4 | 2 | 27 12 | 27 | 29 |
| 10 19 48 | 3 | 5 | 4 | 28 47 | 28 | ≈ | 3 | 5 | 3 | 28 24 | 28 | ≈ | 3 | 5 | 3 | 28 2 | 28 | ≈ |
| 23 35 | 4 | 6 | 5 | 29 37 | 29 | 1 | 4 | 6 | 4 | 29 14 | 29 | 1 | 4 | 6 | 4 | 28 52 | 28 | 0 |
| 27 22 | 5 | 7 | 5 | 0 ♐27 | ♑ | 2 | 5 | 7 | 5 | 0 ♐3 | ♑ | 2 | 5 | 7 | 5 | 29 41 | 29 | 1 |
| 10 31 8 | 6 | 8 | 6 | 1 16 | 1 | 3 | 6 | 8 | 6 | 0 55 | 1 | 3 | 6 | 8 | 6 | 0 ♐30 | ♑ | 2 |
| 34 54 | 7 | 9 | 7 | 2 6 | 2 | 4 | 7 | 9 | 7 | 1 45 | 1 | 3 | 7 | 9 | 7 | 1 18 | 1 | 3 |
| 38 40 | 8 | 10 | 8 | 2 56 | 3 | 5 | 8 | 10 | 8 | 2 31 | 2 | 4 | 8 | 10 | 8 | 2 7 | 2 | 4 |
| 10 42 25 | 9 | 11 | 9 | 3 45 | 4 | 6 | 9 | 11 | 9 | 3 20 | 3 | 5 | 9 | 11 | 9 | 2 56 | 3 | 5 |
| 46 9 | 10 | 12 | 10 | 4 34 | 4 | 6 | 10 | 12 | 10 | 4 9 | 4 | 6 | 10 | 12 | 9 | 3 45 | 4 | 6 |
| 49 53 | 11 | 13 | 11 | 5 23 | 5 | 7 | 11 | 13 | 10 | 4 58 | 5 | 7 | 11 | 13 | 10 | 4 34 | 4 | 7 |
| 10 53 37 | 12 | 14 | 12 | 6 12 | 6 | 8 | 12 | 14 | 11 | 5 47 | 6 | 8 | 12 | 14 | 11 | 5 22 | 5 | 8 |
| 57 20 | 13 | 15 | 12 | 7 2 | 7 | 9 | 13 | 15 | 12 | 6 36 | 7 | 9 | 13 | 15 | 12 | 6 11 | 6 | 9 |
| 11 1 3 | 14 | 16 | 13 | 7 51 | 8 | 10 | 14 | 16 | 13 | 7 25 | 8 | 10 | 14 | 16 | 13 | 7 0 | 7 | 10 |
| 11 4 46 | 15 | 17 | 14 | 8 39 | 9 | 11 | 15 | 17 | 14 | 8 13 | 8 | 11 | 15 | 17 | 14 | 7 48 | 8 | 11 |
| 8 28 | 16 | 18 | 15 | 9 28 | 10 | 12 | 16 | 18 | 15 | 9 2 | 9 | 12 | 16 | 18 | 15 | 8 36 | 9 | 12 |
| 12 10 | 17 | 18 | 16 | 10 17 | 10 | 13 | 17 | 18 | 16 | 9 51 | 10 | 13 | 17 | 18 | 15 | 9 24 | 10 | 13 |
| 11 15 52 | 18 | 19 | 17 | 11 6 | 11 | 14 | 18 | 19 | 16 | 10 39 | 11 | 14 | 18 | 19 | 16 | 10 13 | 11 | 14 |
| 19 34 | 19 | 20 | 18 | 11 54 | 12 | 15 | 19 | 20 | 17 | 11 28 | 12 | 15 | 19 | 20 | 17 | 11 1 | 11 | 15 |
| 23 15 | 20 | 21 | 18 | 12 43 | 13 | 16 | 20 | 21 | 18 | 12 16 | 13 | 16 | 20 | 21 | 18 | 11 49 | 12 | 16 |
| 11 26 56 | 21 | 22 | 19 | 13 32 | 14 | 17 | 21 | 22 | 19 | 13 5 | 14 | 17 | 21 | 22 | 19 | 12 38 | 13 | 17 |
| 30 37 | 22 | 23 | 20 | 14 21 | 15 | 18 | 22 | 23 | 20 | 13 54 | 15 | 18 | 22 | 23 | 20 | 13 27 | 14 | 18 |
| 34 18 | 23 | 24 | 21 | 15 10 | 16 | 19 | 23 | 24 | 21 | 14 43 | 15 | 19 | 23 | 24 | 20 | 14 15 | 15 | 19 |
| 11 37 58 | 24 | 25 | 22 | 15 59 | 17 | 20 | 24 | 25 | 22 | 15 31 | 16 | 20 | 24 | 25 | 21 | 15 4 | 16 | 20 |
| 41 39 | 25 | 26 | 23 | 16 48 | 18 | 21 | 25 | 26 | 22 | 16 20 | 17 | 21 | 25 | 26 | 22 | 15 52 | 17 | 21 |
| 45 19 | 26 | 27 | 23 | 17 37 | 18 | 22 | 26 | 27 | 23 | 17 9 | 18 | 22 | 26 | 27 | 23 | 16 41 | 18 | 22 |
| 11 49 0 | 27 | 28 | 24 | 18 25 | 19 | 23 | 27 | 28 | 24 | 17 57 | 19 | 23 | 27 | 28 | 24 | 17 29 | 19 | 23 |
| 52 40 | 28 | 29 | 25 | 19 15 | 20 | 24 | 28 | 29 | 25 | 18 46 | 20 | 24 | 28 | 29 | 25 | 18 18 | 19 | 24 |
| 56 20 | 29 | ♏ | 26 | 20 4 | 21 | 25 | 29 | ♏ | 26 | 19 35 | 21 | 25 | 29 | ♏ | 25 | 19 6 | 20 | 25 |
| Houses | 4 | 5 | 6 | 7 | 8 | 9 | 4 | 5 | 6 | 7 | 8 | 9 | 4 | 5 | 6 | 7 | 8 | 9 |

Latitude 22° S.     Latitude 23° S.     Latitude 24° S.

# SIMPLIFIED SCIENTIFIC TABLES OF HOUSES

Latitude 22° N.　　　Latitude 23° N.　　　Latitude 24° N.

| Sider'l Time | 10 ♎ | 11 ♏ | 12 ♏ | Asc. ♐ | 2 ♑ | 3 ♒ | 10 ♎ | 11 ♏ | 12 ♏ | Asc. ♐ | 2 ♑ | 3 ♒ | 10 ♎ | 11 ♏ | 12 ♏ | Asc. ♐ | 2 ♑ | 3 ♒ |
|---|---|---|---|---|---|---|---|---|---|---|---|---|---|---|---|---|---|---|
| H M S | ° | ° | ° | ′ | ° | ° | ° | ° | ° | ′ | ° | ° | ° | ° | ° | ′ | ° | ° |
| 12 0 0 | 0 | 1 | 27 | 20 53 | 22 | 26 | 0 | 0 | 27 | 20 25 | 22 | 26 | 0 | 0 | 26 | 19 57 | 21 | 26 |
| 3 40 | 1 | 1 | 28 | 21 42 | 23 | 27 | 1 | 1 | 27 | 21 14 | 23 | 27 | 1 | 1 | 27 | 20 46 | 22 | 27 |
| 7 20 | 2 | 2 | 28 | 22 32 | 24 | 28 | 2 | 2 | 28 | 22 3 | 24 | 28 | 2 | 2 | 28 | 21 35 | 23 | 28 |
| 12 11 0 | 3 | 3 | 29 | 23 21 | 25 | 29 | 3 | 3 | 29 | 22 53 | 24 | 29 | 3 | 3 | 29 | 22 25 | 24 | 29 |
| 14 41 | 4 | 4 | ♐ | 24 11 | 26 | ♓ | 4 | 4 | ♐ | 23 42 | 25 | ♓ | 4 | 4 | 30 | 23 14 | 25 | ♓ |
| 18 21 | 5 | 5 | 1 | 25 0 | 27 | 1 | 5 | 5 | 1 | 24 31 | 26 | 1 | 5 | 5 | ♐ | 24 3 | 26 | 1 |
| 12 22 2 | 6 | 6 | 2 | 25 50 | 28 | 2 | 6 | 6 | 1 | 25 21 | 27 | 2 | 6 | 6 | 1 | 24 53 | 27 | 2 |
| 25 42 | 7 | 7 | 3 | 26 41 | 28 | 3 | 7 | 7 | 2 | 26 11 | 28 | 3 | 7 | 7 | 2 | 25 43 | 28 | 3 |
| 29 23 | 8 | 8 | 3 | 27 30 | 29 | 4 | 8 | 8 | 3 | 27 1 | 29 | 4 | 8 | 8 | 3 | 26 33 | 29 | 4 |
| 12 33 4 | 9 | 9 | 4 | 28 21 | ♒ | 5 | 9 | 9 | 4 | 27 52 | ♒ | 5 | 9 | 8 | 4 | 27 23 | ♒ | 5 |
| 36 45 | 10 | 10 | 5 | 29 11 | 1 | 6 | 10 | 9 | 5 | 28 42 | 1 | 6 | 10 | 9 | 4 | 28 13 | 1 | 6 |
| 40 26 | 11 | 10 | 6 | 0 ♑ 2 | 2 | 7 | 11 | 10 | 6 | 29 32 | 2 | 7 | 11 | 10 | 5 | 29 4 | 2 | 7 |
| 12 44 8 | 12 | 11 | 7 | 0 53 | 3 | 8 | 12 | 11 | 6 | 0♑23 | 3 | 8 | 12 | 11 | 6 | 29 54 | 2 | 8 |
| 47 50 | 13 | 12 | 8 | 1 44 | 4 | 9 | 13 | 12 | 7 | 1 14 | 4 | 9 | 13 | 12 | 7 | 0♑45 | 3 | 9 |
| 51 32 | 14 | 13 | 8 | 2 35 | 5 | 10 | 14 | 13 | 8 | 2 5 | 5 | 10 | 14 | 13 | 8 | 1 36 | 4 | 10 |
| 12 55 14 | 15 | 14 | 9 | 3 27 | 6 | 11 | 15 | 14 | 9 | 2 57 | 6 | 11 | 15 | 14 | 9 | 2 28 | 5 | 11 |
| 58 57 | 16 | 15 | 10 | 4 19 | 7 | 12 | 16 | 15 | 10 | 3 49 | 7 | 12 | 16 | 15 | 9 | 3 19 | 6 | 12 |
| 13 2 40 | 17 | 16 | 11 | 5 11 | 8 | 13 | 17 | 16 | 11 | 4 41 | 8 | 13 | 17 | 16 | 10 | 4 11 | 7 | 13 |
| 13 6 23 | 18 | 17 | 12 | 6 2 | 9 | 15 | 18 | 17 | 11 | 5 33 | 9 | 14 | 18 | 16 | 11 | 5 3 | 8 | 14 |
| 10 7 | 19 | 18 | 13 | 6 55 | 10 | 16 | 19 | 17 | 12 | 6 26 | 10 | 16 | 19 | 17 | 12 | 5 56 | 9 | 15 |
| 13 51 | 20 | 18 | 13 | 7 48 | 11 | 17 | 20 | 18 | 13 | 7 18 | 11 | 17 | 20 | 18 | 13 | 6 49 | 10 | 17 |
| 13 17 35 | 21 | 19 | 14 | 8 42 | 12 | 18 | 21 | 19 | 14 | 8 12 | 12 | 18 | 21 | 19 | 14 | 7 42 | 11 | 18 |
| 21 20 | 22 | 20 | 15 | 9 35 | 13 | 19 | 22 | 20 | 15 | 9 5 | 13 | 19 | 22 | 20 | 14 | 8 35 | 12 | 19 |
| 25 6 | 23 | 21 | 16 | 10 29 | 14 | 20 | 23 | 21 | 16 | 9 59 | 14 | 20 | 23 | 21 | 15 | 9 29 | 14 | 20 |
| 13 28 52 | 24 | 22 | 17 | 11 23 | 15 | 21 | 24 | 22 | 16 | 10 53 | 15 | 21 | 24 | 22 | 16 | 10 23 | 15 | 21 |
| 32 38 | 25 | 23 | 18 | 12 17 | 16 | 22 | 25 | 23 | 17 | 11 47 | 16 | 22 | 25 | 23 | 17 | 11 17 | 16 | 22 |
| 36 25 | 26 | 24 | 18 | 13 12 | 17 | 23 | 26 | 24 | 18 | 12 42 | 17 | 23 | 26 | 24 | 18 | 12 12 | 17 | 23 |
| 13 40 12 | 27 | 25 | 19 | 14 7 | 18 | 24 | 27 | 25 | 19 | 13 37 | 18 | 24 | 27 | 25 | 19 | 13 7 | 18 | 24 |
| 44 0 | 28 | 26 | 20 | 15 3 | 19 | 25 | 28 | 26 | 20 | 14 33 | 19 | 25 | 28 | 26 | 20 | 14 3 | 19 | 25 |
| 47 48 | 29 | 26 | 21 | 15 59 | 20 | 26 | 29 | 26 | 21 | 15 29 | 20 | 26 | 29 | 26 | 20 | 14 59 | 20 | 26 |
| Houses | 4 | 5 | 6 | 7 | 8 | 9 | 4 | 5 | 6 | 7 | 8 | 9 | 4 | 5 | 6 | 7 | 8 | 9 |

Latitude 22° S.　　　Latitude 23° S.　　　Latitude 24° S.

## SIMPLIFIED SCIENTIFIC TABLES OF HOUSES

Latitude 22° N.  Latitude 23° N.  Latitude 24° N.

| Sider'l Time | 10 | 11 | 12 | Asc. | 2 | 3 | 10 | 11 | 12 | Asc. | 2 | 3 | 10 | 11 | 12 | Asc. | 2 | 3 |
|---|---|---|---|---|---|---|---|---|---|---|---|---|---|---|---|---|---|---|
| H M S | ♏ | ♏ | ♐ | ♑ | ≈ | ♓ | ♏ | ♏ | ♐ | ♑ | ≈ | ♓ | ♏ | ♏ | ♐ | ♑ | ≈ | ♓ |
| 13 51 37 | 0 | 27 | 22 | 16 55 | 22 | 28 | 0 | 27 | 22 | 16 25 | 21 | 28 | 0 | 27 | 21 | 15 54 | 21 | 28 |
| 55 27 | 1 | 28 | 23 | 17 52 | 23 | 29 | 1 | 28 | 22 | 17 23 | 22 | 29 | 1 | 28 | 22 | 16 51 | 22 | 29 |
| 59 17 | 2 | 29 | 24 | 18 48 | 24 | ♈ | 2 | 29 | 23 | 18 19 | 23 | ♈ | 2 | 29 | 23 | 17 49 | 23 | ♈ |
| 14 3 8 | 3 | ♐ | 25 | 19 47 | 25 | 1 | 3 | ♐ | 24 | 19 17 | 25 | 1 | 3 | ♐ | 24 | 18 46 | 24 | 1 |
| 6 59 | 4 | 1 | 25 | 20 45 | 26 | 2 | 4 | 1 | 25 | 20 15 | 26 | 2 | 4 | 1 | 25 | 19 45 | 25 | 2 |
| 10 51 | 5 | 2 | 26 | 21 44 | 27 | 3 | 5 | 2 | 26 | 21 14 | 27 | 3 | 5 | 2 | 26 | 20 43 | 27 | 3 |
| 14 14 44 | 6 | 3 | 27 | 22 43 | 28 | 4 | 6 | 3 | 27 | 22 13 | 28 | 4 | 6 | 2 | 27 | 21 43 | 28 | 4 |
| 18 37 | 7 | 4 | 28 | 23 41 | 29 | 5 | 7 | 4 | 28 | 23 13 | 29 | 5 | 7 | 3 | 27 | 22 42 | 29 | 5 |
| 22 31 | 8 | 5 | 29 | 24 42 | ♓ | 7 | 8 | 4 | 29 | 24 13 | ♓ | 7 | 8 | 4 | 28 | 23 42 | ♓ | 7 |
| 14 26 25 | 9 | 5 | ♑ | 25 43 | 2 | 8 | 9 | 5 | 30 | 25 13 | 1 | 8 | 9 | 5 | 29 | 24 43 | 1 | 8 |
| 30 20 | 10 | 6 | 1 | 26 44 | 3 | 9 | 10 | 6 | ♑ | 26 14 | 3 | 9 | 10 | 6 | ♑ | 25 44 | 2 | 9 |
| 34 16 | 11 | 7 | 2 | 27 45 | 4 | 10 | 11 | 7 | 1 | 27 16 | 4 | 10 | 11 | 7 | 1 | 26 46 | 4 | 10 |
| 14 38 13 | 12 | 8 | 3 | 28 47 | 5 | 11 | 12 | 8 | 2 | 28 18 | 5 | 11 | 12 | 8 | 2 | 27 49 | 5 | 11 |
| 42 10 | 13 | 9 | 3 | 29 50 | 6 | 12 | 13 | 9 | 3 | 29 21 | 6 | 12 | 13 | 9 | 3 | 28 52 | 6 | 12 |
| 46 8 | 14 | 10 | 4 | 0≈53 | 7 | 13 | 14 | 10 | 4 | 0≈25 | 7 | 13 | 14 | 10 | 4 | 29 55 | 7 | 13 |
| 14 50 7 | 15 | 11 | 5 | 1 57 | 9 | 14 | 15 | 11 | 5 | 1 29 | 8 | 14 | 15 | 11 | 5 | 1 ≈0 | 8 | 15 |
| 54 7 | 16 | 12 | 6 | 3 2 | 10 | 16 | 16 | 12 | 6 | 2 33 | 10 | 16 | 16 | 12 | 6 | 2 4 | 10 | 16 |
| 58 7 | 17 | 13 | 7 | 4 7 | 11 | 17 | 17 | 13 | 7 | 3 39 | 11 | 17 | 17 | 12 | 6 | 3 10 | 11 | 17 |
| 15 2 8 | 18 | 14 | 8 | 5 12 | 12 | 18 | 18 | 14 | 8 | 4 45 | 12 | 18 | 18 | 13 | 7 | 4 16 | 12 | 18 |
| 6 9 | 19 | 15 | 9 | 6 18 | 13 | 19 | 19 | 14 | 9 | 5 52 | 13 | 19 | 19 | 14 | 8 | 5 23 | 13 | 19 |
| 10 12 | 20 | 15 | 10 | 7 25 | 15 | 20 | 20 | 15 | 10 | 6 59 | 15 | 20 | 20 | 15 | 9 | 6 30 | 14 | 20 |
| 15 14 15 | 21 | 16 | 11 | 8 33 | 16 | 21 | 21 | 16 | 11 | 8 7 | 16 | 21 | 21 | 16 | 10 | 7 39 | 16 | 21 |
| 18 19 | 22 | 17 | 12 | 9 41 | 17 | 22 | 22 | 17 | 12 | 9 16 | 17 | 23 | 22 | 17 | 11 | 8 48 | 17 | 23 |
| 22 23 | 23 | 18 | 13 | 10 50 | 18 | 24 | 23 | 18 | 13 | 10 25 | 18 | 24 | 23 | 18 | 12 | 9 58 | 18 | 24 |
| 15 26 29 | 24 | 19 | 14 | 12 0 | 20 | 25 | 24 | 19 | 14 | 11 34 | 20 | 25 | 24 | 19 | 13 | 11 8 | 20 | 25 |
| 30 35 | 25 | 20 | 15 | 13 10 | 21 | 26 | 25 | 20 | 15 | 12 45 | 21 | 26 | 25 | 20 | 14 | 12 18 | 21 | 26 |
| 34 41 | 26 | 21 | 16 | 14 20 | 22 | 27 | 26 | 21 | 16 | 13 56 | 22 | 27 | 26 | 21 | 15 | 13 30 | 22 | 27 |
| 15 38 49 | 27 | 22 | 17 | 15 31 | 23 | 28 | 27 | 22 | 17 | 15 7 | 23 | 28 | 27 | 22 | 16 | 14 42 | 23 | 28 |
| 42 57 | 28 | 23 | 18 | 16 43 | 25 | 29 | 28 | 23 | 18 | 16 20 | 25 | 29 | 28 | 23 | 17 | 15 55 | 25 | ♉ |
| 47 6 | 29 | 24 | 19 | 17 56 | 26 | ♉ | 29 | 24 | 19 | 17 33 | 26 | ♉ | 29 | 24 | 18 | 17 9 | 26 | 1 |
| Houses | 4 | 5 | 6 | 7 | 8 | 9 | 4 | 5 | 6 | 7 | 8 | 9 | 4 | 5 | 6 | 7 | 8 | 9 |

Latitude 22° S.  Latitude 23° S.  Latitude 24° S.

# SIMPLIFIED SCIENTIFIC TABLES OF HOUSES

Latitude 22° N.  Latitude 23° N.  Latitude 24° N.

| Sider'l Time | 10 | 11 | 12 | Asc. | 2 | 3 | 10 | 11 | 12 | Asc. | 2 | 3 | 10 | 11 | 12 | Asc. | 2 | 3 |
|---|---|---|---|---|---|---|---|---|---|---|---|---|---|---|---|---|---|---|
| | ♐ | ♐ | ♑ | ♒ | ♓ | ♉ | ♐ | ♐ | ♑ | ♒ | ♓ | ♉ | ♐ | ♐ | ♑ | ♒ | ♓ | ♉ |
| H M S | ° | ° | ° | °  ′ | ° | ° | ° | ° | ° | °  ′ | ° | ° | ° | ° | ° | °  ′ | ° | ° |
| 15 51 15 | 0 | 25 | 20 | 19  9 | 27 | 2 | 0 | 25 | 20 | 18 43 | 27 | 2 | 0 | 25 | 19 | 18 16 | 27 | 2 |
| 55 25 | 1 | 26 | 21 | 20 23 | 29 | 3 | 1 | 26 | 21 | 19 58 | 29 | 3 | 1 | 26 | 20 | 19 31 | 29 | 3 |
| 59 36 | 2 | 27 | 22 | 21 37 | ♈ | 4 | 2 | 27 | 22 | 21 13 | ♈ | 4 | 2 | 26 | 21 | 20 47 | ♈ | 4 |
| 16  3 48 | 3 | 28 | 23 | 22 52 | 1 | 5 | 3 | 28 | 23 | 22 29 | 1 | 5 | 3 | 27 | 22 | 22  3 | 1 | 5 |
| 8  0 | 4 | 29 | 24 | 24  8 | 2 | 6 | 4 | 29 | 24 | 23 46 | 2 | 6 | 4 | 28 | 23 | 23 20 | 2 | 6 |
| 12 13 | 5 | ♑ | 25 | 25 25 | 4 | 7 | 5 | ♑ | 25 | 25  3 | 4 | 7 | 5 | 29 | 24 | 24 39 | 4 | 8 |
| 16 16 26 | 6 | 1 | 26 | 26 42 | 5 | 8 | 6 | 0 | 26 | 26 21 | 5 | 9 | 6 | ♑ | 25 | 25 58 | 5 | 9 |
| 20 40 | 7 | 2 | 27 | 28  0 | 6 | 10 | 7 | 1 | 27 | 27 39 | 6 | 10 | 7 | 1 | 26 | 27 17 | 6 | 10 |
| 24 55 | 8 | 3 | 28 | 29 19 | 8 | 11 | 8 | 2 | 28 | 28 58 | 8 | 11 | 8 | 2 | 28 | 28 36 | 8 | 11 |
| 16 29 10 | 9 | 4 | 29 | 0 ♓ 38 | 9 | 12 | 9 | 3 | 29 | 0 ♓ 18 | 9 | 12 | 9 | 3 | 29 | 29 57 | 9 | 12 |
| 33 26 | 10 | 5 | ♒ | 1 58 | 10 | 13 | 10 | 4 | ♒ | 1 39 | 10 | 13 | 10 | 4 | ♒ | 1 ♓ 19 | 10 | 13 |
| 37 42 | 11 | 6 | 2 | 3 18 | 12 | 14 | 11 | 5 | 1 | 3  1 | 12 | 14 | 11 | 5 | 1 | 2 41 | 12 | 14 |
| 16 41 59 | 12 | 7 | 3 | 4 39 | 13 | 15 | 12 | 6 | 2 | 4 22 | 13 | 15 | 12 | 6 | 2 | 4  3 | 13 | 16 |
| 46 16 | 13 | 8 | 4 | 6  0 | 14 | 16 | 13 | 7 | 3 | 5 44 | 14 | 16 | 13 | 7 | 3 | 5 26 | 14 | 17 |
| 50 34 | 14 | 9 | 5 | 7 22 | 15 | 17 | 14 | 8 | 5 | 7  7 | 16 | 18 | 14 | 8 | 4 | 6 50 | 16 | 18 |
| 16 54 52 | 15 | 10 | 6 | 8 44 | 17 | 19 | 15 | 9 | 6 | 8 30 | 17 | 19 | 15 | 9 | 5 | 8 15 | 17 | 19 |
| 59 10 | 16 | 11 | 7 | 10  7 | 18 | 20 | 16 | 10 | 7 | 9 53 | 18 | 20 | 16 | 10 | 6 | 9 39 | 18 | 20 |
| 17  3 29 | 17 | 12 | 8 | 11 30 | 19 | 21 | 17 | 11 | 8 | 11 18 | 20 | 21 | 17 | 11 | 8 | 11  5 | 20 | 21 |
| 17  7 49 | 18 | 13 | 9 | 12 54 | 21 | 22 | 18 | 12 | 9 | 12 43 | 21 | 22 | 18 | 12 | 9 | 12 31 | 21 | 22 |
| 12  9 | 19 | 14 | 11 | 14 18 | 22 | 23 | 19 | 13 | 10 | 14  8 | 22 | 23 | 19 | 13 | 10 | 13 57 | 22 | 23 |
| 16 29 | 20 | 15 | 12 | 15 43 | 23 | 24 | 20 | 14 | 12 | 15 33 | 24 | 24 | 20 | 14 | 11 | 15 23 | 24 | 24 |
| 17 20 49 | 21 | 16 | 13 | 17  7 | 25 | 25 | 21 | 15 | 13 | 16 59 | 25 | 25 | 21 | 15 | 12 | 16 49 | 25 | 25 |
| 25  9 | 22 | 17 | 14 | 18 33 | 26 | 26 | 22 | 16 | 14 | 18 25 | 26 | 27 | 22 | 16 | 14 | 18 15 | 26 | 27 |
| 29 30 | 23 | 18 | 15 | 19 58 | 27 | 27 | 23 | 17 | 15 | 19 51 | 27 | 28 | 23 | 17 | 15 | 19 42 | 28 | 28 |
| 17 33 51 | 24 | 19 | 17 | 21 24 | 28 | 28 | 24 | 19 | 16 | 21 16 | 29 | 29 | 24 | 18 | 16 | 21  8 | 29 | 29 |
| 38 12 | 25 | 20 | 18 | 22 50 | ♉ | ♊ | 25 | 20 | 17 | 22 43 | ♉ | ♊ | 25 | 19 | 17 | 22 37 | ♉ | ♊ |
| 42 34 | 26 | 21 | 19 | 24 16 | 1 | 1 | 26 | 21 | 19 | 24 10 | 1 | 1 | 26 | 20 | 18 | 24  5 | 1 | 1 |
| 17 46 55 | 27 | 22 | 20 | 25 42 | 2 | 2 | 27 | 22 | 20 | 25 37 | 3 | 2 | 27 | 22 | 20 | 25 34 | 3 | 2 |
| 51 17 | 28 | 23 | 21 | 27  8 | 4 | 3 | 28 | 23 | 21 | 27  5 | 4 | 3 | 28 | 23 | 21 | 27  2 | 4 | 3 |
| 55 38 | 29 | 24 | 23 | 28 34 | 5 | 4 | 29 | 24 | 22 | 28 33 | 5 | 4 | 29 | 24 | 22 | 28 31 | 5 | 4 |
| Houses | 4 | 5 | 6 | 7 | 8 | 9 | 4 | 5 | 6 | 7 | 8 | 9 | 4 | 5 | 6 | 7 | 8 | 9 |

Latitude 22° S.  Latitude 23° S.  Latitude 24° S.

# SIMPLIFIED SCIENTIFIC TABLES OF HOUSES

Latitude 22° N.  Latitude 23° N.  Latitude 24° N.

| Sider'l Time | 10 | 11 | 12 | Asc. | 2 | 3 | 10 | 11 | 12 | Asc. | 2 | 3 | 10 | 11 | 12 | Asc. | 2 | 3 |
|---|---|---|---|---|---|---|---|---|---|---|---|---|---|---|---|---|---|---|
| H M S | ♑ | ♑ | ♒ | ♈ | ♉ | ♊ | ♑ | ♑ | ♒ | ♈ | ♉ | ♊ | ♑ | ♑ | ♒ | ♈ | ♉ | ♊ |
| 18 0 0 | 0 | 25 | 24 | 0° 01′ | 6 | 5 | 0 | 25 | 24 | 0° 0′ | 6 | 5 | 0 | 25 | 23 | 0° 0′ | 7 | 5 |
| 4 22 | 1 | 26 | 25 | 1° 28′ | 7 | 6 | 1 | 26 | 25 | 1° 27′ | 8 | 6 | 1 | 26 | 25 | 1° 29′ | 8 | 6 |
| 8 43 | 2 | 27 | 26 | 2° 54′ | 8 | 7 | 2 | 27 | 26 | 2° 55′ | 9 | 7 | 2 | 27 | 26 | 2° 58′ | 9 | 7 |
| 18 13 5 | 3 | 28 | 28 | 4° 20′ | 10 | 8 | 3 | 28 | 27 | 4° 23′ | 10 | 8 | 3 | 28 | 27 | 4° 26′ | 10 | 8 |
| 17 26 | 4 | 29 | 29 | 5° 46′ | 11 | 9 | 4 | 29 | 29 | 5° 50′ | 11 | 9 | 4 | 29 | 29 | 5° 55′ | 12 | 10 |
| 21 48 | 5 | ♒ | ♓ | 7° 12′ | 12 | 10 | 5 | ♒ | ♓ | 7° 16′ | 13 | 10 | 5 | ♒ | ♓ | 7° 22′ | 13 | 11 |
| 18 26 9 | 6 | 1 | 1 | 8° 38′ | 13 | 11 | 6 | 1 | 1 | 8° 42′ | 14 | 11 | 6 | 1 | 1 | 8° 50′ | 14 | 12 |
| 30 30 | 7 | 3 | 3 | 10° 4′ | 15 | 12 | 7 | 2 | 3 | 10° 8′ | 15 | 13 | 7 | 2 | 2 | 10° 16′ | 15 | 13 |
| 34 51 | 8 | 4 | 4 | 11° 29′ | 16 | 13 | 8 | 3 | 4 | 11° 35′ | 16 | 14 | 8 | 3 | 4 | 11° 43′ | 16 | 14 |
| 18 39 11 | 9 | 5 | 5 | 12° 55′ | 17 | 14 | 9 | 5 | 5 | 13° 2′ | 17 | 15 | 9 | 5 | 5 | 13° 9′ | 18 | 15 |
| 43 31 | 10 | 6 | 7 | 14° 19′ | 18 | 15 | 10 | 6 | 6 | 14° 28′ | 18 | 16 | 10 | 6 | 6 | 14° 36′ | 19 | 16 |
| 47 51 | 11 | 7 | 8 | 15° 44′ | 19 | 16 | 11 | 7 | 8 | 15° 53′ | 20 | 17 | 11 | 7 | 8 | 16° 3′ | 20 | 17 |
| 18 52 11 | 12 | 8 | 9 | 17° 8′ | 20 | 17 | 12 | 8 | 9 | 17° 18′ | 21 | 18 | 12 | 8 | 9 | 17° 29′ | 21 | 18 |
| 56 31 | 13 | 9 | 11 | 18° 32′ | 22 | 18 | 13 | 9 | 10 | 18° 43′ | 22 | 19 | 13 | 9 | 10 | 18° 55′ | 22 | 19 |
| 19 0 50 | 14 | 10 | 12 | 19° 55′ | 23 | 19 | 14 | 10 | 12 | 20° 8′ | 23 | 20 | 14 | 10 | 12 | 20° 21′ | 24 | 20 |
| 19 5 8 | 15 | 11 | 13 | 21° 18′ | 24 | 20 | 15 | 11 | 13 | 21° 31′ | 24 | 21 | 15 | 11 | 13 | 21° 45′ | 25 | 21 |
| 9 26 | 16 | 12 | 14 | 22° 40′ | 25 | 21 | 16 | 12 | 14 | 22° 54′ | 25 | 22 | 16 | 12 | 14 | 23° 10′ | 26 | 22 |
| 13 44 | 17 | 14 | 16 | 24° 2′ | 26 | 22 | 17 | 13 | 16 | 24° 17′ | 27 | 23 | 17 | 13 | 16 | 24° 34′ | 27 | 23 |
| 19 18 1 | 18 | 15 | 17 | 25° 22′ | 27 | 23 | 18 | 15 | 17 | 25° 39′ | 28 | 24 | 18 | 14 | 17 | 25° 57′ | 28 | 24 |
| 22 18 | 19 | 16 | 18 | 26° 44′ | 28 | 24 | 19 | 16 | 18 | 27° 0′ | 29 | 25 | 19 | 16 | 18 | 27° 19′ | 29 | 25 |
| 26 34 | 20 | 17 | 20 | 28° 4′ | 29 | 25 | 20 | 17 | 20 | 28° 22′ | ♊ | 26 | 20 | 17 | 20 | 28° 41′ | ♊ | 26 |
| 19 30 50 | 21 | 18 | 21 | 29° 23′ | ♊ | 26 | 21 | 18 | 21 | 29° 43′ | 1 | 27 | 21 | 18 | 21 | 0° ♉ 3′ | 1 | 27 |
| 35 5 | 22 | 19 | 22 | 0° ♉ 43′ | 2 | 27 | 22 | 19 | 22 | 1° ♉ 3′ | 2 | 28 | 22 | 19 | 22 | 1° 24′ | 2 | 28 |
| 39 20 | 23 | 20 | 24 | 2° 2′ | 3 | 28 | 23 | 20 | 24 | 2° 22′ | 3 | 29 | 23 | 20 | 24 | 2° 43′ | 4 | 29 |
| 19 43 34 | 24 | 21 | 25 | 3° 20′ | 4 | 29 | 24 | 21 | 25 | 3° 40′ | 4 | ♋ | 24 | 21 | 25 | 4° 2′ | 5 | ♋ |
| 47 47 | 25 | 23 | 26 | 4° 37′ | 5 | ♋ | 25 | 23 | 26 | 4° 58′ | 5 | 0 | 25 | 22 | 26 | 5° 21′ | 6 | 1 |
| 52 0 | 26 | 24 | 27 | 5° 54′ | 6 | 1 | 26 | 24 | 27 | 6° 15′ | 6 | 1 | 26 | 24 | 28 | 6° 40′ | 7 | 2 |
| 19 56 12 | 27 | 25 | 29 | 7° 10′ | 7 | 2 | 27 | 25 | 29 | 7° 32′ | 7 | 2 | 27 | 25 | 29 | 7° 57′ | 8 | 3 |
| 20 0 24 | 28 | 26 | ♈ | 8° 25′ | 8 | 3 | 28 | 26 | ♈ | 8° 48′ | 8 | 3 | 28 | 26 | ♈ | 9° 13′ | 9 | 4 |
| 4 35 | 29 | 27 | 1 | 9° 39′ | 9 | 4 | 29 | 27 | 1 | 10° 3′ | 9 | 4 | 29 | 27 | 1 | 10° 29′ | 10 | 4 |
| Houses | 4 | 5 | 6 | 7 | 8 | 9 | 4 | 5 | 6 | 7 | 8 | 9 | 4 | 5 | 6 | 7 | 8 | 9 |

Latitude 22° S.  Latitude 23° S.  Latitude 24° S.

# SIMPLIFIED SCIENTIFIC TABLES OF HOUSES

Latitude 22° N.  Latitude 23° N.  Latitude 24° N.

| Sider'l Time | 10 ♒ | 11 ♓ | 12 ♈ | Asc. ♉ | 2 ♊ | 3 ♋ | 10 ♒ | 11 ♓ | 12 ♈ | Asc. ♉ | 2 ♊ | 3 ♋ | 10 ♒ | 11 ♓ | 12 ♈ | Asc. ♉ | 2 ♊ | 3 ♋ |
|---|---|---|---|---|---|---|---|---|---|---|---|---|---|---|---|---|---|---|
| H M S | ° | ° | ° | ° ' | ° | ° | ° | ° | ° | ° ' | ° | ° | ° | ° | ° | ° ' | ° | ° |
| 20 8 45 | 0 | 28 | 3 | 10 53 | 10 | 5 | 0 | 28 | 3 | 11 15 | 10 | 5 | 0 | 28 | 3 | 11 40 | 11 | 5 |
| 12 54 | 1 | 29 | 4 | 12 6 | 11 | 6 | 1 | 29 | 4 | 12 28 | 11 | 6 | 1 | 29 | 4 | 12 56 | 12 | 6 |
| 17 3 | 2 | ♓ | 5 | 13 19 | 12 | 7 | 2 | ♓ | 5 | 13 41 | 12 | 7 | 2 | ♓ | 5 | 14 8 | 13 | 7 |
| 20 21 11 | 3 | 2 | 6 | 14 31 | 13 | 8 | 3 | 2 | 7 | 14 54 | 13 | 8 | 3 | 2 | 7 | 15 21 | 14 | 8 |
| 25 19 | 4 | 3 | 8 | 15 42 | 14 | 9 | 4 | 3 | 8 | 16 5 | 14 | 9 | 4 | 3 | 8 | 16 33 | 15 | 9 |
| 29 26 | 5 | 4 | 9 | 16 52 | 15 | 10 | 5 | 4 | 9 | 17 16 | 15 | 10 | 5 | 4 | 9 | 17 45 | 16 | 10 |
| 20 33 31 | 6 | 5 | 10 | 18 2 | 16 | 11 | 6 | 5 | 10 | 18 27 | 16 | 11 | 6 | 5 | 10 | 18 55 | 17 | 11 |
| 37 37 | 7 | 6 | 12 | 19 12 | 17 | 12 | 7 | 6 | 12 | 19 36 | 17 | 12 | 7 | 6 | 12 | 20 5 | 18 | 12 |
| 41 41 | 8 | 7 | 13 | 20 21 | 18 | 13 | 8 | 7 | 13 | 20 45 | 18 | 13 | 8 | 7 | 13 | 21 15 | 19 | 13 |
| 20 45 45 | 9 | 9 | 14 | 21 29 | 19 | 13 | 9 | 9 | 14 | 21 54 | 19 | 14 | 9 | 9 | 14 | 22 24 | 20 | 14 |
| 49 48 | 10 | 10 | 15 | 22 37 | 20 | 14 | 10 | 10 | 15 | 23 2 | 20 | 15 | 10 | 10 | 16 | 23 33 | 21 | 15 |
| 53 51 | 11 | 11 | 16 | 23 44 | 21 | 15 | 11 | 11 | 17 | 24 9 | 21 | 16 | 11 | 11 | 17 | 24 40 | 22 | 16 |
| 20 57 52 | 12 | 12 | 18 | 24 50 | 22 | 16 | 12 | 12 | 18 | 25 16 | 22 | 16 | 12 | 12 | 18 | 25 47 | 23 | 17 |
| 21 1 53 | 13 | 13 | 19 | 25 55 | 23 | 17 | 13 | 13 | 19 | 26 22 | 23 | 17 | 13 | 13 | 19 | 26 53 | 24 | 18 |
| 5 53 | 14 | 14 | 20 | 27 0 | 24 | 18 | 14 | 14 | 20 | 27 28 | 24 | 18 | 14 | 14 | 20 | 27 29 | 24 | 18 |
| 21 9 53 | 15 | 15 | 21 | 28 5 | 25 | 19 | 15 | 15 | 22 | 28 32 | 25 | 19 | 15 | 15 | 22 | 29 3 | 25 | 19 |
| 13 52 | 16 | 17 | 23 | 29 9 | 26 | 20 | 16 | 17 | 23 | 29 36 | 26 | 20 | 16 | 17 | 23 | 0♊ 8 | 26 | 20 |
| 17 50 | 17 | 18 | 24 | 0♊12 | 26 | 21 | 17 | 18 | 24 | 0♊40 | 27 | 21 | 17 | 18 | 24 | 1 11 | 27 | 21 |
| 21 21 47 | 18 | 19 | 25 | 1 15 | 27 | 22 | 18 | 19 | 25 | 1 43 | 28 | 22 | 18 | 19 | 25 | 2 14 | 28 | 22 |
| 25 44 | 19 | 20 | 26 | 2 17 | 28 | 23 | 19 | 20 | 26 | 2 45 | 29 | 23 | 19 | 20 | 26 | 3 17 | 29 | 23 |
| 29 40 | 20 | 21 | 27 | 3 18 | 29 | 24 | 20 | 21 | 27 | 3 47 | 30 | 24 | 20 | 21 | 28 | 4 19 | ♋ | 24 |
| 21 33 35 | 21 | 22 | 28 | 4 19 | ♋ | 25 | 21 | 22 | 29 | 4 48 | ♋ | 25 | 21 | 22 | 29 | 5 20 | 1 | 25 |
| 37 29 | 22 | 23 | 29 | 5 20 | 1 | 25 | 22 | 23 | ♉ | 5 48 | 1 | 26 | 22 | 23 | ♉ | 6 21 | 2 | 26 |
| 41 23 | 23 | 25 | ♉ | 6 20 | 2 | 26 | 23 | 25 | 1 | 6 48 | 2 | 26 | 23 | 25 | 1 | 7 21 | 3 | 27 |
| 21 45 16 | 24 | 26 | 2 | 7 19 | 3 | 27 | 24 | 26 | 2 | 7 48 | 3 | 27 | 24 | 26 | 2 | 8 20 | 3 | 28 |
| 49 9 | 25 | 27 | 3 | 8 18 | 4 | 28 | 25 | 27 | 3 | 8 47 | 4 | 28 | 25 | 27 | 3 | 9 20 | 4 | 28 |
| 53 1 | 26 | 28 | 4 | 9 17 | 5 | 29 | 26 | 28 | 4 | 9 46 | 5 | 29 | 26 | 28 | 4 | 10 18 | 5 | 29 |
| 21 56 52 | 27 | 29 | 5 | 10 15 | 5 | ♌ | 27 | 29 | 5 | 10 44 | 6 | ♌ | 27 | 29 | 6 | 11 17 | 6 | ♌ |
| 22 0 43 | 28 | ♈ | 6 | 11 13 | 6 | 1 | 28 | ♈ | 7 | 11 42 | 7 | 1 | 28 | ♈ | 7 | 12 14 | 7 | 1 |
| 4 33 | 29 | 1 | 7 | 12 10 | 7 | 2 | 29 | 1 | 8 | 12 39 | 8 | 2 | 29 | 1 | 8 | 13 12 | 8 | 2 |
| Houses | 4 | 5 | 6 | 7 | 8 | 9 | 4 | 5 | 6 | 7 | 8 | 9 | 4 | 5 | 6 | 7 | 8 | 9 |

Latitude 22° S,  Latitude 23° S.  Latitude 24° S.

# SIMPLIFIED SCIENTIFIC TABLES OF HOUSES

Latitude 22° N.  Latitude 23° N.  Latitude 24° N.

| Sider'l Time | 10 ♓ | 11 ♈ | 12 ♉ | Asc. ♊ | 2 ♋ | 3 ♌ | 10 ♓ | 11 ♈ | 12 ♉ | Asc. ♊ | 2 ♋ | 3 ♌ | 10 ♓ | 11 ♈ | 12 ♉ | Asc. ♊ | 2 ♋ | 3 ♌ |
|---|---|---|---|---|---|---|---|---|---|---|---|---|---|---|---|---|---|---|
| H M S | ° | ° | ° | ° ′ | ° | ° | ° | ° | ° | ° ′ | ° | ° | ° | ° | ° | ° ′ | ° | ° |
| 22 8 23 | 0 | 2 | 8 | 13 7 | 8 | 3 | 0 | 2 | 9 | 13 36 | 8 | 3 | 0 | 2 | 9 | 14 8 | 9 | 3 |
| 12 12 | 1 | 3 | 9 | 14 3 | 9 | 3 | 1 | 3 | 10 | 14 32 | 9 | 4 | 1 | 4 | 10 | 15 4 | 10 | 4 |
| 16 0 | 2 | 5 | 11 | 14 59 | 10 | 4 | 2 | 5 | 11 | 15 28 | 10 | 5 | 2 | 5 | 11 | 16 0 | 11 | 5 |
| 22 19 48 | 3 | 6 | 12 | 15 55 | 11 | 5 | 3 | 6 | 12 | 16 24 | 11 | 5 | 3 | 6 | 12 | 16 56 | 11 | 6 |
| 23 35 | 4 | 7 | 13 | 16 50 | 11 | 6 | 4 | 7 | 13 | 17 19 | 12 | 6 | 4 | 7 | 13 | 17 51 | 12 | 6 |
| 27 22 | 5 | 8 | 14 | 17 45 | 12 | 7 | 5 | 8 | 14 | 18 14 | 13 | 7 | 5 | 8 | 14 | 18 46 | 13 | 7 |
| 22 31 8 | 6 | 9 | 15 | 18 39 | 13 | 8 | 6 | 9 | 15 | 19 8 | 14 | 8 | 6 | 9 | 15 | 19 40 | 14 | 8 |
| 34 54 | 7 | 10 | 16 | 19 33 | 14 | 9 | 7 | 10 | 16 | 20 2 | 14 | 9 | 7 | 10 | 16 | 20 34 | 15 | 9 |
| 38 40 | 8 | 11 | 17 | 20 27 | 15 | 10 | 8 | 11 | 17 | 20 56 | 15 | 10 | 8 | 11 | 18 | 21 28 | 16 | 10 |
| 22 42 25 | 9 | 12 | 18 | 21 20 | 16 | 11 | 9 | 12 | 18 | 21 49 | 16 | 11 | 9 | 12 | 19 | 22 21 | 16 | 11 |
| 46 9 | 10 | 13 | 19 | 22 14 | 16 | 11 | 10 | 13 | 19 | 22 43 | 17 | 12 | 10 | 13 | 20 | 23 14 | 17 | 12 |
| 49 53 | 11 | 14 | 20 | 23 7 | 17 | 12 | 11 | 14 | 20 | 23 35 | 18 | 13 | 11 | 15 | 21 | 24 7 | 18 | 13 |
| 22 53 37 | 12 | 15 | 21 | 24 0 | 18 | 13 | 12 | 15 | 21 | 24 28 | 19 | 13 | 12 | 16 | 22 | 25 0 | 19 | 14 |
| 57 20 | 13 | 16 | 22 | 24 51 | 19 | 14 | 13 | 17 | 22 | 25 20 | 19 | 14 | 13 | 17 | 23 | 25 52 | 20 | 14 |
| 23 1 3 | 14 | 18 | 23 | 25 43 | 20 | 15 | 14 | 18 | 23 | 26 12 | 20 | 15 | 14 | 18 | 24 | 26 44 | 21 | 15 |
| 23 4 46 | 15 | 19 | 24 | 26 35 | 21 | 16 | 15 | 19 | 24 | 27 4 | 21 | 16 | 15 | 19 | 25 | 27 35 | 21 | 16 |
| 8 28 | 16 | 20 | 25 | 27 27 | 22 | 17 | 16 | 20 | 25 | 27 56 | 22 | 17 | 16 | 20 | 26 | 28 27 | 22 | 17 |
| 12 10 | 17 | 21 | 26 | 28 18 | 22 | 18 | 17 | 21 | 26 | 28 47 | 23 | 18 | 17 | 21 | 27 | 29 18 | 23 | 18 |
| 23 15 52 | 18 | 22 | 27 | 29 9 | 23 | 19 | 18 | 22 | 27 | 29 38 | 24 | 19 | 18 | 22 | 28 | 0 ♋9 | 24 | 19 |
| 19 34 | 19 | 23 | 28 | 0 ♋0 | 24 | 19 | 19 | 23 | 28 | 0 ♋29 | 24 | 20 | 19 | 23 | 28 | 0 59 | 25 | 20 |
| 23 15 | 20 | 24 | 29 | 0 51 | 25 | 20 | 20 | 24 | 29 | 1 19 | 25 | 21 | 20 | 24 | 29 | 1 50 | 26 | 21 |
| 23 26 56 | 21 | 25 | ♊ | 1 41 | 26 | 21 | 21 | 25 | ♊ | 2 9 | 26 | 21 | 21 | 25 | ♊ | 2 40 | 26 | 22 |
| 30 37 | 22 | 26 | 1 | 2 32 | 26 | 22 | 22 | 26 | 1 | 3 0 | 27 | 22 | 22 | 26 | 1 | 3 30 | 27 | 22 |
| 34 18 | 23 | 27 | 1 | 3 21 | 27 | 23 | 23 | 27 | 2 | 3 50 | 28 | 23 | 23 | 27 | 2 | 4 20 | 28 | 23 |
| 23 37 58 | 24 | 28 | 2 | 4 12 | 28 | 24 | 24 | 28 | 3 | 4 40 | 29 | 24 | 24 | 28 | 3 | 5 10 | 29 | 24 |
| 41 39 | 25 | 29 | 3 | 5 2 | 29 | 25 | 25 | 29 | 4 | 5 30 | 29 | 25 | 25 | 29 | 4 | 6 0 | ♌ | 25 |
| 45 19 | 26 | ♉ | 4 | 5 51 | ♌ | 26 | 26 | ♉ | 5 | 6 19 | ♌ | 26 | 26 | ♉ | 5 | 6 49 | 0 | 26 |
| 23 49 0 | 27 | 1 | 5 | 6 41 | 1 | 27 | 27 | 1 | 6 | 7 8 | 1 | 27 | 27 | 1 | 6 | 7 38 | 1 | 27 |
| 52 40 | 28 | 2 | 6 | 7 30 | 1 | 28 | 28 | 2 | 6 | 7 58 | 2 | 28 | 28 | 2 | 7 | 8 28 | 2 | 28 |
| 56 20 | 29 | 3 | 7 | 8 20 | 2 | 28 | 29 | 3 | 7 | 8 47 | 3 | 29 | 29 | 3 | 8 | 9 17 | 3 | 29 |
| Houses | 4 | 5 | 6 | 7 | 8 | 9 | 4 | 5 | 6 | 7 | 8 | 9 | 4 | 5 | 6 | 7 | 8 | 9 |

Latitude 22° S.  Latitude 23° S.  Latitude 24° S.

# SIMPLIFIED SCIENTIFIC TABLES OF HOUSES

Latitude 25° N.  Latitude 26° N.  Latitude 27° N.

| Sider'l Time | Latitude 25° N. | | | | | | Latitude 26° N. | | | | | | Latitude 27° N. | | | | | |
|---|---|---|---|---|---|---|---|---|---|---|---|---|---|---|---|---|---|---|
| H M S | 10 ♈ | 11 ♉ | 12 ♊ | Asc. ♋ | 2 ♌ | 3 ♌ | 10 ♈ | 11 ♉ | 12 ♊ | Asc. ♋ | 2 ♌ | 3 ♌ | 10 ♈ | 11 ♉ | 12 ♊ | Asc. ♋ | 2 ♌ | 3 ♌ |
| 0 0 0 | 0 | 4 | 9 | 10 31 | 4 | 29 | 0 | 4 | 9 | 10 59 | 4 | 29 | 0 | 4 | 10 | 11 27 | 4 | 29 |
| 3 40 | 1 | 5 | 10 | 11 20 | 5 | ♍ | 1 | 5 | 10 | 11 48 | 5 | ♍ | 1 | 5 | 11 | 12 16 | 5 | ♍ |
| 7 20 | 2 | 6 | 11 | 12 8 | 6 | 1 | 2 | 6 | 11 | 12 36 | 6 | 1 | 2 | 6 | 12 | 13 5 | 6 | 1 |
| 0 11 0 | 3 | 7 | 12 | 12 57 | 7 | 2 | 3 | 7 | 12 | 13 25 | 7 | 2 | 3 | 7 | 13 | 13 53 | 7 | 2 |
| 14 41 | 4 | 8 | 12 | 13 45 | 7 | 3 | 4 | 8 | 13 | 14 13 | 7 | 3 | 4 | 8 | 13 | 14 41 | 8 | 3 |
| 18 21 | 5 | 9 | 13 | 14 34 | 8 | 4 | 5 | 9 | 14 | 15 1 | 8 | 4 | 5 | 9 | 14 | 15 29 | 9 | 4 |
| 0 22 2 | 6 | 10 | 14 | 15 22 | 9 | 5 | 6 | 10 | 15 | 15 50 | 9 | 5 | 6 | 10 | 15 | 16 17 | 10 | 5 |
| 25 42 | 7 | 11 | 15 | 16 11 | 10 | 6 | 7 | 11 | 16 | 16 38 | 10 | 6 | 7 | 11 | 16 | 17 5 | 11 | 6 |
| 29 23 | 8 | 12 | 16 | 16 59 | 11 | 7 | 8 | 12 | 17 | 17 26 | 11 | 7 | 8 | 12 | 17 | 17 54 | 12 | 7 |
| 0 33 4 | 9 | 13 | 17 | 17 47 | 11 | 8 | 9 | 13 | 17 | 18 14 | 11 | 8 | 9 | 13 | 17 | 18 41 | 12 | 8 |
| 36 45 | 10 | 14 | 18 | 18 36 | 12 | 9 | 10 | 14 | 18 | 19 2 | 12 | 9 | 10 | 14 | 18 | 19 29 | 13 | 9 |
| 40 26 | 11 | 15 | 19 | 19 24 | 13 | 10 | 11 | 15 | 19 | 19 50 | 13 | 10 | 11 | 15 | 19 | 20 17 | 14 | 10 |
| 0 44 8 | 12 | 16 | 20 | 20 12 | 14 | 11 | 12 | 16 | 20 | 20 38 | 14 | 11 | 12 | 16 | 20 | 21 5 | 15 | 11 |
| 47 50 | 13 | 17 | 21 | 21 1 | 15 | 12 | 13 | 17 | 21 | 21 27 | 15 | 12 | 13 | 17 | 21 | 21 53 | 16 | 12 |
| 51 32 | 14 | 18 | 21 | 21 49 | 15 | 13 | 14 | 18 | 22 | 22 15 | 16 | 13 | 14 | 18 | 22 | 22 41 | 16 | 13 |
| 0 55 14 | 15 | 19 | 22 | 22 37 | 16 | 13 | 15 | 19 | 23 | 23 3 | 17 | 14 | 15 | 19 | 23 | 23 29 | 17 | 14 |
| 58 57 | 16 | 20 | 23 | 23 25 | 17 | 14 | 16 | 20 | 24 | 23 51 | 18 | 15 | 16 | 20 | 24 | 24 17 | 18 | 15 |
| 1 2 40 | 17 | 21 | 24 | 24 14 | 18 | 15 | 17 | 21 | 25 | 24 39 | 19 | 16 | 17 | 21 | 25 | 25 5 | 19 | 16 |
| 1 6 23 | 18 | 22 | 25 | 25 2 | 19 | 16 | 18 | 22 | 26 | 25 27 | 20 | 17 | 18 | 22 | 26 | 25 53 | 20 | 17 |
| 10 7 | 19 | 23 | 25 | 25 51 | 20 | 17 | 19 | 23 | 26 | 26 16 | 20 | 17 | 19 | 23 | 26 | 26 41 | 20 | 17 |
| 13 51 | 20 | 24 | 26 | 26 39 | 21 | 18 | 20 | 24 | 27 | 27 4 | 21 | 18 | 20 | 24 | 27 | 27 29 | 21 | 18 |
| 1 17 35 | 21 | 25 | 27 | 27 28 | 22 | 19 | 21 | 25 | 28 | 27 52 | 22 | 19 | 21 | 25 | 28 | 28 17 | 22 | 19 |
| 21 20 | 22 | 26 | 28 | 28 17 | 23 | 20 | 22 | 26 | 29 | 28 41 | 23 | 20 | 22 | 26 | 29 | 29 5 | 23 | 20 |
| 25 6 | 23 | 27 | 29 | 29 6 | 24 | 21 | 23 | 27 | ♋ | 29 30 | 24 | 21 | 23 | 27 | ♋ | 29 54 | 24 | 21 |
| 1 28 52 | 24 | 28 | ♋ | 29 54 | 24 | 22 | 24 | 28 | ♋ | 0 ♌ 18 | 24 | 22 | 24 | 28 | ♋ | 0 ♌ 42 | 24 | 22 |
| 32 38 | 25 | 29 | 1 | 0 ♌ 43 | 25 | 23 | 25 | 29 | 1 | 1 7 | 25 | 23 | 25 | 29 | 1 | 1 31 | 25 | 23 |
| 36 25 | 26 | ♊ | 2 | 1 32 | 26 | 24 | 26 | ♊ | 2 | 1 56 | 26 | 24 | 26 | ♊ | 2 | 2 19 | 26 | 24 |
| 1 40 12 | 27 | 0 | 3 | 2 22 | 27 | 25 | 27 | 1 | 3 | 2 45 | 27 | 25 | 27 | 1 | 3 | 3 8 | 27 | 25 |
| 44 0 | 28 | 1 | 4 | 3 11 | 28 | 26 | 28 | 2 | 4 | 3 34 | 28 | 26 | 28 | 2 | 4 | 4 23 | 28 | 27 |
| 47 48 | 29 | 2 | 4 | 4 0 | 28 | 27 | 29 | 2 | 4 | 4 23 | 28 | 27 | 29 | 3 | 5 | 4 45 | 28 | 27 |
| Houses | 4 | 5 | 6 | 7 | 8 | 9 | 4 | 5 | 6 | 7 | 8 | 9 | 4 | 5 | 6 | 7 | 8 | 9 |

Latitude 25° S.  Latitude 26° S.  Latitude 27° S.

# SIMPLIFIED SCIENTIFIC TABLES OF HOUSES

### Latitude 25° N.  Latitude 26° N.  Latitude 27° N.

| Sider'l Time H M S | 10 ♉ | 11 ♊ | 12 ♋ | Asc ♌ ° ' | 2 ♌ | 3 ♍ | 10 ♉ | 11 ♊ | 12 ♋ | Asc ♌ ° ' | 2 ♌ | 3 ♍ | 10 ♉ | 11 ♊ | 12 ♋ | Asc ♌ ° ' | 2 ♌ | 3 ♍ |
|---|---|---|---|---|---|---|---|---|---|---|---|---|---|---|---|---|---|---|
| 1 51 37 | 0 | 3 | 5 | 4 50 | 29 | 28 | 0 | 3 | 5 | 5 12 | 29 | 28 | 0 | 4 | 6 | 5 35 | 29 | 28 |
| 55 27 | 1 | 4 | 6 | 5 40 | ♍ | 29 | 1 | 4 | 6 | 6 2 | ♍ | 29 | 1 | 5 | 7 | 6 24 | ♍ | 29 |
| 59 17 | 2 | 5 | 7 | 6 30 | 1 | ♎ | 2 | 5 | 7 | 6 51 | 1 | ♎ | 2 | 6 | 8 | 7 13 | 1 | ♎ |
| 2 3 8 | 3 | 6 | 8 | 7 20 | 2 | 1 | 3 | 6 | 8 | 7 41 | 2 | 1 | 3 | 7 | 9 | 8 3 | 2 | 1 |
| 6 59 | 4 | 7 | 8 | 8 10 | 3 | 2 | 4 | 7 | 9 | 8 31 | 3 | 2 | 4 | 7 | 9 | 8 53 | 3 | 2 |
| 10 51 | 5 | 8 | 9 | 9 0 | 4 | 3 | 5 | 8 | 10 | 9 21 | 4 | 3 | 5 | 8 | 10 | 9 43 | 4 | 3 |
| 2 14 44 | 6 | 9 | 10 | 9 51 | 5 | 4 | 6 | 9 | 11 | 10 12 | 5 | 4 | 6 | 9 | 11 | 10 32 | 5 | 4 |
| 18 37 | 7 | 10 | 11 | 10 42 | 6 | 5 | 7 | 10 | 12 | 11 2 | 6 | 5 | 7 | 10 | 12 | 11 23 | 6 | 5 |
| 22 31 | 8 | 11 | 12 | 11 32 | 7 | 6 | 8 | 11 | 13 | 11 53 | 7 | 6 | 8 | 11 | 13 | 12 13 | 7 | 6 |
| 2 26 25 | 9 | 12 | 13 | 12 23 | 8 | 7 | 9 | 12 | 13 | 12 43 | 8 | 7 | 9 | 12 | 13 | 13 3 | 8 | 7 |
| 30 20 | 10 | 13 | 14 | 13 14 | 9 | 8 | 10 | 13 | 14 | 13 34 | 9 | 8 | 10 | 13 | 14 | 13 54 | 9 | 8 |
| 34 16 | 11 | 14 | 15 | 14 6 | 10 | 9 | 11 | 14 | 15 | 14 25 | 10 | 9 | 11 | 14 | 15 | 14 44 | 10 | 9 |
| 2 38 13 | 12 | 15 | 16 | 14 57 | 11 | 10 | 12 | 15 | 16 | 15 16 | 11 | 10 | 12 | 15 | 16 | 15 35 | 10 | 10 |
| 42 10 | 13 | 16 | 17 | 15 49 | 12 | 11 | 13 | 16 | 17 | 16 8 | 12 | 11 | 13 | 16 | 17 | 16 26 | 11 | 11 |
| 46 8 | 14 | 17 | 17 | 16 41 | 12 | 12 | 14 | 17 | 18 | 16 59 | 12 | 12 | 14 | 17 | 18 | 17 18 | 12 | 12 |
| 2 50 7 | 15 | 17 | 18 | 17 33 | 13 | 13 | 15 | 18 | 19 | 17 51 | 13 | 13 | 15 | 18 | 19 | 18 9 | 13 | 13 |
| 54 7 | 16 | 18 | 19 | 18 26 | 14 | 14 | 16 | 19 | 20 | 18 43 | 14 | 14 | 16 | 19 | 20 | 19 1 | 14 | 14 |
| 58 7 | 17 | 19 | 20 | 19 18 | 15 | 15 | 17 | 20 | 21 | 19 35 | 15 | 15 | 17 | 20 | 21 | 19 53 | 15 | 15 |
| 3 2 8 | 18 | 20 | 21 | 20 11 | 16 | 16 | 18 | 21 | 22 | 20 28 | 16 | 16 | 18 | 21 | 22 | 20 45 | 16 | 16 |
| 6 9 | 19 | 21 | 22 | 21 4 | 17 | 17 | 19 | 21 | 22 | 21 21 | 17 | 17 | 19 | 21 | 22 | 21 38 | 17 | 17 |
| 10 12 | 20 | 22 | 23 | 21 57 | 18 | 18 | 20 | 22 | 23 | 22 14 | 18 | 18 | 20 | 22 | 23 | 22 30 | 18 | 18 |
| 3 14 15 | 21 | 23 | 24 | 22 51 | 19 | 19 | 21 | 23 | 24 | 23 7 | 19 | 19 | 21 | 23 | 24 | 23 23 | 19 | 19 |
| 18 19 | 22 | 24 | 25 | 23 45 | 20 | 20 | 22 | 24 | 25 | 24 0 | 20 | 20 | 22 | 24 | 25 | 24 16 | 20 | 20 |
| 22 23 | 23 | 25 | 26 | 24 39 | 21 | 21 | 23 | 25 | 26 | 24 54 | 21 | 21 | 23 | 25 | 26 | 25 9 | 21 | 21 |
| 3 26 29 | 24 | 26 | 26 | 25 33 | 22 | 22 | 24 | 26 | 27 | 25 48 | 22 | 22 | 24 | 26 | 27 | 26 3 | 22 | 22 |
| 30 35 | 25 | 27 | 27 | 26 27 | 23 | 23 | 25 | 27 | 28 | 26 42 | 23 | 23 | 25 | 27 | 28 | 26 56 | 23 | 23 |
| 34 41 | 26 | 28 | 28 | 27 21 | 24 | 24 | 26 | 28 | 29 | 27 36 | 24 | 24 | 26 | 28 | 29 | 27 50 | 24 | 24 |
| 3 38 49 | 27 | 29 | 29 | 28 16 | 25 | 25 | 27 | 29 | ♌ | 28 30 | 25 | 25 | 27 | 29 | ♌ | 28 44 | 25 | 25 |
| 42 57 | 28 | ♋ | ♌ | 29 11 | 26 | 26 | 28 | ♋ | 0 | 29 25 | 26 | 26 | 28 | ♋ | 1 | 29 38 | 26 | 26 |
| 47 6 | 29 | 1 | 1 | 0 ♍ 6 | 27 | 27 | 29 | 1 | 1 | 0 ♍ 19 | 27 | 27 | 29 | 1 | 2 | 0 ♍ 33 | 27 | 27 |
| Houses | 4 | 5 | 6 | 7 | 8 | 9 | 4 | 5 | 6 | 7 | 8 | 9 | 4 | 5 | 6 | 7 | 8 | 9 |

### Latitude 25° S.  Latitude 26° S.  Latitude 27° S.

# SIMPLIFIED SCIENTIFIC TABLES OF HOUSES

Latitude 25° N.  Latitude 26° N.  Latitude 27° N.

| Sider'l Time | 10 | 11 | 12 | Asc. | 2 | 3 | 10 | 11 | 12 | Asc. | 2 | 3 | 10 | 11 | 12 | Asc. | 2 | 3 |
|---|---|---|---|---|---|---|---|---|---|---|---|---|---|---|---|---|---|---|
| H M S | ♊ | ♋ | ♌ | ♍ | ♍ | ♎ | ♊ | ♋ | ♌ | ♍ | ♍ | ♎ | ♊ | ♋ | ♌ | ♍ | ♍ | ♎ |
| 3 51 15 | 0 | 2 | 2 | 1 2 | 28 | 28 | 0 | 2 | 2 | 1 15 | 28 | 28 | 0 | 2 | 2 | 1 27 | 28 | 28 |
| 55 25 | 1 | 3 | 3 | 1 57 | 29 | 29 | 1 | 3 | 3 | 2 10 | 29 | 29 | 1 | 3 | 3 | 2 22 | 29 | 29 |
| 59 36 | 2 | 4 | 4 | 2 53 | ♎ | ♏ | 2 | 4 | 4 | 3 5 | ♎ | ♏ | 2 | 4 | 4 | 3 17 | ♎ | ♏ |
| 4 3 48 | 3 | 5 | 5 | 3 49 | 1 | 1 | 3 | 5 | 5 | 4 1 | 1 | 1 | 3 | 5 | 5 | 4 13 | 1 | 1 |
| 8 0 | 4 | 6 | 6 | 4 45 | 2 | 2 | 4 | 6 | 6 | 4 57 | 2 | 2 | 4 | 6 | 6 | 5 8 | 2 | 2 |
| 12 13 | 5 | 6 | 7 | 5 42 | 3 | 3 | 5 | 6 | 7 | 5 53 | 3 | 3 | 5 | 7 | 7 | 6 4 | 3 | 3 |
| 4 16 26 | 6 | 7 | 8 | 6 38 | 4 | 4 | 6 | 7 | 8 | 6 49 | 4 | 4 | 6 | 8 | 8 | 6 59 | 4 | 4 |
| 20 40 | 7 | 8 | 9 | 7 35 | 5 | 5 | 7 | 8 | 9 | 7 45 | 5 | 5 | 7 | 9 | 9 | 7 55 | 5 | 5 |
| 24 55 | 8 | 9 | 10 | 8 32 | 6 | 6 | 8 | 9 | 10 | 8 42 | 6 | 6 | 8 | 10 | 10 | 8 52 | 6 | 6 |
| 4 29 10 | 9 | 10 | 11 | 9 29 | 7 | 7 | 9 | 10 | 11 | 9 39 | 7 | 7 | 9 | 10 | 11 | 9 48 | 7 | 7 |
| 33 26 | 10 | 11 | 12 | 10 27 | 8 | 8 | 10 | 11 | 12 | 10 36 | 8 | 8 | 10 | 11 | 12 | 10 44 | 8 | 8 |
| 37 42 | 11 | 12 | 13 | 11 24 | 9 | 9 | 11 | 12 | 13 | 11 33 | 9 | 9 | 11 | 12 | 13 | 11 41 | 9 | 9 |
| 4 41 59 | 12 | 13 | 14 | 12 22 | 10 | 10 | 12 | 13 | 14 | 12 30 | 10 | 10 | 12 | 13 | 14 | 12 38 | 10 | 10 |
| 46 16 | 13 | 14 | 15 | 13 20 | 11 | 11 | 13 | 14 | 15 | 13 27 | 11 | 11 | 13 | 14 | 15 | 13 35 | 11 | 11 |
| 50 34 | 14 | 15 | 15 | 14 18 | 12 | 12 | 14 | 15 | 16 | 14 25 | 12 | 12 | 14 | 15 | 16 | 14 32 | 12 | 12 |
| 4 54 52 | 15 | 16 | 16 | 15 16 | 13 | 14 | 15 | 16 | 17 | 15 23 | 13 | 13 | 15 | 16 | 17 | 15 29 | 13 | 13 |
| 59 10 | 16 | 17 | 17 | 16 14 | 14 | 15 | 16 | 17 | 18 | 16 21 | 14 | 14 | 16 | 17 | 18 | 16 27 | 14 | 14 |
| 5 3 29 | 17 | 18 | 18 | 17 13 | 15 | 16 | 17 | 18 | 19 | 17 19 | 15 | 15 | 17 | 18 | 19 | 17 24 | 15 | 15 |
| 5 7 49 | 18 | 19 | 19 | 18 11 | 16 | 17 | 18 | 19 | 20 | 18 17 | 16 | 16 | 18 | 19 | 20 | 18 22 | 16 | 16 |
| 12 9 | 19 | 20 | 20 | 19 10 | 17 | 18 | 19 | 20 | 20 | 19 15 | 17 | 17 | 19 | 20 | 21 | 19 20 | 17 | 17 |
| 16 29 | 20 | 21 | 21 | 20 9 | 18 | 19 | 20 | 21 | 21 | 20 13 | 18 | 19 | 20 | 21 | 22 | 20 18 | 18 | 18 |
| 5 20 49 | 21 | 22 | 22 | 21 7 | 19 | 20 | 21 | 22 | 22 | 21 12 | 19 | 20 | 21 | 22 | 23 | 21 16 | 19 | 19 |
| 25 9 | 22 | 23 | 23 | 22 6 | 20 | 21 | 22 | 23 | 23 | 22 10 | 20 | 21 | 22 | 23 | 24 | 22 14 | 20 | 20 |
| 29 30 | 23 | 24 | 24 | 23 5 | 21 | 22 | 23 | 24 | 24 | 23 9 | 21 | 22 | 23 | 24 | 25 | 23 12 | 21 | 21 |
| 5 33 51 | 24 | 25 | 25 | 24 4 | 22 | 23 | 24 | 25 | 25 | 24 7 | 22 | 23 | 24 | 25 | 26 | 24 10 | 22 | 22 |
| 38 12 | 25 | 26 | 26 | 25 3 | 23 | 24 | 25 | 26 | 26 | 25 6 | 23 | 24 | 25 | 26 | 27 | 25 8 | 23 | 24 |
| 42 34 | 26 | 27 | 27 | 26 3 | 24 | 25 | 26 | 27 | 27 | 26 4 | 24 | 25 | 26 | 27 | 28 | 26 6 | 24 | 25 |
| 5 46 55 | 27 | 28 | 28 | 27 2 | 25 | 26 | 27 | 28 | 28 | 27 3 | 25 | 26 | 27 | 28 | 29 | 27 5 | 25 | 26 |
| 51 17 | 28 | 29 | 29 | 28 1 | 26 | 27 | 28 | 29 | 29 | 28 2 | 26 | 27 | 28 | 29 | ♍ | 28 3 | 26 | 27 |
| 55 38 | 29 | ♌ | ♍ | 29 1 | 27 | 28 | 29 | ♌ | ♍ | 29 1 | 27 | 28 | 29 | ♌ | ♍ | 1 29 | 27 | 28 |
| Houses | 4 | 5 | 6 | 7 | 8 | 9 | 4 | 5 | 6 | 7 | 8 | 9 | 4 | 5 | 6 | 7 | 8 | 9 |

Latitude 25° S.  Latitude 26° S.  Latitude 27° S.

# SIMPLIFIED SCIENTIFIC TABLES OF HOUSES

Latitude 25° N.     Latitude 26° N.     Latitude 27° N.

| Sider'l Time | 10 ♋ | 11 ♌ | 12 ♍ | Asc. ♎ | 2 ♎ | 3 ♏ | 10 ♋ | 11 ♌ | 12 ♍ | Asc. ♎ | 2 ♎ | 3 ♏ | 10 ♋ | 11 ♌ | 12 ♍ | Asc. ♎ | 2 ♎ | 3 ♏ |
|---|---|---|---|---|---|---|---|---|---|---|---|---|---|---|---|---|---|---|
| H M S | ° | ° | ° | ° ' | ° | ° | ° | ° | ° | ° ' | ° | ° | ° | ° | ° | ° ' | ° | ° |
| 6 0 0 | 0 | 1 | 1 | 0 0 | 29 | 29 | 0 | 1 | 2 | 0 0 | 28 | 29 | 0 | 1 | 2 | 0 0 | 28 | 29 |
| 4 22 | 1 | 2 | 2 | 0 59 | ♏ | ♐ | 1 | 2 | 3 | 0 59 | 29 | ♐ | 1 | 2 | 3 | 0 59 | 29 | ♐ |
| 8 43 | 2 | 3 | 3 | 1 59 | 1 | 1 | 2 | 3 | 4 | 1 58 | ♏ | 1 | 2 | 3 | 4 | 1 57 | ♏ | 1 |
| 6 13 5 | 3 | 4 | 4 | 2 58 | 2 | 2 | 3 | 4 | 5 | 2 57 | 1 | 2 | 3 | 4 | 5 | 2 55 | 1 | 2 |
| 17 26 | 4 | 5 | 5 | 3 57 | 3 | 3 | 4 | 5 | 6 | 3 56 | 2 | 3 | 4 | 5 | 6 | 3 54 | 2 | 3 |
| 21 48 | 5 | 6 | 6 | 4 57 | 4 | 4 | 5 | 6 | 7 | 4 54 | 3 | 4 | 5 | 6 | 7 | 4 52 | 3 | 4 |
| 6 26 9 | 6 | 7 | 7 | 5 56 | 5 | 5 | 6 | 7 | 8 | 5 53 | 4 | 5 | 6 | 7 | 8 | 5 50 | 4 | 5 |
| 30 30 | 7 | 8 | 8 | 6 55 | 6 | 6 | 7 | 8 | 9 | 6 51 | 5 | 6 | 7 | 8 | 9 | 6 48 | 5 | 6 |
| 34 51 | 8 | 9 | 9 | 7 54 | 7 | 7 | 8 | 9 | 10 | 7 50 | 6 | 7 | 8 | 9 | 10 | 7 47 | 6 | 7 |
| 6 39 11 | 9 | 10 | 10 | 8 53 | 8 | 8 | 9 | 10 | 11 | 8 48 | 7 | 8 | 9 | 10 | 11 | 8 44 | 7 | 8 |
| 43 31 | 10 | 11 | 12 | 9 51 | 9 | 9 | 10 | 11 | 12 | 9 47 | 8 | 9 | 10 | 11 | 12 | 9 42 | 8 | 9 |
| 47 51 | 11 | 12 | 13 | 10 50 | 10 | 10 | 11 | 12 | 13 | 10 45 | 9 | 10 | 11 | 12 | 13 | 10 40 | 9 | 10 |
| 6 52 11 | 12 | 13 | 14 | 11 49 | 11 | 11 | 12 | 13 | 14 | 11 43 | 10 | 11 | 12 | 13 | 14 | 11 38 | 10 | 11 |
| 56 31 | 13 | 14 | 15 | 12 47 | 12 | 12 | 13 | 14 | 15 | 12 41 | 11 | 12 | 13 | 14 | 15 | 12 36 | 11 | 12 |
| 7 0 50 | 14 | 15 | 16 | 13 46 | 13 | 13 | 14 | 15 | 16 | 13 39 | 12 | 13 | 14 | 15 | 16 | 13 33 | 12 | 13 |
| 7 5 8 | 15 | 16 | 17 | 14 44 | 14 | 14 | 15 | 16 | 17 | 14 37 | 13 | 14 | 15 | 16 | 17 | 14 31 | 13 | 14 |
| 9 26 | 16 | 17 | 18 | 15 42 | 15 | 15 | 16 | 17 | 18 | 15 35 | 14 | 15 | 16 | 17 | 18 | 15 28 | 14 | 15 |
| 13 44 | 17 | 18 | 19 | 16 40 | 16 | 16 | 17 | 18 | 19 | 16 33 | 15 | 16 | 17 | 18 | 19 | 16 25 | 15 | 16 |
| 7 18 1 | 18 | 19 | 20 | 17 38 | 17 | 17 | 18 | 19 | 20 | 17 30 | 16 | 17 | 18 | 19 | 20 | 17 22 | 16 | 17 |
| 22 18 | 19 | 20 | 21 | 18 36 | 17 | 18 | 19 | 20 | 21 | 18 27 | 17 | 18 | 19 | 20 | 21 | 18 19 | 17 | 17 |
| 26 34 | 20 | 21 | 22 | 19 33 | 18 | 19 | 20 | 22 | 22 | 19 24 | 18 | 19 | 20 | 22 | 22 | 19 16 | 18 | 18 |
| 7 30 50 | 21 | 22 | 23 | 20 31 | 19 | 20 | 21 | 23 | 23 | 20 21 | 19 | 20 | 21 | 23 | 23 | 20 12 | 19 | 19 |
| 35 5 | 22 | 23 | 24 | 21 28 | 20 | 21 | 22 | 24 | 24 | 21 18 | 20 | 21 | 22 | 24 | 24 | 21 9 | 20 | 20 |
| 39 20 | 23 | 24 | 25 | 22 25 | 21 | 22 | 23 | 25 | 25 | 22 15 | 21 | 22 | 23 | 25 | 25 | 22 5 | 21 | 21 |
| 7 43 34 | 24 | 25 | 26 | 23 22 | 22 | 23 | 24 | 26 | 26 | 23 11 | 22 | 22 | 24 | 26 | 26 | 23 1 | 22 | 22 |
| 47 47 | 25 | 27 | 27 | 24 18 | 23 | 24 | 25 | 27 | 27 | 24 7 | 23 | 23 | 25 | 27 | 27 | 23 56 | 23 | 23 |
| 52 0 | 26 | 28 | 28 | 25 14 | 24 | 25 | 26 | 28 | 28 | 25 3 | 24 | 24 | 26 | 28 | 28 | 24 52 | 24 | 24 |
| 7 56 12 | 27 | 29 | 29 | 26 10 | 25 | 26 | 27 | 29 | 29 | 25 59 | 25 | 25 | 27 | 29 | 29 | 25 47 | 25 | 25 |
| 8 0 24 | 28 | ♍ | ≈ | 27 7 | 26 | 27 | 28 | ♍ | ≈ | 26 55 | 26 | 26 | 28 | ♍ | ≈ | 26 43 | 26 | 26 |
| 4 35 | 29 | 1 | 1 | 28 3 | 27 | 27 | 29 | 1 | 1 | 27 50 | 27 | 27 | 29 | 1 | 1 | 27 38 | 26 | 27 |
| Houses | 4 | 5 | 6 | 7 | 8 | 9 | 4 | 5 | 6 | 7 | 8 | 9 | 4 | 5 | 6 | 7 | 8 | 9 |

Latitude 25° S.     Latitude 26° S.     Latitude 27° S.

# SIMPLIFIED SCIENTIFIC TABLES OF HOUSES

Latitude 25° N.  Latitude 26° N.  Latitude 27° N.

| Sider'l Time | 10 ♌ | 11 ♍ | 12 ≏ | Asc. ≏ | 2 ♏ | 3 ♐ | 10 ♌ | 11 ♍ | 12 ≏ | Asc. ≏ | 2 ♏ | 3 ♐ | 10 ♌ | 11 ♍ | 12 ≏ | Asc. ≏ | 2 ♏ | 3 ♐ |
|---|---|---|---|---|---|---|---|---|---|---|---|---|---|---|---|---|---|---|
| H M S | ° | ° | ° | ° ′ | ° | ° | ° | ° | ° | ° ′ | ° | ° | ° | ° | ° | ° ′ | ° | ° |
| 8 8 45 | 0 | 2 | 2 | 28 58 | 28 | 28 | 0 | 2 | 2 | 28 45 | 28 | 28 | 0 | 2 | 2 | 28 33 | 27 | 28 |
| 12 54 | 1 | 3 | 3 | 29 54 | 29 | 29 | 1 | 3 | 3 | 29 41 | 29 | 29 | 1 | 3 | 3 | 29 27 | 28 | 29 |
| 17 3 | 2 | 4 | 4 | 0♏49 | ♐ | ♑ | 2 | 4 | 4 | 0♏35 | ♐ | ♑ | 2 | 4 | 4 | 0♏22 | 29 | ♑ |
| 8 21 11 | 3 | 5 | 5 | 1 44 | 1 | 1 | 3 | 5 | 5 | 1 30 | 0 | 1 | 3 | 5 | 5 | 1 16 | ♐ | 1 |
| 25 19 | 4 | 6 | 6 | 2 39 | 2 | 2 | 4 | 6 | 6 | 2 24 | 1 | 2 | 4 | 6 | 6 | 1 10 | 1 | 2 |
| 29 26 | 5 | 7 | 7 | 3 33 | 3 | 3 | 5 | 7 | 7 | 3 18 | 2 | 3 | 5 | 7 | 7 | 3 4 | 2 | 3 |
| 8 33 31 | 6 | 8 | 8 | 4 27 | 4 | 4 | 6 | 8 | 8 | 4 12 | 3 | 4 | 6 | 8 | 8 | 3 57 | 3 | 4 |
| 37 37 | 7 | 9 | 9 | 5 21 | 5 | 5 | 7 | 9 | 9 | 5 6 | 4 | 5 | 7 | 9 | 9 | 4 51 | 4 | 5 |
| 41 41 | 8 | 10 | 10 | 6 15 | 6 | 6 | 8 | 10 | 10 | 6 0 | 5 | 6 | 8 | 10 | 10 | 5 44 | 5 | 6 |
| 8 45 45 | 9 | 11 | 11 | 7 9 | 6 | 7 | 9 | 11 | 11 | 6 53 | 6 | 7 | 9 | 11 | 11 | 6 37 | 6 | 7 |
| 49 48 | 10 | 12 | 12 | 8 3 | 7 | 8 | 10 | 12 | 12 | 7 46 | 7 | 8 | 10 | 12 | 12 | 7 30 | 7 | 8 |
| 53 51 | 11 | 12 | 13 | 8 56 | 8 | 9 | 11 | 13 | 13 | 8 39 | 8 | 9 | 11 | 13 | 13 | 8 22 | 8 | 9 |
| 8 57 52 | 12 | 14 | 14 | 9 49 | 9 | 10 | 12 | 14 | 14 | 9 32 | 9 | 10 | 12 | 14 | 14 | 9 15 | 9 | 10 |
| 9 1 53 | 13 | 15 | 15 | 10 42 | 10 | 11 | 13 | 15 | 15 | 10 25 | 10 | 11 | 13 | 15 | 15 | 10 7 | 10 | 11 |
| 5 53 | 14 | 16 | 16 | 11 34 | 11 | 12 | 14 | 16 | 16 | 11 17 | 10 | 11 | 14 | 16 | 16 | 10 59 | 10 | 11 |
| 9 9 53 | 15 | 17 | 17 | 12 27 | 12 | 13 | 15 | 17 | 17 | 12 9 | 11 | 12 | 15 | 17 | 17 | 11 51 | 11 | 12 |
| 13 52 | 16 | 18 | 18 | 13 19 | 13 | 14 | 16 | 18 | 18 | 13 1 | 12 | 13 | 16 | 18 | 18 | 12 42 | 12 | 13 |
| 17 50 | 17 | 19 | 19 | 14 11 | 14 | 15 | 17 | 19 | 19 | 13 52 | 13 | 14 | 17 | 19 | 19 | 13 34 | 13 | 14 |
| 9 21 47 | 18 | 20 | 20 | 15 3 | 15 | 16 | 18 | 20 | 20 | 14 44 | 14 | 15 | 18 | 20 | 20 | 14 25 | 14 | 15 |
| 25 44 | 19 | 21 | 20 | 15 54 | 15 | 16 | 19 | 21 | 20 | 15 35 | 15 | 16 | 19 | 21 | 20 | 15 16 | 14 | 16 |
| 29 40 | 20 | 22 | 21 | 16 46 | 16 | 17 | 20 | 22 | 21 | 16 26 | 16 | 17 | 20 | 22 | 21 | 16 6 | 15 | 17 |
| 9 33 35 | 21 | 23 | 22 | 17 37 | 17 | 18 | 21 | 23 | 22 | 17 17 | 17 | 18 | 21 | 23 | 22 | 16 57 | 16 | 18 |
| 37 29 | 22 | 24 | 23 | 18 28 | 18 | 19 | 22 | 24 | 23 | 18 7 | 18 | 19 | 22 | 24 | 23 | 17 47 | 17 | 19 |
| 41 23 | 23 | 25 | 24 | 19 18 | 19 | 20 | 23 | 25 | 24 | 18 58 | 19 | 20 | 23 | 25 | 24 | 18 37 | 18 | 20 |
| 9 45 16 | 24 | 26 | 25 | 20 9 | 19 | 21 | 24 | 26 | 25 | 19 48 | 19 | 21 | 24 | 26 | 25 | 19 28 | 19 | 21 |
| 49 9 | 25 | 27 | 26 | 21 0 | 20 | 22 | 25 | 27 | 26 | 20 38 | 20 | 22 | 25 | 27 | 26 | 20 17 | 20 | 22 |
| 53 1 | 26 | 28 | 27 | 21 50 | 21 | 23 | 26 | 28 | 27 | 21 29 | 21 | 23 | 26 | 28 | 27 | 21 7 | 21 | 23 |
| 9 56 52 | 27 | 29 | 28 | 22 40 | 22 | 24 | 27 | 29 | 28 | 22 19 | 22 | 24 | 27 | 29 | 28 | 21 57 | 22 | 24 |
| 10 0 43 | 28 | ≏ | 29 | 23 30 | 23 | 25 | 28 | ≏ | 29 | 23 9 | 23 | 25 | 28 | ≏ | 29 | 22 47 | 23 | 25 |
| 4 33 | 29 | 1 | ♏ | 24 20 | 24 | 26 | 29 | 1 | ♏ | 23 58 | 23 | 25 | 29 | 1 | ♏ | 23 36 | 23 | 26 |

| Houses | 4 | 5 | 6 | 7 | 8 | 9 | 4 | 5 | 6 | 7 | 8 | 9 | 4 | 5 | 6 | 7 | 8 | 9 |

Latitude 25° S.  Latitude 26° S.  Latitude 27° S.

# SIMPLIFIED SCIENTIFIC TABLES OF HOUSES

### Latitude 25° N.  Latitude 26° N.  Latitude 27° N.

| Sider'l Time | 10 (mp) | 11 (≏) | 12 (m) | Asc (m) | 2 (♐) | 3 (♑) | 10 (mp) | 11 (≏) | 12 (m) | Asc (m) | 2 (♐) | 3 (♑) | 10 (mp) | 11 (≏) | 12 (m) | Asc (m) | 2 (♐) | 3 (♑) |
|---|---|---|---|---|---|---|---|---|---|---|---|---|---|---|---|---|---|---|
| H M S | ° | ° | ° | ° ′ | ° | ° | ° | ° | ° | ° ′ | ° | ° | ° | ° | ° | ° ′ | ° | ° |
| 10 8 23 | 0 | 2 | 0 | 25 10 | 25 | 27 | 0 | 2 | 0 | 24 48 | 24 | 26 | 0 | 2 | 0 | 24 25 | 24 | 26 |
| 12 12 | 1 | 3 | 1 | 26 0 | 26 | 28 | 1 | 3 | 1 | 25 37 | 25 | 27 | 1 | 3 | 1 | 25 15 | 25 | 27 |
| 16 0 | 2 | 4 | 2 | 26 49 | 27 | 29 | 2 | 4 | 2 | 26 26 | 26 | 28 | 2 | 4 | 2 | 26 4 | 26 | 28 |
| 10 19 48 | 3 | 5 | 3 | 27 38 | 28 | ♒ | 3 | 5 | 3 | 27 15 | 27 | 29 | 3 | 5 | 3 | 26 52 | 27 | 29 |
| 23 35 | 4 | 6 | 4 | 28 28 | 28 | 0 | 4 | 6 | 4 | 28 4 | 28 | ♒ | 4 | 6 | 4 | 27 41 | 27 | ♒ |
| 27 22 | 5 | 7 | 5 | 29 17 | 29 | 1 | 5 | 7 | 5 | 28 53 | 29 | 1 | 5 | 7 | 5 | 28 29 | 28 | 1 |
| 10 31 8 | 6 | 8 | 6 | 0 ♐ 6 | ♑ | 2 | 6 | 8 | 6 | 29 42 | ♑ | 2 | 6 | 8 | 6 | 29 18 | 29 | 2 |
| 34 54 | 7 | 9 | 7 | 0 54 | 0 | 3 | 7 | 9 | 7 | 0 ♐ 30 | 0 | 3 | 7 | 9 | 7 | 0 ♐ 6 | ♑ | 3 |
| 38 40 | 8 | 10 | 8 | 1 43 | 1 | 4 | 8 | 10 | 8 | 1 19 | 1 | 4 | 8 | 10 | 8 | 0 55 | 1 | 4 |
| 10 42 25 | 9 | 11 | 8 | 2 32 | 2 | 5 | 9 | 11 | 8 | 2 8 | 2 | 5 | 9 | 11 | 8 | 1 43 | 2 | 5 |
| 46 9 | 10 | 12 | 9 | 3 21 | 3 | 6 | 10 | 12 | 9 | 2 56 | 3 | 6 | 10 | 12 | 9 | 2 31 | 3 | 6 |
| 49 53 | 11 | 13 | 10 | 4 9 | 4 | 7 | 11 | 13 | 10 | 3 44 | 4 | 7 | 11 | 13 | 10 | 3 19 | 4 | 7 |
| 10 53 37 | 12 | 14 | 11 | 4 58 | 5 | 8 | 12 | 14 | 11 | 4 33 | 5 | 8 | 12 | 14 | 11 | 4 7 | 5 | 8 |
| 57 20 | 13 | 15 | 12 | 5 46 | 6 | 9 | 13 | 15 | 12 | 5 21 | 6 | 9 | 13 | 15 | 12 | 4 55 | 6 | 9 |
| 11 1 3 | 14 | 16 | 13 | 6 35 | 7 | 10 | 14 | 15 | 12 | 6 9 | 6 | 10 | 14 | 15 | 12 | 5 43 | 6 | 10 |
| 11 4 46 | 15 | 16 | 14 | 7 23 | 8 | 11 | 15 | 16 | 13 | 6 57 | 7 | 11 | 15 | 16 | 13 | 6 31 | 7 | 11 |
| 8 28 | 16 | 17 | 15 | 8 11 | 9 | 12 | 16 | 17 | 14 | 7 45 | 8 | 12 | 16 | 17 | 14 | 7 19 | 8 | 12 |
| 12 10 | 17 | 18 | 16 | 8 59 | 10 | 13 | 17 | 18 | 15 | 8 33 | 9 | 13 | 17 | 18 | 15 | 8 7 | 9 | 13 |
| 11 15 52 | 18 | 19 | 17 | 9 48 | 11 | 14 | 18 | 19 | 16 | 9 22 | 10 | 14 | 18 | 19 | 16 | 8 55 | 10 | 14 |
| 19 34 | 19 | 20 | 17 | 10 36 | 11 | 15 | 19 | 20 | 17 | 10 10 | 11 | 15 | 19 | 20 | 16 | 9 43 | 10 | 14 |
| 23 15 | 20 | 21 | 18 | 11 24 | 12 | 16 | 20 | 21 | 18 | 10 58 | 12 | 16 | 20 | 21 | 17 | 10 31 | 11 | 15 |
| 11 26 56 | 21 | 22 | 19 | 12 13 | 13 | 17 | 21 | 22 | 19 | 11 46 | 13 | 17 | 21 | 22 | 18 | 11 19 | 12 | 16 |
| 30 37 | 22 | 23 | 20 | 13 1 | 14 | 18 | 22 | 23 | 20 | 12 34 | 14 | 18 | 22 | 23 | 19 | 12 6 | 13 | 17 |
| 34 18 | 23 | 24 | 21 | 13 49 | 15 | 19 | 23 | 24 | 21 | 13 22 | 15 | 19 | 23 | 24 | 20 | 12 55 | 14 | 18 |
| 11 37 58 | 24 | 25 | 21 | 14 38 | 16 | 20 | 24 | 25 | 21 | 14 10 | 15 | 20 | 24 | 25 | 20 | 13 43 | 15 | 19 |
| 41 39 | 25 | 26 | 22 | 15 26 | 17 | 21 | 25 | 26 | 22 | 14 58 | 16 | 21 | 25 | 26 | 21 | 14 31 | 16 | 20 |
| 45 19 | 26 | 27 | 23 | 16 15 | 18 | 22 | 26 | 27 | 23 | 15 47 | 17 | 22 | 26 | 27 | 22 | 15 19 | 17 | 21 |
| 11 49 0 | 27 | 28 | 24 | 17 3 | 19 | 23 | 27 | 28 | 24 | 16 35 | 18 | 23 | 27 | 28 | 23 | 16 7 | 18 | 22 |
| 52 40 | 28 | 29 | 25 | 17 52 | 20 | 24 | 28 | 29 | 25 | 17 24 | 19 | 24 | 28 | 29 | 24 | 16 55 | 19 | 23 |
| 56 20 | 29 | m | 25 | 18 40 | 20 | 25 | 29 | m | 25 | 18 12 | 20 | 25 | 29 | m | 25 | 17 44 | 19 | 24 |
| Houses | 4 | 5 | 6 | 7 | 8 | 9 | 4 | 5 | 6 | 7 | 8 | 9 | 4 | 5 | 6 | 7 | 8 | 9 |

### Latitude 25° S.  Latitude 26° S.  Latitude 27° S.

# SIMPLIFIED SCIENTIFIC TABLES OF HOUSES

Latitude 25° N.     Latitude 26° N.     Latitude 27° N.

| Sider'l Time (H M S) | 10 ≏ | 11 ♏ | 12 ♏ | Asc. ♐ | 2 ♑ | 3 ♒ | 10 ≏ | 11 ♏ | 12 ♏ | Asc. ♐ | 2 ♑ | 3 ♒ | 10 ≏ | 11 ♏ | 12 ♏ | Asc. ♐ | 2 ♑ | 3 ♒ |
|---|---|---|---|---|---|---|---|---|---|---|---|---|---|---|---|---|---|---|
| 12 0 0 | 0 | 0 | 26 | 19 29 | 21 | 26 | 0 | 0 | 26 | 19 1 | 21 | 26 | 0 | 0 | 25 | 18 33 | 20 | 25 |
| 12 3 40 | 1 | 1 | 27 | 20 18 | 22 | 27 | 1 | 1 | 27 | 19 50 | 22 | 27 | 1 | 1 | 26 | 19 21 | 21 | 26 |
| 12 7 20 | 2 | 2 | 28 | 21 7 | 23 | 28 | 2 | 2 | 27 | 20 38 | 23 | 28 | 2 | 2 | 27 | 20 9 | 22 | 28 |
| 12 11 0 | 3 | 3 | 29 | 21 56 | 24 | 29 | 3 | 3 | 28 | 21 27 | 24 | 29 | 3 | 3 | 28 | 20 58 | 23 | 29 |
| 12 14 41 | 4 | 4 | ♐ | 22 45 | 25 | ♓ | 4 | 4 | 28 | 22 17 | 24 | ♓ | 4 | 4 | 28 | 21 47 | 24 | ♓ |
| 12 18 21 | 5 | 5 | 0 | 23 35 | 26 | 1 | 5 | 5 | 29 | 23 6 | 25 | 1 | 5 | 5 | 29 | 22 36 | 25 | 1 |
| 12 22 2 | 6 | 6 | 1 | 24 24 | 27 | 2 | 6 | 6 | ♐ | 23 55 | 26 | 2 | 6 | 6 | ♐ | 23 26 | 26 | 2 |
| 12 25 42 | 7 | 7 | 2 | 25 14 | 28 | 3 | 7 | 7 | 1 | 24 45 | 27 | 3 | 7 | 7 | 1 | 24 15 | 27 | 3 |
| 12 29 23 | 8 | 8 | 3 | 26 4 | 29 | 4 | 8 | 8 | 2 | 25 34 | 28 | 4 | 8 | 8 | 2 | 25 4 | 28 | 4 |
| 12 33 4 | 9 | 9 | 3 | 26 54 | ♒ | 5 | 9 | 8 | 3 | 26 24 | 29 | 5 | 9 | 8 | 3 | 25 54 | 28 | 5 |
| 12 36 45 | 10 | 9 | 4 | 27 44 | 0 | 6 | 10 | 9 | 4 | 27 14 | ♒ | 6 | 10 | 9 | 4 | 26 44 | 29 | 6 |
| 12 40 26 | 11 | 10 | 5 | 28 34 | 1 | 7 | 11 | 10 | 5 | 28 5 | 1 | 7 | 11 | 10 | 5 | 27 34 | ♒ | 7 |
| 12 44 8 | 12 | 11 | 6 | 29 25 | 2 | 8 | 12 | 11 | 6 | 28 55 | 2 | 8 | 12 | 11 | 6 | 28 25 | 1 | 8 |
| 12 47 50 | 13 | 12 | 7 | 0♑16 | 3 | 9 | 13 | 12 | 7 | 29 46 | 3 | 9 | 13 | 12 | 7 | 29 15 | 2 | 9 |
| 12 51 32 | 14 | 13 | 7 | 1 7 | 4 | 10 | 14 | 13 | 7 | 0♑36 | 4 | 10 | 14 | 12 | 7 | 0♑ 6 | 3 | 10 |
| 12 55 14 | 15 | 14 | 8 | 1 58 | 5 | 11 | 15 | 14 | 8 | 1 28 | 5 | 11 | 15 | 13 | 8 | 0 57 | 5 | 11 |
| 12 58 57 | 16 | 15 | 9 | 2 50 | 6 | 12 | 16 | 15 | 9 | 2 19 | 6 | 12 | 16 | 14 | 9 | 1 49 | 6 | 12 |
| 13 2 40 | 17 | 16 | 10 | 3 41 | 7 | 13 | 17 | 16 | 10 | 3 11 | 7 | 13 | 17 | 15 | 10 | 2 40 | 7 | 13 |
| 13 6 23 | 18 | 17 | 11 | 4 33 | 8 | 14 | 18 | 17 | 11 | 4 3 | 8 | 14 | 18 | 16 | 11 | 3 32 | 8 | 14 |
| 13 10 7 | 19 | 17 | 11 | 5 26 | 9 | 15 | 19 | 17 | 11 | 4 56 | 9 | 15 | 19 | 17 | 11 | 4 25 | 9 | 15 |
| 13 13 51 | 20 | 18 | 13 | 6 19 | 10 | 17 | 20 | 18 | 12 | 5 48 | 10 | 16 | 20 | 18 | 12 | 5 17 | 10 | 16 |
| 13 17 35 | 21 | 19 | 14 | 7 12 | 11 | 18 | 21 | 19 | 13 | 6 41 | 11 | 17 | 21 | 19 | 13 | 6 10 | 11 | 17 |
| 13 21 20 | 22 | 20 | 15 | 8 5 | 12 | 19 | 22 | 20 | 14 | 7 35 | 12 | 18 | 22 | 20 | 14 | 7 3 | 12 | 18 |
| 13 25 6 | 23 | 21 | 16 | 8 59 | 13 | 20 | 23 | 21 | 15 | 8 28 | 13 | 19 | 23 | 21 | 15 | 7 57 | 13 | 19 |
| 13 28 52 | 24 | 22 | 16 | 9 53 | 14 | 21 | 24 | 21 | 15 | 9 22 | 14 | 20 | 24 | 21 | 15 | 8 51 | 14 | 20 |
| 13 32 38 | 25 | 23 | 17 | 10 47 | 15 | 22 | 25 | 22 | 16 | 10 17 | 15 | 22 | 25 | 22 | 16 | 9 45 | 15 | 22 |
| 13 36 25 | 26 | 24 | 18 | 11 42 | 16 | 23 | 26 | 23 | 17 | 11 11 | 16 | 23 | 26 | 23 | 17 | 10 40 | 16 | 23 |
| 13 40 12 | 27 | 25 | 19 | 12 37 | 17 | 24 | 27 | 24 | 18 | 12 6 | 17 | 24 | 27 | 24 | 18 | 11 35 | 17 | 24 |
| 13 44 0 | 28 | 26 | 20 | 13 33 | 18 | 25 | 28 | 25 | 19 | 13 2 | 18 | 25 | 28 | 25 | 19 | 12 31 | 18 | 25 |
| 13 47 48 | 29 | 26 | 20 | 14 29 | 19 | 26 | 29 | 26 | 20 | 13 58 | 19 | 26 | 29 | 26 | 20 | 13 26 | 19 | 26 |
| Houses | 4 | 5 | 6 | 7 | 8 | 9 | 4 | 5 | 6 | 7 | 8 | 9 | 4 | 5 | 6 | 7 | 8 | 9 |

Latitude 25° S.     Latitude 26° S.     Latitude 27° S.

# SIMPLIFIED SCIENTIFIC TABLES OF HOUSES

### Latitude 25° N.    Latitude 26° N.    Latitude 27° N.

| Sider'l Time H M S | 10 ♏ | 11 ♏ | 12 ♐ | Asc. ♑ | 2 ≈ | 3 × | 10 ♏ | 11 ♏ | 12 ♐ | Asc. ♑ | 2 ≈ | 3 × | 10 ♏ | 11 ♏ | 12 ♐ | Asc. ♑ | 2 ≈ | 3 × |
|---|---|---|---|---|---|---|---|---|---|---|---|---|---|---|---|---|---|---|
| 13 51 37 | 0 | 27 | 21 | 15 25 | 21 | 28 | 0 | 27 | 21 | 14 54 | 21 | 28 | 0 | 27 | 20 | 14 23 | 20 | 27 |
| 55 27 | 1 | 28 | 22 | 16 22 | 22 | 29 | 1 | 28 | 22 | 15 51 | 22 | 29 | 1 | 28 | 21 | 15 20 | 21 | 28 |
| 59 17 | 2 | 29 | 23 | 17 20 | 23 | ♈ | 2 | 29 | 23 | 16 49 | 23 | ♈ | 2 | 29 | 22 | 16 17 | 22 | 29 |
| 14 3 8 | 3 | ♐ | 24 | 18 17 | 24 | 1 | 3 | ♐ | 24 | 17 47 | 24 | 1 | 3 | ♐ | 23 | 17 15 | 23 | ♈ |
| 6 59 | 4 | 0 | 24 | 19 16 | 25 | 2 | 4 | 0 | 24 | 18 45 | 25 | 2 | 4 | 0 | 24 | 18 13 | 24 | 1 |
| 10 51 | 5 | 1 | 25 | 20 14 | 26 | 3 | 5 | 1 | 25 | 19 43 | 26 | 3 | 5 | 1 | 25 | 19 12 | 26 | 3 |
| 14 14 44 | 6 | 2 | 26 | 21 14 | 27 | 4 | 6 | 2 | 26 | 20 43 | 27 | 4 | 6 | 2 | 26 | 20 11 | 27 | 4 |
| 18 37 | 7 | 3 | 27 | 22 13 | 28 | 5 | 7 | 3 | 27 | 21 43 | 28 | 5 | 7 | 3 | 27 | 21 11 | 28 | 5 |
| 22 31 | 8 | 4 | 28 | 23 14 | 29 | 6 | 8 | 4 | 28 | 22 43 | 29 | 6 | 8 | 4 | 28 | 22 12 | 29 | 6 |
| 14 26 25 | 9 | 5 | 28 | 24 14 | × 7 | | 9 | 5 | 28 | 23 44 | × 7 | | 9 | 5 | 28 | 23 13 | × 7 | |
| 30 20 | 10 | 6 | 29 | 25 16 | 2 | 9 | 10 | 6 | 29 | 24 46 | 2 | 9 | 10 | 6 | 29 | 24 15 | 2 | 9 |
| 34 16 | 11 | 7 | V3 | 26 18 | 3 | 10 | 11 | 7 | V3 | 25 48 | 3 | 10 | 11 | 7 | V3 | 25 17 | 3 | 10 |
| 14 38 13 | 12 | 8 | 1 | 27 20 | 4 | 11 | 12 | 8 | 7 | 26 50 | 4 | 11 | 12 | 8 | 1 | 26 19 | 4 | 11 |
| 42 10 | 13 | 9 | 2 | 28 24 | 5 | 12 | 13 | 9 | 2 | 27 54 | 5 | 12 | 13 | 9 | 2 | 27 23 | 5 | 12 |
| 46 8 | 14 | 9 | 3 | 29 27 | 6 | 13 | 14 | 9 | 3 | 28 57 | 6 | 13 | 14 | 9 | 3 | 28 27 | 6 | 13 |
| 14 50 7 | 15 | 10 | 4 | 0≈32 | 8 | 15 | 15 | 10 | 4 | 0 ≈ 2 | 8 | 15 | 15 | 10 | 4 | 29 32 | 8 | 15 |
| 54 7 | 16 | 11 | 5 | 1 37 | 9 | 16 | 16 | 11 | 5 | 1 7 | 9 | 16 | 16 | 11 | 5 | 0≈37 | 9 | 16 |
| 58 7 | 17 | 12 | 6 | 2 42 | 10 | 17 | 17 | 12 | 6 | 2 13 | 10 | 17 | 17 | 12 | 6 | 1 43 | 10 | 17 |
| 15 2 8 | 18 | 13 | 7 | 3 49 | 11 | 18 | 18 | 13 | 7 | 3 20 | 11 | 18 | 18 | 13 | 7 | 2 50 | 11 | 18 |
| 6 9 | 19 | 14 | 8 | 4 56 | 12 | 19 | 19 | 14 | 8 | 4 27 | 12 | 19 | 19 | 14 | 8 | 3 57 | 12 | 19 |
| 10 12 | 20 | 15 | 9 | 6 3 | 14 | 20 | 20 | 15 | 9 | 5 35 | 14 | 20 | 20 | 15 | 8 | 5 5 | 14 | 20 |
| 15 14 15 | 21 | 16 | 10 | 7 12 | 15 | 21 | 21 | 16 | 10 | 6 43 | 15 | 21 | 21 | 16 | 9 | 6 14 | 15 | 21 |
| 18 19 | 22 | 17 | 11 | 8 21 | 16 | 22 | 22 | 17 | 11 | 7 53 | 16 | 22 | 22 | 17 | 10 | 7 24 | 15 | 22 |
| 22 23 | 23 | 18 | 12 | 9 31 | 17 | 23 | 23 | 18 | 12 | 9 3 | 17 | 23 | 23 | 18 | 11 | 8 34 | 17 | 23 |
| 15 26 29 | 24 | 19 | 13 | 10 41 | 19 | 24 | 24 | 19 | 13 | 10 13 | 19 | 24 | 24 | 18 | 12 | 9 45 | 19 | 24 |
| 30 35 | 25 | 20 | 14 | 11 52 | 21 | 26 | 25 | 20 | 14 | 11 25 | 21 | 26 | 25 | 19 | 13 | 10 57 | 21 | 26 |
| 34 41 | 26 | 21 | 15 | 13 4 | 22 | 27 | 26 | 21 | 15 | 12 37 | 22 | 27 | 26 | 20 | 14 | 12 10 | 22 | 27 |
| 15 38 49 | 27 | 22 | 16 | 14 16 | 23 | 28 | 27 | 22 | 16 | 13 50 | 23 | 28 | 27 | 21 | 15 | 13 23 | 23 | 28 |
| 42 57 | 28 | 23 | 17 | 15 29 | 24 | 29 | 28 | 23 | 17 | 15 4 | 24 | 29 | 28 | 22 | 16 | 14 37 | 24 | 29 |
| 47 6 | 29 | 23 | 18 | 16 43 | 25 | ୪ | 29 | 23 | 18 | 16 18 | 25 | ୪ | 29 | 23 | 17 | 15 52 | 25 | ୪ |

| Houses | 4 | 5 | 6 | 7 | 8 | 9 | 4 | 5 | 6 | 7 | 8 | 9 | 4 | 5 | 6 | 7 | 8 | 9 |

### Latitude 25° S.    Latitude 26° S.    Latitude 27° S.

# SIMPLIFIED SCIENTIFIC TABLES OF HOUSES

Latitude 25° N.　　Latitude 26° N.　　Latitude 27° N.

| Siderl'l Time | 10 ♐ | 11 ♐ | 12 ♑ | Asc. ♒ | 2 ♓ | 3 ♉ | 10 ♐ | 11 ♐ | 12 ♑ | Asc. ♒ | 2 ♓ | 3 ♉ | 10 ♐ | 11 ♐ | 12 ♑ | Asc. ♒ | 2 ♓ | 3 ♉ |
|---|---|---|---|---|---|---|---|---|---|---|---|---|---|---|---|---|---|---|
| H M S | ° | ° | ° | ° ' | ° | ° | ° | ° | ° | ° ' | ° | ° | ° | ° | ° | ° ' | ° | ° |
| 15 51 15 | 0 | 24 | 19 | 17 58 | 27 | 2 | 0 | 24 | 19 | 17 33 | 27 | 2 | 0 | 24 | 18 | 17 7 | 27 | 2 |
| 55 25 | 1 | 25 | 20 | 19 13 | 28 | 3 | 1 | 25 | 20 | 18 49 | 28 | 3 | 1 | 25 | 19 | 18 24 | 28 | 3 |
| 59 36 | 2 | 26 | 21 | 20 29 | 29 | 4 | 2 | 26 | 21 | 20 5 | 29 | 4 | 2 | 26 | 20 | 19 41 | 29 | 4 |
| 16 3 48 | 3 | 27 | 22 | 21 46 | ♈ | 5 | 3 | 27 | 22 | 21 23 | ♈ | 5 | 3 | 27 | 21 | 20 59 | ♈ | 5 |
| 8 0 | 4 | 28 | 23 | 23 3 | 2 | 6 | 4 | 28 | 23 | 22 41 | 2 | 6 | 4 | 28 | 22 | 22 17 | 2 | 6 |
| 12 13 | 5 | 29 | 24 | 24 22 | 4 | 8 | 5 | 29 | 24 | 24 0 | 4 | 8 | 5 | 29 | 23 | 23 37 | 4 | 8 |
| 16 16 26 | 6 | ♑ | 25 | 25 41 | 5 | 9 | 6 | ♑ | 25 | 25 19 | 5 | 9 | 6 | ♑ | 24 | 24 57 | 5 | 9 |
| 20 40 | 7 | 1 | 26 | 27 0 | 6 | 10 | 7 | 1 | 26 | 26 40 | 6 | 10 | 7 | 1 | 25 | 26 18 | 6 | 10 |
| 24 55 | 8 | 2 | 27 | 28 21 | 7 | 11 | 8 | 2 | 27 | 28 1 | 7 | 11 | 8 | 2 | 26 | 27 40 | 7 | 11 |
| 16 29 10 | 9 | 3 | 28 | 29 42 | 8 | 12 | 9 | 3 | 28 | 29 23 | 8 | 12 | 9 | 3 | 27 | 29 2 | 9 | 12 |
| 33 26 | 10 | 4 | 29 | 1 ♓ 4 | 10 | 13 | 10 | 4 | 29 | 0 ♓ 45 | 10 | 13 | 10 | 4 | 29 | 0 ♓ 26 | 11 | 14 |
| 37 42 | 11 | 5 | ♒ | 2 26 | 11 | 14 | 11 | 5 | ♒ | 2 8 | 11 | 14 | 11 | 5 | ♒ | 1 50 | 12 | 15 |
| 16 41 59 | 12 | 6 | 1 | 3 49 | 12 | 15 | 12 | 6 | 1 | 3 32 | 12 | 15 | 12 | 6 | 1 | 3 14 | 13 | 16 |
| 46 16 | 13 | 7 | 2 | 5 13 | 13 | 16 | 13 | 7 | 2 | 4 56 | 13 | 16 | 13 | 7 | 2 | 4 39 | 14 | 17 |
| 50 34 | 14 | 8 | 3 | 6 37 | 15 | 17 | 14 | 8 | 3 | 6 21 | 15 | 17 | 14 | 8 | 3 | 6 5 | 15 | 18 |
| 16 54 52 | 15 | 9 | 5 | 8 2 | 17 | 19 | 15 | 9 | 5 | 7 47 | 17 | 19 | 15 | 9 | 5 | 7 31 | 17 | 19 |
| 59 10 | 16 | 10 | 6 | 9 27 | 18 | 20 | 16 | 10 | 6 | 9 13 | 18 | 20 | 16 | 10 | 6 | 8 59 | 18 | 20 |
| 17 3 29 | 17 | 11 | 7 | 10 53 | 19 | 21 | 17 | 11 | 7 | 10 40 | 19 | 21 | 17 | 11 | 7 | 10 26 | 19 | 21 |
| 17 7 49 | 18 | 12 | 8 | 12 19 | 20 | 22 | 18 | 12 | 8 | 12 7 | 20 | 22 | 18 | 12 | 8 | 11 54 | 20 | 22 |
| 12 9 | 19 | 13 | 9 | 13 46 | 22 | 23 | 19 | 13 | 9 | 13 35 | 22 | 23 | 19 | 13 | 9 | 13 23 | 22 | 23 |
| 16 29 | 20 | 14 | 11 | 15 13 | 24 | 25 | 20 | 14 | 11 | 15 3 | 24 | 25 | 20 | 14 | 10 | 14 52 | 24 | 25 |
| 17 20 49 | 21 | 15 | 12 | 16 41 | 25 | 26 | 21 | 15 | 12 | 16 31 | 25 | 26 | 21 | 15 | 11 | 16 22 | 25 | 26 |
| 25 9 | 22 | 16 | 13 | 18 9 | 26 | 27 | 22 | 16 | 13 | 18 0 | 26 | 27 | 22 | 16 | 12 | 17 52 | 26 | 27 |
| 29 30 | 23 | 17 | 14 | 19 37 | 27 | 28 | 23 | 17 | 14 | 19 30 | 27 | 28 | 23 | 17 | 13 | 19 22 | 27 | 28 |
| 17 33 51 | 24 | 18 | 15 | 21 5 | 29 | 29 | 24 | 18 | 15 | 20 59 | 29 | 29 | 24 | 18 | 14 | 20 53 | 29 | 29 |
| 38 12 | 25 | 19 | 17 | 22 34 | ♉ | ♊ | 25 | 19 | 17 | 22 29 | ♉ | ♊ | 25 | 19 | 16 | 22 24 | ♉ | ♊ |
| 42 34 | 26 | 20 | 18 | 24 3 | 1 | 1 | 26 | 20 | 18 | 23 59 | 1 | 1 | 26 | 20 | 17 | 23 55 | 1 | 1 |
| 17 46 55 | 27 | 21 | 19 | 25 32 | 2 | 2 | 27 | 21 | 19 | 25 29 | 2 | 2 | 27 | 21 | 18 | 25 26 | 2 | 2 |
| 51 17 | 28 | 22 | 20 | 27 1 | 3 | 3 | 28 | 22 | 20 | 26 59 | 3 | 3 | 28 | 22 | 19 | 26 57 | 3 | 3 |
| 55 38 | 29 | 23 | 21 | 28 31 | 5 | 4 | 29 | 23 | 21 | 28 29 | 5 | 4 | 29 | 23 | 21 | 28 28 | 5 | 4 |
| Houses | 4 | 5 | 6 | 7 | 8 | 9 | 4 | 5 | 6 | 7 | 8 | 9 | 4 | 5 | 6 | 7 | 8 | 9 |

Latitude 25° S.　　Latitude 26° S.　　Latitude 27° S.

Latitude 25° N.        Latitude 26° N.        Latitude 27° N.

| Sider'l Time | 10 ♑ | 11 ♑ | 12 ♒ | Asc. ♈ | 2 ♉ | 3 ♊ | 10 ♑ | 11 ♑ | 12 ♒ | Asc. ♈ | 2 ♉ | 3 ♊ | 10 ♑ | 11 ♑ | 12 ♒ | Asc. ♈ | 2 ♉ | 3 ♊ |
|---|---|---|---|---|---|---|---|---|---|---|---|---|---|---|---|---|---|---|
| H M S | ° | ° | ° | ° ' | ° | ° | ° | ° | ° | ° ' | ° | ° | ° | ° | ° | ° ' | ° | ° |
| 18 0 0 | 0 | 25 | 23 | 0 0 | 7 | 5 | 0 | 24 | 23 | 0 0 | 7 | 6 | 0 | 24 | 23 | 0 0 | 7 | 6 |
| 4 22 | 1 | 26 | 24 | 1 29 | 8 | 6 | 1 | 25 | 24 | 1 31 | 8 | 7 | 1 | 25 | 24 | 1 32 | 8 | 7 |
| 8 43 | 2 | 27 | 25 | 2 59 | 9 | 7 | 2 | 26 | 25 | 3 1 | 9 | 8 | 2 | 26 | 25 | 3 3 | 9 | 8 |
| 18 13 5 | 3 | 23 | 26 | 4 28 | 10 | 8 | 3 | 27 | 26 | 4 31 | 10 | 9 | 3 | 27 | 26 | 4 34 | 10 | 9 |
| 17 26 | 4 | 29 | 27 | 5 57 | 11 | 9 | 4 | 28 | 27 | 6 1 | 11 | 10 | 4 | 28 | 27 | 6 5 | 11 | 10 |
| 21 48 | 5 | ♒ | 29 | 7 26 | 13 | 11 | 5 | 29 | 29 | 7 31 | 13 | 11 | 5 | 29 | 29 | 7 36 | 13 | 11 |
| 18 26 9 | 6 | 1 | ♓ | 8 55 | 14 | 12 | 6 | ♒ | ♓ | 9 1 | 14 | 12 | 6 | ♒ | ♓ | 9 7 | 14 | 12 |
| 30 30 | 7 | 2 | 1 | 10 23 | 15 | 13 | 7 | 1 | 1 | 10 30 | 15 | 13 | 7 | 1 | 1 | 10 38 | 15 | 13 |
| 34 51 | 8 | 3 | 2 | 11 51 | 16 | 14 | 8 | 2 | 2 | 12 0 | 16 | 14 | 8 | 2 | 2 | 12 8 | 16 | 14 |
| 18 39 11 | 9 | 4 | 4 | 13 19 | 17 | 15 | 9 | 3 | 4 | 13 29 | 17 | 15 | 9 | 3 | 4 | 13 38 | 18 | 15 |
| 43 31 | 10 | 5 | 6 | 14 47 | 19 | 16 | 10 | 5 | 6 | 14 57 | 19 | 16 | 10 | 5 | 6 | 15 8 | 20 | 16 |
| 47 51 | 11 | 6 | 7 | 16 14 | 20 | 17 | 11 | 6 | 7 | 16 25 | 20 | 17 | 11 | 6 | 7 | 16 37 | 21 | 17 |
| 18 52 11 | 12 | 7 | 8 | 17 41 | 21 | 18 | 12 | 7 | 8 | 17 53 | 21 | 18 | 12 | 7 | 8 | 18 6 | 22 | 18 |
| 56 31 | 13 | 8 | 9 | 19 7 | 22 | 19 | 13 | 8 | 9 | 19 20 | 22 | 19 | 13 | 8 | 9 | 19 34 | 23 | 19 |
| 19 0 50 | 14 | 9 | 11 | 20 33 | 23 | 20 | 14 | 9 | 11 | 20 47 | 23 | 20 | 14 | 9 | 11 | 21 1 | 24 | 20 |
| 19 5 8 | 15 | 11 | 13 | 21 58 | 25 | 21 | 15 | 11 | 13 | 22 13 | 25 | 21 | 15 | 11 | 13 | 22 29 | 25 | 21 |
| 9 26 | 16 | 12 | 14 | 23 23 | 26 | 22 | 16 | 12 | 14 | 23 39 | 26 | 22 | 16 | 12 | 14 | 23 55 | 26 | 22 |
| 13 44 | 17 | 13 | 15 | 24 47 | 27 | 23 | 17 | 13 | 15 | 25 4 | 27 | 23 | 17 | 13 | 15 | 25 21 | 27 | 23 |
| 19 18 1 | 18 | 14 | 16 | 26 11 | 28 | 24 | 18 | 14 | 16 | 26 28 | 28 | 24 | 18 | 14 | 16 | 26 46 | 29 | 24 |
| 22 18 | 19 | 15 | 17 | 27 34 | 29 | 25 | 19 | 15 | 17 | 27 52 | 29 | 25 | 19 | 15 | 17 | 28 10 | ♊ | 25 |
| 26 34 | 20 | 17 | 19 | 28 56 | ♊ | 26 | 20 | 16 | 19 | 29 15 | ♊ | 26 | 20 | 16 | 19 | 29 34 | 1 | 26 |
| 19 30 50 | 21 | 18 | 20 | 0 ♉ 18 | 1 | 27 | 21 | 17 | 20 | 0 ♉ 37 | 1 | 27 | 21 | 17 | 20 | 0 ♉ 58 | 2 | 27 |
| 35 5 | 22 | 19 | 21 | 1 38 | 2 | 28 | 22 | 18 | 21 | 1 59 | 2 | 28 | 22 | 18 | 21 | 2 20 | 3 | 28 |
| 39 20 | 23 | 20 | 22 | 3 0 | 3 | 29 | 23 | 19 | 22 | 3 20 | 3 | 29 | 23 | 19 | 22 | 3 42 | 4 | 29 |
| 19 43 34 | 24 | 21 | 24 | 4 19 | 4 | ♋ | 24 | 20 | 24 | 4 41 | 4 | ♋ | 24 | 20 | 24 | 5 3 | 5 | ♋ |
| 47 47 | 25 | 22 | 26 | 5 38 | 6 | 1 | 25 | 22 | 26 | 6 0 | 6 | 1 | 25 | 22 | 26 | 6 23 | 6 | 1 |
| 52 0 | 26 | 23 | 27 | 6 57 | 7 | 2 | 26 | 23 | 27 | 7 19 | 7 | 2 | 26 | 23 | 27 | 7 43 | 7 | 2 |
| 19 56 12 | 27 | 24 | 29 | 8 14 | 8 | 3 | 27 | 24 | 29 | 8 37 | 8 | 3 | 27 | 24 | 29 | 9 1 | 8 | 3 |
| 20 0 24 | 28 | 25 | ♈ | 9 31 | 9 | 4 | 28 | 25 | ♈ | 9 55 | 9 | 4 | 28 | 25 | ♈ | 10 19 | 9 | 4 |
| 4 35 | 29 | 26 | 1 | 10 47 | 10 | 4 | 29 | 26 | 1 | 11 11 | 10 | 4 | 29 | 26 | 1 | 11 36 | 10 | 5 |
| Houses | 4 | 5 | 6 | 7 | 8 | 9 | 4 | 5 | 6 | 7 | 8 | 9 | 4 | 5 | 6 | 7 | 8 | 9 |

Latitude 25° S.        Latitude 26° S.        Latitude 27° S.

# SIMPLIFIED SCIENTIFIC TABLES OF HOUSES

### Latitude 25° N.  Latitude 26° N.  Latitude 27° N.

| Sider'l Time (H M S) | 10 ♒ | 11 ♒ | 12 ♈ | Asc. ♉ | 2 ♊ | 3 ♋ | 10 ♒ | 11 ♒ | 12 ♈ | Asc. ♉ | 2 ♊ | 3 ♋ | 10 ♒ | 11 ♒ | 12 ♈ | Asc. ♉ | 2 ♊ | 3 ♋ |
|---|---|---|---|---|---|---|---|---|---|---|---|---|---|---|---|---|---|---|
|  | ° | ° | ° | ° ' | ° | ° | ° | ° | ° | ° ' | ° | ° | ° | ° | ° | ° ' | ° | ° |
| 20 8 45 | 0 | 28 | 3 | 12 2 | 11 | 5 | 0 | 28 | 3 | 12 27 | 11 | 6 | 0 | 28 | 3 | 12 53 | 12 | 6 |
| 12 54 | 1 | 29 | 4 | 13 17 | 12 | 6 | 1 | 29 | 4 | 13 42 | 12 | 7 | 1 | 29 | 4 | 14 8 | 13 | 7 |
| 17 3 | 2 | ♓ | 5 | 14 31 | 13 | 7 | 2 | ♓ | 5 | 14 56 | 13 | 8 | 2 | ♓ | 5 | 15 23 | 14 | 8 |
| 20 21 11 | 3 | 1 | 6 | 15 44 | 14 | 8 | 3 | 1 | 6 | 16 10 | 14 | 9 | 3 | 1 | 6 | 16 37 | 15 | 9 |
| 25 19 | 4 | 2 | 7 | 16 56 | 15 | 9 | 4 | 2 | 7 | 17 23 | 15 | 9 | 4 | 2 | 7 | 17 50 | 16 | 10 |
| 29 26 | 5 | 4 | 9 | 18 8 | 16 | 10 | 5 | 4 | 9 | 18 35 | 16 | 10 | 5 | 4 | 9 | 19 3 | 17 | 11 |
| 20 33 31 | 6 | 5 | 10 | 19 19 | 17 | 11 | 6 | 5 | 10 | 19 47 | 17 | 11 | 6 | 5 | 10 | 20 15 | 18 | 12 |
| 37 37 | 7 | 6 | 11 | 20 29 | 18 | 12 | 7 | 6 | 11 | 20 57 | 18 | 12 | 7 | 6 | 11 | 21 26 | 19 | 13 |
| 41 41 | 8 | 7 | 12 | 21 39 | 19 | 13 | 8 | 7 | 12 | 22 7 | 19 | 13 | 8 | 7 | 12 | 22 36 | 20 | 14 |
| 20 45 45 | 9 | 8 | 14 | 22 48 | 20 | 14 | 9 | 8 | 14 | 23 17 | 20 | 14 | 9 | 8 | 14 | 23 46 | 21 | 14 |
| 49 48 | 10 | 10 | 16 | 23 57 | 21 | 15 | 10 | 10 | 16 | 24 25 | 21 | 15 | 10 | 9 | 16 | 24 55 | 22 | 15 |
| 53 51 | 11 | 11 | 17 | 25 4 | 22 | 16 | 11 | 11 | 17 | 25 33 | 22 | 16 | 11 | 10 | 17 | 26 3 | 23 | 16 |
| 20 57 52 | 12 | 12 | 18 | 26 11 | 23 | 17 | 12 | 12 | 18 | 26 40 | 23 | 17 | 12 | 11 | 18 | 27 10 | 24 | 17 |
| 21 1 53 | 13 | 13 | 19 | 27 18 | 24 | 18 | 13 | 13 | 19 | 27 47 | 24 | 18 | 13 | 12 | 19 | 28 17 | 25 | 18 |
| 5 53 | 14 | 14 | 20 | 28 23 | 25 | 18 | 14 | 14 | 20 | 28 53 | 25 | 19 | 14 | 13 | 20 | 29 23 | 25 | 19 |
| 21 9 53 | 15 | 15 | 22 | 29 28 | 26 | 19 | 15 | 15 | 22 | 29 58 | 26 | 20 | 15 | 15 | 22 | 0♊28 | 26 | 20 |
| 13 52 | 16 | 16 | 23 | 0♊33 | 27 | 20 | 16 | 16 | 23 | 1♊3 | 27 | 21 | 16 | 16 | 23 | 1 33 | 27 | 21 |
| 17 50 | 17 | 17 | 24 | 1 36 | 28 | 21 | 17 | 17 | 24 | 2 6 | 28 | 22 | 17 | 17 | 24 | 2 37 | 28 | 22 |
| 21 21 47 | 18 | 18 | 25 | 2 40 | 29 | 22 | 18 | 18 | 25 | 3 10 | 28 | 23 | 18 | 18 | 25 | 3 41 | 29 | 23 |
| 25 44 | 19 | 19 | 26 | 3 42 | 29 | 23 | 19 | 19 | 26 | 4 12 | 29 | 23 | 19 | 19 | 26 | 4 43 | ♋ | 23 |
| 29 40 | 20 | 21 | 28 | 4 44 | ♋ | 24 | 20 | 21 | 28 | 5 14 | ♋ | 24 | 20 | 21 | 28 | 5 45 | 1 | 24 |
| 21 33 35 | 21 | 22 | 29 | 5 46 | 1 | 25 | 21 | 22 | 29 | 6 16 | 1 | 25 | 21.22 | | 29 | 6 47 | 2 | 25 |
| 37 29 | 22 | 23 | ♉ | 6 46 | 2 | 26 | 22 | 23 | ♉ | 7 17 | 2 | 26 | 22 | 23 | ♉ | 7.48 | 3 | 26 |
| 41 23 | 23 | 24 | 1 | 7 47 | 3 | 27 | 23 | 24 | 1 | 8 17 | 3 | 27 | 23 | 24 | 1 | 8 49 | 4 | 27 |
| 21 45 16 | 24 | 25 | 2 | 8 46 | 4 | 27 | 24 | 25 | 2 | 9 17 | 4 | 28 | 24 | 25 | 2 | 9 49 | 5 | 28 |
| 49 9 | 25 | 27 | 3 | 9 46 | 5 | 28 | 25 | 27 | 4 | 10 17 | 5 | 29 | 25 | 27 | 4 | 10 48 | 5 | 29 |
| 53 1 | 26 | 28 | 4 | 10 44 | 6 | 29 | 26 | 28 | 5 | 11 15 | 6 | ♌ | 26 | 28 | 5 | 11 47 | 6 | ♌ |
| 21 56 52 | 27 | 29 | 5 | 11 43 | 7 | ♌ | 27 | 29 | 6 | 12 13 | 7 | 0 | 27 | 29 | 6 | 12 45 | 7 | 1 |
| 22 0 43 | 28 | ♈ | 6 | 12 40 | 8 | 1 | 28 | ♈ | 7 | 13 11 | 8 | 1 | 28 | ♈ | 7 | 13 43 | 8 | 2 |
| 4 33 | 29 | 1 | 7 | 13 38 | 8 | 2 | 29 | 1 | 8 | 14 9 | 8 | 2 | 29 | 1 | 8 | 14 40 | 9 | 3 |
| Houses | 4 | 5 | 6 | 7 | 8 | 9 | 4 | 5 | 6 | 7 | 8 | 9 | 4 | 5 | 6 | 7 | 8 | 9 |

### Latitude 25° S.  Latitude 26° S.  Latitude 27° S.

# SIMPLIFIED SCIENTIFIC TABLES OF HOUSES

Latitude 25° N.    Latitude 26° N.    Latitude 27° N.

| Sider'l Time (H M S) | 10 ♓ | 11 ♈ | 12 ♉ | Asc. ♊ | 2 ♋ | 3 ♌ | 10 ♓ | 11 ♈ | 12 ♉ | Asc. ♊ | 2 ♋ | 3 ♌ | 10 ♓ | 11 ♈ | 12 ♉ | Asc. ♊ | 2 ♋ | 3 ♌ |
|---|---|---|---|---|---|---|---|---|---|---|---|---|---|---|---|---|---|---|
| 22 8 23 | 0 | 2 | 9 | 14 35 | 9 | 3 | 0 | 2 | 9 | 15 6 | 9 | 3 | 0 | 2 | 10 | 15 37 | 10 | 3 |
| 12 12 | 1 | 3 | 10 | 15 31 | 10 | 4 | 1 | 3 | 10 | 16 2 | 10 | 4 | 1 | 3 | 11 | 16 34 | 11 | 4 |
| 16 0 | 2 | 4 | 11 | 16 27 | 11 | 5 | 2 | 4 | 11 | 16 58 | 11 | 5 | 2 | 4 | 12 | 17 29 | 12 | 5 |
| 22 19 48 | 3 | 5 | 12 | 17 23 | 12 | 6 | 3 | 5 | 12 | 17 54 | 12 | 6 | 3 | 5 | 13 | 18 25 | 13 | 6 |
| 23 35 | 4 | 6 | 13 | 18 18 | 12 | 6 | 4 | 6 | 13 | 18 49 | 12 | 7 | 4 | 6 | 14 | 19 20 | 13 | 7 |
| 27 22 | 5 | 8 | 14 | 19 13 | 13 | 7 | 5 | 8 | 15 | 19 43 | 13 | 8 | 5 | 8 | 15 | 20 15 | 14 | 8 |
| 22 31 8 | 6 | 9 | 15 | 20 7 | 14 | 8 | 6 | 9 | 16 | 20 38 | 14 | 9 | 6 | 9 | 16 | 21 9 | 15 | 9 |
| 34 54 | 7 | 10 | 16 | 21 1 | 15 | 9 | 7 | 10 | 17 | 21 32 | 15 | 10 | 7 | 10 | 17 | 22 3 | 16 | 10 |
| 38 40 | 8 | 11 | 17 | 21 55 | 16 | 10 | 8 | 11 | 18 | 22 25 | 16 | 11 | 8 | 11 | 18 | 22 57 | 17 | 11 |
| 22 42 25 | 9 | 12 | 18 | 22 48 | 16 | 11 | 9 | 12 | 19 | 23 19 | 17 | 11 | 9 | 12 | 19 | 23 50 | 17 | 11 |
| 46 9 | 10 | 13 | 20 | 23 41 | 17 | 13 | 10 | 13 | 20 | 24 12 | 18 | 12 | 10 | 13 | 20 | 24 43 | 18 | 12 |
| 49 53 | 11 | 14 | 21 | 24 34 | 18 | 14 | 11 | 14 | 21 | 25 4 | 19 | 13 | 11 | 14 | 21 | 25 35 | 19 | 13 |
| 22 53 37 | 12 | 15 | 22 | 25 27 | 19 | 14 | 12 | 15 | 22 | 25 57 | 20 | 14 | 12 | 15 | 22 | 26 28 | 20 | 14 |
| 57 20 | 13 | 16 | 23 | 26 19 | 20 | 15 | 13 | 16 | 23 | 26 49 | 21 | 15 | 13 | 16 | 23 | 27 20 | 21 | 15 |
| 23 1 3 | 14 | 17 | 24 | 27 10 | 21 | 15 | 14 | 17 | 24 | 27 41 | 21 | 15 | 14 | 17 | 24 | 28 11 | 21 | 15 |
| 23 4 46 | 15 | 19 | 25 | 28 2 | 22 | 16 | 15 | 19 | 25 | 28 32 | 22 | 16 | 15 | 19 | 25 | 29 3 | 22 | 16 |
| 8 28 | 16 | 20 | 26 | 28 53 | 23 | 17 | 16 | 20 | 26 | 29 24 | 23 | 17 | 16 | 20 | 26 | 29 54 | 23 | 17 |
| 12 10 | 17 | 21 | 27 | 29 44 | 24 | 18 | 17 | 21 | 27 | 0♋14 | 24 | 18 | 17 | 21 | 27 | 0♋45 | 24 | 18 |
| 23 15 52 | 18 | 22 | 28 | 0♋35 | 25 | 19 | 18 | 22 | 28 | 1 5 | 25 | 19 | 18 | 22 | 28 | 1 35 | 25 | 19 |
| 19 34 | 19 | 23 | 28 | 1 26 | 25 | 20 | 19 | 23 | 28 | 1 55 | 25 | 20 | 19 | 23 | 29 | 2 26 | 25 | 20 |
| 23 15 | 20 | 24 | 29 | 2 16 | 26 | 21 | 20 | 24 | 29 | 2 46 | 26 | 21 | 20 | 24 | Π | 3 16 | 26 | 21 |
| 23 26 56 | 21 | 25 | Π | 3 6 | 27 | 22 | 21 | 25 | Π | 3 36 | 27 | 22 | 21 | 25 | 1 | 4 6 | 27 | 22 |
| 30 37 | 22 | 26 | 1 | 3 56 | 27 | 23 | 22 | 26 | 1 | 4 26 | 28 | 23 | 22 | 26 | 2 | 4 56 | 28 | 23 |
| 34 18 | 23 | 27 | 2 | 4 46 | 28 | 24 | 23 | 27 | 2 | 5 15 | 28 | 24 | 23 | 27 | 3 | 5 45 | 28 | 24 |
| 23 37 58 | 24 | 28 | 3 | 5 36 | 28 | 24 | 24 | 28 | 3 | 6 5 | 29 | 24 | 24 | 28 | 4 | 6 34 | 29 | 24 |
| 41 39 | 25 | 29 | 4 | 6 25 | 29 | 25 | 25 | 29 | 5 | 6 54 | ♌ | 25 | 25 | 29 | 5 | 7 24 | ♌ | 25 |
| 45 19 | 26 | ♉ | 5 | 7 15 | ♌ | 26 | 26 | ♉ | 6 | 7 43 | 0 | 26 | 26 | ♉ | 6 | 8 13 | 1 | 26 |
| 23 49 0 | 27 | 1 | 6 | 8 4 | 1 | 27 | 27 | 1 | 7 | 8 33 | 1 | 27 | 27 | 1 | 7 | 9 2 | 2 | 27 |
| 52 40 | 28 | 1 | 7 | 8 53 | 2 | 28 | 28 | 1 | 7 | 9 22 | 2 | 28 | 28 | 2 | 8 | 9 51 | 3 | 28 |
| 56 20 | 29 | 3 | 8 | 9 42 | 3 | 29 | 29 | 3 | 8 | 10 10 | 3 | 29 | 29 | 3 | 9 | 10 39 | 4 | 29 |
| Houses | 4 | 5 | 6 | 7 | 8 | 9 | 4 | 5 | 6 | 7 | 8 | 9 | 4 | 5 | 6 | 7 | 8 | 9 |

# SIMPLIFIED SCIENTIFIC TABLES OF HOUSES

| | Latitude 28° N. | | | | | | Latitude 29° N. | | | | | | Latitude 30° N. | | | | | |
|---|---|---|---|---|---|---|---|---|---|---|---|---|---|---|---|---|---|---|
| Sider'l Time | 10 ♈ | 11 ♉ | 12 ♊ | Asc. ♋ | 2 ♌ | 3 ♌ | 10 ♈ | 11 ♉ | 12 ♊ | Asc. ♋ | 2 ♌ | 3 ♍ | 10 ♈ | 11 ♉ | 12 ♊ | Asc. ♋ | 2 ♌ | 3 ♍ |
| H M S | ° | ° | ° | ° | ′ | ° | ° | ° | ° | ° | ′ | ° | ° | ° | ° | ° | ′ | ° |
| 0 0 0 | 0 | 5 | 10 | 11 56 | 5 | 29 | 0 | 5 | 10 | 12 26 | 5 | 0 | 0 | 5 | 11 | 12 56 | 5 | 0 |
| 3 40 | 1 | 6 | 11 | 12 45 | 6 | ♍ | 1 | 6 | 11 | 13 15 | 6 | 1 | 1 | 6 | 12 | 13 44 | 6 | 1 |
| 7 20 | 2 | 7 | 12 | 13 34 | 7 | 1 | 2 | 7 | 12 | 14 3 | 7 | 2 | 2 | 7 | 13 | 14 32 | 6 | 2 |
| 0 11 0 | 3 | 8 | 13 | 14 22 | 8 | 2 | 3 | 8 | 13 | 14 51 | 8 | 3 | 3 | 8 | 14 | 15 20 | 7 | 3 |
| 14 41 | 4 | 9 | 13 | 15 10 | 8 | 3 | 4 | 9 | 14 | 15 38 | 8 | 4 | 4 | 9 | 14 | 16 7 | 8 | 4 |
| 18 21 | 5 | 10 | 14 | 15 57 | 9 | 4 | 5 | 10 | 15 | 16 26 | 9 | 5 | 5 | 10 | 15 | 16 55 | 9 | 5 |
| 0 22 2 | 6 | 11 | 15 | 16 45 | 10 | 5 | 6 | 11 | 16 | 17 14 | 10 | 6 | 6 | 11 | 16 | 17 43 | 10 | 6 |
| 25 42 | 7 | 12 | 16 | 17 33 | 10 | 6 | 7 | 12 | 17 | 18 1 | 11 | 7 | 7 | 12 | 17 | 18 30 | 11 | 7 |
| 29 23 | 8 | 13 | 17 | 18 21 | 11 | 7 | 8 | 13 | 18 | 18 49 | 12 | 8 | 8 | 13 | 18 | 19 17 | 11 | 7 |
| 0 33 4 | 9 | 14 | 18 | 19 9 | 12 | 8 | 9 | 14 | 19 | 19 37 | 13 | 8 | 9 | 14 | 19 | 20 5 | 12 | 8 |
| 36 45 | 10 | 15 | 19 | 19 57 | 13 | 9 | 10 | 15 | 19 | 20 24 | 13 | 9 | 10 | 15 | 20 | 20 52 | 13 | 9 |
| 40 26 | 11 | 16 | 20 | 20 44 | 14 | 10 | 11 | 16 | 20 | 21 12 | 14 | 10 | 11 | 16 | 21 | 21 39 | 14 | 10 |
| 0 44 8 | 12 | 17 | 21 | 21 32 | 15 | 11 | 12 | 17 | 21 | 21 59 | 14 | 11 | 12 | 17 | 22 | 22 26 | 15 | 11 |
| 47 50 | 13 | 18 | 22 | 22 20 | 15 | 12 | 13 | 18 | 22 | 22 46 | 15 | 12 | 13 | 18 | 23 | 23 14 | 15 | 12 |
| 51 32 | 14 | 19 | 22 | 23 7 | 16 | 13 | 14 | 19 | 23 | 23 34 | 16 | 13 | 14 | 19 | 24 | 24 1 | 16 | 13 |
| 0 55 14 | 15 | 19 | 23 | 23 55 | 17 | 14 | 15 | 20 | 24 | 24 31 | 17 | 14 | 15 | 20 | 24 | 24 48 | 17 | 14 |
| 58 57 | 16 | 20 | 24 | 24 43 | 18 | 15 | 16 | 21 | 25 | 25 9 | 18 | 14 | 16 | 21 | 25 | 25 35 | 18 | 14 |
| 1 2 40 | 17 | 21 | 25 | 25 30 | 18 | 16 | 17 | 22 | 25 | 25 56 | 19 | 15 | 17 | 22 | 26 | 26 23 | 19 | 15 |
| 1 6 23 | 18 | 22 | 26 | 26 18 | 19 | 16 | 18 | 23 | 27 | 26 44 | 20 | 16 | 18 | 23 | 26 | 27 10 | 20 | 16 |
| 10 7 | 19 | 23 | 27 | 27 6 | 20 | 17 | 19 | 24 | 28 | 27 32 | 20 | 17 | 19 | 24 | 27 | 27 57 | 21 | 17 |
| 13 51 | 20 | 24 | 28 | 27 54 | 21 | 18 | 20 | 24 | 28 | 28 19 | 21 | 18 | 20 | 25 | 28 | 28 45 | 22 | 18 |
| 1 17 35 | 21 | 25 | 28 | 28 42 | 22 | 19 | 21 | 25 | 29 | 29 7 | 22 | 19 | 21 | 26 | 29 | 29 32 | 23 | 19 |
| 21 20 | 22 | 26 | 29 | 29 30 | 23 | 20 | 22 | 26 | ♋ | 29 55 | 23 | 20 | 22 | 27 | ♋ | 0 ♌ 20 | 24 | 20 |
| 25 6 | 23 | 27 | ♋ | 0 ♌ 18 | 24 | 21 | 23 | 27 | | 1 ♌ 43 | 24 | 21 | 23 | 28 | 1 | 1 8 | 24 | 21 |
| 1 28 52 | 24 | 28 | 1 | 1 6 | 25 | 22 | 24 | 28 | 1 | 1 31 | 25 | 22 | 24 | 28 | 2 | 1 55 | 25 | 22 |
| 32 38 | 25 | 29 | 2 | 1 54 | 26 | 23 | 25 | 29 | 2 | 2 19 | 26 | 23 | 25 | 29 | 3 | 2 43 | 26 | 23 |
| 36 25 | 26 | ♊ | 3 | 2 43 | 27 | 24 | 26 | ♊ | 3 | 3 7 | 27 | 24 | 26 | ♊ | 4 | 3 31 | 27 | 24 |
| 1 40 12 | 27 | 1 | 4 | 3 31 | 28 | 25 | 27 | 1 | 4 | 3 55 | 28 | 25 | 27 | 1 | 5 | 4 19 | 28 | 25 |
| 44 0 | 28 | 2 | 5 | 4 20 | 28 | 26 | 28 | 2 | 5 | 4 43 | 29 | 26 | 28 | 2 | 6 | 5 7 | 28 | 26 |
| 47 48 | 29 | 3 | 6 | 5 8 | 29 | 27 | 29 | 3 | 6 | 5 31 | 29 | 27 | 29 | 3 | 7 | 5 55 | 29 | 27 |
| Houses | 4 | 5 | 6 | 7 | 8 | 9 | 4 | 5 | 6 | 7 | 8 | 9 | 4 | 5 | 6 | 7 | 8 | 9 |

Latitude 28° S.          Latitude 29° S.          Latitude 30° S.

## 158
## SIMPLIFIED SCIENTIFIC TABLES OF HOUSES

### Latitude 28° N.

| Sider'l Time (H M S) | 10 ♉ | 11 ♊ | 12 ♋ | Asc. ♌ ° | Asc. ' | 2 ♍ | 3 ♍ |
|---|---|---|---|---|---|---|---|
| 1 51 37 | 0 | 4 | 6 | 5 | 57 | 0 | 28 |
| 55 27 | 1 | 5 | 7 | 6 | 46 | 0 | 29 |
| 59 17 | 2 | 6 | 8 | 7 | 35 | 1 | ♎ |
| 2 3 8 | 3 | 7 | 9 | 8 | 25 | 2 | 1 |
| 6 59 | 4 | 8 | 10 | 9 | 14 | 3 | 2 |
| 10 51 | 5 | 9 | 10 | 10 | 4 | 4 | 3 |
| 2 14 44 | 6 | 10 | 11 | 10 | 53 | 5 | 4 |
| 18 37 | 7 | 11 | 12 | 11 | 43 | 6 | 5 |
| 22 31 | 8 | 12 | 13 | 12 | 33 | 7 | 6 |
| 2 26 25 | 9 | 12 | 14 | 13 | 23 | 8 | 7 |
| 30 20 | 10 | 13 | 15 | 14 | 13 | 9 | 8 |
| 34 16 | 11 | 14 | 16 | 15 | 4 | 10 | 9 |
| 2 38 13 | 12 | 15 | 17 | 15 | 54 | 11 | 10 |
| 42 10 | 13 | 16 | 18 | 16 | 45 | 11 | 11 |
| 46 8 | 14 | 17 | 18 | 17 | 36 | 12 | 12 |
| 2 50 7 | 15 | 18 | 19 | 18 | 27 | 13 | 13 |
| 54 7 | 16 | 19 | 20 | 19 | 19 | 14 | 14 |
| 58 7 | 17 | 20 | 21 | 20 | 10 | 15 | 15 |
| 3 2 8 | 18 | 21 | 22 | 21 | 2 | 16 | 16 |
| 6 9 | 19 | 22 | 23 | 21 | 55 | 17 | 17 |
| 10 12 | 20 | 23 | 24 | 22 | 47 | 18 | 18 |
| 3 14 15 | 21 | 24 | 25 | 23 | 39 | 19 | 19 |
| 18 19 | 22 | 25 | 26 | 24 | 32 | 20 | 20 |
| 22 23 | 23 | 26 | 27 | 25 | 25 | 21 | 21 |
| 3 26 29 | 24 | 27 | 28 | 26 | 18 | 22 | 22 |
| 30 35 | 25 | 27 | 28 | 27 | 11 | 23 | 23 |
| 34 41 | 26 | 28 | 29 | 28 | 5 | 24 | 24 |
| 3 38 49 | 27 | 29 | ♌ | 28 | 58 | 25 | 25 |
| 42 57 | 28 | ♋ | 1 | 29 | 52 | 26 | 26 |
| 47 6 | 29 | 1 | 2 | 0♍ | 46 | 27 | 27 |
| Houses | 4 | 5 | 6 | 7 | | 8 | 9 |

### Latitude 29° N.

| Sider'l Time (H M S) | 10 ♉ | 11 ♊ | 12 ♋ | Asc. ♌ ° | Asc. ' | 2 ♍ | 3 ♍ |
|---|---|---|---|---|---|---|---|
| 1 51 37 | 0 | 4 | 6 | 6 | 20 | 0 | 28 |
| 55 27 | 1 | 5 | 7 | 7 | 9 | 1 | 29 |
| 59 17 | 2 | 6 | 8 | 7 | 58 | 2 | ♎ |
| 2 3 8 | 3 | 7 | 9 | 8 | 47 | 3 | 1 |
| 6 59 | 4 | 8 | 10 | 9 | 36 | 4 | 2 |
| 10 51 | 5 | 9 | 11 | 10 | 25 | 5 | 3 |
| 2 14 44 | 6 | 10 | 12 | 11 | 14 | 6 | 4 |
| 18 37 | 7 | 11 | 13 | 12 | 4 | 7 | 5 |
| 22 31 | 8 | 11 | 14 | 12 | 54 | 8 | 6 |
| 2 26 25 | 9 | 12 | 15 | 13 | 43 | 8 | 7 |
| 30 20 | 10 | 13 | 15 | 14 | 33 | 9 | 8 |
| 34 16 | 11 | 14 | 16 | 15 | 23 | 10 | 9 |
| 2 38 13 | 12 | 15 | 17 | 16 | 14 | 11 | 10 |
| 42 10 | 13 | 16 | 18 | 17 | 4 | 12 | 11 |
| 46 8 | 14 | 17 | 19 | 17 | 55 | 13 | 12 |
| 2 50 7 | 15 | 18 | 20 | 18 | 46 | 14 | 13 |
| 54 7 | 16 | 19 | 21 | 19 | 37 | 15 | 14 |
| 58 7 | 17 | 20 | 22 | 20 | 28 | 16 | 15 |
| 3 2 8 | 18 | 21 | 23 | 21 | 20 | 17 | 16 |
| 6 9 | 19 | 22 | 24 | 22 | 12 | 18 | 16 |
| 10 12 | 20 | 23 | 24 | 23 | 3 | 18 | 17 |
| 3 14 15 | 21 | 24 | 25 | 23 | 56 | 19 | 18 |
| 18 19 | 22 | 25 | 26 | 24 | 48 | 20 | 19 |
| 22 23 | 23 | 25 | 26 | 25 | 40 | 21 | 21 |
| 3 26 29 | 24 | 26 | 27 | 26 | 33 | 22 | 22 |
| 30 35 | 25 | 27 | 28 | 27 | 26 | 23 | 23 |
| 34 41 | 26 | 28 | 29 | 28 | 19 | 24 | 24 |
| 3 38 49 | 27 | 29 | ♌ | 29 | 12 | 25 | 25 |
| 42 57 | 28 | ♋ | 1 | ♍ | 6 | 26 | 26 |
| 47 6 | 29 | 1 | 2 | 0 | 59 | 27 | 27 |
| Houses | 4 | 5 | 6 | 7 | | 8 | 9 |

### Latitude 30° N.

| Sider'l Time (H M S) | 10 ♉ | 11 ♊ | 12 ♋ | Asc. ♌ ° | Asc. ' | 2 ♍ | 3 ♍ |
|---|---|---|---|---|---|---|---|
| 1 51 37 | 0 | 4 | 7 | 6 | 43 | 0 | 28 |
| 55 27 | 1 | 5 | 8 | 7 | 32 | 1 | 29 |
| 59 17 | 2 | 6 | 8 | 8 | 20 | 2 | ♎ |
| 2 3 8 | 3 | 7 | 9 | 9 | 9 | 3 | 1 |
| 6 59 | 4 | 8 | 10 | 9 | 58 | 4 | 2 |
| 10 51 | 5 | 9 | 11 | 10 | 47 | 5 | 3 |
| 2 14 44 | 6 | 10 | 12 | 11 | 36 | 6 | 4 |
| 18 37 | 7 | 11 | 13 | 12 | 25 | 7 | 5 |
| 22 31 | 8 | 12 | 14 | 13 | 14 | 8 | 6 |
| 2 26 25 | 9 | 13 | 14 | 14 | 4 | 8 | 7 |
| 30 20 | 10 | 14 | 15 | 14 | 53 | 9 | 8 |
| 34 16 | 11 | 15 | 16 | 15 | 43 | 10 | 9 |
| 2 38 13 | 12 | 16 | 17 | 16 | 33 | 11 | 10 |
| 42 10 | 13 | 17 | 18 | 17 | 23 | 12 | 11 |
| 46 8 | 14 | 18 | 19 | 18 | 13 | 13 | 12 |
| 2 50 7 | 15 | 18 | 20 | 19 | 4 | 14 | 12 |
| 54 7 | 16 | 19 | 21 | 19 | 55 | 15 | 13 |
| 58 7 | 17 | 20 | 22 | 20 | 46 | 16 | 14 |
| 3 2 8 | 18 | 21 | 22 | 21 | 37 | 17 | 15 |
| 6 9 | 19 | 22 | 23 | 22 | 29 | 18 | 16 |
| 10 12 | 20 | 23 | 24 | 23 | 20 | 18 | 17 |
| 3 14 15 | 21 | 24 | 25 | 24 | 12 | 19 | 18 |
| 18 19 | 22 | 25 | 26 | 25 | 4 | 20 | 19 |
| 22 23 | 23 | 26 | 27 | 25 | 56 | 21 | 20 |
| 3 26 29 | 24 | 27 | 28 | 26 | 48 | 22 | 21 |
| 30 35 | 25 | 28 | 29 | 27 | 41 | 23 | 22 |
| 34 41 | 26 | 29 | ♌ | 28 | 34 | 24 | 23 |
| 3 38 49 | 27 | ♋ | 1 | 29 | 26 | 25 | 24 |
| 42 57 | 28 | 1 | 2 | 0♍ | 20 | 26 | 25 |
| 47 6 | 29 | 2 | 3 | 1 | 13 | 27 | 26 |
| Houses | 4 | 5 | 6 | 7 | | 8 | 9 |

Latitude 28° S.     Latitude 29° S.     Latitude 30° S.

# SIMPLIFIED SCIENTIFIC TABLES OF HOUSES

| Sider'l Time | 10 Π | 11 ♋ | 12 ♌ | Asc. ♍ | 2 ♍ | 3 ♎ | 10 Π | 11 ♋ | 12 ♌ | Asc. ♍ | 2 ♍ | 3 ♎ | 10 Π | 11 ♋ | 12 ♌ | Asc. ♍ | 2 ♍ | 3 ♎ |
|---|---|---|---|---|---|---|---|---|---|---|---|---|---|---|---|---|---|---|
| | ° | ° | ° | ° ' | ° | ° | ° | ° | ° | ° ' | ° | ° | ° | ° | ° | ° ' | ° | ° |
| H M S | | | | | | | | | | | | | | | | | | |
| 3 51 15 | 0 | 2 | 3 | 1 40 | 28 | 28 | 0 | 2 | 3 | 1 53 | 28 | 28 | 0 | 2 | 3 | 2 6 | 28 | 28 |
| 55 25 | 1 | 3 | 4 | 2 35 | 29 | 29 | 1 | 3 | 4 | 2 47 | 29 | 29 | 1 | 3 | 4 | 3 0 | 29 | 29 |
| 59 36 | 2 | 4 | 5 | 3 30 | ♎ | ♏ | 2 | 4 | 5 | 3 42 | ♎ | ♏ | 2 | 4 | 5 | 3 54 | ♎ | ♏ |
| 4 3 48 | 3 | 5 | 6 | 4 24 | 1 | 1 | 3 | 5 | 6 | 4 36 | 1 | 1 | 3 | 5 | 6 | 4 48 | 1 | 1 |
| 8 0 | 4 | 6 | 6 | 5 19 | 2 | 2 | 4 | 6 | 7 | 5 31 | 2 | 2 | 4 | 6 | 7 | 5 42 | 2 | 2 |
| 12 13 | 5 | 7 | 7 | 6 15 | 3 | 3 | 5 | 7 | 8 | 6 26 | 3 | 3 | 5 | 7 | 8 | 6 37 | 3 | 3 |
| 4 16 26 | 6 | 8 | 8 | 7 10 | 4 | 4 | 6 | 8 | 9 | 7 21 | 4 | 4 | 6 | 8 | 9 | 7 31 | 4 | 4 |
| 20 40 | 7 | 9 | 9 | 8 6 | 5 | 5 | 7 | 9 | 10 | 8 16 | 5 | 5 | 7 | 9 | 10 | 8 26 | 5 | 5 |
| 24 55 | 8 | 10 | 10 | 9 1 | 6 | 6 | 8 | 10 | 11 | 9 11 | 6 | 6 | 8 | 10 | 11 | 9 21 | 6 | 6 |
| 4 29 10 | 9 | 11 | 11 | 9 57 | 7 | 7 | 9 | 11 | 11 | 10 7 | 7 | 7 | 9 | 11 | 12 | 10 16 | 7 | 7 |
| 33 26 | 10 | 12 | 12 | 10 53 | 8 | 8 | 10 | 12 | 12 | 11 2 | 8 | 8 | 10 | 12 | 13 | 11 11 | 8 | 8 |
| 37 42 | 11 | 13 | 13 | 11 50 | 9 | 9 | 11 | 13 | 13 | 11 58 | 9 | 9 | 11 | 13 | 14 | 12 7 | 9 | 9 |
| 4 41 59 | 12 | 14 | 14 | 12 46 | 10 | 10 | 12 | 14 | 14 | 12 54 | 10 | 10 | 12 | 14 | 15 | 13 2 | 10 | 10 |
| 46 16 | 13 | 15 | 15 | 13 43 | 11 | 11 | 13 | 15 | 15 | 13 50 | 11 | 11 | 13 | 15 | 16 | 13 58 | 11 | 11 |
| 50 34 | 14 | 16 | 16 | 14 39 | 12 | 12 | 14 | 16 | 16 | 14 46 | 12 | 12 | 14 | 16 | 16 | 14 54 | 12 | 12 |
| 4 54 52 | 15 | 17 | 17 | 15 36 | 13 | 13 | 15 | 17 | 17 | 15 43 | 13 | 13 | 15 | 17 | 17 | 15 50 | 13 | 13 |
| 59 10 | 16 | 18 | 18 | 16 33 | 14 | 14 | 16 | 18 | 18 | 16 39 | 14 | 14 | 16 | 18 | 18 | 16 46 | 14 | 14 |
| 5 3 29 | 17 | 19 | 19 | 17 30 | 15 | 15 | 17 | 19 | 19 | 17 36 | 15 | 15 | 17 | 19 | 19 | 17 42 | 15 | 15 |
| 5 7 49 | 18 | 20 | 20 | 18 27 | 16 | 16 | 18 | 20 | 20 | 18 33 | 16 | 16 | 18 | 20 | 20 | 18 38 | 16 | 16 |
| 12 9 | 19 | 20 | 21 | 19 25 | 17 | 17 | 19 | 21 | 21 | 19 30 | 17 | 17 | 19 | 21 | 21 | 19 35 | 17 | 17 |
| 16 29 | 20 | 21 | 22 | 20 22 | 18 | 18 | 20 | 22 | 22 | 20 27 | 18 | 18 | 20 | 22 | 22 | 20 31 | 18 | 18 |
| 5 20 49 | 21 | 22 | 23 | 21 20 | 19 | 19 | 21 | 23 | 23 | 21 24 | 19 | 19 | 21 | 23 | 23 | 21 28 | 19 | 19 |
| 25 9 | 22 | 23 | 24 | 22 17 | 20 | 20 | 22 | 24 | 24 | 22 21 | 20 | 20 | 22 | 24 | 24 | 22. 25 | 20 | 20 |
| 29 30 | 23 | 24 | 25 | 23 15 | 21 | 21 | 23 | 25 | 25 | 23 18 | 21 | 21 | 23 | 25 | 25 | 23 21 | 21 | 21 |
| 5 33 51 | 24 | 25 | 26 | 24 13 | 22 | 22 | 24 | 26 | 26 | 24 15 | 22 | 22 | 24 | 26 | 26 | 24 18 | 22 | 22 |
| 38 12 | 25 | 26 | 27 | 25 10 | 23 | 23 | 25 | 27 | 27 | 25 13 | 23 | 23 | 25 | 27 | 27 | 25 15 | 23 | 23 |
| 42 34 | 26 | 27 | 28 | 26 8 | 24 | 24 | 26 | 28 | 28 | 26 10 | 24 | 24 | 26 | 28 | 28 | 26 12 | 24 | 24 |
| 5 46 55 | 27 | 28 | 29 | 27 6 | 25 | 25 | 27 | 29 | 29 | 27 7 | 25 | 25 | 27 | 29 | 29 | 27 9 | 25 | 25 |
| 51 17 | 28 | 29 | ♍ | 28 4 | 26 | 26 | 28 | ♌ | ♍ | 28 5 | 26 | 26 | 28 | ♌ | ♍ | 28 6 | 26 | 26 |
| 55 38 | 29 | ♌ | 1 | 29 2 | 27 | 27 | 29 | 1 | 1 | 29 2 | 27 | 27 | 29 | 1 | 1 | 29 3 | 27 | 27 |
| Houses | 4 | 5 | 6 | 7 | 8 | 9 | 4 | 5 | 6 | 7 | 8 | 9 | 4 | 5 | 6 | 7 | 8 | 9 |

Latitude 28° S.    Latitude 29° S.    Latitude 30° S.

# SIMPLIFIED SCIENTIFIC TABLES OF HOUSES

|  | Latitude 28° N. | | | | | | | Latitude 29° N. | | | | | | | Latitude 30° N. | | | | | | |
|---|---|---|---|---|---|---|---|---|---|---|---|---|---|---|---|---|---|---|---|---|---|
| Sider'l Time | 10 ♋ | 11 ♌ | 12 ♍ | Asc. ♎ ° | Asc. ' | 2 ♎ | 3 ♏ | 10 ♋ | 11 ♌ | 12 ♍ | Asc. ♎ ° | Asc. ' | 2 ♎ | 3 ♏ | 10 ♋ | 11 ♌ | 12 ♍ | Asc. ♎ ° | Asc. ' | 2 ♎ | 3 ♏ |
| H M S | ° | ° | ° | ° | ' | ° | ° | ° | ° | ° | ° | ' | ° | ° | ° | ° | ° | ° | ' | ° | ° |
| 6  0  0 | 0 | 1 | 2 | 0 | 0 | 28 | 29 | 0 | 2 | 2 | 0 | 0 | 28 | 28 | 0 | 2 | 2 | 0 | 0 | 28 | 28 |
| 4 22 | 1 | 2 | 3 | 0 | 58 | 29 | ♐ | 1 | 3 | 3 | 0 | 58 | 29 | 29 | 1 | 3 | 3 | 0 | 57 | 29 | 29 |
| 8 43 | 2 | 3 | 4 | 1 | 56 ♏ | 0 |  | 2 | 4 | 4 | 1 | 55 ♏ | ♐ |  | 2 | 4 | 4 | 1 | 54 ♏ | ♐ |  |
| 6 13  5 | 3 | 4 | 5 | 2 | 54 | 1 | 1 | 3 | 5 | 5 | 2 | 53 | 1 | 1 | 3 | 5 | 5 | 2 | 51 | 1 | 1 |
| 17 26 | 4 | 5 | 6 | 3 | 52 | 2 | 2 | 4 | 6 | 6 | 3 | 50 | 2 | 2 | 4 | 6 | 6 | 3 | 48 | 2 | 2 |
| 21 48 | 5 | 6 | 7 | 4 | 50 | 3 | 3 | 5 | 7 | 7 | 4 | 47 | 3 | 3 | 5 | 7 | 7 | 4 | 45 | 3 | 3 |
| 6 26  9 | 6 | 7 | 8 | 5 | 47 | 4 | 4 | 6 | 8 | 8 | 5 | 45 | 4 | 4 | 6 | 8 | 8 | 5 | 42 | 4 | 4 |
| 30 30 | 7 | 8 | 9 | 6 | 45 | 5 | 5 | 7 | 9 | 9 | 6 | 42 | 5 | 5 | 7 | 9 | 9 | 6 | 39 | 5 | 5 |
| 34 51 | 8 | 9 | 10 | 7 | 43 | 6 | 6 | 8 | 10 | 10 | 7 | 39 | 6 | 6 | 8 | 10 | 10 | 7 | 35 | 6 | 6 |
| 6 39 11 | 9 | 10 | 11 | 8 | 40 | 7 | 7 | 9 | 11 | 11 | 8 | 36 | 7 | 7 | 9 | 11 | 11 | 8 | 32 | 7 | 7 |
| 43 31 | 10 | 12 | 12 | 9 | 38 | 8 | 8 | 10 | 12 | 12 | 9 | 33 | 8 | 8 | 10 | 12 | 12 | 9 | 29 | 8 | 8 |
| 47 51 | 11 | 13 | 13 | 10 | 35 | 9 | 9 | 11 | 13 | 13 | 10 | 30 | 9 | 9 | 11 | 13 | 13 | 10 | 25 | 9 | 9 |
| 6 52 11 | 12 | 14 | 14 | 11 | 33 | 10 | 10 | 12 | 14 | 14 | 11 | 27 | 10 | 10 | 12 | 14 | 14 | 11 | 22 | 10 | 10 |
| 56 31 | 13 | 15 | 15 | 12 | 30 | 11 | 11 | 13 | 15 | 15 | 12 | 24 | 11 | 11 | 13 | 15 | 15 | 12 | 18 | 11 | 11 |
| 7  0 50 | 14 | 16 | 16 | 13 | 27 | 12 | 12 | 14 | 16 | 16 | 13 | 21 | 12 | 12 | 14 | 16 | 16 | 13 | 14 | 12 | 12 |
| 7  5  8 | 15 | 17 | 17 | 14 | 24 | 13 | 13 | 15 | 17 | 17 | 14 | 17 | 13 | 13 | 15 | 17 | 17 | 14 | 10 | 12 | 13 |
| 9 26 | 16 | 18 | 18 | 15 | 21 | 14 | 14 | 16 | 18 | 18 | 15 | 14 | 14 | 14 | 16 | 18 | 18 | 15 | 6 | 13 | 14 |
| 13 44 | 17 | 19 | 19 | 16 | 18 | 15 | 15 | 17 | 19 | 19 | 16 | 10 | 15 | 15 | 17 | 19 | 19 | 16 | 2 | 14 | 15 |
| 7 18  1 | 18 | 20 | 20 | 17 | 14 | 16 | 16 | 18 | 20 | 20 | 17 | 6 | 16 | 16 | 18 | 20 | 20 | 16 | 58 | 15 | 16 |
| 22 18 | 19 | 21 | 21 | 18 | 10 | 17 | 17 | 19 | 21 | 21 | 18 | 2 | 16 | 17 | 19 | 21 | 21 | 17 | 53 | 16 | 17 |
| 26 34 | 20 | 22 | 22 | 19 | 7 | 18 | 18 | 20 | 22 | 22 | 18 | 58 | 17 | 18 | 20 | 22 | 22 | 18 | 49 | 17 | 18 |
| 7 30 50 | 21 | 23 | 23 | 20 | 3 | 19 | 19 | 21 | 23 | 23 | 19 | 53 | 18 | 19 | 21 | 23 | 23 | 19 | 44 | 18 | 19 |
| 35  5 | 22 | 24 | 24 | 20 | 59 | 20 | 20 | 22 | 24 | 24 | 20 | 49 | 19 | 20 | 22 | 24 | 24 | 20 | 39 | 19 | 20 |
| 39 20 | 23 | 25 | 25 | 21 | 54 | 21 | 21 | 23 | 25 | 25 | 21 | 44 | 20 | 21 | 23 | 25 | 25 | 21 | 34 | 20 | 21 |
| 7 43 34 | 24 | 26 | 26 | 22 | 50 | 21 | 22 | 24 | 26 | 26 | 22 | 39 | 21 | 22 | 24 | 26 | 26 | 22 | 29 | 21 | 22 |
| 47 47 | 25 | 27 | 27 | 23 | 45 | 22 | 23 | 25 | 27 | 27 | 23 | 34 | 22 | 23 | 25 | 27 | 27 | 23 | 23 | 22 | 23 |
| 52  0 | 26 | 28 | 28 | 24 | 41 | 23 | 24 | 26 | 28 | 28 | 24 | 29 | 23 | 24 | 26 | 28 | 28 | 24 | 18 | 23 | 24 |
| 7 56 12 | 27 | 29 | 29 | 25 | 36 | 24 | 25 | 27 | 29 | 29 | 25 | 24 | 24 | 25 | 27 | 29 | 29 | 25 | 12 | 24 | 25 |
| 8  0 24 | 28 | ♍ | ♎ | 26 | 30 | 25 | 26 | 28 | ♍ | ♎ | 26 | 18 | 25 | 26 | 28 | ♍ | ♎ | 26 | 6 | 25 | 26 |
| 4 35 | 29 | 1 | 1 | 27 | 25 | 26 | 27 | 29 | 1 | 1 | 27 | 13 | 26 | 27 | 29 | 1 | 1 | 27 | 0 | 26 | 27 |
| Houses | 4 | 5 | 6 | 7 | | 8 | 9 | 4 | 5 | 6 | 7 | | 8 | 9 | 4 | 5 | 6 | 7 | | 8 | 9 |

Latitude 28° S.          Latitude 29° S.          Latitude 30° S.

# SIMPLIFIED SCIENTIFIC TABLES OF HOUSES

## Latitude 28° N.

| Sider. Time | 10 ♌ | 11 ♍ | 12 ♎ | Asc. ♎ | 2 ♏ | 3 ♐ |
|---|---|---|---|---|---|---|
| H M S | ° | ° | ° | ° ' | ° | ° |
| 8 8 45 | 0 | 2 | 2 | 28 20 | 27 | 28 |
| 12 54 | 1 | 3 | 3 | 29 14 | 28 | ♑ |
| 17 3 | 2 | 4 | 4 | 0♏ 8 | ♐ | 2 |
| 8 21 11 | 3 | 5 | 5 | 1 2 | 1 | 5 |
| 25 19 | 4 | 6 | 6 | 1 55 | 2 | 6 |
| 29 26 | 5 | 7 | 7 | 2 49 | 3 | 7 |
| 8 33 31 | 6 | 8 | 8 | 3 42 | 4 | 7 |
| 37 37 | 7 | 9 | 9 | 4 35 | 4 | 7 |
| 41 41 | 8 | 10 | 10 | 5 28 | 5 | 8 |
| 8 45 45 | 9 | 11 | 11 | 6 21 | 6 | 8 |
| 49 48 | 10 | 12 | 12 | 7 13 | 6 | 8 |
| 53 51 | 11 | 13 | 13 | 8 5 | 7 | 9 |
| 8 57 52 | 12 | 14 | 14 | 8 58 | 8 | 10 |
| 9 1 53 | 13 | 15 | 15 | 9 50 | 9 | 10 |
| 5 53 | 14 | 16 | 15 | 10 41 | 10 | 11 |
| 9 9 53 | 15 | 17 | 16 | 11 33 | 11 | 12 |
| 13 52 | 16 | 18 | 17 | 12 24 | 12 | 13 |
| 17 50 | 17 | 19 | 18 | 13 15 | 13 | 14 |
| 9 21 47 | 18 | 20 | 19 | 14 6 | 14 | 15 |
| 25 44 | 19 | 21 | 20 | 14 56 | 15 | 16 |
| 29 40 | 20 | 22 | 21 | 15 47 | 15 | 17 |
| 9 33 35 | 21 | 23 | 22 | 16 37 | 16 | 18 |
| 37 29 | 22 | 24 | 23 | 17 27 | 17 | 19 |
| 41 23 | 23 | 25 | 24 | 18 17 | 18 | 20 |
| 9 45 16 | 24 | 26 | 25 | 19 7 | 18 | 20 |
| 49 9 | 25 | 27 | 26 | 19 56 | 19 | 21 |
| 53 1 | 26 | 28 | 27 | 20 46 | 20 | 22 |
| 9 56 52 | 27 | 29 | 28 | 21 35 | 21 | 23 |
| 10 0 43 | 28 | ♎ | 29 | 22 25 | 22 | 24 |
| 4 33 | 29 | 1 | ♏ | 23 14 | 23 | 25 |
| Houses | 4 | 5 | 6 | 7 | 8 | 9 |

## Latitude 29° N.

| Sider. Time | 10 ♌ | 11 ♍ | 12 ♎ | Asc. ♎ | 2 ♏ | 3 ♐ |
|---|---|---|---|---|---|---|
| 8 8 45 | 0 | 2 | 2 | 28 7 | 27 | 28 |
| 12 54 | 1 | 3 | 3 | 29 1 | 27 | 29 |
| 17 3 | 2 | 4 | 4 | 29 54 | 28 | 29 |
| 8 21 11 | 3 | 5 | 5 | 0♏48 | 29 | ♑ |
| 25 19 | 4 | 6 | 6 | 1 41 | ♐ | 1 |
| 29 26 | 5 | 7 | 7 | 2 34 | 1 | 2 |
| 8 33 31 | 6 | 8 | 8 | 3 27 | 2 | 3 |
| 37 37 | 7 | 9 | 9 | 4 20 | 3 | 4 |
| 41 41 | 8 | 10 | 10 | 5 12 | 4 | 5 |
| 8 45 45 | 9 | 11 | 11 | 6 4 | 5 | 6 |
| 49 48 | 10 | 12 | 12 | 6 57 | 6 | 7 |
| 53 51 | 11 | 13 | 13 | 7 48 | 7 | 8 |
| 8 57 52 | 12 | 14 | 14 | 8 40 | 8 | 9 |
| 9 1 53 | 13 | 15 | 15 | 9 32 | 9 | 10 |
| 5 53 | 14 | 16 | 16 | 10 23 | 10 | 11 |
| 9 9 53 | 15 | 17 | 16 | 11 14 | 10 | 12 |
| 13 52 | 16 | 18 | 17 | 12 5 | 11 | 13 |
| 17 50 | 17 | 19 | 18 | 12 56 | 12 | 14 |
| 9 21 47 | 18 | 20 | 19 | 13 46 | 13 | 15 |
| 25 44 | 19 | 21 | 20 | 14 37 | 14 | 16 |
| 29 40 | 20 | 22 | 21 | 15 27 | 15 | 17 |
| 9 33 35 | 21 | 23 | 22 | 16 17 | 16 | 18 |
| 37 29 | 22 | 24 | 23 | 17 6 | 17 | 19 |
| 41 23 | 23 | 25 | 24 | 17 56 | 17 | 20 |
| 9 45 16 | 24 | 26 | 25 | 18 46 | 19 | 21 |
| 49 9 | 25 | 27 | 25 | 19 35 | 19 | 21 |
| 53 1 | 26 | 28 | 26 | 20 24 | 19 | 22 |
| 9 56 52 | 27 | 29 | 27 | 21 13 | 20 | 23 |
| 10 0 43 | 28 | ♎ | 28 | 22 2 | 21 | 24 |
| 4 33 | 29 | 1 | 29 | 22 51 | 22 | 25 |
| Houses | 4 | 5 | 6 | 7 | 8 | 9 |

## Latitude 30° N.

| Sider. Time | 10 ♌ | 11 ♍ | 12 ♎ | Asc. ♎ | 2 ♏ | 3 ♐ |
|---|---|---|---|---|---|---|
| 8 8 45 | 0 | 2 | 2 | 27 54 | 27 | 28 |
| 12 54 | 1 | 3 | 3 | 28 47 | 27 | 29 |
| 17 3 | 2 | 4 | 4 | 29 40 | 28 | 29 |
| 8 21 11 | 3 | 5 | 5 | 0♏34 | 29 | ♑ |
| 25 19 | 4 | 6 | 6 | 1 26 | ♐ | 1 |
| 29 26 | 5 | 7 | 7 | 2 19 | 1 | 2 |
| 8 33 31 | 6 | 8 | 8 | 3 12 | 2 | 3 |
| 37 37 | 7 | 9 | 9 | 4 4 | 3 | 4 |
| 41 41 | 8 | 10 | 10 | 4 56 | 4 | 5 |
| 8 45 45 | 9 | 11 | 11 | 5 48 | 5 | 6 |
| 49 48 | 10 | 12 | 12 | 6 40 | 6 | 7 |
| 53 51 | 11 | 13 | 13 | 7 31 | 7 | 8 |
| 8 57 52 | 12 | 14 | 14 | 8 23 | 8 | 9 |
| 9 1 53 | 13 | 15 | 14 | 9 14 | 9 | 10 |
| 5 53 | 14 | 16 | 15 | 10 5 | 10 | 11 |
| 9 9 53 | 15 | 17 | 16 | 10 56 | 10 | 12 |
| 13 52 | 16 | 18 | 17 | 11 47 | 11 | 13 |
| 17 50 | 17 | 19 | 18 | 12 37 | 12 | 14 |
| 9 21 47 | 18 | 20 | 19 | 13 27 | 12 | 15 |
| 25 44 | 19 | 21 | 20 | 14 17 | 13 | 16 |
| 29 40 | 20 | 22 | 21 | 15 7 | 14 | 16 |
| 9 33 35 | 21 | 23 | 22 | 15 56 | 15 | 17 |
| 37 29 | 22 | 24 | 23 | 16 46 | 16 | 18 |
| 41 23 | 23 | 25 | 24 | 17 35 | 17 | 19 |
| 9 45 16 | 24 | 26 | 25 | 18 24 | 18 | 20 |
| 49 9 | 25 | 27 | 25 | 19 13 | 19 | 21 |
| 53 1 | 26 | 28 | 26 | 20 2 | 20 | 22 |
| 9 56 52 | 27 | 29 | 27 | 20 51 | 21 | 23 |
| 10 0 43 | 28 | ♎ | 28 | 21 40 | 22 | 24 |
| 4 33 | 29 | 1 | 28 | 22 28 | 23 | 25 |
| Houses | 4 | 5 | 6 | 7 | 8 | 9 |

Latitude 28° S.   Latitude 29° S.   Latitude 30° S.

## SIMPLIFIED SCIENTIFIC TABLES OF HOUSES

Latitude 28° N.    Latitude 29° N.    Latitude 30° N.

| Sider'l Time | 10 ♍ | 11 ≈ | 12 ♏ | Asc. ♏ | 2 ♐ | 3 ♑ | 10 ♍ | 11 ≈ | 12 ≈ | Asc. ♏ | 2 ♐ | 3 ♑ | 10 ♍ | 11 ≈ | 12 ≈ | Asc. ♏ | 2 ♐ | 3 ♑ |
|---|---|---|---|---|---|---|---|---|---|---|---|---|---|---|---|---|---|---|
| H M S | ° | ° | ° | ° ' | ° | ° | ° | ° | ° | ° ' | ° | ° | ° | ° | ° | ° ' | ° | ° |
| 10 8 23 | 0 | 2 | 0 | 24 3 | 24 | 26 | 0 | 2 | 29 | 23 40 | 23 | 26 | 0 | 2 | 29 | 23 17 | 23 | 26 |
| 12 12 | 1 | 3 | 1 | 24 52 | 25 | 27 | 1 | 3 | ♏ | 24 29 | 24 | 27 | 1 | 3 | ♏ | 24 5 | 24 | 27 |
| 16 0 | 2 | 4 | 2 | 25 40 | 26 | 28 | 2 | 4 | 1 | 25 17 | 25 | 28 | 2 | 4 | 1 | 24 53 | 25 | 28 |
| 10 19 48 | 3 | 5 | 3 | 26 29 | 26 | 29 | 3 | 5 | 2 | 26 5 | 26 | 29 | 3 | 5 | 2 | 25 41 | 26 | 29 |
| 23 35 | 4 | 6 | 4 | 27 17 | 27 | ≈ | 4 | 6 | 3 | 26 53 | 27 | ≈ | 4 | 6 | 3 | 26 29 | 26 | ≈ |
| 27 22 | 5 | 7 | 4 | 28 6 | 28 | 1 | 5 | 7 | 4 | 27 41 | 28 | 1 | 5 | 7 | 4 | 27 17 | 27 | 1 |
| 10 31 8 | 6 | 8 | 5 | 28 54 | 29 | 2 | 6 | 8 | 5 | 28 29 | 29 | 2 | 6 | 8 | 5 | 28 5 | 28 | 2 |
| 34 54 | 7 | 9 | 6 | 29 42 | ♑ | 3 | 7 | 9 | 6 | 29 17 | ♑ | 3 | 7 | 9 | 6 | 28 52 | 29 | 3 |
| 38 40 | 8 | 10 | 7 | 0 ♐ 30 | 1 | 4 | 8 | 10 | 7 | 0 ♐ 5 | 1 | 4 | 8 | 10 | 7 | 29 40 | ♑ | 4 |
| 10 42 25 | 9 | 11 | 8 | 1 18 | 1 | 5 | 9 | 11 | 8 | 0 53 | 2 | 4 | 9 | 11 | 8 | 0 ♐ 28 | 1 | 4 |
| 46 9 | 10 | 12 | 9 | 2 6 | 2 | 6 | 10 | 12 | 8 | 1 41 | 2 | 5 | 10 | 12 | 8 | 1 15 | 2 | 5 |
| 49 53 | 11 | 13 | 10 | 2 54 | 3 | 7 | 11 | 13 | 9 | 2 28 | 3 | 6 | 11 | 13 | 9 | 2 3 | 3 | 6 |
| 10 53 37 | 12 | 14 | 11 | 3 42 | 4 | 8 | 12 | 14 | 10 | 3 16 | 4 | 7 | 12 | 14 | 10 | 2 50 | 4 | 7 |
| 57 20 | 13 | 15 | 12 | 4 30 | 5 | 9 | 13 | 15 | 11 | 4 4 | 4 | 8 | 13 | 15 | 11 | 3 37 | 5 | 8 |
| 11 1 3 | 14 | 16 | 12 | 5 17 | 6 | 10 | 14 | 15 | 12 | 4 51 | 5 | 9 | 14 | 16 | 12 | 4 25 | 5 | 9 |
| 11 4 46 | 15 | 16 | 13 | 6 5 | 7 | 10 | 15 | 16 | 13 | 5 39 | 6 | 10 | 15 | 16 | 12 | 5 12 | 6 | 10 |
| 8 28 | 16 | 17 | 14 | 6 53 | 8 | 11 | 16 | 17 | 14 | 6 26 | 7 | 11 | 16 | 17 | 13 | 5 59 | 7 | 11 |
| 12 10 | 17 | 18 | 15 | 7 40 | 9 | 12 | 17 | 18 | 15 | 7 14 | 8 | 12 | 17 | 18 | 14 | 6 46 | 8 | 12 |
| 11 15 52 | 18 | 19 | 16 | 8 28 | 10 | 13 | 18 | 19 | 16 | 8 1 | 9 | 13 | 18 | 19 | 15 | 7 34 | 9 | 13 |
| 19 34 | 19 | 20 | 17 | 9 16 | 10 | 14 | 19 | 20 | 16 | 8 48 | 10 | 14 | 19 | 20 | 16 | 8 21 | 10 | 14 |
| 23 15 | 20 | 21 | 17 | 10 8 | 11 | 15 | 20 | 21 | 17 | 9 36 | 11 | 15 | 20 | 21 | 17 | 9 8 | 10 | 15 |
| 11 26 56 | 21 | 22 | 18 | 10 51 | 12 | 16 | 21 | 22 | 18 | 10 23 | 12 | 16 | 21 | 22 | 18 | 9 55 | 11 | 16 |
| 30 37 | 22 | 23 | 19 | 11 39 | 13 | 17 | 22 | 23 | 19 | 11 11 | 13 | 17 | 22 | 23 | 19 | 10 43 | 12 | 17 |
| 34 18 | 23 | 24 | 19 | 12 27 | 14 | 18 | 23 | 24 | 20 | 11 59 | 14 | 18 | 23 | 24 | 20 | 11 30 | 13 | 18 |
| 11 37 58 | 24 | 24 | 20 | 13 15 | 15 | 19 | 24 | 25 | 20 | 12 46 | 15 | 19 | 24 | 24 | 21 | 12 17 | 14 | 19 |
| 41 39 | 25 | 25 | 21 | 14 3 | 16 | 20 | 25 | 25 | 21 | 13 34 | 15 | 20 | 25 | 25 | 21 | 13 5 | 15 | 20 |
| 45 19 | 26 | 26 | 22 | 14 50 | 17 | 21 | 26 | 26 | 22 | 14 22 | 16 | 21 | 26 | 26 | 22 | 13 53 | 16 | 21 |
| 11 49 0 | 27 | 27 | 23 | 15 38 | 18 | 22 | 27 | 27 | 23 | 15 9 | 17 | 22 | 27 | 27 | 23 | 14 40 | 17 | 22 |
| 52 40 | 28 | 28 | 24 | 16 26 | 19 | 23 | 28 | 28 | 24 | 15 57 | 18 | 23 | 28 | 28 | 24 | 15 28 | 18 | 23 |
| 56 20 | 29 | 29 | 25 | 17 15 | 20 | 24 | 29 | 29 | 25 | 16 45 | 19 | 24 | 29 | 29 | 25 | 16 16 | 19 | 24 |
| Houses | 4 | 5 | 6 | 7 | 8 | 9 | 4 | 5 | 6 | 7 | 8 | 9 | 4 | 5 | 6 | 7 | 8 | 9 |

Latitude 28° S.    Latitude 29° S.    Latitude 80° S.

# SIMPLIFIED SCIENTIFIC TABLES OF HOUSES

Latitude 28° N.  Latitude 29° N.  Latitude 30° N.

| Sider'l Time | 10 ♎ | 11 ♏ | 12 ♏ | Asc ♐ ° | ' | 2 ♑ | 3 ♒ | 10 ♎ | 11 ♏ | 12 ♏ | Asc ♐ ° | ' | 2 ♑ | 3 ♒ | 10 ♎ | 11 ♏ | 12 ♏ | Asc ♐ ° | ' | 2 ♑ | 3 ♒ |
|---|---|---|---|---|---|---|---|---|---|---|---|---|---|---|---|---|---|---|---|---|---|
| H M S | ° | ° | ° | ° | ' | ° | ° | ° | ° | ° | ° | ' | ° | ° | ° | ° | ° | ° | ' | ° | ° |
| 12 0 0 | 0 | ♏ | 25 | 18 | 4 | 20 | 25 | 0 | 0 | 25 | 17 | 34 | 20 | 25 | 0 | 29 | 25 | 17 | 4 | 19 | 25 |
| 3 40 | 1 | 1 | 26 | 18 | 51 | 21 | 26 | 1 | 1 | 26 | 18 | 22 | 21 | 26 | 1 | ♏ | 26 | 17 | 52 | 20 | 26 |
| 7 20 | 2 | 2 | 27 | 19 | 40 | 22 | 27 | 2 | 2 | 27 | 19 | 10 | 22 | 27 | 2 | 1 | 27 | 18 | 40 | 21 | 27 |
| 12 11 0 | 3 | 3 | 27 | 20 | 29 | 23 | 28 | 3 | 3 | 27 | 19 | 59 | 23 | 28 | 3 | 2 | 28 | 19 | 28 | 22 | 28 |
| 14 41 | 4 | 4 | 28 | 21 | 18 | 24 | 29 | 4 | 4 | 28 | 20 | 47 | 24 | 29 | 4 | 3 | 28 | 20 | 17 | 23 | 29 |
| 18 21 | 5 | 4 | 29 | 22 | 6 | 25 | ♓ | 5 | 4 | 29 | 21 | 36 | 24 | ♓ | 5 | 4 | 29 | 21 | 5 | 24 | ♓ |
| 12 22 2 | 6 | 5 | 29 | 22 | 56 | 26 | 1 | 6 | 5 | ♐ | 22 | 25 | 25 | 1 | 6 | 5 | ♐ | 21 | 54 | 25 | 1 |
| 25 42 | 7 | 6 | ♐ | 23 | 45 | 27 | 3 | 7 | 6 | 1 | 23 | 14 | 26 | 2 | 7 | 6 | 1 | 22 | 43 | 26 | 2 |
| 29 23 | 8 | 7 | 2 | 24 | 34 | 28 | 4 | 8 | 7 | 2 | 24 | 3 | 27 | 3 | 8 | 7 | 2 | 23 | 32 | 27 | 3 |
| 12 33 4 | 9 | 8 | 3 | 25 | 24 | 29 | 5 | 9 | 8 | 2 | 24 | 53 | 28 | 4 | 9 | 8 | 2 | 24 | 21 | 28 | 4 |
| 36 45 | 10 | 9 | 3 | 26 | 14 | 29 | 6 | 10 | 9 | 3 | 25 | 42 | 29 | 5 | 10 | 9 | 3 | 25 | 11 | 29 | 5 |
| 40 26 | 11 | 10 | 4 | 27 | 4 | ♒ | 7 | 11 | 10 | 4 | 26 | 32 | ♒ | 7 | 11 | 10 | 4 | 26 | 0 | ♒ | 6 |
| 12 44 8 | 12 | 11 | 5 | 27 | 54 | 1 | 7 | 12 | 11 | 5 | 27 | 22 | 1 | 8 | 12 | 11 | 5 | 26 | 50 | 1 | 7 |
| 47 50 | 13 | 12 | 6 | 28 | 44 | 2 | 8 | 13 | 12 | 6 | 28 | 12 | 2 | 8 | 13 | 12 | 6 | 27 | 40 | 2 | 8 |
| 51 32 | 14 | 13 | 7 | 29 | 35 | 3 | 9 | 14 | 13 | 7 | 29 | 3 | 3 | 9 | 14 | 13 | 7 | 28 | 31 | 3 | 9 |
| 12 55 14 | 15 | 13 | 8 | 0♑ | 26 | 4 | 11 | 15 | 13 | 7 | 29 | 54 | 4 | 11 | 15 | 13 | 7 | 29 | 22 | 4 | 11 |
| 58 57 | 16 | 14 | 8 | 1 | 17 | 5 | 12 | 16 | 14 | 8 | 0♑ | 45 | 5 | 12 | 16 | 14 | 8 | 0♑ | 13 | 5 | 12 |
| 13 2 40 | 17 | 15 | 9 | 2 | 9 | 6 | 13 | 17 | 15 | 9 | 1 | 37 | 6 | 13 | 17 | 15 | 9 | 1 | 4 | 6 | 13 |
| 13 6 23 | 18 | 16 | 10 | 3 | 0 | 7 | 14 | 18 | 16 | 10 | 2 | 28 | 7 | 14 | 18 | 16 | 10 | 1 | 55 | 7 | 14 |
| 10 7 | 19 | 17 | 11 | 3 | 53 | 8 | 15 | 19 | 17 | 10 | 3 | 21 | 8 | 15 | 19 | 16 | 11 | 2 | 48 | 8 | 15 |
| 13 51 | 20 | 18 | 12 | 4 | 45 | 9 | 16 | 20 | 18 | 11 | 4 | 13 | 9 | 16 | 20 | 17 | 11 | 3 | 40 | 9 | 16 |
| 13 17 35 | 21 | 19 | 13 | 5 | 38 | 10 | 17 | 21 | 19 | 12 | 5 | 6 | 10 | 17 | 21 | 18 | 12 | 4 | 33 | 10 | 17 |
| 21 20 | 22 | 20 | 13 | 6 | 31 | 11 | 18 | 22 | 20 | 13 | 5 | 59 | 11 | 18 | 22 | 19 | 13 | 5 | 25 | 11 | 18 |
| 25 6 | 23 | 20 | 14 | 7 | 25 | 12 | 19 | 23 | 21 | 14 | 6 | 52 | 12 | 19 | 23 | 20 | 14 | 6 | 19 | 12 | 19 |
| 13 28 52 | 24 | 21 | 15 | 8 | 19 | 14 | 20 | 24 | 22 | 14 | 7 | 46 | 13 | 20 | 24 | 21 | 15 | 7 | 12 | 13 | 20 |
| 32 38 | 25 | 22 | 16 | 9 | 13 | 15 | 22 | 25 | 22 | 15 | 8 | 40 | 14 | 22 | 25 | 22 | 15 | 8 | 7 | 14 | 22 |
| 36 25 | 26 | 23 | 17 | 10 | 8 | 16 | 23 | 26 | 23 | 16 | 9 | 35 | 15 | 23 | 26 | 23 | 16 | 9 | 1 | 15 | 23 |
| 13 40 12 | 27 | 24 | 18 | 11 | 3 | 17 | 24 | 27 | 24 | 17 | 10 | 30 | 16 | 24 | 27 | 24 | 17 | 9 | 56 | 16 | 24 |
| 44 0 | 28 | 25 | 18 | 11 | 58 | 18 | 25 | 28 | 25 | 18 | 11 | 25 | 17 | 25 | 28 | 25 | 18 | 10 | 51 | 17 | 25 |
| 47 48 | 29 | 26 | 19 | 12 | 54 | 19 | 26 | 29 | 26 | 19 | 12 | 21 | 18 | 26 | 29 | 26 | 19 | 11 | 47 | 18 | 26 |
| Houses | 4 | 5 | 6 | 7 | | 8 | 9 | 4 | 5 | 6 | 7 | | 8 | 9 | 4 | 5 | 6 | 7 | | 8 | 9 |

Latitude 28° S.  Latitude 29° S.  Latitude 30° S.

# SIMPLIFIED SCIENTIFIC TABLES OF HOUSES

|  | Latitude 28° N. | | | | | | Latitude 29° N. | | | | | | Latitude 30° N. | | | | | |
|---|---|---|---|---|---|---|---|---|---|---|---|---|---|---|---|---|---|---|
| Sider'l Time | 10 ♏ | 11 ♏ | 12 ♐ | Asc. ♑ | 2 ♒ | 3 ♓ | 10 ♏ | 11 ♏ | 12 ♐ | Asc. ♑ | 2 ♒ | 3 ♓ | 10 ♏ | 11 ♏ | 12 ♐ | Asc. ♑ | 2 ♒ | 3 ♓ |
| H M S | ° | ° | ° | ° ′ | ° | ° | ° | ° | ° | ° ′ | ° | ° | ° | ° | ° | ° ′ | ° | ° |
| 13 51 37 | 0 | 27 | 20 | 13 51 | 20 | 27 | 0 | 26 | 20 | 13 17 | 20 | 27 | 0 | 26 | 19 | 12 44 | 20 | 27 |
| 55 27 | 1 | 28 | 21 | 14 47 | 21 | 28 | 1 | 27 | 21 | 14 14 | 21 | 28 | 1 | 27 | 20 | 13 40 | 21 | 29 |
| 59 17 | 2 | 29 | 22 | 15 45 | 22 | ♈ | 2 | 28 | 22 | 15 12 | 22 | 29 | 2 | 28 | 21 | 14 38 | 22 | ♈ |
| 14 3 8 | 3 | 29 | 23 | 16 43 | 24 | 1 | 3 | 29 | 23 | 16 9 | 23 | ♈ | 3 | 29 | 22 | 15 35 | 23 | 1 |
| 6 59 | 4 | ♐ | 23 | 17 41 | 25 | 2 | 4 | ♐ | 24 | 17 8 | 24 | 2 | 4 | ♐ | 23 | 16 34 | 24 | 2 |
| 10 51 | 5 | 1 | 24 | 18 40 | 26 | 3 | 5 | 1 | 24 | 18 7 | 25 | 3 | 5 | 1 | 24 | 17 33 | 25 | 3 |
| 14 14 44 | 6 | 2 | 26 | 19 39 | 27 | 4 | 6 | 2 | 25 | 19 6 | 26 | 4 | 6 | 2 | 25 | 18 32 | 26 | 4 |
| 18 37 | 7 | 4 | 28 | 20 39 | 28 | 5 | 7 | 3 | 26 | 20 6 | 27 | 5 | 7 | 3 | 26 | 19 32 | 27 | 5 |
| 22 31 | 8 | 5 | ♑ | 21 39 | ♓ | 7 | 8 | 4 | 26 | 21 7 | 29 | 6 | 8 | 4 | 27 | 20 23 | 29 | 6 |
| 14 26 25 | 9 | 7 | 2 | 22 41 | 1 | 8 | 9 | 4 | 27 | 22 8 | ♓ | 7 | 9 | 5 | 28 | 21 34 | ♓ | 7 |
| 30 20 | 10 | 8 | 3 | 23 43 | 2 | 9 | 10 | 5 | 28 | 23 10 | 1 | 9 | 10 | 5 | 28 | 22 36 | 1 | 9 |
| 34 16 | 11 | 8 | 3 | 24 45 | 3 | 10 | 11 | 6 | 29 | 24 12 | 3 | 10 | 11 | 6 | 29 | 23 38 | 2 | 10 |
| 14 38 13 | 12 | 9 | 4 | 25 48 | 4 | 11 | 12 | 7 | ♑ | 25 15 | 4 | 11 | 12 | 7 | ♑ | 24 41 | 3 | 11 |
| 42 10 | 13 | 9 | 4 | 26 51 | 5 | 13 | 13 | 8 | 1 | 26 18 | 6 | 12 | 13 | 8 | 1 | 25 45 | 4 | 12 |
| 46 8 | 14 | 10 | 5 | 27 55 | 7 | 14 | 14 | 9 | 2 | 27 23 | 7 | 13 | 14 | 9 | 2 | 26 49 | 5 | 13 |
| 14 50 7 | 15 | 10 | 5 | 29 0 | 8 | 15 | 15 | 10 | 3 | 28 28 | 8 | 15 | 15 | 10 | 3 | 27 55 | 7 | 15 |
| 54 7 | 16 | 11 | 6 | 0♒ 6 | 9 | 16 | 16 | 11 | 4 | 29 34 | 9 | 17 | 16 | 11 | 4 | 29 0 | 8 | 16 |
| 58 7 | 17 | 12 | 6 | 1 12 | 10 | 17 | 17 | 12 | 5 | 0♒40 | 10 | 18 | 17 | 12 | 5 | 0♒ 7 | 10 | 18 |
| 15 2 8 | 18 | 13 | 7 | 2 19 | 11 | 19 | 18 | 13 | 6 | 1 47 | 11 | 19 | 18 | 13 | 6 | 1 14 | 11 | 19 |
| 6 9 | 19 | 14 | 8 | 3 27 | 12 | 20 | 19 | 14 | 7 | 2 55 | 12 | 20 | 19 | 14 | 7 | 2 23 | 12 | 20 |
| 10 12 | 20 | 14 | 8 | 4 35 | 14 | 21 | 20 | 14 | 8 | 4 4 | 14 | 21 | 20 | 14 | 7 | 3 31 | 14 | 21 |
| 15 14 15 | 21 | 16 | 9 | 5 44 | 15 | 22 | 21 | 15 | 9 | 5 13 | 15 | 22 | 21 | 15 | 8 | 4 41 | 15 | 22 |
| 18 19 | 22 | 17 | 10 | 6 54 | 16 | 23 | 22 | 16 | 10 | 6 23 | 16 | 23 | 22 | 16 | 9 | 5 51 | 16 | 23 |
| 22 23 | 23 | 18 | 11 | 8 5 | 18 | 24 | 23 | 17 | 11 | 7 34 | 17 | 24 | 23 | 17 | 10 | 7 3 | 17 | 24 |
| 15 26 29 | 24 | 19 | 12 | 9 16 | 20 | 25 | 24 | 18 | 12 | 8 46 | 19 | 25 | 24 | 18 | 11 | 8 15 | 18 | 25 |
| 30 35 | 25 | 19 | 13 | 10 28 | 21 | 26 | 25 | 19 | 12 | 9 58 | 20 | 26 | 25 | 19 | 12 | 9 28 | 20 | 27 |
| 34 41 | 26 | 20 | 14 | 11 41 | 22 | 27 | 26 | 20 | 13 | 11 12 | 21 | 28 | 26 | 20 | 13 | 10 41 | 21 | 28 |
| 15 38 49 | 27 | 21 | 15 | 12 55 | 23 | 28 | 27 | 20 | 14 | 12 26 | 23 | 28 | 27 | 21 | 14 | 11 56 | 23 | 29 |
| 42 57 | 28 | 22 | 16 | 14 9 | 24 | ♉ | 28 | 22 | 15 | 13 41 | 24 | ♉ | 28 | 22 | 15 | 13 11 | 25 | ♉ |
| 47 6 | 29 | 23 | 17 | 15 25 | 25 | 1 | 29 | 23 | 16 | 14 57 | 26 | 1 | 29 | 22 | 16 | 14 28 | 25 | 1 |
| Houses | 4 | 5 | 6 | 7 | 8 | 9 | 4 | 5 | 6 | 7 | 8 | 9 | 4 | 5 | 6 | 7 | 8 | 9 |

Latitude 28° S.   Latitude 29° S.   Latitude 30° S.

# SIMPLIFIED SCIENTIFIC TABLES OF HOUSES

| | Latitude 28° N. | | | | | | Latitude 29° N. | | | | | | Latitude 30° N. | | | | | |
|---|---|---|---|---|---|---|---|---|---|---|---|---|---|---|---|---|---|---|
| Sider'l Time | 10 ♐ | 11 ♐ | 12 ♑ | Asc. ♒ | 2 ♓ | 3 ♉ | 10 ♐ | 11 ♐ | 12 ♑ | Asc. ♒ | 2 ♓ | 3 ♉ | 10 ♐ | 11 ♐ | 12 ♑ | Asc. ♒ | 2 ♓ | 3 ♉ |
| H M S | ° | ° | ° | ° ' | ° | ° | ° | ° | ° | ° ' | ° | ° | ° | ° | ° | ° ' | ° | ° |
| 15 51 15 | 0 | 24 | 18 | 16 41 | 27 | 2 | 0 | 24 | 18 | 16 13 | 27 | 2 | 0 | 24 | 17 | 15 45 | 27 | 2 |
| 55 25 | 1 | 25 | 19 | 17 58 | 28 | 3 | 1 | 25 | 19 | 17 31 | 28 | 3 | 1 | 25 | 18 | 17 3 | 28 | 3 |
| 59 36 | 2 | 26 | 20 | 19 15 | ♈ | 4 | 2 | 26 | 20 | 18 49 | ♈ | 4 | 2 | 26 | 19 | 18 21 | ♈ | 4 |
| 16 3 48 | 3 | 27 | 21 | 20 34 | 2 | 5 | 3 | 27 | 21 | 20 8 | 1 | 5 | 3 | 27 | 20 | 19 41 | 1 | 6 |
| 8 0 | 4 | 28 | 22 | 21 53 | 3 | 7 | 4 | 28 | 22 | 21 28 | 3 | 7 | 4 | 27 | 21 | 21 2 | 2 | 7 |
| 12 13 | 5 | 29 | 23 | 23 13 | 4 | 8 | 5 | 29 | 23 | 22 48 | 4 | 8 | 5 | 28 | 22 | 22 23 | 4 | 8 |
| 16 16 26 | 6 | ♑ | 24 | 24 34 | 5 | 9 | 6 | ♑ | 24 | 24 10 | 6 | 9 | 6 | 29 | 23 | 23 45 | 5 | 9 |
| 20 40 | 7 | 1 | 25 | 25 56 | 7 | 10 | 7 | 1 | 25 | 25 32 | 7 | 10 | 7 | ♑ | 24 | 25 8 | 6 | 11 |
| 24 55 | 8 | 2 | 26 | 27 18 | 9 | 11 | 8 | 2 | 26 | 26 56 | 8 | 11 | 8 | 1 | 25 | 26 32 | 7 | 12 |
| 16 29 10 | 9 | 3 | 28 | 28 41 | 10 | 13 | 9 | 2 | 27 | 28 20 | 9 | 13 | 9 | 2 | 27 | 27 57 | 9 | 13 |
| 33 26 | 10 | 4 | 29 | 0♓ 5 | 11 | 14 | 10 | 3 | 28 | 29 44 | 11 | 14 | 10 | 3 | 28 | 29 22 | 11 | 14 |
| 37 42 | 11 | 5 | ♒ | 1 30 | 13 | 15 | 11 | 4 | 29 | 1♓10 | 12 | 15 | 11 | 4 | 29 | 0♓49 | 13 | 15 |
| 16 41 59 | 12 | 6 | 1 | 2 56 | 14 | 16 | 12 | 5 | ♒ | 2 36 | 14 | 16 | 12 | 5 | ♒ | 2 16 | 14 | 17 |
| 46 16 | 13 | 7 | 2 | 4 22 | 15 | 17 | 13 | 6 | 1 | 4 3 | 15 | 17 | 13 | 6 | 1 | 3 44 | 15 | 18 |
| 50 34 | 14 | 8 | 3 | 5 48 | 16 | 18 | 14 | 7 | 3 | 5 31 | 16 | 18 | 14 | 7 | 3 | 5 12 | 16 | 19 |
| 16 54 52 | 15 | 9 | 4 | 7 15 | 17 | 19 | 15 | 8 | 4 | 6 59 | 18 | 20 | 15 | 8 | 4 | 6 42 | 18 | 20 |
| 59 10 | 16 | 10 | 5 | 8 44 | 19 | 20 | 16 | 9 | 5 | 8 28 | 20 | 21 | 16 | 9 | 5 | 8 11 | 20 | 21 |
| 17 3 29 | 17 | 11 | 6 | 10 12 | 20 | 21 | 17 | 10 | 6 | 9 57 | 21 | 22 | 17 | 10 | 6 | 9 42 | 21 | 22 |
| 17 7 49 | 18 | 12 | 7 | 11 41 | 21 | 22 | 18 | 11 | 7 | 11 27 | 22 | 23 | 18 | 11 | 7 | 11 13 | 22 | 23 |
| 12 9 | 19 | 13 | 9 | 13 11 | 22 | 24 | 19 | 12 | 9 | 12 58 | 23 | 24 | 19 | 12 | 8 | 12 45 | 24 | 24 |
| 16 29 | 20 | 14 | 10 | 14 41 | 24 | 25 | 20 | 13 | 10 | 14 30 | 24 | 25 | 20 | 13 | 9 | 14 17 | 25 | 25 |
| 17 20 49 | 21 | 15 | 11 | 16 12 | 25 | 26 | 21 | 14 | 11 | 16 1 | 25 | 26 | 21 | 14 | 10 | 15 50 | 26 | 26 |
| 25 9 | 22 | 16 | 12 | 17 43 | 26 | 27 | 22 | 15 | 12 | 17 33 | 26 | 27 | 22 | 15 | 11 | 17 24 | 27 | 27 |
| 29 30 | 23 | 17 | 14 | 19 14 | 27 | 28 | 23 | 16 | 13 | 19 6 | 28 | 28 | 23 | 16 | 12 | 18 57 | 29 | 28 |
| 17 33 51 | 24 | 18 | 15 | 20 16 | 28 | 29 | 24 | 18 | 15 | 20 39 | 29 | 29 | 24 | 17 | 14 | 20 31 | ♉ | 29 |
| 38 12 | 25 | 19 | 16 | 22 18 | ♉ | Ⅱ | 25 | 19 | 16 | 22 12 | ♉ | Ⅱ | 25 | 18 | 16 | 22 6 | 0 | Ⅱ |
| 42 34 | 26 | 20 | 17 | 23 50 | 2 | 1 | 26 | 20 | 17 | 23 45 | 1 | 1 | 26 | 19 | 18 | 23 40 | 2 | 2 |
| 17 46 55 | 27 | 21 | 18 | 25 22 | 4 | 2 | 27 | 21 | 18 | 25 19 | 3 | 3 | 27 | 20 | 19 | 25 15 | 3 | 3 |
| 51 17 | 28 | 22 | 19 | 26 55 | 5 | 3 | 28 | 22 | 19 | 26 52 | 5 | 4 | 28 | 21 | 20 | 26 50 | 5 | 4 |
| 55 38 | 29 | 23 | 20 | 28 27 | 6 | 4 | 29 | 23 | 20 | 28 26 | 7 | 5 | 29 | 23 | 21 | 28 25 | 7 | 5 |
| Houses | 4 | 5 | 6 | 7 | 8 | 9 | 4 | 5 | 6 | 7 | 8 | 9 | 4 | 5 | 6 | 7 | 8 | 9 |

Latitude 28° S.　　　　Latitude 29° S　　　　Latitude 30° S.

## SIMPLIFIED SCIENTIFIC TABLES OF HOUSES
### Latitude 28° N.     Latitude 29° N.     Latitude 30° N.

| Sider'l Time H M S | 10 ♑ | 11 ♑ | 12 ♒ | Asc. ♈ ° ' | 2 ♉ | 3 Ⅱ | 10 ♑ | 11 ♑ | 12 ♒ | Asc. ♈ ° ' | 2 ♉ | 3 Ⅱ | 10 ♑ | 11 ♑ | 12 ♒ | Asc. ♈ ° ' | 2 ♉ | 3 Ⅱ |
|---|---|---|---|---|---|---|---|---|---|---|---|---|---|---|---|---|---|---|
| 18 0 0 | 0 | 24 | 22 | 0 0 | 7 | 6 | 0 | 24 | 22 | 0 0 | 8 | 6 | 0 | 24 | 22 | 0 0 | 8 | 6 |
| 4 22 | 1 | 25 | 24 | 1 33 | 8 | 7 | 1 | 25 | 23 | 1 34 | 9 | 7 | 1 | 25 | 23 | 1 35 | 8 | 6 |
| 8 43 | 2 | 26 | 25 | 3 5 | 10 | 8 | 2 | 26 | 24 | 3 8 | 10 | 8 | 2 | 26 | 24 | 3 10 | 10 | 8 |
| 18 13 5 | 3 | 27 | 26 | 4 38 | 11 | 9 | 3 | 27 | 26 | 4 41 | 11 | 8 | 3 | 27 | 25 | 4 45 | 12 | 9 |
| 17 26 | 4 | 28 | 28 | 6 10 | 13 | 10 | 4 | 28 | 28 | 6 15 | 13 | 10 | 4 | 28 | 27 | 6 20 | 13 | 10 |
| 21 48 | 5 | 29 | 29 | 7 42 | 14 | 11 | 5 | 29 | 29 | 7 48 | 14 | 11 | 5 | 29 | 29 | 7 54 | 14 | 11 |
| 18 26 9 | 6 | ♒ | ♓ | 9 14 | 16 | 12 | 6 | ♒ | ♓ | 9 21 | 15 | 12 | 6 | ♒ | ♓ | 9 29 | 15 | 12 |
| 30 30 | 7 | 1 | 1 | 10 46 | 17 | 13 | 7 | 1 | 1 | 10 54 | 17 | 13 | 7 | 1 | 1 | 11 3 | 16 | 13 |
| 34 51 | 8 | 2 | 2 | 12 17 | 18 | 14 | 8 | 3 | 3 | 12 27 | 18 | 14 | 8 | 3 | 3 | 12 36 | 18 | 15 |
| 18 39 11 | 9 | 4 | 4 | 13 48 | 19 | 15 | 9 | 4 | 4 | 13 59 | 19 | 15 | 9 | 4 | 4 | 14 10 | 19 | 16 |
| 43 31 | 10 | 5 | 6 | 15 19 | 20 | 16 | 10 | 5 | 5 | 15 30 | 20 | 16 | 10 | 5 | 5 | 15 43 | 20 | 17 |
| 47 51 | 11 | 6 | 7 | 16 49 | 21 | 17 | 11 | 6 | 6 | 17 2 | 21 | 17 | 11 | 6 | 6 | 17 15 | 21 | 18 |
| 18 52 11 | 12 | 7 | 9 | 18 19 | 23 | 18 | 12 | 7 | 7 | 18 33 | 22 | 18 | 12 | 7 | 7 | 18 47 | 23 | 19 |
| 56 31 | 13 | 8 | 10 | 19 48 | 24 | 19 | 13 | 8 | 8 | 20 3 | 23 | 19 | 13 | 8 | 9 | 20 18 | 24 | 20 |
| 19 0 50 | 14 | 9 | 11 | 21 16 | 25 | 20 | 14 | 9 | 10 | 21 32 | 24 | 20 | 14 | 9 | 10 | 21 49 | 25 | 21 |
| 19 5 8 | 15 | 11 | 12 | 22 45 | 26 | 21 | 15 | 10 | 12 | 23 1 | 26 | 22 | 15 | 10 | 12 | 23 18 | 26 | 22 |
| 9 26 | 16 | 12 | 14 | 24 12 | 27 | 22 | 16 | 11 | 14 | 24 29 | 27 | 23 | 16 | 11 | 13 | 24 48 | 27 | 22 |
| 13 44 | 17 | 13 | 15 | 25 38 | 28 | 23 | 17 | 12 | 15 | 25 57 | 28 | 24 | 17 | 12 | 15 | 26 16 | 28 | 24 |
| 19 18 1 | 18 | 14 | 16 | 27 4 | 29 | 24 | 18 | 13 | 16 | 27 24 | Ⅱ | 25 | 18 | 13 | 16 | 27 44 | Ⅱ | 25 |
| 22 18 | 19 | 15 | 18 | 28 30 | Ⅱ | 25 | 19 | 15 | 18 | 28 50 | 1 | 26 | 19 | 15 | 17 | 29 11 | Ⅱ | 26 |
| 26 34 | 20 | 16 | 19 | 29 55 | 1 | 26 | 20 | 16 | 19 | ♉ 16 | 2 | 27 | 20 | 16 | 19 | ♉ 38 | 2 | 27 |
| 19 30 50 | 21 | 17 | 20 | 1 ♉ 19 | 2 | 27 | 21 | 17 | 21 | 1 40 | 3 | 28 | 21 | 17 | 20 | 2 3 | 3 | 28 |
| 35 5 | 22 | 18 | 21 | 2 42 | 3 | 28 | 22 | 18 | 23 | 3 4 | 4 | 29 | 22 | 18 | 22 | 3 28 | 4 | 29 |
| 39 20 | 23 | 19 | 22 | 4 4 | 4 | 29 | 23 | 20 | 24 | 4 28 | 5 | ♋ | 23 | 19 | 23 | 4 52 | 5 | ♋ |
| 19 43 34 | 24 | 21 | 24 | 5 26 | 5 | ♋ | 24 | 21 | 25 | 5 50 | 6 | 0 | 24 | 20 | 24 | 6 15 | 7 | 1 |
| 47 47 | 25 | 22 | 26 | 6 47 | 7 | 1 | 25 | 22 | 26 | 7 12 | 7 | 1 | 25 | 22 | 26 | 7 37 | 8 | 2 |
| 52 0 | 26 | 23 | 27 | 8 7 | 8 | 2 | 26 | 23 | 27 | 8 32 | 8 | 2 | 26 | 23 | 28 | 8 58 | 9 | 3 |
| 19 56 12 | 27 | 24 | 28 | 9 26 | 9 | 3 | 27 | 24 | 28 | 9 52 | 9 | 3 | 27 | 24 | 29 | 10 19 | 10 | 4 |
| 20 0 24 | 28 | 25 | ♈ | 10 45 | 10 | 4 | 28 | 25 | ♈ | 11 11 | 10 | 4 | 28 | 25 | ♈ | 11 39 | 11 | 5 |
| 4 35 | 29 | 26 | 2 | 12 2 | 11 | 5 | 29 | 26 | 1 | 12 29 | 11 | 5 | 29 | 27 | 2 | 12 57 | 12 | 5 |
| Houses | 4 | 5 | 6 | 7 | 8 | 9 | 4 | 5 | 6 | 7 | 8 | 9 | 4 | 5 | 6 | 7 | 8 | 9 |

### Latitude 28° S.     Latitude 29° S.     Latitude 30° S.

# SIMPLIFIED SCIENTIFIC TABLES OF HOUSES

Latitude 28° N.  Latitude 29° N.  Latitude 30° N.

| Sider'l Time (H M S) | 10 ♒ | 11 ♒ | 12 ♈ | Asc ♉ | 2 ♊ | 3 ♋ | 10 ♒ | 11 ♒ | 12 ♈ | Asc ♉ | 2 ♊ | 3 ♋ | 10 ♒ | 11 ♒ | 12 ♈ | Asc ♉ | 2 ♊ | 3 ♋ |
|---|---|---|---|---|---|---|---|---|---|---|---|---|---|---|---|---|---|---|
| 20 8 45 | 0 | 28 | 3 | 13 19 | 12 | 6 | 0 | 28 | 3 | 13 47 | 12 | 6 | 0 | 28 | 3 | 14 15 | 13 | 6 |
| 12 54 | 1 | 29 | 4 | 14 35 | 13 | 7 | 1 | 29 | 4 | 15 3 | 13 | 7 | 1 | 29 | 4 | 15 32 | 14 | 7 |
| 17 3 | 2 | ♓ | 6 | 15 51 | 14 | 8 | 2 | ♓ | 5 | 16 19 | 14 | 8 | 2 | ♓ | 5 | 16 49 | 15 | 8 |
| 20 21 11 | 3 | 1 | 7 | 17 5 | 15 | 9 | 3 | 1 | 6 | 17 34 | 15 | 9 | 3 | 1 | 6 | 18 4 | 16 | 9 |
| 25 19 | 4 | 3 | 8 | 18 19 | 16 | 10 | 4 | 2 | 8 | 18 48 | 16 | 10 | 4 | 2 | 8 | 19 19 | 17 | 10 |
| 29 26 | 5 | 4 | 9 | 19 32 | 17 | 11 | 5 | 3 | 9 | 20 2 | 17 | 11 | 5 | 3 | 10 | 20 32 | 18 | 11 |
| 20 33 31 | 6 | 5 | 11 | 20 44 | 18 | 12 | 6 | 4 | 11 | 21 14 | 18 | 12 | 6 | 4 | 11 | 21 45 | 19 | 12 |
| 37 37 | 7 | 6 | 12 | 21 55 | 19 | 13 | 7 | 5 | 12 | 22 26 | 19 | 13 | 7 | 5 | 13 | 22 57 | 20 | 13 |
| 41 41 | 8 | 7 | 13 | 23 6 | 20 | 14 | 8 | 6 | 14 | 23 37 | 20 | 14 | 8 | 6 | 14 | 24 9 | 21 | 14 |
| 20 45 45 | 9 | 8 | 15 | 24 16 | 21 | 14 | 9 | 7 | 15 | 24 47 | 21 | 15 | 9 | 7 | 15 | 25 19 | 22 | 15 |
| 49 48 | 10 | 9 | 16 | 25 25 | 22 | 15 | 10 | 9 | 16 | 25 56 | 22 | 16 | 10 | 9 | 16 | 26 29 | 23 | 16 |
| 53 51 | 11 | 10 | 17 | 26 23 | 23 | 16 | 11 | 10 | 18 | 27 5 | 23 | 17 | 11 | 10 | 17 | 27 37 | 24 | 17 |
| 20 57 52 | 12 | 11 | 19 | 27 41 | 24 | 17 | 12 | 11 | 19 | 28 13 | 24 | 18 | 12 | 11 | 18 | 28 46 | 25 | 18 |
| 21 1 53 | 13 | 12 | 20 | 28 48 | 25 | 18 | 13 | 12 | 20 | 29 20 | 25 | 19 | 13 | 12 | 20 | 29 53 | 26 | 19 |
| 5 53 | 14 | 13 | 21 | 29 54 | 26 | 19 | 14 | 14 | 21 | 0♊26 | 26 | 19 | 14 | 14 | 21 | 1♊ 0 | 26 | 20 |
| 21 9 53 | 15 | 15 | 22 | 1♊ 0 | 27 | 20 | 15 | 15 | 22 | 1 32 | 27 | 20 | 15 | 15 | 23 | 2 5 | 27 | 20 |
| 13 52 | 16 | 16 | 23 | 2 5 | 28 | 21 | 16 | 16 | 23 | 2 37 | 28 | 21 | 16 | 16 | 25 | 3 11 | 28 | 21 |
| 17 50 | 17 | 17 | 25 | 3 9 | 29 | 22 | 17 | 17 | 25 | 3 42 | 29 | 22 | 17 | 17 | 26 | 4 15 | 29 | 22 |
| 21 21 47 | 18 | 19 | 26 | 4 12 | 29 | 22 | 18 | 18 | 26 | 4 45 | ♋ | 23 | 18 | 18 | 27 | 5 19 | ♋ | 23 |
| 25 44 | 19 | 20 | 27 | 5 15 | ♋ | 23 | 19 | 20 | 28 | 5 48 | 0 | 24 | 19 | 19 | 28 | 6 22 | 1 | 24 |
| 29 40 | 20 | 21 | 28 | 6 17 | 1 | 24 | 20 | 21 | 29 | 6 50 | 1 | 25 | 20 | 21 | 29 | 7 24 | 2 | 25 |
| 21 33 35 | 21 | 22 | 29 | 7 19 | 2 | 25 | 21 | 22 | ♉ | 7 52 | 2 | 26 | 21 | 22 | ♉ | 8 26 | 3 | 26 |
| 37 29 | 22 | 24 | ♉ | 8 21 | 3 | 26 | 22 | 24 | 1 | 8 53 | 3 | 27 | 22 | 23 | 1 | 9 27 | 4 | 27 |
| 41 23 | 23 | 25 | 1 | 9 21 | 4 | 27 | 23 | 25 | 2 | 9 54 | 4 | 28 | 23 | 24 | 2 | 10 28 | 5 | 28 |
| 21 45 16 | 24 | 26 | 2 | 10 21 | 5 | 28 | 24 | 26 | 3 | 10 54 | 5 | 28 | 24 | 26 | 4 | 11 28 | 5 | 28 |
| 49 9 | 25 | 27 | 4 | 11 20 | 6 | 29 | 25 | 27 | 4 | 11 53 | 6 | 29 | 25 | 27 | 4 | 12 27 | 6 | 28 |
| 53 1 | 26 | 28 | 5 | 12 19 | 7 | ♌ | 26 | 28 | 5 | 12 52 | 7 | ♌ | 26 | 28 | 6 | 13 26 | 7 | ♌ |
| 21 56 52 | 27 | 29 | 6 | 13 17 | 8 | 1 | 27 | 29 | 6 | 13 51 | 8 | 1 | 27 | 29 | 7 | 14 25 | 8 | 1 |
| 22 0 43 | 28 | ♈ | 7 | 14 15 | 9 | 2 | 28 | ♈ | 7 | 14 48 | 9 | 2 | 28 | ♈ | 8 | 15 22 | 9 | 2 |
| 4 33 | 29 | 1 | 8 | 15 13 | 10 | 3 | 29 | 1 | 8 | 15 46 | 10 | 3 | 29 | 1 | 9 | 16 20 | 10 | 3 |
| Houses | 4 | 5 | 6 | 7 | 8 | 9 | 4 | 5 | 6 | 7 | 8 | 9 | 4 | 5 | 6 | 7 | 8 | 9 |

Latitude 28° S.  Latitude 29° S.  Latitude 30° S.

## SIMPLIFIED SCIENTIFIC TABLES OF HOUSES

### Latitude 28° N.

| Sider'l Time (H M S) | 10 ♓ | 11 ♈ | 12 ♉ | Asc. Ⅱ | | 2 ♋ | 3 ♌ |
|---|---|---|---|---|---|---|---|
| 22 8 23 | 0 | 2 | 10 | 16 | 9 | 10 | 3 |
| 12 12 | 1 | 3 | 11 | 17 | 6 | 11 | 4 |
| 16 0 | 2 | 4 | 12 | 18 | 2 | 12 | 5 |
| 22 19 48 | 3 | 5 | 13 | 18 | 57 | 13 | 5 |
| 23 35 | 4 | 7 | 14 | 19 | 52 | 14 | 7 |
| 27 22 | 5 | 8 | 15 | 20 | 47 | 14 | 8 |
| 22 31 8 | 6 | 9 | 16 | 21 | 41 | 15 | 9 |
| 34 54 | 7 | 10 | 17 | 22 | 35 | 16 | 10 |
| 38 40 | 8 | 12 | 19 | 23 | 29 | 17 | 11 |
| 22 42 25 | 9 | 13 | 20 | 24 | 22 | 18 | 12 |
| 46 9 | 10 | 14 | 21 | 25 | 15 | 18 | 12 |
| 49 53 | 11 | 15 | 22 | 26 | 7 | 19 | 13 |
| 22 53 37 | 12 | 16 | 23 | 27 | 0 | 20 | 14 |
| 57 20 | 13 | 17 | 24 | 27 | 51 | 20 | 15 |
| 23 1 3 | 14 | 18 | 25 | 28 | 43 | 21 | 16 |
| 23 4 46 | 15 | 19 | 26 | 29 | 34 | 22 | 17 |
| 8 28 | 16 | 20 | 26 | ♋ | 25 | 23 | 18 |
| 12 10 | 17 | 21 | 27 | 1 | 16 | 24 | 19 |
| 23 15 52 | 18 | 22 | 28 | 2 | 6 | 25 | 20 |
| 19 34 | 19 | 23 | 29 | 2 | 56 | 26 | 20 |
| 23 15 | 20 | 24 | Ⅱ | 3 | 46 | 27 | 21 |
| 23 26 56 | 21 | 25 | 1 | 4 | 36 | 28 | 22 |
| 30 37 | 22 | 26 | 2 | 5 | 26 | 28 | 23 |
| 34 18 | 23 | 27 | 3 | 6 | 15 | 29 | 23 |
| 23 37 58 | 24 | 28 | 4 | 7 | 4 | 29 | 24 |
| 41 39 | 25 | 29 | 5 | 7 | 54 | ♌ | 25 |
| 45 19 | 26 | ♉ | 6 | 8 | 42 | 1 | 26 |
| 52 40 | 27 | 2 | 7 | 9 | 31 | 2 | 27 |
| 23 49 0 | 28 | 3 | 8 | 10 | 20 | 3 | 28 |
| 56 20 | 29 | 4 | 9 | 11 | 9 | 4 | 29 |
| Houses | 4 | 5 | 6 | 7 | 8 | 9 | |

### Latitude 29° N.

| Sider'l Time (H M S) | 10 ♓ | 11 ♈ | 12 ♉ | Asc. Ⅱ | | 2 ♋ | 3 ♌ |
|---|---|---|---|---|---|---|---|
| 22 8 23 | 0 | 2 | 10 | 16 | 43 | 10 | 3 |
| 12 12 | 1 | 3 | 12 | 17 | 39 | 11 | 4 |
| 16 0 | 2 | 4 | 13 | 18 | 35 | 12 | 5 |
| 22 19 48 | 3 | 6 | 14 | 19 | 30 | 13 | 6 |
| 23 35 | 4 | 7 | 15 | 20 | 25 | 14 | 7 |
| 27 22 | 5 | 8 | 16 | 21 | 20 | 14 | 8 |
| 22 31 8 | 6 | 9 | 17 | 22 | 14 | 15 | 9 |
| 34 54 | 7 | 10 | 18 | 23 | 8 | 16 | 10 |
| 38 40 | 8 | 11 | 19 | 24 | 1 | 17 | 11 |
| 22 42 25 | 9 | 13 | 20 | 24 | 54 | 18 | 11 |
| 46 9 | 10 | 14 | 21 | 25 | 47 | 19 | 12 |
| 49 53 | 11 | 15 | 22 | 26 | 39 | 20 | 13 |
| 22 53 37 | 12 | 16 | 23 | 27 | 32 | 21 | 14 |
| 57 20 | 13 | 17 | 24 | 28 | 23 | 22 | 15 |
| 23 1 3 | 14 | 18 | 25 | 29 | 15 | 23 | 16 |
| 23 4 46 | 15 | 19 | 26 | ♋ | 6 | 23 | 17 |
| 8 28 | 16 | 20 | 27 | 0 | 57 | 24 | 18 |
| 12 10 | 17 | 21 | 28 | 1 | 48 | 25 | 19 |
| 23 15 52 | 18 | 22 | 28 | 2 | 38 | 26 | 20 |
| 19 34 | 19 | 23 | 29 | 3 | 28 | 26 | 20 |
| 23 15 | 20 | 24 | Ⅱ | 4 | 18 | 27 | 21 |
| 23 26 56 | 21 | 25 | 1 | 5 | 7 | 28 | 22 |
| 30 37 | 22 | 26 | 3 | 5 | 57 | 28 | 22 |
| 34 18 | 23 | 27 | 4 | 6 | 46 | 29 | 24 |
| 23 37 58 | 24 | 28 | 5 | 7 | 35 | ♌ | 25 |
| 41 39 | 25 | 29 | 6 | 8 | 24 | 1 | 26 |
| 45 19 | 26 | ♉ | 7 | 9 | 13 | 2 | 27 |
| 52 40 | 27 | 1 | 8 | 10 | 1 | 3 | 28 |
| 23 49 0 | 28 | 3 | 8 | 10 | 50 | 3 | 28 |
| 56 20 | 29 | 4 | 9 | 11 | 38 | 4 | 29 |
| Houses | 4 | 5 | 6 | 7 | 8 | 9 | |

### Latitude 30° N.

| Sider'l Time (H M S) | 10 ♓ | 11 ♈ | 12 ♉ | Asc. Ⅱ | | 2 ♋ | 3 ♌ |
|---|---|---|---|---|---|---|---|
| 22 8 23 | 0 | 2 | 10 | 17 | 16 | 11 | 4 |
| 12 12 | 1 | 3 | 11 | 18 | 13 | 12 | 5 |
| 16 0 | 2 | 4 | 12 | 19 | 9 | 13 | 6 |
| 22 19 48 | 3 | 5 | 13 | 20 | 4 | 14 | 7 |
| 23 35 | 4 | 7 | 15 | 20 | 59 | 15 | 7 |
| 27 22 | 5 | 8 | 16 | 21 | 53 | 15 | 8 |
| 22 31 8 | 6 | 9 | 17 | 22 | 48 | 16 | 9 |
| 34 54 | 7 | 10 | 18 | 23 | 41 | 17 | 10 |
| 38 40 | 8 | 11 | 19 | 24 | 35 | 18 | 11 |
| 22 42 25 | 9 | 13 | 20 | 25 | 27 | 19 | 11 |
| 46 9 | 10 | 14 | 21 | 26 | 20 | 19 | 12 |
| 49 53 | 11 | 15 | 22 | 27 | 12 | 20 | 13 |
| 22 53 37 | 12 | 16 | 23 | 28 | 5 | 21 | 14 |
| 57 20 | 13 | 17 | 24 | 28 | 56 | 22 | 15 |
| 23 1 3 | 14 | 18 | 25 | 29 | 47 | 22 | 16 |
| 23 4 46 | 15 | 19 | 26 | ♋ | 38 | 23 | 17 |
| 8 28 | 16 | 20 | 27 | 1 | 29 | 24 | 18 |
| 12 10 | 17 | 21 | 28 | 2 | 20 | 25 | 19 |
| 23 15 52 | 18 | 22 | 29 | 3 | 10 | 26 | 20 |
| 19 34 | 19 | 23 | Ⅱ | 4 | 0 | 26 | 21 |
| 23 15 | 20 | 24 | 1 | 4 | 49 | 27 | 21 |
| 23 26 56 | 21 | 25 | 2 | 5 | 39 | 28 | 22 |
| 30 37 | 22 | 26 | 3 | 6 | 28 | 29 | 23 |
| 34 18 | 23 | 27 | 4 | 7 | 17 | ♌ | 24 |
| 23 37 58 | 24 | 28 | 4 | 8 | 6 | 0 | 25 |
| 41 39 | 25 | 29 | 6 | 8 | 55 | 1 | 26 |
| 45 19 | 26 | ♉ | 7 | 9 | 43 | 2 | 27 |
| 52 40 | 27 | 1 | 8 | 10 | 32 | 3 | 28 |
| 23 49 0 | 28 | 2 | 9 | 11 | 20 | 4 | 28 |
| 56 20 | 29 | 4 | 10 | 12 | 8 | 4 | 29 |
| Houses | 4 | 5 | 6 | 7 | 8 | 9 | |

# SIMPLIFIED SCIENTIFIC TABLES OF HOUSES

## Latitude 31° N.

| Sider'l Time H M S | 10 ♈ | 11 ♉ | 12 ♊ | Asc. ♋ ° | Asc. ♋ ′ | 2 ♌ | 3 ♍ |
|---|---|---|---|---|---|---|---|
| 0 0 0 | 0 | 5 | 11 | 13 | 26 | 6 | 0 |
| 3 40 | 1 | 6 | 12 | 14 | 15 | 7 | 1 |
| 7 20 | 2 | 7 | 13 | 15 | 2 | 8 | 2 |
| 0 11 0 | 3 | 8 | 14 | 15 | 50 | 8 | 3 |
| 14 41 | 4 | 9 | 14 | 16 | 37 | 9 | 4 |
| 18 21 | 5 | 10 | 15 | 17 | 25 | 10 | 5 |
| 0 22 2 | 6 | 11 | 16 | 18 | 12 | 11 | 6 |
| 25 42 | 7 | 12 | 17 | 18 | 59 | 12 | 7 |
| 29 23 | 8 | 13 | 18 | 19 | 46 | 13 | 8 |
| 0 33 4 | 9 | 14 | 19 | 20 | 33 | 14 | 9 |
| 36 45 | 10 | 15 | 20 | 21 | 20 | 14 | 9 |
| 40 26 | 11 | 16 | 21 | 22 | 7 | 15 | 10 |
| 0 44 8 | 12 | 17 | 22 | 22 | 54 | 16 | 11 |
| 47 50 | 13 | 18 | 23 | 23 | 41 | 17 | 12 |
| 51 32 | 14 | 19 | 24 | 24 | 28 | 18 | 13 |
| 0 55 14 | 15 | 20 | 24 | 25 | 15 | 18 | 14 |
| 58 57 | 16 | 21 | 25 | 26 | 2 | 19 | 15 |
| 1 2 40 | 17 | 22 | 26 | 26 | 49 | 20 | 16 |
| 1 6 23 | 18 | 23 | 27 | 27 | 36 | 20 | 16 |
| 10 7 | 19 | 24 | 28 | 28 | 24 | 21 | 17 |
| 13 51 | 20 | 25 | 29 | 29 | 11 | 22 | 18 |
| 1 17 35 | 21 | 26 | 29 | 29 | 58 | 23 | 19 |
| 21 20 | 22 | 27 | ♋ | ♌ | 45 | 24 | 20 |
| 25 6 | 23 | 28 | 1 | 1 | 33 | 24 | 21 |
| 1 28 52 | 24 | 28 | 2 | 2 | 20 | 25 | 22 |
| 32 38 | 25 | 29 | 3 | 3 | 8 | 26 | 23 |
| 36 25 | 26 | ♊ | 4 | 3 | 55 | 27 | 24 |
| 1 40 12 | 27 | 2 | 5 | 4 | 43 | 27 | 25 |
| 44 0 | 28 | 3 | 5 | 5 | 31 | 28 | 26 |
| 47 48 | 29 | 4 | 6 | 6 | 18 | 29 | 27 |
| Houses | 4 | 5 | 6 | 7 | | 8 | 9 |

## Latitude 32° N.

| Sider'l Time H M S | 10 ♈ | 11 ♉ | 12 ♊ | Asc. ♋ ° | Asc. ♋ ′ | 2 ♌ | 3 ♍ |
|---|---|---|---|---|---|---|---|
| 0 0 0 | 0 | 5 | 11 | 13 | 57 | 6 | 0 |
| 3 40 | 1 | 6 | 12 | 14 | 45 | 7 | 1 |
| 7 20 | 2 | 7 | 13 | 15 | 33 | 8 | 2 |
| 0 11 0 | 3 | 8 | 14 | 16 | 20 | 9 | 3 |
| 14 41 | 4 | 9 | 15 | 17 | 7 | 10 | 4 |
| 18 21 | 5 | 10 | 16 | 17 | 54 | 10 | 5 |
| 0 22 2 | 6 | 11 | 17 | 18 | 41 | 11 | 6 |
| 25 42 | 7 | 12 | 18 | 19 | 29 | 12 | 7 |
| 29 23 | 8 | 13 | 19 | 20 | 16 | 13 | 8 |
| 0 33 4 | 9 | 14 | 20 | 21 | 3 | 13 | 8 |
| 36 45 | 10 | 15 | 20 | 21 | 49 | 14 | 9 |
| 40 26 | 11 | 16 | 21 | 22 | 36 | 15 | 10 |
| 0 44 8 | 12 | 17 | 22 | 23 | 23 | 16 | 11 |
| 47 50 | 13 | 18 | 23 | 24 | 9 | 17 | 12 |
| 51 32 | 14 | 19 | 24 | 24 | 56 | 18 | 13 |
| 0 55 14 | 15 | 20 | 25 | 25 | 43 | 18 | 14 |
| 58 57 | 16 | 21 | 26 | 26 | 30 | 19 | 15 |
| 1 2 40 | 17 | 22 | 27 | 27 | 16 | 20 | 16 |
| 1 6 23 | 18 | 23 | 28 | 28 | 3 | 20 | 17 |
| 10 7 | 19 | 24 | 28 | 28 | 50 | 21 | 18 |
| 13 51 | 20 | 25 | 29 | 29 | 37 | 21 | 18 |
| 1 17 35 | 21 | 26 | ♋ | ♌ | 24 | 23 | 19 |
| 21 20 | 22 | 27 | 1 | 1 | 11 | 24 | 20 |
| 25 6 | 23 | 28 | 2 | 1 | 58 | 25 | 21 |
| 1 28 52 | 24 | 28 | 2 | 2 | 45 | 25 | 22 |
| 32 38 | 25 | 29 | 3 | 3 | 32 | 26 | 23 |
| 36 25 | 26 | ♊ | 4 | 4 | 20 | 27 | 24 |
| 1 40 12 | 27 | 1 | 5 | 5 | 7 | 28 | 25 |
| 44 0 | 28 | 2 | 6 | 5 | 55 | 29 | 26 |
| 47 48 | 29 | 3 | 7 | 6 | 42 | ♍ | 27 |
| Houses | 4 | 5 | 6 | 7 | | 8 | 9 |

## Latitude 33°N.

| Sider'l Time H M S | 10 ♈ | 11 ♉ | 12 ♊ | Asc. ♋ ° | Asc. ♋ ′ | 2 ♌ | 3 ♍ |
|---|---|---|---|---|---|---|---|
| 0 0 0 | 0 | 5 | 12 | 14 | 29 | 6 | 0 |
| 3 40 | 1 | 6 | 13 | 15 | 17 | 7 | 1 |
| 7 20 | 2 | 7 | 14 | 16 | 4 | 8 | 2 |
| 0 11 0 | 3 | 8 | 14 | 16 | 51 | 9 | 3 |
| 14 41 | 4 | 9 | 15 | 17 | 38 | 10 | 4 |
| 18 21 | 5 | 10 | 16 | 18 | 25 | 10 | 5 |
| 0 22 2 | 6 | 11 | 17 | 19 | 12 | 11 | 6 |
| 25 42 | 7 | 12 | 18 | 19 | 59 | 12 | 7 |
| 29 23 | 8 | 13 | 19 | 20 | 45 | 13 | 8 |
| 0 33 4 | 9 | 14 | 20 | 21 | 32 | 13 | 9 |
| 36 45 | 10 | 15 | 21 | 22 | 18 | 14 | 9 |
| 40 26 | 11 | 16 | 22 | 23 | 5 | 15 | 10 |
| 0 44 8 | 12 | 17 | 23 | 23 | 51 | 16 | 11 |
| 47 50 | 13 | 18 | 24 | 24 | 38 | 16 | 12 |
| 51 32 | 14 | 19 | 24 | 25 | 24 | 18 | 13 |
| 0 55 14 | 15 | 20 | 25 | 26 | 11 | 18 | 14 |
| 58 57 | 16 | 21 | 26 | 26 | 57 | 19 | 15 |
| 1 2 40 | 17 | 22 | 27 | 27 | 44 | 20 | 16 |
| 1 6 23 | 18 | 23 | 28 | 28 | 30 | 21 | 17 |
| 10 7 | 19 | 24 | 28 | 29 | 17 | 21 | 18 |
| 13 51 | 20 | 25 | 29 | ♌ | 4 | 22 | 18 |
| 1 17 35 | 21 | 26 | ♋ | 0 | 50 | 23 | 19 |
| 21 20 | 22 | 27 | 1 | 1 | 37 | 24 | 20 |
| 25 6 | 23 | 28 | 2 | 2 | 24 | 25 | 21 |
| 1 28 52 | 24 | 29 | 3 | 3 | 11 | 26 | 22 |
| 32 38 | 25 | ♊ | 4 | 3 | 58 | 27 | 23 |
| 36 25 | 26 | 1 | 5 | 4 | 45 | 28 | 24 |
| 1 40 12 | 27 | 2 | 6 | 5 | 32 | 29 | 25 |
| 44 0 | 28 | 3 | 7 | 6 | 19 | 29 | 26 |
| 47 48 | 29 | 4 | 7 | 7 | 6 | ♍ | 27 |
| Houses | 4 | 5 | 6 | 7 | | 8 | 9 |

Latitude 31° S.　　Latitude 32° S.　　Latitude 33° S.

# SIMPLIFIED SCIENTIFIC TABLES OF HOUSES

### Latitude 31° N.  Latitude 32° N.  Latitude 33° N.

| Sider'l Time | 10 ♉ | 11 ♊ | 12 ♋ | Asc. ♌ ° | ' | 2 ♍ | 3 ♍ | 10 ♉ | 11 ♊ | 12 ♋ | Asc. ♌ ° | ' | 2 ♍ | 3 ♍ | 10 ♉ | 11 ♊ | 12 ♋ | Asc. ♌ ° | ' | 2 ♍ | 3 ♍ |
|---|---|---|---|---|---|---|---|---|---|---|---|---|---|---|---|---|---|---|---|---|---|
| H M S | | | | | | | | | | | | | | | | | | | | | |
| 1 51 37 | 0 | 4 | 7 | 7 | 6 | 0 | 28 | 0 | 4 | 8 | 7 | 30 | 1 | 28 | 0 | 4 | 8 | 7 | 54 | 1 | 28 |
| 55 27 | 1 | 5 | 8 | 7 | 55 | 1 | 29 | 1 | 5 | 9 | 8 | 18 | 2 | 29 | 1 | 6 | 9 | 8 | 41 | 2 | 29 |
| 59 17 | 2 | 6 | 9 | 8 | 43 | 2 | ♎ | 2 | 6 | 10 | 9 | 6 | 3 | ♎ | 2 | 7 | 10 | 9 | 29 | 3 | ♎ |
| 2 3 8 | 3 | 7 | 10 | 9 | 31 | 3 | 1 | 3 | 7 | 11 | 9 | 54 | 4 | 1 | 3 | 8 | 11 | 10 | 17 | 4 | 1 |
| 6 59 | 4 | 8 | 10 | 10 | 20 | 4 | 2 | 4 | 8 | 12 | 10 | 42 | 4 | 2 | 4 | 8 | 11 | 11 | 5 | 5 | 2 |
| 10 51 | 5 | 9 | 11 | 11 | 9 | 5 | 3 | 5 | 9 | 12 | 11 | 31 | 5 | 3 | 5 | 9 | 12 | 11 | 53 | 5 | 3 |
| 2 14 44 | 6 | 10 | 12 | 11 | 57 | 6 | 4 | 6 | 10 | 13 | 12 | 19 | 6 | 4 | 6 | 10 | 13 | 12 | 41 | 6 | 4 |
| 18 37 | 7 | 11 | 13 | 12 | 46 | 7 | 5 | 7 | 11 | 14 | 13 | 8 | 7 | 5 | 7 | 11 | 14 | 13 | 29 | 7 | 5 |
| 22 31 | 8 | 12 | 14 | 13 | 35 | 8 | 6 | 8 | 12 | 15 | 13 | 56 | 8 | 6 | 8 | 12 | 15 | 14 | 18 | 8 | 6 |
| 2 26 25 | 9 | 13 | 15 | 14 | 24 | 9 | 7 | 9 | 13 | 16 | 14 | 45 | 9 | 7 | 9 | 13 | 15 | 15 | 6 | 9 | 7 |
| 30 20 | 10 | 14 | 16 | 15 | 14 | 9 | 8 | 10 | 14 | 16 | 15 | 34 | 9 | 8 | 10 | 14 | 16 | 15 | 55 | 9 | 7 |
| 34 16 | 11 | 15 | 17 | 16 | 3 | 10 | 9 | 11 | 15 | 17 | 16 | 23 | 10 | 9 | 11 | 15 | 17 | 16 | 43 | 10 | 8 |
| 2 38 13 | 12 | 16 | 18 | 16 | 53 | 11 | 10 | 12 | 16 | 18 | 17 | 13 | 11 | 10 | 12 | 16 | 18 | 17 | 33 | 11 | 9 |
| 42 10 | 13 | 17 | 18 | 17 | 42 | 12 | 10 | 13 | 17 | 19 | 18 | 2 | 12 | 11 | 13 | 17 | 19 | 18 | 21 | 12 | 10 |
| 46 8 | 14 | 18 | 19 | 18 | 32 | 13 | 11 | 14 | 18 | 20 | 18 | 52 | 13 | 11 | 14 | 18 | 20 | 19 | 11 | 13 | 11 |
| 2 50 7 | 15 | 18 | 20 | 19 | 23 | 14 | 12 | 15 | 19 | 20 | 19 | 41 | 14 | 12 | 15 | 19 | 21 | 20 | 0 | 14 | 12 |
| 54 7 | 16 | 19 | 21 | 20 | 13 | 15 | 13 | 16 | 20 | 21 | 20 | 32 | 15 | 13 | 16 | 20 | 22 | 20 | 50 | 15 | 13 |
| 58 7 | 17 | 20 | 22 | 21 | 4 | 16 | 14 | 17 | 21 | 22 | 21 | 22 | 16 | 14 | 17 | 21 | 23 | 21 | 40 | 16 | 14 |
| 3 2 8 | 18 | 21 | 23 | 21 | 55 | 17 | 15 | 18 | 22 | 23 | 22 | 12 | 17 | 15 | 18 | 22 | 24 | 22 | 30 | 17 | 15 |
| 6 9 | 19 | 22 | 24 | 22 | 46 | 18 | 16 | 19 | 23 | 24 | 23 | 3 | 17 | 16 | 19 | 22 | 25 | 23 | 21 | 18 | 16 |
| 10 12 | 20 | 23 | 25 | 23 | 37 | 18 | 17 | 20 | 23 | 25 | 23 | 54 | 18 | 17 | 20 | 23 | 25 | 24 | 11 | 19 | 17 |
| 3 14 15 | 21 | 24 | 26 | 24 | 29 | 19 | 18 | 21 | 24 | 26 | 24 | 54 | 19 | 18 | 21 | 24 | 26 | 25 | 2 | 20 | 18 |
| 18 19 | 22 | 25 | 27 | 25 | 20 | 20 | 19 | 22 | 25 | 27 | 25 | 36 | 20 | 19 | 22 | 25 | 27 | 25 | 53 | 21 | 19 |
| 22 23 | 23 | 26 | 27 | 26 | 12 | 21 | 20 | 23 | 26 | 28 | 26 | 28 | 21 | 20 | 23 | 26 | 28 | 26 | 44 | 22 | 20 |
| 3 26 29 | 24 | 27 | 28 | 27 | 4 | 22 | 21 | 24 | 27 | 28 | 27 | 19 | 22 | 21 | 24 | 27 | 28 | 27 | 35 | 22 | 21 |
| 30 35 | 25 | 28 | 29 | 27 | 56 | 23 | 22 | 25 | 28 | 29 | 28 | 11 | 23 | 22 | 25 | 28 | 29 | 28 | 26 | 23 | 22 |
| 34 41 | 26 | 29 | ♌ | 28 | 48 | 24 | 23 | 26 | 29 | ♌ | 29 | 3 | 24 | 23 | 26 | 29 | ♌ | 29 | 18 | 24 | 23 |
| 3 38 49 | 27 | ♋ | 1 | 29 | 41 | 25 | 24 | 27 | ♋ | 1 | 29 | 55 | 25 | 24 | 27 | ♋ | 1 | 0♍ | 9 | 25 | 24 |
| 42 57 | 28 | 1 | 2 | 0♍ | 33 | 26 | 25 | 28 | 1 | 2 | 0♍ | 47 | 26 | 25 | 28 | 1 | 2 | 1 | 1 | 26 | 25 |
| 47 6 | 29 | 2 | 3 | 1 | 26 | 27 | 26 | 29 | 2 | 3 | 1 | 40 | 27 | 26 | 29 | 2 | 3 | 1 | 54 | 27 | 26 |
| Houses | 4 | 5 | 6 | 7 | | 8 | 9 | 4 | 5 | 6 | 7 | | 8 | 9 | 4 | 5 | 6 | 7 | | 8 | 9 |

### Latitude 31° S.  Latitude 32° S.  Latitude 33° S.

# SIMPLIFIED SCIENTIFIC TABLES OF HOUSES
### Latitude 31° N.  Latitude 32° N.  Latitude 33° N.

| Sider'l Time | 10 ♊ | 11 ♋ | 12 ♌ | Asc. ♍ | 2 ♍ | 3 ♎ | 10 ♊ | 11 ♋ | 12 ♌ | Asc. ♍ | 2 ♍ | 3 ♎ | 10 ♊ | 11 ♋ | 12 ♌ | Asc. ♍ | 2 ♍ | 3 ♎ |
|---|---|---|---|---|---|---|---|---|---|---|---|---|---|---|---|---|---|---|
| H M S | ° | ° | ° | ° ' | ° | ° | ° | ° | ° | ° ' | ° | ° | ° | ° | ° | ° ' | ° | ° |
| 3 51 15 | 0 | 3 | 4 | 2 19 | 28 | 28 | 0 | 3 | 4 | 2 33 | 28 | 27 | 0 | 3 | 4 | 2 46 | 28 | 27 |
| 55 25 | 1 | 4 | 5 | 3 13 | 29 | 29 | 1 | 4 | 5 | 3 26 | 29 | 28 | 1 | 4 | 5 | 3 38 | 29 | 28 |
| 59 36 | 2 | 5 | 6 | 4 6 | ♎ | ♏ | 2 | 5 | 6 | 4 19 | ♎ | 29 | 2 | 5 | 6 | 4 31 | ♎ | 29 |
| 4 3 48 | 3 | 6 | 7 | 5 0 | 1 | 1 | 3 | 6 | 7 | 5 12 | 1 | ♏ | 3 | 6 | 7 | 5 24 | 1 | ♏ |
| 8 0 | 4 | 7 | 8 | 5 54 | 2 | 2 | 4 | 7 | 8 | 6 5 | 2 | 2 | 4 | 7 | 8 | 6 17 | 2 | 1 |
| 12 13 | 5 | 7 | 8 | 6 48 | 3 | 3 | 5 | 8 | 9 | 6 59 | 3 | 3 | 5 | 8 | 9 | 7 10 | 3 | 2 |
| 4 16 26 | 6 | 8 | 9 | 7 42 | 4 | 4 | 6 | 9 | 10 | 7 53 | 4 | 4 | 6 | 9 | 10 | 8 4 | 4 | 3 |
| 20 40 | 7 | 9 | 10 | 8 36 | 5 | 5 | 7 | 10 | 11 | 8 47 | 5 | 5 | 7 | 10 | 11 | 8 57 | 5 | 4 |
| 24 55 | 8 | 10 | 11 | 9 31 | 6 | 6 | 8 | 11 | 12 | 9 41 | 6 | 6 | 8 | 11 | 12 | 9 51 | 6 | 5 |
| 4 29 10 | 9 | 11 | 12 | 10 25 | 7 | 7 | 9 | 12 | 13 | 10 35 | 7 | 7 | 9 | 12 | 13 | 10 44 | 7 | 6 |
| 33 26 | 10 | 12 | 13 | 11 20 | 8 | 8 | 10 | 12 | 13 | 11 29 | 8 | 8 | 10 | 13 | 13 | 11 38 | 8 | 8 |
| 37 42 | 11 | 13 | 14 | 12 15 | 9 | 9 | 11 | 13 | 14 | 12 24 | 9 | 9 | 11 | 14 | 14 | 12 33 | 9 | 9 |
| 4 41 59 | 12 | 14 | 15 | 13 10 | 10 | 10 | 12 | 14 | 15 | 13 18 | 10 | 10 | 12 | 15 | 15 | 13 27 | 10 | 10 |
| 46 16 | 13 | 15 | 16 | 14 6 | 11 | 11 | 13 | 15 | 16 | 14 13 | 11 | 11 | 13 | 16 | 16 | 14 21 | 11 | 11 |
| 50 34 | 14 | 16 | 17 | 15 1 | 12 | 12 | 14 | 16 | 17 | 15 8 | 12 | 12 | 14 | 16 | 17 | 15 16 | 11 | 12 |
| 4 54 52 | 15 | 17 | 18 | 15 56 | 13 | 13 | 15 | 17 | 18 | 16 3 | 13 | 13 | 15 | 17 | 18 | 16 10 | 12 | 13 |
| 59 10 | 16 | 18 | 19 | 16 52 | 14 | 14 | 16 | 18 | 19 | 16 59 | 14 | 14 | 16 | 18 | 19 | 17 5 | 13 | 14 |
| 5 3 29 | 17 | 19 | 20 | 17 48 | 15 | 15 | 17 | 19 | 20 | 17 54 | 15 | 15 | 17 | 19 | 20 | 18 0 | 14 | 15 |
| 5 7 49 | 18 | 20 | 21 | 18 44 | 16 | 16 | 18 | 20 | 21 | 18 49 | 16 | 16 | 18 | 20 | 21 | 18 55 | 15 | 16 |
| 12 9 | 19 | 21 | 21 | 19 40 | 17 | 17 | 19 | 21 | 22 | 19 45 | 17 | 17 | 19 | 21 | 22 | 19 50 | 16 | 17 |
| 16 29 | 20 | 22 | 22 | 20 36 | 18 | 18 | 20 | 22 | 23 | 20 41 | 18 | 18 | 20 | 22 | 23 | 20 45 | 17 | 18 |
| 5 20 49 | 21 | 23 | 23 | 21 32 | 19 | 19 | 21 | 23 | 24 | 21 36 | 19 | 19 | 21 | 23 | 24 | 21 40 | 18 | 19 |
| 25 9 | 22 | 24 | 24 | 22 28 | 20 | 20 | 22 | 24 | 25 | 22 32 | 20 | 20 | 22 | 24 | 25 | 22 36 | 19 | 20 |
| 29 30 | 23 | 25 | 25 | 23 25 | 21 | 21 | 23 | 25 | 26 | 23 28 | 21 | 21 | 23 | 25 | 26 | 23 31 | 20 | 21 |
| 5 33 51 | 24 | 26 | 26 | 24 21 | 22 | 22 | 24 | 26 | 27 | 24 24 | 21 | 21 | 24 | 26 | 27 | 24 27 | 21 | 22 |
| 38 12 | 25 | 27 | 27 | 25 17 | 23 | 23 | 25 | 27 | 28 | 25 20 | 22 | 23 | 25 | 27 | 28 | 25 22 | 22 | 23 |
| 42 34 | 26 | 28 | 28 | 26 14 | 24 | 24 | 26 | 28 | 29 | 26 16 | 23 | 24 | 26 | 28 | 29 | 26 17 | 23 | 24 |
| 5 46 55 | 27 | 29 | 29 | 27 10 | 25 | 25 | 27 | 29 | 29 | 27 12 | 24 | 25 | 27 | 29 | ♍ | 27 13 | 24 | 25 |
| 51 17 | 28 | ♌ | ♍ | 28 7 | 26 | 26 | 28 | ♌ | ♍ | 28 8 | 25 | 26 | 28 | ♌ | 1 | 28 9 | 25 | 26 |
| 55 38 | 29 | 1 | 1 | 29 3 | 27 | 27 | 29 | 1 | 1 | 29 4 | 26 | 27 | 29 | 1 | 2 | 29 4 | 26 | 27 |
| Houses | 4 | 5 | 6 | 7 | 8 | 9 | 4 | 5 | 6 | 7 | 8 | 9 | 4 | 5 | 6 | 7 | 8 | 9 |

### Latitude 31° S.  Latitude 32° S.  Latitude 33° S.

# SIMPLIFIED SCIENTIFIC TABLES OF HOUSES

Latitude 31° N.    Latitude 32° N.    Latitude 33° N.

| Sider'l Time | 10 ♋ | 11 ♌ | 12 ♍ | Asc. ≏ | 2 ≏ | 3 ♏ | 10 ♋ | 11 ♌ | 12 ♍ | Asc. ≏ | 2 ≏ | 3 ♏ | 10 ♋ | 11 ♌ | 12 ♍ | Asc. ≏ | 2 ≏ | 3 ♏ |
|---|---|---|---|---|---|---|---|---|---|---|---|---|---|---|---|---|---|---|
| H M S | ° | ° | ° | ° ′ | ° | ° | ° | ° | ° | ° ′ | ° | ° | ° | ° | ° | ° ′ | ° | ° |
| 6 0 0 | 0 | 2 | 2 | 0 0 | 28 | 28 | 0 | 2 | 2 | 0 0 | 27 | 28 | 0 | 2 | 3 | 0 0 | 27 | 28 |
| 6 4 22 | 1 | 3 | 3 | 0 57 | 29 | 29 | 1 | 3 | 3 | 0 56 | 28 | 29 | 1 | 3 | 4 | 0 56 | 28 | 29 |
| 6 8 43 | 2 | 4 | 4 | 1 53 | m | ♐ | 2 | 4 | 4 | 1 52 | 29 | ♐ | 2 | 4 | 5 | 1 51 | 29 | ♐ |
| 6 13 5 | 3 | 5 | 5 | 2 50 | 1 | 1 | 3 | 5 | 5 | 2 48 | m | 1 | 3 | 5 | 6 | 2 47 | m | 1 |
| 6 17 26 | 4 | 6 | 6 | 3 46 | 2 | 2 | 4 | 6 | 6 | 3 44 | 1 | 2 | 4 | 6 | 7 | 3 43 | 1 | 2 |
| 6 21 48 | 5 | 7 | 7 | 4 43 | 3 | 3 | 5 | 7 | 7 | 4 40 | 2 | 3 | 5 | 7 | 8 | 4 38 | 2 | 3 |
| 6 26 9 | 6 | 8 | 8 | 5 39 | 4 | 4 | 6 | 8 | 8 | 5 36 | 3 | 4 | 6 | 8 | 9 | 5 33 | 3 | 4 |
| 6 30 30 | 7 | 9 | 9 | 6 35 | 5 | 5 | 7 | 9 | 9 | 6 32 | 4 | 5 | 7 | 9 | 10 | 6 29 | 4 | 5 |
| 6 34 51 | 8 | 10 | 10 | 7 32 | 6 | 6 | 8 | 10 | 10 | 7 28 | 5 | 6 | 8 | 10 | 11 | 7 24 | 5 | 6 |
| 6 39 11 | 9 | 11 | 11 | 8 28 | 7 | 7 | 9 | 11 | 11 | 8 24 | 6 | 7 | 9 | 11 | 12 | 8 20 | 6 | 7 |
| 6 43 31 | 10 | 12 | 12 | 9 24 | 7 | 8 | 10 | 12 | 12 | 9 19 | 7 | 8 | 10 | 12 | 12 | 9 15 | 7 | 8 |
| 6 47 51 | 11 | 13 | 13 | 10 20 | 8 | 9 | 11 | 13 | 13 | 10 15 | 8 | 9 | 11 | 13 | 13 | 10 10 | 8 | 9 |
| 6 52 11 | 12 | 14 | 14 | 11 16 | 9 | 10 | 12 | 14 | 14 | 11 11 | 9 | 10 | 12 | 14 | 14 | 11 5 | 9 | 10 |
| 6 56 31 | 13 | 15 | 15 | 12 12 | 10 | 11 | 13 | 15 | 15 | 12 6 | 10 | 11 | 13 | 15 | 15 | 12 0 | 10 | 11 |
| 7 0 50 | 14 | 16 | 16 | 13 8 | 11 | 12 | 14 | 16 | 16 | 13 1 | 11 | 12 | 14 | 16 | 16 | 12 55 | 11 | 12 |
| 7 5 8 | 15 | 17 | 17 | 14 4 | 12 | 13 | 15 | 17 | 17 | 13 57 | 12 | 13 | 15 | 17 | 17 | 13 50 | 12 | 13 |
| 7 9 26 | 16 | 18 | 18 | 14 59 | 13 | 14 | 16 | 18 | 18 | 14 52 | 13 | 14 | 16 | 18 | 18 | 14 44 | 13 | 14 |
| 7 13 44 | 17 | 19 | 19 | 15 54 | 14 | 15 | 17 | 19 | 19 | 15 47 | 14 | 15 | 17 | 19 | 19 | 15 39 | 14 | 15 |
| 7 18 1 | 18 | 20 | 20 | 16 50 | 15 | 16 | 18 | 20 | 20 | 16 42 | 15 | 16 | 18 | 20 | 20 | 16 33 | 15 | 16 |
| 7 22 18 | 19 | 21 | 21 | 17 45 | 16 | 17 | 19 | 21 | 21 | 17 36 | 16 | 17 | 19 | 21 | 21 | 17 27 | 16 | 17 |
| 7 26 34 | 20 | 22 | 22 | 18 40 | 17 | 18 | 20 | 22 | 22 | 18 31 | 17 | 18 | 20 | 22 | 22 | 18 22 | 16 | 17 |
| 7 30 50 | 21 | 23 | 23 | 19 35 | 18 | 19 | 21 | 23 | 23 | 19 25 | 18 | 19 | 21 | 23 | 23 | 19 16 | 17 | 18 |
| 7 35 5 | 22 | 24 | 24 | 20 29 | 19 | 20 | 22 | 24 | 24 | 20 19 | 19 | 20 | 22 | 24 | 24 | 20 9 | 18 | 19 |
| 7 39 20 | 23 | 25 | 25 | 21 24 | 20 | 21 | 23 | 25 | 25 | 21 13 | 20 | 21 | 23 | 25 | 25 | 21 3 | 19 | 20 |
| 7 43 34 | 24 | 26 | 26 | 22 18 | 21 | 22 | 24 | 26 | 26 | 22 7 | 21 | 22 | 24 | 26 | 26 | 21 56 | 20 | 21 |
| 7 47 47 | 25 | 27 | 27 | 23 12 | 22 | 23 | 25 | 27 | 27 | 23 1 | 21 | 22 | 25 | 27 | 27 | 22 50 | 21 | 22 |
| 7 52 0 | 26 | 28 | 28 | 24 6 | 23 | 24 | 26 | 28 | 28 | 23 55 | 22 | 23 | 26 | 28 | 28 | 23 43 | 22 | 23 |
| 7 56 12 | 27 | 29 | 29 | 25 0 | 24 | 25 | 27 | 29 | 29 | 24 48 | 23 | 24 | 27 | 29 | 29 | 24 36 | 23 | 24 |
| 8 0 24 | 28 | ♍ | ≏ | 25 54 | 25 | 26 | 28 | ♍ | ≏ | 25 41 | 24 | 25 | 28 | ♍ | ≏ | 25 29 | 24 | 26 |
| 8 4 35 | 29 | 1 | 1 | 26 47 | 26 | 27 | 29 | 1 | 1 | 26 34 | 25 | 26 | 29 | 1 | 1 | 26 22 | 25 | 26 |
| Houses | 4 | 5 | 6 | 7 | 8 | 9 | 4 | 5 | 6 | 7 | 8 | 9 | 4 | 5 | 6 | 7 | 8 | 9 |

Latitude 31° S.    Latitude 32° S.    Latitude 33° S.

# SIMPLIFIED SCIENTIFIC TABLES OF HOUSES
### Latitude 31° N.    Latitude 32° N.    Latitude 33° N.

| Sider'l Time | 10 ♌ | 11 ♍ | 12 ♎ | Asc. ♎ | 2 ♏ | 3 ♐ | 10 ♌ | 11 ♍ | 12 ♎ | Asc. ♎ | 2 ♏ | 3 ♐ | 10 ♌ | 11 ♍ | 12 ♎ | Asc. ♎ | 2 ♏ | 3 |
|---|---|---|---|---|---|---|---|---|---|---|---|---|---|---|---|---|---|---|
| H M S | ° | ° | ° | ° ′ | ° | ° | ° | ° | ° | ° ′ | ° | ° | ° | ° | ° | ° ′ | ° | ° |
| 8 8 45 | 0 | 2 | 2 | 27 41 | 26 | 27 | 0 | 2 | 2 | 27 27 | 26 | 27 | 0 | 3 | 2 | 27 14 | 26 | 27 |
| 12 54 | 1 | 3 | 3 | 28 34 | 27 | 28 | 1 | 3 | 3 | 28 20 | 27 | 28 | 1 | 4 | 3 | 28 6 | 27 | 28 |
| 17 3 | 2 | 4 | 4 | 29 27 | 28 | 29 | 2 | 4 | 4 | 29 13 | 28 | 29 | 2 | 5 | 4 | 28 59 | 28 | 29 |
| 8 21 11 | 3 | 5 | 5 | 0♏19 | 29 | ♑ | 3 | 5 | 5 | 0♏ 5 | 29 | ♑ | 3 | 6 | 5 | 29 51 | 29 | ♑ |
| 25 19 | 4 | 6 | 6 | 1 12 | ♐ | 1 | 4 | 7 | 6 | 0 57 | ♐ | 1 | 4 | 7 | 6 | 0♏42 | 29 | 1 |
| 29 26 | 5 | 7 | 7 | 2 4 | 1 | 2 | 5 | 8 | 7 | 1 49 | 1 | 2 | 5 | 8 | 7 | 1 34 | ♐ | 2 |
| 8 33 31 | 6 | 8 | 8 | 2 56 | 2 | 3 | 6 | 9 | 8 | 2 41 | 2 | 3 | 6 | 9 | 8 | 2 25 | 1 | 3 |
| 37 37 | 7 | 9 | 9 | 3 48 | 3 | 4 | 7 | 10 | 9 | 3 32 | 3 | 4 | 7 | 10 | 9 | 3 16 | 2 | 4 |
| 41 41 | 8 | 10 | 10 | 4 40 | 4 | 5 | 8 | 11 | 10 | 4 24 | 4 | 5 | 8 | 11 | 10 | 4 7 | 3 | 5 |
| 8 45 45 | 9 | 12 | 11 | 5 31 | 5 | 6 | 9 | 12 | 11 | 5 15 | 5 | 6 | 9 | 12 | 11 | 4 58 | 4 | 6 |
| 49 48 | 10 | 13 | 12 | 6 23 | 5 | 7 | 10 | 13 | 11 | 6 6 | 5 | 7 | 10 | 13 | 11 | 5 49 | 5 | 6 |
| 53 51 | 11 | 14 | 13 | 7 14 | 6 | 8 | 11 | 14 | 12 | 6 57 | 6 | 8 | 11 | 14 | 12 | 6 39 | 6 | 7 |
| 8 57 52 | 12 | 15 | 14 | 8 5 | 7 | 9 | 12 | 15 | 13 | 7 48 | 7 | 9 | 12 | 15 | 13 | 7 30 | 7 | 8 |
| 9 1 53 | 13 | 16 | 15 | 8 56 | 8 | 10 | 13 | 16 | 14 | 8 38 | 8 | 10 | 13 | 16 | 14 | 8 20 | 8 | 9 |
| 5 53 | 14 | 16 | 16 | 9 47 | 9 | 11 | 14 | 17 | 15 | 9 28 | 9 | 11 | 14 | 17 | 15 | 9 10 | 9 | 10 |
| 9 9 53 | 15 | 17 | 16 | 10 37 | 10 | 11 | 15 | 18 | 16 | 10 19 | 9 | 11 | 15 | 18 | 16 | 10 0 | 9 | 11 |
| 13 52 | 16 | 18 | 17 | 11 28 | 11 | 12 | 16 | 19 | 17 | 11 8 | 10 | 12 | 16 | 19 | 17 | 10 49 | 10 | 12 |
| 17 50 | 17 | 19 | 18 | 12 18 | 12 | 13 | 17 | 20 | 18 | 11 58 | 11 | 13 | 17 | 20 | 18 | 11 39 | 11 | 13 |
| 9 21 47 | 18 | 20 | 19 | 13 7 | 13 | 14 | 18 | 21 | 19 | 12 47 | 12 | 14 | 18 | 21 | 19 | 12 27 | 12 | 14 |
| 25 44 | 19 | 21 | 20 | 13 57 | 14 | 15 | 19 | 21 | 20 | 13 37 | 13 | 15 | 19 | 22 | 20 | 13 17 | 13 | 15 |
| 29 40 | 20 | 22 | 21 | 14 46 | 14 | 16 | 20 | 22 | 21 | 14 26 | 14 | 16 | 20 | 22 | 20 | 14 5 | 13 | 16 |
| 9 33 35 | 21 | 23 | 22 | 15 36 | 15 | 17 | 21 | 23 | 22 | 15 15 | 15 | 17 | 21 | 23 | 21 | 14 54 | 14 | 17 |
| 37 29 | 22 | 24 | 23 | 16 25 | 16 | 18 | 22 | 24 | 23 | 16 4 | 16 | 18 | 22 | 24 | 22 | 15 42 | 15 | 18 |
| 41 23 | 23 | 25 | 24 | 17 14 | 17 | 19 | 23 | 25 | 24 | 16 52 | 17 | 19 | 23 | 25 | 23 | 16 31 | 16 | 19 |
| 9 45 16 | 24 | 26 | 25 | 18 3 | 18 | 20 | 24 | 26 | 25 | 17 41 | 18 | 20 | 24 | 26 | 24 | 17 19 | 17 | 20 |
| 49 9 | 25 | 27 | 25 | 18 51 | 18 | 21 | 25 | 27 | 25 | 18 29 | 18 | 21 | 25 | 27 | 25 | 18 7 | 18 | 20 |
| 53 1 | 26 | 28 | 26 | 19 40 | 19 | 22 | 26 | 28 | 26 | 19 18 | 19 | 22 | 26 | 28 | 26 | 18 55 | 19 | 21 |
| 9 56 52 | 27 | 29 | 27 | 20 29 | 20 | 23 | 27 | 29 | 27 | 20 6 | 20 | 23 | 27 | 29 | 27 | 19 43 | 20 | 22 |
| 10 0 43 | 28 | ♎ | 28 | 21 17 | 21 | 24 | 28 | ♎ | 28 | 20 54 | 21 | 24 | 28 | ♎ | 28 | 20 31 | 21 | 23 |
| 4 33 | 29 | 1 | 29 | 22 5 | 22 | 25 | 29 | 1 | 29 | 21 42 | 22 | 25 | 29 | 1 | 28 | 21 19 | 21 | 24 |

| Houses | 4 | 5 | 6 | 7 | 8 | 9 | 4 | 5 | 6 | 7 | 8 | 9 | 4 | 5 | 6 | 7 | 8 | 9 |

### Latitude 31° S.    Latitude 32° S.    Latitude 33° S.

# SIMPLIFIED SCIENTIFIC TABLES OF HOUSES

### Latitude 31° N.  Latitude 32° N.  Latitude 33° N.

| Sider'l Time | 10 ♏ | 11 ♎ | 12 ♎ | Asc. ♏ | 2 ♐ | 3 ♑ | 10 ♏ | 11 ♎ | 12 ♎ | Asc. ♏ | 2 ♐ | 3 ♑ | 10 ♏ | 11 ♎ | 12 ♎ | Asc. ♏ | 2 ♐ | 3 ♑ |
|---|---|---|---|---|---|---|---|---|---|---|---|---|---|---|---|---|---|---|
| H M S | ° | ° | ° | ° ′ | ° | ° | ° | ° | ° | ° ′ | ° | ° | ° | ° | ° | ° ′ | ° | ° |
| 10 8 23 | 0 | 2 | 29 | 22 54 | 23 | 26 | 0 | 2 | 29 | 22 30 | 22 | 25 | 0 | 2 | 29 | 22 6 | 22 | 25 |
| 12 12 | 1 | 3 | ♏ | 23 42 | 24 | 27 | 1 | 3 | ♏ | 23 18 | 23 | 26 | 1 | 3 | ♏ | 22 54 | 23 | 26 |
| 16 0 | 2 | 4 | 1 | 24 29 | 25 | 28 | 2 | 4 | 1 | 24 5 | 24 | 27 | 2 | 4 | 1 | 23 41 | 24 | 27 |
| 10 19 48 | 3 | 5 | 2 | 25 17 | 26 | 29 | 3 | 5 | 2 | 24 53 | 25 | 28 | 3 | 5 | 2 | 24 28 | 25 | 28 |
| 23 25 | 4 | 6 | 3 | 26 5 | 27 | ♒ | 4 | 6 | 3 | 25 40 | 26 | 29 | 4 | 6 | 3 | 25 15 | 26 | 29 |
| 27 22 | 5 | 7 | 4 | 26 52 | 27 | 0 | 5 | 7 | 4 | 26 28 | 27 | ♒ | 5 | 7 | 4 | 26 2 | 26 | ♒ |
| 10 31 8 | 6 | 8 | 5 | 27 40 | 28 | 1 | 6 | 8 | 5 | 27 15 | 28 | 1 | 6 | 8 | 5 | 26 49 | 27 | 1 |
| 34 54 | 7 | 9 | 6 | 28 27 | 29 | 2 | 7 | 9 | 6 | 28 2 | 29 | 2 | 7 | 9 | 6 | 27 36 | 28 | 2 |
| 38 40 | 8 | 10 | 7 | 29 15 | ♑ | 3 | 8 | 10 | 7 | 28 49 | ♑ | 3 | 8 | 10 | 7 | 28 23 | 29 | 3 |
| 10 42 25 | 9 | 11 | 8 | 0 ♐ 2 | 1 | 4 | 9 | 10 | 8 | 29 36 | 0 | 4 | 9 | 11 | 7 | 29 10 | ♑ | 4 |
| 46 9 | 10 | 12 | 8 | 0 49 | 1 | 5 | 10 | 11 | 8 | 0 ♐ 23 | 1 | 5 | 10 | 11 | 8 | 29 56 | 1 | 5 |
| 49 53 | 11 | 13 | 9 | 1 36 | 2 | 6 | 11 | 12 | 9 | 1 10 | 2 | 6 | 11 | 12 | 9 | 0 ♐ 43 | 2 | 6 |
| 10 53 37 | 12 | 14 | 10 | 2 24 | 3 | 7 | 12 | 13 | 10 | 1 57 | 3 | 7 | 12 | 13 | 10 | 1 30 | 3 | 7 |
| 57 20 | 13 | 15 | 11 | 3 11 | 4 | 8 | 13 | 14 | 11 | 2 44 | 4 | 8 | 13 | 14 | 11 | 2 16 | 4 | 8 |
| 11 1 3 | 14 | 15 | 11 | 3 58 | 5 | 9 | 14 | 15 | 12 | 3 30 | 5 | 9 | 14 | 15 | 12 | 3 3 | 5 | 9 |
| 11 4 46 | 15 | 16 | 12 | 4 45 | 6 | 10 | 15 | 16 | 12 | 4 17 | 5 | 10 | 15 | 16 | 12 | 3 49 | 5 | 10 |
| 8 28 | 16 | 17 | 13 | 5 32 | 7 | 11 | 16 | 17 | 13 | 5 4 | 6 | 11 | 16 | 17 | 13 | 4 36 | 6 | 11 |
| 12 10 | 17 | 18 | 14 | 6 19 | 8 | 12 | 17 | 18 | 14 | 5 51 | 7 | 12 | 17 | 18 | 14 | 5 22 | 7 | 12 |
| 11 15 52 | 18 | 19 | 15 | 7 6 | 9 | 13 | 18 | 19 | 15 | 6 37 | 8 | 13 | 18 | 19 | 15 | 6 9 | 8 | 13 |
| 19 34 | 19 | 20 | 16 | 7 53 | 10 | 14 | 19 | 20 | 16 | 7 24 | 9 | 14 | 19 | 20 | 16 | 6 55 | 9 | 14 |
| 23 15 | 20 | 21 | 16 | 8 40 | 10 | 15 | 20 | 21 | 16 | 8 11 | 10 | 15 | 20 | 21 | 16 | 7 42 | 9 | 15 |
| 11 26 56 | 21 | 22 | 17 | 9 27 | 11 | 16 | 21 | 22 | 17 | 8 57 | 11 | 16 | 21 | 22 | 17 | 8 28 | 10 | 16 |
| 30 37 | 22 | 23 | 18 | 10 14 | 12 | 17 | 22 | 23 | 18 | 9 44 | 12 | 17 | 22 | 23 | 18 | 9 15 | 11 | 17 |
| 34 18 | 23 | 24 | 19 | 11 1 | 13 | 18 | 23 | 24 | 19 | 10 31 | 13 | 18 | 23 | 24 | 19 | 10 1 | 12 | 18 |
| 11 37 58 | 24 | 25 | 20 | 11 48 | 14 | 19 | 24 | 24 | 20 | 11 19 | 13 | 19 | 24 | 25 | 20 | 10 48 | 13 | 19 |
| 41 39 | 25 | 25 | 20 | 12 35 | 14 | 20 | 25 | 25 | 20 | 12 6 | 14 | 20 | 25 | 25 | 20 | 11 35 | 14 | 20 |
| 45 19 | 26 | 26 | 21 | 13 23 | 15 | 21 | 26 | 26 | 21 | 12 53 | 15 | 21 | 26 | 26 | 21 | 12 22 | 15 | 21 |
| 11 49 0 | 27 | 27 | 22 | 14 10 | 16 | 22 | 27 | 27 | 22 | 13 39 | 16 | 22 | 27 | 27 | 22 | 13 9 | 16 | 22 |
| 52 40 | 28 | 28 | 23 | 14 58 | 17 | 23 | 28 | 28 | 23 | 14 27 | 17 | 23 | 28 | 28 | 22 | 13 56 | 17 | 23 |
| 56 20 | 29 | 29 | 24 | 15 45 | 18 | 24 | 29 | 29 | 24 | 15 15 | 18 | 24 | 29 | 29 | 23 | 14 43 | 17 | 24 |
| Houses | 4 | 5 | 6 | 7 | 8 | 9 | 4 | 5 | 6 | 7 | 8 | 9 | 4 | 5 | 6 | 7 | 8 | 9 |

### Latitude 31° S.  Latitude 32° S.  Latitude 33° S.

# SIMPLIFIED SCIENTIFIC TABLES OF HOUSES

| | Latitude 31° N. | | | | | | Latitude 32° N. | | | | | | Latitude 33°N. | | | | | |
|---|---|---|---|---|---|---|---|---|---|---|---|---|---|---|---|---|---|---|
| Sider'l Time | 10 ≏ | 11 ≏ | 12 ♏ | Asc. ♐ | 2 ♑ | 3 ♒ | 10 ≏ | 11 ≏ | 12 ♏ | Asc. ♐ | 2 ♑ | 3 ♒ | 10 ≏ | 11 ≏ | 12 ♏ | Asc. ♐ | 2 ♑ | 3 ♒ |
| H M S | ° | ° | ° | ° ′ | ° | ° | ° | ° | ° | ° ′ | ° | ° | ° | ° | ° | ° ′ | ° | ° |
| 12 0 0 | 0 | 29 | 24 | 16 34 | 19 | 25 | 0 | 29 | 24 | 16 3 | 19 | 25 | 0 | 29 | 24 | 15 31 | 18 | 25 |
| 3 40 | 1 | ♏ | 25 | 17 21 | 20 | 26 | 1 | ♏ | 25 | 16 50 | 20 | 26 | 1 | ♏ | 25 | 16 18 | 19 | 26 |
| 7 20 | 2 | 1 | 26 | 18 9 | 21 | 27 | 2 | 1 | 26 | 17 37 | 21 | 27 | 2 | 1 | 26 | 17 5 | 20 | 27 |
| 12 11 1 | 3 | 2 | 27 | 18 57 | 22 | 28 | 3 | 2 | 27 | 18 26 | 22 | 28 | 3 | 2 | 27 | 17 53 | 21 | 28 |
| 14 41 | 4 | 3 | 28 | 19 45 | 23 | 29 | 4 | 3 | 28 | 19 14 | 22 | 29 | 4 | 3 | 28 | 18 41 | 22 | 29 |
| 18 21 | 5 | 4 | 28 | 20 34 | 24 | ♓ | 5 | 4 | 28 | 20 1 | 23 | ♓ | 5 | 4 | 28 | 19 29 | 23 | ♓ |
| 12 22 2 | 6 | 5 | 29 | 21 22 | 25 | 1 | 6 | 5 | 29 | 20 50 | 24 | 1 | 6 | 5 | 29 | 20 17 | 24 | 1 |
| 25 42 | 7 | 6 | ♐ | 22 11 | 26 | 2 | 7 | 6 | ♐ | 21 38 | 25 | 2 | 7 | 6 | ♐ | 21 5 | 25 | 2 |
| 29 23 | 8 | 7 | 1 | 23 0 | 27 | 3 | 8 | 7 | 1 | 22 27 | 26 | 3 | 8 | 7 | 1 | 21 54 | 26 | 3 |
| 12 33 4 | 9 | 8 | 2 | 23 49 | 28 | 4 | 9 | 8 | 1 | 23 16 | 27 | 4 | 9 | 8 | 2 | 22 43 | 27 | 4 |
| 36 45 | 10 | 9 | 2 | 24 38 | 28 | 5 | 10 | 8 | 2 | 24 5 | 28 | 5 | 10 | 8 | 2 | 23 32 | 28 | 5 |
| 40 26 | 11 | 10 | 3 | 25 28 | 29 | 6 | 11 | 10 | 3 | 24 54 | 29 | 6 | 11 | 9 | 3 | 24 21 | 29 | 6 |
| 12 44 8 | 12 | 11 | 4 | 26 17 | ♒ | 7 | 12 | 11 | 4 | 25 44 | ♒ | 7 | 12 | 10 | 4 | 25 10 | ♒ | 7 |
| 47 50 | 13 | 12 | 5 | 27 8 | 2 | 9 | 13 | 12 | 5 | 26 34 | 1 | 8 | 13 | 11 | 5 | 26 0 | 1 | 8 |
| 51 32 | 14 | 12 | 6 | 27 58 | 2 | 9 | 14 | 13 | 6 | 27 24 | 2 | 10 | 14 | 12 | 5 | 26 50 | 2 | 10 |
| 12 55 14 | 15 | 13 | 7 | 28 49 | 3 | 11 | 15 | 13 | 6 | 28 15 | 3 | 11 | 15 | 13 | 6 | 27 40 | 3 | 11 |
| 58 57 | 16 | 14 | 8 | 29 40 | 4 | 12 | 16 | 14 | 7 | 29 6 | 4 | 12 | 16 | 14 | 7 | 28 31 | 4 | 12 |
| 13 2 40 | 17 | 15 | 9 | 0♑31 | 5 | 13 | 17 | 15 | 8 | 29 57 | 5 | 13 | 17 | 15 | 8 | 29 22 | 5 | 13 |
| 13 6 23 | 18 | 16 | 10 | 1 22 | 6 | 14 | 18 | 16 | 9 | 0♑48 | 6 | 14 | 18 | 16 | 9 | 0♑13 | 6 | 14 |
| 10 7 | 19 | 17 | 11 | 2 14 | 7 | 15 | 19 | 16 | 10 | 1 40 | 7 | 15 | 19 | 17 | 10 | 1 4 | 7 | 15 |
| 13 51 | 20 | 17 | 11 | 3 6 | 8 | 16 | 20 | 17 | 10 | 2 31 | 8 | 16 | 20 | 17 | 10 | 1 56 | 8 | 16 |
| 13 17 35 | 21 | 18 | 12 | 3 59 | 9 | 17 | 21 | 18 | 10 | 3 24 | 9 | 17 | 21 | 18 | 11 | 2 48 | 9 | 17 |
| 21 20 | 22 | 19 | 13 | 4 51 | 10 | 18 | 22 | 19 | 12 | 4 16 | 10 | 18 | 22 | 19 | 12 | 3 41 | 10 | 18 |
| 25 6 | 23 | 20 | 14 | 5 44 | 11 | 20 | 23 | 20 | 13 | 5 10 | 11 | 19 | 23 | 20 | 13 | 4 34 | 11 | 19 |
| 13 28 52 | 24 | 21 | 15 | 6 38 | 12 | 21 | 24 | 21 | 14 | 6 3 | 12 | 20 | 24 | 21 | 13 | 5 27 | 12 | 20 |
| 32 38 | 25 | 22 | 15 | 7 32 | 14 | 22 | 25 | 22 | 14 | 6 57 | 13 | 22 | 25 | 21 | 14 | 6 21 | 13 | 22 |
| 36 25 | 26 | 23 | 16 | 8 27 | 15 | 23 | 26 | 23 | 15 | 7 51 | 14 | 23 | 26 | 22 | 15 | 7 15 | 14 | 23 |
| 13 40 12 | 27 | 24 | 17 | 9 22 | 16 | 24 | 27 | 24 | 16 | 8 46 | 15 | 24 | 27 | 23 | 16 | 8 10 | 15 | 24 |
| 44 0 | 28 | 25 | 18 | 10 17 | 17 | 25 | 28 | 25 | 17 | 9 41 | 16 | 25 | 28 | 24 | 16 | 9 5 | 17 | 25 |
| 47 48 | 29 | 26 | 19 | 11 13 | 18 | 26 | 29 | 26 | 18 | 10 37 | 17 | 26 | 29 | 25 | 17 | 10 1 | 18 | 26 |
| Houses | 4 | 5 | 6 | 7 | 8 | 9 | 4 | 5 | 6 | 7 | 8 | 9 | 4 | 5 | 6 | 7 | 8 | 9 |

# SIMPLIFIED SCIENTIFIC TABLES OF HOUSES

### Latitude 31° N.    Latitude 32° N.    Latitude 33° N.

| Sider'l Time | 10 ♏ | 11 ♏ | 12 ♐ | Asc. ♑ | 2 ♒ | 3 ♓ | 10 ♏ | 11 ♏ | 12 ♐ | Asc. ♑ | 2 ♒ | 3 ♓ | 10 ♏ | 11 ♏ | 12 ♐ | Asc. ♑ | 2 ♒ | 3 ♓ |
|---|---|---|---|---|---|---|---|---|---|---|---|---|---|---|---|---|---|---|
| H M S | ° | ° | ° | ° ' | ° | ° | ° | ° | ° | ° ' | ° | ° | ° | ° | ° | ° ' | ° | ° |
| 13 51 37 | 0 | 26 | 19 | 12 9 | 19 | 27 | 0 | 26 | 19 | 11 33 | 19 | 27 | 0 | 26 | 18 | 10 57 | 19 | 27 |
| 55 27 | 1 | 27 | 20 | 13 6 | 20 | 28 | 1 | 27 | 20 | 12 30 | 20 | 28 | 1 | 27 | 19 | 11 53 | 20 | 28 |
| 59 17 | 2 | 28 | 21 | 14 3 | 21 | 29 | 2 | 28 | 21 | 13 27 | 21 | 29 | 2 | 28 | 20 | 12 50 | 21 | 29 |
| 14 3 8 | 3 | 29 | 22 | 15 1 | 22 | ♈ | 3 | 29 | 22 | 14 25 | 22 | ♈ | 3 | 29 | 21 | 13 48 | 22 | ♈ |
| 6 59 | 4 | ♐ | 23 | 15 59 | 23 | 2 | 4 | ♐ | 22 | 15 23 | 24 | 2 | 4 | 29 | 22 | 14 46 | 23 | 1 |
| 10 51 | 5 | 1 | 23 | 16 58 | 25 | 3 | 5 | 0 | 23 | 16 22 | 25 | 3 | 5 | ♐ | 23 | 15 45 | 24 | 3 |
| 14 14 44 | 6 | 2 | 24 | 17 57 | 26 | 4 | 6 | 1 | 24 | 17 22 | 26 | 4 | 6 | 1 | 24 | 16 45 | 25 | 4 |
| 18 37 | 7 | 3 | 25 | 18 57 | 27 | 5 | 7 | 2 | 25 | 18 22 | 27 | 5 | 7 | 2 | 25 | 17 45 | 27 | 5 |
| 22 31 | 8 | 4 | 26 | 19 58 | 29 | 6 | 8 | 3 | 26 | 19 22 | 29 | 7 | 8 | 3 | 26 | 18 45 | 28 | 7 |
| 14 26 25 | 9 | 5 | 27 | 20 59 | ♓ | 8 | 9 | 4 | 27 | 20 28 | ♓ | 8 | 9 | 4 | 26 | 19 46 | ♓ | 8 |
| 30 20 | 10 | 5 | 28 | 22 1 | 1 | 9 | 10 | 5 | 27 | 21 25 | 1 | 9 | 10 | 5 | 27 | 20 48 | 1 | 9 |
| 34 16 | 11 | 6 | 29 | 23 3 | 2 | 10 | 11 | 6 | 28 | 22 27 | 2 | 11 | 11 | 6 | 28 | 21 51 | 2 | 10 |
| 14 38 13 | 12 | 7 | ♑ | 24 6 | 3 | 12 | 12 | 7 | 29 | 23 31 | 3 | 12 | 12 | 7 | 29 | 22 54 | 3 | 11 |
| 42 10 | 13 | 8 | 1 | 25 10 | 4 | 13 | 13 | 8 | ♑ | 24 35 | 4 | 13 | 13 | 8 | 29 | 23 58 | 4 | 12 |
| 46 8 | 14 | 9 | 2 | 26 15 | 6 | 14 | 14 | 9 | 1 | 25 39 | 6 | 14 | 14 | 8 | ♑ | 25 3 | 6 | 13 |
| 14 50 7 | 15 | 9 | 2 | 27 20 | 7 | 15 | 15 | 9 | 2 | 26 45 | 7 | 15 | 15 | 9 | 1 | 26 9 | 7 | 15 |
| 54 7 | 16 | 10 | 3 | 28 26 | 8 | 16 | 16 | 10 | 3 | 27 51 | 8 | 16 | 16 | 10 | 2 | 27 15 | 8 | 16 |
| 58 7 | 17 | 11 | 4 | 29 33 | 9 | 18 | 17 | 11 | 4 | 28 58 | 10 | 17 | 17 | 11 | 3 | 28 22 | 9 | 17 |
| 15 2 8 | 18 | 12 | 5 | 0 ♒ 41 | 10 | 19 | 18 | 12 | 5 | 0 ♒ 6 | 11 | 19 | 18 | 12 | 4 | 29 30 | 10 | 18 |
| 6 9 | 19 | 13 | 6 | 1 49 | 12 | 20 | 19 | 13 | 6 | 1 14 | 12 | 20 | 19 | 13 | 5 | 0 ♒ 39 | 12 | 20 |
| 10 12 | 20 | 14 | 7 | 2 58 | 14 | 21 | 20 | 14 | 7 | 2 23 | 14 | 21 | 20 | 14 | 6 | 1 48 | 13 | 21 |
| 15 14 15 | 21 | 15 | 8 | 4 8 | 16 | 23 | 21 | 15 | 8 | 3 34 | 16 | 22 | 21 | 15 | 7 | 2 58 | 14 | 22 |
| 18 19 | 22 | 16 | 9 | 5 19 | 17 | 24 | 22 | 16 | 9 | 4 45 | 17 | 24 | 22 | 16 | 8 | 4 9 | 15 | 24 |
| 22 23 | 23 | 17 | 10 | 6 30 | 18 | 25 | 23 | 17 | 10 | 5 56 | 18 | 25 | 23 | 17 | 9 | 5 21 | 16 | 25 |
| 15 26 29 | 24 | 18 | 11 | 7 42 | 19 | 26 | 24 | 17 | 10 | 7 9 | 19 | 26 | 24 | 17 | 10 | 6 35 | 18 | 26 |
| 30 35 | 25 | 19 | 12 | 8 56 | 20 | 27 | 25 | 18 | 11 | 8 23 | 20 | 27 | 25 | 18 | 11 | 7 49 | 20 | 27 |
| 34 41 | 26 | 20 | 13 | 10 10 | 21 | 28 | 26 | 19 | 12 | 9 37 | 21 | 28 | 26 | 19 | 12 | 9 3 | 21 | 28 |
| 15 38 49 | 27 | 21 | 14 | 11 25 | 22 | 29 | 27 | 20 | 13 | 10 52 | 23 | 29 | 27 | 20 | 13 | 10 19 | 22 | ♉ |
| 42 57 | 28 | 22 | 15 | 12 41 | 23 | ♉ | 28 | 21 | 14 | 12 9 | 24 | ♉ | 28 | 21 | 14 | 11 36 | 24 | 1 |
| 47 6 | 29 | 23 | 16 | 13 57 | 25 | 1 | 29 | 22 | 15 | 13 26 | 26 | 2 | 29 | 22 | 15 | 12 54 | 26 | 2 |
| Houses | 4 | 5 | 6 | 7 | 8 | 9 | 4 | 5 | 6 | 7 | 8 | 9 | 4 | 5 | 6 | 7 | 8 | 9 |

### Latitude 31° S.    Latitude 32° S.    Latitude 33° S

# SIMPLIFIED SCIENTIFIC TABLES OF HOUSES
### Latitude 31° N.    Latitude 32° N.    Latitude 33° N.

| Sider'l Time | 10 ♐ | 11 ♐ | 12 ♑ | Asc. ≈ | 2 ♓ | 3 ♉ | 10 ♐ | 11 ♐ | 12 ♑ | Asc. ≈ | 2 ♓ | 3 ♉ | 10 ♐ | 11 ♐ | 12 ♑ | Asc. ≈ | 2 ♓ | 3 ♉ |
|---|---|---|---|---|---|---|---|---|---|---|---|---|---|---|---|---|---|---|
| H M S | ° | ° | ° | ° ' | ° | ° | ° | ° | ° | ° ' | ° | ° | ° | ° | ° | ° ' | ° | ° |
| 15 51 15 | 0 | 23 | 17 | 15 15 | 27 | 2 | 0 | 23 | 16 | 14 44 | 27 | 3 | 0 | 23 | 16 | 14 12 | 27 | 3 |
| 55 25 | 1 | 24 | 19 | 16 34 | 28 | 3 | 1 | 24 | 17 | 16 3 | 28 | 4 | 1 | 24 | 17 | 15 32 | 28 | 4 |
| 59 36 | 2 | 25 | 19 | 17 53 | ♈ | 4 | 2 | 25 | 18 | 17 23 | ♈ | 5 | 2 | 25 | 18 | 16 52 | 29 | 6 |
| 16 3 48 | 3 | 26 | 20 | 19 13 | 1 | 6 | 3 | 26 | 19 | 18 44 | 1 | 6 | 3 | 26 | 19 | 18 14 | ♈ | 7 |
| 8 0 | 4 | 27 | 21 | 20 34 | 2 | 7 | 4 | 27 | 20 | 20 6 | 3 | 7 | 4 | 27 | 20 | 19 36 | 2 | 8 |
| 12 13 | 5 | 28 | 22 | 21 56 | 4 | 8 | 5 | 28 | 22 | 21 29 | 4 | 8 | 5 | 28 | 21 | 20 59 | 4 | 9 |
| 16 16 26 | 6 | 29 | 23 | 23 19 | 5 | 9 | 6 | 29 | 23 | 22 52 | 5 | 9 | 6 | 29 | 22 | 22 24 | 5 | 10 |
| 20 40 | 7 | ♑ | 24 | 24 43 | 6 | 10 | 7 | ♑ | 24 | 24 17 | 6 | 10 | 7 | ♑ | 23 | 23 49 | 7 | 11 |
| 24 55 | 8 | 1 | 25 | 26 8 | 8 | 11 | 8 | 1 | 25 | 25 42 | 7 | 11 | 8 | 1 | 24 | 25 15 | 8 | 12 |
| 16 29 10 | 9 | 2 | 26 | 27 33 | 9 | 13 | 9 | 2 | 26 | 27 8 | 9 | 12 | 9 | 2 | 26 | 26 42 | 9 | 13 |
| 33 26 | 10 | 3 | 27 | 29 0 | 11 | 14 | 10 | 3 | 27 | 28 36 | 11 | 14 | 10 | 3 | 27 | 28 11 | 11 | 14 |
| 37 42 | 11 | 4 | 28 | 0♓27 | 13 | 15 | 11 | 4 | 28 | 0♓4 | 12 | 15 | 11 | 4 | 28 | 29 40 | 12 | 15 |
| 16 41 59 | 12 | 5 | 29 | 1 55 | 15 | 16 | 12 | 5 | 29 | 1 33 | 14 | 16 | 12 | 5 | 29 | 1♓10 | 14 | 16 |
| 46 16 | 13 | 6 | ≈ | 3 24 | 16 | 18 | 13 | 6 | ≈ | 3 3 | 15 | 18 | 13 | 6 | ≈ | 2 40 | 15 | 17 |
| 50 34 | 14 | 7 | 2 | 4 53 | 17 | 19 | 14 | 7 | 2 | 4 33 | 16 | 19 | 14 | 7 | 1 | 4 12 | 16 | 18 |
| 16 54 52 | 15 | 8 | 3 | 6 23 | 18 | 20 | 15 | 8 | 3 | 6 4 | 18 | 20 | 15 | 8 | 2 | 5 45 | 18 | 20 |
| 59 10 | 16 | 9 | 4 | 7 54 | 20 | 21 | 16 | 9 | 4 | 7 36 | 20 | 21 | 16 | 9 | 3 | 7 18 | 19 | 21 |
| 17 3 29 | 17 | 10 | 5 | 9 26 | 21 | 22 | 17 | 10 | 5 | 9 9 | 21 | 22 | 17 | 10 | 4 | 8 52 | 21 | 22 |
| 17 7 49 | 18 | 11 | 6 | 10 58 | 22 | 23 | 18 | 11 | 6 | 10 43 | 22 | 23 | 18 | 11 | 5 | 10 26 | 22 | 24 |
| 12 9 | 19 | 12 | 7 | 12 31 | 24 | 24 | 19 | 12 | 6 | 12 17 | 23 | 24 | 19 | 12 | 7 | 12 2 | 24 | 25 |
| 16 29 | 20 | 13 | 9 | 14 5 | 25 | 25 | 20 | 13 | 9 | 13 51 | 25 | 26 | 20 | 13 | 8 | 13 37 | 25 | 26 |
| 17 20 49 | 21 | 14 | 10 | 15 39 | 26 | 27 | 21 | 14 | 10 | 15 27 | 26 | 27 | 21 | 14 | 9 | 15 14 | 26 | 27 |
| 25 9 | 22 | 15 | 11 | 17 13 | 27 | 28 | 22 | 15 | 11 | 17 3 | 28 | 28 | 22 | 15 | 10 | 16 51 | 28 | 28 |
| 29 30 | 23 | 16 | 13 | 18 48 | 29 | 29 | 23 | 16 | 12 | 18 39 | 29 | 29 | 23 | 16 | 11 | 18 29 | 29 | 29 |
| 17 33 51 | 24 | 17 | 14 | 20 24 | ♉ | ♊ | 24 | 17 | 14 | 20 16 | ♉ | ♊ | 24 | 17 | 13 | 20 7 | ♉ | ♊ |
| 38 12 | 25 | 18 | 15 | 21 59 | 2 | 1 | 25 | 18 | 15 | 21 52 | 2 | 1 | 25 | 18 | 15 | 21 45 | 2 | 1 |
| 42 34 | 26 | 19 | 16 | 23 35 | 3 | 2 | 26 | 19 | 16 | 23 29 | 3 | 2 | 26 | 19 | 17 | 23 23 | 4 | 2 |
| 17 46 55 | 27 | 20 | 17 | 25 11 | 4 | 3 | 27 | 20 | 17 | 25 7 | 4 | 3 | 27 | 20 | 18 | 25 2 | 6 | 3 |
| 51 17 | 28 | 21 | 19 | 26 47 | 6 | 4 | 28 | 21 | 18 | 26 44 | 5 | 4 | 28 | 21 | 19 | 26 41 | 7 | 5 |
| 55 38 | 29 | 22 | 21 | 28 23 | 7 | 5 | 29 | 22 | 19 | 28 22 | 6 | 5 | 29 | 22 | 20 | 28 21 | 8 | 6 |
| Houses | 4 | 5 | 6 | 7 | 8 | 9 | 4 | 5 | 6 | 7 | 8 | 9 | 4 | 5 | 6 | 7 | 8 | 9 |

### Latitude 31° S.    Latitude 32° S.    Latitude 33° S.

# SIMPLIFIED SCIENTIFIC TABLES OF HOUSES

### Latitude 31° N.  Latitude 32° N.  Latitude 33° N.

| Sider'l Time (H M S) | 10 ♑ | 11 ♑ | 12 ♒ | Asc. ♈ (° ') | 2 ♉ | 3 ♊ | 10 ♑ | 11 ♑ | 12 ♒ | Asc. ♈ (° ') | 2 ♉ | 3 ♊ | 10 ♑ | 11 ♑ | 12 ♒ | Asc. ♈ (° ') | 2 ♉ | 3 ♊ |
|---|---|---|---|---|---|---|---|---|---|---|---|---|---|---|---|---|---|---|
| 18 0 0 | 0 | 24 | 22 | 0 0 | 8 | 6 | 0 | 23 | 21 | 0 0 | 8 | 7 | 0 | 23 | 21 | 0 0 | 9 | 7 |
| 4 22 | 1 | 25 | 23 | 1 37 | 10 | 7 | 1 | 24 | 22 | 1 38 | 9 | 8 | 1 | 24 | 22 | 1 39 | 10 | 8 |
| 8 23 | 2 | 26 | 24 | 3 13 | 11 | 8 | 2 | 25 | 24 | 3 16 | 10 | 9 | 2 | 25 | 24 | 3 19 | 11 | 9 |
| 18 13 5 | 3 | 27 | 26 | 4 49 | 12 | 9 | 3 | 27 | 25 | 4 53 | 13 | 10 | 3 | 26 | 25 | 4 58 | 12 | 10 |
| 17 26 | 4 | 28 | 27 | 6 25 | 14 | 10 | 4 | 28 | 26 | 6 31 | 14 | 11 | 4 | 27 | 27 | 6 37 | 14 | 11 |
| 21 48 | 5 | 29 | 28 | 8 1 | 15 | 12 | 5 | 29 | 28 | 8 8 | 15 | 12 | 5 | 29 | 28 | 8 15 | 15 | 12 |
| 18 26 9 | 6 | ♒ | 29 | 9 36 | 16 | 13 | 6 | ♒ | 29 | 9 44 | 16 | 13 | 6 | ♒ | ♓ | 9 53 | 16 | 13 |
| 30 30 | 7 | 1 | ♓ | 11 12 | 18 | 14 | 7 | 1 | ♓ | 11 21 | 17 | 14 | 7 | 1 | 1 | 11 31 | 17 | 14 |
| 34 51 | 8 | 2 | 2 | 12 47 | 19 | 15 | 8 | 2 | 2 | 12 57 | 18 | 15 | 8 | 2 | 3 | 13 9 | 18 | 15 |
| 18 39 11 | 9 | 3 | 3 | 14 21 | 20 | 16 | 9 | 3 | 3 | 14 33 | 20 | 16 | 9 | 3 | 4 | 14 46 | 19 | 16 |
| 43 31 | 10 | 4 | 5 | 15 55 | 21 | 17 | 10 | 4 | 5 | 16 9 | 21 | 17 | 10 | 4 | 5 | 16 23 | 21 | 17 |
| 47 51 | 11 | 5 | 6 | 17 29 | 22 | 18 | 11 | 5 | 6 | 17 43 | 22 | 18 | 11 | 5 | 6 | 17 58 | 22 | 18 |
| 18 52 11 | 12 | 6 | 7 | 19 2 | 24 | 19 | 12 | 6 | 7 | 19 17 | 24 | 19 | 12 | 6 | 7 | 19 34 | 24 | 19 |
| 56 31 | 13 | 7 | 8 | 20 34 | 25 | 20 | 13 | 7 | 8 | 20 51 | 25 | 20 | 13 | 7 | 9 | 21 8 | 25 | 20 |
| 19 0 50 | 14 | 8 | 10 | 22 6 | 26 | 21 | 14 | 8 | 10 | 22 24 | 26 | 21 | 14 | 9 | 10 | 22 42 | 26 | 21 |
| 19 5 8 | 15 | 10 | 12 | 23 37 | 27 | 22 | 15 | 10 | 12 | 23 56 | 27 | 22 | 15 | 10 | 12 | 24 15 | 27 | 22 |
| 9 26 | 16 | 11 | 13 | 25 7 | 28 | 23 | 16 | 11 | 13 | 25 27 | 28 | 23 | 16 | 11 | 14 | 25 48 | 28 | 23 |
| 13 44 | 17 | 12 | 15 | 26 36 | 29 | 24 | 17 | 12 | 15 | 26 57 | 29 | 24 | 17 | 12 | 16 | 27 20 | 29 | 24 |
| 19 18 1 | 18 | 13 | 16 | 28 5 | ♊ | 25 | 18 | 13 | 16 | 28 27 | ♊ | 25 | 18 | 13 | 17 | 28 50 | ♊ | 25 |
| 22 18 | 19 | 15 | 17 | 29 33 | 1 | 26 | 19 | 15 | 17 | 29 56 | 1 | 26 | 19 | 14 | 18 | 0 ♉ 20 | 1 | 26 |
| 26 34 | 20 | 16 | 19 | 1 ♉ 0 | 2 | 27 | 20 | 16 | 19 | 1 ♉ 24 | 3 | 27 | 20 | 15 | 19 | 1 49 | 3 | 27 |
| 19 30 50 | 21 | 17 | 20 | 2 27 | 3 | 28 | 21 | 17 | 20 | 2 52 | 4 | 28 | 21 | 16 | 20 | 3 18 | 4 | 28 |
| 35 5 | 22 | 18 | 22 | 3 52 | 4 | 29 | 22 | 18 | 22 | 4 18 | 5 | 29 | 22 | 17 | 22 | 4 45 | 5 | 29 |
| 39 20 | 23 | 19 | 24 | 5 17 | 6 | ♋ | 23 | 19 | 24 | 5 43 | 6 | ♋ | 23 | 18 | 23 | 6 11 | 7 | ♋ |
| 19 43 34 | 24 | 20 | 25 | 6 41 | 7 | 1 | 24 | 20 | 25 | 7 8 | 7 | 1 | 24 | 20 | 24 | 7 36 | 8 | 1 |
| 47 47 | 25 | 22 | 26 | 8 4 | 8 | 2 | 25 | 21 | 26 | 8 31 | 8 | 2 | 25 | 21 | 26 | 9 1 | 9 | 2 |
| 52 0 | 26 | 23 | 27 | 9 26 | 9 | 3 | 26 | 22 | 27 | 9 54 | 9 | 3 | 26 | 22 | 28 | 10 24 | 10 | 3 |
| 19 56 12 | 27 | 24 | 28 | 10 47 | 10 | 4 | 27 | 23 | 28 | 11 16 | 10 | 4 | 27 | 23 | 29 | 11 46 | 11 | 4 |
| 20 0 24 | 28 | 25 | ♈ | 12 7 | 11 | 5 | 28 | 24 | ♈ | 12 37 | 11 | 5 | 28 | 24 | ♈ | 13 8 | 12 | 5 |
| 4 35 | 29 | 26 | 2 | 13 26 | 12 | 6 | 29 | 26 | 2 | 13 26 | 12 | 6 | 29 | 26 | 2 | 14 28 | 13 | 6 |
| Houses | 4 | 5 | 6 | 7 | 8 | 9 | 4 | 5 | 6 | 7 | 8 | 9 | 4 | 5 | 6 | 7 | 8 | 9 |

### Latitude 31° S.  Latitude 32° S.  Latitude 33° S.

Latitude 31° N.  Latitude 32° N.  Latitude 33° N.

| Sider'l Time | 10 ≈ | 11 ≈ | 12 ♈ | Asc. ♉ | 2 ♊ | 3 ♋ | 10 ≈ | 11 ≈ | 12 ♈ | Asc. ♉ | 2 ♊ | 3 ♋ | 10 ≈ | 11 ≈ | 12 ♈ | Asc. ♉ | 2 ♊ | 3 ♋ |
|---|---|---|---|---|---|---|---|---|---|---|---|---|---|---|---|---|---|---|
| H M S | ° | ° | ° | ′ ° | ° | ° | ° | ° | ° | ′ ° | ° | ° | ° | ° | ° | ′ ° | ° | ° |
| 20 8 45 | 0 | 27 | 3 | 14 45 | 13 | 7 | 0 | 27 | 3 | 15 16 | 13 | 7 | 0 | 27 | 3 | 15 48 | 14 | 7 |
| 12 54 | 1 | 28 | 4 | 16 3 | 14 | 8 | 1 | 28 | 4 | 16 34 | 14 | 8 | 1 | 28 | 4 | 17 6 | 15 | 8 |
| 17 3 | 2 | 29 | 6 | 17 19 | 15 | 9 | 2 | 29 | 5 | 17 51 | 15 | 9 | 2 | 29 | 5 | 18 24 | 16 | 9 |
| 20 21 11 | 3 | ♓ | 7 | 18 35 | 16 | 10 | 3 | ♓ | 6 | 19 8 | 16 | 10 | 3 | ♓ | 6 | 19 41 | 17 | 10 |
| 25 19 | 4 | 1 | 8 | 19 50 | 17 | 11 | 4 | 1 | 8 | 20 23 | 18 | 11 | 4 | 2 | 8 | 20 57 | 18 | 11 |
| 29 26 | 5 | 3 | 10 | 21 4 | 18 | 11 | 5 | 3 | 10 | 21 37 | 19 | 11 | 5 | 3 | 10 | 22 11 | 19 | 12 |
| 20 33 31 | 6 | 4 | 11 | 22 18 | 19 | 12 | 6 | 4 | 11 | 22 51 | 20 | 12 | 6 | 4 | 11 | 23 25 | 20 | 13 |
| 37 37 | 7 | 5 | 12 | 23 30 | 20 | 13 | 7 | 5 | 12 | 24 4 | 21 | 13 | 7 | 5 | 12 | 24 39 | 21 | 14 |
| 41 41 | 8 | 6 | 13 | 24 41 | 21 | 14 | 8 | 6 | 13 | 25 15 | 22 | 14 | 8 | 6 | 14 | 25 51 | 22 | 15 |
| 20 45 45 | 9 | 7 | 14 | 25 52 | 22 | 15 | 9 | 7 | 15 | 26 26 | 23 | 15 | 9 | 7 | 15 | 27 2 | 23 | 15 |
| 49 48 | 10 | 9 | 16 | 27 2 | 23 | 16 | 10 | 9 | 16 | 27 37 | 23 | 16 | 10 | 9 | 17 | 28 12 | 24 | 16 |
| 53 51 | 11 | 10 | 18 | 28 11 | 24 | 17 | 11 | 11 | 17 | 28 46 | 24 | 17 | 11 | 10 | 18 | 29 21 | 25 | 17 |
| 20 57 52 | 12 | 11 | 19 | 29 19 | 25 | 18 | 12 | 12 | 18 | 29 54 | 25 | 18 | 12 | 11 | 20 | 0♊30 | 26 | 18 |
| 21 1 53 | 13 | 12 | 20 | 0♊27 | 26 | 19 | 13 | 13 | 19 | 1♊2 | 26 | 19 | 13 | 12 | 21 | 1 38 | 27 | 19 |
| 5 53 | 14 | 14 | 21 | 1 34 | 27 | 19 | 14 | 14 | 21 | 2 9 | 27 | 20 | 14 | 14 | 22 | 2 45 | 28 | 20 |
| 21 9 53 | 15 | 15 | 23 | 2 40 | 28 | 20 | 15 | 15 | 23 | 3 15 | 28 | 21 | 15 | 15 | 23 | 3 51 | 28 | 21 |
| 13 52 | 16 | 16 | 24 | 3 45 | 28 | 21 | 16 | 16 | 24 | 4 21 | 29 | 22 | 16 | 16 | 24 | 4 57 | 29 | 22 |
| 17 50 | 17 | 17 | 26 | 4 50 | 29 | 22 | 17 | 17 | 25 | 5 25♋ | | 23 | 17 | 17 | 25 | 6 2♋ | | 23 |
| 21 21 47 | 18 | 19 | 27 | 5 54♋ | | 23 | 18 | 18 | 27 | 6 29 | 1 | 24 | 18 | 18 | 27 | 7 6 | 1 | 24 |
| 25 44 | 19 | 20 | 28 | 6 57 | 1 | 24 | 19 | 20 | 28 | 7 33 | 2 | 25 | 19 | 20 | 28 | 8 9 | 2 | 25 |
| 29 40 | 20 | 21 | 29 | 7 59 | 2 | 25 | 20 | 21 | 29 | 8 35 | 3 | 25 | 20 | 21 | 29 | 9 12 | 3 | 25 |
| 21 33 35 | 21 | 22 | ♉ | 9 1 | 3 | 26 | 21 | 22 | ♉ | 9 37 | 4 | 26 | 21 | 22 | ♉ | 10 14 | 4 | 26 |
| 37 29 | 22 | 23 | 1 | 10 2 | 4 | 27 | 22 | 23 | 1 | 10 38 | 5 | 27 | 22 | 24 | 2 | 11 15 | 5 | 27 |
| 41 23 | 23 | 24 | 3 | 11 3 | 5 | 28 | 23 | 25 | 2 | 11 38 | 6 | 28 | 23 | 25 | 3 | 12 15 | 6 | 28 |
| 21 45 16 | 24 | 25 | 4 | 12 3 | 6 | 29 | 24 | 26 | 3 | 12 38 | 7 | 28 | 24 | 26 | 4 | 13 15 | 7♊ | 29 |
| 49 9 | 25 | 27 | 5 | 13 2 | 7 | 29 | 25 | 27 | 5 | 13 38 | 7 | 29 | 25 | 27 | 6 | 14 15 | 7 | 29 |
| 53 1 | 26 | 28 | 6 | 14 1 | 8 | ♌ | 26 | 28 | 6 | 14 37 | 8 | ♌ | 26 | 28 | 7 | 15 14 | 8 | ♌ |
| 21 56 52 | 27 | 29 | 7 | 14 59 | 9 | 1 | 27 | 29 | 7 | 15 35 | 9 | 1 | ♈27 | 29 | 8 | 16 12 | 9 | 1 |
| 22 0 43 | 28 | ♈ | 8 | 15 57 | 10 | 2 | 28 | ♈ | 8 | 16 33 | 10 | 2 | 28 | ♈ | 9 | 17 10 | 10 | 2 |
| 4 33 | 29 | 1 | 9 | 16 54 | 11 | 3 | 29 | 1 | 9 | 17 30 | 11 | 3 | 29 | 1 | 10 | 18 7 | 11 | 3 |
| Houses | 4 | 5 | 6 | 7 | 8 | 9 | 4 | 5 | 6 | 7 | 8 | 9 | 4 | 5 | 6 | 7 | 8 | 9 |

Latitude 31° S.  Latitude 32° S.  Latitude 33° S.

# SIMPLIFIED SCIENTIFIC TABLES OF HOUSES

### Latitude 31° N.     Latitude 32° N.     Latitude 33° N.

| Sider'l Time (H M S) | 10 ♓ | 11 ♈ | 12 ♉ | Asc. Π (° ') | 2 ♋ | 3 ♌ | 10 ♓ | 11 ♈ | 12 ♉ | Asc. Π (° ') | 2 ♋ | 3 ♌ | 10 ♓ | 11 ♈ | 12 ♉ | Asc. Π (° ') | 2 ♋ | 3 ♌ |
|---|---|---|---|---|---|---|---|---|---|---|---|---|---|---|---|---|---|---|
| 22 8 23 | 0 | 2 | 11 | 17 51 | 11 | 4 | 0 | 2 | 11 | 18 27 | 11 | 4 | 0 | 2 | 11 | 19 3 | 12 | 4 |
| 22 12 12 | 1 | 3 | 12 | 18 47 | 12 | 5 | 1 | 3 | 12 | 19 23 | 12 | 5 | 1 | 3 | 12 | 19 59 | 13 | 5 |
| 22 16 0 | 2 | 4 | 13 | 19 43 | 13 | 6 | 2 | 4 | 13 | 20 19 | 13 | 6 | 2 | 4 | 13 | 20 55 | 14 | 6 |
| 22 19 48 | 3 | 5 | 14 | 20 38 | 14 | 7 | 3 | 5 | 14 | 21 14 | 14 | 7 | 3 | 5 | 14 | 21 50 | 15 | 7 |
| 22 23 35 | 4 | 7 | 15 | 21 33 | 15 | 8 | 4 | 7 | 16 | 22 9 | 15 | 8 | 4 | 7 | 15 | 22 45 | 16 | 8 |
| 22 27 22 | 5 | 8 | 16 | 22 28 | 15 | 8 | 5 | 8 | 17 | 23 3 | 15 | 8 | 5 | 8 | 17 | 23 39 | 16 | 8 |
| 22 31 8 | 6 | 9 | 17 | 23 22 | 16 | 9 | 6 | 9 | 18 | 23 57 | 16 | 9 | 6 | 9 | 18 | 24 33 | 17 | 9 |
| 22 34 54 | 7 | 10 | 18 | 24 16 | 17 | 10 | 7 | 10 | 19 | 24 50 | 17 | 10 | 7 | 10 | 19 | 25 26 | 18 | 10 |
| 22 38 40 | 8 | 11 | 19 | 25 9 | 18 | 11 | 8 | 11 | 20 | 25 44 | 18 | 11 | 8 | 11 | 20 | 26 19 | 19 | 11 |
| 22 42 25 | 9 | 12 | 20 | 26 1 | 19 | 12 | 9 | 12 | 21 | 26 36 | 19 | 12 | 9 | 12 | 21 | 27 12 | 20 | 12 |
| 22 46 9 | 10 | 14 | 21 | 26 54 | 19 | 13 | 10 | 14 | 22 | 27 29 | 20 | 13 | 10 | 14 | 22 | 28 4 | 20 | 13 |
| 22 49 53 | 11 | 15 | 22 | 27 46 | 20 | 14 | 11 | 15 | 23 | 28 20 | 21 | 14 | 11 | 15 | 23 | 28 56 | 21 | 14 |
| 22 53 37 | 12 | 16 | 23 | 28 38 | 21 | 15 | 12 | 16 | 24 | 29 12 | 22 | 15 | 12 | 16 | 24 | 29 47 | 22 | 15 |
| 22 57 20 | 13 | 17 | 24 | 29 29 | 22 | 16 | 13 | 17 | 25 | 0♋3 | 23 | 16 | 13 | 17 | 25 | 0♋38 | 23 | 16 |
| 23 1 3 | 14 | 18 | 25 | 0♋20 | 23 | 16 | 14 | 18 | 26 | 0 54 | 24 | 17 | 14 | 18 | 26 | 1 29 | 24 | 16 |
| 23 4 46 | 15 | 19 | 26 | 1 11 | 23 | 17 | 15 | 19 | 27 | 1 45 | 24 | 17 | 15 | 19 | 27 | 2 20 | 24 | 17 |
| 23 8 28 | 16 | 20 | 27 | 2 2 | 24 | 18 | 16 | 20 | 28 | 2 36 | 25 | 18 | 16 | 20 | 28 | 3 10 | 25 | 18 |
| 23 12 10 | 17 | 21 | 28 | 2 52 | 25 | 19 | 17 | 21 | 29 | 3 26 | 26 | 19 | 17 | 21 | 29 | 4 0 | 26 | 19 |
| 23 15 52 | 18 | 22 | 29 | 3 43 | 26 | 20 | 18 | 22 | Π | 4 16 | 27 | 20 | 18 | 22 | Π | 4 50 | 27 | 20 |
| 23 19 34 | 19 | 23 | Π | 4 32 | 27 | 21 | 19 | 24 | 1 | 5 6 | 28 | 21 | 19 | 23 | 1 | 5 39 | 27 | 21 |
| 23 23 15 | 20 | 25 | 1 | 5 22 | 27 | 21 | 20 | 25 | 2 | 5 55 | 28 | 21 | 20 | 25 | 2 | 6 28 | 28 | 22 |
| 23 26 56 | 21 | 26 | 2 | 6 11 | 28 | 22 | 21 | 26 | 3 | 6 44 | 29 | 22 | 21 | 26 | 3 | 7 17 | 29 | 23 |
| 23 30 37 | 22 | 27 | 3 | 7 0 | 29 | 23 | 22 | 27 | 4 | 7 33 | 29 | 23 | 22 | 27 | 4 | 8 6 | 29 | 24 |
| 23 34 18 | 23 | 28 | 4 | 7 49 | ♌ | 24 | 23 | 28 | 5 | 8 22 | ♌ | 24 | 23 | 28 | 5 | 8 55 | ♌ | 25 |
| 23 37 58 | 24 | 29 | 5 | 8 38 | 0 | 25 | 24 | 29 | 6 | 9 10 | 1 | 25 | 24 | 29 | 6 | 9 43 | 1 | 25 |
| 23 41 39 | 25 | 29 | 6 | 9 26 | 1 | 26 | 25 | 29 | 7 | 9 59 | 2 | 26 | 25 | ♉ | 7 | 10 31 | 2 | 26 |
| 23 45 19 | 26 | ♉ | 7 | 10 15 | 2 | 27 | 26 | ♉ | 8 | 10 46 | 3 | 27 | 26 | 1 | 8 | 11 19 | 3 | 27 |
| 23 49 0 | 27 | 1 | 8 | 11 3 | 3 | 28 | 27 | 1 | 9 | 11 34 | 4 | 28 | 27 | 2 | 9 | 12 7 | 4 | 28 |
| 23 52 40 | 28 | 3 | 9 | 11 51 | 4 | 28 | 28 | 3 | 10 | 12 23 | 5 | 29 | 28 | 2 | 10 | 12 55 | 5 | 28 |
| 23 56 20 | 29 | 4 | 10 | 12 39 | 5 | 29 | 29 | 4 | 11 | 13 10 | 6 | 29 | 29 | 4 | 11 | 13 42 | 5 | 29 |
| Houses | 4 | 5 | 6 | 7 | 8 | 9 | 4 | 5 | 6 | 7 | 8 | 9 | 4 | 5 | 6 | 7 | 8 | 9 |

### Latitude 31° S.     Latitude 32° S.     Latitude 33° S.

# SIMPLIFIED SCIENTIFIC TABLES OF HOUSES
### Latitude 34° N.   Latitude 35° N.   Latitude 36° N.

| Sider'l Time | 10 ♈ | 11 ♉ | 12 ♊ | Asc. ♋ | 2 ♌ | 3 ♍ | 10 ♈ | 11 ♉ | 12 ♊ | Asc. ♋ | 2 ♌ | 3 ♍ | 10 ♈ | 11 ♉ | 12 ♊ | Asc. ♋ | 2 ♌ | 3 ♍ |
|---|---|---|---|---|---|---|---|---|---|---|---|---|---|---|---|---|---|---|
| H M S | | | | | | | | | | | | | | | | | | |
| 0 0 0 | 0 | 5 | 12 | 15 1 | 6 | 0 | 0 | 5 | 12 | 15 34 | 7 | 1 | 0 | 6 | 13 | 16 8 | 7 | 1 |
| 3 40 | 1 | 6 | 13 | 15 49 | 7 | 1 | 1 | 6 | 13 | 16 21 | 8 | 2 | 1 | 7 | 14 | 16 54 | 8 | 2 |
| 7 20 | 2 | 7 | 14 | 16 36 | 8 | 2 | 2 | 7 | 14 | 17 8 | 9 | 3 | 2 | 8 | 15 | 17 41 | 9 | 3 |
| 0 11 0 | 3 | 8 | 15 | 17 22 | 9 | 3 | 3 | 8 | 15 | 17 54 | 10 | 4 | 3 | 9 | 16 | 18 27 | 10 | 4 |
| 14 41 | 4 | 9 | 16 | 18 9 | 9 | 4 | 4 | 9 | 16 | 18 41 | 10 | 4 | 4 | 10 | 17 | 19 13 | 10 | 4 |
| 18 21 | 5 | 10 | 17 | 18 56 | 10 | 5 | 5 | 11 | 17 | 19 27 | 11 | 5 | 5 | 11 | 18 | 19 59 | 11 | 5 |
| 0 22 2 | 6 | 11 | 18 | 19 42 | 11 | 6 | 6 | 12 | 18 | 20 14 | 12 | 6 | 6 | 12 | 19 | 20 14 | 12 | 6 |
| 25 42 | 7 | 12 | 19 | 20 29 | 12 | 7 | 7 | 13 | 19 | 21 0 | 13 | 7 | 7 | 13 | 20 | 21 31 | 13 | 7 |
| 29 23 | 8 | 13 | 20 | 21 15 | 13 | 8 | 8 | 14 | 20 | 21 46 | 14 | 8 | 8 | 14 | 21 | 22 17 | 14 | 8 |
| 0 33 4 | 9 | 14 | 20 | 22 2 | 13 | 8 | 9 | 15 | 20 | 22 32 | 14 | 8 | 9 | 15 | 21 | 23 3 | 14 | 9 |
| 36 45 | 10 | 15 | 21 | 22 48 | 14 | 9 | 10 | 16 | 21 | 23 18 | 15 | 9 | 10 | 16 | 22 | 23 49 | 15 | 10 |
| 40 26 | 11 | 16 | 22 | 23 34 | 15 | 10 | 11 | 17 | 22 | 24 4 | 16 | 10 | 11 | 17 | 23 | 24 35 | 16 | 11 |
| 0 44 8 | 12 | 17 | 23 | 24 21 | 16 | 11 | 12 | 18 | 23 | 24 50 | 17 | 11 | 12 | 18 | 24 | 25 20 | 17 | 12 |
| 47 50 | 13 | 18 | 24 | 25 7 | 17 | 12 | 13 | 19 | 24 | 25 36 | 18 | 12 | 13 | 19 | 25 | 26 6 | 18 | 13 |
| 51 32 | 14 | 19 | 25 | 25 53 | 17 | 13 | 14 | 20 | 25 | 26 22 | 18 | 13 | 14 | 20 | 25 | 26 52 | 18 | 13 |
| 0 55 14 | 15 | 20 | 26 | 26 39 | 18 | 14 | 15 | 21 | 26 | 27 8 | 19 | 14 | 15 | 21 | 26 | 27 37 | 19 | 14 |
| 58 57 | 16 | 21 | 27 | 27 25 | 19 | 15 | 16 | 22 | 27 | 27 54 | 20 | 15 | 16 | 22 | 27 | 28 23 | 20 | 15 |
| 1 2 40 | 17 | 22 | 27 | 28 12 | 20 | 16 | 17 | 23 | 28 | 28 40 | 21 | 16 | 17 | 23 | 28 | 29 9 | 21 | 16 |
| 1 6 23 | 18 | 23 | 28 | 28 58 | 21 | 17 | 18 | 24 | 28 | 29 26 | 22 | 17 | 18 | 24 | 28 | 29 54 | 22 | 17 |
| 10 7 | 19 | 24 | 28 | 29 44 | 22 | 18 | 19 | 24 | 29 | 0♌12 | 22 | 18 | 19 | 25 | 29 | 0♌40 | 22 | 18 |
| 13 51 | 20 | 25 | 29 | 0♌31 | 23 | 19 | 20 | 25 | ♋ | 0 58 | 23 | 19 | 20 | 26 | ♋ | 1 26 | 23 | 19 |
| 1 17 35 | 21 | 27 | ♋ | 1 17 | 24 | 20 | 21 | 26 | 0 | 1 44 | 24 | 20 | 21 | 27 | 1 | 2 12 | 24 | 20 |
| 21 20 | 22 | 27 | 1 | 2 4 | 25 | 21 | 22 | 27 | 1 | 2 30 | 25 | 21 | 22 | 28 | 2 | 2 58 | 25 | 21 |
| 25 6 | 23 | 28 | 2 | 2 50 | 26 | 22 | 23 | 28 | 2 | 3 17 | 26 | 22 | 23 | 28 | 3 | 3 43 | 26 | 22 |
| 1 28 52 | 24 | 29 | 3 | 3 37 | 26 | 22 | 24 | 29 | 3 | 4 3 | 26 | 22 | 24 | 29 | 4 | 4 30 | 26 | 22 |
| 32 38 | 25 | ♊ | 4 | 4 23 | 27 | 23 | 25 | ♊ | 4 | 4 49 | 27 | 23 | 25 | ♊ | 5 | 5 16 | 27 | 23 |
| 36 25 | 26 | 1 | 5 | 5 10 | 27 | 24 | 26 | 1 | 5 | 5 36 | 28 | 24 | 26 | 1 | 6 | 6 2 | 27 | 24 |
| 1 40 12 | 27 | 2 | 6 | 5 57 | 28 | 25 | 27 | 2 | 6 | 6 22 | 29 | 25 | 27 | 2 | 7 | 6 48 | 28 | 25 |
| 44 0 | 28 | 3 | 7 | 6 44 | 29 | 26 | 28 | 3 | 7 | 7 9 | 29 | 26 | 28 | 3 | 8 | 7 34 | 29 | 26 |
| 47 48 | 29 | 4 | 7 | 7 31 | ♍ | 27 | 29 | 4 | 8 | 7 55 | ♍ | 27 | 29 | 4 | 8 | 8 20 | ♍ | 27 |
| Houses | 4 | 5 | 6 | 7 | 8 | 9 | 4 | 5 | 6 | 7 | 8 | 9 | 4 | 5 | 6 | 7 | 8 | 9 |

### Latitude 34° S.   Latitude 35° S.   Latitude 36° S.

# SIMPLIFIED SCIENTIFIC TABLES OF HOUSES

Latitude 34° N.    Latitude 35° N.    Latitude 36° N.

| Sider'l Time (H M S) | 10 ♉ | 11 ♊ | 12 ♋ | Asc. ♌ ° ' | 2 ♍ | 3 | 10 ♉ | 11 ♊ | 12 ♋ | Asc. ♌ ° ' | 2 ♍ | 3 | 10 ♉ | 11 ♊ | 12 ♋ | Asc. ♌ ° ' | 2 ♍ | 3 |
|---|---|---|---|---|---|---|---|---|---|---|---|---|---|---|---|---|---|---|
| 1 51 37 | 0 | 5 | 8 | 8 18 | 1 | 28 | 0 | 5 | 9 | 8 42 | 1 | 28 | 0 | 5 | 9 | 9 7 | 1 | 28 |
| 55 27 | 1 | 6 | 9 | 9 5 | 2 | 29 | 1 | 6 | 10 | 9 29 | 2 | 29 | 1 | 6 | 10 | 9 54 | 2 | 29 |
| 59 17 | 2 | 7 | 10 | 9 52 | 3 | ≏ | 2 | 7 | 11 | 10 16 | 3 | ≏ | 2 | 7 | 11 | 10 40 | 3 | ≏ |
| 2 3 8 | 3 | 8 | 11 | 10 40 | 4 | 1 | 3 | 8 | 12 | 11 3 | 4 | 1 | 3 | 8 | 12 | 11 27 | 4 | 1 |
| 6 59 | 4 | 9 | 12 | 11 28 | 4 | 2 | 4 | 9 | 12 | 11 51 | 4 | 2 | 4 | 9 | 12 | 12 14 | 5 | 2 |
| 10 51 | 5 | 10 | 13 | 12 15 | 5 | 3 | 5 | 10 | 13 | 12 38 | 5 | 3 | 5 | 10 | 13 | 13 1 | 6 | 3 |
| 2 14 44 | 6 | 11 | 14 | 13 3 | 6 | 4 | 6 | 11 | 14 | 13 25 | 6 | 4 | 6 | 11 | 14 | 13 48 | 7 | 4 |
| 18 37 | 7 | 12 | 15 | 13 51 | 7 | 5 | 7 | 12 | 15 | 14 13 | 7 | 5 | 7 | 12 | 15 | 14 35 | 8 | 5 |
| 22 31 | 8 | 13 | 16 | 14 39 | 8 | 6 | 8 | 13 | 16 | 15 1 | 8 | 6 | 8 | 13 | 16 | 15 23 | 9 | 6 |
| 2 26 25 | 9 | 13 | 16 | 15 27 | 9 | 6 | 9 | 14 | 16 | 15 49 | 9 | 6 | 9 | 14 | 17 | 16 10 | 9 | 6 |
| 30 20 | 10 | 14 | 17 | 16 16 | 10 | 7 | 10 | 15 | 17 | 16 37 | 10 | 7 | 10 | 15 | 18 | 16 58 | 10 | 7 |
| 34 16 | 11 | 15 | 18 | 17 4 | 11 | 8 | 11 | 16 | 18 | 17 25 | 11 | 8 | 11 | 16 | 19 | 17 46 | 11 | 8 |
| 2 38 13 | 12 | 16 | 19 | 17 53 | 12 | 9 | 12 | 17 | 19 | 18 13 | 12 | 9 | 12 | 17 | 20 | 18 34 | 12 | 9 |
| 42 10 | 13 | 17 | 20 | 18 41 | 13 | 10 | 13 | 18 | 20 | 19 1 | 13 | 10 | 13 | 18 | 21 | 19 22 | 13 | 10 |
| 46 8 | 14 | 18 | 20 | 19 30 | 13 | 11 | 14 | 18 | 21 | 19 50 | 13 | 11 | 14 | 18 | 21 | 20 10 | 13 | 11 |
| 2 50 7 | 15 | 19 | 21 | 20 20 | 14 | 12 | 15 | 19 | 22 | 20 39 | 14 | 12 | 15 | 19 | 22 | 20 59 | 14 | 12 |
| 54 7 | 16 | 20 | 22 | 21 9 | 15 | 13 | 16 | 20 | 23 | 21 28 | 15 | 13 | 16 | 20 | 23 | 21 47 | 15 | 13 |
| 58 7 | 17 | 21 | 23 | 21 59 | 16 | 14 | 17 | 21 | 24 | 22 17 | 16 | 14 | 17 | 21 | 24 | 22 36 | 16 | 14 |
| 3 2 8 | 18 | 22 | 24 | 22 48 | 17 | 15 | 18 | 22 | 25 | 23 7 | 17 | 15 | 18 | 22 | 25 | 23 25 | 17 | 15 |
| 6 9 | 19 | 23 | 25 | 23 38 | 18 | 16 | 19 | 23 | 25 | 23 56 | 18 | 16 | 19 | 23 | 25 | 24 14 | 18 | 16 |
| 10 12 | 20 | 24 | 26 | 24 29 | 19 | 17 | 20 | 24 | 26 | 24 46 | 19 | 18 | 20 | 24 | 26 | 25 4 | 19 | 17 |
| 3 14 15 | 21 | 25 | 27 | 25 19 | 20 | 18 | 21 | 25 | 27 | 25 36 | 20 | 18 | 21 | 25 | 27 | 25 53 | 20 | 18 |
| 18 19 | 22 | 26 | 28 | 26 9 | 21 | 19 | 22 | 26 | 28 | 26 26 | 21 | 19 | 22 | 26 | 28 | 26 43 | 21 | 19 |
| 22 23 | 23 | 27 | 28 | 27 0 | 22 | 20 | 23 | 27 | 29 | 27 16 | 22 | 20 | 23 | 27 | 29 | 27 33 | 22 | 20 |
| 3 26 29 | 24 | 27 | 29 | 27 51 | 22 | 21 | 24 | 28 | 29 | 28 7 | 22 | 21 | 24 | 28 | 29 | 28 23 | 22 | 21 |
| 30 35 | 25 | 28 | ♌ | 28 42 | 23 | 22 | 25 | 29 | ♌ | 28 57 | 23 | 22 | 25 | 29 | ♌ | 29 13 | 23 | 22 |
| 34 41 | 26 | 29 | 0 | 29 33 | 24 | 23 | 26 | ♋ | 1 | 29 48 | 24 | 23 | 26 | ♋ | 1 | 0♍3 | 24 | 23 |
| 3 38 49 | 27 | ♋ | 1 | 0♍24 | 25 | 24 | 27 | 1 | 2 | 0♍39 | 25 | 24 | 27 | 1 | 2 | 0 54 | 25 | 24 |
| 42 57 | 28 | 1 | 2 | 1 16 | 26 | 25 | 28 | 2 | 3 | 1 30 | 26 | 25 | 28 | 2 | 3 | 1 44 | 26 | 25 |
| 47 6 | 29 | 2 | 3 | 2 7 | 27 | 26 | 29 | 2 | 4 | 2 21 | 27 | 26 | 29 | 3 | 4 | 2 36 | 27 | 26 |
| Houses | 4 | 5 | 6 | 7 | 8 | 9 | 4 | 5 | 6 | 7 | 8 | 9 | 4 | 5 | 6 | 7 | 8 | 9 |

Latitude 34° S.    Latitude 35° S.    Latitude 36° S.

# SIMPLIFIED SCIENTIFIC TABLES OF HOUSES

### Latitude 34° N.  Latitude 35° N.  Latitude 36° N.

| Sider'l Time H M S | 10 Π | 11 ♋ | 12 ♌ | Asc. ♍ ° ' | 2 ♍ | 3 ♎ | 10 Π | 11 ♋ | 12 ♌ | Asc. ♍ ° ' | 2 ♍ | 3 ♎ | 10 Π | 11 ♋ | 12 ♌ | Asc. ♍ ° ' | 2 ♍ | 3 ♎ |
|---|---|---|---|---|---|---|---|---|---|---|---|---|---|---|---|---|---|---|
| 8 51 15 | 0 | 3 | 4 | 2 59 | 28 | 27 | 0 | 3 | 5 | 3 13 | 28 | 27 | 0 | 4 | 5 | 3 26 | 28 | 27 |
| 55 25 | 1 | 4 | 5 | 3 51 | 29 | 28 | 1 | 4 | 6 | 4 4 | 29 | 28 | 1 | 5 | 6 | 4 18 | 29 | 28 |
| 59 36 | 2 | 5 | 6 | 4 44 | ♎ | 29 | 2 | 5 | 7 | 4 56 | ♎ | 29 | 2 | 6 | 7 | 5 9 | ♎ | 29 |
| 4 3 48 | 3 | 6 | 7 | 5 36 | 1 | ♏ | 3 | 6 | 8 | 5 48 | 1 | ♏ | 3 | 7 | 8 | 6 1 | 1 | ♏ |
| 8 0 | 4 | 7 | 8 | 6 29 | 2 | 1 | 4 | 7 | 8 | 6 41 | 2 | 1 | 4 | 7 | 9 | 6 53 | 2 | 1 |
| 12 13 | 5 | 8 | 9 | 7 22 | 3 | 2 | 5 | 8 | 9 | 7 33 | 3 | 2 | 5 | 8 | 10 | 7 44 | 3 | 2 |
| 4 16 26 | 6 | 9 | 10 | 8 14 | 4 | 3 | 6 | 9 | 10 | 8 25 | 4 | 3 | 6 | 9 | 11 | 8 37 | 4 | 3 |
| 20 40 | 7 | 10 | 11 | 9 8 | 5 | 4 | 7 | 10 | 11 | 9 18 | 5 | 4 | 7 | 10 | 12 | 9 29 | 5 | 4 |
| 24 55 | 8 | 11 | 12 | 10 1 | 6 | 5 | 8 | 11 | 12 | 10 11 | 6 | 5 | 8 | 11 | 13 | 10 21 | 6 | 5 |
| 4 29 10 | 9 | 12 | 13 | 10 54 | 6 | 6 | 9 | 12 | 13 | 11 4 | 6 | 6 | 9 | 12 | 13 | 11 13 | 6 | 6 |
| 33 26 | 10 | 13 | 14 | 11 48 | 7 | 7 | 10 | 13 | 14 | 11 57 | 7 | 7 | 10 | 13 | 14 | 12 6 | 7 | 7 |
| 37 42 | 11 | 14 | 15 | 12 41 | 8 | 8 | 11 | 14 | 15 | 12 50 | 8 | 8 | 11 | 14 | 15 | 12 59 | 8 | 8 |
| 4 41 59 | 12 | 15 | 16 | 13 35 | 9 | 9 | 12 | 15 | 16 | 13 43 | 9 | 9 | 12 | 15 | 16 | 13 52 | 9 | 9 |
| 46 16 | 13 | 16 | 17 | 14 29 | 10 | 10 | 13 | 16 | 17 | 14 37 | 10 | 10 | 13 | 16 | 17 | 14 45 | 10 | 10 |
| 50 34 | 14 | 17 | 17 | 15 23 | 11 | 11 | 14 | 17 | 18 | 15 30 | 11 | 11 | 14 | 17 | 18 | 15 38 | 11 | 11 |
| 4 54 52 | 15 | 18 | 18 | 16 17 | 12 | 12 | 15 | 18 | 19 | 16 24 | 12 | 12 | 15 | 18 | 19 | 16 31 | 12 | 12 |
| 59 10 | 16 | 19 | 19 | 17 11 | 13 | 14 | 16 | 19 | 20 | 17 18 | 13 | 13 | 16 | 19 | 20 | 17 25 | 13 | 13 |
| 5 3 29 | 17 | 20 | 20 | 18 6 | 14 | 15 | 17 | 20 | 21 | 18 12 | 14 | 14 | 17 | 20 | 21 | 18 18 | 14 | 14 |
| 5 7 49 | 18 | 21 | 21 | 19 0 | 15 | 16 | 18 | 21 | 22 | 19 6 | 15 | 15 | 18 | 21 | 22 | 19 12 | 15 | 15 |
| 12 9 | 19 | 21 | 22 | 19 55 | 16 | 17 | 19 | 22 | 22 | 20 0 | 16 | 16 | 19 | 22 | 22 | 20 5 | 16 | 16 |
| 16 29 | 20 | 22 | 23 | 20 50 | 17 | 18 | 20 | 23 | 23 | 20 55 | 17 | 17 | 20 | 23 | 23 | 20 59 | 17 | 17 |
| 5 20 49 | 21 | 23 | 24 | 21 45 | 18 | 19 | 21 | 24 | 24 | 21 49 | 18 | 18 | 21 | 24 | 24 | 21 53 | 18 | 18 |
| 25 9 | 22 | 24 | 25 | 22 39 | 19 | 20 | 22 | 25 | 25 | 22 43 | 19 | 19 | 22 | 25 | 25 | 22 47 | 19 | 19 |
| 29 30 | 23 | 25 | 26 | 23 34 | 20 | 21 | 23 | 26 | 26 | 23 38 | 20 | 20 | 23 | 26 | 26 | 23 41 | 20 | 20 |
| 5 33 51 | 24 | 26 | 27 | 24 29 | 21 | 22 | 24 | 27 | 27 | 24 32 | 21 | 21 | 24 | 27 | 27 | 24 35 | 21 | 21 |
| 38 12 | 25 | 27 | 28 | 25 24 | 22 | 23 | 25 | 28 | 28 | 25 27 | 22 | 22 | 25 | 28 | 28 | 25 29 | 22 | 22 |
| 42 34 | 26 | 28 | 29 | 26 19 | 23 | 24 | 26 | 29 | 29 | 26 21 | 23 | 23 | 26 | 29 | 29 | 26 23 | 23 | 23 |
| 5 46 55 | 27 | 29 | ♍ | 27 14 | 24 | 25 | 27 | ♌ | ♍ | 27 16 | 24 | 24 | 27 | 29 | ♍ | 27 17 | 24 | 24 |
| 51 17 | 28 | ♌ | 1 | 28 10 | 25 | 26 | 28 | 0 | 1 | 28 11 | 25 | 25 | 28 | ♌ | 1 | 28 11 | 25 | 25 |
| 55 38 | 29 | 1 | 2 | 29 0 | 26 | 27 | 29 | 1 | 2 | 29 5 | 26 | 26 | 29 | 1 | 2 | 29 6 | 26 | 26 |
| Houses | 4 | 5 | 6 | 7 | 8 | 9 | 4 | 5 | 6 | 7 | 8 | 9 | 4 | 5 | 6 | 7 | 8 | 9 |

### Latitude 34° S.  Latitude 35° S.  Latitude 36° S

# SIMPLIFIED SCIENTIFIC TABLES OF HOUSES

Latitude 34° N.  Latitude 35° N.  Latitude 36° N.

| Sider'l Time (H M S) | 10 ♋ | 11 ♌ | 12 ♍ | Asc. ♎ | 2 ♎ | 3 ♏ | 10 ♋ | 11 ♌ | 12 ♍ | Asc. ♎ | 2 ♎ | 3 ♏ | 10 ♋ | 11 ♌ | 12 ♍ | Asc. ♎ | 2 ♎ | 3 ♏ |
|---|---|---|---|---|---|---|---|---|---|---|---|---|---|---|---|---|---|---|
| 6 0 0 | 0 | 2 | 3 | 0 0 | 27 | 28 | 0 | 2 | 3 | 0 0 | 27 | 27 | 0 | 3 | 3 | 0 0 | 27 | 27 |
| 4 22 | 1 | 3 | 4 | 0 55 | 28 | 29 | 1 | 3 | 4 | 0 55 | 28 | 28 | 1 | 4 | 4 | 0 54 | 28 | 28 |
| 8 43 | 2 | 4 | 5 | 1 50 | 29 | ♐ | 2 | 4 | 5 | 1 49 | 29 | 29 | 2 | 5 | 5 | 1 49 | 29 | 29 |
| 6 13 5 | 3 | 5 | 6 | 2 46 | ♏ | 1 | 3 | 5 | 6 | 2 44 | ♏ | ♐ | 3 | 6 | 6 | 2 43 | ♏ | ♐ |
| 17 26 | 4 | 6 | 7 | 3 41 | 1 | 2 | 4 | 6 | 7 | 3 39 | 1 | 1 | 4 | 7 | 7 | 3 37 | 1 | 1 |
| 21 48 | 5 | 7 | 8 | 4 36 | 2 | 3 | 5 | 7 | 8 | 4 33 | 2 | 2 | 5 | 8 | 8 | 4 31 | 2 | 2 |
| 6 26 9 | 6 | 8 | 9 | 5 31 | 3 | 4 | 6 | 8 | 9 | 5 28 | 3 | 3 | 6 | 9 | 9 | 5 25 | 3 | 3 |
| 30 30 | 7 | 9 | 10 | 6 26 | 4 | 5 | 7 | 9 | 10 | 6 22 | 4 | 4 | 7 | 10 | 10 | 6 19 | 4 | 4 |
| 34 51 | 8 | 10 | 11 | 7 21 | 5 | 6 | 8 | 10 | 11 | 7 17 | 5 | 5 | 8 | 11 | 11 | 7 13 | 5 | 5 |
| 6 39 11 | 9 | 11 | 12 | 8 15 | 6 | 6 | 9 | 11 | 12 | 8 11 | 6 | 6 | 9 | 12 | 12 | 8 7 | 5 | 6 |
| 43 31 | 10 | 12 | 13 | 9 10 | 7 | 7 | 10 | 13 | 13 | 9 5 | 7 | 7 | 10 | 13 | 13 | 9 1 | 6 | 7 |
| 47 51 | 11 | 13 | 14 | 10 5 | 8 | 8 | 11 | 14 | 14 | 10 0 | 8 | 8 | 11 | 14 | 14 | 9 55 | 7 | 8 |
| 6 52 11 | 12 | 14 | 15 | 11 0 | 9 | 9 | 12 | 15 | 15 | 10 54 | 9 | 9 | 12 | 15 | 15 | 10 48 | 8 | 9 |
| 56 31 | 13 | 15 | 16 | 11 54 | 10 | 10 | 13 | 16 | 16 | 11 48 | 10 | 10 | 13 | 16 | 16 | 11 42 | 9 | 10 |
| 7 0 50 | 14 | 16 | 16 | 12 49 | 11 | 11 | 14 | 17 | 17 | 12 42 | 10 | 11 | 14 | 17 | 17 | 12 35 | 10 | 11 |
| 7 5 8 | 15 | 17 | 17 | 13 43 | 12 | 12 | 15 | 18 | 18 | 13 36 | 11 | 12 | 15 | 18 | 18 | 13 29 | 11 | 12 |
| 9 26 | 16 | 18 | 18 | 14 37 | 13 | 13 | 16 | 19 | 19 | 14 30 | 12 | 13 | 16 | 19 | 19 | 14 22 | 12 | 13 |
| 13 44 | 17 | 19 | 19 | 15 31 | 14 | 14 | 17 | 20 | 20 | 15 23 | 13 | 14 | 17 | 20 | 20 | 15 15 | 13 | 14 |
| 7 18 1 | 18 | 20 | 20 | 16 25 | 15 | 15 | 18 | 21 | 21 | 16 17 | 14 | 15 | 18 | 21 | 21 | 16 8 | 14 | 15 |
| 22 18 | 19 | 21 | 21 | 17 19 | 15 | 16 | 19 | 22 | 21 | 17 10 | 15 | 16 | 19 | 22 | 22 | 17 1 | 15 | 16 |
| 26 34 | 20 | 22 | 22 | 18 12 | 16 | 17 | 20 | 23 | 22 | 18 3 | 16 | 17 | 20 | 23 | 23 | 17 54 | 16 | 17 |
| 7 30 50 | 21 | 23 | 23 | 19 6 | 17 | 18 | 21 | 24 | 23 | 18 56 | 17 | 18 | 21 | 24 | 24 | 18 47 | 17 | 18 |
| 35 5 | 22 | 24 | 24 | 19 59 | 18 | 19 | 22 | 25 | 24 | 19 49 | 18 | 19 | 22 | 25 | 25 | 19 39 | 18 | 19 |
| 39 20 | 23 | 25 | 25 | 20 52 | 19 | 20 | 23 | 26 | 25 | 20 42 | 19 | 20 | 23 | 26 | 26 | 20 31 | 19 | 20 |
| 7 43 34 | 24 | 26 | 26 | 21 46 | 20 | 21 | 24 | 27 | 26 | 21 35 | 20 | 21 | 24 | 27 | 26 | 21 23 | 19 | 21 |
| 47 47 | 25 | 28 | 27 | 22 38 | 21 | 22 | 25 | 28 | 27 | 22 27 | 21 | 22 | 25 | 28 | 27 | 22 15 | 20 | 22 |
| 52 0 | 26 | 29 | 28 | 23 31 | 22 | 23 | 26 | 29 | 28 | 23 19 | 22 | 23 | 26 | 29 | 28 | 23 7 | 21 | 23 |
| 7 56 12 | 27 | ♍ | 29 | 24 24 | 23 | 24 | 27 | ♍ | 29 | 24 12 | 23 | 24 | 27 | ♍ | 29 | 23 59 | 22 | 24 |
| 8 0 24 | 28 | 1 | ♎ | 25 16 | 24 | 25 | 28 | 1 | ♎ | 25 4 | 24 | 25 | 28 | 1 | ♎ | 24 51 | 23 | 25 |
| 4 35 | 29 | 2 | 1 | 26 9 | 24 | 26 | 29 | 2 | 1 | 25 56 | 24 | 26 | 29 | 2 | 1 | 25 42 | 24 | 25 |
| Houses | 4 | 5 | 6 | 7 | 8 | 9 | 4 | 5 | 6 | 7 | 8 | 9 | 4 | 5 | 6 | 7 | 8 | 9 |

Latitude 34° S.  Latitude 35° S.  Latitude 36° S.

# SIMPLIFIED SCIENTIFIC TABLES OF HOUSES

Latitude 34° N.    Latitude 35° N.    Latitude 36° N.

| Sider'l Time H M S | 10 Ω | 11 mɲ | 12 ≏ | Asc. ≏ | 2 m | 3 ♐ | 10 Ω | 11 mɲ | 12 ≏ | Asc. ≏ | 2 m | 3 ♐ | 10 Ω | 11 mɲ | 12 ≏ | Asc. ≏ | 2 m | 3 ♐ |
|---|---|---|---|---|---|---|---|---|---|---|---|---|---|---|---|---|---|---|
| 8 8 45 | 0 | 3 | 2 | 27 1 | 25 | 27 | 0 | 3 | 2 | 26 47 | 25 | 27 | 0 | 3 | 2 | 26 34 | 25 | 26 |
| 12 54 | 1 | 4 | 3 | 27 53 | 26 | 28 | 1 | 4 | 3 | 27 39 | 26 | 28 | 1 | 4 | 3 | 27 24 | 26 | 27 |
| 17 3 | 2 | 5 | 4 | 28 44 | 27 | 29 | 2 | 5 | 4 | 28 30 | 27 | 29 | 2 | 5 | 4 | 28 16 | 27 | 28 |
| 8 21 11 | 3 | 6 | 5 | 29 36 | 28 | V3 | 3 | 6 | 5 | 29 21 | 28 | V3 | 3 | 6 | 5 | 29 6 | 28 | 29 |
| 25 19 | 4 | 7 | 6 | 0m 27 | 29 | 0 | 4 | 7 | 6 | 0m 12 | 28 | 0 | 4 | 7 | 6 | 29 57 | 28 | V3 |
| 29 26 | 5 | 8 | 7 | 1 18 | ♐ | 1 | 5 | 8 | 7 | 1 3 | 29 | 1 | 5 | 8 | 7 | 0m 47 | 29 | 1 |
| 8 33 31 | 6 | 9 | 8 | 2 9 | 0 | 2 | 6 | 9 | 8 | 1 53 | ♐ | 2 | 6 | 9 | 8 | 1 37 | ♐ | 2 |
| 37 37 | 7 | 10 | 9 | 3 0 | 1 | 3 | 7 | 10 | 9 | 2 44 | 1 | 3 | 7 | 10 | 9 | 2 27 | 1 | 3 |
| 41 41 | 8 | 11 | 10 | 3 51 | 2 | 4 | 8 | 11 | 10 | 3 34 | 2 | 4 | 8 | 11 | 10 | 3 17 | 2 | 4 |
| 8 45 45 | 9 | 12 | 10 | 4 41 | 3 | 5 | 9 | 12 | 10 | 4 24 | 3 | 5 | 9 | 12 | 10 | 4 7 | 3 | 5 |
| 49 48 | 10 | 13 | 11 | 5 31 | 4 | 6 | 10 | 13 | 11 | 5 14 | 4 | 6 | 10 | 13 | 11 | 4 56 | 4 | 6 |
| 53 51 | 11 | 14 | 12 | 6 22 | 5 | 7 | 11 | 14 | 12 | 6 4 | 5 | 7 | 11 | 14 | 12 | 5 46 | 5 | 7 |
| 8 57 52 | 12 | 15 | 13 | 7 12 | 6 | 8 | 12 | 15 | 13 | 6 53 | 6 | 8 | 12 | 15 | 13 | 6 35 | 6 | 8 |
| 9 1 53 | 13 | 16 | 14 | 8 1 | 7 | 9 | 13 | 16 | 14 | 7 43 | 7 | 9 | 13 | 16 | 14 | 7 24 | 7 | 9 |
| 5 53 | 14 | 17 | 15 | 8 51 | 8 | 10 | 14 | 17 | 15 | 8 32 | 7 | 10 | 14 | 17 | 15 | 8 13 | 7 | 9 |
| 9 9 53 | 15 | 18 | 16 | 9 40 | 9 | 11 | 15 | 18 | 16 | 9 21 | 8 | 11 | 15 | 18 | 16 | 9 1 | 8 | 10 |
| 13 52 | 16 | 19 | 17 | 10 30 | 10 | 12 | 16 | 19 | 17 | 10 10 | 9 | 12 | 16 | 19 | 17 | 9 50 | 9 | 11 |
| 17 50 | 17 | 20 | 18 | 11 19 | 11 | 13 | 17 | 20 | 18 | 10 59 | 10 | 13 | 17 | 20 | 18 | 10 38 | 10 | 12 |
| 9 21 47 | 18 | 21 | 19 | 12 7 | 12 | 14 | 18 | 21 | 19 | 11 47 | 11 | 14 | 18 | 21 | 19 | 11 26 | 11 | 13 |
| 25 44 | 19 | 21 | 19 | 12 56 | 12 | 15 | 19 | 21 | 19 | 12 35 | 12 | 14 | 19 | 21 | 19 | 12 14 | 11 | 14 |
| 29 40 | 20 | 22 | 20 | 13 44 | 13 | 16 | 20 | 22 | 20 | 13 23 | 13 | 15 | 20 | 22 | 20 | 13 2 | 12 | 15 |
| 9 33 35 | 21 | 23 | 21 | 14 33 | 14 | 17 | 21 | 23 | 21 | 14 11 | 14 | 16 | 21 | 23 | 21 | 13 50 | 13 | 16 |
| 37 29 | 22 | 24 | 22 | 15 21 | 15 | 18 | 22 | 24 | 22 | 14 59 | 15 | 17 | 22 | 24 | 22 | 14 37 | 14 | 17 |
| 41 23 | 23 | 25 | 23 | 16 9 | 16 | 19 | 23 | 25 | 23 | 15 47 | 16 | 18 | 23 | 25 | 23 | 15 25 | 15 | 18 |
| 9 45 16 | 24 | 26 | 24 | 16 57 | 16 | 19 | 24 | 26 | 24 | 16 35 | 17 | 19 | 24 | 26 | 23 | 16 12 | 16 | 19 |
| 49 9 | 25 | 27 | 25 | 17 45 | 17 | 20 | 25 | 27 | 25 | 17 22 | 17 | 20 | 25 | 27 | 24 | 16 59 | 17 | 20 |
| 53 1 | 26 | 28 | 26 | 18 32 | 18 | 21 | 26 | 28 | 26 | 18 9 | 18 | 21 | 26 | 28 | 25 | 17 46 | 18 | 21 |
| 9 56 52 | 27 | 29 | 27 | 19 20 | 19 | 22 | 27 | 29 | 27 | 18 57 | 19 | 22 | 27 | 29 | 26 | 18 33 | 19 | 22 |
| 10 0 43 | 28 | ≏ | 28 | 20 8 | 20 | 23 | 28 | ≏ | 28 | 19 44 | 20 | 23 | 28 | ≏ | 27 | 19 20 | 20 | 23 |
| 4 33 | 29 | 1 | 28 | 20 55 | 21 | 24 | 29 | 1 | 28 | 20 31 | 20 | 24 | 29 | 1 | 28 | 20 6 | 20 | 24 |
| Houses | 4 | 5 | 6 | 7 | 8 | 9 | 4 | 5 | 6 | 7 | 8 | 9 | 4 | 5 | 6 | 7 | 8 | 9 |

Latitude 34° S.    Latitude 35° S.    Latitude 36° S.

## SIMPLIFIED SCIENTIFIC TABLES OF HOUSES

Latitude 34° N.    Latitude 35° N.    Latitude 36° N.

| Sider'l Time | 10 ♍ | 11 ♎ | 12 ♎ | Asc. ♏ (° ') | 2 ♐ | 3 ♑ | 10 ♍ | 11 ♎ | 12 ♎ | Asc. ♏ (° ') | 2 ♐ | 3 ♑ | 10 ♍ | 11 ♎ | 12 ♎ | Asc. ♏ (° ') | 2 ♐ | 3 ♑ |
|---|---|---|---|---|---|---|---|---|---|---|---|---|---|---|---|---|---|---|
| H M S | ° | ° | ° | ° ' | ° | ° | ° | ° | ° | ° ' | ° | ° | ° | ° | ° | ° ' | ° | ° |
| 10 8 23 | 0 | 2 | 29 | 21 42 | 22 | 25 | 0 | 2 | 29 | 21 18 | 21 | 25 | 0 | 2 | 29 | 20 53 | 21 | 25 |
| 12 12 | 1 | 3 | ♏ | 22 29 | 23 | 26 | 1 | 3 | ♏ | 22 5 | 22 | 26 | 1 | 3 | ♏ | 21 40 | 22 | 26 |
| 16 0 | 2 | 4 | 0 | 23 16 | 24 | 27 | 2 | 4 | 0 | 22 51 | 23 | 27 | 2 | 4 | 0 | 22 26 | 23 | 27 |
| 10 19 48 | 3 | 5 | 1 | 24 3 | 25 | 28 | 3 | 5 | 1 | 23 38 | 24 | 28 | 3 | 5 | 1 | 23 12 | 24 | 28 |
| 23 35 | 4 | 6 | 2 | 24 50 | 25 | 28 | 4 | 6 | 2 | 24 24 | 24 | 28 | 4 | 6 | 2 | 23 58 | 24 | 28 |
| 27 22 | 5 | 7 | 3 | 25 37 | 26 | 29 | 5 | 7 | 3 | 25 11 | 25 | 29 | 5 | 7 | 3 | 24 44 | 25 | 29 |
| 10 31 8 | 6 | 8 | 4 | 26 23 | 27 | ♒ | 6 | 8 | 4 | 25 57 | 26 | ♒ | 6 | 8 | 4 | 25 30 | 26 | ♒ |
| 34 54 | 7 | 9 | 5 | 27 10 | 28 | 1 | 7 | 9 | 5 | 26 43 | 27 | 1 | 7 | 9 | 5 | 26 17 | 27 | 1 |
| 38 40 | 8 | 10 | 6 | 27 56 | 29 | 2 | 8 | 10 | 6 | 27 30 | 28 | 2 | 8 | 10 | 6 | 27 2 | 28 | 2 |
| 10 42 25 | 9 | 10 | 6 | 28 43 | ♑ | 3 | 9 | 10 | 6 | 28 16 | 28 | 3 | 9 | 10 | 6 | 27 48 | 28 | 3 |
| 46 9 | 10 | 11 | 7 | 29 29 | 0 | 4 | 10 | 11 | 7 | 29 2 | 29 | 4 | 10 | 11 | 7 | 28 34 | 29 | 4 |
| 49 53 | 11 | 12 | 8 | 0 ♐ 16 | 1 | 5 | 11 | 12 | 8 | 29 48 | ♑ | 5 | 11 | 12 | 8 | 29 20 | ♑ | 5 |
| 10 53 37 | 12 | 13 | 9 | 1 2 | 2 | 7 | 12 | 13 | 9 | 0 ♐ 34 | 1 | 6 | 12 | 13 | 9 | 0 ♐ 6 | 1 | 6 |
| 57 20 | 13 | 14 | 10 | 1 48 | 3 | 8 | 13 | 14 | 10 | 1 20 | 2 | 7 | 13 | 14 | 10 | 0 51 | 2 | 7 |
| 11 1 3 | 14 | 15 | 10 | 2 35 | 3 | 8 | 14 | 15 | 10 | 2 6 | 3 | 8 | 14 | 15 | 10 | 1 37 | 3 | 8 |
| 11 4 46 | 15 | 16 | 11 | 3 21 | 4 | 9 | 15 | 16 | 11 | 2 52 | 4 | 9 | 15 | 16 | 11 | 2 23 | 4 | 9 |
| 8 28 | 16 | 17 | 12 | 4 7 | 5 | 10 | 16 | 17 | 12 | 3 38 | 5 | 10 | 16 | 17 | 12 | 3 8 | 5 | 10 |
| 12 10 | 17 | 18 | 13 | 4 53 | 6 | 11 | 17 | 18 | 13 | 4 24 | 6 | 11 | 17 | 18 | 13 | 3 54 | 6 | 11 |
| 11 15 52 | 18 | 19 | 14 | 5 39 | 7 | 12 | 18 | 19 | 14 | 5 10 | 7 | 12 | 18 | 19 | 14 | 4 40 | 7 | 12 |
| 19 34 | 19 | 19 | 15 | 6 26 | 8 | 13 | 19 | 19 | 14 | 5 56 | 7 | 13 | 19 | 19 | 14 | 5 25 | 7 | 13 |
| 23 15 | 20 | 20 | 16 | 7 12 | 9 | 14 | 20 | 20 | 15 | 6 42 | 8 | 14 | 20 | 20 | 15 | 6 11 | 8 | 14 |
| 11 23 56 | 21 | 21 | 17 | 7 58 | 10 | 15 | 21 | 21 | 16 | 7 28 | 9 | 15 | 21 | 21 | 16 | 6 57 | 9 | 15 |
| 30 37 | 22 | 22 | 18 | 8 45 | 11 | 16 | 22 | 22 | 17 | 8 14 | 10 | 16 | 22 | 22 | 17 | 7 43 | 10 | 16 |
| 34 18 | 23 | 23 | 19 | 9 31 | 12 | 17 | 23 | 23 | 18 | 9 0 | 11 | 17 | 23 | 23 | 18 | 8 29 | 11 | 17 |
| 11 37 58 | 24 | 24 | 19 | 10 18 | 12 | 18 | 24 | 24 | 18 | 9 46 | 12 | 18 | 24 | 24 | 18 | 9 15 | 11 | 18 |
| 41 39 | 25 | 25 | 20 | 11 4 | 13 | 19 | 25 | 25 | 19 | 10 33 | 13 | 19 | 25 | 25 | 19 | 10 1 | 12 | 19 |
| 45 19 | 26 | 26 | 21 | 11 51 | 14 | 20 | 26 | 26 | 20 | 11 19 | 14 | 20 | 26 | 26 | 20 | 10 47 | 13 | 20 |
| 11 49 0 | 27 | 27 | 22 | 12 33 | 15 | 21 | 27 | 27 | 21 | 12 6 | 15 | 21 | 27 | 27 | 21 | 11 33 | 14 | 21 |
| 52 40 | 28 | 28 | 23 | 13 24 | 16 | 22 | 28 | 28 | 22 | 12 52 | 16 | 22 | 28 | 28 | 22 | 12 19 | 15 | 22 |
| 56 20 | 29 | 28 | 23 | 14 11 | 17 | 23 | 29 | 28 | 22 | 13 39 | 16 | 23 | 29 | 28 | 22 | 13 6 | 16 | 23 |
| Houses | 4 | 5 | 6 | 7 | 8 | 9 | 4 | 5 | 6 | 7 | 8 | 9 | 4 | 5 | 6 | 7 | 8 | 9 |

Latitude 34° S.    Latitude 35° S.    Latitude 36° S.

# SIMPLIFIED SCIENTIFIC TABLES OF HOUSES

Latitude 34° N.  Latitude 35° N.  Latitude 36° N.

| Sider'l Time | Latitude 34° N | | | | | | Latitude 35° N | | | | | | Latitude 36° N | | | | | |
|---|---|---|---|---|---|---|---|---|---|---|---|---|---|---|---|---|---|---|
| H M S | 10 | 11 | 12 | Asc. | 2 | 3 | 10 | 11 | 12 | Asc. | 2 | 3 | 10 | 11 | 12 | Asc. | 2 | 3 |
| | ♎ | ♎ | ♏ | ♐ | ♑ | ♒ | ♎ | ♎ | ♏ | ♐ | ♑ | ♒ | ♎ | ♎ | ♏ | ♐ | ♑ | ♒ |
| 12 0 0 | 0 | 29 | 24 | 14 59 | 18 | 25 | 0 | 29 | 23 | 14 26 | 17 | 25 | 0 | 29 | 23 | 13 52 | 17 | 24 |
| 3 40 | 1 | ♏ | 25 | 15 45 | 19 | 26 | 1 | ♏ | 24 | 15 13 | 18 | 26 | 1 | ♏ | 24 | 14 39 | 18 | 25 |
| 7 20 | 2 | 1 | 26 | 16 33 | 20 | 27 | 2 | 1 | 25 | 15 59 | 19 | 27 | 2 | 1 | 25 | 15 26 | 19 | 26 |
| 12 11 1 | 3 | 2 | 27 | 17 20 | 21 | 28 | 3 | 2 | 26 | 16 47 | 20 | 28 | 3 | 2 | 26 | 16 13 | 20 | 27 |
| 14 41 | 4 | 3 | 27 | 18 8 | 21 | 28 | 4 | 3 | 26 | 17 34 | 21 | 28 | 4 | 3 | 26 | 17 0 | 21 | 28 |
| 18 21 | 5 | 4 | 28 | 18 56 | 22 | 29 | 5 | 4 | 27 | 18 22 | 22 | 29 | 5 | 4 | 27 | 17 47 | 22 | 29 |
| 12 22 2 | 6 | 5 | 29 | 19 44 | 23 | ♓ | 6 | 5 | 28 | 19 9 | 23 | ♓ | 6 | 5 | 28 | 18 35 | 23 | ♓ |
| 25 42 | 7 | 6 | ♐ | 20 32 | 24 | 1 | 7 | 6 | 29 | 19 57 | 24 | 1 | 7 | 6 | 29 | 19 22 | 24 | 1 |
| 29 23 | 8 | 7 | 0 | 21 20 | 25 | 2 | 8 | 7 | ♐ | 20 45 | 25 | 2 | 8 | 7 | ♐ | 20 10 | 25 | 2 |
| 12 33 4 | 9 | 7 | 1 | 22 9 | 26 | 3 | 9 | 7 | 0 | 21 34 | 26 | 3 | 9 | 7 | 0 | 20 58 | 25 | 3 |
| 36 45 | 10 | 8 | 2 | 22 57 | 27 | 5 | 10 | 8 | 1 | 22 22 | 27 | 5 | 10 | 8 | 1 | 21 47 | 26 | 5 |
| 40 26 | 11 | 9 | 3 | 23 46 | 28 | 6 | 11 | 9 | 2 | 23 11 | 28 | 6 | 11 | 9 | 2 | 22 35 | 27 | 6 |
| 12 44 8 | 12 | 10 | 4 | 24 35 | 29 | 7 | 12 | 10 | 3 | 24 0 | 29 | 7 | 12 | 10 | 3 | 23 24 | 28 | 7 |
| 47 50 | 13 | 11 | 5 | 25 25 | ♒ | 8 | 13 | 11 | 4 | 24 49 | ♒ | 8 | 13 | 11 | 4 | 24 13 | 29 | 8 |
| 51 32 | 14 | 12 | 5 | 26 15 | 1 | 9 | 14 | 11 | 4 | 25 39 | 1 | 9 | 14 | 11 | 4 | 25 2 | ♒ | 9 |
| 12 55 14 | 15 | 13 | 6 | 27 5 | 2 | 11 | 15 | 12 | 5 | 26 28 | 2 | 10 | 15 | 12 | 5 | 25 51 | 1 | 10 |
| 58 57 | 16 | 14 | 7 | 27 55 | 3 | 12 | 16 | 13 | 6 | 27 19 | 3 | 11 | 16 | 13 | 6 | 26 41 | 2 | 11 |
| 13 2 40 | 17 | 15 | 8 | 28 46 | 4 | 13 | 17 | 14 | 7 | 28 9 | 4 | 12 | 17 | 14 | 7 | 27 32 | 3 | 12 |
| 13 6 23 | 18 | 16 | 9 | 29 37 | 5 | 14 | 18 | 15 | 8 | 29 0 | 5 | 13 | 18 | 15 | 8 | 28 22 | 4 | 13 |
| 10 7 | 19 | 16 | 9 | 0♑28 | 6 | 15 | 19 | 16 | 8 | 29 51 | 6 | 14 | 19 | 16 | 8 | 29 13 | 5 | 14 |
| 13 51 | 20 | 17 | 10 | 1 20 | 7 | 16 | 20 | 17 | 9 | 0♑43 | 7 | 15 | 20 | 17 | 9 | 0♑5 | 7 | 16 |
| 13 17 35 | 21 | 18 | 11 | 2 12 | 8 | 17 | 21 | 18 | 10 | 1 35 | 8 | 17 | 21 | 18 | 10 | 0 56 | 8 | 17 |
| 21 20 | 22 | 19 | 12 | 3 4 | 9 | 18 | 22 | 19 | 11 | 2 27 | 9 | 18 | 22 | 19 | 11 | 1 48 | 9 | 18 |
| 25 6 | 23 | 20 | 13 | 3 57 | 10 | 19 | 23 | 20 | 12 | 3 20 | 10 | 19 | 23 | 20 | 12 | 2 41 | 10 | 19 |
| 13 28 52 | 24 | 20 | 13 | 4 50 | 11 | 20 | 24 | 20 | 12 | 4 13 | 11 | 20 | 24 | 20 | 12 | 3 34 | 11 | 20 |
| 32 38 | 25 | 21 | 14 | 5 44 | 13 | 22 | 25 | 21 | 13 | 5 6 | 12 | 22 | 25 | 21 | 13 | 4 27 | 12 | 22 |
| 36 25 | 26 | 22 | 15 | 6 38 | 14 | 23 | 26 | 22 | 14 | 6 0 | 13 | 23 | 26 | 22 | 14 | 5 21 | 13 | 23 |
| 13 40 12 | 27 | 23 | 16 | 7 33 | 15 | 24 | 27 | 23 | 15 | 6 55 | 15 | 24 | 27 | 23 | 15 | 6 16 | 14 | 24 |
| 44 0 | 28 | 24 | 17 | 8 28 | 16 | 25 | 28 | 24 | 16 | 7 49 | 15 | 25 | 28 | 24 | 16 | 7 10 | 15 | 25 |
| 47 48 | 29 | 25 | 17 | 9 23 | 17 | 26 | 29 | 24 | 16 | 8 45 | 16 | 26 | 29 | 24 | 16 | 8 5 | 16 | 26 |
| Houses | 4 | 5 | 6 | 7 | 8 | 9 | 4 | 5 | 6 | 7 | 8 | 9 | 4 | 5 | 6 | 7 | 8 | 9 |

Latitude 34° S.  Latitude 35° S.  Latitude 36° S.

# SIMPLIFIED SCIENTIFIC TABLES OF HOUSES

**Latitude 34° N.    Latitude 35° N.    Latitude 36° N.**

| Sider'l Time (H M S) | 10 ♏ | 11 ♏ | 12 ♐ | Asc ♑ | 2 ♒ | 3 ♓ | 10 ♏ | 11 ♏ | 12 ♐ | Asc ♑ | 2 ♒ | 3 ♓ | 10 ♏ | 11 ♏ | 12 ♐ | Asc ♑ | 2 ♒ | 3 ♓ |
|---|---|---|---|---|---|---|---|---|---|---|---|---|---|---|---|---|---|---|
| 13 51 37 | 0 | 26 | 18 | 10 19 | 18 | 27 | 0 | 25 | 17 | 9 41 | 18 | 27 | 0 | 25 | 17 | 9 1 | 18 | 27 |
| 55 27 | 1 | 27 | 19 | 11 16 | 19 | 28 | 1 | 26 | 18 | 10 37 | 19 | 28 | 1 | 26 | 18 | 9 57 | 19 | 28 |
| 59 17 | 2 | 28 | 20 | 12 13 | 20 | 29 | 2 | 27 | 19 | 11 34 | 20 | 29 | 2 | 27 | 19 | 10 54 | 20 | 29 |
| 14 3 8 | 3 | 29 | 21 | 13 10 | 21 | ♈ | 3 | 28 | 20 | 12 32 | 21 | ♈ | 3 | 28 | 20 | 11 52 | 21 | ♈ |
| 6 59 | 4 | ♐ | 21 | 14 9 | 22 | 1 | 4 | 28 | 21 | 13 30 | 22 | 1 | 4 | 28 | 20 | 12 50 | 22 | 1 |
| 10 51 | 5 | 0 | 22 | 15 7 | 24 | 3 | 5 | 29 | 22 | 14 28 | 24 | 3 | 5 | 29 | 21 | 13 48 | 23 | 3 |
| 14 14 44 | 6 | 1 | 23 | 16 7 | 26 | 4 | 6 | ♐ | 23 | 15 28 | 26 | 4 | 6 | ♐ | 22 | 14 47 | 24 | 4 |
| 18 37 | 7 | 2 | 24 | 17 7 | 28 | 5 | 7 | 1 | 24 | 16 27 | 28 | 5 | 7 | 1 | 23 | 15 47 | 25 | 5 |
| 22 31 | 8 | 3 | 25 | 18 7 | 29 | 6 | 8 | 2 | 25 | 17 28 | 29 | 6 | 8 | 2 | 24 | 16 47 | 26 | 6 |
| 14 26 25 | 9 | 3 | 26 | 19 8 | ♓ | 8 | 9 | 3 | 25 | 18 29 | ♓ | 8 | 9 | 3 | 25 | 17 49 | 28 | 7 |
| 30 20 | 10 | 4 | 27 | 20 10 | 0 | 9 | 10 | 4 | 26 | 19 31 | 0 | 9 | 10 | 4 | 26 | 18 50 | 29 | 9 |
| 34 16 | 11 | 5 | 28 | 21 13 | 1 | 10 | 11 | 5 | 27 | 20 34 | 1 | 10 | 11 | 5 | 27 | 19 53 | ♓ | 10 |
| 14 38 13 | 12 | 6 | 29 | 22 16 | 2 | 11 | 12 | 6 | 28 | 21 37 | 2 | 11 | 12 | 6 | 28 | 20 56 | 1 | 11 |
| 42 10 | 13 | 7 | ♑ | 23 20 | 4 | 12 | 13 | 7 | 29 | 22 41 | 2 | 11 | 13 | 7 | 29 | 22 1 | 2 | 12 |
| 46 8 | 14 | 8 | 0 | 24 25 | 6 | 13 | 14 | 8 | ♑ | 23 46 | 4 | 13 | 14 | 8 | ♑ | 23 5 | 4 | 13 |
| 14 50 7 | 15 | 9 | 1 | 25 31 | 7 | 15 | 15 | 9 | 1 | 24 52 | 6 | 15 | 15 | 9 | 0 | 24 11 | 6 | 15 |
| 54 7 | 16 | 10 | 2 | 26 37 | 8 | 16 | 16 | 10 | 2 | 25 58 | 7 | 16 | 16 | 10 | 1 | 25 18 | 7 | 16 |
| 58 7 | 17 | 11 | 3 | 27 44 | 9 | 17 | 17 | 11 | 3 | 27 5 | 8 | 17 | 17 | 11 | 2 | 26 25 | 8 | 17 |
| 15 2 8 | 18 | 12 | 4 | 28 52 | 10 | 18 | 18 | 12 | 4 | 28 14 | 9 | 18 | 18 | 12 | 3 | 27 34 | 9 | 18 |
| 6 9 | 19 | 13 | 5 | 0 ♒ 1 | 11 | 19 | 19 | 12 | 4 | 29 23 | 11 | 19 | 19 | 12 | 4 | 28 42 | 11 | 19 |
| 10 12 | 20 | 14 | 6 | 1 11 | 13 | 21 | 20 | 13 | 5 | 0 ♒ 33 | 13 | 21 | 20 | 13 | 5 | 29 53 | 13 | 21 |
| 15 14 15 | 21 | 15 | 7 | 2 21 | 14 | 22 | 21 | 14 | 6 | 1 43 | 14 | 22 | 21 | 14 | 6 | 1 ♒ 4 | 14 | 22 |
| 18 19 | 22 | 16 | 8 | 3 33 | 16 | 23 | 22 | 15 | 7 | 2 55 | 15 | 23 | 22 | 15 | 7 | 2 16 | 15 | 23 |
| 22 23 | 23 | 17 | 9 | 4 45 | 18 | 24 | 23 | 16 | 8 | 4 8 | 17 | 24 | 23 | 16 | 8 | 3 29 | 17 | 24 |
| 15 26 29 | 24 | 17 | 10 | 5 59 | 19 | 26 | 24 | 17 | 9 | 5 21 | 19 | 25 | 24 | 17 | 9 | 4 43 | 19 | 25 |
| 30 35 | 25 | 18 | 11 | 7 13 | 20 | 27 | 25 | 18 | 10 | 6 36 | 20 | 27 | 25 | 18 | 10 | 5 57 | 20 | 27 |
| 34 41 | 26 | 19 | 12 | 8 28 | 21 | 28 | 26 | 19 | 11 | 7 52 | 21 | 28 | 26 | 19 | 11 | 7 14 | 21 | 28 |
| 15 38 49 | 27 | 20 | 13 | 9 44 | 22 | 29 | 27 | 20 | 12 | 9 8 | 22 | 29 | 27 | 20 | 12 | 8 30 | 22 | 29 |
| 42 57 | 28 | 21 | 14 | 11 1 | 23 | ♉ | 28 | 21 | 13 | 10 26 | 23 | ♉ | 28 | 21 | 13 | 9 48 | 23 | ♉ |
| 47 6 | 29 | 22 | 15 | 12 20 | 25 | 1 | 29 | 22 | 14 | 11 44 | 25 | 1 | 29 | 22 | 14 | 11 7 | 25 | 1 |
| **Houses** | 4 | 5 | 6 | 7 | 8 | 9 | 4 | 5 | 6 | 7 | 8 | 9 | 4 | 5 | 6 | 7 | 8 | 9 |

**Latitude 34° S.    Latitude 35° S.    Latitude 36° S.**

# SIMPLIFIED SCIENTIFIC TABLES OF HOUSES

Latitude 34° N.  Latitude 35° N.  Latitude 36° N.

| Sider'l Time (H M S) | 10 ♐ ° | 11 ♐ ° | 12 ♑ ° | Asc. ♒ ( ° ' ) | 2 ♓ ° | 3 ♉ ° | 10 ♐ ° | 11 ♐ ° | 12 ♑ ° | Asc. ♒ ( ° ' ) | 2 ♓ ° | 3 ♉ ° | 10 ♐ ° | 11 ♐ ° | 12 ♑ ° | Asc. ♒ ( ° ' ) | 2 ♓ ° | 3 ♉ ° |
|---|---|---|---|---|---|---|---|---|---|---|---|---|---|---|---|---|---|---|
| 15 51 15 | 0 | 23 | 16 | 13 39 | 27 | 3 | 0 | 23 | 15 | 13 4 | 27 | 3 | 0 | 22 | 15 | 12 27 | 27 | 3 |
| 55 25 | 1 | 24 | 17 | 14 59 | 28 | 4 | 1 | 24 | 16 | 14 24 | 29 | 4 | 1 | 23 | 16 | 13 48 | 29 | 4 |
| 59 36 | 2 | 25 | 18 | 16 20 | 29 | 5 | 2 | 25 | 17 | 15 46 | ♈ | 5 | 2 | 24 | 17 | 15 11 | ♈ | 5 |
| 16 3 48 | 3 | 26 | 19 | 17 42 | ♈ | 6 | 3 | 26 | 18 | 17 9 | 1 | 6 | 3 | 25 | 18 | 16 34 | 1 | 6 |
| 8 0 | 4 | 27 | 20 | 19 5 | 2 | 7 | 4 | 26 | 19 | 18 32 | 2 | 7 | 4 | 26 | 19 | 17 58 | 3 | 7 |
| 12 13 | 5 | 28 | 21 | 20 29 | 4 | 9 | 5 | 27 | 20 | 19 57 | 4 | 9 | 5 | 27 | 20 | 19 24 | 4 | 9 |
| 16 16 26 | 6 | 29 | 22 | 21 54 | 5 | 10 | 6 | 28 | 21 | 21 23 | 5 | 10 | 6 | 28 | 21 | 20 50 | 5 | 10 |
| 20 40 | 7 | ♑ | 23 | 23 20 | 6 | 11 | 7 | 29 | 22 | 22 50 | 6 | 11 | 7 | 29 | 22 | 22 18 | 6 | 11 |
| 24 55 | 8 | 0 | 24 | 24 47 | 8 | 12 | 8 | ♑ | 23 | 24 18 | 7 | 12 | 8 | ♑ | 23 | 23 47 | 7 | 12 |
| 16 29 10 | 9 | 1 | 25 | 26 15 | 10 | 13 | 9 | 1 | 24 | 25 47 | 9 | 13 | 9 | 1 | 24 | 25 17 | 9 | 13 |
| 33 26 | 10 | 2 | 26 | 27 44 | 11 | 15 | 10 | 2 | 26 | 27 17 | 11 | 15 | 10 | 2 | 26 | 26 48 | 11 | 15 |
| 37 42 | 11 | 3 | 27 | 29 14 | 12 | 16 | 11 | 3 | 28 | 28 48 | 12 | 16 | 11 | 3 | 27 | 28 20 | 12 | 16 |
| 16 41 59 | 12 | 4 | 29 | 0 ♓ 45 | 13 | 17 | 12 | 4 | 29 | 0 ♓ 20 | 13 | 17 | 12 | 4 | 28 | 29 53 | 13 | 17 |
| 46 16 | 13 | 5 | ♒ | 2 17 | 15 | 18 | 13 | 5 | ♒ | 1 53 | 15 | 18 | 13 | 5 | 29 | 1 ♓ 27 | 15 | 18 |
| 50 34 | 14 | 6 | 1 | 3 50 | 17 | 19 | 14 | 6 | 1 | 3 27 | 17 | 19 | 14 | 6 | ♒ | 3 2 | 17 | 19 |
| 16 54 52 | 15 | 7 | 2 | 5 24 | 18 | 20 | 15 | 7 | 2 | 5 2 | 19 | 20 | 15 | 7 | 1 | 4 38 | 19 | 21 |
| 59 10 | 16 | 8 | 3 | 6 58 | 19 | 21 | 16 | 8 | 3 | 6 37 | 20 | 21 | 16 | 8 | 2 | 6 15 | 20 | 22 |
| 17 3 29 | 17 | 9 | 4 | 8 33 | 20 | 22 | 17 | 9 | 4 | 8 13 | 21 | 22 | 17 | 9 | 3 | 7 53 | 21 | 23 |
| 17 7 49 | 18 | 10 | 5 | 10 9 | 21 | 23 | 18 | 10 | 5 | 9 51 | 22 | 23 | 18 | 10 | 4 | 9 32 | 22 | 24 |
| 12 9 | 19 | 11 | 6 | 11 46 | 23 | 24 | 19 | 11 | 6 | 11 29 | 24 | 24 | 19 | 11 | 5 | 11 11 | 24 | 25 |
| 16 29 | 20 | 12 | 8 | 13 23 | 25 | 26 | 20 | 12 | 8 | 13 7 | 26 | 26 | 20 | 12 | 7 | 12 51 | 26 | 26 |
| 17 20 49 | 21 | 13 | 9 | 15 1 | 27 | 27 | 21 | 13 | 9 | 14 47 | 28 | 27 | 21 | 13 | 8 | 14 32 | 28 | 27 |
| 25 9 | 22 | 14 | 10 | 16 39 | 29 | 28 | 22 | 14 | 10 | 16 27 | 29 | 28 | 22 | 14 | 9 | 16 14 | 29 | 28 |
| 29 30 | 23 | 15 | 11 | 18 18 | ♉ | 29 | 23 | 15 | 11 | 18 7 | ♉ | 29 | 23 | 15 | 10 | 17 56 | ♉ | 29 |
| 17 33 51 | 24 | 16 | 12 | 19 58 | 1 | Π | 24 | 16 | 12 | 19 48 | 1 | Π | 24 | 16 | 12 | 19 38 | 1 | Π |
| 38 12 | 25 | 18 | 14 | 21 38 | 2 | 1 | 25 | 17 | 14 | 21 30 | 3 | 2 | 25 | 17 | 14 | 21 21 | 3 | 2 |
| 42 34 | 26 | 19 | 15 | 23 17 | 3 | 2 | 26 | 18 | 15 | 23 11 | 4 | 3 | 26 | 18 | 15 | 23 4 | 4 | 3 |
| 17 46 55 | 27 | 20 | 16 | 24 58 | 4 | 3 | 27 | 19 | 16 | 24 53 | 5 | 4 | 27 | 19 | 16 | 24 48 | 5 | 4 |
| 51 17 | 28 | 21 | 17 | 26 38 | 5 | 4 | 28 | 20 | 17 | 26 35 | 6 | 5 | 28 | 20 | 17 | 26 32 | 6 | 5 |
| 55 38 | 29 | 22 | 19 | 28 19 | 7 | 5 | 29 | 21 | 19 | 28 18 | 7 | 6 | 29 | 21 | 18 | 28 16 | 8 | 6 |
| Houses | 4 | 5 | 6 | 7 | 8 | 9 | 4 | 5 | 6 | 7 | 8 | 9 | 4 | 5 | 6 | 7 | 8 | 9 |

# SIMPLIFIED SCIENTIFIC TABLES OF HOUSES

Latitude 34° N.    Latitude 35° N.    Latitude 36° N.

| Sider'l Time | 10 ♑ | 11 ♑ | 12 ♒ | Asc. ♈ | 2 ♉ | 3 ♊ | 10 ♑ | 11 ♑ | 12 ♒ | Asc. ♈ | 2 ♉ | 3 ♊ | 10 ♑ | 11 ♑ | 12 ♒ | Asc. ♈ | 2 ♉ | 3 ♊ |
|---|---|---|---|---|---|---|---|---|---|---|---|---|---|---|---|---|---|---|
| H M S | ° | ° | ° | ° ′ | ° | ° | ° | ° | ° | ° ′ | ° | ° | ° | ° | ° | ° ′ | ° | ° |
| 18 0 0 | 0 | 23 | 21 | 0 0 | 9 | 7 | 0 | 23 | 21 | 0 0 | 9 | 7 | 0 | 22 | 20 | 0 0 | 10 | 7 |
| 4 22 | 1 | 24 | 22 | 1 41 | 10 | 8 | 1 | 24 | 22 | 1 42 | 10 | 8 | 1 | 23 | 21 | 1 44 | 11 | 8 |
| 8 43 | 2 | 25 | 23 | 3 22 | 11 | 9 | 2 | 25 | 23 | 3 25 | 11 | 9 | 2 | 25 | 22 | 3 28 | 13 | 9 |
| 18 13 5 | 3 | 26 | 24 | 5 2 | 12 | 10 | 3 | 26 | 25 | 5 7 | 13 | 10 | 3 | 26 | 24 | 5 12 | 14 | 10 |
| 17 26 | 4 | 27 | 26 | 6 43 | 14 | 11 | 4 | 27 | 26 | 6 49 | 15 | 11 | 4 | 27 | 26 | 6 56 | 15 | 12 |
| 21 48 | 5 | 28 | 28 | 8 22 | 16 | 12 | 5 | 28 | 27 | 8 30 | 16 | 12 | 5 | 27 | 28 | 8 39 | 16 | 13 |
| 18 26 9 | 6 | 29 | 29 | 10 2 | 17 | 13 | 6 | 29 | 28 | 10 12 | 17 | 13 | 6 | 29 | 28 | 10 22 | 17 | 14 |
| 30 30 | 7 | ♒ | ♓ | 11 42 | 18 | 14 | 7 | ♒ | 29 | 11 53 | 18 | 14 | 7 | ♒ | ♓ | 12 4 | 19 | 15 |
| 34 51 | 8 | 1 | 1 | 13 21 | 19 | 15 | 8 | 1 | ♓ | 13 33 | 20 | 15 | 8 | 1 | 1 | 13 46 | 20 | 16 |
| 18 39 11 | 9 | 2 | 2 | 14 59 | 20 | 16 | 9 | 2 | 2 | 15 13 | 21 | 16 | 9 | 2 | 2 | 15 28 | 22 | 17 |
| 43 31 | 10 | 4 | 4 | 16 37 | 22 | 17 | 10 | 4 | 4 | 16 53 | 22 | 18 | 10 | 4 | 4 | 17 9 | 23 | 18 |
| 47 51 | 11 | 5 | 5 | 18 14 | 23 | 18 | 11 | 5 | 5 | 18 31 | 23 | 19 | 11 | 5 | 5 | 18 49 | 24 | 19 |
| 18 52 11 | 12 | 6 | 6 | 19 51 | 24 | 19 | 12 | 6 | 6 | 20 9 | 24 | 20 | 12 | 6 | 7 | 20 28 | 25 | 20 |
| 56 31 | 13 | 7 | 8 | 21 27 | 25 | 20 | 13 | 7 | 7 | 21 47 | 25 | 21 | 13 | 7 | 9 | 22 7 | 26 | 21 |
| 19 0 50 | 14 | 8 | 10 | 23 2 | 26 | 21 | 14 | 8 | 8 | 23 23 | 27 | 22 | 14 | 8 | 10 | 23 45 | 27 | 22 |
| 19 5 8 | 15 | 10 | 12 | 24 36 | 28 | 23 | 15 | 9 | 10 | 24 58 | 28 | 23 | 15 | 9 | 11 | 25 22 | 29 | 23 |
| 9 26 | 16 | 11 | 13 | 26 10 | 29 | 24 | 16 | 10 | 11 | 26 33 | 29 | 24 | 16 | 10 | 13 | 26 58 | 29 | 24 |
| 13 44 | 17 | 12 | 14 | 27 43 | ♊ | 25 | 17 | 11 | 13 | 28 7 | ♊ | 25 | 17 | 11 | 15 | 28 33 | ♊ | 25 |
| 19 18 1 | 18 | 13 | 15 | 29 15 | 1 | 26 | 18 | 12 | 15 | 29 40 | 2 | 26 | 18 | 12 | 16 | 0 ♉ 7 | 2 | 26 |
| 22 18 | 19 | 14 | 17 | 0 ♉ 46 | 2 | 26 | 19 | 14 | 17 | 1 ♉ 12 | 3 | 27 | 19 | 13 | 17 | 1 40 | 3 | 27 |
| 26 34 | 20 | 15 | 19 | 2 16 | 4 | 27 | 20 | 15 | 19 | 2 43 | 4 | 28 | 20 | 15 | 18 | 3 12 | 4 | 28 |
| 19 30 50 | 21 | 16 | 20 | 3 45 | 5 | 28 | 21 | 16 | 20 | 4 13 | 5 | 28 | 21 | 16 | 20 | 4 43 | 5 | 29 |
| 35 5 | 22 | 17 | 21 | 5 13 | 6 | 29 | 22 | 18 | 22 | 5 42 | 6 | 29 | 22 | 17 | 22 | 6 13 | 7 | 29 |
| 39 20 | 23 | 18 | 22 | 6 40 | 7 | ♋ | 23 | 19 | 24 | 7 10 | 7 | ♋ | 23 | 18 | 24 | 7 42 | 8 | ♋ |
| 19 43 34 | 24 | 19 | 24 | 8 6 | 8 | 1 | 24 | 20 | 25 | 8 37 | 8 | 2 | 24 | 19 | 25 | 9 10 | 9 | 2 |
| 47 47 | 25 | 21 | 26 | 9 31 | 9 | 2 | 25 | 21 | 26 | 10 3 | 9 | 3 | 25 | 21 | 26 | 10 36 | 10 | 3 |
| 52 0 | 26 | 22 | 27 | 10 55 | 10 | 3 | 26 | 22 | 27 | 11 28 | 10 | 4 | 26 | 22 | 27 | 12 2 | 11 | 4 |
| 19 56 12 | 27 | 23 | 28 | 12 18 | 11 | 4 | 27 | 24 | 28 | 12 51 | 11 | 5 | 27 | 23 | 29 | 13 26 | 12 | 5 |
| 20 0 24 | 28 | 24 | ♈ | 13 40 | 12 | 5 | 28 | 25 | ♈ | 14 14 | 12 | 6 | 28 | 24 | ♈ | 14 49 | 13 | 6 |
| 4 35 | 29 | 25 | 1 | 15 1 | 13 | 6 | 29 | 26 | 2 | 15 36 | 13 | 7 | 29 | 25 | 1 | 16 12 | 14 | 7 |
| Houses | 4 | 5 | 6 | 7 | 8 | 9 | 4 | 5 | 6 | 7 | 8 | 9 | 4 | 5 | 6 | 7 | 8 | 9 |

Latitude 34° S.    Latitude 35° S.    Latitude 36° S.

# SIMPLIFIED SCIENTIFIC TABLES OF HOUSES

Latitude 34° N.  Latitude 35° N.  Latitude 36° N.

| Sider'l Time | 10 ♒ | 11 ♒ | 12 ♈ | Asc. ♉ | 2 ♊ | 3 ♋ | 10 ♒ | 11 ♒ | 12 ♈ | Asc. ♉ | 2 ♊ | 3 ♋ | 10 ♒ | 11 ♒ | 12 ♈ | Asc. ♉ | 2 ♊ | 3 ♋ |
|---|---|---|---|---|---|---|---|---|---|---|---|---|---|---|---|---|---|---|
| H  M   S | ° | ° | ° | ° ′ | ° | ° | ° | ° | ° | ° ′ | ° | ° | ° | ° | ° | ° ′ | ° | ° |
| 20  8 45 | 0 | 27 | 3 | 16 21 | 14 | 7 | 0 | 27 | 3 | 16 56 | 15 | 7 | 0 | 27 | 3 | 17 33 | 15 | 8 |
| 12 54 | 1 | 28 | 4 | 17 40 | 15 | 8 | 1 | 28 | 4 | 18 16 | 16 | 8 | 1 | 28 | 5 | 18 53 | 16 | 9 |
| 17  3 | 2 | 29 | 6 | 18 59 | 16 | 9 | 2 | 29 | 5 | 19 34 | 17 | 9 | 2 | 29 | 6 | 20 12 | 17 | 10 |
| 20 21 11 | 3 | ♓ | 7 | 20 16 | 17 | 10 | 3 | ♓ | 7 | 20 52 | 18 | 10 | 3 | ♓ | 7 | 21 30 | 18 | 11 |
| 25 19 | 4 | 1 | 8 | 21 32 | 18 | 11 | 4 | 2 | 8 | 22  8 | 19 | 11 | 4 | 2 | 8 | 22 46 | 19 | 12 |
| 29 26 | 5 | 3 | 10 | 22 47 | 19 | 12 | 5 | 3 | 10 | 23 24 | 20 | 12 | 5 | 3 | 10 | 24  3 | 20 | 12 |
| 20 33 31 | 6 | 4 | 12 | 24  1 | 20 | 13 | 6 | 4 | 11 | 24 39 | 21 | 13 | 6 | 4 | 11 | 25 17 | 21 | 13 |
| 37 37 | 7 | 5 | 13 | 25 15 | 21 | 14 | 7 | 5 | 13 | 25 52 | 22 | 14 | 7 | 5 | 13 | 26 31 | 22 | 14 |
| 41 41 | 8 | 6 | 14 | 26 27 | 22 | 15 | 8 | 6 | 14 | 26  5 | 23 | 15 | 8 | 6 | 15 | 27 44 | 23 | 15 |
| 20 45 45 | 9 | 7 | 16 | 27 39 | 23 | 16 | 9 | 8 | 15 | 28 17 | 24 | 16 | 9 | 7 | 16 | 28 56 | 24 | 16 |
| 49 48 | 10 | 9 | 17 | 28 49 | 24 | 16 | 10 | 9 | 17 | 29 27 | 25 | 17 | 10 | 9 | 17 | 0♊7 | 25 | 17 |
| 53 51 | 11 | 10 | 18 | 29 59 | 25 | 17 | 11 | 10 | 19 | 0♊37 | 26 | 18 | 11 | 10 | 19 | 1 18 | 26 | 18 |
| 20 57 52 | 12 | 11 | 20 | 1♊8 | 26 | 18 | 12 | 11 | 21 | 1 46 | 27 | 19 | 12 | 11 | 20 | 2 26 | 27 | 19 |
| 21  1 53 | 13 | 12 | 21 | 2 16 | 27 | 19 | 13 | 12 | 22 | 2 55 | 28 | 20 | 13 | 12 | 22 | 3 35 | 28 | 20 |
| 5 53 | 14 | 13 | 22 | 3 23 | 28 | 20 | 14 | 14 | 23 | 4  2 | 28 | 21 | 14 | 13 | 23 | 4 42 | 29 | 21 |
| 21  9 53 | 15 | 15 | 23 | 4 29 | 29 | 21 | 15 | 15 | 24 | 5  8 | 29 | 21 | 15 | 15 | 24 | 5 49 | 29 | 21 |
| 13 52 | 16 | 16 | 24 | 5 35 | 29 | 22 | 16 | 16 | 25 | 6 14 | ♋ | 22 | 16 | 16 | 25 | 6 55 | ♋ | 22 |
| 17 50 | 17 | 17 | 25 | 6 40 | ♋ | 23 | 17 | 17 | 26 | 7 19 | 1 | 23 | 17 | 17 | 26 | 7 59 | 1 | 23 |
| 21 21 47 | 18 | 18 | 27 | 7 44 | 1 | 24 | 18 | 19 | 27 | 8 23 | 2 | 24 | 18 | 19 | 27 | 9  4 | 2 | 24 |
| 25 44 | 19 | 19 | 28 | 8 47 | 2 | 25 | 19 | 20 | 28 | 9 26 | 3 | 25 | 19 | 20 | 29 | 10  7 | 3 | 25 |
| 29 40 | 20 | 21 | 29 | 9 50 | 3 | 25 | 20 | 21 | ♉ | 10 29 | 4 | 26 | 20 | 21 | ♉ | 11 10 | 4 | 26 |
| 21 33 35 | 21 | 22 | ♉ | 10 52 | 4 | 26 | 21 | 23 | 2 | 11 31 | 5 | 27 | 21 | 22 | 1 | 12 11 | 5 | 27 |
| 37 29 | 22 | 23 | 1 | 11 53 | 5 | 27 | 22 | 24 | 3 | 12 32 | 6 | 28 | 22 | 24 | 2 | 13 13 | 6 | 28 |
| 41 23 | 23 | 24 | 3 | 12 53 | 6 | 28 | 23 | 25 | 4 | 13 33 | 7 | 29 | 23 | 25 | 3 | 14 14 | 7 | 29 |
| 21 45 16 | 24 | 25 | 4 | 13 53 | 7 | 29 | 24 | 26 | 5 | 14 32 | 8 | 29 | 24 | 26 | 5 | 15 13 | 8 | 29 |
| 49  9 | 25 | 27 | 6 | 14 53 | 8 | 29 | 25 | 27 | 6 | 15 32 | 8 | ♌ | 25 | 27 | 6 | 16 12 | 9 | ♌ |
| 53  1 | 26 | 28 | 7 | 15 51 | 9 | ♌ | 26 | 28 | 7 | 16 30 | 9 | 1 | 26 | 28 | 7 | 17 10 | 10 | 1 |
| 21 56 52 | 27 | 29 | 8 | 16 50 | 10 | 1 | 27 | 29 | 8 | 17 28 | 10 | 2 | 27 | 29 | 8 | 18  8 | 11 | 2 |
| 22  0 43 | 28 | ♈ | 9 | 17 47 | 11 | 2 | 28 | ♈ | 9 | 18 26 | 11 | 3 | 28 | ♈ | 9 | 19  6 | 12 | 3 |
| 4 33 | 29 | 1 | 10 | 18 44 | 12 | 3 | 29 | 1 | 10 | 19 23 | 12 | 4 | 29 | 1 | 10 | 20  3 | 13 | 4 |
| Houses | 4 | 5 | 6 | 7 | 8 | 9 | 4 | 5 | 6 | 7 | 8 | 9 | 4 | 5 | 6 | 7 | 8 | 9 |

Latitude 34° S.  Latitude 35° S.  Latitude 36° S.

## SIMPLIFIED SCIENTIFIC TABLES OF HOUSES

|  | Latitude 34° N. |  |  |  |  |  |  | Latitude 35° N. |  |  |  |  |  |  | Latitude 36° N. |  |  |  |  |  |  |
|---|---|---|---|---|---|---|---|---|---|---|---|---|---|---|---|---|---|---|---|---|---|
| Sider'l Time | 10 ♓ | 11 ♈ | 12 ♉ | Asc. Ⅱ | | 2 ♋ | 3 ♌ | 10 ♓ | 11 ♈ | 12 ♉ | Asc. Ⅱ | | 2 ♋ | 3 ♌ | 10 ♓ | 11 ♈ | 12 ♉ | Asc. Ⅱ | | 2 ♋ | 3 ♌ |
| H M S | ° | ° | ° | ° | ′ | ° | ° | ° | ° | ° | ° | ′ | ° | ° | ° | ° | ° | ° | ′ | ° | ° |
| 22 8 23 | 0 | 3 | 12 | 19 | 41 | 12 | 4 | 0 | 3 | 12 | 20 | 19 | 12 | 4 | 0 | 3 | 12 | 20 | 59 | 13 | 5 |
| 12 12 | 1 | 4 | 13 | 20 | 37 | 13 | 5 | 1 | 4 | 13 | 21 | 15 | 13 | 5 | 1 | 4 | 14 | 21 | 55 | 14 | 6 |
| 16 0 | 2 | 5 | 14 | 21 | 32 | 14 | 6 | 2 | 5 | 15 | 22 | 11 | 14 | 6 | 2 | 5 | 15 | 22 | 50 | 15 | 7 |
| 22 19 48 | 3 | 6 | 15 | 22 | 27 | 15 | 7 | 3 | 6 | 16 | 23 | 5 | 15 | 7 | 3 | 6 | 16 | 23 | 44 | 16 | 8 |
| 23 35 | 4 | 7 | 16 | 23 | 22 | 16 | 8 | 4 | 7 | 17 | 24 | 0 | 16 | 8 | 4 | 7 | 17 | 24 | 39 | 17 | 9 |
| 27 22 | 5 | 8 | 17 | 24 | 16 | 16 | 9 | 5 | 8 | 18 | 24 | 54 | 17 | 9 | 5 | 8 | 18 | 25 | 33 | 17 | 9 |
| 22 31 8 | 6 | 9 | 18 | 25 | 10 | 17 | 10 | 6 | 9 | 19 | 25 | 47 | 18 | 10 | 6 | 9 | 19 | 26 | 26 | 18 | 10 |
| 34 54 | 7 | 10 | 19 | 26 | 3 | 18 | 11 | 7 | 10 | 20 | 26 | 40 | 19 | 11 | 7 | 10 | 20 | 27 | 19 | 19 | 11 |
| 38 40 | 8 | 11 | 20 | 26 | 56 | 19 | 12 | 8 | 11 | 21 | 27 | 33 | 20 | 12 | 8 | 11 | 21 | 28 | 12 | 20 | 12 |
| 22 42 25 | 9 | 12 | 22 | 27 | 48 | 20 | 13 | 9 | 13 | 22 | 28 | 25 | 21 | 13 | 9 | 13 | 22 | 29 | 4 | 21 | 13 |
| 46 9 | 10 | 14 | 23 | 28 | 40 | 20 | 13 | 10 | 14 | 23 | 29 | 17 | 21 | 13 | 10 | 14 | 23 | 29 | 55 | 21 | 13 |
| 49 53 | 11 | 15 | 24 | 29 | 32 | 21 | 14 | 11 | 15 | 24 | 0♋ | 9 | 22 | 14 | 11 | 15 | 25 | 0♋ | 47 | 22 | 14 |
| 22 53 37 | 12 | 16 | 25 | 0♋ | 23 | 22 | 15 | 12 | 16 | 25 | 1 | 0 | 23 | 15 | 12 | 16 | 26 | 1 | 38 | 23 | 15 |
| 57 20 | 13 | 17 | 26 | 1 | 14 | 23 | 16 | 13 | 17 | 26 | 1 | 51 | 24 | 16 | 13 | 17 | 27 | 2 | 28 | 24 | 16 |
| 23 1 3 | 14 | 18 | 27 | 2 | 5 | 24 | 17 | 14 | 18 | 27 | 2 | 41 | 25 | 17 | 14 | 18 | 28 | 3 | 19 | 25 | 17 |
| 23 4 46 | 15 | 19 | 28 | 2 | 55 | 24 | 17 | 15 | 19 | 28 | 3 | 32 | 25 | 18 | 15 | 20 | 29 | 4 | 9 | 25 | 18 |
| 8 28 | 16 | 20 | 29 | 3 | 45 | 25 | 18 | 16 | 20 | 29 | 4 | 21 | 26 | 19 | 16 | 21 | 29 | 4 | 58 | 26 | 19 |
| 12 10 | 17 | 21 | 29 | 4 | 35 | 26 | 19 | 17 | 21 | Ⅱ | 5 | 11 | 27 | 20 | 17 | 22 | Ⅱ | 5 | 47 | 26 | 20 |
| 23 15 52 | 18 | 22 | Ⅱ | 5 | 25 | 27 | 20 | 18 | 22 | 1 | 6 | 0 | 28 | 21 | 18 | 23 | 1 | 6 | 37 | 27 | 21 |
| 19 34 | 19 | 23 | 1 | 6 | 14 | 28 | 21 | 19 | 24 | 2 | 6 | 49 | 28 | 21 | 19 | 24 | 2 | 7 | 25 | 28 | 21 |
| 23 15 | 20 | 25 | 3 | 7 | 3 | 28 | 22 | 20 | 25 | 3 | 7 | 38 | 29 | 22 | 20 | 25 | 3 | 8 | 13 | 29 | 22 |
| 23 26 56 | 21 | 26 | 4 | 7 | 51 | 29 | 23 | 21 | 26 | 4 | 8 | 26 | 29 | 23 | 21 | 26 | 4 | 9 | 2 | 29 | 23 |
| 30 37 | 22 | 27 | 5 | 8 | 40 | ♌ | 24 | 22 | 27 | 5 | 9 | 15 | ♌ | 24 | 22 | 27 | 5 | 9 | 50 | ♌ | 24 |
| 34 18 | 23 | 28 | 6 | 9 | 28 | 1 | 25 | 23 | 28 | 6 | 10 | 3 | 1 | 25 | 23 | 28 | 6 | 10 | 38 | 1 | 25 |
| 23 37 58 | 24 | 29 | 7 | 10 | 16 | 2 | 26 | 24 | 29 | 8 | 10 | 51 | 2 | 25 | 24 | 29 | 7 | 11 | 25 | 2 | 25 |
| 41 39 | 25 | ♉ | 7 | 11 | 4 | 2 | 26 | 25 | ♉ | 9 | 11 | 38 | 3 | 26 | 25 | ♉ | 8 | 12 | 13 | 3 | 26 |
| 45 19 | 26 | 1 | 8 | 11 | 52 | 3 | 27 | 26 | 1 | 10 | 12 | 26 | 4 | 27 | 26 | 1 | 9 | 13 | 0 | 4 | 27 |
| 23 49 0 | 27 | 2 | 9 | 12 | 40 | 4 | 28 | 27 | 2 | 11 | 13 | 13 | 5 | 27 | 27 | 2 | 10 | 13 | 47 | 5 | 27 |
| 52 40 | 28 | 3 | 10 | 13 | 27 | 5 | 29 | 28 | 3 | 11 | 14 | 1 | 6 | 28 | 28 | 3 | 11 | 14 | 34 | 6 | 28 |
| 56 20 | 29 | 4 | 11 | 14 | 15 | 6 | 29 | 29 | 4 | 12 | 14 | 48 | 6 | 29 | 29 | 5 | 12 | 15 | 21 | 6 | 29 |
| Houses | 4 | 5 | 6 | 7 | | 8 | 9 | 4 | 5 | 6 | 7 | | 8 | 9 | 4 | 5 | 6 | 7 | | 8 | 9 |

Latitude 34° S.        Latitude 35° S.        Latitude 36° S.

# SIMPLIFIED SCIENTIFIC TABLES OF HOUSES

Latitude 37° N.　　　　Latitude 38° N.　　　　Latitude 39° N.

| Sider'l Time | 10 ♈ | 11 ♉ | 12 ♊ | Asc. ♋ | 2 ♌ | 3 ♍ | 10 ♈ | 11 ♉ | 12 ♊ | Asc. ♋ | 2 ♌ | 3 ♍ | 10 ♈ | 11 ♉ | 12 ♊ | Asc. ♋ | 2 ♌ | 3 ♍ |
|---|---|---|---|---|---|---|---|---|---|---|---|---|---|---|---|---|---|---|
| H M S | ° | ° | ° | ′ | ° | ° | ° | ° | ° | ′ | ° | ° | ° | ° | ° | ′ | ° | ° |
| 0 0 0 | 0 | 6 | 13 | 16 42 | 7 | 1 | 0 | 6 | 14 | 17 16 | 8 | 1 | 0 | 6 | 14 | 17 52 | 8 | 1 |
| 3 40 | 1 | 7 | 14 | 17 28 | 8 | 2 | 1 | 7 | 15 | 18 2 | 9 | 2 | 1 | 7 | 15 | 18 37 | 9 | 2 |
| 7 20 | 2 | 8 | 15 | 18 14 | 9 | 3 | 2 | 8 | 16 | 18 48 | 10 | 3 | 2 | 8 | 16 | 19 23 | 10 | 3 |
| 0 11 0 | 3 | 9 | 16 | 19 0 | 9 | 4 | 3 | 9 | 17 | 19 34 | 11 | 4 | 3 | 9 | 17 | 20 8 | 11 | 4 |
| 14 41 | 4 | 10 | 17 | 19 46 | 10 | 5 | 4 | 10 | 17 | 20 20 | 12 | 5 | 4 | 10 | 18 | 20 54 | 12 | 5 |
| 18 21 | 5 | 11 | 18 | 20 32 | 11 | 5 | 5 | 11 | 18 | 21 5 | 12 | 5 | 5 | 11 | 19 | 21 39 | 12 | 5 |
| 0 22 2 | 6 | 12 | 19 | 21 18 | 12 | 6 | 6 | 12 | 19 | 21 51 | 13 | 6 | 6 | 12 | 20 | 22 24 | 13 | 6 |
| 25 42 | 7 | 13 | 20 | 22 3 | 13 | 7 | 7 | 13 | 20 | 22 36 | 14 | 7 | 7 | 13 | 21 | 23 9 | 14 | 7 |
| 29 23 | 8 | 14 | 21 | 22 49 | 13 | 8 | 8 | 14 | 21 | 23 21 | 15 | 8 | 8 | 14 | 22 | 23 54 | 15 | 8 |
| 0 33 4 | 9 | 15 | 22 | 23 34 | 14 | 9 | 9 | 15 | 22 | 24 7 | 16 | 9 | 9 | 15 | 22 | 24 39 | 16 | 9 |
| 36 45 | 10 | 16 | 22 | 24 20 | 15 | 10 | 10 | 16 | 22 | 24 52 | 16 | 10 | 10 | 16 | 23 | 25 24 | 16 | 10 |
| 40 26 | 11 | 17 | 23 | 25 5 | 16 | 11 | 11 | 17 | 23 | 25 37 | 17 | 11 | 11 | 17 | 24 | 26 9 | 17 | 11 |
| 0 44 8 | 12 | 18 | 24 | 25 51 | 17 | 12 | 12 | 18 | 24 | 26 22 | 18 | 12 | 12 | 18 | 25 | 26 54 | 18 | 12 |
| 47 50 | 13 | 19 | 25 | 26 36 | 17 | 12 | 13 | 19 | 25 | 27 7 | 19 | 13 | 13 | 19 | 26 | 27 39 | 19 | 13 |
| 51 32 | 14 | 20 | 26 | 27 22 | 18 | 13 | 14 | 20 | 26 | 27 52 | 19 | 14 | 14 | 20 | 27 | 28 23 | 20 | 14 |
| 0 55 14 | 15 | 21 | 27 | 28 7 | 19 | 14 | 15 | 21 | 27 | 28 37 | 19 | 14 | 15 | 21 | 27 | 29 8 | 21 | 14 |
| 58 57 | 16 | 22 | 28 | 28 53 | 20 | 15 | 16 | 22 | 28 | 29 23 | 20 | 15 | 16 | 22 | 28 | 29 53 | 21 | 15 |
| 1 2 40 | 17 | 23 | 29 | 29 38 | 20 | 16 | 17 | 23 | 29 | 0♌ 7 | 21 | 16 | 17 | 23 | 29 | 0♌38 | 22 | 16 |
| 1 6 23 | 18 | 24 | 29 | 0♌23 | 21 | 17 | 18 | 24 | 29 | 0 53 | 22 | 17 | 18 | 24 | ♋ | 1 22 | 23 | 17 |
| 10 7 | 19 | 25 | ♋ | 1 9 | 22 | 18 | 19 | 25 | ♋ | 1 38 | 23 | 18 | 19 | 25 | 1 | 2 7 | 23 | 18 |
| 13 51 | 20 | 26 | 1 | 1 54 | 23 | 19 | 20 | 26 | 1 | 2 23 | 23 | 18 | 20 | 26 | 2 | 2 52 | 24 | 19 |
| 1 17 35 | 21 | 27 | 2 | 2 40 | 24 | 20 | 21 | 27 | 2 | 3 8 | 24 | 19 | 21 | 27 | 3 | 3 27 | 24 | 20 |
| 21 20 | 22 | 28 | 3 | 3 25 | 25 | 21 | 22 | 28 | 3 | 3 53 | 25 | 20 | 22 | 28 | 4 | 4 22 | 25 | 21 |
| 25 6 | 23 | 29 | 4 | 4 11 | 25 | 22 | 23 | 29 | 4 | 4 38 | 26 | 21 | 23 | 29 | 5 | 5 7 | 26 | 22 |
| 1 28 52 | 24 | ♊ | 5 | 4 57 | 26 | 22 | 24 | ♊ | 5 | 5 24 | 27 | 22 | 24 | ♊ | 6 | 5 52 | 27 | 23 |
| 32 38 | 25 | 1 | 5 | 5 42 | 27 | 23 | 25 | 1 | 6 | 6 9 | 28 | 23 | 25 | 1 | 6 | 6 37 | 27 | 23 |
| 36 25 | 26 | 2 | 6 | 6 28 | 28 | 24 | 26 | 2 | 7 | 6 55 | 29 | 24 | 26 | 2 | 7 | 7 22 | 28 | 24 |
| 1 40 12 | 27 | 3 | 7 | 7 14 | 29 | 25 | 27 | 3 | 8 | 7 40 | 29 | 25 | 27 | 3 | 8 | 8 7 | 29 | 25 |
| 44 0 | 28 | 4 | 8 | 8 0 | ♍ | 26 | 28 | 4 | 9 | 8 26 | ♍ | 26 | 28 | 4 | 9 | 8 52 | ♍ | 26 |
| 47 48 | 29 | 5 | 9 | 8 46 | 1 | 27 | 29 | 5 | 10 | 9 12 | 1 | 27 | 29 | 5 | 10 | 9 38 | 1 | 27 |
| Houses | 4 | 5 | 6 | 7 | 8 | 9 | 4 | 5 | 6 | 7 | 8 | 9 | 4 | 5 | 6 | 7 | 8 | 9 |

Latitude 37° S.　　　　Latitude 38° S.　　　　Latitude 39° S.

### Latitude 37° N.  Latitude 38° N.  Latitude 39° N.

| Sider'l Time | 10 ♉ | 11 ♊ | 12 ♋ | Asc. ♌ | 2 ♍ | 3 ♍ | 10 ♉ | 11 ♊ | 12 ♋ | Asc. ♌ | 2 ♍ | 3 ♍ | 10 ♉ | 11 ♊ | 12 ♋ | Asc. ♌ | 2 ♍ | 3 ♍ |
|---|---|---|---|---|---|---|---|---|---|---|---|---|---|---|---|---|---|---|
| H M S | ° | ° | ° | ° ' | ' | ° | ° | ° | ° | ° ' | ' | ° | ° | ° | ° | ° ' | ' | ° |
| 1 51 37 | 0 | 6 | 10 | 9 32 | 1 | 28 | 0 | 6 | 10 | 9 57 | 2 | 28 | 0 | 6 | 10 | 10 23 | 2 | 28 |
| 55 27 | 1 | 7 | 11 | 10 18 | 2 | 29 | 1 | 7 | 11 | 10 43 | 3 | 29 | 1 | 7 | 11 | 11 9 | 3 | 29 |
| 59 17 | 2 | 8 | 12 | 11 4 | 3 | ♎ | 2 | 8 | 12 | 11 29 | 4 | ♎ | 2 | 8 | 12 | 11 54 | 4 | ♎ |
| 2 3 8 | 3 | 8 | 13 | 11 51 | 4 | 1 | 3 | 9 | 13 | 12 15 | 5 | 1 | 3 | 9 | 13 | 12 40 | 5 | 1 |
| 6 59 | 4 | 9 | 13 | 12 38 | 5 | 2 | 4 | 9 | 14 | 13 2 | 5 | 2 | 4 | 10 | 14 | 13 26 | 6 | 2 |
| 10 51 | 5 | 10 | 14 | 13 24 | 6 | 2 | 5 | 10 | 14 | 13 48 | 6 | 3 | 5 | 11 | 15 | 14 12 | 6 | 3 |
| 2 14 44 | 6 | 11 | 15 | 14 11 | 7 | 3 | 6 | 11 | 15 | 14 34 | 7 | 4 | 6 | 12 | 16 | 14 58 | 7 | 4 |
| 18 37 | 7 | 12 | 16 | 14 58 | 8 | 4 | 7 | 12 | 16 | 15 21 | 8 | 5 | 7 | 13 | 17 | 15 44 | 8 | 5 |
| 22 31 | 8 | 13 | 17 | 15 45 | 9 | 5 | 8 | 13 | 17 | 16 8 | 9 | 6 | 8 | 14 | 18 | 16 31 | 9 | 6 |
| 2 26 25 | 9 | 14 | 17 | 16 32 | 9 | 6 | 9 | 14 | 18 | 16 55 | 9 | 7 | 9 | 15 | 19 | 17 17 | 10 | 7 |
| 30 20 | 10 | 15 | 18 | 17 20 | 10 | 7 | 10 | 15 | 18 | 17 41 | 10 | 7 | 10 | 15 | 19 | 18 4 | 10 | 7 |
| 34 16 | 11 | 16 | 18 | 18 7 | 11 | 8 | 11 | 16 | 19 | 18 29 | 11 | 8 | 11 | 16 | 20 | 18 50 | 11 | 8 |
| 2 38 13 | 12 | 17 | 19 | 18 55 | 12 | 9 | 12 | 17 | 20 | 19 16 | 12 | 9 | 12 | 17 | 21 | 19 37 | 12 | 9 |
| 42 10 | 13 | 18 | 20 | 19 42 | 13 | 10 | 13 | 18 | 21 | 20 3 | 13 | 10 | 13 | 18 | 22 | 20 24 | 13 | 10 |
| 46 8 | 14 | 19 | 21 | 20 30 | 13 | 11 | 14 | 19 | 22 | 20 51 | 13 | 11 | 14 | 19 | 23 | 21 12 | 14 | 11 |
| 2 50 7 | 15 | 20 | 22 | 21 18 | 14 | 12 | 15 | 20 | 23 | 21 38 | 14 | 12 | 15 | 20 | 23 | 21 59 | 15 | 12 |
| 54 7 | 16 | 21 | 23 | 22 7 | 15 | 13 | 16 | 21 | 24 | 22 26 | 15 | 13 | 16 | 21 | 24 | 22 46 | 15 | 13 |
| 58 7 | 17 | 22 | 24 | 22 55 | 16 | 14 | 17 | 22 | 25 | 23 14 | 16 | 14 | 17 | 22 | 25 | 23 34 | 16 | 14 |
| 3 2 8 | 18 | 23 | 25 | 23 44 | 17 | 15 | 18 | 23 | 26 | 24 3 | 17 | 15 | 18 | 23 | 26 | 24 22 | 17 | 15 |
| 6 9 | 19 | 23 | 26 | 24 32 | 18 | 16 | 19 | 24 | 27 | 24 51 | 18 | 16 | 19 | 24 | 27 | 25 10 | 18 | 16 |
| 10 12 | 20 | 24 | 27 | 25 21 | 19 | 17 | 20 | 25 | 27 | 25 39 | 19 | 17 | 20 | 25 | 27 | 25 58 | 19 | 17 |
| 3 14 15 | 21 | 25 | 28 | 26 11 | 20 | 18 | 21 | 26 | 28 | 26 28 | 20 | 18 | 21 | 26 | 28 | 26 46 | 20 | 18 |
| 18 19 | 22 | 26 | 28 | 27 0 | 21 | 19 | 22 | 27 | 29 | 27 17 | 21 | 19 | 22 | 27 | 29 | 27 34 | 21 | 19 |
| 22 23 | 23 | 27 | 29 | 27 49 | 22 | 20 | 23 | 28 | 29 | 28 6 | 22 | 20 | 23 | 28 | ♎ | 28 23 | 22 | 20 |
| 3 26 29 | 24 | 28 | ♌ | 28 39 | 22 | 21 | 24 | 28 | ♌ | 28 55 | 22 | 21 | 24 | 29 | | 29 12 | 23 | 21 |
| 30 35 | 25 | 29 | 1 | 29 29 | 23 | 22 | 25 | 29 | 1 | 29 45 | 23 | 22 | 25 | 29 | | 2 0 ♍ | 1 23 | 22 |
| 34 41 | 26 | ♋ | 2 | 0 ♍ 19 | 24 | 23 | 26 | | 2 | 0 ♍ 34 | 24 | 23 | 26 | ♋ | | 3 0 | 50 24 | 23 |
| 3 38 49 | 27 | 1 | 3 | 1 9 | 25 | 24 | 27 | 1 | 3 | 1 24 | 25 | 24 | 27 | 1 | 4 | 1 39 | 25 | 24 |
| 42 57 | 28 | 2 | 4 | 1 59 | 26 | 25 | 28 | 2 | 4 | 2 14 | 26 | 25 | 28 | 2 | 5 | 2 29 | 26 | 25 |
| 47 6 | 29 | 3 | 5 | 2 50 | 27 | 25 | 29 | 3 | 5 | 3 4 | 27 | 26 | 29 | 3 | 6 | 3 18 | 27 | 26 |
| Houses | 4 | 5 | 6 | 7 | 8 | 9 | 4 | 5 | 6 | 7 | 8 | 9 | 4 | 5 | 6 | 7 | 8 | 9 |

# SIMPLIFIED SCIENTIFIC TABLES OF HOUSES

| | Latitude 37° N. | | | | | | Latitude 38° N. | | | | | | Latitude 39° N. | | | | | |
|---|---|---|---|---|---|---|---|---|---|---|---|---|---|---|---|---|---|---|
| Sider'l Time | 10 Π | 11 ♋ | 12 ♌ | Asc. ♍ | 2 ♍ | 3 ♎ | 10 Π | 11 ♋ | 12 ♌ | Asc. ♍ | 2 ♍ | 3 ♎ | 10 Π | 11 ♋ | 12 ♌ | Asc. ♍ | 2 ♍ | 3 ♎ |
| H M S | ° | ° | ° | ° ' | ° | ° | ° | ° | ° | ° ' | ° | ° | ° | ° | ° | ° ' | ° | ° |
| 3 51 15 | 0 | 4 | 5 | 3 40 | 28 | 27 | 0 | 4 | 6 | 3 54 | 28 | 27 | 0 | 4 | 6 | 4 8 | 28 | 27 |
| 3 55 25 | 1 | 5 | 6 | 4 31 | 29 | 28 | 1 | 5 | 7 | 4 44 | 29 | 28 | 1 | 5 | 7 | 4 58 | 29 | 28 |
| 3 59 36 | 2 | 6 | 7 | 5 22 | ♎ | 29 | 2 | 6 | 8 | 5 35 | ♎ | 29 | 2 | 6 | 8 | 5 48 | ♎ | 29 |
| 4 3 48 | 3 | 7 | 8 | 6 13 | 1 | ♏ | 3 | 7 | 9 | 6 26 | 1 | ♏ | 3 | 7 | 9 | 6 38 | 1 | ♏ |
| 4 8 0 | 4 | 8 | 9 | 7 5 | 2 | 1 | 4 | 8 | 10 | 7 17 | 2 | 1 | 4 | 8 | 10 | 7 29 | 2 | 1 |
| 4 12 13 | 5 | 9 | 10 | 7 56 | 3 | 2 | 5 | 9 | 10 | 8 8 | 3 | 2 | 5 | 9 | 11 | 8 19 | 3 | 2 |
| 4 16 26 | 6 | 10 | 11 | 8 48 | 4 | 3 | 6 | 10 | 11 | 8 59 | 4 | 3 | 6 | 10 | 12 | 9 10 | 4 | 3 |
| 4 20 40 | 7 | 11 | 12 | 9 40 | 5 | 4 | 7 | 11 | 12 | 9 50 | 5 | 4 | 7 | 11 | 13 | 10 1 | 5 | 4 |
| 4 24 55 | 8 | 12 | 13 | 10 31 | 6 | 5 | 8 | 12 | 13 | 10 42 | 6 | 5 | 8 | 12 | 14 | 10 52 | 6 | 5 |
| 4 29 10 | 9 | 13 | 13 | 11 23 | 7 | 6 | 9 | 13 | 14 | 11 33 | 7 | 6 | 9 | 13 | 15 | 11 43 | 7 | 6 |
| 4 33 26 | 10 | 13 | 14 | 12 16 | 7 | 7 | 10 | 14 | 15 | 12 25 | 7 | 7 | 10 | 14 | 15 | 12 35 | 7 | 7 |
| 4 37 42 | 11 | 14 | 15 | 13 8 | 8 | 8 | 11 | 15 | 16 | 13 17 | 8 | 8 | 11 | 15 | 16 | 13 26 | 8 | 8 |
| 4 41 59 | 12 | 15 | 16 | 14 0 | 9 | 9 | 12 | 16 | 17 | 14 9 | 9 | 9 | 12 | 16 | 17 | 14 17 | 9 | 9 |
| 4 46 16 | 13 | 16 | 17 | 14 53 | 10 | 10 | 13 | 17 | 18 | 15 1 | 10 | 10 | 13 | 17 | 18 | 15 9 | 10 | 10 |
| 4 50 34 | 14 | 17 | 18 | 15 45 | 11 | 11 | 14 | 18 | 19 | 15 53 | 11 | 11 | 14 | 18 | 19 | 16 1 | 11 | 11 |
| 4 54 52 | 15 | 18 | 19 | 16 38 | 12 | 12 | 15 | 18 | 19 | 16 45 | 12 | 12 | 15 | 19 | 20 | 16 53 | 12 | 12 |
| 4 59 10 | 16 | 19 | 20 | 17 31 | 13 | 13 | 16 | 19 | 20 | 17 38 | 13 | 13 | 16 | 20 | 21 | 17 45 | 13 | 13 |
| 5 3 29 | 17 | 20 | 21 | 18 24 | 14 | 14 | 17 | 20 | 21 | 18 30 | 14 | 14 | 17 | 21 | 22 | 18 37 | 14 | 14 |
| 5 7 49 | 18 | 21 | 22 | 19 17 | 15 | 15 | 18 | 21 | 22 | 19 23 | 15 | 15 | 18 | 22 | 23 | 19 29 | 15 | 15 |
| 5 12 9 | 19 | 22 | 23 | 20 11 | 16 | 16 | 19 | 22 | 23 | 20 16 | 16 | 16 | 19 | 23 | 24 | 20 21 | 16 | 16 |
| 5 16 29 | 20 | 23 | 24 | 21 4 | 17 | 17 | 20 | 23 | 24 | 21 9 | 17 | 17 | 20 | 23 | 24 | 21 14 | 17 | 17 |
| 5 20 49 | 21 | 24 | 25 | 21 57 | 18 | 18 | 21 | 24 | 25 | 22 2 | 18 | 18 | 21 | 24 | 25 | 22 6 | 18 | 18 |
| 5 25 9 | 22 | 25 | 26 | 22 51 | 19 | 19 | 22 | 25 | 26 | 22 55 | 19 | 19 | 22 | 25 | 26 | 22 59 | 19 | 19 |
| 5 29 30 | 23 | 26 | 27 | 23 44 | 20 | 20 | 23 | 26 | 27 | 23 48 | 20 | 20 | 23 | 26 | 27 | 23 51 | 20 | 20 |
| 5 33 51 | 24 | 27 | 28 | 24 38 | 21 | 21 | 24 | 27 | 28 | 24 41 | 21 | 21 | 24 | 27 | 28 | 24 44 | 21 | 21 |
| 5 38 12 | 25 | 28 | 28 | 25 31 | 22 | 22 | 25 | 28 | 29 | 25 34 | 22 | 22 | 25 | 28 | 29 | 25 36 | 22 | 22 |
| 5 42 34 | 26 | 29 | 29 | 26 25 | 23 | 23 | 26 | 29 | ♍ | 26 27 | 23 | 23 | 26 | 29 | ♍ | 26 29 | 23 | 23 |
| 5 46 55 | 27 | ♌ | ♍ | 27 19 | 24 | 24 | 27 | ♌ | 1 | 27 20 | 24 | 24 | 27 | ♌ | 1 | 27 22 | 24 | 24 |
| 5 51 17 | 28 | 1 | 1 | 28 12 | 25 | 25 | 28 | 1 | 2 | 28 13 | 25 | 25 | 28 | 1 | 2 | 28 14 | 25 | 25 |
| 5 55 38 | 29 | 2 | 2 | 29 6 | 26 | 26 | 29 | 2 | 3 | 29 7 | 26 | 26 | 29 | 2 | 3 | 29 7 | 26 | 26 |
| Houses | 4 | 5 | 6 | 7 | 8 | 9 | 4 | 5 | 6 | 7 | 8 | 9 | 4 | 5 | 6 | 7 | 8 | 9 |

Latitude 37° S.  Latitude 38° S.  Latitude 39° S.

# SIMPLIFIED SCIENTIFIC TABLES OF HOUSES

Latitude 37° N.  Latitude 38° N.  Latitude 39° N.

| Sider'l Time | Latitude 37° N | | | | | | Latitude 38° N | | | | | | Latitude 39° N | | | | | |
|---|---|---|---|---|---|---|---|---|---|---|---|---|---|---|---|---|---|---|
| H M S | 10 ♋ | 11 ♌ | 12 ♍ | Asc ♎ | 2 ♎ | 3 ♏ | 10 ♋ | 11 ♌ | 12 ♍ | Asc ♎ | 2 ♎ | 3 ♏ | 10 ♋ | 11 ♌ | 12 ♍ | Asc ♎ | 2 ♎ | 3 ♏ |
| 6 0 0 | 0 | 3 | 3 | 0 0 | 27 | 27 | 0 | 3 | 3 | 0 0 | 26 | 27 | 0 | 3 | 4 | 0 0 | 26 | 27 |
| 4 22 | 1 | 4 | 4 | 0 54 | 28 | 28 | 1 | 4 | 4 | 0 53 | 27 | 28 | 1 | 4 | 5 | 0 53 | 27 | 28 |
| 8 43 | 2 | 5 | 5 | 1 48 | 29 | 29 | 2 | 5 | 5 | 1 47 | 28 | 29 | 2 | 5 | 6 | 1 46 | 28 | 29 |
| 6 13 5 | 3 | 6 | 6 | 2 41 | ♏ | ♐ | 3 | 6 | 6 | 2 40 | 29 | ♐ | 3 | 6 | 7 | 2 38 | 29 | ♐ |
| 17 26 | 4 | 7 | 7 | 3 35 | 1 | 1 | 4 | 7 | 7 | 3 33 | ♏ | 1 | 4 | 7 | 8 | 3 31 | ♏ | 1 |
| 21 48 | 5 | 8 | 8 | 4 29 | 1 | 2 | 5 | 8 | 8 | 4 26 | 1 | 2 | 5 | 8 | 8 | 4 24 | 1 | 2 |
| 6 26 9 | 6 | 9 | 9 | 5 22 | 2 | 3 | 6 | 9 | 9 | 5 19 | 2 | 3 | 6 | 9 | 9 | 5 16 | 2 | 3 |
| 30 30 | 7 | 10 | 10 | 6 16 | 3 | 4 | 7 | 10 | 10 | 6 12 | 3 | 4 | 7 | 10 | 10 | 6 9 | 3 | 4 |
| 34 51 | 8 | 11 | 11 | 7 9 | 4 | 5 | 8 | 11 | 11 | 7 5 | 4 | 5 | 8 | 11 | 11 | 7 1 | 4 | 5 |
| 6 39 11 | 9 | 12 | 12 | 8 3 | 5 | 6 | 9 | 12 | 12 | 7 58 | 5 | 6 | 9 | 12 | 12 | 7 54 | 5 | 6 |
| 43 31 | 10 | 13 | 13 | 8 56 | 6 | 6 | 10 | 13 | 13 | 8 51 | 6 | 6 | 10 | 13 | 13 | 8 46 | 6 | 6 |
| 47 51 | 11 | 14 | 14 | 9 49 | 7 | 7 | 11 | 14 | 14 | 9 44 | 7 | 7 | 11 | 14 | 14 | 9 39 | 7 | 7 |
| 6 52 11 | 12 | 15 | 15 | 10 43 | 8 | 9 | 12 | 15 | 15 | 10 37 | 8 | 9 | 12 | 15 | 15 | 10 31 | 8 | 8 |
| 56 31 | 13 | 16 | 16 | 11 36 | 9 | 10 | 13 | 16 | 16 | 11 30 | 9 | 10 | 13 | 16 | 16 | 11 23 | 9 | 9 |
| 7 0 50 | 14 | 17 | 17 | 12 29 | 10 | 11 | 14 | 17 | 17 | 12 22 | 10 | 11 | 14 | 17 | 17 | 12 15 | 10 | 10 |
| 7 5 8 | 15 | 18 | 18 | 13 22 | 11 | 12 | 15 | 18 | 18 | 13 15 | 11 | 12 | 15 | 18 | 18 | 13 7 | 10 | 11 |
| 9 26 | 16 | 19 | 18 | 14 15 | 12 | 13 | 16 | 19 | 19 | 14 7 | 12 | 13 | 16 | 19 | 19 | 13 59 | 11 | 12 |
| 13 44 | 17 | 20 | 19 | 15 7 | 13 | 14 | 17 | 20 | 20 | 14 59 | 13 | 14 | 17 | 20 | 20 | 14 51 | 12 | 13 |
| 7 18 1 | 18 | 21 | 20 | 16 0 | 14 | 15 | 18 | 21 | 21 | 15 51 | 14 | 15 | 18 | 21 | 21 | 15 43 | 13 | 14 |
| 22 18 | 19 | 22 | 21 | 16 52 | 15 | 16 | 19 | 22 | 22 | 16 43 | 15 | 16 | 19 | 22 | 22 | 16 34 | 14 | 15 |
| 26 34 | 20 | 23 | 23 | 17 44 | 15 | 17 | 20 | 23 | 23 | 17 35 | 15 | 16 | 20 | 23 | 23 | 17 25 | 15 | 16 |
| 7 30 50 | 21 | 24 | 24 | 18 37 | 16 | 18 | 21 | 24 | 24 | 18 27 | 16 | 17 | 21 | 24 | 24 | 18 17 | 16 | 17 |
| 35 5 | 22 | 25 | 25 | 19 28 | 17 | 19 | 22 | 25 | 25 | 19 18 | 17 | 18 | 22 | 25 | 25 | 19 8 | 17 | 18 |
| 39 20 | 23 | 26 | 26 | 20 21 | 18 | 20 | 23 | 26 | 26 | 20 10 | 18 | 19 | 23 | 26 | 26 | 19 59 | 18 | 19 |
| 7 43 34 | 24 | 27 | 27 | 21 12 | 19 | 21 | 24 | 27 | 27 | 21 1 | 19 | 20 | 24 | 27 | 27 | 20 50 | 19 | 20 |
| 47 47 | 25 | 28 | 27 | 22 4 | 20 | 21 | 25 | 28 | 27 | 21 52 | 20 | 21 | 25 | 28 | 27 | 21 41 | 19 | 21 |
| 52 0 | 26 | 29 | 28 | 22 55 | 21 | 22 | 26 | 29 | 28 | 22 43 | 21 | 22 | 26 | 29 | 28 | 22 31 | 20 | 22 |
| 7 56 12 | 27 | ♍ | 29 | 23 47 | 22 | 23 | 27 | ♍ | 29 | 23 34 | 22 | 23 | 27 | ♍ | 29 | 23 22 | 21 | 23 |
| 8 0 24 | 28 | 1 | ≏ | 24 38 | 23 | 24 | 28 | 1 | ≏ | 24 25 | 23 | 24 | 28 | 1 | ≏ | 24 12 | 22 | 24 |
| 4 35 | 29 | 2 | 1 | 25 29 | 24 | 25 | 29 | 2 | 1 | 25 16 | 24 | 25 | 29 | 2 | 1 | 25 2 | 23 | 25 |

| Houses | 4 | 5 | 6 | 7 | 8 | 9 | 4 | 5 | 6 | 7 | 8 | 9 | 4 | 5 | 6 | 7 | 8 | 9 |

Latitude 37° S.  Latitude 38° S.  Latitude 39° S.

# SIMPLIFIED SCIENTIFIC TABLES OF HOUSES

### Latitude 37° N.   Latitude 38° N.   Latitude 39° N.

| Sider'l Time | 10 ♌ | 11 ♍ | 12 ♎ | Asc. ♎ | 2 ♏ | 3 ♐ | 10 ♌ | 11 ♍ | 12 ♎ | Asc. ♎ | 2 ♏ | 3 ♐ | 10 ♌ | 11 ♍ | 12 ♎ | Asc. ♎ | 2 ♏ | 3 ♐ |
|---|---|---|---|---|---|---|---|---|---|---|---|---|---|---|---|---|---|---|
| H M S | ° | ° | ° | ° ′ | ° | ° | ° | ° | ° | ° ′ | ° | ° | ° | ° | ° | ° ′ | ° | ° |
| 8 8 45 | 0 | 3 | 2 | 26 20 | 25 | 26 | 0 | 3 | 2 | 26 6 | 24 | 26 | 0 | 3 | 2 | 25 52 | 24 | 26 |
| 12 54 | 1 | 4 | 3 | 27 10 | 26 | 27 | 1 | 4 | 3 | 26 56 | 25 | 27 | 1 | 4 | 3 | 26 42 | 25 | 27 |
| 17 3 | 2 | 5 | 4 | 28 1 | 27 | 28 | 2 | 5 | 4 | 27 46 | 26 | 28 | 2 | 5 | 4 | 27 31 | 26 | 28 |
| 8 21 11 | 3 | 6 | 5 | 28 51 | 28 | 29 | 3 | 6 | 5 | 28 36 | 27 | 29 | 3 | 6 | 5 | 28 21 | 27 | 29 |
| 25 19 | 4 | 7 | 6 | 29 41 | 29 | ♑ | 4 | 7 | 6 | 29 26 | 28 | ♑ | 4 | 7 | 6 | 29 10 | 28 | ♑ |
| 29 26 | 5 | 8 | 7 | 0♏31 | 29 | 1 | 5 | 8 | 7 | 0♏15 | 29 | 1 | 5 | 8 | 7 | 29 59 | 28 | 0 |
| 8 33 31 | 6 | 9 | 8 | 1 21 | ♐ | 2 | 6 | 9 | 8 | 1 5 | ♐ | 2 | 6 | 9 | 7 | 0♏48 | 29 | 1 |
| 37 37 | 7 | 10 | 9 | 2 11 | 1 | 3 | 7 | 10 | 9 | 1 54 | 1 | 3 | 7 | 10 | 8 | 1 37 | ♐ | 2 |
| 41 41 | 8 | 11 | 10 | 3 0 | 2 | 4 | 8 | 11 | 10 | 2 43 | 2 | 4 | 8 | 11 | 9 | 2 26 | 1 | 3 |
| 8 45 45 | 9 | 12 | 11 | 3 49 | 3 | 5 | 9 | 12 | 11 | 3 32 | 3 | 5 | 9 | 12 | 10 | 3 14 | 2 | 4 |
| 49 48 | 10 | 13 | 11 | 4 39 | 3 | 6 | 10 | 13 | 11 | 4 21 | 3 | 5 | 10 | 13 | 11 | 4 2 | 3 | 5 |
| 53 51 | 11 | 14 | 12 | 5 28 | 4 | 7 | 11 | 14 | 12 | 5 9 | 4 | 6 | 11 | 14 | 12 | 4 50 | 4 | 6 |
| 8 57 52 | 12 | 15 | 13 | 6 16 | 5 | 8 | 12 | 15 | 13 | 5 57 | 5 | 7 | 12 | 15 | 13 | 5 38 | 5 | 7 |
| 9 1 53 | 13 | 16 | 14 | 7 5 | 6 | 9 | 13 | 16 | 14 | 6 46 | 6 | 8 | 13 | 16 | 14 | 6 26 | 6 | 8 |
| 5 53 | 14 | 17 | 15 | 7 53 | 7 | 10 | 14 | 17 | 15 | 7 34 | 7 | 9 | 14 | 17 | 15 | 7 14 | 7 | 9 |
| 9 9 53 | 15 | 18 | 16 | 8 42 | 8 | 10 | 15 | 18 | 15 | 8 22 | 7 | 10 | 15 | 18 | 15 | 8 1 | 7 | 10 |
| 13 52 | 16 | 19 | 17 | 9 30 | 9 | 11 | 16 | 19 | 16 | 9 9 | 8 | 11 | 16 | 19 | 16 | 8 48 | 8 | 11 |
| 17 50 | 17 | 20 | 18 | 10 18 | 10 | 12 | 17 | 20 | 17 | 9 57 | 9 | 12 | 17 | 20 | 17 | 9 36 | 9 | 12 |
| 9 21 47 | 18 | 21 | 19 | 11 5 | 11 | 13 | 18 | 21 | 18 | 10 44 | 10 | 13 | 18 | 21 | 18 | 10 23 | 10 | 13 |
| 25 44 | 19 | 22 | 20 | 11 53 | 12 | 14 | 19 | 22 | 19 | 11 31 | 11 | 14 | 19 | 22 | 19 | 11 10 | 11 | 14 |
| 29 40 | 20 | 23 | 20 | 12 40 | 12 | 15 | 20 | 23 | 20 | 12 19 | 12 | 15 | 20 | 23 | 20 | 11 56 | 11 | 14 |
| 9 33 35 | 21 | 24 | 21 | 13 28 | 13 | 16 | 21 | 24 | 21 | 13 5 | 13 | 16 | 21 | 24 | 21 | 12 43 | 12 | 15 |
| 37 29 | 22 | 25 | 22 | 14 15 | 14 | 17 | 22 | 25 | 22 | 13 52 | 14 | 17 | 22 | 25 | 22 | 13 29 | 13 | 16 |
| 41 23 | 23 | 26 | 23 | 15 2 | 15 | 18 | 23 | 26 | 23 | 14 39 | 15 | 18 | 23 | 26 | 23 | 14 16 | 14 | 17 |
| 9 45 16 | 24 | 27 | 24 | 15 49 | 16 | 19 | 24 | 27 | 24 | 15 26 | 16 | 18 | 24 | 27 | 24 | 15 2 | 15 | 18 |
| 49 9 | 25 | 27 | 24 | 16 36 | 16 | 20 | 25 | 28 | 24 | 16 12 | 16 | 19 | 25 | 27 | 24 | 15 48 | 15 | 19 |
| 53 1 | 26 | 28 | 25 | 17 22 | 17 | 21 | 26 | 29 | 25 | 16 58 | 17 | 20 | 26 | 28 | 25 | 16 34 | 16 | 20 |
| 9 56 52 | 27 | 29 | 26 | 18 9 | 18 | 22 | 27 | ♎ | 26 | 17 45 | 18 | 21 | 27 | 29 | 26 | 17 20 | 17 | 21 |
| 10 0 43 | 28 | ♎ | 27 | 18 56 | 19 | 23 | 28 | 1 | 27 | 18 31 | 19 | 22 | 28 | ♎ | 27 | 18 6 | 18 | 22 |
| 4 33 | 29 | 1 | 28 | 19 42 | 20 | 24 | 29 | 2 | 28 | 19 17 | 20 | 23 | 29 | 1 | 28 | 18 51 | 19 | 23 |
| Houses | 4 | 5 | 6 | 7 | 8 | 9 | 4 | 5 | 6 | 7 | 8 | 9 | 4 | 5 | 6 | 7 | 8 | 9 |

### Latitude 37° S.   Latitude 38° S.   Latitude 39° S.

# SIMPLIFIED SCIENTIFIC TABLES OF HOUSES

### Latitude 37° N.  Latitude 38° N.  Latitude 39° N.

| Sider'l Time | 10 mp | 11 ≏ | 12 ≏ | Asc. m | 2 ♐ | 3 vs | 10 mp | 11 ≏ | 12 ≏ | Asc. m | 2 ♐ | 3 vs | 10 mp | 11 ≏ | 12 ≏ | Asc. m | 2 ♐ | 3 vs |
|---|---|---|---|---|---|---|---|---|---|---|---|---|---|---|---|---|---|---|
| H M S | ° | ° | ° | ° ' | ° | ° | ° | ° | ° | ° ' | ° | ° | ° | ° | ° | ° ' | ° | ° |
| 10  8 23 | 0 | 2 | 29 | 20 28 | 20 | 24 | 0 | 2 | 28 | 20 3 | 20 | 24 | 0 | 2 | 28 | 19 37 | 20 | 24 |
| 12 12 | 1 | 3 | m, | 21 14 | 21 | 25 | 1 | 3 | 29 | 20 48 | 21 | 25 | 1 | 3 | 29 | 20 22 | 21 | 25 |
| 16  0 | 2 | 4 | 0 | 22 0 | 22 | 26 | 2 | 4 | m, | 21 34 | 22 | 26 | 2 | 4 | m, | 21 8 | 22 | 26 |
| 10 19 48 | 3 | 5 | 1 | 22 46 | 23 | 27 | 3 | 5 | 0 | 22 20 | 23 | 27 | 3 | 5 | 0 | 21 53 | 23 | 27 |
| 23 35 | 4 | 6 | 2 | 23 32 | 24 | 28 | 4 | 6 | 1 | 23 5 | 24 | 28 | 4 | 6 | 1 | 22 38 | 24 | 28 |
| 27 22 | 5 | 7 | 3 | 24 18 | 25 | 29 | 5 | 7 | 2 | 23 51 | 24 | 29 | 5 | 7 | 2 | 23 23 | 24 | 29 |
| 10 31  8 | 6 | 8 | 4 | 25 3 | 26 | ≈ | 6 | 8 | 3 | 24 36 | 25 | ≈ | 6 | 8 | 3 | 24 8 | 25 | ≈ |
| 34 54 | 7 | 9 | 5 | 25 49 | 27 | 1 | 7 | 9 | 4 | 25 22 | 26 | 1 | 7 | 9 | 4 | 24 53 | 26 | 1 |
| 38 40 | 8 | 10 | 6 | 26 35 | 28 | 2 | 8 | 10 | 5 | 26 7 | 27 | 2 | 8 | 10 | 5 | 25 38 | 27 | 2 |
| 10 42 25 | 9 | 11 | 7 | 27 20 | 29 | 3 | 9 | 11 | 6 | 26 52 | 28 | 3 | 9 | 11 | 6 | 26 23 | 28 | 3 |
| 46  9 | 10 | 11 | 7 | 28 6 | 29 | 4 | 10 | 11 | 7 | 27 37 | 28 | 4 | 10 | 11 | 6 | 27 8 | 28 | 4 |
| 49 53 | 11 | 12 | 8 | 28 51 | vs | 5 | 11 | 12 | 8 | 28 22 | 29 | 5 | 11 | 12 | 7 | 27 53 | 29 | 5 |
| 10 53 37 | 12 | 13 | 9 | 29 37 | 1 | 6 | 12 | 13 | 9 | 29 7 | vs | 6 | 12 | 13 | 8 | 28 38 | vs | 6 |
| 57 20 | 13 | 14 | 10 | 0 22 | 2 | 7 | 13 | 14 | 10 | 29 53 | 1 | 7 | 13 | 14 | 9 | 29 22 | 0 | 7 |
| 11  1  3 | 14 | 15 | 11 | 1 7 | 3 | 8 | 14 | 15 | 10 | 0 ♐ 37 | 2 | 8 | 14 | 15 | 10 | 0 ♐ 7 | 1 | 8 |
| 11  4 46 | 15 | 16 | 11 | 1 53 | 3 | 9 | 15 | 16 | 10 | 1 23 | 3 | 9 | 15 | 16 | 10 | 0 52 | 2 | 9 |
| 8 28 | 16 | 17 | 12 | 2 38 | 4 | 10 | 16 | 17 | 11 | 2 8 | 4 | 10 | 16 | 17 | 11 | 1 37 | 3 | 10 |
| 12 10 | 17 | 18 | 13 | 3 24 | 5 | 11 | 17 | 18 | 12 | 2 53 | 5 | 11 | 17 | 18 | 12 | 2 21 | 4 | 11 |
| 11 15 52 | 18 | 19 | 14 | 4 9 | 6 | 12 | 18 | 19 | 13 | 3 38 | 6 | 12 | 18 | 19 | 13 | 3 6 | 5 | 12 |
| 19 34 | 19 | 20 | 15 | 4 55 | 7 | 13 | 19 | 20 | 14 | 4 23 | 7 | 13 | 19 | 20 | 14 | 3 51 | 6 | 13 |
| 23 15 | 20 | 20 | 15 | 5 40 | 8 | 14 | 20 | 20 | 14 | 5 8 | 7 | 14 | 20 | 20 | 14 | 4 36 | 7 | 14 |
| 11 26 56 | 21 | 21 | 16 | 6 26 | 9 | 15 | 21 | 21 | 15 | 5 53 | 8 | 15 | 21 | 21 | 15 | 5 21 | 8 | 15 |
| 30 37 | 22 | 22 | 17 | 7 11 | 10 | 16 | 22 | 22 | 16 | 6 39 | 9 | 16 | 22 | 22 | 16 | 6 6 | 9 | 16 |
| 34 18 | 23 | 23 | 18 | 7 57 | 11 | 17 | 23 | 23 | 17 | 7 24 | 10 | 17 | 23 | 23 | 17 | 6 51 | 10 | 17 |
| 11 37 58 | 24 | 24 | 19 | 8 42 | 12 | 18 | 24 | 24 | 18 | 8 9 | 11 | 18 | 24 | 24 | 18 | 7 36 | 11 | 18 |
| 41 39 | 25 | 25 | 19 | 9 28 | 12 | 19 | 25 | 25 | 18 | 8 55 | 11 | 19 | 25 | 25 | 18 | 8 21 | 11 | 19 |
| 45 19 | 26 | 26 | 20 | 10 14 | 13 | 20 | 26 | 26 | 19 | 9 40 | 12 | 20 | 26 | 26 | 19 | 9 6 | 12 | 20 |
| 11 49  0 | 27 | 27 | 21 | 11 0 | 14 | 21 | 27 | 27 | 20 | 10 26 | 13 | 21 | 27 | 27 | 20 | 9 52 | 13 | 21 |
| 52 40 | 28 | 28 | 22 | 11 46 | 15 | 22 | 28 | 28 | 21 | 11 12 | 14 | 22 | 28 | 28 | 21 | 10 37 | 14 | 22 |
| 56 20 | 29 | 29 | 23 | 12 32 | 16 | 23 | 29 | 29 | 22 | 11 58 | 15 | 23 | 29 | 29 | 22 | 11 23 | 15 | 23 |
| Houses | 4 | 5 | 6 | 7 | 8 | 9 | 4 | 5 | 6 | 7 | 8 | 9 | 4 | 5 | 6 | 7 | 8 | 9 |

### Latitude 37° S.  Latitude 38° S.  Latitude 39° S.

# SIMPLIFIED SCIENTIFIC TABLES OF HOUSES

Latitude 37° N.  Latitude 38° N.  Latitude 39° N.

| Sider'l Time | 10 ♎ | 11 ♎ | 12 ♏ | Asc. ♐ | 2 ♑ | 3 ♒ | 10 ♎ | 11 ♎ | 12 ♏ | Asc. ♐ | 2 ♑ | 3 ♒ | 10 ♎ | 11 ♎ | 12 ♏ | Asc. ♐ | 2 ♑ | 3 ♒ |
|---|---|---|---|---|---|---|---|---|---|---|---|---|---|---|---|---|---|---|
| H M S | ° | ° | ° | ° ′ | ° | ° | ° | ° | ° | ° ′ | ° | ° | ° | ° | ° | ° ′ | ° | ° |
| 12 0 0 | 0 | 29 | 23 | 13 18 | 17 | 24 | 0 | 29 | 22 | 12 44 | 16 | 24 | 0 | 29 | 22 | 12 8 | 16 | 24 |
| 3 40 | 1 | ♏ | 24 | 14 5 | 18 | 25 | 1 | ♏ | 23 | 13 30 | 17 | 25 | 1 | ♏ | 23 | 12 54 | 17 | 25 |
| 7 20 | 2 | 1 | 25 | 14 51 | 19 | 26 | 2 | 1 | 24 | 14 16 | 18 | 26 | 2 | 0 | 24 | 13 40 | 18 | 26 |
| 12 11 0 | 3 | 2 | 26 | 15 38 | 20 | 27 | 3 | 2 | 25 | 15 2 | 19 | 27 | 3 | 1 | 25 | 14 26 | 19 | 27 |
| 14 41 | 4 | 3 | 27 | 16 25 | 21 | 28 | 4 | 3 | 26 | 15 49 | 20 | 28 | 4 | 2 | 26 | 15 12 | 20 | 28 |
| 18 21 | 5 | 3 | 27 | 17 12 | 21 | 29 | 5 | 3 | 26 | 16 36 | 21 | 29 | 5 | 3 | 26 | 15 59 | 20 | 29 |
| 12 22 2 | 6 | 4 | 28 | 17 59 | 22 | ♓ | 6 | 4 | 27 | 17 23 | 22 | ♓ | 6 | 4 | 27 | 16 46 | 21 | ♓ |
| 25 42 | 7 | 5 | 29 | 18 47 | 23 | 1 | 7 | 5 | 28 | 18 10 | 23 | 1 | 7 | 5 | 28 | 17 32 | 22 | 1 |
| 29 23 | 8 | 6 | 29 | 19 34 | 24 | 2 | 8 | 6 | 29 | 18 57 | 24 | 2 | 8 | 6 | 28 | 18 19 | 23 | 2 |
| 12 33 4 | 9 | 7 | ♐ | 20 21 | 25 | 4 | 9 | 7 | ♐ | 19 45 | 25 | 3 | 9 | 7 | 29 | 19 7 | 24 | 3 |
| 36 45 | 10 | 8 | 0 | 21 10 | 26 | 5 | 10 | 8 | 0 | 20 32 | 26 | 5 | 10 | 8 | 29 | 19 54 | 25 | 5 |
| 40 26 | 11 | 9 | 1 | 21 58 | 27 | 6 | 11 | 9 | 1 | 21 20 | 27 | 6 | 11 | 9 | ♐ | 20 42 | 26 | 6 |
| 12 44 8 | 12 | 10 | 2 | 22 47 | 28 | 7 | 12 | 10 | 2 | 22 9 | 28 | 7 | 12 | 10 | 1 | 21 30 | 27 | 7 |
| 47 50 | 13 | 11 | 3 | 23 35 | 29 | 8 | 13 | 11 | 3 | 22 57 | 29 | 8 | 13 | 11 | 2 | 22 18 | 28 | 8 |
| 51 32 | 14 | 12 | 4 | 24 24 | ♒ | 9 | 14 | 12 | 4 | 23 46 | ♒ | 9 | 14 | 12 | 3 | 23 6 | 29 | 9 |
| 12 55 14 | 15 | 12 | 4 | 25 14 | 1 | 10 | 15 | 12 | 4 | 24 35 | 0 | 10 | 15 | 12 | 4 | 23 55 | ♒ | 10 |
| 58 57 | 16 | 13 | 5 | 26 3 | 2 | 11 | 16 | 13 | 5 | 25 24 | 1 | 11 | 16 | 13 | 5 | 24 44 | 1 | 11 |
| 13 2 40 | 17 | 14 | 6 | 26 54 | 3 | 12 | 17 | 14 | 6 | 26 15 | 2 | 12 | 17 | 14 | 6 | 25 34 | 2 | 12 |
| 13 6 23 | 18 | 15 | 7 | 27 44 | 4 | 13 | 18 | 15 | 7 | 27 4 | 3 | 13 | 18 | 15 | 7 | 26 24 | 3 | 13 |
| 10 7 | 19 | 16 | 8 | 28 35 | 5 | 14 | 19 | 16 | 8 | 27 55 | 4 | 14 | 19 | 16 | 8 | 27 14 | 4 | 14 |
| 13 51 | 20 | 16 | 8 | 29 26 | 6 | 16 | 20 | 16 | 8 | 28 46 | 6 | 16 | 20 | 16 | 8 | 28 5 | 5 | 16 |
| 13 17 35 | 21 | 17 | 9 | 0♑17 | 7 | 17 | 21 | 17 | 9 | 29 37 | 7 | 17 | 21 | 17 | 9 | 28 56 | 6 | 17 |
| 21 20 | 22 | 18 | 10 | 1 9 | 8 | 18 | 22 | 18 | 10 | 0♑29 | 8 | 18 | 22 | 18 | 10 | 29 47 | 7 | 18 |
| 25 6 | 23 | 19 | 11 | 2 1 | 9 | 19 | 23 | 19 | 11 | 1 21 | 9 | 19 | 23 | 19 | 11 | 0♑39 | 8 | 19 |
| 13 28 52 | 24 | 20 | 12 | 2 54 | 10 | 20 | 24 | 20 | 12 | 2 13 | 10 | 20 | 24 | 20 | 12 | 1 31 | 9 | 20 |
| 32 38 | 25 | 21 | 13 | 3 47 | 12 | 21 | 25 | 21 | 12 | 3 6 | 11 | 21 | 25 | 20 | 12 | 2 24 | 11 | 21 |
| 36 25 | 26 | 22 | 14 | 4 41 | 13 | 23 | 26 | 22 | 13 | 4 0 | 12 | 23 | 26 | 21 | 13 | 3 17 | 12 | 22 |
| 13 40 12 | 27 | 23 | 15 | 5 35 | 14 | 24 | 27 | 23 | 14 | 4 54 | 13 | 24 | 27 | 22 | 14 | 4 11 | 13 | 23 |
| 44 0 | 28 | 24 | 16 | 6 30 | 15 | 25 | 28 | 24 | 15 | 5 48 | 14 | 25 | 28 | 23 | 15 | 5 5 | 14 | 24 |
| 47 48 | 29 | 25 | 17 | 7 25 | 16 | 26 | 29 | 25 | 16 | 6 43 | 15 | 26 | 29 | 24 | 16 | 5 59 | 15 | 25 |
| Houses | 4 | 5 | 6 | 7 | 8 | 9 | 4 | 5 | 6 | 7 | 8 | 9 | 4 | 5 | 6 | 7 | 8 | 9 |

Latitude 37° S.  Latitude 38° S.  Latitude 39° S.

# SIMPLIFIED SCIENTIFIC TABLES OF HOUSES

|  | Latitude 37° N. | | | | | | Latitude 38° N. | | | | | | Latitude 39° N. | | | | | |
|---|---|---|---|---|---|---|---|---|---|---|---|---|---|---|---|---|---|---|
| Sider'l Time | 10 ♏ | 11 ♏ | 12 ♐ | Asc. ♑ | 2 ♒ | 3 ♓ | 10 ♏ | 11 ♏ | 12 ♐ | Asc. ♑ | 2 ♒ | 3 ♓ | 10 ♏ | 11 ♏ | 12 ♐ | Asc. ♑ | 2 ♒ | 3 ♓ |
| H M S | ° | ° | ° | ′ | ° | ° | ° | ° | ° | ′ | ° | ° | ° | ° | ° | ′ | ° | ° |
| 13 51 37 | 0 | 25 | 17 | 8 20 | 17 | 27 | 0 | 25 | 16 | 7 38 | 17 | 27 | 0 | 25 | 16 | 6 54 | 16 | 27 |
| 55 27 | 1 | 26 | 18 | 9 16 | 18 | 28 | 1 | 26 | 17 | 8 34 | 18 | 28 | 1 | 26 | 17 | 7 50 | 17 | 28 |
| 59 17 | 2 | 27 | 19 | 10 13 | 19 | 29 | 2 | 27 | 18 | 9 31 | 19 | 29 | 2 | 27 | 18 | 8 47 | 18 | 29 |
| 14 3 8 | 3 | 28 | 20 | 11 10 | 20 | ♈ | 3 | 28 | 19 | 10 28 | 20 | ♈ | 3 | 28 | 19 | 9 44 | 20 | ♈ |
| 6 59 | 4 | 29 | 21 | 12 8 | 21 | 2 | 4 | 28 | 20 | 11 25 | 21 | 1 | 4 | 29 | 20 | 10 41 | 21 | 1 |
| 10 51 | 5 | 29 | 21 | 13 6 | 23 | 3 | 5 | 29 | 21 | 12 23 | 23 | 3 | 5 | 29 | 20 | 11 39 | 23 | 3 |
| 14 14 44 | 6 | ♐ | 22 | 14 6 | 24 | 4 | 6 | ♐ | 22 | 13 22 | 24 | 4 | 6 | ♐ | 21 | 12 38 | 24 | 4 |
| 18 37 | 7 | 1 | 23 | 15 5 | 25 | 5 | 7 | 1 | 23 | 14 22 | 25 | 5 | 7 | 1 | 22 | 13 37 | 25 | 5 |
| 22 31 | 8 | 2 | 24 | 16 5 | 26 | 7 | 8 | 2 | 24 | 15 22 | 26 | 6 | 8 | 2 | 23 | 14 37 | 26 | 7 |
| 14 26 25 | 9 | 3 | 25 | 17 7 | 27 | 8 | 9 | 3 | 25 | 16 23 | 27 | 9 | 9 | 3 | 24 | 15 38 | 28 | 8 |
| 30 20 | 10 | 4 | 25 | 18 9 | 29 | 9 | 10 | 4 | 25 | 17 25 | 29 | 10 | 10 | 4 | 24 | 16 40 | 29 | 9 |
| 34 16 | 11 | 5 | 26 | 19 11 | ♓ | 10 | 11 | 5 | 26 | 18 28 | ♓ | 11 | 11 | 5 | 25 | 17 43 | ♓ | 10 |
| 14 38 13 | 12 | 6 | 27 | 20 15 | 1 | 11 | 12 | 6 | 27 | 19 31 | 2 | 12 | 12 | 6 | 26 | 18 46 | 1 | 11 |
| 42 10 | 13 | 7 | 28 | 21 19 | 2 | 13 | 13 | 7 | 28 | 20 35 | 3 | 13 | 13 | 7 | 27 | 19 50 | 2 | 13 |
| 46 8 | 14 | 8 | 29 | 22 23 | 4 | 14 | 14 | 8 | 29 | 21 40 | 4 | 14 | 14 | 8 | 28 | 20 55 | 3 | 14 |
| 14 50 7 | 15 | 8 | 29 | 23 39 | 6 | 15 | 15 | 8 | 29 | 22 46 | 6 | 15 | 15 | 8 | 29 | 22 0 | 5 | 15 |
| 54 7 | 16 | 9 | ♑ | 24 36 | 7 | 16 | 16 | 9 | ♑ | 23 52 | 7 | 16 | 16 | 9 | ♑ | 23 7 | 6 | 16 |
| 58 7 | 17 | 10 | 1 | 25 44 | 8 | 17 | 17 | 10 | 1 | 25 0 | 8 | 17 | 17 | 10 | 1 | 24 15 | 7 | 17 |
| 15 2 8 | 18 | 11 | 2 | 26 52 | 9 | 19 | 18 | 11 | 2 | 26 8 | 9 | 19 | 18 | 11 | 2 | 25 23 | 8 | 19 |
| 6 9 | 19 | 12 | 3 | 28 1 | 11 | 20 | 19 | 12 | 3 | 27 17 | 12 | 20 | 19 | 12 | 3 | 26 32 | 10 | 20 |
| 10 12 | 20 | 13 | 4 | 29 11 | 13 | 21 | 20 | 13 | 4 | 28 28 | 13 | 21 | 20 | 13 | 4 | 27 43 | 12 | 21 |
| 15 14 15 | 21 | 14 | 5 | 0 ♒ 23 | 14 | 22 | 21 | 14 | 5 | 29 40 | 14 | 23 | 21 | 13 | 5 | 28 55 | 13 | 23 |
| 18 19 | 22 | 15 | 6 | 1 35 | 16 | 24 | 22 | 15 | 6 | 0 ♒ 52 | 16 | 24 | 22 | 14 | 6 | 0 ♒ 7 | 15 | 24 |
| 22 23 | 23 | 16 | 7 | 2 48 | 17 | 25 | 23 | 16 | 7 | 2 5 | 18 | 25 | 23 | 15 | 7 | 1 21 | 17 | 25 |
| 15 26 29 | 24 | 17 | 8 | 4 2 | 18 | 26 | 24 | 17 | 8 | 3 20 | 19 | 26 | 24 | 16 | 8 | 2 35 | 19 | 26 |
| 30 35 | 25 | 18 | 9 | 5 17 | 20 | 27 | 25 | 17 | 9 | 4 35 | 20 | 27 | 25 | 17 | 8 | 3 51 | 20 | 27 |
| 34 41 | 26 | 19 | 10 | 6 34 | 21 | 28 | 26 | 18 | 10 | 5 52 | 22 | 28 | 26 | 18 | 9 | 5 8 | 21 | 28 |
| 15 38 49 | 27 | 20 | 11 | 7 51 | 22 | 29 | 27 | 19 | 11 | 7 10 | 23 | 29 | 27 | 19 | 10 | 6 26 | 23 | 29 |
| 42 57 | 28 | 21 | 12 | 9 9 | 24 | ♉ | 28 | 20 | 12 | 8 28 | 24 | ♉ | 28 | 20 | 11 | 7 45 | 24 | ♉ |
| 47 6 | 29 | 22 | 13 | 10 28 | 25 | 1 | 29 | 21 | 13 | 9 48 | 25 | 1 | 29 | 21 | 12 | 9 5 | 26 | 2 |
| Houses | 4 | 5 | 6 | 7 | 8 | 9 | 4 | 5 | 6 | 7 | 8 | 9 | 4 | 5 | 6 | 7 | 8 | 9 |

# SIMPLIFIED SCIENTIFIC TABLES OF HOUSES

| | Latitude 37° N. | | | | | | Latitude 38° N. | | | | | | Latitude 39° N. | | | | | |
|---|---|---|---|---|---|---|---|---|---|---|---|---|---|---|---|---|---|---|
| Sider'l Time | 10 ♐ | 11 ♐ | 12 ♑ | Asc. ♒ | 2 ♓ | 3 ♉ | 10 ♐ | 11 ♐ | 12 ♑ | Asc. ♒ | 2 ♓ | 3 ♉ | 10 ♐ | 11 ♐ | 12 ♑ | Asc. ♒ | 2 ♓ | 3 ♉ |
| H M S | ° | ° | ° | ° ' | ° | ° | ° | ° | ° | ° ' | ° | ° | ° | ° | ° | ° ' | ° | ° |
| 15 51 15 | 0 | 22 | 14 | 11 49 | 27 | 3 | 0 | 22 | 14 | 11 9 | 27 | 3 | 0 | 22 | 13 | 10 27 | 27 | 4 |
| 55 25 | 1 | 23 | 15 | 13 11 | 28 | 4 | 1 | 23 | 15 | 12 31 | 28 | 4 | 1 | 23 | 14 | 11 50 | 29 | 5 |
| 59 36 | 2 | 24 | 16 | 14 33 | 29 | 5 | 2 | 24 | 16 | 13 55 | ♈ | 5 | 2 | 24 | 15 | 13 14 | ♈ | 6 |
| 16 3 48 | 3 | 25 | 18 | 15 57 | ♈ | 7 | 3 | 25 | 17 | 15 19 | 1 | 7 | 3 | 25 | 16 | 14 39 | 1 | 7 |
| 8 0 | 4 | 26 | 19 | 17 22 | 2 | 8 | 4 | 26 | 18 | 16 45 | 2 | 8 | 4 | 26 | 17 | 16 5 | 2 | 8 |
| 12 13 | 5 | 27 | 20 | 18 49 | 4 | 9 | 5 | 27 | 19 | 18 12 | 4 | 9 | 5 | 26 | 19 | 17 33 | 4 | 9 |
| 16 16 26 | 6 | 28 | 21 | 20 16 | 5 | 10 | 6 | 28 | 20 | 19 40 | 5 | 10 | 6 | 27 | 20 | 19 2 | 5 | 10 |
| 20 40 | 7 | 29 | 22 | 21 45 | 6 | 12 | 7 | 29 | 21 | 21 10 | 6 | 12 | 7 | 28 | 21 | 20 33 | 6 | 11 |
| 24 55 | 8 | ♑ | 23 | 23 15 | 8 | 13 | 8 | ♑ | 22 | 22 40 | 8 | 13 | 8 | 29 | 22 | 22 4 | 8 | 12 |
| 16 29 10 | 9 | 1 | 24 | 24 45 | 10 | 14 | 9 | 1 | 24 | 24 12 | 10 | 14 | 9 | ♑ | 23 | 23 37 | 10 | 14 |
| 33 26 | 10 | 2 | 25 | 26 17 | 12 | 15 | 10 | 2 | 25 | 25 45 | 12 | 15 | 10 | 1 | 24 | 25 11 | 12 | 15 |
| 37 42 | 11 | 3 | 26 | 27 51 | 14 | 17 | 11 | 3 | 26 | 27 20 | 14 | 16 | 11 | 2 | 25 | 26 47 | 14 | 16 |
| 16 41 59 | 12 | 4 | 28 | 29 25 | 15 | 18 | 12 | 4 | 27 | 28 55 | 15 | 18 | 12 | 3 | 27 | 28 23 | 15 | 17 |
| 46 16 | 13 | 5 | 29 | 1 ♓ 0 | 16 | 19 | 13 | 5 | 28 | 0 ♓ 32 | 17 | 19 | 13 | 4 | 28 | 0 ♓ 1 | 17 | 19 |
| 50 34 | 14 | 6 | ♒ | 2 37 | 18 | 20 | 14 | 6 | 29 | 2 9 | 18 | 20 | 14 | 5 | 29 | 1 40 | 18 | 20 |
| 16 54 52 | 15 | 7 | 1 | 4 14 | 19 | 21 | 15 | 7 | ♒ | 3 48 | 19 | 21 | 15 | 6 | ♒ | 3 20 | 19 | 21 |
| 59 10 | 16 | 8 | 2 | 5 52 | 21 | 22 | 16 | 8 | 1 | 5 27 | 20 | 22 | 16 | 7 | 1 | 5 1 | 20 | 22 |
| 17 3 29 | 17 | 9 | 3 | 7 31 | 22 | 24 | 17 | 9 | 2 | 7 8 | 22 | 24 | 17 | 8 | 2 | 6 44 | 22 | 24 |
| 17 7 49 | 18 | 10 | 4 | 9 11 | 24 | 25 | 18 | 10 | 4 | 8 50 | 23 | 25 | 18 | 9 | 4 | 8 27 | 24 | 25 |
| 12 9 | 19 | 11 | 6 | 10 52 | 25 | 26 | 19 | 11 | 5 | 10 32 | 24 | 26 | 19 | 10 | 5 | 10 11 | 26 | 26 |
| 16 29 | 20 | 12 | 7 | 12 34 | 26 | 27 | 20 | 12 | 6 | 12 15 | 26 | 27 | 20 | 11 | 6 | 11 56 | 27 | 27 |
| 17 20 49 | 21 | 13 | 8 | 14 16 | 28 | 29 | 21 | 13 | 7 | 14 0 | 27 | 28 | 21 | 12 | 7 | 13 42 | 28 | 29 |
| 25 9 | 22 | 14 | 9 | 15 59 | 29 | ♊ | 22 | 14 | 9 | 15 44 | 29 | 29 | 22 | 13 | 9 | 15 28 | 29 | ♊ |
| 29 30 | 23 | 15 | 11 | 17 43 | ♉ | 0 | 23 | 15 | 10 | 17 30 | ♉ | ♊ | 23 | 14 | 10 | 17 16 | ♉ | 1 |
| 17 33 51 | 24 | 16 | 12 | 19 27 | 1 | 1 | 24 | 16 | 11 | 19 16 | 2 | 1 | 24 | 16 | 11 | 19 4 | 2 | 2 |
| 38 12 | 25 | 17 | 13 | 21 12 | 3 | 2 | 25 | 17 | 13 | 21 2 | 4 | 2 | 25 | 17 | 12 | 20 52 | 4 | 3 |
| 42 34 | 26 | 18 | 14 | 22 57 | 5 | 3 | 26 | 18 | 15 | 22 49 | 5 | 3 | 26 | 18 | 13 | 22 41 | 5 | 4 |
| 17 46 55 | 27 | 19 | 16 | 24 43 | 6 | 5 | 27 | 19 | 16 | 24 37 | 7 | 4 | 27 | 19 | 14 | 24 31 | 7 | 5 |
| 51 17 | 28 | 20 | 18 | 26 28 | 7 | 6 | 28 | 20 | 17 | 26 24 | 8 | 6 | 28 | 20 | 16 | 26 20 | 8 | 6 |
| 55 38 | 29 | 21 | 19 | 28 14 | 9 | 7 | 29 | 21 | 18 | 28 12 | 9 | 7 | 29 | 21 | 18 | 28 10 | 9 | 7 |
| Houses | 4 | 5 | 6 | 7 | 8 | 9 | 4 | 5 | 6 | 7 | 8 | 9 | 4 | 5 | 6 | 7 | 8 | 9 |

Latitude 37° S.     Latitude 38° S.     Latitude 39° S.

# SIMPLIFIED SCIENTIFIC TABLES OF HOUSES

### Latitude 37° N.   Latitude 38° N.   Latitude 39° N.

| Sider'l Time | 10 ♑ | 11 ♑ | 12 ≈ | Asc ♈ | 2 ♉ | 3 Ⅱ | 10 ♑ | 11 ♑ | 12 ≈ | Asc ♈ | 2 ♉ | 3 Ⅱ | 10 ♑ | 11 ♑ | 12 ≈ | Asc ♈ | 2 ♉ | 3 Ⅱ |
|---|---|---|---|---|---|---|---|---|---|---|---|---|---|---|---|---|---|---|
| H M S |  |  |  |  |  |  |  |  |  |  |  |  |  |  |  |  |  |  |
| 18 0 0 | 0 | 22 | 20 | 0 0 | 10 | 8 | 0 | 22 | 19 | 0 0 | 10 | 8 | 0 | 22 | 19 | 0 0 | 11 | 8 |
| 4 22 | 1 | 23 | 21 | 1 46 | 11 | 9 | 1 | 23 | 20 | 1 48 | 11 | 9 | 1 | 23 | 20 | 1 50 | 12 | 9 |
| 8 43 | 2 | 24 | 23 | 3 32 | 12 | 10 | 2 | 24 | 21 | 3 36 | 12 | 10 | 2 | 24 | 21 | 3 40 | 13 | 10 |
| 18 13 5 | 3 | 26 | 24 | 5 17 | 14 | 11 | 3 | 25 | 23 | 5 23 | 14 | 11 | 3 | 25 | 23 | 5 29 | 14 | 11 |
| 17 26 | 4 | 27 | 25 | 7 3 | 15 | 12 | 4 | 27 | 25 | 7 11 | 15 | 12 | 4 | 26 | 25 | 7 19 | 16 | 12 |
| 21 48 | 5 | 28 | 27 | 8 48 | 17 | 13 | 5 | 28 | 26 | 8 58 | 17 | 13 | 5 | 27 | 26 | 9 8 | 18 | 13 |
| 18 26 9 | 6 | 29 | 29 | 10 33 | 18 | 14 | 6 | 29 | 28 | 10 44 | 18 | 14 | 6 | 28 | 28 | 10 56 | 19 | 14 |
| 30 30 | 7 | ≈ | ♓ | 12 17 | 20 | 15 | 7 | ≈ | 29 | 12 30 | 19 | 15 | 7 | 29 | 29 | 12 44 | 21 | 15 |
| 34 51 | 8 | 1 | 1 | 14 0 | 21 | 16 | 8 | 1 | ♓ | 14 16 | 21 | 16 | 8 | ≈ | ♓ | 14 32 | 22 | 16 |
| 18 39 11 | 9 | 2 | 2 | 15 44 | 22 | 17 | 9 | 2 | 1 | 16 0 | 22 | 17 | 9 | 1 | 1 | 16 18 | 23 | 17 |
| 43 31 | 10 | 3 | 4 | 17 26 | 23 | 18 | 10 | 3 | 3 | 17 45 | 23 | 18 | 10 | 3 | 3 | 18 4 | 24 | 19 |
| 47 51 | 11 | 4 | 5 | 19 8 | 24 | 19 | 11 | 4 | 4 | 19 28 | 24 | 19 | 11 | 4 | 4 | 19 49 | 25 | 20 |
| 18 52 11 | 12 | 5 | 6 | 20 49 | 26 | 20 | 12 | 5 | 5 | 21 10 | 26 | 20 | 12 | 5 | 6 | 21 33 | 26 | 21 |
| 56 31 | 13 | 7 | 8 | 22 29 | 27 | 21 | 13 | 6 | 7 | 22 52 | 27 | 21 | 13 | 6 | 8 | 23 16 | 28 | 22 |
| 19 0 50 | 14 | 8 | 9 | 24 8 | 28 | 22 | 14 | 7 | 9 | 24 33 | 28 | 22 | 14 | 7 | 9 | 24 59 | 29 | 23 |
| 19 5 8 | 15 | 9 | 11 | 25 46 | 29 | 23 | 15 | 9 | 11 | 26 12 | 29 | 23 | 15 | 9 | 11 | 26 40 | Ⅱ | 24 |
| 9 26 | 16 | 10 | 12 | 27 23 | Ⅱ | 24 | 16 | 10 | 12 | 27 51 | Ⅱ | 24 | 16 | 10 | 12 | 28 20 | 1 | 25 |
| 13 44 | 17 | 11 | 14 | 29 0 | 1 | 25 | 17 | 11 | 14 | 29 28 | 1 | 25 | 17 | 11 | 14 | 29 59 | 3 | 26 |
| 19 18 1 | 18 | 12 | 16 | 0 ♉ 35 | 3 | 26 | 18 | 13 | 16 | 1 ♉ 5 | 3 | 26 | 18 | 12 | 16 | 1 ♉ 37 | 4 | 27 |
| 22 18 | 19 | 14 | 17 | 2 9 | 4 | 27 | 19 | 14 | 17 | 2 40 | 4 | 27 | 19 | 14 | 17 | 3 13 | 5 | 28 |
| 26 34 | 20 | 15 | 18 | 3 43 | 5 | 28 | 20 | 15 | 18 | 4 15 | 5 | 28 | 20 | 15 | 18 | 4 49 | 6 | 29 |
| 19 30 50 | 21 | 16 | 19 | 5 15 | 6 | 29 | 21 | 16 | 20 | 5 48 | 6 | 29 | 21 | 16 | 20 | 6 23 | 7 | ♋ |
| 35 5 | 22 | 17 | 21 | 6 45 | 7 | ♋ | 22 | 18 | 21 | 7 20 | 7 | ♋ | 22 | 17 | 21 | 7 56 | 8 | 1 |
| 39 20 | 23 | 18 | 23 | 8 15 | 8 | 1 | 23 | 19 | 23 | 8 50 | 8 | 1 | 23 | 18 | 23 | 9 27 | 9 | 2 |
| 19 43 34 | 24 | 20 | 24 | 9 44 | 9 | 2 | 24 | 20 | 25 | 10 20 | 10 | 2 | 24 | 19 | 25 | 10 58 | 10 | 3 |
| 47 47 | 25 | 21 | 26 | 11 11 | 10 | 3 | 25 | 21 | 26 | 11 48 | 11 | 3 | 25 | 20 | 26 | 12 27 | 11 | 4 |
| 52 0 | 26 | 22 | 28 | 12 38 | 11 | 4 | 26 | 22 | 28 | 13 15 | 13 | 4 | 26 | 21 | 28 | 13 55 | 13 | 5 |
| 19 56 12 | 27 | 23 | 29 | 14 13 | 12 | 5 | 27 | 23 | ♈ | 14 41 | 14 | 5 | 27 | 22 | ♈ | 15 21 | 14 | 6 |
| 20 0 24 | 28 | 24 | ♈ | 15 27 | 14 | 6 | 28 | 25 | 1 | 16 5 | 15 | 7 | 28 | 24 | 1 | 16 46 | 16 | 7 |
| 4 35 | 29 | 26 | 1 | 16 49 | 15 | 7 | 29 | 26 | 2 | 17 29 | 16 | 8 | 29 | 25 | 2 | 18 10 | 17 | 8 |
| Houses | 4 | 5 | 6 | 7 | 8 | 9 | 4 | 5 | 6 | 7 | 8 | 9 | 4 | 5 | 6 | 7 | 8 | 9 |

### Latitude 37° S.   Latitude 38° S.   Latitude 39° S.

# SIMPLIFIED SCIENTIFIC TABLES OF HOUSES

Latitude 37° N.  Latitude 38° N.  Latitude 39° N.

| Sider'l Time (H M S) | 10 ♒ | 11 ♒ | 12 ♈ | Asc ♉ | ′ | 2 ♊ | 3 ♋ | 10 ♒ | 11 ♒ | 12 ♈ | Asc ♉ | ′ | 2 ♊ | 3 ♋ | 10 ♒ | 11 ♒ | 12 ♈ | Asc ♉ | ′ | 2 ♊ | 3 ♋ |
|---|---|---|---|---|---|---|---|---|---|---|---|---|---|---|---|---|---|---|---|---|---|
| 20 8 45 | 0 | 27 | 3 | 18 | 11 | 16 | 8 | 0 | 27 | 3 | 18 | 51 | 16 | 8 | 0 | 26 | 3 | 19 | 33 | 17 | 8 |
| 12 54 | 1 | 28 | 4 | 19 | 32 | 17 | 9 | 1 | 28 | 4 | 20 | 12 | 17 | 9 | 1 | 27 | 4 | 20 | 55 | 18 | 9 |
| 17 3 | 2 | 29 | 5 | 20 | 51 | 18 | 10 | 2 | 29 | 5 | 21 | 32 | 18 | 10 | 2 | 28 | 5 | 22 | 15 | 19 | 10 |
| 20 21 11 | 3 | ♓ | 6 | 22 | 9 | 19 | 11 | 3 | ♓ | 6 | 22 | 50 | 19 | 11 | 3 | ♓ | 6 | 23 | 34 | 20 | 11 |
| 25 19 | 4 | 1 | 8 | 23 | 26 | 20 | 11 | 4 | 1 | 8 | 24 | 8 | 20 | 12 | 4 | 1 | 8 | 24 | 52 | 21 | 12 |
| 29 26 | 5 | 3 | 10 | 24 | 43 | 21 | 12 | 5 | 3 | 10 | 25 | 25 | 21 | 13 | 5 | 2 | 10 | 26 | 9 | 22 | 13 |
| 20 33 31 | 6 | 4 | 11 | 25 | 58 | 22 | 13 | 6 | 4 | 11 | 26 | 40 | 22 | 14 | 6 | 3 | 11 | 27 | 25 | 23 | 14 |
| 37 37 | 7 | 6 | 12 | 27 | 12 | 23 | 14 | 7 | 5 | 12 | 27 | 55 | 23 | 15 | 7 | 4 | 12 | 28 | 39 | 24 | 15 |
| 41 41 | 8 | 7 | 14 | 28 | 25 | 24 | 15 | 8 | 6 | 13 | 29 | 8 | 24 | 16 | 8 | 5 | 14 | 29 | 53 | 25 | 16 |
| 20 45 45 | 9 | 8 | 15 | 29 | 37 | 25 | 16 | 9 | 7 | 15 | ♊0 | 20 | 25 | 17 | 9 | 6 | 16 | ♊1 | 5 | 26 | 17 |
| 49 48 | 10 | 9 | 17 | ♊0 | 49 | 25 | 17 | 10 | 9 | 17 | 1 | 32 | 26 | 17 | 10 | 8 | 18 | 2 | 17 | 26 | 18 |
| 53 51 | 11 | 10 | 19 | 1 | 59 | 26 | 18 | 11 | 10 | 18 | 2 | 43 | 27 | 18 | 11 | 9 | 19 | 3 | 28 | 27 | 19 |
| 20 57 52 | 12 | 12 | 20 | 3 | 8 | 27 | 19 | 12 | 11 | 19 | 3 | 52 | 28 | 19 | 12 | 10 | 20 | 4 | 37 | 28 | 20 |
| 21 1 53 | 13 | 13 | 21 | 4 | 16 | 28 | 20 | 13 | 13 | 21 | 5 | 0 | 29 | 20 | 13 | 12 | 22 | 5 | 45 | 29 | 21 |
| 5 53 | 14 | 14 | 23 | 5 | 24 | 29 | 21 | 14 | 14 | 22 | 6 | 8 | ♋ | 21 | 14 | 14 | 23 | 6 | 53 | ♋ | 22 |
| 21 9 53 | 15 | 15 | 24 | 6 | 31 | ♋ | 22 | 15 | 15 | 24 | 7 | 14 | 0 | 22 | 15 | 15 | 24 | 8 | 0 | 1 | 22 |
| 13 52 | 16 | 16 | 26 | 7 | 37 | 1 | 23 | 16 | 16 | 26 | 8 | 20 | 1 | 23 | 16 | 16 | 25 | 9 | 5 | 2 | 23 |
| 17 50 | 17 | 17 | 27 | 8 | 41 | 2 | 24 | 17 | 17 | 28 | 9 | 25 | 2 | 24 | 17 | 17 | 27 | 10 | 10 | 3 | 24 |
| 21 21 47 | 18 | 19 | 28 | 9 | 45 | 3 | 25 | 18 | 18 | 29 | 10 | 29 | 3 | 25 | 18 | 18 | 29 | 11 | 14 | 4 | 25 |
| 25 44 | 19 | 20 | 29 | 10 | 49 | 4 | 26 | 19 | 20 | ♉ | 11 | 32 | 4 | 26 | 19 | 20 | ♉ | 12 | 17 | 5 | 26 |
| 29 40 | 20 | 21 | ♉ | 11 | 51 | 5 | 26 | 20 | 21 | ♉ | 12 | 35 | 5 | 26 | 20 | 21 | ♉ | 13 | 20 | 5 | 26 |
| 21 33 35 | 21 | 22 | 1 | 12 | 53 | 6 | 27 | 21 | 22 | 2 | 13 | 37 | 6 | 27 | 21 | 22 | 2 | 14 | 22 | 6 | 27 |
| 37 29 | 22 | 24 | 3 | 13 | 55 | 7 | 28 | 22 | 23 | 3 | 14 | 38 | 7 | 28 | 22 | 23 | 3 | 15 | 23 | 7 | 28 |
| 41 23 | 23 | 25 | 4 | 14 | 55 | 8 | 29 | 23 | 24 | 4 | 15 | 38 | 8 | 29 | 23 | 24 | 4 | 16 | 23 | 8 | 29 |
| 21 45 16 | 24 | 26 | 6 | 15 | 54 | 9 | ♌ | 24 | 25 | 6 | 16 | 38 | 9 | ♌ | 24 | 26 | 6 | 17 | 22 | 9 | ♌ |
| 49 9 | 25 | 27 | 7 | 16 | 54 | 9 | 0 | 25 | 27 | 7 | 17 | 37 | 9 | 1 | 25 | 27 | 7 | 18 | 21 | 10 | 1 |
| 53 1 | 26 | 29 | 8 | 17 | 52 | 10 | 1 | 26 | 29 | 8 | 18 | 35 | 10 | 2 | 26 | 28 | 8 | 19 | 19 | 11 | 2 |
| 21 56 52 | 27 | ♈ | 9 | 18 | 50 | 11 | 2 | 27 | ♈ | 9 | 19 | 32 | 11 | 3 | 27 | ♈ | 9 | 20 | 16 | 12 | 3 |
| 22 0 43 | 28 | 1 | 11 | 19 | 47 | 12 | 3 | 28 | 1 | 11 | 20 | 29 | 12 | 4 | 28 | 1 | 11 | 21 | 13 | 13 | 4 |
| 4 33 | 29 | 2 | 12 | 20 | 44 | 12 | 4 | 29 | 2 | 12 | 21 | 26 | 13 | 4 | 29 | 2 | 12 | 22 | 10 | 13 | 4 |
| Houses | 4 | 5 | 6 | 7 | | 8 | 9 | 4 | 5 | 6 | 7 | | 8 | 9 | 4 | 5 | 6 | 7 | | 8 | 9 |

Latitude 37° S.  Latitude 38° S.  Latitude 39° S.

# SIMPLIFIED SCIENTIFIC TABLES OF HOUSES

### Latitude 37° N.  Latitude 38° N.  Latitude 39° N.

| Sider'l Time | 10 ♓ | 11 ♈ | 12 ♉ | Asc. Ⅱ | 2 ♋ | 3 ♌ | 10 ♓ | 11 ♈ | 12 ♉ | Asc. Ⅱ | 2 ♋ | 3 ♌ | 10 ♓ | 11 ♈ | 12 ♉ | Asc. Ⅱ | 2 ♋ | 3 ♌ |
|---|---|---|---|---|---|---|---|---|---|---|---|---|---|---|---|---|---|---|
| H M S | ° | ° | ° | ° ′ | ° | ° | ° | ° | ° | ° ′ | ° | ° | ° | ° | ° | ° ′ | ° | ° |
| 22 8 23 | 0 | 3 | 13 | 21 40 | 13 | 5 | 0 | 3 | 13 | 22 22 | 14 | 5 | 0 | 3 | 13 | 23 6 | 14 | 5 |
| 12 12 | 1 | 4 | 14 | 22 35 | 14 | 6 | 1 | 4 | 14 | 23 17 | 15 | 6 | 1 | 4 | 14 | 24 1 | 15 | 6 |
| 16 0 | 2 | 5 | 15 | 23 30 | 15 | 7 | 2 | 5 | 15 | 24 12 | 16 | 7 | 2 | 5 | 15 | 24 55 | 16 | 7 |
| 22 19 48 | 3 | 6 | 16 | 24 25 | 16 | 8 | 3 | 6 | 16 | 25 6 | 17 | 8 | 3 | 6 | 16 | 25 49 | 17 | 8 |
| 23 35 | 4 | 7 | 17 | 25 19 | 17 | 9 | 4 | 7 | 17 | 26 0 | 18 | 9 | 4 | 7 | 17 | 26 43 | 18 | 9 |
| 27 22 | 5 | 8 | 18 | 26 13 | 17 | 9 | 5 | 8 | 19 | 26 54 | 18 | 9 | 5 | 8 | 19 | 27 36 | 18 | 9 |
| 22 31 8 | 6 | 9 | 19 | 27 6 | 18 | 10 | 6 | 9 | 20 | 27 47 | 19 | 10 | 6 | 9 | 20 | 28 29 | 19 | 10 |
| 34 54 | 7 | 10 | 20 | 27 59 | 19 | 11 | 7 | 10 | 21 | 28 39 | 20 | 11 | 7 | 10 | 21 | 29 21 | 20 | 11 |
| 38 40 | 8 | 11 | 21 | 28 51 | 20 | 12 | 8 | 11 | 22 | 29 31 | 21 | 12 | 8 | 11 | 23 | 0♋13 | 21 | 12 |
| 22 42 25 | 9 | 13 | 22 | 29 43 | 21 | 13 | 9 | 12 | 23 | 0♋23 | 22 | 13 | 9 | 13 | 24 | 1 4 | 22 | 13 |
| 46 9 | 10 | 14 | 24 | 0♋34 | 21 | 13 | 10 | 14 | 24 | 1 14 | 22 | 14 | 10 | 14 | 25 | 1 55 | 22 | 14 |
| 49 53 | 11 | 15 | 25 | 1 25 | 22 | 14 | 11 | 15 | 25 | 2 5 | 23 | 15 | 11 | 15 | 26 | 2 46 | 23 | 15 |
| 22 53 37 | 12 | 16 | 26 | 2 16 | 23 | 15 | 12 | 16 | 26 | 2 56 | 24 | 16 | 12 | 16 | 27 | 3 36 | 24 | 16 |
| 57 20 | 13 | 18 | 27 | 3 6 | 24 | 16 | 13 | 17 | 27 | 3 45 | 25 | 17 | 13 | 17 | 28 | 4 26 | 25 | 17 |
| 23 1 3 | 14 | 19 | 28 | 3 57 | 25 | 17 | 14 | 18 | 28 | 4 36 | 26 | 18 | 14 | 19 | 29 | 5 16 | 26 | 18 |
| 23 4 46 | 15 | 20 | 29 | 4 46 | 25 | 18 | 15 | 18 | 29 | 5 25 | 26 | 18 | 15 | 20 | 29 | 6 5 | 26 | 18 |
| 8 28 | 16 | 21 | Ⅱ | 5 36 | 26 | 19 | 16 | 19 | Ⅱ | 6 14 | 27 | 19 | 16 | 21 | Ⅱ | 6 54 | 27 | 19 |
| 12 10 | 17 | 22 | 1 | 6 25 | 27 | 20 | 17 | 20 | 1 | 7 3 | 28 | 20 | 17 | 22 | 1 | 7 42 | 28 | 20 |
| 23 15 52 | 18 | 23 | 2 | 7 13 | 28 | 21 | 18 | 22 | 2 | 7 51 | 28 | 21 | 18 | 23 | 3 | 8 30 | 29 | 21 |
| 19 34 | 19 | 24 | 3 | 8 2 | 29 | 22 | 19 | 24 | 3 | 8 40 | 29 | 22 | 19 | 24 | 4 | 9 18 | ♌ | 22 |
| 23 15 | 20 | 25 | 4 | 8 50 | 29 | 22 | 20 | 25 | 4 | 9 28 | 29 | 22 | 20 | 25 | 5 | 10 6 | 0 | 22 |
| 23 26 56 | 21 | 26 | 5 | 9 39 | ♌ | 23 | 21 | 26 | 5 | 10 15 | ♌ | 23 | 21 | 26 | 6 | 10 53 | 1 | 23 |
| 30 37 | 22 | 27 | 6 | 10 26 | 1 | 24 | 22 | 27 | 6 | 11 3 | 1 | 24 | 22 | 27 | 7 | 11 41 | 2 | 24 |
| 34 18 | 23 | 28 | 7 | 11 13 | 2 | 25 | 23 | 28 | 7 | 11 50 | 2 | 25 | 23 | 29 | 8 | 12 28 | 3 | 25 |
| 23 37 58 | 24 | 29 | 8 | 12 1 | 3 | 26 | 24 | 29 | 8 | 12 37 | 3 | 26 | 24 | ♉ | 9 | 13 14 | 4 | 26 |
| 41 39 | 25 | ♉ | 9 | 12 48 | 3 | 26 | 25 | ♉ | 9 | 13 24 | 4 | 27 | 25 | 1 | 10 | 14 1 | 4 | 27 |
| 45 19 | 26 | 1 | 10 | 13 35 | 4 | 27 | 26 | 1 | 10 | 14 11 | 5 | 28 | 26 | 2 | 11 | 14 48 | 5 | 28 |
| 23 49 0 | 27 | 2 | 11 | 14 22 | 5 | 28 | 27 | 2 | 11 | 14 58 | 6 | 29 | 27 | 3 | 12 | 15 34 | 6 | 29 |
| 52 40 | 28 | 3 | 12 | 15 9 | 6 | 29 | 28 | 4 | 12 | 15 44 | 7 | ♍ | 28 | 4 | 13 | 16 20 | 7 | ♍ |
| 56 20 | 29 | 5 | 13 | 15 55 | 7 | 29 | 29 | 5 | 13 | 16 30 | 7 | 0 | 29 | 5 | 13 | 17 6 | 7 | 0 |
| Houses | 4 | 5 | 6 | 7 | 8 | 9 | 4 | 5 | 6 | 7 | 8 | 9 | 4 | 5 | 6 | 7 | 8 | 9 |

### Latitude 37° S.  Latitude 38° S.  Latitude 39° S.

# SIMPLIFIED SCIENTIFIC TABLES OF HOUSES

Latitude 40° N.        Latitude 41° N.        Latitude 42° N.

| Sider'l Time H M S | 10 ♈ ° | 11 ♉ ° | 12 ♊ ° | Asc. ♋ ′ | 2 ♌ ° | 3 ♍ ° | 10 ♈ ° | 11 ♉ ° | 12 ♊ ° | Asc. ♋ ′ | 2 ♌ ° | 3 ♍ ° | 10 ♈ ° | 11 ♉ ° | 12 ♊ ° | Asc. ♋ ′ | 2 ♌ ° | 3 ♍ ° |
|---|---|---|---|---|---|---|---|---|---|---|---|---|---|---|---|---|---|---|
| 0 0 0 | 0 | 6 | 15 | 18 28 | 8 | 1 | 0 | 6 | 15 | 19 5 | 9 | 1 | 0 | 7 | 16 | 19 43 | 9 | 1 |
| 3 40 | 1 | 7 | 16 | 19 13 | 9 | 2 | 1 | 7 | 16 | 19 50 | 10 | 2 | 1 | 8 | 17 | 20 28 | 10 | 2 |
| 7 20 | 2 | 8 | 17 | 19 59 | 10 | 3 | 2 | 8 | 17 | 20 35 | 11 | 3 | 2 | 9 | 18 | 21 12 | 11 | 3 |
| 0 11 0 | 3 | 9 | 18 | 20 44 | 11 | 4 | 3 | 9 | 18 | 21 20 | 12 | 4 | 3 | 10 | 19 | 21 56 | 12 | 4 |
| 14 41 | 4 | 10 | 19 | 21 29 | 12 | 5 | 4 | 10 | 19 | 22 40 | 12 | 5 | 4 | 11 | 20 | 22 41 | 13 | 5 |
| 18 21 | 5 | 11 | 19 | 22 14 | 12 | 5 | 5 | 12 | 20 | 22 49 | 12 | 6 | 5 | 12 | 20 | 23 25 | 13 | 6 |
| 0 22 2 | 6 | 12 | 20 | 22 58 | 13 | 6 | 6 | 13 | 21 | 23 33 | 13 | 7 | 6 | 13 | 21 | 24 9 | 14 | 7 |
| 25 42 | 7 | 13 | 21 | 23 43 | 14 | 7 | 7 | 14 | 22 | 24 18 | 14 | 8 | 7 | 14 | 22 | 24 53 | 15 | 8 |
| 29 23 | 8 | 14 | 22 | 24 28 | 15 | 8 | 8 | 15 | 23 | 25 2 | 15 | 9 | 8 | 15 | 23 | 25 37 | 16 | 9 |
| 0 33 4 | 9 | 16 | 23 | 25 13 | 16 | 9 | 9 | 16 | 24 | 25 47 | 16 | 10 | 9 | 16 | 24 | 26 21 | 17 | 10 |
| 36 45 | 10 | 17 | 24 | 25 57 | 16 | 10 | 10 | 17 | 24 | 26 31 | 16 | 10 | 10 | 17 | 25 | 27 5 | 17 | 10 |
| 40 26 | 11 | 18 | 25 | 26 42 | 17 | 11 | 11 | 18 | 25 | 27 15 | 17 | 11 | 11 | 18 | 26 | 27 49 | 18 | 11 |
| 0 44 8 | 12 | 19 | 26 | 27 26 | 18 | 12 | 12 | 19 | 26 | 27 59 | 18 | 12 | 12 | 19 | 27 | 28 33 | 19 | 12 |
| 47 50 | 13 | 20 | 27 | 28 11 | 19 | 13 | 13 | 20 | 27 | 28 43 | 19 | 13 | 13 | 20 | 28 | 29 17 | 20 | 13 |
| 51 32 | 14 | 21 | 28 | 28 55 | 20 | 14 | 14 | 21 | 28 | 29 27 | 20 | 14 | 14 | 21 | 29 | 0 ♌ 0 | 20 | 14 |
| 0 55 14 | 15 | 22 | 28 | 29 39 | 20 | 14 | 15 | 22 | 29 | 0 ♌ 11 | 20 | 14 | 15 | 22 | 29 | 0 44 | 20 | 14 |
| 58 57 | 16 | 23 | 29 | 0 ♌ 24 | 21 | 15 | 16 | 23 | 29 | 0 55 | 21 | 15 | 16 | 23 | ♋ 1 | 28 | 21 | 15 |
| 1 2 40 | 17 | 24 | ♋ 1 | 8 | 22 | 16 | 17 | 24 | ♋ 1 | 40 | 22 | 16 | 17 | 24 | 1 | 2 | 11 | 22 | 16 |
| 1 6 23 | 18 | 25 | 0 | 1 53 | 23 | 17 | 18 | 25 | 1 | 2 24 | 23 | 17 | 18 | 25 | 2 | 2 55 | 23 | 17 |
| 10 7 | 19 | 26 | 1 | 2 37 | 24 | 18 | 19 | 26 | 2 | 3 8 | 24 | 18 | 19 | 26 | 3 | 3 39 | 24 | 18 |
| 13 51 | 20 | 26 | 2 | 3 22 | 24 | 19 | 20 | 27 | 3 | 3 52 | 24 | 19 | 20 | 27 | 3 | 4 22 | 24 | 19 |
| 1 17 35 | 21 | 27 | 3 | 4 6 | 25 | 20 | 21 | 28 | 4 | 4 36 | 25 | 20 | 21 | 28 | 4 | 5 7 | 25 | 20 |
| 21 20 | 22 | 28 | 4 | 4 51 | 26 | 21 | 22 | 29 | 5 | 5 20 | 26 | 21 | 22 | 29 | 5 | 5 50 | 26 | 21 |
| 25 6 | 23 | 29 | 5 | 5 35 | 27 | 22 | 23 | ♋ | 6 | 6 5 | 27 | 22 | 23 | ♋ | 6 | 6 34 | 27 | 22 |
| 1 28 52 | 24 | ♋ | 6 | 6 20 | 28 | 23 | 24 | 1 | 7 | 6 49 | 28 | 23 | 24 | 1 | 7 | 7 18 | 28 | 23 |
| 32 38 | 25 | 1 | 7 | 7 5 | 28 | 23 | 25 | 2 | 7 | 7 33 | 28 | 23 | 25 | 2 | 8 | 8 2 | 28 | 23 |
| 36 25 | 26 | 2 | 8 | 7 49 | 29 | 24 | 26 | 3 | 8 | 8 18 | 29 | 24 | 26 | 3 | 9 | 8 46 | 29 | 24 |
| 1 40 12 | 27 | 3 | 9 | 8 34 | ♍ | 25 | 27 | 4 | 9 | 9 2 | ♍ | 25 | 27 | 4 | 10 | 9 30 | ♍ | 25 |
| 44 0 | 28 | 4 | 10 | 9 19 | 0 | 26 | 28 | 5 | 10 | 9 47 | 0 | 26 | 28 | 5 | 11 | 10 14 | 0 | 26 |
| 47 48 | 29 | 5 | 10 | 10 4 | 1 | 27 | 29 | 5 | 10 | 10 31 | 1 | 27 | 29 | 6 | 11 | 10 59 | 1 | 28 |

| Houses | 4 | 5 | 6 | 7 | 8 | 9 | 4 | 5 | 6 | 7 | 8 | 9 | 4 | 5 | 6 | 7 | 8 | 9 |

Latitude 40° S.        Latitude 41° S.        Latitude 42° S.

# SIMPLIFIED SCIENTIFIC TABLES OF HOUSES

|  | Latitude 40° N. | | | | | | Latitude 41° N. | | | | | | Latitude 42° N. | | | | | |
|---|---|---|---|---|---|---|---|---|---|---|---|---|---|---|---|---|---|---|
| Sider'l Time | 10 ♉ | 11 ♊ | 12 ♋ | Asc. ♌ | | 2 ♍ | 3 ♍ | 10 ♉ | 11 ♊ | 12 ♋ | Asc. ♌ | | 2 ♍ | 3 ♍ | 10 ♉ | 11 ♊ | 12 ♋ | Asc. ♌ | | 2 ♍ | 3 ♍ |
| H M S | ° | ° | ° | ° | ′ | ° | ° | ° | ° | ° | ° | ′ | ° | ° | ° | ° | ° | ° | ′ | ° | ° |
| 1 51 37 | 0 | 6 | 11 | 10 | 49 | 2 | 28 | 0 | 6 | 11 | 11 | 16 | 2 | 28 | 0 | 7 | 12 | 11 | 43 | 2 | 28 |
| 55 27 | 1 | 7 | 12 | 11 | 34 | 3 | 29 | 1 | 7 | 12 | 12 | 1 | 3 | 29 | 1 | 8 | 13 | 12 | 27 | 3 | 29 |
| 59 17 | 2 | 8 | 13 | 12 | 20 | 4 | ♎ | 2 | 8 | 13 | 12 | 46 | 4 | ♎ | 2 | 9 | 14 | 13 | 12 | 4 | ♎ |
| 2 3 8 | 3 | 9 | 14 | 13 | 5 | 5 | 1 | 3 | 9 | 14 | 13 | 31 | 5 | 1 | 3 | 10 | 15 | 13 | 57 | 5 | 1 |
| 6 59 | 4 | 10 | 15 | 13 | 51 | 6 | 2 | 4 | 10 | 15 | 14 | 16 | 6 | 2 | 4 | 11 | 16 | 14 | 41 | 6 | 2 |
| 10 51 | 5 | 11 | 15 | 14 | 36 | 6 | 3 | 5 | 11 | 15 | 15 | 1 | 6 | 3 | 5 | 11 | 16 | 15 | 26 | 7 | 3 |
| 2 14 44 | 6 | 12 | 16 | 15 | 22 | 7 | 4 | 6 | 12 | 16 | 15 | 46 | 7 | 4 | 6 | 12 | 17 | 16 | 11 | 8 | 4 |
| 18 37 | 7 | 13 | 17 | 16 | 8 | 8 | 5 | 7 | 13 | 17 | 16 | 32 | 8 | 5 | 7 | 13 | 18 | 16 | 56 | 9 | 5 |
| 22 31 | 8 | 14 | 18 | 16 | 54 | 9 | 6 | 8 | 14 | 18 | 17 | 17 | 9 | 6 | 8 | 14 | 19 | 17 | 41 | 10 | 6 |
| 2 26 25 | 9 | 15 | 19 | 17 | 40 | 10 | 7 | 9 | 15 | 19 | 18 | 3 | 10 | 7 | 9 | 15 | 20 | 18 | 26 | 11 | 7 |
| 30 20 | 10 | 16 | 19 | 18 | 26 | 10 | 7 | 10 | 16 | 20 | 18 | 49 | 10 | 7 | 10 | 16 | 20 | 19 | 12 | 11 | 7 |
| 34 16 | 11 | 17 | 20 | 19 | 12 | 11 | 8 | 11 | 17 | 21 | 19 | 35 | 11 | 8 | 11 | 17 | 21 | 19 | 58 | 12 | 8 |
| 2 38 13 | 12 | 18 | 21 | 19 | 59 | 12 | 9 | 12 | 18 | 22 | 20 | 21 | 12 | 9 | 12 | 18 | 22 | 20 | 43 | 13 | 9 |
| 42 10 | 13 | 19 | 22 | 20 | 45 | 13 | 10 | 13 | 19 | 23 | 21 | 7 | 13 | 10 | 13 | 19 | 23 | 21 | 29 | 14 | 10 |
| 46 8 | 14 | 20 | 23 | 21 | 33 | 14 | 11 | 14 | 20 | 24 | 21 | 54 | 14 | 11 | 14 | 20 | 24 | 22 | 15 | 15 | 11 |
| 2 50 7 | 15 | 20 | 23 | 22 | 20 | 15 | 12 | 15 | 21 | 24 | 22 | 40 | 15 | 12 | 15 | 21 | 24 | 23 | 1 | 15 | 12 |
| 54 7 | 16 | 21 | 24 | 23 | 7 | 16 | 13 | 16 | 22 | 25 | 23 | 27 | 16 | 12 | 16 | 21 | 25 | 23 | 48 | 16 | 13 |
| 58 7 | 17 | 22 | 25 | 23 | 54 | 17 | 14 | 17 | 23 | 26 | 24 | 14 | 17 | 13 | 17 | 22 | 26 | 24 | 34 | 17 | 14 |
| 3 2 8 | 18 | 23 | 26 | 24 | 41 | 18 | 15 | 18 | 24 | 27 | 25 | 1 | 18 | 14 | 18 | 23 | 27 | 25 | 21 | 18 | 15 |
| 6 9 | 19 | 24 | 27 | 25 | 29 | 19 | 16 | 19 | 25 | 28 | 25 | 48 | 19 | 15 | 19 | 24 | 28 | 26 | 7 | 19 | 16 |
| 10 12 | 20 | 25 | 28 | 26 | 16 | 19 | 17 | 20 | 25 | 28 | 26 | 35 | 19 | 17 | 20 | 26 | 28 | 26 | 54 | 19 | 17 |
| 3 14 15 | 21 | 26 | 29 | 27 | 4 | 20 | 18 | 21 | 26 | 29 | 27 | 23 | 20 | 18 | 21 | 27 | 29 | 27 | 41 | 20 | 18 |
| 18 19 | 22 | 27 | ♌ | 27 | 52 | 21 | 19 | 22 | 27 | ♌ | 28 | 10 | 21 | 19 | 22 | 28 | ♌ | 28 | 28 | 21 | 19 |
| 22 23 | 23 | 28 | 0 | 28 | 40 | 22 | 20 | 23 | 28 | 0 | 28 | 58 | 22 | 20 | 23 | 29 | 1 | 29 | 15 | 22 | 20 |
| 3 26 29 | 24 | 29 | 1 | 29 | 29 | 23 | 21 | 24 | 29 | 1 | 29 | 46 | 23 | 21 | 24 | ♋ | 2 | 0♍ | 3 | 23 | 21 |
| 30 35 | 25 | 29 | 2 | 0♍ | 17 | 23 | 22 | 25 | ♋ | 2 | 0♍ | 34 | 24 | 22 | 25 | 0 | 3 | 0 | 51 | 24 | 22 |
| 34 41 | 26 | ♋ | 3 | 1 | 6 | 24 | 23 | 26 | 1 | 3 | 1 | 22 | 25 | 23 | 26 | 1 | 4 | 1 | 38 | 25 | 23 |
| 3 38 49 | 27 | 1 | 4 | 1 | 55 | 25 | 24 | 27 | 2 | 4 | 2 | 11 | 26 | 24 | 27 | 2 | 5 | 2 | 26 | 26 | 24 |
| 42 57 | 28 | 2 | 5 | 2 | 44 | 26 | 25 | 28 | 3 | 5 | 2 | 59 | 27 | 25 | 28 | 3 | 6 | 3 | 15 | 27 | 25 |
| 47 6 | 29 | 3 | 5 | 3 | 33 | 27 | 26 | 29 | 4 | 6 | 3 | 48 | 27 | 26 | 29 | 4 | 6 | 4 | 3 | 27 | 26 |
| Houses | 4 | 5 | 6 | 7 | | 8 | 9 | 4 | 5 | 6 | 7 | | 8 | 9 | 4 | 5 | 6 | 7 | | 8 | 9 |

Latitude 40° S.    Latitude 41° S.    Latitude 42° S.

# SIMPLIFIED SCIENTIFIC TABLES OF HOUSES

Latitude 40° N.  Latitude 41° N.  Latitude 42° N

| Sider'l Time (H M S) | 10 Π | 11 ♋ | 12 ♌ | Asc. ♍ | 2 ♍ | 3 ♎ | 10 Π | 11 ♋ | 12 ♌ | Asc. ♍ | 2 ♍ | 3 ♎ | 10 Π | 11 ♋ | 12 ♌ | Asc. ♍ | 2 ♍ | 3 ♎ |
|---|---|---|---|---|---|---|---|---|---|---|---|---|---|---|---|---|---|---|
| 3 51 15 | 0 | 4 | 6 | 4 22 | 28 | 27 | 0 | 5 | 7 | 4 37 | 28 | 27 | 0 | 5 | 7 | 4 51 | 28 | 27 |
| 55 26 | 1 | 5 | 7 | 5 12 | 29 | 28 | 1 | 6 | 8 | 5 26 | 29 | 28 | 1 | 6 | 8 | 5 40 | 29 | 28 |
| 59 36 | 2 | 6 | 8 | 6 2 | ♎ | 29 | 2 | 7 | 9 | 6 15 | ♎ | 29 | 2 | 7 | 9 | 6 29 | ♎ | 29 |
| 4 3 48 | 3 | 7 | 9 | 6 51 | 1 | ♏ | 3 | 8 | 10 | 7 4 | 1 | ♏ | 3 | 8 | 10 | 7 18 | 1 | ♏ |
| 8 0 | 4 | 8 | 10 | 7 11 | 2 | 1 | 4 | 9 | 11 | 7 54 | 2 | 1 | 4 | 9 | 11 | 8 7 | 2 | 0 |
| 12 13 | 5 | 9 | 11 | 8 31 | 3 | 2 | 5 | 9 | 11 | 8 44 | 3 | 2 | 5 | 10 | 12 | 8 56 | 3 | 1 |
| 4 16 26 | 6 | 10 | 12 | 9 22 | 4 | 3 | 6 | 10 | 12 | 9 33 | 4 | 3 | 6 | 11 | 13 | 9 45 | 4 | 2 |
| 20 40 | 7 | 11 | 13 | 10 12 | 5 | 4 | 7 | 11 | 13 | 10 23 | 5 | 4 | 7 | 12 | 14 | 10 35 | 5 | 3 |
| 24 55 | 8 | 12 | 14 | 11 3 | 6 | 5 | 8 | 12 | 14 | 11 13 | 6 | 5 | 8 | 13 | 15 | 11 24 | 6 | 4 |
| 4 29 10 | 9 | 13 | 15 | 11 53 | 7 | 6 | 9 | 13 | 15 | 12 4 | 7 | 6 | 9 | 14 | 16 | 12 14 | 7 | 5 |
| 33 26 | 10 | 14 | 15 | 12 44 | 7 | 7 | 10 | 14 | 16 | 12 54 | 7 | 7 | 10 | 14 | 16 | 13 4 | 7 | 6 |
| 37 42 | 11 | 15 | 16 | 13 35 | 8 | 8 | 11 | 15 | 17 | 13 44 | 8 | 8 | 11 | 15 | 17 | 13 54 | 8 | 7 |
| 4 41 59 | 12 | 16 | 17 | 14 26 | 9 | 9 | 12 | 16 | 18 | 14 35 | 9 | 9 | 12 | 16 | 18 | 14 44 | 9 | 8 |
| 46 16 | 13 | 17 | 18 | 15 17 | 10 | 10 | 13 | 17 | 19 | 15 26 | 10 | 10 | 13 | 17 | 19 | 15 34 | 10 | 9 |
| 50 34 | 14 | 18 | 19 | 16 9 | 11 | 11 | 14 | 18 | 20 | 16 17 | 11 | 11 | 14 | 18 | 20 | 16 25 | 11 | 10 |
| 4 54 52 | 15 | 19 | 20 | 17 0 | 12 | 12 | 15 | 19 | 20 | 17 7 | 12 | 12 | 15 | 19 | 20 | 17 15 | 12 | 11 |
| 59 10 | 16 | 20 | 21 | 17 52 | 13 | 13 | 16 | 20 | 21 | 17 58 | 13 | 13 | 16 | 20 | 21 | 18 5 | 13 | 12 |
| 5 3 29 | 17 | 21 | 22 | 18 43 | 14 | 14 | 17 | 21 | 22 | 18 50 | 14 | 14 | 17 | 21 | 22 | 18 56 | 14 | 13 |
| 5 7 49 | 18 | 22 | 23 | 19 35 | 15 | 15 | 18 | 22 | 23 | 19 41 | 15 | 15 | 18 | 22 | 23 | 19 47 | 15 | 14 |
| 12 9 | 19 | 23 | 24 | 20 27 | 16 | 16 | 19 | 23 | 24 | 20 32 | 16 | 16 | 19 | 23 | 24 | 20 38 | 16 | 15 |
| 16 29 | 20 | 24 | 24 | 21 19 | 17 | 17 | 20 | 24 | 25 | 21 23 | 17 | 16 | 20 | 24 | 25 | 21 28 | 17 | 16 |
| 5 20 49 | 21 | 25 | 25 | 22 10 | 18 | 18 | 21 | 25 | 26 | 22 15 | 18 | 17 | 21 | 25 | 26 | 22 19 | 18 | 17 |
| 25 9 | 22 | 26 | 26 | 23 2 | 19 | 19 | 22 | 26 | 27 | 23 6 | 19 | 18 | 22 | 26 | 27 | 23 10 | 19 | 18 |
| 29 30 | 23 | 27 | 27 | 23 54 | 20 | 20 | 23 | 27 | 28 | 23 58 | 20 | 19 | 23 | 27 | 28 | 24 1 | 20 | 19 |
| 5 33 51 | 24 | 28 | 28 | 24 47 | 21 | 21 | 24 | 28 | 29 | 24 50 | 21 | 20 | 24 | 28 | 29 | 24 53 | 21 | 20 |
| 38 12 | 25 | 29 | 29 | 25 39 | 21 | 22 | 25 | 29 | 29 | 25 41 | 21 | 21 | 25 | 29 | 29 | 25 44 | 21 | 21 |
| 42 34 | 26 | ♌ | ♍ | 26 31 | 22 | 23 | 26 | ♌ | ♍ | 26 33 | 22 | 22 | 26 | ♌ | ♍ | 26 35 | 22 | 22 |
| 5 46 55 | 27 | 0 | 1 | 27 23 | 23 | 24 | 27 | 1 | 1 | 27 25 | 23 | 23 | 27 | 1 | 1 | 27 26 | 23 | 23 |
| 51 17 | 28 | 1 | 2 | 28 15 | 24 | 25 | 28 | 2 | 2 | 28 16 | 24 | 24 | 28 | 2 | 2 | 28 17 | 24 | 24 |
| 55 38 | 29 | 2 | 3 | 29 8 | 25 | 25 | 29 | 3 | 3 | 29 8 | 25 | 25 | 29 | 3 | 3 | 29 9 | 25 | 25 |
| Houses | 4 | 5 | 6 | 7 | 8 | 9 | 4 | 5 | 6 | 7 | 8 | 9 | 4 | 5 | 6 | 7 | 8 | 9 |

# SIMPLIFIED SCIENTIFIC TABLES OF HOUSES

| | Latitude 40° N. | | | | | | Latitude 41° N. | | | | | | Latitude 42° N. | | | | | |
|---|---|---|---|---|---|---|---|---|---|---|---|---|---|---|---|---|---|---|
| Sider'l Time | 10 ♋ | 11 ♌ | 12 ♍ | Asc. ♎ | 2 ♎ | 3 ♏ | 10 ♋ | 11 ♌ | 12 ♍ | Asc. ♎ | 2 ♎ | 3 ♏ | 10 ♋ | 11 ♌ | 12 ♍ | Asc. ♎ | 2 ♎ | 3 ♏ |
| H M S | ° | ° | ° | ° ' | ° | ° | ° | ° | ° | ° ' | ° | ° | ° | ° | ° | ° ' | ° | ° |
| 6 0 0 | 0 | 3 | 4 | 0 0 | 26 | 26 | 0 | 4 | 4 | 0 0 | 26 | 26 | 0 | 4 | 4 | 0 0 | 26 | 26 |
| 4 22 | 1 | 4 | 5 | 0 52 | 27 | 27 | 1 | 5 | 5 | 0 52 | 27 | 27 | 1 | 5 | 5 | 0 51 | 27 | 27 |
| 8 43 | 2 | 5 | 6 | 1 45 | 28 | 28 | 2 | 6 | 6 | 1 44 | 28 | 28 | 2 | 6 | 6 | 1 43 | 28 | 28 |
| 6 13 5 | 3 | 6 | 7 | 2 37 | 29 | 29 | 3 | 7 | 7 | 2 35 | 29 | 29 | 3 | 7 | 7 | 2 34 | 29 | 29 |
| 17 26 | 4 | 7 | 8 | 3 29 | ♏ | ♐ | 4 | 8 | 8 | 3 27 | ♏ | ♐ | 4 | 8 | 8 | 3 25 | ♏ | ♐ |
| 21 48 | 5 | 8 | 9 | 4 21 | 1 | 1 | 5 | 9 | 9 | 4 19 | 1 | 1 | 5 | 9 | 9 | 4 16 | 0 | 1 |
| 6 26 9 | 6 | 9 | 10 | 5 13 | 2 | 2 | 6 | 10 | 10 | 5 10 | 2 | 2 | 6 | 10 | 10 | 5 7 | 1 | 2 |
| 30 30 | 7 | 10 | 11 | 6 6 | 3 | 3 | 7 | 11 | 11 | 6 2 | 3 | 3 | 7 | 11 | 11 | 5 59 | 2 | 3 |
| 34 51 | 8 | 11 | 12 | 6 58 | 4 | 4 | 8 | 12 | 12 | 6 54 | 4 | 4 | 8 | 12 | 12 | 6 50 | 3 | 4 |
| 6 39 11 | 9 | 12 | 13 | 7 50 | 5 | 5 | 9 | 13 | 13 | 7 45 | 5 | 5 | 9 | 13 | 13 | 7 41 | 4 | 5 |
| 43 31 | 10 | 13 | 13 | 8 41 | 5 | 6 | 10 | 13 | 13 | 8 37 | 5 | 6 | 10 | 14 | 13 | 8 32 | 5 | 6 |
| 47 51 | 11 | 14 | 14 | 9 33 | 6 | 7 | 11 | 14 | 14 | 9 28 | 6 | 7 | 11 | 15 | 14 | 9 22 | 6 | 7 |
| 6 52 11 | 12 | 15 | 15 | 10 25 | 7 | 8 | 12 | 15 | 15 | 10 19 | 7 | 8 | 12 | 16 | 15 | 10 13 | 7 | 8 |
| 56 31 | 13 | 16 | 16 | 11 17 | 8 | 9 | 13 | 16 | 16 | 11 10 | 8 | 9 | 13 | 17 | 16 | 11 4 | 8 | 9 |
| 7 0 50 | 14 | 17 | 17 | 12 8 | 9 | 10 | 14 | 17 | 17 | 12 2 | 9 | 10 | 14 | 18 | 17 | 11 55 | 9 | 10 |
| 7 5 8 | 15 | 18 | 18 | 13 0 | 10 | 11 | 15 | 18 | 18 | 12 53 | 10 | 11 | 15 | 19 | 18 | 12 45 | 10 | 11 |
| 9 26 | 16 | 19 | 19 | 13 51 | 11 | 12 | 16 | 19 | 19 | 13 43 | 11 | 12 | 16 | 20 | 19 | 13 35 | 11 | 12 |
| 13 44 | 17 | 20 | 20 | 14 43 | 12 | 13 | 17 | 20 | 20 | 14 34 | 12 | 13 | 17 | 21 | 20 | 14 26 | 12 | 13 |
| 7 18 1 | 18 | 21 | 21 | 15 34 | 13 | 14 | 18 | 21 | 21 | 15 25 | 13 | 14 | 18 | 22 | 21 | 15 16 | 13 | 14 |
| 22 18 | 19 | 22 | 22 | 16 25 | 14 | 15 | 19 | 22 | 22 | 16 16 | 14 | 15 | 19 | 23 | 22 | 16 6 | 14 | 15 |
| 26 34 | 20 | 23 | 23 | 17 16 | 15 | 16 | 20 | 23 | 23 | 17 6 | 14 | 16 | 20 | 24 | 23 | 16 56 | 14 | 15 |
| 7 30 50 | 21 | 24 | 24 | 18 7 | 16 | 17 | 21 | 24 | 24 | 17 56 | 15 | 17 | 21 | 25 | 24 | 17 46 | 15 | 16 |
| 35 5 | 22 | 25 | 25 | 18 57 | 17 | 18 | 22 | 25 | 25 | 18 47 | 16 | 18 | 22 | 26 | 25 | 18 36 | 16 | 17 |
| 39 20 | 23 | 26 | 26 | 19 48 | 18 | 19 | 23 | 26 | 26 | 19 37 | 17 | 19 | 23 | 27 | 26 | 19 25 | 17 | 18 |
| 7 43 34 | 24 | 27 | 27 | 20 38 | 19 | 20 | 24 | 27 | 27 | 20 27 | 18 | 20 | 24 | 28 | 27 | 20 15 | 18 | 19 |
| 47 47 | 25 | 28 | 27 | 21 29 | 19 | 21 | 25 | 28 | 27 | 21 17 | 19 | 20 | 25 | 28 | 27 | 21 4 | 18 | 20 |
| 52 0 | 26 | 29 | 28 | 22 19 | 20 | 22 | 26 | 29 | 28 | 22 6 | 20 | 21 | 26 | 29 | 28 | 21 53 | 19 | 21 |
| 7 56 12 | 27 | ♍ | 29 | 23 9 | 21 | 23 | 27 | ♍ | 29 | 22 56 | 21 | 22 | 27 | ♍ | 29 | 22 42 | 20 | 22 |
| 8 0 24 | 28 | 1 | ♎ | 23 58 | 22 | 24 | 28 | 1 | ♎ | 23 45 | 22 | 23 | 28 | 1 | ♎ | 23 31 | 21 | 23 |
| 4 35 | 29 | 2 | 1 | 24 48 | 23 | 24 | 29 | 2 | 1 | 24 34 | 22 | 24 | 29 | 2 | 1 | 24 20 | 22 | 24 |
| Houses | 4 | 5 | 6 | 7 | 8 | 9 | 4 | 5 | 6 | 7 | 8 | 9 | 4 | 5 | 6 | 7 | 8 | 9 |

Latitude 40° S.          Latitude 41° S.          Latitude 42° S.

# SIMPLIFIED SCIENTIFIC TABLES OF HOUSES

Latitude 40° N.   Latitude 41° N.   Latitude 42° N.

| Sider'l Time | 10 ♌ | 11 ♍ | 12 ♎ | Asc. ♎ | 2 ♏ | 3 ♐ | 10 ♌ | 11 ♍ | 12 ♎ | Asc. ♎ | 2 ♏ | 3 ♐ | 10 ♌ | 11 ♍ | 12 ♎ | Asc. ♎ | 2 ♏ | 3 ♐ |
|---|---|---|---|---|---|---|---|---|---|---|---|---|---|---|---|---|---|---|
| H M S | ° | ° | ° | ° ′ | ° | ° | ° | ° | ° | ° ′ | ° | ° | ° | ° | ° | ° ′ | ° | ° |
| 8 8 45 | 0 | 3 | 2 | 25 38 | 24 | 25 | 0 | 3 | 2 | 25 23 | 23 | 25 | 0 | 3 | 2 | 25 9 | 23 | 25 |
| 12 54 | 1 | 4 | 3 | 26 27 | 25 | 26 | 1 | 4 | 3 | 26 12 | 24 | 26 | 1 | 4 | 3 | 25 57 | 24 | 26 |
| 17 3 | 2 | 5 | 4 | 27 16 | 26 | 27 | 2 | 5 | 4 | 27 1 | 25 | 27 | 2 | 5 | 4 | 26 45 | 25 | 27 |
| 8 21 11 | 3 | 6 | 5 | 28 5 | 27 | 28 | 3 | 6 | 5 | 27 49 | 26 | 28 | 3 | 6 | 5 | 27 34 | 26 | 28 |
| 25 19 | 4 | 7 | 6 | 28 54 | 28 | 29 | 4 | 7 | 6 | 28 38 | 27 | 29 | 4 | 7 | 6 | 28 22 | 27 | 29 |
| 29 26 | 5 | 8 | 6 | 29 43 | 28 | ♑ | 5 | 8 | 6 | 29 26 | 27 | ♑ | 5 | 8 | 6 | 29 9 | 27 | ♑ |
| 8 33 31 | 6 | 9 | 7 | 0♏31 | 29 | 1 | 6 | 9 | 7 | 0♏14 | 28 | 1 | 6 | 9 | 7 | 29 57 | 28 | 1 |
| 37 37 | 7 | 10 | 8 | 1 20 | ♐ | 2 | 7 | 10 | 8 | 1 2 | 29 | 2 | 7 | 10 | 8 | 0♏45 | 29 | 2 |
| 41 41 | 8 | 11 | 9 | 2 8 | 0 | 3 | 8 | 11 | 9 | 1 50 | ♐ | 3 | 8 | 11 | 9 | 1 32 | ♐ | 3 |
| 8 45 45 | 9 | 12 | 10 | 2 56 | 1 | 4 | 9 | 12 | 10 | 2 37 | 1 | 4 | 9 | 12 | 10 | 2 19 | 0 | 4 |
| 49 48 | 10 | 13 | 11 | 3 44 | 2 | 5 | 10 | 13 | 11 | 3 25 | 2 | 5 | 10 | 13 | 11 | 3 6 | 1 | 4 |
| 53 51 | 11 | 14 | 12 | 4 31 | 3 | 6 | 11 | 14 | 12 | 4 12 | 3 | 6 | 11 | 14 | 12 | 3 53 | 2 | 5 |
| 8 57 52 | 12 | 15 | 13 | 5 19 | 4 | 7 | 12 | 15 | 13 | 4 59 | 4 | 7 | 12 | 15 | 13 | 4 39 | 3 | 6 |
| 9 1 53 | 13 | 16 | 14 | 6 6 | 5 | 8 | 13 | 16 | 14 | 5 46 | 5 | 8 | 13 | 16 | 14 | 5 26 | 4 | 7 |
| 5 53 | 14 | 17 | 15 | 6 53 | 6 | 9 | 14 | 17 | 15 | 6 33 | 6 | 9 | 14 | 17 | 15 | 6 12 | 5 | 8 |
| 9 9 53 | 15 | 18 | 15 | 7 40 | 7 | 10 | 15 | 18 | 15 | 7 20 | 6 | 9 | 15 | 18 | 15 | 6 59 | 6 | 9 |
| 13 52 | 16 | 19 | 16 | 8 27 | 8 | 11 | 16 | 19 | 16 | 8 6 | 7 | 10 | 16 | 19 | 16 | 7 45 | 7 | 10 |
| 17 50 | 17 | 20 | 17 | 9 15 | 9 | 12 | 17 | 20 | 17 | 8 53 | 8 | 11 | 17 | 20 | 17 | 8 31 | 8 | 11 |
| 9 21 47 | 18 | 21 | 18 | 10 1 | 10 | 13 | 18 | 21 | 18 | 9 39 | 9 | 12 | 18 | 21 | 18 | 9 17 | 9 | 12 |
| 25 44 | 19 | 22 | 19 | 10 48 | 11 | 14 | 19 | 22 | 19 | 10 25 | 10 | 13 | 19 | 22 | 19 | 10 2 | 10 | 13 |
| 29 40 | 20 | 23 | 20 | 11 34 | 11 | 14 | 20 | 23 | 19 | 11 11 | 10 | 14 | 20 | 23 | 19 | 10 48 | 10 | 14 |
| 9 33 35 | 21 | 24 | 21 | 12 20 | 12 | 15 | 21 | 24 | 20 | 11 57 | 11 | 14 | 21 | 24 | 20 | 11 34 | 11 | 15 |
| 37 29 | 22 | 25 | 22 | 13 6 | 13 | 16 | 22 | 25 | 21 | 12 43 | 12 | 15 | 22 | 25 | 21 | 12 19 | 12 | 16 |
| 41 23 | 23 | 26 | 23 | 13 52 | 14 | 17 | 23 | 26 | 22 | 13 28 | 13 | 16 | 23 | 26 | 22 | 13 4 | 13 | 17 |
| 9 45 16 | 24 | 27 | 24 | 14 38 | 15 | 18 | 24 | 27 | 23 | 14 14 | 14 | 17 | 24 | 27 | 23 | 13 49 | 14 | 18 |
| 49 9 | 25 | 27 | 24 | 15 24 | 15 | 19 | 25 | 27 | 24 | 14 59 | 14 | 18 | 25 | 27 | 23 | 14 34 | 14 | 18 |
| 53 1 | 26 | 28 | 25 | 16 9 | 16 | 20 | 26 | 28 | 25 | 15 44 | 15 | 20 | 26 | 28 | 24 | 15 19 | 15 | 19 |
| 9 56 52 | 27 | 29 | 26 | 16 55 | 17 | 21 | 27 | 29 | 26 | 16 29 | 16 | 21 | 27 | 29 | 25 | 16 3 | 16 | 20 |
| 10 0 43 | 28 | ♎ | 27 | 17 40 | 18 | 22 | 28 | ♎ | 27 | 17 14 | 17 | 22 | 28 | ♎ | 26 | 16 48 | 17 | 21 |
| 4 33 | 29 | 1 | 27 | 18 26 | 18 | 23 | 29 | 1 | 27 | 17 59 | 18 | 23 | 29 | 1 | 27 | 17 33 | 17 | 22 |
| Houses | 4 | 5 | 6 | 7 | 8 | 9 | 4 | 5 | 6 | 7 | 8 | 9 | 4 | 5 | 6 | 7 | 8 | 9 |

Latitude 40° S.   Latitude 41° S.   Latitude 42° S.

## SIMPLIFIED SCIENTIFIC TABLES OF HOUSES

|            | Latitude 40° N. |||||| Latitude 41° N. |||||| Latitude 42° N. ||||||
|------------|----|----|----|------|----|----|----|----|----|------|----|----|----|----|----|------|----|----|
| Sider'l Time | 10 | 11 | 12 | Asc. | 2 | 3 | 10 | 11 | 12 | Asc. | 2 | 3 | 10 | 11 | 12 | Asc. | 2 | 3 |
|  | ♍ | ≏ | ≏ | ♏ | ♐ | ♑ | ♍ | ≏ | ≏ | ♏ | ♐ | ♑ | ♍ | ≏ | ≏ | ♏ | ♐ | ♑ |
| H M S | ° | ° | ° | ° ′ | ° | ° | ° | ° | ° | ° ′ | ° | ° | ° | ° | ° | ° ′ | ° | ° |
| 10 8 23 | 0 | 2 | 28 | 19 11 | 19 | 24 | 0 | 2 | 28 | 18 44 | 19 | 24 | 0 | 2 | 28 | 18 17 | 18 | 23 |
| 12 12 | 1 | 3 | 29 | 19 56 | 20 | 25 | 1 | 3 | 29 | 19 29 | 20 | 25 | 1 | 3 | 29 | 19 1 | 19 | 24 |
| 16 0 | 2 | 4 | ♏ | 20 41 | 21 | 26 | 2 | 4 | ♏ | 20 13 | 21 | 26 | 2 | 4 | ♏ | 19 46 | 20 | 25 |
| 10 19 48 | 3 | 5 | 0 | 21 26 | 22 | 27 | 3 | 5 | 0 | 20 58 | 22 | 27 | 3 | 5 | 0 | 20 30 | 21 | 26 |
| 23 35 | 4 | 6 | 1 | 22 11 | 23 | 28 | 4 | 6 | 1 | 21 42 | 23 | 28 | 4 | 6 | 1 | 21 14 | 22 | 27 |
| 27 22 | 5 | 7 | 2 | 22 55 | 23 | 29 | 5 | 7 | 2 | 22 27 | 23 | 28 | 5 | 7 | 2 | 21 58 | 22 | 28 |
| 10 31 8 | 6 | 8 | 3 | 23 40 | 24 | ≈ | 6 | 8 | 3 | 23 7 | 24 | 29 | 6 | 8 | 3 | 22 42 | 23 | 29 |
| 34 54 | 7 | 9 | 4 | 24 25 | 25 | 1 | 7 | 9 | 4 | 23 55 | 25 | ≈ | 7 | 9 | 4 | 23 26 | 24 | ≈ |
| 38 40 | 8 | 10 | 5 | 25 9 | 26 | 2 | 8 | 10 | 5 | 24 40 | 26 | 1 | 8 | 10 | 5 | 24 10 | 25 | 1 |
| 10 42 25 | 9 | 11 | 6 | 25 54 | 27 | 3 | 9 | 11 | 6 | 25 24 | 27 | 2 | 9 | 11 | 6 | 24 53 | 26 | 2 |
| 46 9 | 10 | 11 | 6 | 26 38 | 27 | 3 | 10 | 11 | 6 | 26 8 | 27 | 3 | 10 | 11 | 6 | 25 38 | 26 | 3 |
| 49 53 | 11 | 12 | 7 | 27 23 | 28 | 4 | 11 | 12 | 7 | 26 52 | 28 | 4 | 11 | 12 | 7 | 26 21 | 27 | 4 |
| 10 53 37 | 12 | 13 | 8 | 28 7 | 29 | 5 | 12 | 13 | 8 | 27 36 | 29 | 5 | 12 | 13 | 8 | 27 5 | 28 | 5 |
| 57 20 | 13 | 14 | 9 | 28 52 | ♑ | 6 | 13 | 14 | 9 | 28 20 | ♑ | 6 | 13 | 14 | 9 | 27 49 | 29 | 6 |
| 11 1 3 | 14 | 15 | 10 | 29 36 | 1 | 7 | 14 | 15 | 10 | 29 5 | 0 | 7 | 14 | 15 | 10 | 28 32 | ♑ | 7 |
| 11 4 46 | 15 | 16 | 10 | 0 ♐ 21 | 2 | 8 | 15 | 16 | 10 | 29 49 | 1 | 8 | 15 | 16 | 10 | 29 16 | 1 | 8 |
| 8 28 | 16 | 17 | 11 | 1 5 | 3 | 9 | 16 | 17 | 11 | 0 ♐ 33 | 2 | 9 | 16 | 17 | 11 | 0 ♐ 0 | 2 | 9 |
| 12 10 | 17 | 18 | 12 | 1 49 | 4 | 10 | 17 | 18 | 12 | 1 17 | 3 | 10 | 17 | 18 | 12 | 0 43 | 3 | 10 |
| 11 15 52 | 18 | 19 | 13 | 2 34 | 5 | 11 | 18 | 19 | 13 | 2 1 | 4 | 11 | 18 | 19 | 12 | 1 27 | 4 | 11 |
| 19 34 | 19 | 20 | 14 | 3 18 | 6 | 12 | 19 | 20 | 14 | 2 45 | 5 | 12 | 19 | 20 | 13 | 2 11 | 5 | 12 |
| 23 15 | 20 | 20 | 14 | 4 3 | 6 | 13 | 20 | 20 | 14 | 3 29 | 6 | 13 | 20 | 20 | 13 | 2 55 | 5 | 13 |
| 11 26 56 | 21 | 21 | 15 | 4 47 | 7 | 14 | 21 | 21 | 15 | 4 13 | 7 | 14 | 21 | 21 | 14 | 3 39 | 6 | 13 |
| 30 37 | 22 | 22 | 16 | 5 32 | 8 | 15 | 22 | 22 | 16 | 4 58 | 8 | 15 | 22 | 22 | 15 | 4 23 | 7 | 14 |
| 34 18 | 23 | 23 | 17 | 6 17 | 9 | 16 | 23 | 23 | 17 | 5 42 | 9 | 16 | 23 | 23 | 16 | 5 7 | 8 | 15 |
| 11 37 58 | 24 | 24 | 18 | 7 2 | 10 | 17 | 24 | 24 | 18 | 6 27 | 10 | 17 | 24 | 24 | 17 | 5 51 | 9 | 16 |
| 41 39 | 25 | 24 | 18 | 7 46 | 10 | 18 | 25 | 24 | 18 | 7 11 | 10 | 18 | 25 | 24 | 17 | 6 35 | 10 | 18 |
| 45 19 | 26 | 25 | 19 | 8 31 | 11 | 19 | 26 | 25 | 19 | 7 56 | 11 | 19 | 26 | 25 | 18 | 7 19 | 11 | 19 |
| 11 49 0 | 27 | 26 | 20 | 9 16 | 12 | 20 | 27 | 26 | 19 | 8 40 | 12 | 20 | 27 | 26 | 19 | 8 4 | 12 | 20 |
| 52 40 | 28 | 27 | 21 | 10 1 | 13 | 22 | 28 | 27 | 20 | 9 25 | 13 | 21 | 28 | 27 | 20 | 8 48 | 13 | 21 |
| 56 20 | 29 | 28 | 22 | 10 47 | 14 | 24 | 29 | 28 | 20 | 10 10 | 14 | 23 | 29 | 28 | 20 | 9 32 | 13 | 22 |
| Houses | 4 | 5 | 6 | 7 | 8 | 9 | 4 | 5 | 6 | 7 | 8 | 9 | 4 | 5 | 6 | 7 | 8 | 9 |

# SIMPLIFIED SCIENTIFIC TABLES OF HOUSES

|  | Latitude 40° N. | | | | | | Latitude 41° N. | | | | | | Latitude 42° N. | | | | | |
|---|---|---|---|---|---|---|---|---|---|---|---|---|---|---|---|---|---|---|
| Sider'l Time | 10 ≏ | 11 ≏ | 12 ♏ | Asc. ♐ | 2 ♑ | 3 ♒ | 10 ≏ | 11 ≏ | 12 ♏ | Asc. ♐ | 2 ♑ | 3 ♒ | 10 ≏ | 11 ≏ | 12 ♏ | Asc. ♐ | 2 ♑ | 3 ♒ |
| H M S | ° | ° | ° | ° ' | ° | ° | ° | ° | ° | ° ' | ° | ° | ° | ° | ° | ° ' | ° | ° |
| 12 0 0 | 0 | 29 | 22 | 11 32 | 15 | 24 | 0 | 29 | 21 | 10 55 | 15 | 24 | 0 | 29 | 21 | 10 17 | 14 | 23 |
| 3 40 | 1 | ♏ | 23 | 12 17 | 16 | 25 | 1 | ♏ | 22 | 11 40 | 16 | 25 | 1 | ♏ | 22 | 11 2 | 15 | 24 |
| 7 20 | 2 | 0 | 24 | 13 3 | 17 | 26 | 2 | 0 | 23 | 12 25 | 17 | 26 | 2 | 0 | 23 | 11 47 | 16 | 25 |
| 12 11 0 | 3 | 1 | 25 | 13 49 | 18 | 27 | 3 | 1 | 24 | 13 11 | 18 | 27 | 3 | 1 | 24 | 12 32 | 17 | 26 |
| 14 41 | 4 | 2 | 26 | 14 35 | 19 | 28 | 4 | 2 | 25 | 13 57 | 19 | 28 | 4 | 2 | 24 | 13 17 | 18 | 27 |
| 18 21 | 5 | 3 | 26 | 15 21 | 20 | 29 | 5 | 3 | 25 | 14 42 | 19 | 29 | 5 | 3 | 25 | 14 3 | 19 | 29 |
| 12 22 2 | 6 | 4 | 27 | 16 7 | 21 | ♓ | 6 | 4 | 26 | 15 28 | 20 | ♓ | 6 | 4 | 26 | 14 48 | 20 | ♓ |
| 25 42 | 7 | 5 | 28 | 16 54 | 22 | 1 | 7 | 5 | 27 | 16 15 | 21 | 1 | 7 | 5 | 27 | 15 34 | 21 | 1 |
| 29 23 | 8 | 6 | 28 | 17 41 | 23 | 2 | 8 | 6 | 28 | 17 1 | 22 | 2 | 8 | 6 | 28 | 16 21 | 22 | 2 |
| 12 33 4 | 9 | 7 | 29 | 18 28 | 24 | 3 | 9 | 7 | 28 | 17 48 | 23 | 3 | 9 | 7 | 29 | 17 7 | 23 | 3 |
| 36 45 | 10 | 7 | 29 | 19 15 | 25 | 4 | 10 | 7 | 29 | 18 34 | 24 | 4 | 10 | 7 | 29 | 17 53 | 24 | 4 |
| 40 26 | 11 | 8 | ♐ | 20 2 | 26 | 5 | 11 | 8 | ♐ | 19 22 | 25 | 5 | 11 | 8 | ♐ | 18 40 | 25 | 5 |
| 12 44 8 | 12 | 9 | 0 | 20 50 | 27 | 6 | 12 | 9 | 0 | 20 9 | 26 | 6 | 12 | 9 | 0 | 19 27 | 26 | 6 |
| 47 50 | 13 | 10 | 1 | 21 38 | 28 | 7 | 13 | 10 | 1 | 20 57 | 27 | 7 | 13 | 10 | 1 | 20 14 | 27 | 7 |
| 51 32 | 14 | 11 | 2 | 22 26 | 29 | 8 | 14 | 11 | 2 | 21 44 | 28 | 8 | 14 | 11 | 2 | 21 2 | 28 | 8 |
| 12 55 14 | 15 | 12 | 3 | 23 15 | ♒ | 10 | 15 | 12 | 3 | 22 33 | 29 | 10 | 15 | 11 | 3 | 21 50 | 28 | 10 |
| 58 57 | 16 | 12 | 4 | 24 4 | 1 | 11 | 16 | 13 | 4 | 23 22 | ♒ | 11 | 16 | 12 | 4 | 22 38 | 29 | 11 |
| 13 2 40 | 17 | 13 | 5 | 24 53 | 2 | 12 | 17 | 14 | 5 | 24 11 | 1 | 12 | 17 | 13 | 5 | 23 27 | ♒ | 12 |
| 13 6 23 | 18 | 14 | 6 | 25 42 | 3 | 13 | 18 | 15 | 6 | 25 0 | 2 | 13 | 18 | 14 | 5 | 24 16 | 1 | 13 |
| 10 7 | 19 | 15 | 7 | 26 33 | 4 | 15 | 19 | 16 | 7 | 25 50 | 3 | 15 | 19 | 15 | 6 | 25 5 | 3 | 14 |
| 13 51 | 20 | 16 | 7 | 27 23 | 5 | 16 | 20 | 16 | 7 | 26 39 | 4 | 16 | 20 | 16 | 6 | 25 55 | 3 | 15 |
| 13 17 35 | 21 | 17 | 8 | 28 13 | 6 | 17 | 21 | 17 | 8 | 27 30 | 5 | 17 | 21 | 17 | 7 | 26 45 | 5 | 16 |
| 21 20 | 22 | 18 | 9 | 29 4 | 7 | 18 | 22 | 18 | 9 | 28 20 | 6 | 18 | 22 | 18 | 8 | 27 35 | 6 | 17 |
| 25 6 | 23 | 19 | 10 | 29 56 | 8 | 19 | 23 | 19 | 10 | 29 12 | 7 | 19 | 23 | 19 | 9 | 28 26 | 7 | 18 |
| 13 28 52 | 24 | 20 | 11 | 0♑48 | 9 | 20 | 24 | 20 | 11 | 0 ♑ 3 | 8 | 20 | 24 | 20 | 10 | 29 17 | 8 | 20 |
| 32 38 | 25 | 20 | 11 | 1 40 | 10 | 21 | 25 | 20 | 11 | 0 55 | 10 | 21 | 25 | 20 | 10 | 0 ♑ 9 | 9 | 21 |
| 36 25 | 26 | 21 | 12 | 2 33 | 11 | 22 | 26 | 21 | 12 | 1 48 | 11 | 22 | 26 | 21 | 11 | 1 | 10 | 22 |
| 13 40 12 | 27 | 22 | 13 | 3 27 | 12 | 23 | 27 | 22 | 13 | 2 41 | 12 | 23 | 27 | 22 | 12 | 1 54 | 11 | 23 |
| 44 0 | 28 | 23 | 14 | 4 20 | 14 | 25 | 28 | 23 | 14 | 3 35 | 14 | 24 | 28 | 23 | 13 | 2 48 | 13 | 25 |
| 47 48 | 29 | 24 | 14 | 5 15 | 15 | 26 | 29 | 23 | 14 | 4 29 | 15 | 26 | 29 | 23 | 14 | 3 41 | 14 | 26 |
| Houses | 4 | 5 | 6 | 7 | 8 | 9 | 4 | 5 | 6 | 7 | 8 | 9 | 4 | 5 | 6 | 7 | 8 | 9 |

# SIMPLIFIED SCIENTIFIC TABLES OF HOUSES

Latitude 40° N.  Latitude 41° N.  Latitude 42° N.

| Sider'l Time | 10 ♏ | 11 ♏ | 12 ♐ | Asc. ♑ | 2 ≈ | 3 ♓ | 10 ♏ | 11 ♏ | 12 ♐ | Asc. ♑ | 2 ≈ | 3 ♓ | 10 ♏ | 11 ♏ | 12 ♐ | Asc. ♑ | 2 ≈ | 3 ♓ |
|---|---|---|---|---|---|---|---|---|---|---|---|---|---|---|---|---|---|---|
| H M S | ° | ° | ° | ° ' | ° | ° | ° | ° | ° | ° ' | ° | ° | ° | ° | ° | ° ' | ° | ° |
| 13 51 37 | 0 | 25 | 15 | 6 10 | 16 | 27 | 0 | 24 | 15 | 5 23 | 16 | 27 | 0 | 24 | 15 | 4 36 | 15 | 27 |
| 55 27 | 1 | 26 | 16 | 7 5 | 17 | 28 | 1 | 25 | 16 | 6 19 | 17 | 28 | 1 | 25 | 16 | 5 31 | 16 | 28 |
| 59 17 | 2 | 27 | 17 | 8 1 | 18 | 29 | 2 | 26 | 17 | 7 15 | 18 | 29 | 2 | 26 | 17 | 6 26 | 17 | 29 |
| 14 3 8 | 3 | 28 | 18 | 8 58 | 19 | ♈ | 3 | 27 | 18 | 8 11 | 19 | ♈ | 3 | 27 | 18 | 7 22 | 18 | ♈ |
| 6 59 | 4 | 29 | 19 | 9 55 | 20 | 1 | 4 | 28 | 19 | 9 8 | 20 | 1 | 4 | 28 | 19 | 8 19 | 20 | 1 |
| 10 51 | 5 | 29 | 20 | 10 53 | 22 | 3 | 5 | 29 | 19 | 10 6 | 22 | 3 | 5 | 29 | 19 | 9 17 | 21 | 3 |
| 14 14 44 | 6 | ♐ | 21 | 11 52 | 23 | 4 | 6 | ♐ | 20 | 11 4 | 23 | 5 | 6 | ♐ | 20 | 10 15 | 22 | 4 |
| 18 37 | 7 | 0 | 22 | 12 51 | 24 | 5 | 7 | 0 | 21 | 12 3 | 24 | 6 | 7 | 1 | 21 | 11 14 | 23 | 5 |
| 22 31 | 8 | 1 | 23 | 13 51 | 26 | 7 | 8 | 1 | 22 | 13 3 | 25 | 7 | 8 | 2 | 22 | 12 14 | 25 | 7 |
| 14 26 25 | 9 | 2 | 24 | 14 52 | 28 | 8 | 9 | 2 | 23 | 14 4 | 26 | 8 | 9 | 3 | 23 | 13 13 | 27 | 8 |
| 30 20 | 10 | 3 | 24 | 15 53 | 29 | 9 | 10 | 3 | 23 | 15 5 | 28 | 9 | 10 | 3 | 23 | 14 15 | 28 | 9 |
| 34 16 | 11 | 4 | 25 | 16 56 | ♓ | 10 | 11 | 4 | 24 | 16 7 | 29 | 10 | 11 | 4 | 24 | 15 17 | 29 | 10 |
| 14 38 13 | 12 | 5 | 26 | 17 59 | 1 | 11 | 12 | 5 | 25 | 17 10 | ♓ | 11 | 12 | 5 | 25 | 16 20 | ♓ | 11 |
| 42 10 | 13 | 6 | 27 | 19 3 | 2 | 13 | 13 | 6 | 26 | 18 14 | 1 | 13 | 13 | 6 | 26 | 17 23 | 1 | 13 |
| 46 8 | 14 | 7 | 28 | 20 8 | 4 | 14 | 14 | 7 | 27 | 19 19 | 3 | 15 | 14 | 7 | 27 | 18 28 | 3 | 14 |
| 14 50 7 | 15 | 8 | 28 | 21 13 | 5 | 15 | 15 | 8 | 28 | 20 24 | 5 | 16 | 15 | 7 | 27 | 19 34 | 5 | 16 |
| 54 7 | 16 | 8 | 29 | 22 20 | 6 | 16 | 16 | 9 | 29 | 21 31 | 6 | 17 | 16 | 8 | 28 | 20 40 | 6 | 17 |
| 58 7 | 17 | 9 | ♑ | 23 28 | 7 | 17 | 17 | 10 | ♑ | 22 39 | 7 | 19 | 17 | 9 | 29 | 21 47 | 7 | 18 |
| 15 2 8 | 18 | 10 | 1 | 24 36 | 8 | 19 | 18 | 11 | 1 | 23 47 | 9 | 20 | 18 | 10 | ♑ | 22 56 | 9 | 20 |
| 6 9 | 19 | 11 | 2 | 25 46 | 10 | 20 | 19 | 12 | 2 | 24 57 | 11 | 21 | 19 | 11 | 1 | 24 6 | 11 | 21 |
| 10 12 | 20 | 12 | 3 | 26 56 | 12 | 22 | 20 | 12 | 3 | 26 7 | 12 | 22 | 20 | 12 | 2 | 25 16 | 12 | 22 |
| 15 14 15 | 21 | 13 | 4 | 28 8 | 13 | 23 | 21 | 13 | 4 | 27 19 | 13 | 23 | 21 | 13 | 3 | 26 28 | 13 | 23 |
| 18 19 | 22 | 14 | 5 | 29 20 | 15 | 24 | 22 | 14 | 5 | 28 31 | 15 | 25 | 22 | 14 | 4 | 27 40 | 15 | 24 |
| 22 23 | 23 | 15 | 6 | 0 ≈ 34 | 17 | 26 | 23 | 15 | 6 | 29 45 | 17 | 26 | 23 | 15 | 5 | 28 54 | 17 | 25 |
| 15 26 29 | 24 | 16 | 7 | 1 49 | 18 | 27 | 24 | 16 | 7 | 1 ≈ 0 | 18 | 27 | 24 | 16 | 6 | 0 ≈ 10 | 18 | 27 |
| 30 35 | 25 | 17 | 8 | 3 5 | 19 | 28 | 25 | 17 | 7 | 2 17 | 19 | 28 | 25 | 17 | 7 | 1 26 | 19 | 28 |
| 34 41 | 26 | 18 | 9 | 4 22 | 20 | 29 | 26 | 18 | 8 | 3 34 | 20 | 29 | 26 | 17 | 8 | 2 43 | 20 | 29 |
| 15 38 49 | 27 | 19 | 10 | 5 41 | 22 | ♉ | 27 | 19 | 9 | 4 53 | 22 | ♉ | 27 | 18 | 9 | 4 3 | 22 | ♉ |
| 42 57 | 28 | 20 | 11 | 7 0 | 24 | 1 | 28 | 20 | 10 | 6 13 | 24 | 1 | 28 | 19 | 10 | 5 23 | 24 | 1 |
| 47 6 | 29 | 20 | 12 | 8 21 | 26 | 3 | 29 | 20 | 11 | 7 34 | 26 | 3 | 29 | 20 | 11 | 6 45 | 26 | 3 |
| Houses | 4 | 5 | 6 | 7 | 8 | 9 | 4 | 5 | 6 | 7 | 8 | 9 | 4 | 5 | 6 | 7 | 8 | 9 |

Latitude 40° S.  Latitude 41° S.  Latitude 42° S.

| | Latitude 40° N. | | | | | | | Latitude 41° N. | | | | | | | Latitude 42° N. | | | | | | |
|---|---|---|---|---|---|---|---|---|---|---|---|---|---|---|---|---|---|---|---|---|---|
| Sider'l Time | 10 | 11 | 12 | Asc. | | 2 | 3 | 10 | 11 | 12 | Asc. | | 2 | 3 | 10 | 11 | 12 | Asc. | | 2 | 3 |
| H M S | $t$ | $t$ | ♑ | ♒ | | ♓ | ♉ | $t$ | $t$ | ♑ | ♒ | | ♓ | ♉ | $t$ | $t$ | ♑ | ♒ | | ♓ | ♉ |
| | ° | ° | ° | ° | ' | ° | ° | ° | ° | ° | ° | ' | ° | ° | ° | ° | ° | ° | ' | ° | ° |
| 15 51 15 | 0 | 21 | 13 | 9. | 43 | 27 | 4 | 0 | 21 | 12 | 8 | 57 | 27 | 4 | 0 | 21 | 12 | 8 | 8 | 27 | 4 |
| 55 25 | 1 | 22 | 14 | 11 | 6 | 28 | 5 | 1 | 22 | 13 | 10 | 20 | 29 | 5 | 1 | 22 | 13 | 9 | 32 | 29 | 5 |
| 59 36 | 2 | 23 | 15 | 12 | 31 | ♈ | 6 | 2 | 23 | 14 | 11 | 45 | ♈ | 6 | 2 | 23 | 14 | 10 | 58 | ♈ | 6 |
| 16 3 48 | 3 | 24 | 16 | 13 | 57 | 1 | 8 | 3 | 24 | 15 | 13 | 12 | 1 | 7 | 3 | 24 | 15 | 12 | 25 | 1 | 7 |
| 8 0 | 4 | 25 | 17 | 15 | 24 | 3 | 9 | 4 | 25 | 17 | 14 | 40 | 3 | 9 | 4 | 25 | 16 | 13 | 54 | 3 | 8 |
| 12 13 | 5 | 26 | 18 | 16 | 53 | 4 | 10 | 5 | 26 | 18 | 16 | 9 | 4 | 10 | 5 | 26 | 17 | 15 | 24 | 4 | 10 |
| 16 16 26 | 6 | 27 | 19 | 18 | 22 | 5 | 11 | 6 | 27 | 19 | 17 | 40 | 5 | 11 | 6 | 27 | 18 | 16 | 56 | 5 | 12 |
| 20 40 | 7 | 28 | 20 | 19 | 54 | 7 | 12 | 7 | 28 | 20 | 19 | 12 | 6 | 13 | 7 | 28 | 19 | 18 | 28 | 6 | 13 |
| 24 55 | 8 | 29 | 21 | 21 | 26 | 9 | 14 | 8 | 29 | 21 | 20 | 46 | 8 | 14 | 8 | 29 | 20 | 20 | 3 | 8 | 14 |
| 16 29 10 | 9 | ♑ | 23 | 23 | 0 | 11 | 15 | 9 | ♑ | 22 | 22 | 21 | 10 | 15 | 9 | ♑ | 22 | 21 | 39 | 10 | 15 |
| 33 26 | 10 | 1 | 24 | 24 | 35 | 12 | 16 | 10 | 1 | 23 | 23 | 57 | 12 | 16 | 10 | 1 | 23 | 23 | 17 | 12 | 16 |
| 37 42 | 11 | 2 | 25 | 26 | 12 | 13 | 17 | 11 | 2 | 24 | 25 | 35 | 13 | 17 | 11 | 2 | 24 | 24 | 56 | 13 | 17 |
| 16 41 59 | 12 | 3 | 26 | 27 | 50 | 15 | 18 | 12 | 3 | 25 | 27 | 14 | 15 | 18 | 12 | 3 | 25 | 26 | 36 | 14 | 18 |
| 46 16 | 13 | 4 | 27 | 29 | 29 | 17 | 19 | 13 | 4 | 26 | 28 | 54 | 17 | 20 | 13 | 4 | 26 | 28 | 18 | 16 | 19 |
| 50 34 | 14 | 5 | 28 | 1 ♓ | 9 | 18 | 20 | 14 | 5 | 27 | 0 ♓ | 36 | 19 | 21 | 14 | 5 | 27 | 0 ♓ | 1 | 18 | 20 |
| 16 54 52 | 15 | 6 | 29 | 2 | 51 | 19 | 21 | 15 | 6 | 29 | 2 | 19 | 20 | 22 | 15 | 6 | 28 | 1 | 46 | 20 | 22 |
| 59 10 | 16 | 7 | ♒ | 4 | 34 | 20 | 22 | 16 | 7 | ♒ | 4 | 4 | 21 | 23 | 16 | 7 | ♒ | 3 | 32 | 21 | 23 |
| 17 3 29 | 17 | 8 | 1 | 6 | 18 | 22 | 23 | 17 | 8 | 1 | 5 | 50 | 23 | 24 | 17 | 8 | 1 | 5 | 20 | 23 | 25 |
| 17 7 49 | 18 | 9 | 2 | 8 | 3 | 24 | 25 | 18 | 9 | 2 | 7 | 36 | 25 | 25 | 18 | 9 | 2 | 7 | 8 | 25 | 26 |
| 12 9 | 19 | 10 | 4 | 9 | 48 | 26 | 26 | 19 | 10 | 4 | 9 | 24 | 26 | 26 | 19 | 10 | 3 | 8 | 58 | 27 | 27 |
| 16 29 | 20 | 11 | 6 | 11 | 35 | 27 | 27 | 20 | 11 | 5 | 11 | 13 | 27 | 27 | 20 | 11 | 5 | 10 | 49 | 28 | 28 |
| 17 20 49 | 21 | 12 | 7 | 13 | 23 | 28 | 29 | 21 | 12 | 6 | 13 | 3 | 29 | 29 | 21 | 12 | 6 | 12 | 41 | ♉ | 29 |
| 25 9 | 22 | 13 | 8 | 15 | 11 | ♉ | Ⅱ | 22 | 13 | 7 | 14 | 53 | ♉ | Ⅱ | 22 | 13 | 7 | 14 | 34 | 1 | Ⅱ |
| 29 30 | 23 | 14 | 10 | 17 | 1 | 1 | 1 | 23 | 14 | 8 | 16 | 45 | 1 | 1 | 23 | 14 | 8 | 16 | 28 | 2 | 1 |
| 17 33 51 | 24 | 15 | 11 | 18 | 51 | 3 | 2 | 24 | 15 | 9 | 18 | 37 | 3 | 2 | 24 | 15 | 10 | 18 | 22 | 3 | 2 |
| 38 12 | 25 | 16 | 12 | 20 | 41 | 4 | 3 | 25 | 16 | 11 | 20 | 30 | 5 | 3 | 25 | 16 | 11 | 20 | 17 | 5 | 3 |
| 42 34 | 26 | 17 | 13 | 22 | 33 | 5 | 4 | 26 | 17 | 12 | 22 | 23 | 6 | 4 | 26 | 17 | 13 | 22 | 13 | 6 | 4 |
| 17 46 55 | 27 | 18 | 15 | 24 | 24 | 7 | 5 | 27 | 18 | 13 | 24 | 17 | 8 | 5 | 27 | 18 | 14 | 24 | 10 | 7 | 5 |
| 51 17 | 28 | 20 | 17 | 26 | 16 | 9 | 7 | 28 | 19 | 15 | 26 | 11 | 10 | 7 | 28 | 19 | 15 | 26 | 6 | 9 | 7 |
| 55 38 | 29 | 21 | 18 | 28 | 8 | 10 | 8 | 29 | 20 | 17 | 28 | 6 | 11 | 8 | 29 | 20 | 17 | 28 | 3 | 11 | 8 |
| Houses | 4 | 5 | 6 | 7 | | 8 | 9 | 4 | 5 | 6 | 7 | | 8 | 9 | 4 | 5 | 6 | 7 | | 8 | 9 |

Latitude 40° S.    Latitude 41° S.    Latitude 42° S.

## SIMPLIFIED SCIENTIFIC TABLES OF HOUSES

|  | Latitude 40° N. | | | | | | Latitude 41° N. | | | | | | Latitude 42° N. | | | | | |
|---|---|---|---|---|---|---|---|---|---|---|---|---|---|---|---|---|---|---|
| Sider'l Time | 10 | 11 | 12 | Asc. | 2 | 3 | 10 | 11 | 12 | Asc. | 2 | 3 | 10 | 11 | 12 | Asc. | 2 | 3 |
| H M S | ♑ | ♑ | ≈ | ♈ | ♉ | Ⅱ | ♑ | ♑ | ≈ | ♈ | ♉ | Ⅱ | ♑ | ♑ | ≈ | ♈ | ♉ | Ⅱ |
| 18 0 0 | 0 | 22 | 19 | 0 0 | 11 | 8 | 0 | 21 | 18 | 0 0 | 12 | 8 | 0 | 21 | 18 | 0 0 | 12 | 9 |
| 4 22 | 1 | 23 | 20 | 1 52 | 12 | 9 | 1 | 22 | 19 | 1 54 | 13 | 9 | 1 | 22 | 19 | 1 57 | 13 | 10 |
| 8 43 | 2 | 24 | 22 | 3 44 | 14 | 10 | 2 | 23 | 20 | 3 49 | 14 | 10 | 2 | 23 | 20 | 3 54 | 15 | 11 |
| 18 13 5 | 3 | 25 | 24 | 5 36 | 15 | 11 | 3 | 24 | 22 | 5 43 | 16 | 12 | 3 | 25 | 21 | 5 50 | 17 | 12 |
| 17 26 | 4 | 26 | 25 | 7 27 | 17 | 13 | 4 | 26 | 25 | 7 37 | 17 | 13 | 4 | 26 | 23 | 7 47 | 18 | 13 |
| 21 48 | 5 | 27 | 26 | 9 19 | 18 | 14 | 5 | 27 | 25 | 9 30 | 18 | 14 | 5 | 27 | 25 | 9 43 | 19 | 14 |
| 18 26 9 | 6 | 28 | 28 | 11 9 | 20 | 15 | 6 | 29 | 27 | 11 23 | 20 | 15 | 6 | 28 | 26 | 11 38 | 20 | 15 |
| 30 30 | 7 | ≈ | ♓ | 12 59 | 21 | 16 | 7 | ≈ | ♓ | 13 15 | 21 | 16 | 7 | 29 | 27 | 13 32 | 21 | 16 |
| 34 51 | 8 | 1 | 1 | 14 49 | 22 | 17 | 8 | 1 | 1 | 15 7 | 23 | 17 | 8 | ≈ | 29 | 15 26 | 23 | 17 |
| 18 39 11 | 9 | 2 | 2 | 16 37 | 23 | 18 | 9 | 2 | 2 | 16 57 | 24 | 18 | 9 | 1 | ♓ | 17 19 | 24 | 18 |
| 43 31 | 10 | 3 | 3 | 18 25 | 24 | 19 | 10 | 3 | 3 | 18 47 | 25 | 19 | 10 | 2 | 2 | 19 11 | 25 | 19 |
| 47 51 | 11 | 4 | 4 | 20 12 | 25 | 20 | 11 | 4 | 4 | 20 36 | 26 | 20 | 11 | 3 | 3 | 21 2 | 26 | 20 |
| 18 52 11 | 12 | 5 | 5 | 21 27 | 26 | 21 | 12 | 5 | 5 | 22 24 | 28 | 21 | 12 | 4 | 4 | 22 52 | 28 | 21 |
| 56 31 | 13 | 6 | 6 | 23 42 | 27 | 22 | 13 | 6 | 7 | 24 10 | 29 | 22 | 13 | 6 | 6 | 24 40 | Ⅱ | 22 |
| 19 0 50 | 14 | 7 | 8 | 25 26 | 29 | 23 | 14 | 7 | 9 | 25 56 | Ⅱ | 23 | 14 | 7 | 8 | 26 28 | 1 | 23 |
| 19 5 8 | 15 | 8 | 10 | 27 9 | Ⅱ | 24 | 15 | 8 | 10 | 27 41 | 1 | 24 | 15 | 8 | 10 | 28 14 | 2 | 24 |
| 9 26 | 16 | 9 | 11 | 28 51 | 1 | 25 | 16 | 9 | 11 | 29 24 | 2 | 25 | 16 | 9 | 11 | 29 59 | 3 | 25 |
| 13 44 | 17 | 10 | 13 | 0 ♉ 31 | 2 | 26 | 17 | 10 | 13 | 1 ♉ 6 | 3 | 26 | 17 | 10 | 13 | 1 ♉ 42 | 4 | 26 |
| 19 18 1 | 18 | 12 | 15 | 2 10 | 3 | 27 | 18 | 11 | 14 | 2 46 | 4 | 27 | 18 | 12 | 15 | 3 24 | 5 | 27 |
| 22 18 | 19 | 13 | 17 | 3 48 | 5 | 28 | 19 | 13 | 16 | 4 25 | 6 | 28 | 19 | 13 | 17 | 5 4 | 6 | 28 |
| 26 34 | 20 | 14 | 18 | 5 25 | 6 | 29 | 20 | 14 | 18 | 6 3 | 7 | 29 | 20 | 14 | 18 | 6 43 | 7 | 29 |
| 19 30 50 | 21 | 15 | 19 | 7 0 | 7 | ♋ | 21 | 15 | 20 | 7 39 | 8 | ♋ | 21 | 15 | 19 | 8 21 | 8 | ♋ |
| 35 5 | 22 | 16 | 21 | 8 34 | 8 | 1 | 22 | 16 | 21 | 9 14 | 9 | 1 | 22 | 16 | 20 | 9 57 | 9 | 1 |
| 39 20 | 23 | 18 | 23 | 10 6 | 9 | 2 | 23 | 18 | 23 | 10 48 | 10 | 2 | 23 | 18 | 21 | 11 32 | 11 | 2 |
| 19 43 34 | 24 | 19 | 25 | 11 38 | 11 | 3 | 24 | 19 | 25 | 12 20 | 11 | 3 | 24 | 19 | 23 | 13 4 | 12 | 3 |
| 47 47 | 25 | 20 | 26 | 13 7 | 12 | 4 | 25 | 20 | 26 | 13 51 | 12 | 4 | 25 | 20 | 25 | 14 36 | 13 | 4 |
| 52 0 | 26 | 21 | 27 | 14 36 | 13 | 5 | 26 | 21 | 28 | 15 20 | 13 | 5 | 26 | 21 | 27 | 16 6 | 14 | 5 |
| 19 56 12 | 27 | 23 | ♈ | 16 3 | 14 | 6 | 27 | 23 | ♈ | 16 48 | 14 | 6 | 27 | 23 | 29 | 17 35 | 15 | 6 |
| 20 0 24 | 28 | 24 | 1 | 17 29 | 15 | 7 | 28 | 24 | 1 | 18 15 | 16 | 7 | 28 | 24 | ♈ | 19 2 | 16 | 7 |
| 4 35 | 29 | 25 | 2 | 18 54 | 16 | 8 | 29 | 25 | 2 | 19 40 | 17 | 8 | 29 | 25 | 2 | 20 28 | 17 | 8 |
| Houses | 4 | 5 | 6 | 7 | 8 | 9 | 4 | 5 | 6 | 7 | 8 | 9 | 4 | 5 | 6 | 7 | 8 | 9 |

Latitude 40° S.    Latitude 41° S.    Latitude 42° S.

# SIMPLIFIED SCIENTIFIC TABLES OF HOUSES

### Latitude 40° N.  Latitude 41° N.  Latitude 42° N.

(Ascendant given as degrees and minutes. Sign headers: 10 = ♒, 11 = ♒, 12 = ♈, Asc = ♉, 2 = ♊, 3 = ♋)

| Sider'l Time (H M S) | 10 | 11 | 12 | Asc | 2 | 3 | 10 | 11 | 12 | Asc | 2 | 3 | 10 | 11 | 12 | Asc | 2 | 3 |
|---|---|---|---|---|---|---|---|---|---|---|---|---|---|---|---|---|---|---|
| 20 8 45 | 0 | 26 | 3 | 20 17 | 17 | 8 | 0 | 26 | 3 | 21 3 | 18 | 9 | 0 | 26 | 3 | 21 52 | 18 | 9 |
| 12 54 | 1 | 27 | 4 | 21 39 | 18 | 9 | 1 | 27 | 4 | 22 26 | 19 | 10 | 1 | 27 | 4 | 23 15 | 19 | 10 |
| 17 3 | 2 | 28 | 5 | 23 0 | 19 | 10 | 2 | 28 | 5 | 23 47 | 20 | 11 | 2 | 29 | 6 | 24 37 | 20 | 11 |
| 20 21 11 | 3 | ♓ | 7 | 24 19 | 20 | 11 | 3 | ♓ | 7 | 25 7 | 21 | 12 | 3 | ♓ | 8 | 25 57 | 21 | 12 |
| 25 19 | 4 | 1 | 9 | 25 38 | 21 | 12 | 4 | 1 | 9 | 26 26 | 22 | 13 | 4 | 1 | 10 | 27 17 | 22 | 13 |
| 29 26 | 5 | 2 | 11 | 26 55 | 22 | 13 | 5 | 2 | 11 | 27 43 | 23 | 13 | 5 | 2 | 11 | 28 34 | 23 | 14 |
| 20 33 31 | 6 | 3 | 13 | 28 11 | 23 | 14 | 6 | 3 | 12 | 29 0 | 24 | 14 | 6 | 3 | 13 | 29 50 | 24 | 15 |
| 37 37 | 7 | 4 | 14 | 29 26 | 24 | 15 | 7 | 4 | 13 | 0 ♊ 15 | 25 | 15 | 7 | 4 | 15 | 1 ♊ 6 | 25 | 16 |
| 41 41 | 8 | 5 | 16 | 0 ♊ 40 | 25 | 16 | 8 | 6 | 15 | 1 29 | 26 | 16 | 8 | 6 | 16 | 2 20 | 26 | 17 |
| 20 45 45 | 9 | 7 | 17 | 1 52 | 26 | 17 | 9 | 7 | 17 | 2 41 | 27 | 17 | 9 | 7 | 17 | 3 32 | 27 | 18 |
| 49 48 | 10 | 9 | 19 | 3 4 | 27 | 18 | 10 | 8 | 18 | 3 53 | 27 | 18 | 10 | 8 | 18 | 4 44 | 28 | 18 |
| 53 51 | 11 | 10 | 20 | 4 14 | 28 | 19 | 11 | 9 | 20 | 5 3 | 28 | 19 | 11 | 9 | 19 | 5 54 | 29 | 19 |
| 20 57 52 | 12 | 11 | 21 | 5 24 | 29 | 19 | 12 | 10 | 21 | 6 13 | 29 | 20 | 12 | 10 | 21 | 7 4 | ♋ | 20 |
| 21 1 53 | 13 | 12 | 23 | 6 32 | ♋ | 20 | 13 | 11 | 22 | 7 21 | ♋ | 21 | 13 | 12 | 23 | 8 13 | 1 | 21 |
| 5 53 | 14 | 13 | 24 | 7 40 | 1 | 21 | 14 | 13 | 24 | 8 29 | 1 | 22 | 14 | 13 | 24 | 9 20 | 2 | 22 |
| 21 9 53 | 15 | 14 | 25 | 8 47 | 2 | 22 | 15 | 14 | 25 | 9 36 | 2 | 23 | 15 | 14 | 25 | 10 26 | 3 | 23 |
| 13 52 | 16 | 15 | 27 | 9 52 | 3 | 23 | 16 | 15 | 26 | 10 41 | 3 | 24 | 16 | 15 | 26 | 11 32 | 4 | 24 |
| 17 50 | 17 | 16 | 28 | 10 57 | 4 | 24 | 17 | 16 | 28 | 11 46 | 4 | 25 | 17 | 16 | 28 | 12 37 | 5 | 25 |
| 21 21 47 | 18 | 18 | 29 | 12 1 | 5 | 25 | 18 | 17 | ♉ | 12 50 | 5 | 25 | 18 | 18 | ♉ | 13 40 | 6 | 26 |
| 25 44 | 19 | 20 | ♉ | 13 4 | 6 | 26 | 19 | 19 | 1 | 13 53 | 6 | 26 | 19 | 19 | 1 | 14 43 | 7 | 27 |
| 29 40 | 20 | 21 | 1 | 14 7 | 6 | 27 | 20 | 20 | 2 | 14 55 | 7 | 27 | 20 | 20 | 2 | 15 45 | 7 | 27 |
| 21 33 35 | 21 | 22 | 2 | 15 8 | 7 | 28 | 21 | 21 | 3 | 15 56 | 7 | 28 | 21 | 21 | 3 | 16 47 | 8 | 28 |
| 37 29 | 22 | 23 | 3 | 16 9 | 8 | 29 | 22 | 23 | 4 | 16 57 | 8 | 29 | 22 | 23 | 4 | 17 46 | 9 | 29 |
| 41 23 | 23 | 24 | 5 | 17 9 | 9 | ♌ | 23 | 25 | 5 | 17 57 | 9 | ♌ | 23 | 25 | 6 | 18 46 | 10 | ♌ |
| 21 45 16 | 24 | 26 | 7 | 18 8 | 10 | 0 | 24 | 26 | 7 | 18 56 | 10 | 0 | 24 | 26 | 8 | 19 45 | 11 | 0 |
| 49 9 | 25 | 27 | 8 | 19 7 | 10 | 1 | 25 | 27 | 8 | 19 54 | 11 | 1 | 25 | 27 | 9 | 20 43 | 11 | 1 |
| 53 1 | 26 | 29 | 9 | 20 5 | 11 | 2 | 26 | 29 | 9 | 20 52 | 12 | 2 | 26 | 29 | 10 | 21 41 | 12 | 2 |
| 21 56 52 | 27 | ♈ | 10 | 21 2 | 12 | 3 | 27 | ♈ | 11 | 21 49 | 13 | 3 | 27 | ♈ | 12 | 22 38 | 13 | 3 |
| 22 0 43 | 28 | 1 | 11 | 21 59 | 13 | 4 | 28 | 1 | 12 | 22 45 | 14 | 4 | 28 | 1 | 13 | 23 34 | 14 | 4 |
| 4 33 | 29 | 2 | 13 | 22 55 | 13 | 5 | 29 | 2 | 13 | 23 41 | 14 | 5 | 29 | 2 | 14 | 24 29 | 14 | 5 |
| **Houses** | 4 | 5 | 6 | 7 | 8 | 9 | 4 | 5 | 6 | 7 | 8 | 9 | 4 | 5 | 6 | 7 | 8 | 9 |

### Latitude 40° S.  Latitude 41° S.  Latitude 42° S.

Latitude 40° N.  Latitude 41° N.  Latitude 42° N.

| Sider'l Time | 10 ♓ | 11 ♈ | 12 ♉ | Asc. ♊ | 2 ♋ | 3 ♌ | 10 ♓ | 11 ♈ | 12 ♉ | Asc. ♊ | 2 ♋ | 3 ♌ | 10 ♓ | 11 ♈ | 12 ♉ | Asc. ♊ | 2 ♋ | 3 ♌ |
|---|---|---|---|---|---|---|---|---|---|---|---|---|---|---|---|---|---|---|
| H M S | ° | ° | ° | ° ' | ° | ° | ° | ° | ° | ° ' | ° | ° | ° | ° | ° | ° ' | ° | ° |
| 22 8 23 | 0 | 3 | 14 | 23 50 | 14 | 5 | 0 | 3 | 14 | 24 37 | 15 | 5 | 0 | 3 | 15 | 25 24 | 15 | 6 |
| 12 12 | 1 | 4 | 15 | 24 45 | 15 | 6 | 1 | 4 | 15 | 25 31 | 16 | 6 | 1 | 4 | 16 | 26 19 | 16 | 7 |
| 16 0 | 2 | 5 | 16 | 25 40 | 16 | 7 | 2 | 5 | 16 | 26 25 | 17 | 7 | 2 | 5 | 17 | 27 12 | 17 | 8 |
| 22 19 48 | 3 | 6 | 18 | 26 33 | 17 | 8 | 3 | 6 | 17 | 27 19 | 18 | 8 | 3 | 6 | 18 | 28 6 | 18 | 9 |
| 23 35 | 4 | 7 | 19 | 27 27 | 18 | 9 | 4 | 8 | 19 | 28 12 | 19 | 9 | 4 | 8 | 19 | 28 59 | 19 | 10 |
| 27 22 | 5 | 8 | 20 | 28 20 | 19 | 10 | 5 | 9 | 20 | 29 5 | 19 | 10 | 5 | 9 | 21 | 29 51 | 19 | 10 |
| 22 31 8 | 6 | 9 | 21 | 29 12 | 20 | 11 | 6 | 10 | 21 | 29 57 | 20 | 11 | 6 | 10 | 22 | 0♋43 | 20 | 11 |
| 34 54 | 7 | 11 | 22 | 0♋4 | 21 | 12 | 7 | 11 | 22 | 0♋48 | 21 | 12 | 7 | 11 | 23 | 1 34 | 21 | 12 |
| 38 40 | 8 | 12 | 23 | 0 56 | 22 | 13 | 8 | 12 | 23 | 1 40 | 22 | 13 | 8 | 12 | 24 | 2 25 | 22 | 13 |
| 22 42 25 | 9 | 13 | 24 | 1 47 | 23 | 14 | 9 | 13 | 24 | 2 30 | 23 | 14 | 9 | 13 | 25 | 3 15 | 23 | 14 |
| 46 9 | 10 | 14 | 25 | 2 37 | 23 | 14 | 10 | 14 | 26 | 3 21 | 23 | 14 | 10 | 14 | 26 | 4 5 | 23 | 14 |
| 49 53 | 11 | 16 | 26 | 3 27 | 24 | 15 | 11 | 15 | 27 | 4 10 | 24 | 15 | 11 | 15 | 27 | 4 55 | 24 | 15 |
| 22 53 37 | 12 | 17 | 27 | 4 18 | 25 | 16 | 12 | 16 | 28 | 5 0 | 25 | 16 | 12 | 16 | 28 | 5 44 | 25 | 16 |
| 57 20 | 13 | 18 | 28 | 5 7 | 26 | 17 | 13 | 17 | 29 | 5 49 | 26 | 17 | 13 | 17 | 29 | 6 33 | 26 | 17 |
| 23 1 3 | 14 | 19 | 29 | 5 56 | 27 | 18 | 14 | 18 | 29 | 6 38 | 27 | 18 | 14 | 18 | ♊ | 7 22 | 27 | 18 |
| 23 4 46 | 15 | 20 | ♊ | 6 45 | 27 | 18 | 15 | 20 | ♊ | 7 27 | 27 | 18 | 15 | 20 | 1 | 8 10 | 27 | 19 |
| 8 28 | 16 | 21 | 1 | 7 34 | 28 | 19 | 16 | 21 | 1 | 8 16 | 28 | 19 | 16 | 21 | 2 | 8 58 | 28 | 20 |
| 12 10 | 17 | 23 | 2 | 8 22 | 28 | 20 | 17 | 23 | 2 | 9 3 | 28 | 20 | 17 | 22 | 3 | 9 46 | 29 | 21 |
| 23 15 52 | 18 | 24 | 3 | 9 10 | 29 | 21 | 18 | 24 | 3 | 9 51 | 29 | 21 | 18 | 23 | 4 | 10 33 | ♌ | 22 |
| 19 34 | 19 | 25 | 4 | 9 58 | 29 | 22 | 19 | 25 | 4 | 10 38 | 29 | 22 | 19 | 25 | 5 | 11 20 | 0 | 23 |
| 23 15 | 20 | 25 | 5 | 10 45 | ♌ | 22 | 20 | 26 | 6 | 11 26 | ♌ | 23 | 20 | 26 | 6 | 12 7 | 1 | 23 |
| 23 26 56 | 21 | 26 | 6 | 11 32 | 0 | 23 | 21 | 27 | 7 | 12 12 | 1 | 24 | 21 | 27 | 7 | 12 53 | 2 | 24 |
| 30 37 | 22 | 28 | 7 | 12 19 | 1 | 24 | 22 | 29 | 8 | 12 59 | 2 | 25 | 22 | 28 | 8 | 13 39 | 3 | 25 |
| 34 18 | 23 | 29 | 8 | 13 6 | 2 | 25 | 23 | ♉ | 9 | 13 45 | 3 | 26 | 23 | 29 | 9 | 14 26 | 4 | 26 |
| 23 37 58 | 24 | ♉ | 9 | 13 53 | 3 | 26 | 24 | 0 | 10 | 14 32 | 4 | 27 | 24 | ♉ | 10 | 15 12 | 5 | 27 |
| 41 39 | 25 | 1 | 10 | 14 39 | 4 | 27 | 25 | 1 | 11 | 15 18 | 5 | 27 | 25 | 1 | 11 | 15 57 | 5 | 27 |
| 45 19 | 26 | 2 | 11 | 15 25 | 5 | 28 | 26 | 2 | 12 | 16 3 | 6 | 28 | 26 | 2 | 12 | 16 43 | 6 | 28 |
| 23 49 0 | 27 | 3 | 12 | 16 11 | 6 | 29 | 27 | 3 | 13 | 16 49 | 7 | 29 | 27 | 3 | 13 | 17 28 | 7 | 29 |
| 52 40 | 28 | 4 | 13 | 16 57 | 7 | 29 | 28 | 4 | 14 | 17 35 | 8 | 29 | 28 | 5 | 14 | 18 13 | 8 | 29 |
| 56 20 | 29 | 5 | 14 | 17 43 | 7 | ♍ | 29 | 5 | 15 | 18 20 | 8 | ♍ | 29 | 6 | 15 | 18 58 | 8 | ♍ |
| Houses | 4 | 5 | 6 | 7 | 8 | 9 | 4 | 5 | 6 | 7 | 8 | 9 | 4 | 5 | 6 | 7 | 8 | 9 |

Latitude 40° S.  Latitude 41° S.  Latitude 42° S.

# SIMPLIFIED SCIENTIFIC TABLES OF HOUSES

Latitude 43° N.   Latitude 44° N.   Latitude 45° N.

| Sider'l Time | 10 ♈ | 11 ♉ | 12 ♊ | Asc. ♋ | 2 ♌ | 3 ♍ | 10 ♈ | 11 ♉ | 12 ♊ | Asc. ♋ | 2 ♌ | 3 ♍ | 10 ♈ | 11 ♉ | 12 ♊ | Asc. ♋ | 2 ♌ | 3 ♍ |
|---|---|---|---|---|---|---|---|---|---|---|---|---|---|---|---|---|---|---|
| H M S 0 0 0 | 0 | 7 | 16 | 20 22 | 9 | 1 | 0 | 7 | 17 | 21 1 | 10 | 2 | 0 | 7 | 18 | 21 42 | 10 | 2 |
| 3 40 | 1 | 8 | 17 | 21 6 | 10 | 2 | 1 | 8 | 18 | 21 45 | 11 | 3 | 1 | 8 | 19 | 22 26 | 11 | 3 |
| 7 20 | 2 | 9 | 18 | 21 50 | 11 | 3 | 2 | 9 | 19 | 22 29 | 12 | 4 | 2 | 9 | 20 | 23 9 | 12 | 4 |
| 0 11 0 | 3 | 10 | 19 | 22 34 | 12 | 4 | 3 | 10 | 20 | 23 13 | 13 | 5 | 3 | 10 | 21 | 23 52 | 13 | 5 |
| 14 41 | 4 | 11 | 20 | 23 18 | 13 | 5 | 4 | 11 | 21 | 23 56 | 13 | 6 | 4 | 12 | 22 | 24 35 | 13 | 6 |
| 18 21 | 5 | 12 | 21 | 24 2 | 13 | 6 | 5 | 12 | 22 | 24 40 | 13 | 6 | 5 | 13 | 22 | 25 19 | 14 | 6 |
| 0 22 2 | 6 | 13 | 22 | 24 46 | 14 | 7 | 6 | 13 | 23 | 25 23 | 14 | 7 | 6 | 14 | 23 | 26 2 | 15 | 7 |
| 25 42 | 7 | 14 | 23 | 25 30 | 15 | 8 | 7 | 14 | 24 | 26 7 | 15 | 8 | 7 | 15 | 24 | 26 44 | 16 | 8 |
| 29 23 | 8 | 15 | 24 | 26 13 | 16 | 9 | 8 | 15 | 25 | 26 50 | 16 | 9 | 8 | 16 | 25 | 27 27 | 17 | 9 |
| 0 33 4 | 9 | 16 | 25 | 26 57 | 17 | 10 | 9 | 16 | 26 | 27 33 | 17 | 10 | 9 | 17 | 26 | 28 10 | 17 | 10 |
| 36 45 | 10 | 17 | 25 | 27 40 | 17 | 10 | 10 | 17 | 26 | 28 16 | 17 | 10 | 10 | 18 | 27 | 28 53 | 17 | 10 |
| 40 26 | 11 | 18 | 26 | 28 24 | 18 | 11 | 11 | 18 | 27 | 28 59 | 18 | 11 | 11 | 19 | 28 | 29 36 | 18 | 11 |
| 0 44 8 | 12 | 19 | 27 | 29 7 | 19 | 12 | 12 | 19 | 28 | 29 42 | 19 | 12 | 12 | 20 | 29 | 0♌18 | 19 | 12 |
| 47 50 | 13 | 20 | 28 | 29 51 | 20 | 13 | 13 | 20 | 29 | 0♌25 | 20 | 13 | 13 | 21 | ♋ | 1 1 | 20 | 13 |
| 51 32 | 14 | 21 | 29 | 0♌34 | 21 | 14 | 14 | 21 | ♋ | 1 8 | 21 | 14 | 14 | 22 | 0 | 1 43 | 21 | 14 |
| 0 55 14 | 15 | 22 | 29 | 1 17 | 21 | 14 | 15 | 22 | ♋ | 1 51 | 21 | 14 | 15 | 23 | 1 | 2 26 | 21 | 15 |
| 58 57 | 16 | 22 | ♋ | 2 1 | 22 | 15 | 16 | 23 | 1 | 2 34 | 22 | 15 | 16 | 24 | 2 | 3 8 | 22 | 16 |
| 1 2 40 | 17 | 23 | 1 | 2 44 | 23 | 16 | 17 | 24 | 2 | 3 17 | 23 | 16 | 17 | 25 | 3 | 3 51 | 23 | 17 |
| 1 6 23 | 18 | 24 | 2 | 3 27 | 24 | 17 | 18 | 25 | 3 | 4 0 | 24 | 17 | 18 | 26 | 4 | 4 33 | 24 | 18 |
| 10 7 | 19 | 25 | 3 | 4 11 | 25 | 18 | 19 | 26 | 4 | 4 43 | 25 | 18 | 19 | 27 | 5 | 5 16 | 25 | 19 |
| 13 51 | 20 | 27 | 4 | 4 54 | 25 | 19 | 20 | 27 | 5 | 5 26 | 25 | 19 | 20 | 28 | 5 | 5 58 | 25 | 19 |
| 1 17 35 | 21 | 28 | 5 | 5 38 | 26 | 20 | 21 | 28 | 6 | 6 9 | 26 | 20 | 21 | 29 | 6 | 6 41 | 26 | 20 |
| 21 20 | 22 | 29 | 6 | 6 21 | 27 | 21 | 22 | 29 | 7 | 6 52 | 27 | 21 | 22 | ♊ | 7 | 7 24 | 27 | 21 |
| 25 6 | 23 | ♊ | 7 | 7 4 | 28 | 22 | 23 | ♊ | 8 | 7 35 | 28 | 22 | 23 | 1 | 8 | 8 6 | 28 | 22 |
| 1 28 52 | 24 | 1 | 8 | 7 48 | 29 | 23 | 24 | 1 | 9 | 8 18 | 29 | 23 | 24 | 2 | 9 | 8 49 | 29 | 23 |
| 32 38 | 25 | 2 | 8 | 8 32 | 29 | 23 | 25 | 2 | 9 | 9 2 | 29 | 23 | 25 | 3 | 9 | 9 32 | 29 | 23 |
| 36 25 | 26 | 3 | 9 | 9 15 | ♍ | 24 | 26 | 3 | 10 | 9 45 | ♍ | 24 | 26 | 4 | 10 | 10 15 | ♍ | 24 |
| 1 40 12 | 27 | 4 | 10 | 9 59 | 0 | 25 | 27 | 4 | 11 | 10 28 | 0 | 25 | 27 | 5 | 11 | 10 58 | 0 | 25 |
| 44 0 | 28 | 5 | 11 | 10 43 | 1 | 26 | 28 | 5 | 12 | 11 12 | 1 | 26 | 28 | 6 | 12 | 11 41 | 1 | 26 |
| 47 48 | 29 | 6 | 11 | 11 26 | 2 | 27 | 29 | 6 | 12 | 11 55 | 2 | 27 | 29 | 6 | 12 | 12 24 | 2 | 27 |
| Houses | 4 | 5 | 6 | 7 | 8 | 9 | 4 | 5 | 6 | 7 | 8 | 9 | 4 | 5 | 6 | 7 | 8 | 9 |

Latitude 43° S.   Latitude 44° S.   Latitude 45° S.

## SIMPLIFIED SCIENTIFIC TABLES OF HOUSES

Latitude 43° N.  Latitude 44° N.  Latitude 45° N.

| Sider'l Time | 10 ♉ | 11 ♊ | 12 ♋ | Asc. ♌ | 2 ♍ | 3 ♍ | 10 ♉ | 11 ♊ | 12 ♋ | Asc. ♌ | 2 ♍ | 3 ♍ | 10 ♉ | 11 ♊ | 12 ♋ | Asc. ♌ | 2 ♍ | 3 ♍ |
|---|---|---|---|---|---|---|---|---|---|---|---|---|---|---|---|---|---|---|
| H M S | ° | ° | ° | ° ′ | ° | ° | ° | ° | ° | ° ′ | ° | ° | ° | ° | ° | ° ′ | ° | ° |
| 1 51 37 | 0 | 7 | 12 | 12 10 | 3 | 28 | 0 | 7 | 13 | 12 38 | 3 | 28 | 0 | 7 | 13 | 13 7 | 3 | 28 |
| 55 27 | 1 | 8 | 13 | 12 55 | 4 | 29 | 1 | 8 | 14 | 13 22 | 4 | 29 | 1 | 8 | 14 | 13 50 | 4 | 29 |
| 59 17 | 2 | 9 | 14 | 13 39 | 5 | ♎ | 2 | 9 | 15 | 14 6 | 5 | ♎ | 2 | 9 | 15 | 14 33 | 5 | ♎ |
| 2 3 8 | 3 | 10 | 15 | 14 23 | 6 | 1 | 3 | 10 | 16 | 14 50 | 6 | 1 | 3 | 10 | 16 | 15 17 | 6 | 1 |
| 6 59 | 4 | 11 | 16 | 15 7 | 7 | 2 | 4 | 11 | 17 | 15 34 | 7 | 2 | 4 | 11 | 17 | 16 0 | 7 | 2 |
| 10 51 | 5 | 12 | 16 | 15 52 | 7 | 3 | 5 | 12 | 17 | 16 18 | 7 | 3 | 5 | 12 | 17 | 16 44 | 7 | 3 |
| 2 14 44 | 6 | 13 | 17 | 16 36 | 8 | 4 | 6 | 13 | 18 | 17 2 | 8 | 4 | 6 | 13 | 18 | 17 28 | 8 | 4 |
| 18 37 | 7 | 14 | 18 | 17 21 | 9 | 5 | 7 | 14 | 19 | 17 46 | 9 | 5 | 7 | 14 | 19 | 18 12 | 9 | 5 |
| 22 31 | 8 | 15 | 19 | 18 5 | 10 | 6 | 8 | 15 | 20 | 18 30 | 10 | 6 | 8 | 15 | 20 | 18 55 | 10 | 6 |
| 2 26 25 | 9 | 16 | 20 | 18 50 | 11 | 7 | 9 | 16 | 21 | 19 15 | 11 | 7 | 9 | 16 | 21 | 19 39 | 11 | 7 |
| 30 20 | 10 | 16 | 21 | 19 36 | 11 | 7 | 10 | 17 | 21 | 19 59 | 11 | 7 | 10 | 17 | 22 | 20 24 | 11 | 7 |
| 34 16 | 11 | 17 | 22 | 20 21 | 12 | 8 | 11 | 18 | 22 | 20 44 | 12 | 8 | 11 | 18 | 22 | 21 8 | 12 | 8 |
| 2 38 13 | 12 | 18 | 23 | 21 6 | 13 | 9 | 12 | 19 | 23 | 21 29 | 13 | 9 | 12 | 19 | 23 | 21 52 | 13 | 9 |
| 42 10 | 13 | 19 | 24 | 21 51 | 14 | 10 | 13 | 20 | 24 | 22 14 | 14 | 10 | 13 | 20 | 24 | 22 37 | 14 | 10 |
| 46 8 | 14 | 20 | 25 | 22 37 | 15 | 11 | 14 | 21 | 25 | 22 59 | 15 | 11 | 14 | 21 | 25 | 23 22 | 15 | 11 |
| 2 50 7 | 15 | 21 | 25 | 23 23 | 15 | 12 | 15 | 21 | 25 | 23 44 | 15 | 12 | 15 | 22 | 26 | 24 6 | 15 | 12 |
| 54 7 | 16 | 22 | 26 | 24 9 | 16 | 13 | 16 | 22 | 26 | 24 30 | 16 | 13 | 16 | 23 | 26 | 24 51 | 16 | 13 |
| 58 7 | 17 | 23 | 27 | 24 54 | 17 | 14 | 17 | 23 | 27 | 25 15 | 17 | 14 | 17 | 24 | 27 | 25 37 | 17 | 14 |
| 3 2 8 | 18 | 24 | 28 | 25 41 | 18 | 15 | 18 | 24 | 28 | 26 1 | 18 | 15 | 18 | 25 | 28 | 26 22 | 18 | 15 |
| 6 9 | 19 | 25 | 29 | 26 27 | 19 | 16 | 19 | 25 | 29 | 26 47 | 19 | 16 | 19 | 26 | 29 | 27 7 | 19 | 16 |
| 10 12 | 20 | 26 | 29 | 27 13 | 19 | 17 | 20 | 26 | 29 | 27 33 | 19 | 17 | 20 | 26 | 29 | 27 53 | 19 | 17 |
| 3 14 15 | 21 | 27 | ♌ | 28 0 | 20 | 18 | 21 | 27 | ♌ | 28 19 | 20 | 18 | 21 | 27 | ♌ | 28 38 | 20 | 18 |
| 18 19 | 22 | 28 | 0 | 28 47 | 21 | 19 | 22 | 28 | 1 | 29 5 | 21 | 19 | 22 | 28 | 1 | 29 24 | 21 | 19 |
| 22 23 | 23 | 29 | 1 | 29 33 | 22 | 20 | 23 | 29 | 2 | 29 52 | 22 | 20 | 23 | 29 | 2 | 0♍10 | 22 | 20 |
| 3 26 29 | 24 | ♋ | 2 | 0♍20 | 23 | 21 | 24 | ♋ | 3 | 0♍38 | 23 | 21 | 24 | ♋ | 3 | 0 56 | 23 | 21 |
| 30 35 | 25 | 0 | 3 | 1 8 | 24 | 21 | 25 | 1 | 4 | 1 25 | 24 | 21 | 25 | 1 | 4 | 1 43 | 24 | 21 |
| 34 41 | 26 | 1 | 4 | 1 55 | 25 | 22 | 26 | 2 | 5 | 2 12 | 25 | 22 | 26 | 2 | 5 | 2 29 | 25 | 22 |
| 3 38 49 | 27 | 2 | 5 | 2 43 | 26 | 23 | 27 | 3 | 6 | 2 59 | 26 | 23 | 27 | 3 | 6 | 3 16 | 26 | 23 |
| 42 57 | 28 | 3 | 6 | 3 30 | 27 | 24 | 28 | 4 | 7 | 3 46 | 27 | 24 | 28 | 4 | 7 | 4 2 | 27 | 24 |
| 47 6 | 29 | 4 | 6 | 4 18 | 27 | 25 | 29 | 5 | 7 | 4 34 | 27 | 25 | 29 | 5 | 7 | 4 49 | 27 | 25 |
| Houses | 4 | 5 | 6 | 7 | 8 | 9 | 4 | 5 | 6 | 7 | 8 | 9 | 4 | 5 | 6 | 7 | 8 | 9 |

Latitude 43° S.  Latitude 44° S.  Latitude 45° S.

# SIMPLIFIED SCIENTIFIC TABLES OF HOUSES

Latitude 43° N.  Latitude 44° N.  Latitude 45° N.

| Sider'l Time | 10 ♊ | 11 ♋ | 12 ♌ | Asc ♍ | 2 ♍ | 3 ♎ | 10 ♊ | 11 ♋ | 12 ♌ | Asc ♍ | 2 ♍ | 3 ♎ | 10 ♊ | 11 ♋ | 12 ♌ | Asc ♍ | 2 ♍ | 3 ♎ |
|---|---|---|---|---|---|---|---|---|---|---|---|---|---|---|---|---|---|---|
| H M S | | | | ′ | | | | | | ′ | | | | | | ′ | | |
| 3 51 15 | 0 | 5 | 7 | 5 6 | 28 | 26 | 0 | 6 | 8 | 5 21 | 28 | 26 | 1 | 7 | 9 | 5 36 | 29 | 26 |
| 55 25 | 1 | 6 | 8 | 5 54 | 29 | 27 | 1 | 7 | 9 | 6 9 | 29 | 27 | 1 | 7 | 9 | 6 23 | 29 | 27 |
| 59 36 | 2 | 7 | 9 | 6 43 | ♎ | 28 | 2 | 8 | 10 | 6 57 | ♎ | 28 | 2 | 8 | 10 | 7 11 | ♎ | 28 |
| 4 3 48 | 3 | 8 | 10 | 7 31 | 1 | 29 | 3 | 9 | 11 | 7 44 | 1 | 29 | 3 | 9 | 11 | 7 58 | 1 | 29 |
| 8 0 | 4 | 9 | 11 | 8 20 | 2 | ♏ | 4 | 10 | 12 | 8 33 | 2 | ♏ | 4 | 10 | 12 | 8 46 | 2 | ♏ |
| 12 13 | 5 | 10 | 12 | 9 8 | 3 | 1 | 5 | 10 | 12 | 9 21 | 3 | 1 | 5 | 11 | 13 | 9 34 | 3 | 1 |
| 4 16 26 | 6 | 11 | 13 | 9 57 | 4 | 2 | 6 | 11 | 13 | 10 9 | 4 | 2 | 6 | 12 | 14 | 10 21 | 4 | 2 |
| 20 40 | 7 | 12 | 14 | 10 46 | 5 | 3 | 7 | 12 | 14 | 10 58 | 5 | 3 | 7 | 13 | 15 | 11 10 | 5 | 3 |
| 24 55 | 8 | 13 | 15 | 11 35 | 6 | 4 | 8 | 13 | 15 | 11 46 | 6 | 4 | 8 | 14 | 16 | 11 58 | 6 | 4 |
| 4 29 10 | 9 | 14 | 16 | 12 24 | 7 | 5 | 9 | 14 | 16 | 12 35 | 7 | 5 | 9 | 15 | 17 | 12 46 | 7 | 5 |
| 33 26 | 10 | 15 | 16 | 13 14 | 7 | 6 | 10 | 15 | 17 | 13 24 | 7 | 6 | 10 | 15 | 17 | 13 34 | 7 | 6 |
| 37 42 | 11 | 16 | 17 | 14 3 | 8 | 7 | 11 | 15 | 18 | 14 13 | 8 | 7 | 11 | 16 | 18 | 14 23 | 8 | 7 |
| 4 41 59 | 12 | 17 | 18 | 14 53 | 9 | 8 | 12 | 16 | 19 | 15 2 | 9 | 8 | 12 | 17 | 19 | 15 11 | 9 | 8 |
| 46 16 | 13 | 18 | 19 | 15 43 | 10 | 9 | 13 | 17 | 20 | 15 51 | 10 | 9 | 13 | 18 | 20 | 16 0 | 10 | 9 |
| 50 34 | 14 | 19 | 20 | 16 33 | 11 | 10 | 14 | 18 | 21 | 16 41 | 11 | 10 | 14 | 19 | 21 | 16 49 | 11 | 10 |
| 4 54 52 | 15 | 20 | 21 | 17 23 | 12 | 11 | 15 | 20 | 21 | 17 30 | 12 | 11 | 15 | 20 | 21 | 17 38 | 11 | 11 |
| 59 10 | 16 | 21 | 22 | 18 13 | 13 | 12 | 16 | 21 | 22 | 18 20 | 13 | 12 | 16 | 21 | 22 | 18 27 | 13 | 12 |
| 5 3 29 | 17 | 22 | 23 | 19 3 | 14 | 13 | 17 | 22 | 23 | 19 9 | 14 | 13 | 17 | 22 | 23 | 19 16 | 14 | 13 |
| 5 7 49 | 18 | 23 | 24 | 19 53 | 15 | 14 | 18 | 23 | 24 | 19 59 | 15 | 14 | 18 | 23 | 24 | 20 5 | 15 | 14 |
| 12 9 | 19 | 24 | 25 | 20 43 | 16 | 15 | 19 | 24 | 25 | 20 49 | 16 | 15 | 19 | 24 | 25 | 20 55 | 16 | 15 |
| 16 29 | 20 | 24 | 25 | 21 34 | 16 | 16 | 20 | 25 | 25 | 21 39 | 16 | 16 | 20 | 25 | 26 | 21 44 | 16 | 16 |
| 5 20 49 | 21 | 25 | 26 | 22 24 | 17 | 17 | 21 | 26 | 26 | 22 29 | 17 | 17 | 21 | 26 | 27 | 22 33 | 17 | 17 |
| 25 9 | 22 | 26 | 27 | 23 14 | 18 | 18 | 22 | 27 | 27 | 23 19 | 18 | 18 | 22 | 27 | 28 | 23 23 | 18 | 18 |
| 29 30 | 23 | 27 | 28 | 24 5 | 19 | 19 | 23 | 28 | 28 | 24 9 | 19 | 19 | 23 | 28 | 29 | 24 12 | 19 | 19 |
| 5 33 51 | 24 | 28 | 29 | 24 56 | 20 | 20 | 24 | 29 | 29 | 24 59 | 20 | 20 | 24 | 29 | ♍ | 25 2 | 20 | 20 |
| 38 12 | 25 | 29 | 29 | 25 46 | 21 | 21 | 25 | 29 | 29 | 25 49 | 21 | 21 | 25 | 29 | 0 | 25 51 | 21 | 21 |
| 42 34 | 26 | ♌ | ♍ | 26 37 | 22 | 22 | 26 | ♌ | ♍ | 26 39 | 22 | 22 | 26 | ♌ | 1 | 26 41 | 22 | 22 |
| 5 46 55 | 27 | 1 | 1 | 27 28 | 23 | 23 | 27 | 1 | 1 | 27 29 | 23 | 23 | 27 | 1 | 2 | 27 31 | 23 | 23 |
| 51 17 | 28 | 2 | 2 | 28 18 | 24 | 24 | 28 | 2 | 2 | 28 19 | 24 | 24 | 28 | 2 | 3 | 28 20 | 24 | 24 |
| 55 38 | 29 | 3 | 3 | 29 9 | 25 | 25 | 29 | 3 | 3 | 29 10 | 24 | 25 | 29 | 3 | 4 | 29 10 | 24 | 24 |
| Houses | 4 | 5 | 6 | 7 | 8 | 9 | 4 | 5 | 6 | 7 | 8 | 9 | 4 | 5 | 6 | 7 | 8 | 9 |

Latitude 43° S.  Latitude 44° S.  Latitude 45° S.

# SIMPLIFIED SCIENTIFIC TABLES OF HOUSES

|  | Latitude 43° N. | | | | | | Latitude 44° N. | | | | | | Latitude 45° N. | | | | | |
|---|---|---|---|---|---|---|---|---|---|---|---|---|---|---|---|---|---|---|
| Sider'l Time | 10 ♋ | 11 ♌ | 12 ♍ | Asc ♎ | 2 ♎ | 3 ♏ | 10 ♋ | 11 ♌ | 12 ♍ | Asc ♎ | 2 ♎ | 3 ♏ | 10 ♋ | 11 ♌ | 12 ♍ | Asc ♎ | 2 ♎ | 3 ♏ |
| H M S | | | | | | | | | | | | | | | | | | |
| 6 0 0 | 0 | 4 | 4 | 0 0 | 26 | 26 | 0 | 4 | 4 | 0 0 | 25 | 26 | 0 | 4 | 5 | 0 0 | 25 | 25 |
| 4 22 | 1 | 5 | 5 | 0 51 | 27 | 27 | 1 | 5 | 5 | 0 50 | 26 | 27 | 1 | 5 | 6 | 0 50 | 26 | 26 |
| 8 43 | 2 | 6 | 6 | 1 42 | 28 | 28 | 2 | 6 | 6 | 1 41 | 27 | 28 | 2 | 6 | 7 | 1 40 | 27 | 27 |
| 6 13 5 | 3 | 7 | 7 | 2 32 | 29 | 29 | 3 | 7 | 7 | 2 31 | 28 | 29 | 3 | 7 | 8 | 2 29 | 28 | 28 |
| 17 26 | 4 | 8 | 8 | 3 23 | ♏ | ♐ | 4 | 8 | 8 | 3 21 | 29 | ♐ | 4 | 8 | 9 | 3 19 | 29 | 29 |
| 21 48 | 5 | 9 | 9 | 4 14 | 0 | 1 | 5 | 9 | 9 | 4 11 | ♏ | 0 | 5 | 9 | 9 | 4 9 | 29 | ♐ |
| 6 26 9 | 6 | 10 | 10 | 5 4 | 1 | 2 | 6 | 9 | 10 | 5 1 | 0 | 1 | 6 | 10 | 10 | 4 58 | ♏ | 1 |
| 30 30 | 7 | 11 | 11 | 5 55 | 2 | 3 | 7 | 10 | 11 | 5 51 | 1 | 2 | 7 | 11 | 11 | 5 48 | 1 | 2 |
| 34 51 | 8 | 12 | 12 | 6 46 | 3 | 4 | 8 | 11 | 12 | 6 41 | 2 | 3 | 8 | 12 | 12 | 6 37 | 2 | 3 |
| 6 39 11 | 9 | 13 | 13 | 7 36 | 4 | 5 | 9 | 13 | 13 | 7 31 | 3 | 4 | 9 | 13 | 13 | 7 27 | 3 | 4 |
| 43 31 | 10 | 14 | 13 | 8 26 | 5 | 6 | 10 | 14 | 14 | 8 21 | 4 | 5 | 10 | 14 | 14 | 8 16 | 4 | 5 |
| 47 51 | 11 | 14 | 14 | 9 17 | 6 | 7 | 11 | 15 | 15 | 9 11 | 5 | 6 | 11 | 15 | 15 | 9 5 | 5 | 6 |
| 6 52 11 | 12 | 15 | 15 | 10 7 | 7 | 8 | 12 | 16 | 16 | 10 1 | 6 | 7 | 12 | 16 | 16 | 9 55 | 6 | 7 |
| 56 31 | 13 | 16 | 16 | 10 57 | 8 | 9 | 13 | 17 | 17 | 10 51 | 7 | 8 | 13 | 17 | 17 | 10 44 | 7 | 8 |
| 7 0 50 | 14 | 17 | 17 | 11 47 | 9 | 10 | 14 | 18 | 18 | 11 40 | 8 | 9 | 14 | 18 | 18 | 11 33 | 8 | 9 |
| 7 5 8 | 15 | 19 | 18 | 12 37 | 9 | 10 | 15 | 19 | 18 | 12 30 | 9 | 10 | 15 | 19 | 18 | 12 22 | 9 | 10 |
| 9 26 | 16 | 20 | 19 | 13 27 | 10 | 11 | 16 | 20 | 19 | 13 19 | 10 | 11 | 16 | 20 | 19 | 13 11 | 10 | 11 |
| 13 44 | 17 | 21 | 20 | 14 17 | 11 | 12 | 17 | 21 | 20 | 14 9 | 11 | 12 | 17 | 21 | 20 | 14 0 | 11 | 12 |
| 7 18 1 | 18 | 22 | 21 | 15 7 | 12 | 13 | 18 | 22 | 21 | 14 58 | 12 | 13 | 18 | 22 | 21 | 14 49 | 12 | 13 |
| 22 18 | 19 | 23 | 22 | 15 57 | 13 | 14 | 19 | 23 | 22 | 15 47 | 13 | 14 | 19 | 23 | 22 | 15 37 | 13 | 14 |
| 26 34 | 20 | 24 | 23 | 16 46 | 14 | 15 | 20 | 24 | 23 | 16 36 | 13 | 15 | 20 | 24 | 23 | 16 26 | 13 | 15 |
| 7 30 50 | 21 | 25 | 24 | 17 36 | 15 | 16 | 21 | 25 | 24 | 17 25 | 14 | 16 | 21 | 25 | 24 | 17 14 | 14 | 16 |
| 35 5 | 22 | 26 | 25 | 18 25 | 16 | 17 | 22 | 26 | 25 | 18 14 | 15 | 17 | 22 | 26 | 25 | 18 2 | 15 | 17 |
| 39 20 | 23 | 27 | 26 | 19 14 | 17 | 18 | 23 | 27 | 26 | 19 2 | 16 | 18 | 23 | 27 | 26 | 18 50 | 16 | 18 |
| 7 43 34 | 24 | 28 | 27 | 20 3 | 18 | 19 | 24 | 28 | 27 | 19 51 | 17 | 19 | 24 | 28 | 27 | 19 39 | 17 | 19 |
| 47 47 | 25 | 29 | 27 | 20 52 | 18 | 20 | 25 | 29 | 27 | 20 39 | 18 | 20 | 25 | 29 | 27 | 20 26 | 17 | 19 |
| 52 0 | 26 | ♍ | 28 | 21 40 | 19 | 21 | 26 | ♍ | 28 | 21 27 | 19 | 21 | 26 | ♍ | 28 | 21 14 | 18 | 20 |
| 7 56 12 | 27 | 0 | 29 | 22 29 | 20 | 22 | 27 | 1 | 29 | 22 16 | 20 | 22 | 27 | 1 | 29 | 22 2 | 19 | 21 |
| 8 0 24 | 28 | 1 | ♎ | 23 17 | 21 | 23 | 28 | 2 | ♎ | 23 3 | 21 | 23 | 28 | 2 | ♎ | 22 49 | 20 | 22 |
| 4 35 | 29 | 2 | 1 | 24 6 | 21 | 24 | 29 | 3 | 1 | 23 51 | 21 | 23 | 29 | 3 | 1 | 23 37 | 21 | 23 |
| Houses | 4 | 5 | 6 | 7 | 8 | 9 | 4 | 5 | 6 | 7 | 8 | 9 | 4 | 5 | 6 | 7 | 8 | 9 |

Latitude 43° S.  Latitude 44° S.  Latitude 45° S.

## SIMPLIFIED SCIENTIFIC TABLES OF HOUSES

Latitude 43° N.　　　Latitude 44° N.　　　Latitude 45° N.

| Sider'l Time | 10 ♌ | 11 ♍ | 12 ♎ | Asc. ♎ | 2 ♏ | 3 ♐ | 10 ♌ | 11 ♍ | 12 ♎ | Asc. ♎ | 2 ♏ | 3 ♐ | 10 ♌ | 11 ♍ | 12 ♎ | Asc. ♎ | 2 ♏ | 3 ♐ |
|---|---|---|---|---|---|---|---|---|---|---|---|---|---|---|---|---|---|---|
| H M S | ° | ° | ° | ° ' | ° | ° | ° | ° | ° | ° ' | ° | ° | ° | ° | ° | ° ' | ° | ° |
| 8 8 45 | 0 | 3 | 2 | 24 54 | 22 | 25 | 0 | 4 | 2 | 24 39 | 22 | 24 | 0 | 4 | 2 | 24 24 | 22 | 24 |
| 12 54 | 1 | 4 | 3 | 25 42 | 23 | 26 | 1 | 5 | 3 | 25 26 | 23 | 25 | 1 | 5 | 3 | 25 11 | 23 | 25 |
| 17 3 | 2 | 5 | 4 | 26 30 | 24 | 27 | 2 | 6 | 4 | 26 14 | 24 | 26 | 2 | 6 | 4 | 25 58 | 24 | 26 |
| 8 21 11 | 3 | 6 | 5 | 27 17 | 25 | 28 | 3 | 7 | 5 | 27 1 | 25 | 27 | 3 | 7 | 5 | 26 44 | 25 | 27 |
| 25 19 | 4 | 7 | 6 | 28 5 | 26 | 29 | 4 | 8 | 6 | 27 48 | 26 | 28 | 4 | 8 | 6 | 27 31 | 26 | 28 |
| 29 26 | 5 | 8 | 6 | 28 52 | 27 | 29 | 5 | 8 | 6 | 28 35 | 26 | 29 | 5 | 9 | 6 | 28 17 | 26 | 29 |
| 8 33 31 | 6 | 9 | 7 | 29 40 | 28 | ♑ | 6 | 9 | 7 | 29 22 | 27 | ♑ | 6 | 10 | 7 | 29 4 | 27 | ♑ |
| 37 37 | 7 | 10 | 8 | 0♏27 | 29 | 1 | 7 | 10 | 8 | 0♏8 | 28 | 1 | 7 | 11 | 8 | 29 50 | 28 | 1 |
| 41 41 | 8 | 11 | 9 | 1 13 | ♐ | 2 | 8 | 11 | 9 | 0 55 | 29 | 2 | 8 | 12 | 9 | 0♏36 | 29 | 2 |
| 8 45 45 | 9 | 12 | 10 | 2 0 | 0 | 3 | 9 | 12 | 10 | 1 41 | ♐ | 3 | 9 | 13 | 10 | 1 22 | ♐ | 3 |
| 49 48 | 10 | 13 | 11 | 2 47 | 1 | 4 | 10 | 13 | 11 | 2 27 | 1 | 4 | 10 | 13 | 10 | 2 7 | 0 | 4 |
| 53 51 | 11 | 14 | 12 | 3 33 | 2 | 5 | 11 | 14 | 12 | 3 13 | 2 | 5 | 11 | 14 | 11 | 2 53 | 1 | 5 |
| 8 57 52 | 12 | 15 | 13 | 4 19 | 3 | 6 | 12 | 15 | 13 | 3 59 | 3 | 6 | 12 | 15 | 12 | 3 38 | 2 | 6 |
| 9 1 53 | 13 | 16 | 14 | 5 6 | 4 | 7 | 13 | 16 | 14 | 4 45 | 4 | 7 | 13 | 16 | 13 | 4 23 | 3 | 7 |
| 5 53 | 14 | 17 | 15 | 5 51 | 5 | 8 | 14 | 17 | 15 | 5 30 | 5 | 8 | 14 | 17 | 14 | 5 9 | 4 | 8 |
| 9 9 53 | 15 | 18 | 15 | 6 37 | 5 | 9 | 15 | 18 | 15 | 6 16 | 5 | 8 | 15 | 18 | 15 | 5 54 | 4 | 8 |
| 13 52 | 16 | 19 | 16 | 7 23 | 6 | 10 | 16 | 19 | 16 | 7 1 | 6 | 9 | 16 | 19 | 16 | 6 38 | 5 | 9 |
| 17 50 | 17 | 20 | 17 | 8 9 | 7 | 11 | 17 | 20 | 17 | 7 46 | 7 | 10 | 17 | 20 | 17 | 7 23 | 6 | 10 |
| 9 21 47 | 18 | 21 | 18 | 8 54 | 8 | 12 | 18 | 21 | 18 | 8 31 | 8 | 11 | 18 | 21 | 18 | 8 8 | 7 | 11 |
| 25 44 | 19 | 22 | 19 | 9 39 | 9 | 13 | 19 | 22 | 19 | 9 16 | 9 | 12 | 19 | 22 | 19 | 8 52 | 8 | 12 |
| 29 40 | 20 | 23 | 19 | 10 24 | 9 | 13 | 20 | 23 | 19 | 10 1 | 9 | 13 | 20 | 23 | 19 | 9 36 | 8 | 13 |
| 9 33 35 | 21 | 24 | 20 | 11 10 | 10 | 14 | 21 | 24 | 20 | 10 45 | 10 | 14 | 21 | 24 | 20 | 10 21 | 9 | 14 |
| 37 29 | 22 | 25 | 21 | 11 55 | 11 | 15 | 22 | 25 | 21 | 11 30 | 11 | 15 | 22 | 25 | 21 | 11 5 | 10 | 15 |
| 41 23 | 23 | 26 | 22 | 12 39 | 12 | 16 | 23 | 26 | 22 | 12 14 | 12 | 16 | 23 | 26 | 22 | 11 48 | 11 | 16 |
| 9 45 16 | 24 | 27 | 23 | 13 24 | 13 | 17 | 24 | 27 | 23 | 12 58 | 13 | 17 | 24 | 27 | 23 | 12 32 | 12 | 17 |
| 49 9 | 25 | 27 | 23 | 14 8 | 14 | 18 | 25 | 27 | 23 | 13 42 | 13 | 18 | 25 | 27 | 23 | 13 16 | 13 | 18 |
| 53 1 | 26 | 28 | 24 | 14 53 | 15 | 19 | 26 | 28 | 24 | 14 26 | 14 | 19 | 26 | 28 | 24 | 14 0 | 14 | 19 |
| 9 56 52 | 27 | 29 | 25 | 15 37 | 16 | 20 | 27 | 29 | 25 | 15 10 | 15 | 20 | 27 | 29 | 25 | 14 43 | 15 | 20 |
| 10 0 43 | 28 | ♎ | 26 | 16 21 | 17 | 21 | 28 | ♎ | 26 | 15 54 | 16 | 21 | 28 | ♎ | 26 | 15 27 | 16 | 21 |
| 4 33 | 29 | 1 | 26 | 17 5 | 17 | 22 | 29 | 1 | 26 | 16 38 | 16 | 22 | 29 | 1 | 26 | 16 10 | 16 | 21 |
| Houses | 4 | 5 | 6 | 7 | 8 | 9 | 4 | 5 | 6 | 7 | 8 | 9 | 4 | 5 | 6 | 7 | 8 | 9 |

Latitude 43° S.　　　Latitude 44° S.　　　Latitude 45° S.

# SIMPLIFIED SCIENTIFIC TABLES OF HOUSES

| | Latitude 43° N. | | | | | | Latitude 44° N. | | | | | | Latitude 45° N. | | | | | |
|---|---|---|---|---|---|---|---|---|---|---|---|---|---|---|---|---|---|---|
| Sider'l Time | 10 | 11 | 12 | Asc. | 2 | 3 | 10 | 11 | 12 | Asc. | 2 | 3 | 10 | 11 | 12 | Asc. | 2 | 3 |
| (H M S) | ♍ | ≏ | ≏ | ♏ | ♐ | ♑ | ♍ | ≏ | ≏ | ♏ | ♐ | ♑ | ♍ | ≏ | ≏ | ♏ | ♐ | ♑ |
| 10  8 23 | 0 | 2 | 27 | 17 50 | 18 | 23 | 0 | 2 | 27 | 17 22 | 17 | 23 | 0 | 2 | 27 | 16 53 | 17 | 22 |
| 12 12 | 1 | 3 | 28 | 18 34 | 19 | 24 | 1 | 3 | 28 | 18  5 | 18 | 24 | 1 | 3 | 28 | 17 36 | 18 | 23 |
| 16  0 | 2 | 4 | 29 | 19 17 | 20 | 25 | 2 | 4 | 29 | 18 48 | 19 | 25 | 2 | 4 | 29 | 18 19 | 19 | 24 |
| 10 19 48 | 3 | 5 | ♏ | 20  1 | 21 | 26 | 3 | 5 | ♏ | 19 32 | 20 | 26 | 3 | 5 | ♏ | 19  2 | 20 | 25 |
| 23 35 | 4 | 6 | 0 | 20 45 | 22 | 27 | 4 | 6 | 0 | 20 15 | 21 | 27 | 4 | 6 | 0 | 19 45 | 21 | 26 |
| 27 22 | 5 | 6 | 1 | 21 28 | 22 | 28 | 5 | 6 | 1 | 20 58 | 21 | 28 | 5 | 6 | 1 | 20 28 | 21 | 27 |
| 10 31  8 | 6 | 7 | 2 | 22 12 | 23 | 29 | 6 | 7 | 2 | 21 42 | 22 | 29 | 6 | 7 | 2 | 21 11 | 22 | 28 |
| 34 54 | 7 | 8 | 3 | 22 56 | 24 | ≈ | 7 | 8 | 3 | 22 25 | 23 | ≈ | 7 | 8 | 3 | 21 54 | 23 | 29 |
| 38 40 | 8 | 9 | 4 | 23 39 | 25 | 1 | 8 | 9 | 4 | 23  8 | 24 | 0 | 8 | 9 | 4 | 22 36 | 24 | ≈ |
| 10 42 25 | 9 | 10 | 5 | 24 22 | 26 | 2 | 9 | 10 | 5 | 23 51 | 25 | 1 | 9 | 10 | 5 | 23 19 | 25 | 1 |
| 46  9 | 10 | 11 | 5 | 25  6 | 26 | 3 | 10 | 11 | 5 | 24 34 | 25 | 2 | 10 | 11 | 5 | 24  2 | 25 | 2 |
| 49 53 | 11 | 12 | 6 | 25 49 | 27 | 4 | 11 | 12 | 6 | 25 17 | 26 | 3 | 11 | 12 | 6 | 24 44 | 26 | 3 |
| 10 53 37 | 12 | 13 | 7 | 26 33 | 28 | 5 | 12 | 13 | 7 | 26  0 | 27 | 4 | 12 | 13 | 7 | 25 27 | 27 | 4 |
| 57 20 | 13 | 14 | 8 | 27 16 | 29 | 6 | 13 | 14 | 8 | 26 43 | 28 | 5 | 13 | 14 | 8 | 26  9 | 28 | 5 |
| 11  1  3 | 14 | 15 | 9 | 27 59 | ♑ | 7 | 14 | 15 | 9 | 27 26 | 29 | 6 | 14 | 15 | 9 | 26 52 | 29 | 6 |
| 11  4 46 | 15 | 15 | 9 | 28 43 | 0 | 8 | 15 | 15 | 9 | 28  9 | 29 | 7 | 15 | 15 | 9 | 27 34 | 29 | 7 |
| 8 28 | 16 | 16 | 10 | 29 26 | 1 | 9 | 16 | 16 | 10 | 28 52 | ♑ | 8 | 16 | 16 | 10 | 28 17 | ♑ | 8 |
| 12 10 | 17 | 17 | 11 | 0 ♐ 9 | 2 | 10 | 17 | 17 | 11 | 29 35 | 1 | 9 | 17 | 17 | 11 | 28 59 | 0 | 9 |
| 11 15 52 | 18 | 18 | 12 | 0 53 | 3 | 11 | 18 | 18 | 12 | 0 ♐ 18 | 2 | 10 | 18 | 18 | 11 | 29 42 | 1 | 10 |
| 19 34 | 19 | 19 | 13 | 1 36 | 4 | 12 | 19 | 19 | 13 | 1  1 | 3 | 11 | 19 | 19 | 12 | 0 ♐ 24 | 2 | 11 |
| 23 15 | 20 | 20 | 13 | 2 20 | 4 | 13 | 20 | 20 | 13 | 1 44 | 4 | 12 | 20 | 20 | 12 | 1  7 | 3 | 12 |
| 11 26 56 | 21 | 20 | 14 | 3  3 | 5 | 14 | 21 | 21 | 14 | 2 27 | 5 | 12 | 21 | 21 | 13 | 1 50 | 4 | 13 |
| 30 37 | 22 | 21 | 15 | 3 47 | 6 | 15 | 22 | 22 | 15 | 3 10 | 6 | 13 | 22 | 22 | 13 | 2 33 | 5 | 14 |
| 34 18 | 23 | 22 | 16 | 4 30 | 7 | 16 | 23 | 23 | 16 | 3 53 | 7 | 14 | 23 | 23 | 14 | 3 16 | 6 | 15 |
| 11 37 58 | 24 | 23 | 17 | 5 14 | 8 | 17 | 24 | 24 | 17 | 4 37 | 8 | 16 | 24 | 24 | 15 | 3 58 | 7 | 16 |
| 41 39 | 25 | 24 | 17 | 5 58 | 9 | 18 | 25 | 24 | 17 | 5 20 | 8 | 17 | 25 | 24 | 16 | 4 41 | 8 | 17 |
| 45 19 | 26 | 25 | 18 | 6 42 | 10 | 19 | 26 | 25 | 18 | 6  4 | 9 | 19 | 26 | 25 | 17 | 5 25 | 9 | 18 |
| 11 49  0 | 27 | 26 | 19 | 7 26 | 11 | 20 | 27 | 26 | 19 | 6 47 | 10 | 20 | 27 | 26 | 17 | 6  8 | 10 | 19 |
| 52 40 | 28 | 27 | 20 | 8 10 | 12 | 21 | 28 | 27 | 20 | 7 31 | 11 | 21 | 28 | 27 | 18 | 6 51 | 11 | 20 |
| 56 20 | 29 | 27 | 20 | 8 54 | 12 | 22 | 29 | 27 | 20 | 8 15 | 12 | 22 | 29 | 27 | 19 | 7 34 | 11 | 22 |
| Houses | 4 | 5 | 6 | 7 | 8 | 9 | 4 | 5 | 6 | 7 | 8 | 9 | 4 | 5 | 6 | 7 | 8 | 9 |

Latitude 43° S.        Latitude 44° S.        Latitude 45° S.

### Latitude 43° N.

| Sider'l Time | 10 ≏ | 11 ≏ | 12 ♏ | Asc. ♐ | 2 ♑ | 3 ♒ |
|---|---|---|---|---|---|---|
| H M S | ° | ° | ° | ° ′ | ° | ° |
| 12 0 0 | 0 | 28 | 21 | 9 38 | 13 | 23 |
| 3 40 | 1 | 29 | 22 | 10 22 | 14 | 24 |
| 7 20 | 2 | ♏ | 23 | 11 7 | 15 | 25 |
| 12 11 0 | 3 | 1 | 23 | 11 52 | 16 | 26 |
| 14 41 | 4 | 2 | 24 | 12 37 | 17 | 28 |
| 18 21 | 5 | 3 | 24 | 13 22 | 18 | 29 |
| 12 22 2 | 6 | 4 | 25 | 14 7 | 19 | ♓ |
| 25 42 | 7 | 5 | 26 | 14 53 | 20 | 1 |
| 29 23 | 8 | 6 | 27 | 15 39 | 21 | 2 |
| 12 33 4 | 9 | 7 | 28 | 16 25 | 22 | 3 |
| 36 45 | 10 | 7 | 28 | 17 11 | 23 | 4 |
| 40 26 | 11 | 8 | 29 | 17 57 | 24 | 5 |
| 12 44 8 | 12 | 9 | ♐ | 18 43 | 25 | 6 |
| 47 50 | 13 | 10 | 0 | 19 31 | 26 | 7 |
| 51 32 | 14 | 11 | 1 | 20 18 | 27 | 8 |
| 12 55 14 | 15 | 11 | 2 | 21 6 | 28 | 10 |
| 58 57 | 16 | 12 | 3 | 21 54 | 29 | 11 |
| 13 2 40 | 17 | 13 | 4 | 22 42 | ♒ | 12 |
| 13 6 23 | 18 | 14 | 5 | 23 31 | 1 | 13 |
| 10 7 | 19 | 15 | 6 | 24 20 | 2 | 14 |
| 13 51 | 20 | 15 | 6 | 25 9 | 3 | 15 |
| 13 17 35 | 21 | 16 | 7 | 25 58 | 4 | 16 |
| 21 20 | 22 | 17 | 8 | 26 48 | 5 | 17 |
| 25 6 | 23 | 18 | 9 | 27 39 | 6 | 18 |
| 13 28 52 | 24 | 19 | 10 | 28 30 | 7 | 20 |
| 32 38 | 25 | 20 | 10 | 29 21 | 9 | 21 |
| 36 25 | 26 | 21 | 11 | 0♑13 | 10 | 22 |
| 13 40 12 | 27 | 22 | 12 | 1 5 | 11 | 23 |
| 44 0 | 28 | 23 | 13 | 1 59 | 13 | 25 |
| 47 48 | 29 | 23 | 13 | 2 52 | 14 | 26 |

### Latitude 44° N.

| Sider'l Time | 10 ≏ | 11 ≏ | 12 ♏ | Asc. ♐ | 2 ♑ | 3 ♒ |
|---|---|---|---|---|---|---|
| H M S | ° | ° | ° | ° ′ | ° | ° |
| 12 0 0 | 0 | 28 | 20 | 8 59 | 13 | 23 |
| 3 40 | 1 | 29 | 21 | 9 42 | 14 | 24 |
| 7 20 | 2 | ♏ | 22 | 10 27 | 15 | 25 |
| 12 11 0 | 3 | 1 | 23 | 11 11 | 16 | 26 |
| 14 41 | 4 | 2 | 24 | 11 56 | 17 | 27 |
| 18 21 | 5 | 3 | 24 | 12 40 | 17 | 28 |
| 12 22 2 | 6 | 4 | 25 | 13 25 | 18 | 29 |
| 25 42 | 7 | 5 | 26 | 14 10 | 19 | ♓ |
| 29 23 | 8 | 6 | 27 | 14 56 | 20 | 1 |
| 12 33 4 | 9 | 7 | 28 | 15 41 | 21 | 3 |
| 36 45 | 10 | 7 | 28 | 16 27 | 22 | 4 |
| 40 26 | 11 | 8 | 29 | 17 13 | 23 | 5 |
| 12 44 8 | 12 | 9 | ♐ | 17 59 | 24 | 6 |
| 47 50 | 13 | 10 | 0 | 18 46 | 25 | 7 |
| 51 32 | 14 | 11 | 1 | 19 33 | 26 | 8 |
| 12 55 14 | 15 | 11 | 2 | 20 20 | 27 | 10 |
| 58 57 | 16 | 12 | 3 | 21 8 | 28 | 11 |
| 13 2 40 | 17 | 13 | 4 | 21 55 | 29 | 12 |
| 13 6 23 | 18 | 14 | 5 | 22 44 | ♒ | 13 |
| 10 7 | 19 | 15 | 6 | 23 32 | 1 | 14 |
| 13 51 | 20 | 15 | 6 | 24 21 | 3 | 15 |
| 13 17 35 | 21 | 16 | 7 | 25 10 | 4 | 16 |
| 21 20 | 22 | 17 | 8 | 26 0 | 5 | 17 |
| 25 6 | 23 | 18 | 9 | 26 50 | 6 | 18 |
| 13 28 52 | 24 | 19 | 10 | 27 41 | 7 | 20 |
| 32 38 | 25 | 20 | 11 | 28 32 | 8 | 21 |
| 36 25 | 26 | 21 | 11 | 29 23 | 9 | 22 |
| 13 40 12 | 27 | 22 | 12 | 0♑15 | 10 | 23 |
| 44 0 | 28 | 23 | 13 | 1 8 | 11 | 25 |
| 47 48 | 29 | 23 | 13 | 2 1 | 13 | 26 |

### Latitude 45° N.

| Sider'l Time | 10 ≏ | 11 ≏ | 12 ♏ | Asc. ♐ | 2 ♑ | 3 ♒ |
|---|---|---|---|---|---|---|
| H M S | ° | ° | ° | ° ′ | ° | ° |
| 12 0 0 | 0 | 28 | 20 | 8 18 | 12 | 23 |
| 3 40 | 1 | 29 | 21 | 9 1 | 13 | 24 |
| 7 20 | 2 | ♏ | 22 | 9 45 | 14 | 25 |
| 12 11 0 | 3 | 0 | 23 | 10 29 | 15 | 26 |
| 14 41 | 4 | 1 | 24 | 11 13 | 16 | 27 |
| 18 21 | 5 | 2 | 24 | 11 58 | 17 | 28 |
| 12 22 2 | 6 | 3 | 25 | 12 42 | 18 | 29 |
| 25 42 | 7 | 4 | 26 | 13 27 | 19 | ♓ |
| 29 23 | 8 | 5 | 26 | 14 12 | 20 | 1 |
| 12 33 4 | 9 | 6 | 27 | 14 57 | 21 | 3 |
| 36 45 | 10 | 7 | 27 | 15 42 | 22 | 4 |
| 40 26 | 11 | 8 | 28 | 16 28 | 23 | 5 |
| 12 44 8 | 12 | 9 | 29 | 17 14 | 24 | 6 |
| 47 50 | 13 | 10 | ♐ | 18 0 | 25 | 7 |
| 51 32 | 14 | 11 | 0 | 18 46 | 26 | 8 |
| 12 55 14 | 15 | 11 | 1 | 19 33 | 27 | 10 |
| 58 57 | 16 | 12 | 2 | 20 20 | 28 | 11 |
| 13 2 40 | 17 | 13 | 3 | 21 7 | 29 | 12 |
| 13 6 23 | 18 | 14 | 4 | 21 56 | ♒ | 13 |
| 10 7 | 19 | 15 | 5 | 22 44 | 1 | 14 |
| 13 51 | 20 | 15 | 5 | 23 32 | 2 | 15 |
| 13 17 35 | 21 | 16 | 6 | 24 21 | 3 | 16 |
| 21 20 | 22 | 17 | 7 | 25 10 | 4 | 17 |
| 25 6 | 23 | 18 | 8 | 26 0 | 5 | 18 |
| 13 28 52 | 24 | 19 | 9 | 26 50 | 7 | 20 |
| 32 38 | 25 | 19 | 9 | 27 41 | 8 | 21 |
| 36 25 | 26 | 20 | 10 | 28 32 | 9 | 22 |
| 13 40 12 | 27 | 21 | 11 | 29 24 | 10 | 23 |
| 44 0 | 28 | 22 | 12 | 0♑16 | 11 | 24 |
| 47 48 | 29 | 23 | 12 | 1 9 | 13 | 26 |

| Houses | 4 | 5 | 6 | 7 | 8 | 9 |
|---|---|---|---|---|---|---|

| | Latitude 43° N. | | | | | | Latitude 44° N. | | | | | | Latitude 45° N. | | | | | |
|---|---|---|---|---|---|---|---|---|---|---|---|---|---|---|---|---|---|---|
| Sider'l Time | 10 ♏ | 11 ♏ | 12 ♐ | Asc. ♑ | 2 ≈ | 3 ♓ | 10 ♏ | 11 ♏ | 12 ♐ | Asc. ♑ | 2 ≈ | 3 ♓ | 10 ♏ | 11 ♏ | 12 ♐ | Asc. ♑ | 2 ≈ | 3 ♓ |
| H M S | ° | ° | ° | ° ′ | ° | ° | ° | ° | ° | ° ′ | ° | ° | ° | ° | ° | ° ′ | ° | ° |
| 13 51 37 | 0 | 24 | 14 | 3 46 | 15 | 27 | 0 | 24 | 14 | 2 55 | 14 | 27 | 0 | 24 | 13 | 2 2 | 14 | 27 |
| 55 27 | 1 | 25 | 15 | 4 41 | 16 | 28 | 1 | 25 | 15 | 3 49 | 15 | 28 | 1 | 25 | 14 | 2 56 | 15 | 28 |
| 59 17 | 2 | 26 | 16 | 5 36 | 17 | ♈ | 2 | 26 | 16 | 4 44 | 16 | 28 | 2 | 26 | 15 | 3 50 | 16 | 29 |
| 14 3 8 | 3 | 27 | 17 | 6 32 | 18 | 1 | 3 | 27 | 17 | 5 40 | 17 | ♈ | 3 | 27 | 16 | 4 46 | 18 | ♈ |
| 6 59 | 4 | 28 | 18 | 7 29 | 20 | 2 | 4 | 28 | 18 | 6 36 | 19 | 1 | 4 | 28 | 17 | 5 42 | 19 | 1 |
| 10 51 | 5 | 28 | 18 | 8 26 | 21 | 3 | 5 | 28 | 18 | 7 33 | 21 | 3 | 5 | 28 | 17 | 6 38 | 20 | 3 |
| 14 14 44 | 6 | 29 | 19 | 9 24 | 22 | 4 | 6 | 29 | 19 | 8 31 | 23 | 4 | 6 | 29 | 18 | 7 35 | 21 | 5 |
| 18 37 | 7 | ♐ | 20 | 10 23 | 24 | 6 | 7 | ♐ | 20 | 9 29 | 24 | 5 | 7 | ♐ | 19 | 8 33 | 23 | 6 |
| 22 31 | 8 | 1 | 21 | 11 22 | 25 | 8 | 8 | 0 | 21 | 10 28 | 25 | 7 | 8 | 1 | 20 | 9 32 | 25 | 8 |
| 14 26 25 | 9 | 2 | 22 | 12 22 | 26 | 9 | 9 | 1 | 22 | 11 28 | 26 | 9 | 9 | 2 | 21 | 10 31 | 26 | 9 |
| 30 20 | 10 | 3 | 22 | 13 22 | 27 | 10 | 10 | 2 | 22 | 12 28 | 27 | 10 | 10 | 2 | 21 | 11 31 | 27 | 10 |
| 34 16 | 11 | 4 | 23 | 14 24 | 28 | 11 | 11 | 3 | 23 | 13 29 | 28 | 11 | 11 | 3 | 22 | 12 32 | 29 | 11 |
| 14 38 13 | 12 | 5 | 24 | 15 27 | ♓ | 12 | 12 | 4 | 24 | 14 32 | 29 | 12 | 12 | 4 | 23 | 13 35 | ♓ | 12 |
| 42 10 | 13 | 6 | 25 | 16 30 | 1 | 13 | 13 | 5 | 25 | 15 35 | ♓ | 13 | 13 | 5 | 24 | 14 38 | 1 | 14 |
| 46 8 | 14 | 7 | 26 | 17 35 | 3 | 15 | 14 | 6 | 26 | 16 39 | 2 | 15 | 14 | 6 | 25 | 15 42 | 2 | 15 |
| 14 50 7 | 15 | 7 | 27 | 18 40 | 4 | 16 | 15 | 7 | 26 | 17 45 | 4 | 16 | 15 | 7 | 26 | 16 47 | 4 | 16 |
| 54 7 | 16 | 8 | 28 | 19 47 | 5 | 17 | 16 | 8 | 27 | 18 51 | 5 | 17 | 16 | 8 | 27 | 17 53 | 5 | 17 |
| 58 7 | 17 | 9 | 29 | 20 54 | 7 | 19 | 17 | 9 | 28 | 19 58 | 6 | 18 | 17 | 9 | 28 | 19 0 | 7 | 18 |
| 15 2 8 | 18 | 10 | ♑ | 22 2 | 9 | 20 | 18 | 10 | 29 | 21 6 | 8 | 19 | 18 | 10 | 29 | 20 8 | 9 | 19 |
| 6 9 | 19 | 11 | 0 | 23 12 | 11 | 21 | 19 | 11 | ♑ | 22 16 | 9 | 20 | 19 | 11 | ♑ | 21 17 | 10 | 20 |
| 10 12 | 20 | 12 | 1 | 24 22 | 12 | 22 | 20 | 11 | 1 | 23 26 | 11 | 22 | 20 | 11 | 0 | 22 27 | 11 | 22 |
| 15 14 15 | 21 | 13 | 2 | 25 34 | 13 | 23 | 21 | 12 | 2 | 24 38 | 13 | 23 | 21 | 12 | 1 | 23 39 | 12 | 23 |
| 18 19 | 22 | 14 | 3 | 26 47 | 15 | 25 | 22 | 13 | 3 | 25 51 | 14 | 24 | 22 | 13 | 2 | 24 52 | 14 | 24 |
| 22 23 | 23 | 15 | 4 | 28 1 | 17 | 26 | 23 | 14 | 4 | 27 5 | 16 | 26 | 23 | 14 | 3 | 26 6 | 16 | 26 |
| 15 26 29 | 24 | 16 | 5 | 29 16 | 18 | 27 | 24 | 15 | 5 | 28 30 | 18 | 27 | 24 | 15 | 4 | 27 21 | 17 | 27 |
| 30 35 | 25 | 16 | 6 | 0≈ 33 | 19 | 28 | 25 | 16 | 6 | 29 37 | 19 | 28 | 25 | 16 | 5 | 28 38 | 19 | 28 |
| 34 41 | 26 | 17 | 7 | 1 51 | 21 | 29 | 26 | 17 | 7 | 0≈ 55 | 20 | 29 | 26 | 17 | 6 | 29 56 | 21 | 29 |
| 15 38 49 | 27 | 18 | 8 | 3 10 | 23 | ♉ | 27 | 18 | 8 | 2 14 | 22 | ♉ | 27 | 18 | 7 | 1≈ 16 | 23 | ♉ |
| 42 57 | 28 | 19 | 9 | 4 31 | 25 | 1 | 28 | 19 | 9 | 3 35 | 24 | 1 | 28 | 19 | 8 | 2 37 | 25 | 2 |
| 47 6 | 29 | 20 | 10 | 5 53 | 26 | 3 | 29 | 20 | 10 | 4 58 | 26 | 3 | 29 | 20 | 9 | 3 59 | 26 | 4 |
| Houses | 4 | 5 | 6 | 7 | 8 | 9 | 4 | 5 | 6 | 7 | 8 | 9 | 4 | 5 | 6 | 7 | 8 | 9 |

# SIMPLIFIED SCIENTIFIC TABLES OF HOUSES
## Latitude 43° N.  Latitude 44° N.  Latitude 45° N.

| Sider'l Time | 10 ♐ | 11 ♐ | 12 ♑ | Asc. ♒ | 2 ♓ | 3 ♉ | 10 ♐ | 11 ♐ | 12 ♑ | Asc. ♒ | 2 ♓ | 3 ♉ | 10 ♐ | 11 ♐ | 12 ♑ | Asc. ♒ | 2 ♓ | 3 ♉ |
|---|---|---|---|---|---|---|---|---|---|---|---|---|---|---|---|---|---|---|
| H M S | ° | ° | ° | ° ' | ° | ° | ° | ° | ° | ° ' | ° | ° | ° | ° | ° | ° ' | ° | ° |
| 15 51 15 | 0 | 21 | 11 | 7 16 | 27 | 4 | 0 | 20 | 11 | 6 21 | 27 | 4 | 0 | 20 | 10 | 5 23 | 27 | 5 |
| 55 25 | 1 | 22 | 12 | 8 41 | 28 | 5 | 1 | 21 | 12 | 7 47 | 28 | 5 | 1 | 21 | 11 | 6 49 | 28 | 6 |
| 59 36 | 2 | 23 | 13 | 10 6 | 29 | 6 | 2 | 22 | 13 | 9 14 | ♈ | 6 | 2 | 22 | 12 | 8 17 | ♈ | 7 |
| 16 3 48 | 3 | 24 | 14 | 11 35 | ♈ | 8 | 3 | 23 | 14 | 10 42 | 1 | 7 | 3 | 23 | 13 | 9 46 | 1 | 8 |
| 8 0 | 4 | 25 | 15 | 13 4 | 2 | 9 | 4 | 24 | 15 | 12 12 | 3 | 9 | 4 | 24 | 14 | 11 17 | 3 | 10 |
| 12 13 | 5 | 25 | 16 | 14 35 | 4 | 10 | 5 | 25 | 16 | 13 44 | 5 | 10 | 5 | 25 | 15 | 12 49 | 5 | 11 |
| 16 16 26 | 6 | 26 | 17 | 16 8 | 5 | 11 | 6 | 26 | 17 | 15 17 | 7 | 11 | 6 | 26 | 16 | 14 23 | 7 | 13 |
| 20 40 | 7 | 27 | 18 | 17 42 | 7 | 13 | 7 | 27 | 18 | 16 52 | 9 | 13 | 7 | 27 | 17 | 15 59 | 9 | 14 |
| 24 55 | 8 | 28 | 19 | 19 17 | 9 | 14 | 8 | 28 | 19 | 18 29 | 11 | 14 | 8 | 28 | 18 | 17 36 | 11 | 15 |
| 16 29 10 | 9 | ♑ | 20 | 20 55 | 11 | 15 | 9 | 29 | 20 | 20 7 | 12 | 15 | 9 | 29 | 20 | 19 16 | 12 | 16 |
| 33 26 | 10 | 0 | 22 | 22 33 | 12 | 16 | 10 | ♑ | 21 | 21 47 | 13 | 16 | 10 | 29 | 21 | 20 57 | 13 | 17 |
| 37 42 | 11 | 1 | 23 | 24 14 | 14 | 17 | 11 | 1 | 22 | 23 29 | 14 | 17 | 11 | ♑ | 22 | 22 40 | 15 | 18 |
| 16 41 59 | 12 | 2 | 24 | 25 55 | 16 | 18 | 12 | 2 | 23 | 25 12 | 16 | 18 | 12 | 1 | 23 | 24 25 | 17 | 19 |
| 46 16 | 13 | 3 | 25 | 27 39 | 18 | 19 | 13 | 3 | 24 | 26 57 | 18 | 20 | 13 | 2 | 24 | 26 12 | 19 | 20 |
| 50 34 | 14 | 4 | 27 | 29 24 | 19 | 20 | 14 | 4 | 26 | 28 44 | 19 | 21 | 14 | 4 | 26 | 28 0 | 20 | 21 |
| 16 54 52 | 15 | 5 | 28 | 1♓10 | 20 | 21 | 15 | 5 | 27 | 0♓32 | 20 | 22 | 15 | 5 | 27 | 29 50 | 21 | 23 |
| 59 10 | 16 | 6 | ♒ | 2 58 | 22 | 22 | 16 | 6 | 28 | 2 22 | 21 | 23 | 16 | 6 | 28 | 1♓42 | 23 | 24 |
| 17 3 29 | 17 | 7 | 1 | 4 48 | 24 | 24 | 17 | 7 | ♒ | 4 13 | 23 | 25 | 17 | 7 | ♒ | 3 36 | 25 | 25 |
| 17 7 49 | 18 | 8 | 2 | 6 38 | 26 | 26 | 18 | 8 | 1 | 6 6 | 25 | 26 | 18 | 8 | 1 | 5 31 | 27 | 26 |
| 12 9 | 19 | 9 | 3 | 8 30 | 27 | 27 | 19 | 9 | 2 | 8 0 | 27 | 27 | 19 | 9 | 2 | 7 27 | 28 | 27 |
| 16 29 | 20 | 10 | 4 | 10 23 | 28 | 28 | 20 | 10 | 3 | 9 55 | 28 | 28 | 20 | 10 | 3 | 9 26 | 29 | 28 |
| 17 20 49 | 21 | 11 | 5 | 12 18 | ♉ | ♊ | 21 | 11 | 4 | 11 52 | ♉ | ♊ | 21 | 11 | 4 | 11 25 | ♉ | ♊ |
| 25 9 | 22 | 12 | 6 | 14 13 | 1 | 1 | 22 | 12 | 5 | 13 50 | 1 | 1 | 22 | 12 | 5 | 13 26 | 1 | 1 |
| 29 30 | 23 | 13 | 8 | 16 9 | 3 | 2 | 23 | 13 | 6 | 15 49 | 3 | 2 | 23 | 13 | 6 | 15 27 | 2 | 2 |
| 17 33 51 | 24 | 15 | 10 | 18 6 | 4 | 3 | 24 | 14 | 8 | 17 49 | 5 | 3 | 24 | 14 | 7 | 17 30 | 4 | 3 |
| 38 12 | 25 | 16 | 10 | 20 4 | 5 | 4 | 25 | 15 | 10 | 19 49 | 6 | 4 | 25 | 15 | 9 | 19 33 | 6 | 4 |
| 42 34 | 26 | 17 | 12 | 22 2 | 6 | 5 | 26 | 16 | 11 | 21 51 | 7 | 5 | 26 | 16 | 10 | 21 38 | 7 | 5 |
| 17 46 55 | 27 | 18 | 13 | 24 1 | 8 | 6 | 27 | 17 | 13 | 23 52 | 9 | 6 | 27 | 17 | 12 | 23 43 | 9 | 6 |
| 51 17 | 28 | 19 | 15 | 26 1 | 10 | 7 | 28 | 19 | 15 | 25 55 | 11 | 8 | 28 | 18 | 14 | 25 48 | 11 | 8 |
| 55 38 | 29 | 20 | 16 | 28 0 | 12 | 8 | 29 | 20 | 16 | 27 57 | 12 | 8 | 29 | 19 | 15 | 27 54 | 13 | 9 |
| Houses | 4 | 5 | 6 | 7 | 8 | 9 | 4 | 5 | 6 | 7 | 8 | 9 | 4 | 5 | 6 | 7 | 8 | 9 |

## Latitude 43° S.  Latitude 44° S.  Latitude 45° S.

# SIMPLIFIED SCIENTIFIC TABLES OF HOUSES

### Latitude 43° N.  Latitude 44° N.  Latitude 45° N.

Columns per latitude: 10 ♑ | 11 ♑ | 12 ♒ | Asc. ♈ (° ′) | 2 ♉ | 3 ♊

| Sider'l Time (H M S) | 43:10 | 43:11 | 43:12 | 43:Asc | 43:2 | 43:3 | 44:10 | 44:11 | 44:12 | 44:Asc | 44:2 | 44:3 | 45:10 | 45:11 | 45:12 | 45:Asc | 45:2 | 45:3 |
|---|---|---|---|---|---|---|---|---|---|---|---|---|---|---|---|---|---|---|
| 18 0 0 | 0 | 21 | 17 | 0 0 | 13 | 9 | 0 | 21 | 17 | 0 0 | 13 | 9 | 0 | 20 | 16 | 0 0 | 14 | 10 |
| 4 22 | 1 | 22 | 18 | 2 0 | 15 | 10 | 1 | 22 | 18 | 2 3 | 14 | 10 | 1 | 21 | 17 | 2 6 | 15 | 11 |
| 8 43 | 2 | 23 | 19 | 3 59 | 16 | 11 | 2 | 23 | 20 | 4 5 | 15 | 11 | 2 | 22 | 18 | 4 12 | 16 | 12 |
| 18 13 5 | 3 | 24 | 20 | 5 59 | 17 | 12 | 3 | 24 | 22 | 6 8 | 17 | 13 | 3 | 24 | 20 | 6 17 | 18 | 13 |
| 17 26 | 4 | 25 | 22 | 7 58 | 18 | 13 | 4 | 25 | 23 | 8 9 | 19 | 14 | 4 | 25 | 22 | 8 22 | 19 | 14 |
| 21 48 | 5 | 26 | 24 | 9 56 | 19 | 14 | 5 | 26 | 24 | 10 11 | 20 | 15 | 5 | 26 | 24 | 10 27 | 21 | 15 |
| 18 26 9 | 6 | 27 | 25 | 11 54 | 20 | 15 | 6 | 27 | 26 | 12 11 | 21 | 16 | 6 | 27 | 25 | 12 30 | 22 | 16 |
| 30 30 | 7 | 28 | 27 | 13 51 | 22 | 16 | 7 | 28 | 28 | 14 11 | 23 | 17 | 7 | 29 | 28 | 14 33 | 24 | 17 |
| 34 51 | 8 | ♒ | 29 | 15 47 | 24 | 18 | 8 | ♒ | ♓ | 16 10 | 24 | 18 | 8 | ♒ | ♓ | 16 34 | 25 | 18 |
| 18 39 11 | 9 | 1 | ♓ | 17 42 | 25 | 19 | 9 | 1 | 1 | 18 8 | 25 | 19 | 9 | 1 | 0 | 18 35 | 26 | 19 |
| 43 31 | 10 | 2 | 2 | 19 37 | 26 | 20 | 10 | 2 | 2 | 20 5 | 26 | 20 | 10 | 2 | 1 | 20 34 | 27 | 20 |
| 47 51 | 11 | 3 | 3 | 21 30 | 27 | 21 | 11 | 3 | 3 | 22 0 | 27 | 21 | 11 | 3 | 3 | 22 33 | 29 | 21 |
| 18 52 11 | 12 | 4 | 5 | 23 22 | 29 | 22 | 12 | 4 | 4 | 23 54 | 29 | 22 | 12 | 4 | 5 | 24 29 | ♊ | 22 |
| 56 31 | 13 | 5 | 7 | 25 12 | ♊ | 23 | 13 | 5 | 6 | 25 47 | ♊ | 23 | 13 | 5 | 7 | 26 24 | 1 | 23 |
| 19 0 50 | 14 | 6 | 9 | 27 2 | 1 | 24 | 14 | 7 | 8 | 27 38 | 1 | 24 | 14 | 6 | 8 | 28 18 | 2 | 24 |
| 19 5 8 | 15 | 8 | 10 | 28 50 | 2 | 25 | 15 | 8 | 9 | 29 28 | 3 | 25 | 15 | 7 | 9 | 0 ♉ 10 | 3 | 25 |
| 9 26 | 16 | 9 | 11 | 0 ♉ 36 | 3 | 26 | 16 | 9 | 10 | 1 ♉ 16 | 4 | 26 | 16 | 8 | 10 | 2 0 | 4 | 26 |
| 13 44 | 17 | 10 | 13 | 2 21 | 5 | 27 | 17 | 10 | 13 | 3 3 | 5 | 27 | 17 | 9 | 11 | 3 48 | 5 | 27 |
| 19 18 1 | 18 | 11 | 15 | 4 5 | 6 | 28 | 18 | 11 | 13 | 4 48 | 6 | 28 | 18 | 10 | 13 | 5 35 | 6 | 28 |
| 22 18 | 19 | 13 | 16 | 5 46 | 7 | 29 | 19 | 12 | 15 | 6 31 | 8 | 29 | 19 | 11 | 15 | 7 20 | 7 | 29 |
| 26 34 | 20 | 14 | 17 | 7 27 | 8 | 29 | 20 | 13 | 17 | 8 13 | 9 | 29 | 20 | 13 | 17 | 9 3 | 9 | ♋ |
| 19 30 50 | 21 | 15 | 18 | 9 5 | 9 | ♋ | 21 | 14 | 18 | 9 53 | 10 | ♋ | 21 | 14 | 18 | 10 44 | 10 | 1 |
| 35 5 | 22 | 16 | 20 | 10 43 | 10 | 1 | 22 | 15 | 20 | 11 31 | 11 | 2 | 22 | 15 | 20 | 12 24 | 11 | 2 |
| 39 20 | 23 | 18 | 22 | 12 18 | 11 | 2 | 23 | 16 | 22 | 13 8 | 12 | 3 | 23 | 17 | 22 | 14 1 | 13 | 3 |
| 19 43 34 | 24 | 19 | 24 | 13 52 | 12 | 3 | 24 | 18 | 24 | 14 43 | 13 | 4 | 24 | 18 | 24 | 15 37 | 14 | 4 |
| 47 47 | 25 | 20 | 25 | 15 25 | 13 | 4 | 25 | 19 | 25 | 16 16 | 14 | 5 | 25 | 19 | 25 | 17 11 | 15 | 5 |
| 52 0 | 26 | 21 | 26 | 16 56 | 14 | 5 | 26 | 20 | 27 | 17 48 | 15 | 6 | 26 | 20 | 27 | 18 43 | 16 | 6 |
| 19 56 12 | 27 | 23 | 28 | 18 25 | 15 | 6 | 27 | 22 | 29 | 19 18 | 16 | 7 | 27 | 22 | 29 | 20 14 | 17 | 7 |
| 20 0 24 | 28 | 24 | ♈ | 19 54 | 17 | 7 | 28 | 24 | ♈ | 20 46 | 17 | 8 | 28 | 24 | ♈ | 21 43 | 18 | 8 |
| 4 35 | 29 | 25 | 2 | 21 19 | 18 | 8 | 29 | 25 | 2 | 22 13 | 18 | 9 | 29 | 25 | 2 | 23 11 | 19 | 9 |
| Houses | 4 | 5 | 6 | 7 | 8 | 9 | 4 | 5 | 6 | 7 | 8 | 9 | 4 | 5 | 6 | 7 | 8 | 9 |

### Latitude 43° S.  Latitude 44° S.  Latitude 45° S.

# SIMPLIFIED SCIENTIFIC TABLES OF HOUSES

Latitude 43° N.    Latitude 44° N.    Latitude 45° N.

| Sider'l Time | 10 ♒ | 11 ♒ | 12 ♈ | Asc. ♉ | 2 ♊ | 3 ♋ | 10 ♒ | 11 ♒ | 12 ♈ | Asc. ♉ | 2 ♊ | 3 ♋ | 10 ♒ | 11 ♒ | 12 ♈ | Asc. ♉ | 2 ♊ | 3 ♋ |
|---|---|---|---|---|---|---|---|---|---|---|---|---|---|---|---|---|---|---|
| H M S | ° | ° | ° | ° ' | ° | ° | ° | ° | ° | ° ' | ° | ° | ° | ° | ° | ° ' | ° | ° |
| 20 8 45 | 0 | 26 | 3 | 22 44 | 19 | 9 | 0 | 26 | 3 | 23 39 | 19 | 9 | 0 | 25 | 3 | 24 37 | 20 | 10 |
| 12 54 | 1 | 27 | 4 | 24 7 | 20 | 10 | 1 | 27 | 4 | 25 2 | 20 | 10 | 1 | 26 | 4 | 26 1 | 21 | 11 |
| 17 3 | 2 | 29 | 5 | 25 29 | 21 | 11 | 2 | 28 | 5 | 26 25 | 21 | 11 | 2 | 28 | 5 | 27 23 | 22 | 12 |
| 20 21 11 | 3 | ♓ | 7 | 26 50 | 22 | 12 | 3 | ♓ | 7 | 27 46 | 22 | 12 | 3 | ♓ | 7 | 28 44 | 23 | 13 |
| 25 19 | 4 | 1 | 9 | 28 9 | 23 | 13 | 4 | 1 | 9 | 29 5 | 23 | 13 | 4 | 1 | 9 | 0♊ 4 | 24 | 14 |
| 29 26 | 5 | 2 | 11 | 29 27 | 24 | 14 | 5 | 2 | 11 | 0♊23 | 24 | 14 | 5 | 2 | 11 | 1 22 | 25 | 14 |
| 20 33 31 | 6 | 3 | 13 | 0♊44 | 25 | 15 | 6 | 3 | 13 | 1 40 | 25 | 15 | 6 | 3 | 13 | 2 39 | 26 | 15 |
| 37 37 | 7 | 4 | 15 | 1 59 | 26 | 16 | 7 | 4 | 15 | 2 55 | 26 | 17 | 7 | 4 | 15 | 3 54 | 27 | 16 |
| 41 41 | 8 | 5 | 16 | 3 13 | 27 | 17 | 8 | 6 | 17 | 4 9 | 27 | 18 | 8 | 5 | 17 | 5 8 | 28 | 17 |
| 20 45 45 | 9 | 6 | 17 | 4 26 | 28 | 18 | 9 | 7 | 18 | 5 22 | 28 | 19 | 9 | 6 | 18 | 6 21 | 29 | 18 |
| 49 48 | 10 | 8 | 18 | 5 38 | 28 | 18 | 10 | 8 | 19 | 6 34 | 29 | 19 | 10 | 8 | 19 | 7 33 | 29 | 19 |
| 53 51 | 11 | 9 | 20 | 6 48 | 29 | 19 | 11 | 9 | 20 | 7 44 | ♋ | 20 | 11 | 9 | 20 | 8 43 | ♋ | 20 |
| 20 57 52 | 12 | 10 | 22 | 7 58 | ♋ | 20 | 12 | 10 | 22 | 8 54 | 1 | 21 | 12 | 10 | 21 | 9 52 | 1 | 21 |
| 21 1 53 | 13 | 11 | 24 | 9 6 | 1 | 21 | 13 | 12 | 24 | 10 2 | 2 | 22 | 13 | 11 | 23 | 11 0 | 2 | 22 |
| 5 53 | 14 | 13 | 25 | 10 13 | 2 | 22 | 14 | 13 | 25 | 11 9 | 3 | 23 | 14 | 13 | 25 | 12 7 | 3 | 23 |
| 21 9 53 | 15 | 14 | 26 | 11 20 | 3 | 23 | 15 | 14 | 26 | 12 15 | 4 | 23 | 15 | 14 | 26 | 13 13 | 4 | 23 |
| 13 52 | 16 | 15 | 28 | 12 25 | 4 | 24 | 16 | 15 | 28 | 13 21 | 5 | 24 | 16 | 15 | 27 | 14 18 | 5 | 24 |
| 17 50 | 17 | 16 | 29 | 13 30 | 5 | 25 | 17 | 17 | 29 | 14 25 | 6 | 25 | 17 | 16 | 29 | 15 22 | 6 | 25 |
| 21 21 47 | 18 | 18 | ♉ | 14 33 | 6 | 26 | 18 | 18 | ♉ | 15 28 | 7 | 26 | 18 | 18 | ♉ | 16 25 | 7 | 26 |
| 25 44 | 19 | 19 | 1 | 15 36 | 7 | 27 | 19 | 19 | 1 | 16 31 | 8 | 27 | 19 | 19 | 1 | 17 28 | 8 | 27 |
| 29 40 | 20 | 20 | 2 | 16 38 | 7 | 27 | 20 | 20 | 2 | 17 32 | 8 | 27 | 20 | 20 | 3 | 18 29 | 9 | 28 |
| 21 33 35 | 21 | 21 | 3 | 17 38 | 8 | 28 | 21 | 21 | 4 | 18 32 | 9 | 28 | 21 | 21 | 5 | 19 29 | 10 | 29 |
| 37 29 | 22 | 23 | 5 | 18 38 | 9 | 29 | 22 | 23 | 5 | 19 32 | 10 | 29 | 22 | 23 | 6 | 20 28 | 11 | ♌ |
| 41 23 | 23 | 25 | 7 | 19 37 | 10 | ♌ | 23 | 24 | 7 | 20 31 | 11 | ♌ | 23 | 24 | 8 | 21 27 | 12 | 0 |
| 21 45 16 | 24 | 26 | 8 | 20 36 | 11 | 1 | 24 | 25 | 8 | 21 29 | 12 | 1 | 24 | 25 | 9 | 22 25 | 13 | 1 |
| 49 9 | 25 | 27 | 9 | 21 34 | 12 | 2 | 25 | 26 | 9 | 22 27 | 12 | 2 | 25 | 26 | 10 | 23 22 | 13 | 2 |
| 53 1 | 26 | 28 | 10 | 22 31 | 13 | 3 | 26 | 27 | 10 | 23 24 | 13 | 3 | 26 | 27 | 11 | 24 18 | 14 | 3 |
| 21 56 52 | 27 | ♈ | 12 | 23 28 | 14 | 4 | 27 | 29 | 11 | 24 20 | 14 | 4 | 27 | 29 | 13 | 25 14 | 15 | 4 |
| 22 0 43 | 28 | 1 | 13 | 24 24 | 15 | 5 | 28 | ♈ | 13 | 25 16 | 15 | 5 | 28 | ♈ | 14 | 26 10 | 16 | 5 |
| 4 33 | 29 | 2 | 14 | 25 19 | 15 | 5 | 29 | 2 | 15 | 26 11 | 15 | 5 | 29 | 2 | 15 | 27 4 | 16 | 5 |
| Houses | 4 | 5 | 6 | 7 | 8 | 9 | 4 | 5 | 6 | 7 | 8 | 9 | 4 | 5 | 6 | 7 | 8 | 9 |

Latitude 43° S.    Latitude 44° S.    Latitude 45° S.

Latitude 43° N.  Latitude 44° N.  Latitude 45° N.

| Sider'l Time | 10 ♓ | 11 ♈ | 12 ♉ | Asc. Π | 2 ♋ | 3 ♌ | 10 ♓ | 11 ♈ | 12 ♉ | Asc. Π | 2 ♋ | 3 ♌ | 10 ♓ | 11 ♈ | 12 ♉ | Asc. Π | 2 ♋ | 3 ♌ |
|---|---|---|---|---|---|---|---|---|---|---|---|---|---|---|---|---|---|---|
| H M S |  |  |  |  |  |  |  |  |  |  |  |  |  |  |  |  |  |  |
| 22 8 23 | 0 | 3 | 15 | 26 14 | 16 | 6 | 0 | 3 | 16 | 27 5 | 16 | 6 | 0 | 3 | 16 | 27 58 | 17 | 6 |
| 12 12 | 1 | 4 | 16 | 27 8 | 17 | 7 | 1 | 4 | 17 | 27 59 | 17 | 7 | 1 | 4 | 17 | 28 51 | 18 | 7 |
| 16 0 | 2 | 5 | 17 | 28 1 | 18 | 8 | 2 | 5 | 18 | 28 52 | 18 | 8 | 2 | 5 | 18 | 29 44 | 19 | 8 |
| 22 19 48 | 3 | 6 | 19 | 28 55 | 19 | 9 | 3 | 6 | 19 | 29 45 | 19 | 9 | 3 | 6 | 19 | 0♋36 | 20 | 9 |
| 23 35 | 4 | 8 | 20 | 29 47 | 20 | 10 | 4 | 8 | 20 | 0♋37 | 20 | 10 | 4 | 8 | 20 | 1 28 | 21 | 10 |
| 27 22 | 5 | 9 | 21 | 0♋39 | 20 | 10 | 5 | 9 | 22 | 1 28 | 20 | 10 | 5 | 9 | 22 | 2 19 | 21 | 10 |
| 22 31 8 | 6 | 10 | 22 | 1 30 | 21 | 11 | 6 | 10 | 23 | 2 19 | 21 | 11 | 6 | 10 | 23 | 3 10 | 22 | 11 |
| 34 54 | 7 | 11 | 23 | 2 21 | 22 | 12 | 7 | 11 | 24 | 3 10 | 22 | 12 | 7 | 11 | 24 | 4 0 | 23 | 12 |
| 38 40 | 8 | 12 | 24 | 3 12 | 23 | 12 | 8 | 12 | 25 | 4 0 | 23 | 13 | 8 | 13 | 25 | 4 50 | 24 | 13 |
| 22 42 25 | 9 | 13 | 25 | 4 2 | 24 | 13 | 9 | 13 | 26 | 4 50 | 24 | 14 | 9 | 14 | 27 | 5 39 | 25 | 14 |
| 46 9 | 10 | 14 | 27 | 4 51 | 24 | 14 | 10 | 15 | 27 | 5 39 | 24 | 15 | 10 | 15 | 28 | 6 28 | 25 | 15 |
| 49 53 | 11 | 15 | 28 | 5 40 | 25 | 15 | 11 | 16 | 28 | 6 28 | 25 | 16 | 11 | 16 | 29 | 7 16 | 26 | 16 |
| 22 53 37 | 12 | 16 | 29 | 6 29 | 26 | 16 | 12 | 17 | Π | 7 16 | 26 | 17 | 12 | 17 | Π | 8 4 | 27 | 17 |
| 57 20 | 13 | 17 | Π | 7 18 | 27 | 17 | 13 | 18 | 1 | 8 5 | 27 | 18 | 13 | 18 | 1 | 8 53 | 28 | 18 |
| 23 1 3 | 14 | 19 | 1 | 8 6 | 28 | 18 | 14 | 19 | 2 | 8 52 | 28 | 19 | 14 | 19 | 2 | 9 40 | 28 | 19 |
| 23 4 46 | 15 | 20 | 2 | 8 54 | 28 | 18 | 15 | 20 | 3 | 9 40 | 28 | 19 | 15 | 20 | 3 | 10 27 | 29 | 19 |
| 8 28 | 16 | 21 | 3 | 9 42 | 29 | 19 | 16 | 21 | 4 | 10 27 | 29 | 20 | 16 | 21 | 4 | 11 14 | 29 | 20 |
| 12 10 | 17 | 22 | 4 | 10 29 | 29 | 20 | 17 | 22 | 5 | 11 14 | ♌ | 21 | 17 | 22 | 5 | 12 0 | ♌ | 21 |
| 23 15 52 | 18 | 24 | 5 | 11 17 | ♌ | 21 | 18 | 23 | 6 | 12 1 | 0 | 22 | 18 | 23 | 6 | 12 46 | 0 | 22 |
| 19 34 | 19 | 25 | 6 | 12 3 | 1 | 22 | 19 | 24 | 7 | 12 47 | 1 | 23 | 19 | 25 | 7 | 13 32 | 1 | 23 |
| 23 15 | 20 | 26 | 7 | 12 49 | 2 | 23 | 20 | 26 | 8 | 13 33 | 2 | 23 | 20 | 26 | 8 | 14 18 | 2 | 23 |
| 23 26 56 | 21 | 27 | 8 | 13 35 | 3 | 24 | 21 | 27 | 9 | 14 19 | 3 | 24 | 21 | 27 | 9 | 15 3 | 3 | 24 |
| 30 37 | 22 | 28 | 9 | 14 21 | 4 | 25 | 22 | 28 | 10 | 15 4 | 4 | 25 | 22 | 28 | 10 | 15 48 | 4 | 25 |
| 34 18 | 23 | 29 | 10 | 15 7 | 4 | 26 | 23 | 29 | 11 | 15 50 | 5 | 26 | 23 | 29 | 11 | 16 33 | 5 | 26 |
| 23 37 58 | 24 | ♉ | 11 | 15 53 | 5 | 27 | 24 | ♉ | 12 | 16 35 | 6 | 27 | 24 | ♉ | 12 | 17 18 | 6 | 27 |
| 41 39 | 25 | 1 | 12 | 16 38 | 5 | 27 | 25 | 2 | 12 | 17 20 | 6 | 27 | 25 | 2 | 13 | 18 2 | 6 | 27 |
| 45 19 | 26 | 2 | 13 | 17 23 | 6 | 28 | 26 | 3 | 13 | 18 4 | 7 | 28 | 26 | 3 | 14 | 18 47 | 7 | 28 |
| 23 49 0 | 27 | 3 | 14 | 18 8 | 7 | 29 | 27 | 4 | 14 | 18 49 | 8 | 29 | 27 | 4 | 15 | 19 31 | 8 | 29 |
| 52 40 | 28 | 5 | 15 | 18 53 | 8 | ♍ | 28 | 5 | 15 | 19 33 | 9 | ♍ | 28 | 5 | 16 | 20 15 | 9 | ♍ |
| 56 20 | 29 | 6 | 16 | 19 38 | 9 | 1 | 29 | 6 | 16 | 20 18 | 9 | 1 | 29 | 6 | 17 | 20 59 | 9 | 1 |
| Houses | 4 | 5 | 6 | 7 | 8 | 9 | 4 | 5 | 6 | 7 | 8 | 9 | 4 | 5 | 6 | 7 | 8 | 9 |

Latitude 43° S.  Latitude 44° S.  Latitude 45° S.

# SIMPLIFIED SCIENTIFIC TABLES OF HOUSES

### Latitude 46° N.  Latitude 47° N.  Latitude 48° N.

| Sider'l Time (H M S) | 10 ♈ | 11 ♉ | 12 ♊ | Asc. ♋ (° ′) | 2 ♌ | 3 ♍ | 10 ♈ | 11 ♉ | 12 ♊ | Asc. ♋ (° ′) | 2 ♌ | 3 ♍ | 10 ♈ | 11 ♉ | 12 ♊ | Asc. ♋ (° ′) | 2 ♌ | 3 ♍ |
|---|---|---|---|---|---|---|---|---|---|---|---|---|---|---|---|---|---|---|
| 0 0 0 | 0 | 7 | 18 | 22 24 | 10 | 2 | 0 | 7 | 19 | 23 7 | 11 | 2 | 0 | 8 | 20 | 23 51 | 11 | 2 |
| 3 40 | 1 | 8 | 19 | 23 7 | 11 | 3 | 1 | 8 | 20 | 23 50 | 12 | 3 | 1 | 9 | 21 | 24 33 | 12 | 3 |
| 7 20 | 2 | 9 | 20 | 23 50 | 12 | 4 | 2 | 9 | 21 | 24 32 | 13 | 4 | 2 | 10 | 22 | 25 15 | 13 | 4 |
| 0 11 0 | 3 | 11 | 21 | 24 33 | 13 | 5 | 3 | 10 | 22 | 25 15 | 13 | 5 | 3 | 11 | 23 | 25 57 | 14 | 5 |
| 14 41 | 4 | 12 | 22 | 25 16 | 14 | 6 | 4 | 12 | 23 | 25 57 | 14 | 6 | 4 | 12 | 24 | 26 39 | 15 | 6 |
| 18 21 | 5 | 13 | 23 | 25 58 | 14 | 6 | 5 | 13 | 24 | 26 39 | 14 | 6 | 5 | 13 | 24 | 27 20 | 15 | 6 |
| 0 22 2 | 6 | 14 | 24 | 26 41 | 15 | 7 | 6 | 14 | 25 | 27 21 | 15 | 7 | 6 | 14 | 25 | 28 2 | 16 | 7 |
| 25 42 | 7 | 15 | 25 | 27 23 | 16 | 8 | 7 | 15 | 26 | 28 3 | 16 | 8 | 7 | 15 | 26 | 28 44 | 17 | 8 |
| 29 23 | 8 | 16 | 26 | 28 6 | 17 | 9 | 8 | 16 | 27 | 28 45 | 17 | 9 | 8 | 16 | 27 | 29 25 | 18 | 9 |
| 0 33 4 | 9 | 17 | 27 | 28 48 | 18 | 10 | 9 | 17 | 28 | 29 27 | 18 | 10 | 9 | 17 | 28 | 0 ♌ 7 | 19 | 10 |
| 36 45 | 10 | 18 | 27 | 29 30 | 18 | 10 | 10 | 18 | 28 | 0 ♌ 9 | 18 | 10 | 10 | 18 | 29 | 0 48 | 18 | 11 |
| 40 26 | 11 | 19 | 28 | 0 ♌13 | 19 | 11 | 11 | 19 | 29 | 0 51 | 19 | 11 | 11 | 19 | 29 | 1 30 | 20 | 12 |
| 0 44 8 | 12 | 20 | 29 | 0 55 | 20 | 12 | 12 | 20 | 29 | 1 32 | 20 | 12 | 12 | 20 | ♋ | 2 11 | 21 | 13 |
| 47 50 | 13 | 21 | ♋ | 1 37 | 21 | 13 | 13 | 21 | ♋ | 2 14 | 21 | 13 | 13 | 21 | 1 | 2 52 | 21 | 14 |
| 51 32 | 14 | 22 | 0 | 2 19 | 22 | 14 | 14 | 22 | 1 | 2 56 | 22 | 14 | 14 | 23 | 2 | 3 34 | 22 | 15 |
| 0 55 14 | 15 | 23 | 1 | 3 1 | 22 | 15 | 15 | 23 | 2 | 3 38 | 22 | 15 | 15 | 24 | 3 | 4 15 | 22 | 15 |
| 58 57 | 16 | 24 | 2 | 3 44 | 23 | 16 | 16 | 24 | 3 | 4 19 | 23 | 16 | 16 | 25 | 4 | 4 56 | 23 | 16 |
| 1 2 40 | 17 | 25 | 3 | 4 26 | 24 | 17 | 17 | 25 | 4 | 5 1 | 24 | 17 | 17 | 26 | 5 | 5 37 | 24 | 17 |
| 1 6 23 | 18 | 26 | 4 | 5 8 | 25 | 18 | 18 | 26 | 5 | 5 43 | 25 | 18 | 18 | 27 | 6 | 6 18 | 25 | 18 |
| 10 7 | 19 | 27 | 5 | 5 50 | 26 | 19 | 19 | 27 | 6 | 6 24 | 26 | 19 | 19 | 28 | 7 | 7 0 | 26 | 19 |
| 13 51 | 20 | 28 | 6 | 6 32 | 27 | 19 | 20 | 28 | 6 | 7 6 | 26 | 19 | 20 | 28 | 7 | 7 41 | 27 | 19 |
| 1 17 35 | 21 | 29 | 7 | 7 14 | 27 | 20 | 21 | 29 | 7 | 7 48 | 27 | 20 | 21 | 29 | 8 | 8 22 | 27 | 20 |
| 21 20 | 22 | ♊ | 8 | 7 56 | 28 | 21 | 22 | ♊ | 8 | 8 29 | 28 | 21 | 22 | ♊ | 9 | 9 3 | 28 | 21 |
| 25 6 | 23 | 1 | 9 | 8 38 | 28 | 22 | 23 | 1 | 9 | 9 11 | 28 | 22 | 23 | 1 | 10 | 9 45 | 28 | 22 |
| 1 28 52 | 24 | 2 | 10 | 9 21 | 29 | 23 | 24 | 2 | 10 | 9 52 | 29 | 23 | 24 | 2 | 11 | 10 26 | 29 | 23 |
| 32 38 | 25 | 3 | 10 | 10 3 | 29 | 23 | 25 | 3 | 10 | 10 35 | 29 | 24 | 25 | 3 | 11 | 11 8 | 29 | 24 |
| 36 25 | 26 | 4 | 11 | 10 46 | ♍ | 24 | 26 | 4 | 11 | 11 17 | ♍ | 25 | 26 | 4 | 12 | 11 49 | ♍ | 25 |
| 1 40 12 | 27 | 5 | 12 | 11 28 | 0 | 25 | 27 | 5 | 12 | 11 59 | 0 | 26 | 27 | 5 | 13 | 12 31 | 1 | 26 |
| 44 0 | 28 | 6 | 13 | 12 11 | 1 | 26 | 28 | 6 | 13 | 12 41 | 1 | 27 | 28 | 6 | 14 | 13 12 | 2 | 27 |
| 47 48 | 29 | 7 | 13 | 12 53 | 2 | 27 | 29 | 7 | 13 | 13 23 | 2 | 27 | 29 | 7 | 14 | 13 54 | 3 | 27 |
| Houses | 4 | 5 | 6 | 7 | 8 | 9 | 4 | 5 | 6 | 7 | 8 | 9 | 4 | 5 | 6 | 7 | 8 | 9 |

### Latitude 46° S.  Latitude 47° S.  Latitude 48° S.

# SIMPLIFIED SCIENTIFIC TABLES OF HOUSES

### Latitude 46° N.  Latitude 47° N.  Latitude 48° N.

| Sider'l Time | 10 ♉ | 11 ♊ | 12 ♋ | Asc ♌ ° | ' | 2 ♍ | 3 ♍ | 10 ♉ | 11 ♊ | 12 ♋ | Asc ♌ ° | ' | 2 ♍ | 3 ♍ | 10 ♉ | 11 ♊ | 12 ♋ | Asc ♌ ° | ' | 2 ♍ | 3 ♍ |
|---|---|---|---|---|---|---|---|---|---|---|---|---|---|---|---|---|---|---|---|---|---|
| H M S | ° | ° | ° | ° | ′ | ° | ° | ° | ° | ° | ° | ′ | ° | ° | ° | ° | ° | ° | ′ | ° | ° |
| 1 51 37 | 0 | 8 | 14 | 13 | 36 | 3 | 28 | 0 | 8 | 14 | 14 | 6 | 3 | 28 | 0 | 8 | 15 | 14 | 36 | 4 | 28 |
| 55 27 | 1 | 9 | 15 | 14 | 19 | 4 | 29 | 1 | 9 | 15 | 14 | 48 | 4 | 29 | 1 | 9 | 16 | 15 | 18 | 5 | 29 |
| 59 17 | 2 | 10 | 16 | 15 | 2 | 5 | ♎ | 2 | 10 | 16 | 15 | 30 | 5 | ♎ | 2 | 10 | 17 | 16 | 0 | 6 | ♎ |
| 2 3 8 | 3 | 11 | 17 | 15 | 45 | 6 | 1 | 3 | 11 | 17 | 16 | 13 | 6 | 1 | 3 | 11 | 18 | 16 | 42 | 6 | 1 |
| 6 59 | 4 | 12 | 18 | 16 | 28 | 7 | 2 | 4 | 12 | 18 | 16 | 56 | 7 | 2 | 4 | 12 | 19 | 17 | 24 | 7 | 2 |
| 10 51 | 5 | 13 | 18 | 17 | 11 | 7 | 3 | 5 | 13 | 18 | 17 | 38 | 7 | 3 | 5 | 13 | 19 | 18 | 6 | 7 | 3 |
| 2 14 44 | 6 | 14 | 19 | 17 | 54 | 8 | 4 | 6 | 14 | 19 | 18 | 21 | 8 | 4 | 6 | 14 | 20 | 18 | 48 | 8 | 4 |
| 18 37 | 7 | 15 | 20 | 18 | 38 | 9 | 5 | 7 | 15 | 20 | 19 | 4 | 9 | 5 | 7 | 15 | 21 | 19 | 31 | 9 | 5 |
| 22 31 | 8 | 16 | 21 | 19 | 21 | 10 | 6 | 8 | 16 | 21 | 19 | 47 | 10 | 6 | 8 | 16 | 22 | 20 | 14 | 10 | 5 |
| 2 26 25 | 9 | 17 | 22 | 20 | 5 | 11 | 7 | 9 | 17 | 22 | 20 | 30 | 11 | 7 | 9 | 17 | 23 | 20 | 56 | 11 | 6 |
| 30 20 | 10 | 17 | 22 | 20 | 48 | 11 | 7 | 10 | 18 | 23 | 21 | 13 | 11 | 7 | 10 | 18 | 23 | 21 | 39 | 12 | 7 |
| 34 16 | 11 | 18 | 23 | 21 | 32 | 12 | 8 | 11 | 19 | 24 | 21 | 57 | 12 | 8 | 11 | 19 | 24 | 22 | 22 | 13 | 8 |
| 2 38 13 | 12 | 19 | 24 | 22 | 16 | 13 | 9 | 12 | 20 | 25 | 22 | 40 | 13 | 9 | 12 | 20 | 25 | 23 | 5 | 14 | 9 |
| 42 10 | 13 | 20 | 25 | 23 | 0 | 14 | 10 | 13 | 21 | 26 | 23 | 24 | 14 | 10 | 13 | 21 | 26 | 23 | 48 | 15 | 10 |
| 46 8 | 14 | 21 | 26 | 23 | 45 | 15 | 11 | 14 | 22 | 27 | 24 | 8 | 15 | 11 | 14 | 22 | 27 | 24 | 32 | 16 | 11 |
| 2 50 7 | 15 | 22 | 26 | 24 | 29 | 15 | 12 | 15 | 22 | 27 | 24 | 52 | 15 | 12 | 15 | 23 | 27 | 25 | 15 | 16 | 12 |
| 54 7 | 16 | 23 | 27 | 25 | 13 | 16 | 13 | 16 | 23 | 28 | 25 | 36 | 16 | 13 | 16 | 24 | 28 | 25 | 59 | 17 | 13 |
| 58 7 | 17 | 24 | 28 | 25 | 58 | 17 | 14 | 17 | 24 | 29 | 26 | 21 | 17 | 14 | 17 | 25 | 29 | 26 | 42 | 18 | 14 |
| 3 2 8 | 18 | 25 | 29 | 26 | 43 | 18 | 15 | 18 | 25 | ♌ | 27 | 5 | 18 | 15 | 18 | 26 | ♌ | 27 | 26 | 19 | 15 |
| 6 9 | 19 | 26 | 29 | 27 | 28 | 19 | 16 | 19 | 26 | 0 | 27 | 49 | 19 | 16 | 19 | 27 | 0 | 28 | 10 | 20 | 16 |
| 10 12 | 20 | 27 | ♌ | 28 | 13 | 20 | 16 | 20 | 27 | 1 | 28 | 33 | 20 | 16 | 20 | 27 | 1 | 28 | 54 | 20 | 16 |
| 3 14 15 | 21 | 28 | 0 | 28 | 58 | 21 | 17 | 21 | 28 | 2 | 29 | 18 | 21 | 17 | 21 | 28 | 2 | 29 | 39 | 21 | 17 |
| 18 19 | 22 | 29 | 1 | 29 | 43 | 22 | 18 | 22 | 29 | 3 | 0 ♍ | 3 | 22 | 18 | 22 | 29 | 3 | 0 ♍ | 23 | 22 | 18 |
| 22 23 | 23 | ♋ | 2 | 0 ♍ | 29 | 23 | 19 | 23 | ♋ | 4 | 0 | 48 | 23 | 19 | 23 | ♋ | 4 | 1 | 7 | 23 | 19 |
| 3 26 29 | 24 | 0 | 3 | 1 | 14 | 24 | 20 | 24 | 1 | 5 | 1 | 33 | 24 | 20 | 24 | 1 | 5 | 1 | 52 | 24 | 20 |
| 30 35 | 25 | 1 | 4 | 2 | 0 | 24 | 21 | 25 | 2 | 5 | 2 | 18 | 24 | 21 | 25 | 2 | 5 | 2 | 37 | 24 | 21 |
| 34 41 | 26 | 2 | 5 | 2 | 46 | 25 | 22 | 26 | 3 | 6 | 3 | 4 | 25 | 22 | 26 | 3 | 6 | 3 | 22 | 25 | 22 |
| 3 38 49 | 27 | 3 | 6 | 3 | 33 | 26 | 23 | 27 | 4 | 7 | 3 | 50 | 26 | 23 | 27 | 4 | 7 | 4 | 7 | 26 | 23 |
| 42 57 | 28 | 4 | 7 | 4 | 19 | 27 | 24 | 28 | 5 | 8 | 4 | 35 | 27 | 24 | 28 | 5 | 8 | 4 | 52 | 27 | 24 |
| 47 6 | 29 | 5 | 8 | 5 | 5 | 27 | 25 | 29 | 5 | 8 | 5 | 21 | 27 | 25 | 29 | 6 | 8 | 5 | 38 | 27 | 25 |
| Houses | 4 | 5 | 6 | 7 | | 8 | 9 | 4 | 5 | 6 | 7 | | 8 | 9 | 4 | 5 | 6 | 7 | | 8 | 9 |

### Latitude 46° S.  Latitude 47° S.  Latitude 48° S.

# SIMPLIFIED SCIENTIFIC TABLES OF HOUSES

### Latitude 46° N.   Latitude 47° N.   Latitude 48° N.

| Sider'l Time | 10 ♊ | 11 ♋ | 12 ♌ | Asc. ♍ | 2 ♍ | 3 ♎ | 10 ♊ | 11 ♋ | 12 ♌ | Asc. ♍ | 2 ♍ | 3 ♎ | 10 ♊ | 11 ♋ | 12 ♌ | Asc. ♍ | 2 ♍ | 3 ♎ |
|---|---|---|---|---|---|---|---|---|---|---|---|---|---|---|---|---|---|---|
| H M S | ° | ° | ° | ° ′ | ° | ° | ° | ° | ° | ° ′ | ° | ° | ° | ° | ° | ° ′ | ° | ° |
| 3 51 15 | 0 | 6 | 9 | 5 52 | 28 | 26 | 0 | 6 | 9 | 6 7 | 28 | 26 | 0 | 7 | 9 | 6 23 | 28 | 26 |
| 55 25 | 1 | 7 | 10 | 6 38 | 29 | 27 | 1 | 7 | 10 | 6 53 | 29 | 27 | 1 | 8 | 10 | 7 9 | 29 | 27 |
| 59 36 | 2 | 8 | 11 | 7 25 | ♎ | 28 | 2 | 8 | 11 | 7 40 | ♎ | 28 | 2 | 9 | 11 | 7 55 | ♎ | 28 |
| 4 3 48 | 3 | 9 | 12 | 8 12 | 0 | 29 | 3 | 9 | 12 | 8 26 | 0 | 29 | 3 | 10 | 12 | 8 41 | 0 | 29 |
| 8 0 | 4 | 10 | 13 | 8 59 | 1 | ♏ | 4 | 10 | 13 | 9 13 | 1 | ♏ | 4 | 11 | 13 | 9 27 | 1 | ♏ |
| 12 13 | 5 | 11 | 13 | 9 47 | 2 | 1 | 5 | 11 | 13 | 10 0 | 2 | 1 | 5 | 11 | 14 | 10 13 | 2 | 1 |
| 4 16 26 | 6 | 12 | 14 | 10 34 | 3 | 2 | 6 | 12 | 14 | 10 46 | 3 | 2 | 6 | 12 | 15 | 10 59 | 3 | 2 |
| 20 40 | 7 | 13 | 15 | 11 22 | 4 | 3 | 7 | 13 | 15 | 11 34 | 4 | 3 | 7 | 13 | 16 | 11 46 | 4 | 3 |
| 24 55 | 8 | 14 | 16 | 12 9 | 5 | 4 | 8 | 14 | 16 | 12 21 | 5 | 4 | 8 | 14 | 17 | 12 32 | 5 | 4 |
| 4 29 10 | 9 | 15 | 17 | 12 57 | 6 | 5 | 9 | 15 | 17 | 13 8 | 6 | 5 | 9 | 15 | 18 | 13 19 | 6 | 5 |
| 33 26 | 10 | 16 | 17 | 13 45 | 7 | 6 | 10 | 16 | 18 | 13 55 | 7 | 6 | 10 | 16 | 18 | 14 6 | 7 | 6 |
| 37 42 | 11 | 17 | 18 | 14 33 | 8 | 7 | 11 | 17 | 19 | 14 43 | 8 | 7 | 11 | 17 | 19 | 14 53 | 8 | 7 |
| 4 41 59 | 12 | 18 | 19 | 15 21 | 9 | 8 | 12 | 18 | 20 | 15 30 | 9 | 8 | 12 | 18 | 20 | 15 40 | 9 | 8 |
| 46 16 | 13 | 19 | 20 | 16 9 | 10 | 9 | 13 | 19 | 21 | 16 18 | 10 | 9 | 13 | 19 | 21 | 16 27 | 10 | 9 |
| 50 34 | 14 | 20 | 21 | 16 58 | 11 | 10 | 14 | 20 | 22 | 17 6 | 11 | 10 | 14 | 20 | 22 | 17 15 | 11 | 10 |
| 4 54 52 | 15 | 20 | 22 | 17 46 | 11 | 11 | 15 | 21 | 22 | 17 54 | 11 | 11 | 15 | 21 | 22 | 18 2 | 11 | 10 |
| 59 10 | 16 | 21 | 23 | 18 34 | 12 | 12 | 16 | 22 | 23 | 18 42 | 12 | 12 | 16 | 22 | 23 | 18 50 | 12 | 11 |
| 5 3 29 | 17 | 22 | 24 | 19 23 | 13 | 13 | 17 | 23 | 24 | 19 30 | 13 | 13 | 17 | 23 | 24 | 19 37 | 13 | 12 |
| 5 7 49 | 18 | 23 | 25 | 20 12 | 14 | 14 | 18 | 24 | 25 | 20 18 | 14 | 14 | 18 | 24 | 25 | 20 25 | 14 | 13 |
| 12 9 | 19 | 24 | 26 | 21 0 | 15 | 15 | 19 | 25 | 26 | 21 6 | 15 | 15 | 19 | 25 | 26 | 21 12 | 15 | 14 |
| 16 29 | 20 | 25 | 26 | 21 49 | 16 | 16 | 20 | 25 | 26 | 21 55 | 16 | 15 | 20 | 26 | 26 | 22 0 | 16 | 15 |
| 5 20 49 | 21 | 26 | 27 | 22 38 | 17 | 17 | 21 | 26 | 27 | 22 43 | 17 | 16 | 21 | 27 | 27 | 22 48 | 16 | 16 |
| 25 9 | 22 | 27 | 28 | 23 27 | 18 | 18 | 22 | 27 | 28 | 23 31 | 18 | 17 | 22 | 28 | 28 | 23 35 | 17 | 17 |
| 29 30 | 23 | 28 | 28 | 24 16 | 19 | 19 | 23 | 28 | 28 | 24 20 | 19 | 18 | 23 | 28 | 29 | 24 23 | 18 | 18 |
| 5 33 51 | 24 | 29 | 29 | 25 5 | 20 | 20 | 24 | 29 | 29 | 25 8 | 20 | 19 | 24 | 29 | ♍ | 25 11 | 19 | 19 |
| 38 12 | 25 | 29 | ♍ | 25 54 | 20 | 20 | 25 | ♌ | ♍ | 25 57 | 20 | 20 | 25 | ♌ | 1 | 25 59 | 20 | 20 |
| 42 34 | 26 | ♌ | 1 | 26 43 | 21 | 21 | 26 | 1 | 1 | 26 45 | 21 | 21 | 26 | 1 | 2 | 26 47 | 21 | 21 |
| 5 46 55 | 27 | 1 | 2 | 27 32 | 22 | 22 | 27 | 2 | 2 | 27 34 | 22 | 22 | 27 | 2 | 3 | 27 35 | 22 | 22 |
| 51 17 | 28 | 3 | 3 | 28 21 | 23 | 23 | 28 | 3 | 3 | 28 22 | 23 | 23 | 28 | 3 | 4 | 28 44 | 23 | 23 |
| 55 38 | 29 | 4 | 4 | 29 11 | 24 | 24 | 29 | 4 | 4 | 29 11 | 24 | 24 | 29 | 4 | 4 | 29 12 | 24 | 24 |
| Houses | 4 | 5 | 6 | 7 | 8 | 9 | 4 | 5 | 6 | 7 | 8 | 9 | 4 | 5 | 6 | 7 | 8 | 9 |

### Latitude 46° S.   Latitude 47° S.   Latitude 48° S

# SIMPLIFIED SCIENTIFIC TABLES OF HOUSES

### Latitude 46° N.  Latitude 47° N.  Latitude 48° N.

Column groups below repeat for Latitude 46° N., Latitude 47° N., and Latitude 48° N. Asc. values are given as degrees° minutes'.

| Sider'l Time H M S | 10 ♋ | 11 ♌ | 12 ♍ | Asc ♎ | 2 ♎ | 3 ♏ | 10 ♋ | 11 ♌ | 12 ♍ | Asc ♎ | 2 ♎ | 3 ♏ | 10 ♋ | 11 ♌ | 12 ♍ | Asc ♎ | 2 ♎ | 3 ♏ |
|---|---|---|---|---|---|---|---|---|---|---|---|---|---|---|---|---|---|---|
| 6 0 0 | 0 | 5 | 5 | 0°0' | 25 | 25 | 0 | 5 | 5 | 0°0' | 25 | 25 | 0 | 5 | 5 | 0°0' | 25 | 25 |
| 4 22 | 1 | 6 | 6 | 0°49' | 26 | 26 | 1 | 6 | 6 | 0°49' | 26 | 26 | 1 | 6 | 6 | 0°48' | 26 | 26 |
| 8 43 | 2 | 7 | 7 | 1°39' | 27 | 27 | 2 | 7 | 7 | 1°38' | 27 | 27 | 2 | 7 | 7 | 1°36' | 27 | 27 |
| 6 13 5 | 3 | 8 | 8 | 2°28' | 28 | 28 | 3 | 8 | 8 | 2°26' | 28 | 28 | 3 | 8 | 8 | 2°25' | 28 | 28 |
| 17 26 | 4 | 9 | 9 | 3°17' | 29 | 29 | 4 | 9 | 9 | 3°15' | 29 | 29 | 4 | 9 | 9 | 3°13' | 29 | 29 |
| 21 48 | 5 | 10 | 9 | 4°6' | 29 | ♐ | 5 | 10 | 10 | 4°3' | 29 | 29 | 5 | 10 | 10 | 4°1' | 29 | 29 |
| 6 26 9 | 6 | 11 | 10 | 4°55' | ♏ | 1 | 6 | 10 | 11 | 4°52' | ♏ | ♐ | 6 | 11 | 11 | 4°49' | ♏ | ♐ |
| 30 30 | 7 | 12 | 11 | 5°44' | 1 | 2 | 7 | 11 | 12 | 5°40' | 1 | 1 | 7 | 12 | 12 | 5°37' | 1 | 1 |
| 34 51 | 8 | 13 | 12 | 6°33' | 2 | 3 | 8 | 12 | 13 | 6°29' | 2 | 3 | 8 | 13 | 13 | 6°25' | 2 | 3 |
| 6 39 11 | 9 | 14 | 13 | 7°22' | 3 | 4 | 9 | 14 | 14 | 7°17' | 4 | 5 | 9 | 14 | 14 | 7°12' | 4 | 5 |
| 43 31 | 10 | 14 | 14 | 8°11' | 4 | 5 | 10 | 15 | 15 | 8°5' | 5 | 6 | 10 | 15 | 15 | 8°00' | 5 | 6 |
| 47 51 | 11 | 15 | 15 | 9°0' | 5 | 6 | 11 | 16 | 16 | 8°54' | 6 | 7 | 11 | 16 | 16 | 8°48' | 6 | 7 |
| 6 52 11 | 12 | 16 | 16 | 9°48' | 6 | 7 | 12 | 17 | 17 | 9°42' | 7 | 8 | 12 | 17 | 17 | 9°35' | 7 | 8 |
| 56 31 | 13 | 17 | 17 | 10°37' | 7 | 8 | 13 | 18 | 18 | 10°30' | 7 | 8 | 13 | 18 | 18 | 10°23' | 8 | 8 |
| 7 0 50 | 14 | 18 | 18 | 11°26' | 8 | 9 | 14 | 19 | 19 | 11°18' | 8 | 9 | 14 | 19 | 19 | 11°10' | 8 | 9 |
| 7 5 8 | 15 | 19 | 19 | 12°14' | 8 | 10 | 15 | 19 | 19 | 12°6' | 8 | 9 | 15 | 20 | 19 | 11°58' | 8 | 9 |
| 9 26 | 16 | 20 | 20 | 13°2' | 9 | 11 | 16 | 20 | 20 | 12°54' | 9 | 10 | 16 | 21 | 20 | 12°45' | 9 | 10 |
| 13 44 | 17 | 21 | 21 | 13°51' | 10 | 12 | 17 | 21 | 21 | 13°42' | 9 | 10 | 17 | 22 | 21 | 13°33' | 10 | 11 |
| 7 18 1 | 18 | 22 | 22 | 14°39' | 11 | 13 | 18 | 22 | 22 | 14°30' | 10 | 12 | 18 | 23 | 22 | 14°20' | 10 | 12 |
| 22 18 | 19 | 23 | 23 | 15°27' | 12 | 14 | 19 | 23 | 23 | 15°17' | 11 | 13 | 19 | 24 | 23 | 15°7' | 11 | 13 |
| 26 34 | 20 | 24 | 23 | 16°15' | 13 | 14 | 20 | 24 | 23 | 16°5' | 12 | 14 | 20 | 24 | 23 | 15°54' | 12 | 14 |
| 7 30 50 | 21 | 25 | 24 | 17°3' | 14 | 15 | 21 | 25 | 24 | 16°52' | 13 | 15 | 21 | 25 | 24 | 16°41' | 13 | 15 |
| 35 5 | 22 | 26 | 25 | 17°51' | 15 | 16 | 22 | 26 | 25 | 17°39' | 14 | 16 | 22 | 26 | 25 | 17°28' | 14 | 16 |
| 39 20 | 23 | 27 | 26 | 18°38' | 16 | 17 | 23 | 27 | 26 | 18°26' | 15 | 17 | 23 | 27 | 26 | 18°14' | 15 | 17 |
| 7 43 34 | 24 | 28 | 27 | 19°26' | 17 | 18 | 24 | 28 | 27 | 19°14' | 16 | 18 | 24 | 28 | 27 | 19°1' | 16 | 18 |
| 47 47 | 25 | 29 | 27 | 20°13' | 17 | 19 | 25 | 29 | 27 | 20°0' | 17 | 19 | 25 | 29 | 27 | 19°47' | 16 | 18 |
| 52 0 | 26 | ♍ | 28 | 21°1' | 18 | 20 | 26 | ♍ | 28 | 20°47' | 18 | 20 | 26 | ♍ | 28 | 20°33' | 17 | 19 |
| 7 56 12 | 27 | 1 | 29 | 21°48' | 19 | 21 | 27 | 1 | 29 | 21°34' | 19 | 21 | 27 | 1 | 29 | 21°19' | 18 | 20 |
| 8 0 24 | 28 | 2 | ♎ | 22°35' | 20 | 22 | 28 | 2 | ♎ | 22°20' | 20 | 22 | 28 | 2 | ♎ | 22°5' | 19 | 21 |
| 4 35 | 29 | 3 | 1 | 23°22' | 20 | 23 | 29 | 3 | 1 | 23°7' | 20 | 23 | 29 | 3 | 1 | 22°51' | 19 | 22 |

| Houses | 4 | 5 | 6 | 7 | 8 | 9 | 4 | 5 | 6 | 7 | 8 | 9 | 4 | 5 | 6 | 7 | 8 | 9 |
|---|---|---|---|---|---|---|---|---|---|---|---|---|---|---|---|---|---|---|

### Latitude 46° S.  Latitude 47° S.  Latitude 48° S.

# SIMPLIFIED SCIENTIFIC TABLES OF HOUSES

### Latitude 46° N.  Latitude 47° N.  Latitude 48° N.

| Sider'l Time | 10 ♌ | 11 ♍ | 12 ♎ | Asc. ♎ | 2 ♏ | 3 ♐ | 10 ♌ | 11 ♍ | 12 ♎ | Asc. ♎ | 2 ♏ | 3 ♐ | 10 ♌ | 11 ♍ | 12 ♎ | Asc. ♎ | 2 ♏ | 3 ♐ |
|---|---|---|---|---|---|---|---|---|---|---|---|---|---|---|---|---|---|---|
| H M S | ° | ° | ° | ° ′ | ° | ° | ° | ° | ° | ° ′ | ° | ° | ° | ° | ° | ° ′ | ° | ° |
| 8 8 45 | 0 | 4 | 2 | 24 8 | 21 | 24 | 0 | 4 | 2 | 23 53 | 21 | 24 | 0 | 4 | 2 | 23 37 | 20 | 23 |
| 12 54 | 1 | 5 | 3 | 24 55 | 22 | 25 | 1 | 5 | 3 | 24 39 | 22 | 25 | 1 | 5 | 3 | 24 22 | 21 | 24 |
| 17 3 | 2 | 6 | 4 | 25 41 | 23 | 26 | 2 | 6 | 4 | 25 25 | 23 | 26 | 2 | 6 | 4 | 25 8 | 22 | 25 |
| 8 21 11 | 3 | 7 | 5 | 26 27 | 24 | 27 | 3 | 7 | 5 | 26 10 | 24 | 27 | 3 | 7 | 5 | 25 53 | 23 | 26 |
| 25 19 | 4 | 8 | 6 | 27 14 | 25 | 28 | 4 | 8 | 6 | 26 56 | 25 | 28 | 4 | 8 | 6 | 26 38 | 24 | 27 |
| 29 26 | 5 | 9 | 6 | 28 0 | 26 | 29 | 5 | 9 | 6 | 27 42 | 25 | 28 | 5 | 9 | 6 | 27 23 | 25 | 28 |
| 8 33 31 | 6 | 10 | 7 | 28 46 | 27 | ♑ | 6 | 10 | 7 | 28 27 | 26 | 29 | 6 | 10 | 7 | 28 8 | 26 | 29 |
| 37 37 | 7 | 11 | 8 | 29 31 | 28 | 0 | 7 | 11 | 8 | 29 12 | 27 | ♑ | 7 | 11 | 8 | 28 53 | 27 | ♑ |
| 41 41 | 8 | 12 | 9 | 0♏17 | 28 | 1 | 8 | 12 | 9 | 29 57 | 28 | 1 | 8 | 12 | 9 | 29 37 | 28 | 1 |
| 8 45 45 | 9 | 13 | 10 | 1 2 | 29 | 2 | 9 | 13 | 10 | 0♏42 | 29 | 2 | 9 | 13 | 10 | 0♏21 | 29 | 2 |
| 49 48 | 10 | 13 | 10 | 1 47 | 29 | 3 | 10 | 13 | 10 | 1 27 | 29 | 3 | 10 | 14 | 10 | 1 6 | 29 | 3 |
| 53 51 | 11 | 14 | 11 | 2 32 | ♐ | 4 | 11 | 14 | 11 | 2 11 | ♐ | 4 | 11 | 15 | 11 | 1 50 | ♐ | 4 |
| 8 57 52 | 12 | 15 | 12 | 3 17 | 1 | 5 | 12 | 15 | 12 | 2 55 | 0 | 5 | 12 | 16 | 12 | 2 34 | 0 | 5 |
| 9 1 53 | 13 | 16 | 13 | 4 2 | 2 | 6 | 13 | 16 | 13 | 3 39 | 1 | 6 | 13 | 17 | 13 | 3 18 | 1 | 6 |
| 5 53 | 14 | 17 | 14 | 4 47 | 3 | 7 | 14 | 17 | 14 | 4 24 | 2 | 7 | 14 | 18 | 14 | 4 1 | 2 | 7 |
| 9 9 53 | 15 | 18 | 15 | 5 31 | 4 | 8 | 15 | 18 | 14 | 5 8 | 3 | 8 | 15 | 18 | 14 | 4 45 | 3 | 7 |
| 13 52 | 16 | 19 | 16 | 6 15 | 5 | 9 | 16 | 19 | 15 | 5 52 | 4 | 9 | 16 | 19 | 15 | 5 28 | 4 | 8 |
| 17 50 | 17 | 20 | 17 | 7 0 | 6 | 10 | 17 | 20 | 16 | 6 36 | 5 | 10 | 17 | 20 | 16 | 6 12 | 5 | 9 |
| 9 21 47 | 18 | 21 | 18 | 7 14 | 7 | 11 | 18 | 21 | 17 | 7 20 | 6 | 11 | 18 | 21 | 17 | 6 55 | 6 | 10 |
| 25 44 | 19 | 22 | 19 | 8 28 | 8 | 12 | 19 | 22 | 18 | 8 3 | 7 | 12 | 19 | 22 | 18 | 7 38 | 6 | 11 |
| 29 40 | 20 | 23 | 19 | 9 12 | 8 | 13 | 20 | 23 | 19 | 8 47 | 7 | 12 | 20 | 23 | 18 | 8 21 | 7 | 12 |
| 9 33 35 | 21 | 24 | 20 | 9 55 | 9 | 14 | 21 | 24 | 20 | 9 30 | 8 | 13 | 21 | 24 | 19 | 9 4 | 8 | 13 |
| 37 29 | 22 | 25 | 21 | 10 39 | 10 | 15 | 22 | 25 | 21 | 10 13 | 9 | 14 | 22 | 25 | 20 | 9 46 | 9 | 14 |
| 41 23 | 23 | 26 | 22 | 11 22 | 11 | 16 | 23 | 26 | 22 | 10 56 | 9 | 15 | 23 | 26 | 21 | 10 29 | 10 | 15 |
| 9 45 16 | 24 | 27 | 23 | 12 6 | 12 | 17 | 24 | 27 | 23 | 11 39 | 10 | 16 | 24 | 27 | 22 | 11 12 | 11 | 16 |
| 49 9 | 25 | 27 | 23 | 12 49 | 12 | 17 | 25 | 27 | 23 | 12 22 | 11 | 17 | 25 | 27 | 22 | 11 54 | 11 | 17 |
| 53 1 | 26 | 28 | 24 | 13 32 | 13 | 18 | 26 | 28 | 24 | 13 4 | 12 | 18 | 26 | 28 | 23 | 12 36 | 12 | 18 |
| 9 56 52 | 27 | 29 | 25 | 14 15 | 14 | 19 | 27 | 29 | 25 | 13 47 | 13 | 19 | 27 | 29 | 24 | 13 18 | 13 | 19 |
| 10 0 43 | 28 | ♎ | 26 | 14 58 | 15 | 20 | 28 | ♎ | 26 | 14 30 | 14 | 20 | 28 | ♎ | 25 | 14 0 | 14 | 20 |
| 4 33 | 29 | 1 | 26 | 15 41 | 15 | 21 | 29 | 1 | 26 | 15 12 | 14 | 21 | 29 | 1 | 25 | 14 42 | 14 | 21 |
| Houses | 4 | 5 | 6 | 7 | 8 | 9 | 4 | 5 | 6 | 7 | 8 | 9 | 4 | 5 | 6 | 7 | 8 | 9 |

### Latitude 46° S.  Latitude 47° S.  Latitude 48° S.

# SIMPLIFIED SCIENTIFIC TABLES OF HOUSES

| | Latitude 46° N. | | | | | | Latitude 47° N. | | | | | | Latitude 48° N. | | | | | |
|---|---|---|---|---|---|---|---|---|---|---|---|---|---|---|---|---|---|---|
| Sider'l Time | 10 ♍ | 11 ≏ | 12 ≏ | Asc. ♏ | 2 ♐ | 3 ♑ | 10 ♍ | 11 ≏ | 12 ≏ | Asc. ♏ | 2 ♐ | 3 ♑ | 10 ♍ | 11 ≏ | 12 ≏ | Asc. ♏ | 2 ♐ | 3 ♑ |
| H M S | ° | ° | ° | ° ′ | ° | ° | ° | ° | ° | ° ′ | ° | ° | ° | ° | ° | ° ′ | ° | ° |
| 10 8 23 | 0 | 2 | 27 | 16 24 | 16 | 22 | 0 | 2 | 27 | 15 54 | 15 | 22 | 0 | 2 | 26 | 15 23 | 15 | 22 |
| 12 12 | 1 | 3 | 28 | 17 7 | 17 | 23 | 1 | 3 | 28 | 16 37 | 16 | 23 | 1 | 3 | 27 | 16 6 | 16 | 23 |
| 16 0 | 2 | 4 | 29 | 17 49 | 17 | 24 | 2 | 4 | 29 | 17 19 | 17 | 24 | 2 | 4 | 28 | 16 48 | 17 | 24 |
| 10 19 48 | 3 | 5 | ♏ | 18 32 | 18 | 25 | 3 | 5 | ♏ | 18 1 | 18 | 25 | 3 | 5 | 29 | 17 29 | 18 | 25 |
| 23 35 | 4 | 6 | 0 | 19 14 | 19 | 26 | 4 | 6 | 0 | 18 43 | 19 | 26 | 4 | 6 | ♏ | 18 11 | 19 | 26 |
| 27 22 | 5 | 6 | 1 | 19 57 | 20 | 27 | 5 | 6 | 1 | 19 25 | 20 | 27 | 5 | 6 | 0 | 18 52 | 19 | 26 |
| 10 31 8 | 6 | 7 | 2 | 20 39 | 20 | 28 | 6 | 7 | 1 | 20 7 | 21 | 28 | 6 | 7 | 1 | 19 34 | 20 | 27 |
| 34 54 | 7 | 8 | 2 | 21 22 | 21 | 29 | 7 | 8 | 2 | 20 49 | 22 | 29 | 7 | 8 | 2 | 20 15 | 21 | 28 |
| 38 40 | 8 | 9 | 2 | 22 4 | 22 | ♒ | 8 | 9 | 3 | 21 31 | 23 | ♒ | 8 | 9 | 3 | 20 57 | 22 | 29 |
| 10 42 25 | 9 | 10 | 3 | 22 46 | 23 | 1 | 9 | 10 | 3 | 22 12 | 24 | 1 | 9 | 10 | 4 | 21 38 | 23 | ♒ |
| 46 9 | 10 | 11 | 4 | 23 28 | 24 | 2 | 10 | 11 | 4 | 22 54 | 24 | 2 | 10 | 11 | 4 | 22 19 | 23 | 1 |
| 49 53 | 11 | 12 | 4 | 24 10 | 24 | 3 | 11 | 12 | 4 | 23 36 | 25 | 3 | 11 | 12 | 4 | 23 0 | 24 | 2 |
| 10 53 37 | 12 | 13 | 5 | 24 52 | 25 | 4 | 12 | 13 | 5 | 24 17 | 26 | 4 | 12 | 13 | 5 | 23 42 | 25 | 3 |
| 57 20 | 13 | 14 | 6 | 25 34 | 26 | 5 | 13 | 14 | 6 | 24 59 | 27 | 5 | 13 | 14 | 6 | 24 23 | 26 | 4 |
| 11 1 3 | 14 | 15 | 7 | 26 16 | 27 | 6 | 14 | 15 | 7 | 25 41 | 28 | 6 | 14 | 15 | 7 | 25 4 | 27 | 5 |
| 11 4 46 | 15 | 15 | 8 | 26 59 | 28 | 7 | 15 | 15 | 8 | 26 22 | 28 | 7 | 15 | 15 | 8 | 25 45 | 27 | 6 |
| 8 28 | 16 | 16 | 9 | 27 41 | 28 | 8 | 16 | 16 | 8 | 27 4 | 29 | 8 | 16 | 16 | 8 | 26 26 | 28 | 7 |
| 12 10 | 17 | 17 | 9 | 28 23 | ♑ | 9 | 17 | 17 | 9 | 27 46 | 29 | 9 | 17 | 17 | 9 | 27 8 | 28 | 8 |
| 11 15 52 | 18 | 18 | 10 | 29 5 | 1 | 10 | 18 | 18 | 10 | 28 28 | ♑ | 10 | 18 | 18 | 10 | 27 49 | 29 | 9 |
| 19 34 | 19 | 19 | 11 | 29 47 | 2 | 11 | 19 | 19 | 11 | 29 9 | 1 | 11 | 19 | 19 | 11 | 28 30 | ♑ | 10 |
| 23 15 | 20 | 20 | 12 | 0 ♐ 30 | 3 | 12 | 20 | 19 | 12 | 29 51 | 2 | 12 | 20 | 19 | 11 | 29 12 | 1 | 11 |
| 11 26 56 | 21 | 21 | 12 | 1 12 | 4 | 13 | 21 | 20 | 12 | 0 ♐ 33 | 3 | 13 | 21 | 20 | 12 | 29 53 | 2 | 12 |
| 30 37 | 22 | 22 | 13 | 1 54 | 5 | 14 | 22 | 21 | 13 | 1 15 | 4 | 14 | 22 | 21 | 13 | 0 ♐ 35 | 3 | 13 |
| 34 18 | 23 | 23 | 14 | 2 37 | 6 | 15 | 23 | 22 | 14 | 1 57 | 4 | 15 | 23 | 22 | 14 | 1 16 | 4 | 14 |
| 11 37 58 | 24 | 24 | 15 | 3 19 | 7 | 16 | 24 | 23 | 15 | 2 39 | 5 | 16 | 24 | 23 | 15 | 1 58 | 5 | 16 |
| 41 39 | 25 | 24 | 16 | 4 2 | 7 | 17 | 25 | 24 | 16 | 3 21 | 6 | 17 | 25 | 24 | 15 | 2 40 | 6 | 17 |
| 45 19 | 26 | 25 | 16 | 4 44 | 8 | 18 | 26 | 25 | 16 | 4 3 | 7 | 18 | 26 | 25 | 16 | 3 21 | 7 | 18 |
| 11 49 0 | 27 | 26 | 17 | 5 27 | 9 | 19 | 27 | 26 | 17 | 4 46 | 8 | 19 | 27 | 26 | 17 | 4 3 | 8 | 19 |
| 52 40 | 28 | 27 | 18 | 6 10 | 10 | 20 | 28 | 27 | 18 | 5 28 | 9 | 20 | 28 | 27 | 18 | 4 45 | 9 | 20 |
| 56 20 | 29 | 27 | 19 | 6 53 | 11 | 21 | 29 | 27 | 18 | 6 10 | 10 | 21 | 29 | 27 | 18 | 5 27 | 9 | 21 |
| Houses | 4 | 5 | 6 | 7 | 8 | 9 | 4 | 5 | 6 | 7 | 8 | 9 | 4 | 5 | 6 | 7 | 8 | 9 |

# SIMPLIFIED SCIENTIFIC TABLES OF HOUSES

Latitude 46° N.  Latitude 47° N.  Latitude 48° N.

| Sider'l Time | 10 ≏ | 11 ≏ | 12 ♏ | Asc. ♐ | | 2 ♈ | 3 ≈ | 10 ≏ | 11 ≏ | 12 ♏ | Asc. ♐ | | 2 ♈ | 3 ≈ | 10 ≏ | 11 ≏ | 12 ♏ | Asc. ♐ | | 2 ♈ | 3 ≈ |
|---|---|---|---|---|---|---|---|---|---|---|---|---|---|---|---|---|---|---|---|---|---|
| H M S | ° | ° | ° | ° | ′ | ° | ° | ° | ° | ° | ° | ′ | ° | ° | ° | ° | ° | ° | ′ | ° | ° |
| 12 0 0 | 0 | 28 | 20 | 7 | 36 | 12 | 22 | 0 | 28 | 19 | 6 | 53 | 11 | 22 | 0 | 28 | 19 | 6 | 9 | 10 | 22 |
| 3 40 | 1 | 29 | 21 | 8 | 19 | 13 | 23 | 1 | 29 | 20 | 7 | 36 | 12 | 23 | 1 | 29 | 20 | 6 | 52 | 11 | 23 |
| 7 20 | 2 | ♏ | 22 | 9 | 3 | 14 | 24 | 2 | ♏ | 21 | 8 | 19 | 13 | 24 | 2 | ♏ | 21 | 7 | 34 | 12 | 24 |
| 12 11 0 | 3 | 0 | 22 | 9 | 46 | 15 | 25 | 3 | 0 | 22 | 9 | 2 | 14 | 25 | 3 | 0 | 21 | 8 | 16 | 13 | 25 |
| 14 41 | 4 | 1 | 23 | 10 | 30 | 16 | 27 | 4 | 1 | 23 | 9 | 45 | 15 | 26 | 4 | 1 | 22 | 8 | 59 | 14 | 27 |
| 18 21 | 5 | 2 | 23 | 11 | 14 | 16 | 28 | 5 | 2 | 23 | 10 | 29 | 16 | 28 | 5 | 2 | 22 | 9 | 42 | 15 | 28 |
| 12 22 2 | 6 | 3 | 24 | 11 | 58 | 17 | 29 | 6 | 3 | 24 | 11 | 12 | 17 | 29 | 6 | 3 | 23 | 10 | 25 | 16 | 29 |
| 25 42 | 7 | 4 | 25 | 12 | 42 | 18 | ✕ | 7 | 4 | 25 | 11 | 56 | 18 | ✕ | 7 | 4 | 24 | 11 | 9 | 17 | ✕ |
| 29 23 | 8 | 5 | 26 | 13 | 27 | 19 | 1 | 8 | 5 | 26 | 12 | 40 | 19 | 1 | 8 | 5 | 25 | 11 | 52 | 18 | 1 |
| 12 33 4 | 9 | 6 | 27 | 14 | 12 | 20 | 3 | 9 | 6 | 27 | 13 | 25 | 20 | 2 | 9 | 6 | 26 | 12 | 37 | 19 | 2 |
| 36 45 | 10 | 6 | 27 | 14 | 56 | 21 | 4 | 10 | 6 | 27 | 14 | 9 | 20 | 3 | 10 | 6 | 26 | 13 | 20 | 20 | 3 |
| 40 26 | 11 | 7 | 28 | 15 | 41 | 22 | 5 | 11 | 7 | 28 | 14 | 53 | 21 | 4 | 11 | 7 | 27 | 14 | 4 | 21 | 4 |
| 12 44 8 | 12 | 8 | 29 | 16 | 27 | 23 | 6 | 12 | 8 | 29 | 15 | 38 | 22 | 5 | 12 | 8 | 28 | 14 | 48 | 22 | 5 |
| 47 50 | 13 | 9 | ♐ | 17 | 13 | 24 | 7 | 13 | 9 | ♐ | 16 | 24 | 23 | 6 | 13 | 9 | 29 | 15 | 34 | 23 | 6 |
| 51 32 | 14 | 10 | 0 | 17 | 58 | 25 | 8 | 14 | 10 | 0 | 17 | 9 | 25 | 7 | 14 | 10 | ♐ | 16 | 18 | 24 | 8 |
| 12 55 14 | 15 | 11 | 1 | 18 | 44 | 26 | 9 | 15 | 11 | 1 | 17 | 55 | 26 | 9 | 15 | 10 | 0 | 17 | 3 | 25 | 9 |
| 58 57 | 16 | 12 | 2 | 19 | 31 | 27 | 10 | 16 | 12 | 2 | 18 | 41 | 27 | 10 | 16 | 11 | 1 | 17 | 49 | 26 | 10 |
| 13 2 40 | 17 | 13 | 3 | 20 | 18 | 28 | 11 | 17 | 13 | 3 | 19 | 27 | 28 | 11 | 17 | 12 | 2 | 18 | 35 | 27 | 11 |
| 13 6 23 | 18 | 14 | 4 | 21 | 6 | 29 | 12 | 18 | 14 | 3 | 20 | 14 | 29 | 12 | 18 | 13 | 3 | 19 | 21 | 28 | 13 |
| 10 7 | 19 | 15 | 5 | 21 | 54 | ≈ | 14 | 19 | 15 | 4 | 21 | 2 | ≈ | 13 | 19 | 14 | 4 | 20 | 8 | 29 | 14 |
| 13 51 | 20 | 15 | 5 | 22 | 42 | 2 | 15 | 20 | 15 | 4 | 21 | 49 | 1 | 15 | 20 | 15 | 4 | 20 | 55 | ≈ | 15 |
| 13 17 35 | 21 | 16 | 6 | 23 | 30 | 3 | 16 | 21 | 16 | 5 | 22 | 37 | 2 | 16 | 21 | 16 | 5 | 21 | 43 | 1 | 16 |
| 21 20 | 22 | 17 | 7 | 24 | 19 | 4 | 17 | 22 | 17 | 6 | 23 | 26 | 3 | 17 | 22 | 17 | 6 | 22 | 31 | 2 | 17 |
| 25 6 | 23 | 18 | 8 | 25 | 8 | 5 | 18 | 23 | 18 | 7 | 24 | 15 | 4 | 18 | 23 | 18 | 7 | 23 | 19 | 3 | 18 |
| 13 28 52 | 24 | 19 | 9 | 25 | 58 | 6 | 20 | 24 | 19 | 8 | 25 | 4 | 5 | 20 | 24 | 19 | 8 | 24 | 8 | 4 | 20 |
| 32 38 | 25 | 19 | 9 | 26 | 48 | 7 | 21 | 25 | 19 | 8 | 25 | 54 | 7 | 21 | 25 | 19 | 8 | 24 | 57 | 6 | 21 |
| 36 25 | 26 | 20 | 10 | 27 | 39 | 8 | 22 | 26 | 20 | 9 | 26 | 44 | 8 | 22 | 26 | 20 | 9 | 25 | 47 | 7 | 22 |
| 13 40 12 | 27 | 21 | 11 | 28 | 30 | 9 | 23 | 27 | 21 | 10 | 27 | 34 | 9 | 24 | 27 | 21 | 9 | 26 | 37 | 8 | 24 |
| 44 0 | 28 | 27 | 12 | 29 | 22 | 10 | 25 | 28 | 22 | 11 | 28 | 26 | 10 | 25 | 28 | 22 | 10 | 27 | 28 | 9 | 25 |
| 47 48 | 29 | 22 | 12 | 0 V3 | 14 | 12 | 26 | 29 | 22 | 11 | 29 | 18 | 12 | 26 | 29 | 22 | 10 | 28 | 19 | 11 | 26 |
| Houses | 4 | 5 | 6 | 7 | | 8 | 9 | 4 | 5 | 6 | 7 | | 8 | 9 | 4 | 5 | 6 | 7 | | 8 | 9 |

Latitude 46° S.  Latitude 47° S.  Latitude 48° S.

# SIMPLIFIED SCIENTIFIC TABLES OF HOUSES

Latitude 46° N.    Latitude 47° N.    Latitude 48° N.

| Sider'l Time (H M S) | 10 ♏ | 11 ♏ | 12 ♐ | Asc. ♑ | 2 ♒ | 3 ♓ | 10 ♏ | 11 ♏ | 12 ♐ | Asc. ♑ | 2 ♒ | 3 ♓ | 10 ♏ | 11 ♏ | 12 ♐ | Asc. ♑ | 2 ♒ | 3 ♓ |
|---|---|---|---|---|---|---|---|---|---|---|---|---|---|---|---|---|---|---|
| 13 51 37 | 0 | 23 | 13 | 1 7 | 13 | 27 | 0 | 23 | 12 | 0 10 | 13 | 27 | 0 | 23 | 11 | 29 11 | 12 | 27 |
| 55 27 | 1 | 24 | 14 | 2 0 | 14 | 28 | 1 | 24 | 13 | 1 3 | 14 | 29 | 1 | 24 | 12 | 0♑ 3 | 13 | 28 |
| 59 17 | 2 | 25 | 15 | 2 55 | 15 | ♈ | 2 | 25 | 14 | 1 56 | 15 | ♈ | 2 | 25 | 13 | 0 56 | 14 | ♈ |
| 14 3 8 | 3 | 26 | 16 | 3 50 | 16 | 1 | 3 | 26 | 15 | 2 51 | 16 | 1 | 3 | 26 | 14 | 1 50 | 15 | 1 |
| 6 59 | 4 | 27 | 17 | 4 45 | 18 | 2 | 4 | 27 | 16 | 3 46 | 18 | 3 | 4 | 27 | 15 | 2 45 | 17 | 3 |
| 10 51 | 5 | 28 | 17 | 5 41 | 20 | 3 | 5 | 27 | 16 | 4 41 | 19 | 3 | 5 | 27 | 15 | 3 39 | 18 | 4 |
| 14 14 44 | 6 | 29 | 18 | 6 38 | 21 | 4 | 6 | 28 | 17 | 5 38 | 20 | 4 | 6 | 28 | 16 | 4 36 | 19 | 6 |
| 18 37 | 7 | ♐ | 19 | 7 35 | 22 | 5 | 7 | 29 | 18 | 6 35 | 22 | 5 | 7 | 29 | 17 | 5 32 | 20 | 7 |
| 22 31 | 8 | 0 | 20 | 8 33 | 24 | 7 | 8 | ♐ | 19 | 7 32 | 24 | 6 | 8 | ♐ | 18 | 6 29 | 21 | 8 |
| 14 26 25 | 9 | 1 | 21 | 9 32 | 25 | 8 | 9 | 1 | 20 | 8 31 | 25 | 8 | 9 | 1 | 19 | 7 27 | 23 | 9 |
| 30 20 | 10 | 2 | 21 | 10 32 | 26 | 10 | 10 | 2 | 20 | 9 31 | 26 | 10 | 10 | 2 | 20 | 8 26 | 25 | 10 |
| 34 16 | 11 | 3 | 22 | 11 33 | 27 | 11 | 11 | 3 | 21 | 10 31 | 27 | 11 | 11 | 3 | 21 | 9 26 | 27 | 12 |
| 14 38 13 | 12 | 4 | 23 | 12 35 | 28 | 13 | 12 | 4 | 22 | 11 32 | 29 | 13 | 12 | 4 | 22 | 10 27 | 29 | 13 |
| 42 10 | 13 | 5 | 24 | 13 37 | ♓ | 14 | 13 | 5 | 23 | 12 34 | ♓ | 14 | 13 | 5 | 23 | 11 29 | ♓ | 14 |
| 46 8 | 14 | 6 | 25 | 14 41 | 1 | 15 | 14 | 6 | 24 | 13 38 | 1 | 15 | 14 | 6 | 24 | 12 32 | 1 | 15 |
| 14 50 | 15 | 6 | 25 | 15 46 | 3 | 16 | 15 | 6 | 25 | 14 42 | 3 | 16 | 15 | 6 | 24 | 13 35 | 3 | 16 |
| 54 | 16 | 7 | 26 | 16 51 | 4 | 17 | 16 | 7 | 26 | 15 47 | 4 | 17 | 16 | 7 | 25 | 14 40 | 4 | 17 |
| 58 | 17 | 8 | 27 | 17 58 | 6 | 18 | 17 | 8 | 27 | 16 54 | 5 | 18 | 17 | 8 | 26 | 15 46 | 5 | 18 |
| 15 2 8 | 18 | 9 | 28 | 19 6 | 8 | 19 | 18 | 9 | 28 | 18 1 | 7 | 19 | 18 | 9 | 27 | 16 53 | 7 | 20 |
| 6 9 | 19 | 10 | 29 | 20 15 | 10 | 20 | 19 | 10 | 29 | 19 10 | 8 | 21 | 19 | 10 | 28 | 18 1 | 9 | 21 |
| 10 12 | 20 | 11 | 29 | 21 25 | 11 | 22 | 20 | 11 | 29 | 20 20 | 10 | 22 | 20 | 11 | 28 | 19 11 | 10 | 23 |
| 15 14 15 | 21 | 12 | ♑ | 22 36 | 13 | 23 | 21 | 12 | ♑ | 21 31 | 11 | 23 | 21 | 11 | 29 | 20 22 | 11 | 24 |
| 18 19 | 22 | 13 | 1 | 23 49 | 14 | 25 | 22 | 13 | 1 | 22 44 | 13 | 25 | 22 | 12 | ♑ | 21 35 | 13 | 26 |
| 22 23 | 23 | 14 | 2 | 25 3 | 15 | 26 | 23 | 14 | 2 | 23 58 | 15 | 27 | 23 | 13 | 1 | 22 48 | 15 | 27 |
| 15 26 29 | 24 | 15 | 3 | 26 19 | 17 | 27 | 24 | 15 | 3 | 25 13 | 17 | 28 | 24 | 14 | 2 | 24 3 | 17 | 28 |
| 30 35 | 25 | 15 | 4 | 27 35 | 18 | 28 | 25 | 15 | 4 | 26 30 | 18 | 29 | 25 | 15 | 3 | 25 20 | 18 | 29 |
| 34 41 | 26 | 16 | 5 | 28 54 | 20 | ♉ | 26 | 16 | 5 | 27 48 | 20 | ♉ | 26 | 16 | 4 | 26 38 | 20 | ♉ |
| 15 38 49 | 27 | 17 | 6 | 0♒13 | 22 | 1 | 27 | 17 | 6 | 29 7 | 22 | 1 | 27 | 17 | 5 | 27 58 | 22 | 1 |
| 42 57 | 28 | 18 | 7 | 1 35 | 24 | 3 | 28 | 18 | 7 | 0♒29 | 24 | 3 | 28 | 18 | 6 | 29 19 | 24 | 3 |
| 47 6 | 29 | 19 | 8 | 2 57 | 26 | 4 | 29 | 19 | 8 | 1 52 | 25 | 4 | 29 | 18 | 7 | 0♒42 | 25 | 4 |
| Houses | 4 | 5 | 6 | 7 | 8 | 9 | 4 | 5 | 6 | 7 | 8 | 9 | 4 | 5 | 6 | 7 | 8 | 9 |

Latitude 46° S.    Latitude 47° S.    Latitude 48° S.

# SIMPLIFIED SCIENTIFIC TABLES OF HOUSES

Latitude 46° N.    Latitude 47° N.    Latitude 48° N.

| Sider'l Time | 10 ♐ | 11 ♐ | 12 ♑ | Asc. ♒ | 2 ♓ | 3 ♉ | 10 ♐ | 11 ♐ | 12 ♑ | Asc. ♒ | 2 ♓ | 3 ♉ | 10 ♐ | 11 ♐ | 12 ♑ | Asc. ♒ | 2 ♓ | 3 ♉ |
|---|---|---|---|---|---|---|---|---|---|---|---|---|---|---|---|---|---|---|
| H M S | ° | ° | ° | ° ′ | ° | ° | ° | ° | ° | ° ′ | ° | ° | ° | ° | ° | ° ′ | ° | ° |
| 15 51 15 | 0 | 20 | 9 | 4 22 | 27 | 5 | 0 | 20 | 9 | 3 17 | 26 | 5 | 0 | 19 | 8 | 2 7 | 26 | 5 |
| 55 25 | 1 | 21 | 10 | 5 48 | 29 | 6 | 1 | 21 | 10 | 4 43 | 28 | 6 | 1 | 20 | 9 | 3 34 | 28 | 6 |
| 59 36 | 2 | 22 | 11 | 7 16 | ♈ | 7 | 2 | 22 | 11 | 6 12 | ♈ | 7 | 2 | 21 | 10 | 5 3 | ♈ | 7 |
| 16 3 48 | 3 | 23 | 12 | 8 46 | 1 | 8 | 3 | 23 | 12 | 7 42 | 1 | 9 | 3 | 22 | 11 | 6 33 | 1 | 8 |
| 8 0 | 4 | 24 | 14 | 10 17 | 3 | 10 | 4 | 24 | 13 | 9 14 | 3 | 10 | 4 | 23 | 12 | 8 6 | 3 | 10 |
| 12 13 | 5 | 25 | 15 | 11 50 | 5 | 11 | 5 | 24 | 14 | 10 48 | 5 | 11 | 5 | 24 | 13 | 9 40 | 5 | 11 |
| 16 16 26 | 6 | 26 | 16 | 13 25 | 7 | 12 | 6 | 25 | 15 | 12 23 | 7 | 13 | 6 | 25 | 14 | 11 17 | 7 | 13 |
| 20 40 | 7 | 27 | 17 | 15 2 | 9 | 13 | 7 | 26 | 16 | 14 1 | 9 | 14 | 7 | 26 | 15 | 12 56 | 9 | 14 |
| 24 55 | 8 | 28 | 18 | 16 41 | 11 | 15 | 8 | 27 | 17 | 15 41 | 11 | 15 | 8 | 27 | 16 | 14 36 | 11 | 15 |
| 16 29 10 | 9 | 29 | 19 | 18 22 | 12 | 16 | 9 | 28 | 18 | 17 23 | 12 | 16 | 9 | 28 | 18 | 16 19 | 12 | 16 |
| 33 26 | 10 | 29 | 20 | 20 4 | 13 | 17 | 10 | 29 | 19 | 19 7 | 13 | 17 | 10 | 29 | 19 | 18 5 | 13 | 17 |
| 37 42 | 11 | ♑ | 21 | 21 48 | 15 | 18 | 11 | ♑ | 20 | 20 52 | 14 | 18 | 11 | ♑ | 20 | 19 52 | 14 | 18 |
| 16 41 59 | 12 | 1 | 22 | 23 35 | 17 | 20 | 12 | 1 | 21 | 22 41 | 16 | 19 | 12 | 1 | 21 | 21 42 | 16 | 19 |
| 46 16 | 13 | 2 | 24 | 25 23 | 19 | 21 | 13 | 2 | 22 | 24 31 | 18 | 21 | 13 | 2 | 23 | 23 34 | 18 | 20 |
| 50 34 | 14 | 3 | 25 | 27 14 | 20 | 22 | 14 | 3 | 24 | 26 23 | 19 | 22 | 14 | 3 | 24 | 25 28 | 20 | 21 |
| 16 54 52 | 15 | 4 | 26 | 29 6 | 21 | 23 | 15 | 4 | 25 | 28 17 | 21 | 23 | 15 | 4 | 25 | 27 25 | 22 | 23 |
| 59 10 | 16 | 5 | 27 | 1♓ 0 | 23 | 25 | 16 | 5 | 27 | 0♓ 13 | 23 | 24 | 16 | 5 | 27 | 29 23 | 24 | 24 |
| 17 3 29 | 17 | 6 | 28 | 2 55 | 25 | 26 | 17 | 6 | 29 | 2 12 | 25 | 26 | 17 | 6 | 28 | 1♓ 24 | 26 | 26 |
| 17 7 49 | 18 | 7 | ♒ | 4 53 | 27 | 27 | 18 | 7 | ♒ | 4 12 | 27 | 27 | 18 | 7 | 29 | 3 27 | 27 | 27 |
| 12 9 | 19 | 8 | 1 | 6 52 | 28 | 28 | 19 | 8 | 1 | 6 14 | 28 | 28 | 19 | 8 | ♒ | 5 32 | 28 | 28 |
| 16 29 | 20 | 9 | 2 | 8 53 | 29 | 29 | 20 | 9 | 2 | 8 17 | 29 | 29 | 20 | 9 | 1 | 7 38 | 29 | 29 |
| 17 20 49 | 21 | 10 | 3 | 10 55 | ♉ | ♊ | 21 | 10 | 3 | 10 23 | ♉ | ♊ | 21 | 10 | 2 | 9 47 | ♉ | ♊ |
| 25 9 | 22 | 11 | 5 | 12 59 | 2 | 1 | 22 | 11 | 4 | 12 29 | 1 | 1 | 22 | 11 | 3 | 11 57 | 1 | 1 |
| 29 30 | 23 | 12 | 7 | 15 4 | 4 | 2 | 23 | 12 | 5 | 14 38 | 3 | 3 | 23 | 12 | 4 | 14 9 | 3 | 3 |
| 17 33 51 | 24 | 13 | 8 | 17 9 | 6 | 3 | 24 | 13 | 7 | 16 47 | 5 | 4 | 24 | 13 | 6 | 16 22 | 5 | 4 |
| 38 12 | 25 | 15 | 9 | 19 16 | 7 | 4 | 25 | 14 | 8 | 18 57 | 7 | 5 | 25 | 14 | 7 | 18 37 | 8 | 5 |
| 42 34 | 26 | 16 | 10 | 21 24 | 9 | 5 | 26 | 15 | 9 | 21 9 | 9 | 7 | 26 | 15 | 8 | 20 52 | 10 | 7 |
| 17 46 55 | 27 | 17 | 12 | 23 32 | 11 | 7 | 27 | 16 | 11 | 23 21 | 11 | 8 | 27 | 16 | 10 | 23 8 | 12 | 8 |
| 51 17 | 28 | 18 | 14 | 25 41 | 12 | 8 | 28 | 18 | 12 | 25 34 | 13 | 9 | 28 | 17 | 12 | 25 25 | 13 | 9 |
| 55 38 | 29 | 19 | 15 | 27 51 | 13 | 9 | 29 | 19 | 14 | 27 47 | 14 | 10 | 29 | 18 | 14 | 27 42 | 14 | 10 |
| Houses | 4 | 5 | 6 | 7 | 8 | 9 | 4 | 5 | 6 | 7 | 8 | 9 | 4 | 5 | 6 | 7 | 8 | 9 |

Latitude 46° S.    Latitude 47° S.    Latitude 48° S.

# SIMPLIFIED SCIENTIFIC TABLES OF HOUSES

**Latitude 46° N.  Latitude 47° N.  Latitude 48° N.**

| Sider'l Time | 10 ♑ | 11 ♑ | 12 ♒ | Asc. ♈ | 2 ♉ | 3 ♊ | 10 ♑ | 11 ♑ | 12 ♒ | Asc. ♈ | 2 ♉ | 3 ♊ | 10 ♑ | 11 ♑ | 12 ♒ | Asc. ♈ | 2 ♉ | 3 ♊ |
|---|---|---|---|---|---|---|---|---|---|---|---|---|---|---|---|---|---|---|
| H M S | ° | ° | ° | ′ ° | ° | ° | ° | ° | ° | ′ ° | ° | ° | ° | ° | ° | ′ ° | ° | ° |
| 18 0 0 | 0 | 20 | 16 | 0 0 | 14 | 10 | 0 | 20 | 15 | 0 0 | 15 | 10 | 0 | 19 | 15 | 0 0 | 15 | 11 |
| 4 22 | 1 | 21 | 17 | 2 9 | 15 | 11 | 1 | 21 | 16 | 2 13 | 16 | 11 | 1 | 20 | 16 | 2 18 | 16 | 12 |
| 8 43 | 2 | 22 | 18 | 4 19 | 17 | 12 | 2 | 22 | 18 | 4 26 | 18 | 12 | 2 | 21 | 17 | 4 35 | 17 | 13 |
| 18 13 5 | 3 | 23 | 19 | 6 28 | 18 | 13 | 3 | 23 | 19 | 6 39 | 19 | 13 | 3 | 22 | 18 | 6 52 | 19 | 14 |
| 17 26 | 4 | 25 | 21 | 8 36 | 20 | 14 | 4 | 24 | 21 | 8 51 | 20 | 14 | 4 | 23 | 20 | 9 8 | 20 | 15 |
| 21 48 | 5 | 26 | 23 | 10 44 | 21 | 15 | 5 | 25 | 23 | 11 3 | 22 | 16 | 5 | 25 | 22 | 11 23 | 22 | 16 |
| 18 26 9 | 6 | 27 | 24 | 12 51 | 22 | 16 | 6 | 26 | 25 | 13 13 | 23 | 17 | 6 | 26 | 24 | 13 38 | 24 | 16 |
| 30 30 | 7 | 28 | 26 | 14 56 | 24 | 17 | 7 | 28 | 27 | 15 22 | 25 | 18 | 7 | 27 | 26 | 15 51 | 26 | 17 |
| 34 51 | 8 | 29 | 28 | 17 1 | 26 | 18 | 8 | 29 | 29 | 17 31 | 26 | 19 | 8 | 29 | 28 | 18 3 | 27 | 18 |
| 18 39 11 | 9 | ♒ | ♓ | 19 5 | 27 | 19 | 9 | ♒ | ♓ | 19 37 | 27 | 20 | 9 | ♒ | 29 | 20 13 | 28 | 20 |
| 43 31 | 10 | 1 | 1 | 21 7 | 28 | 20 | 10 | 1 | 0 | 21 43 | 28 | 21 | 10 | 1 | ♓ | 22 22 | 29 | 21 |
| 47 51 | 11 | 2 | 2 | 23 8 | 29 | 21 | 11 | 2 | 1 | 23 46 | ♊ | 22 | 11 | 2 | 1 | 24 28 | ♊ | 22 |
| 18 52 11 | 12 | 3 | 3 | 25 7 | ♊ | 22 | 12 | 3 | 3 | 25 48 | 1 | 23 | 12 | 3 | 3 | 26 33 | 1 | 23 |
| 56 31 | 13 | 4 | 5 | 27 5 | 1 | 23 | 13 | 5 | 5 | 27 48 | 3 | 24 | 13 | 4 | 5 | 28 36 | 3 | 24 |
| 19 0 50 | 14 | 5 | 7 | 29 0 | 3 | 25 | 14 | 6 | 7 | 29 47 | 4 | 25 | 14 | 5 | 7 | 0♉ 37 | 4 | 25 |
| 19 5 8 | 15 | 7 | 9 | 0♉ 54 | 4 | 26 | 15 | 7 | 9 | 1♉ 43 | 5 | 26 | 15 | 6 | 8 | 2 35 | 5 | 26 |
| 9 26 | 16 | 8 | 11 | 2 46 | 5 | 27 | 16 | 8 | 11 | 3 37 | 6 | 27 | 16 | 7 | 9 | 4 32 | 6 | 27 |
| 13 44 | 17 | 9 | 13 | 4 37 | 7 | 28 | 17 | 9 | 13 | 5 29 | 7 | 28 | 17 | 8 | 11 | 6 26 | 8 | 28 |
| 19 18 1 | 18 | 10 | 14 | 6 25 | 8 | 28 | 18 | 11 | 15 | 7 19 | 8 | 29 | 18 | 9 | 13 | 8 18 | 9 | 29 |
| 22 18 | 19 | 11 | 15 | 8 12 | 9 | 29 | 19 | 12 | 16 | 9 8 | 9 | ♋ | 19 | 11 | 15 | 10 8 | 10 | ♋ |
| 26 34 | 20 | 13 | 17 | 9 56 | 10 | ♋ | 20 | 13 | 17 | 10 53 | 10 | ♋ | 20 | 13 | 17 | 11 55 | 11 | 1 |
| 19 30 50 | 21 | 14 | 18 | 11 38 | 11 | 1 | 21 | 14 | 19 | 12 37 | 11 | 2 | 21 | 14 | 19 | 13 41 | 12 | 2 |
| 35 5 | 22 | 15 | 20 | 13 19 | 12 | 2 | 22 | 15 | 21 | 14 19 | 12 | 3 | 22 | 15 | 21 | 15 24 | 13 | 3 |
| 39 20 | 23 | 16 | 22 | 14 58 | 13 | 3 | 23 | 16 | 23 | 15 59 | 13 | 4 | 23 | 16 | 23 | 17 4 | 14 | 4 |
| 19 43 34 | 24 | 17 | 24 | 16 35 | 14 | 4 | 24 | 17 | 24 | 17 37 | 15 | 5 | 24 | 18 | 24 | 18 43 | 15 | 5 |
| 47 47 | 25 | 19 | 25 | 18 10 | 15 | 5 | 25 | 19 | 25 | 19 12 | 16 | 6 | 25 | 19 | 25 | 20 20 | 17 | 6 |
| 52 0 | 26 | 20 | 27 | 19 43 | 16 | 6 | 26 | 20 | 27 | 20 46 | 17 | 7 | 26 | 20 | 27 | 21 54 | 18 | 7 |
| 19 56 12 | 27 | 21 | 29 | 21 14 | 17 | 7 | 27 | 22 | 29 | 22 18 | 18 | 8 | 27 | 22 | 29 | 23 27 | 19 | 8 |
| 20 0 24 | 28 | 23 | ♈ | 22 44 | 19 | 8 | 28 | 23 | ♈ | 23 48 | 19 | 9 | 28 | 23 | ♈ | 24 57 | 20 | 9 |
| 4 35 | 29 | 24 | 2 | 24 12 | 20 | 9 | 29 | 24 | 2 | 25 17 | 20 | 10 | 29 | 24 | 2 | 26 26 | 21 | 10 |
| Houses | 4 | 5 | 6 | 7 | 8 | 9 | 4 | 5 | 6 | 7 | 8 | 9 | 4 | 5 | 6 | 7 | 8 | 9 |

# SIMPLIFIED SCIENTIFIC TABLES OF HOUSES

Latitude 46° N.  Latitude 47° N.  Latitude 48° N.

| Sider'l Time (H M S) | 10 ♒ | 11 ♒ | 12 ♈ | Asc. ♉ | 2 ♊ | 3 ♋ | 10 ♒ | 11 ♒ | 12 ♈ | Asc. ♉ | 2 ♊ | 3 ♋ | 10 ♒ | 11 ♒ | 12 ♈ | Asc. ♉ | 2 ♊ | 3 ♋ |
|---|---|---|---|---|---|---|---|---|---|---|---|---|---|---|---|---|---|---|
| 20 8 45 | 0 | 25 | 3 | 25 38 | 21 | 10 | 0 | 25 | 3 | 26 43 | 21 | 10 | 0 | 25 | 3 | 27 53 | 22 | 11 |
| 12 54 | 1 | 26 | 4 | 27 3 | 22 | 11 | 1 | 26 | 4 | 28 8 | 22 | 11 | 1 | 26 | 4 | 29 18 | 23 | 12 |
| 17 3 | 2 | 27 | 5 | 28 25 | 23 | 12 | 2 | 27 | 6 | 29 31 | 23 | 12 | 2 | 27 | 6 | 0♊41 | 24 | 13 |
| 20 21 11 | 3 | 29 | 7 | 29 47 | 24 | 13 | 3 | 29 | 8 | 0♊53 | 24 | 13 | 3 | 29 | 8 | 2 2 | 25 | 14 |
| 25 19 | 4 | ♓ | 9 | 1♊6 | 25 | 14 | 4 | ♓ | 10 | 2 12 | 25 | 14 | 4 | ♓ | 10 | 3 22 | 26 | 15 |
| 29 26 | 5 | 1 | 11 | 2 25 | 25 | 15 | 5 | 1 | 12 | 3 30 | 26 | 15 | 5 | 1 | 12 | 4 40 | 27 | 15 |
| 20 33 31 | 6 | 2 | 13 | 3 41 | 26 | 16 | 6 | 2 | 14 | 4 47 | 27 | 16 | 6 | 2 | 14 | 5 57 | 28 | 16 |
| 37 37 | 7 | 3 | 15 | 4 57 | 27 | 17 | 7 | 3 | 16 | 6 2 | 28 | 17 | 7 | 3 | 16 | 7 12 | 29 | 17 |
| 41 41 | 8 | 4 | 17 | 6 11 | 28 | 18 | 8 | 5 | 17 | 7 16 | 29 | 18 | 8 | 5 | 18 | 8 25 | ♋ | 18 |
| 20 45 45 | 9 | 6 | 18 | 7 24 | 29 | 19 | 9 | 6 | 18 | 8 29 | ♋ | 19 | 9 | 6 | 19 | 9 38 | 0 | 19 |
| 49 38 | 10 | 8 | 19 | 8 35 | ♋ | 19 | 10 | 7 | 19 | 9 40 | 1 | 19 | 10 | 7 | 20 | 10 49 | 1 | 20 |
| 53 51 | 11 | 9 | 21 | 9 45 | 1 | 20 | 11 | 8 | 20 | 10 50 | 2 | 20 | 11 | 8 | 21 | 11 59 | 2 | 21 |
| 20 57 52 | 12 | 10 | 23 | 10 54 | 2 | 21 | 12 | 9 | 21 | 11 59 | 3 | 21 | 12 | 9 | 23 | 13 7 | 3 | 22 |
| 21 1 53 | 13 | 11 | 25 | 12 2 | 3 | 22 | 13 | 10 | 23 | 13 6 | 4 | 22 | 13 | 11 | 25 | 14 14 | 4 | 23 |
| 5 53 | 14 | 13 | 26 | 13 9 | 4 | 23 | 14 | 12 | 25 | 14 13 | 5 | 23 | 14 | 12 | 26 | 15 20 | 5 | 24 |
| 21 9 53 | 15 | 14 | 27 | 14 14 | 5 | 24 | 15 | 14 | 27 | 15 18 | 5 | 24 | 15 | 14 | 27 | 16 25 | 6 | 24 |
| 13 52 | 16 | 15 | 29 | 15 19 | 6 | 25 | 16 | 15 | 29 | 16 22 | 6 | 25 | 16 | 15 | 29 | 17 28 | 7 | 25 |
| 17 50 | 17 | 16 | ♉ | 16 23 | 7 | 26 | 17 | 16 | ♉ | 17 26 | 7 | 26 | 17 | 17 | ♉ | 18 31 | 8 | 26 |
| 21 21 47 | 18 | 18 | 1 | 17 25 | 8 | 27 | 18 | 17 | 1 | 18 28 | 8 | 27 | 18 | 18 | 1 | 19 33 | 9 | 27 |
| 25 44 | 19 | 19 | 3 | 18 27 | 9 | 28 | 19 | 18 | 3 | 19 29 | 9 | 28 | 19 | 19 | 3 | 20 34 | 10 | 28 |
| 29 40 | 20 | 20 | 4 | 19 28 | 9 | 28 | 20 | 20 | 4 | 20 29 | 10 | 28 | 20 | 20 | 5 | 21 34 | 10 | 28 |
| 21 33 35 | 21 | 21 | 5 | 20 28 | 10 | 29 | 21 | 21 | 5 | 21 29 | 11 | 29 | 21 | 21 | 7 | 22 33 | 11 | 29 |
| 37 29 | 22 | 23 | 6 | 21 27 | 11 | ♌ | 22 | 22 | 7 | 22 28 | 12 | ♌ | 22 | 23 | 8 | 23 31 | 12 | ♌ |
| 41 23 | 23 | 24 | 7 | 22 25 | 12 | 0 | 23 | 23 | 9 | 23 25 | 13 | 0 | 23 | 24 | 9 | 24 28 | 13 | 1 |
| 21 45 16 | 24 | 25 | 9 | 23 22 | 13 | 1 | 24 | 24 | 10 | 24 22 | 14 | 1 | 24 | 25 | 10 | 25 24 | 14 | 2 |
| 49 9 | 25 | 26 | 10 | 24 19 | 13 | 2 | 25 | 26 | 11 | 25 19 | 14 | 2 | 25 | 26 | 11 | 26 21 | 14 | 3 |
| 53 1 | 26 | 28 | 12 | 25 15 | 14 | 3 | 26 | 27 | 12 | 26 14 | 15 | 3 | 26 | 28 | 13 | 27 15 | 15 | 4 |
| 21 56 52 | 27 | 29 | 14 | 26 10 | 15 | 4 | 27 | 29 | 13 | 27 9 | 16 | 4 | 27 | 29 | 15 | 28 10 | 16 | 5 |
| 22 0 43 | 28 | ♈ | 15 | 27 5 | 16 | 5 | 28 | ♈ | 15 | 28 4 | 17 | 5 | 28 | ♈ | 16 | 29 4 | 17 | 6 |
| 4 33 | 29 | 2 | 16 | 28 0 | 16 | 5 | 29 | 2 | 16 | 28 57 | 17 | 6 | 29 | 2 | 17 | 29 57 | 17 | 6 |
| Houses | 4 | 5 | 6 | 7 | 8 | 9 | 4 | 5 | 6 | 7 | 8 | 9 | 4 | 5 | 6 | 7 | 8 | 9 |

Latitude 46° S.  Latitude 47° S.  Latitude 48° S.

### Latitude 46° N.    Latitude 47° N.    Latitude 48° N.

| Sider'l Time (H M S) | 10 ♓ | 11 ♈ | 12 ♉ | Asc. Ⅱ | 2 ♋ | 3 ♌ | 10 ♓ | 11 ♈ | 12 ♉ | Asc. Ⅱ | 2 ♋ | 3 ♌ | 10 ♓ | 11 ♈ | 12 ♉ | Asc. ♋ | 2 ♋ | 3 ♌ |
|---|---|---|---|---|---|---|---|---|---|---|---|---|---|---|---|---|---|---|
| 22 8 23 | 0 | 3 | 17 | 28 53 | 17 | 6 | 0 | 3 | 17 | 29 50 | 18 | 7 | 0 | 3 | 18 | 0 49 | 18 | 7 |
| 12 12 | 1 | 4 | 18 | 29 46 | 18 | 7 | 1 | 4 | 18 | 0♋42 | 19 | 8 | 1 | 4 | 19 | 1 41 | 19 | 8 |
| 16 0 | 2 | 5 | 19 | 0♋38 | 19 | 8 | 2 | 5 | 19 | 1 34 | 20 | 9 | 2 | 5 | 20 | 2 32 | 20 | 9 |
| 22 19 48 | 3 | 6 | 20 | 1 30 | 20 | 9 | 3 | 7 | 20 | 2 26 | 21 | 10 | 3 | 6 | 22 | 3 23 | 21 | 10 |
| 23 35 | 4 | 8 | 21 | 2 21 | 21 | 10 | 4 | 8 | 21 | 3 16 | 22 | 11 | 4 | 8 | 23 | 4 13 | 22 | 11 |
| 27 22 | 5 | 9 | 23 | 3 12 | 21 | 11 | 5 | 9 | 23 | 4 6 | 22 | 11 | 5 | 9 | 24 | 5 3 | 22 | 11 |
| 22 31 8 | 6 | 10 | 24 | 4 2 | 22 | 12 | 6 | 10 | 24 | 4 56 | 23 | 12 | 6 | 10 | 25 | 5 52 | 23 | 12 |
| 34 54 | 7 | 11 | 25 | 4 52 | 23 | 13 | 7 | 11 | 25 | 5 45 | 24 | 13 | 7 | 11 | 26 | 6 41 | 24 | 13 |
| 38 40 | 8 | 12 | 26 | 5 41 | 24 | 14 | 8 | 12 | 26 | 6 34 | 25 | 14 | 8 | 13 | 27 | 7 29 | 25 | 14 |
| 22 42 25 | 9 | 13 | 27 | 6 30 | 25 | 15 | 9 | 14 | 28 | 7 23 | 26 | 15 | 9 | 14 | 28 | 8 17 | 26 | 15 |
| 46 9 | 10 | 15 | 28 | 7 18 | 25 | 15 | 10 | 15 | 29 | 8 11 | 26 | 15 | 10 | 15 | 29 | 9 5 | 26 | 15 |
| 49 53 | 11 | 16 | 29 | 8 6 | 26 | 16 | 11 | 16 | Ⅱ | 8 58 | 27 | 16 | 11 | 16 | Ⅱ | 9 52 | 27 | 16 |
| 22 53 37 | 12 | 17 | Ⅱ | 8 54 | 27 | 17 | 12 | 17 | 1 | 9 46 | 28 | 17 | 12 | 17 | 1 | 10 39 | 28 | 17 |
| 57 20 | 13 | 18 | 1 | 9 42 | 28 | 18 | 13 | 18 | 2 | 10 33 | 28 | 18 | 13 | 18 | 3 | 11 25 | 28 | 18 |
| 23 1 3 | 14 | 20 | 3 | 10 29 | 29 | 19 | 14 | 20 | 3 | 11 19 | 29 | 19 | 14 | 19 | 4 | 12 11 | 29 | 19 |
| 23 4 46 | 15 | 21 | 4 | 11 16 | 29 | 19 | 15 | 21 | 4 | 12 5 | 29 | 19 | 15 | 21 | 5 | 12 57 | ♌ | 20 |
| 8 28 | 16 | 22 | 5 | 12 2 | ♌ | 20 | 16 | 22 | 5 | 12 51 | ♌ | 20 | 16 | 22 | 6 | 13 42 | 0 | 21 |
| 12 10 | 17 | 23 | 6 | 12 47 | 0 | 21 | 17 | 23 | 6 | 13 36 | 1 | 21 | 17 | 23 | 7 | 14 26 | 1 | 22 |
| 23 15 52 | 18 | 24 | 7 | 13 33 | 1 | 22 | 18 | 24 | 7 | 14 22 | 2 | 22 | 18 | 25 | 8 | 15 12 | 2 | 23 |
| 19 34 | 19 | 25 | 8 | 14 19 | 2 | 23 | 19 | 25 | 8 | 15 7 | 3 | 23 | 19 | 26 | 9 | 15 56 | 3 | 24 |
| 23 15 | 20 | 26 | 9 | 15 4 | 3 | 23 | 20 | 26 | 9 | 15 51 | 3 | 24 | 20 | 27 | 10 | 16 40 | 4 | 24 |
| 23 26 56 | 21 | 27 | 10 | 15 48 | 4 | 24 | 21 | 27 | 10 | 16 35 | 4 | 25 | 21 | 28 | 11 | 17 23 | 5 | 25 |
| 30 37 | 22 | 29 | 11 | 16 33 | 5 | 25 | 22 | 29 | 11 | 17 20 | 5 | 26 | 22 | 29 | 12 | 18 8 | 6 | 26 |
| 34 18 | 23 | ♉ | 12 | 17 18 | 6 | 26 | 23 | ♉ | 12 | 18 4 | 6 | 27 | 23 | ♉ | 13 | 18 51 | 6 | 27 |
| 23 37 58 | 24 | 1 | 13 | 18 2 | 7 | 27 | 24 | 1 | 13 | 18 48 | 7 | 28 | 24 | 1 | 14 | 19 35 | 7 | 28 |
| 41 39 | 25 | 2 | 14 | 18 46 | 7 | 28 | 25 | 2 | 14 | 19 31 | 7 | 28 | 25 | 2 | 15 | 20 18 | 7 | 28 |
| 45 19 | 26 | 3 | 15 | 19 30 | 8 | 29 | 26 | 3 | 15 | 20 15 | 8 | 29 | 26 | 3 | 16 | 21 1 | 8 | 29 |
| 23 49 0 | 27 | 4 | 16 | 20 14 | 9 | 29 | 27 | 4 | 16 | 20 58 | 9 | ♍ | 27 | 4 | 17 | 21 44 | 9 | ♍ |
| 52 40 | 28 | 5 | 17 | 20 57 | 10 | ♍ | 28 | 5 | 17 | 21 41 | 10 | 0 | 28 | 5 | 18 | 22 26 | 10 | 0 |
| 56 20 | 29 | 6 | 17 | 21 41 | 10 | 1 | 29 | 6 | 17 | 22 24 | 10 | 1 | 29 | 6 | 18 | 23 8 | 10 | 1 |
| **Houses** | 4 | 5 | 6 | 7 | 8 | 9 | 4 | 5 | 6 | 7 | 8 | 9 | 4 | 5 | 6 | 7 | 8 | 9 |

### Latitude 46° S.    Latitude 47° S.    Latitude 48° S.

# SIMPLIFIED SCIENTIFIC TABLES OF HOUSES

|  | Latitude 49° N. | | | | | | | Latitude 50° N. | | | | | | | Latitude 51° N. | | | | | | |
|---|---|---|---|---|---|---|---|---|---|---|---|---|---|---|---|---|---|---|---|---|---|
| Sider'l Time | 10 ♈ | 11 ♉ | 12 ♊ | Asc ♋ | | 2 ♌ | 3 ♍ | 10 ♈ | 11 ♉ | 12 ♊ | Asc ♋ | | 2 ♌ | 3 ♍ | 10 ♈ | 11 ♉ | 12 ♊ | Asc ♋ | | 2 ♌ | 3 ♍ |
| H M S | ° | ° | ° | ° | ′ | ° | ° | ° | ° | ° | ° | ′ | ° | ° | ° | ° | ° | ° | ′ | ° | ° |
| 0 0 0 | 0 | 8 | 20 | 24 | 36 | 12 | 2 | 0 | 8 | 21 | 25 | 22 | 12 | 2 | 0 | 9 | 22 | 26 | 10 | 12 | 2 |
| 3 40 | 1 | 10 | 21 | 25 | 18 | 13 | 3 | 1 | 9 | 22 | 26 | 4 | 13 | 3 | 1 | 10 | 23 | 26 | 51 | 13 | 3 |
| 7 20 | 2 | 11 | 22 | 25 | 59 | 13 | 4 | 2 | 10 | 23 | 26 | 45 | 14 | 4 | 2 | 11 | 24 | 27 | 31 | 14 | 4 |
| 0 11 0 | 3 | 12 | 23 | 26 | 41 | 14 | 4 | 3 | 11 | 24 | 27 | 26 | 14 | 4 | 3 | 12 | 25 | 28 | 12 | 14 | 5 |
| 14 41 | 4 | 12 | 24 | 27 | 22 | 14 | 5 | 4 | 13 | 25 | 28 | 6 | 15 | 5 | 4 | 13 | 25 | 28 | 52 | 15 | 6 |
| 18 21 | 5 | 13 | 25 | 28 | 3 | 15 | 6 | 5 | 14 | 26 | 28 | 47 | 16 | 6 | 5 | 14 | 26 | 29 | 32 | 16 | 6 |
| 0 22 2 | 6 | 14 | 26 | 28 | 45 | 16 | 7 | 6 | 15 | 27 | 29 | 28 | 17 | 7 | 6 | 15 | 27 | 0♌ | 13 | 17 | 7 |
| 25 42 | 7 | 15 | 27 | 29 | 26 | 17 | 8 | 7 | 16 | 28 | 0♌ | 9 | 18 | 8 | 7 | 16 | 28 | 0 | 53 | 18 | 8 |
| 29 23 | 8 | 16 | 28 | 0♌ | 7 | 18 | 9 | 8 | 17 | 28 | 0 | 49 | 18 | 9 | 8 | 17 | 28 | 1 | 33 | 19 | 9 |
| 0 33 4 | 9 | 17 | 29 | 0 | 48 | 19 | 10 | 9 | 18 | 29 | 1 | 30 | 19 | 10 | 9 | 18 | 29 | 2 | 12 | 20 | 10 |
| 36 45 | 10 | 19 | 29 | 1 | 29 | 19 | 11 | 10 | 19 | 29 | 2 | 10 | 19 | 11 | 10 | 19 | ♋ | 2 | 52 | 21 | 11 |
| 40 26 | 11 | 20 | ♋ | 2 | 9 | 20 | 12 | 11 | 20 | ♋ | 2 | 50 | 20 | 12 | 11 | 20 | 1 | 3 | 32 | 21 | 12 |
| 0 44 8 | 12 | 21 | 1 | 2 | 50 | 21 | 13 | 12 | 21 | 1 | 3 | 31 | 21 | 13 | 12 | 21 | 2 | 4 | 12 | 22 | 13 |
| 47 50 | 13 | 22 | 2 | 3 | 31 | 22 | 14 | 13 | 22 | 2 | 4 | 11 | 22 | 14 | 13 | 22 | 3 | 4 | 52 | 22 | 14 |
| 51 32 | 14 | 23 | 3 | 4 | 12 | 22 | 15 | 14 | 23 | 3 | 4 | 51 | 22 | 14 | 14 | 23 | 4 | 5 | 32 | 23 | 15 |
| 0 55 14 | 15 | 24 | 3 | 4 | 53 | 23 | 15 | 15 | 24 | 4 | 5 | 32 | 23 | 15 | 15 | 25 | 5 | 6 | 11 | 23 | 15 |
| 58 57 | 16 | 25 | 4 | 5 | 33 | 24 | 16 | 16 | 25 | 5 | 6 | 12 | 24 | 16 | 16 | 26 | 6 | 6 | 51 | 24 | 16 |
| 1 2 40 | 17 | 26 | 5 | 6 | 14 | 25 | 17 | 17 | 26 | 6 | 6 | 52 | 25 | 17 | 17 | 27 | 7 | 7 | 31 | 25 | 17 |
| 1 6 23 | 18 | 27 | 6 | 6 | 55 | 25 | 18 | 18 | 27 | 7 | 7 | 32 | 26 | 18 | 18 | 28 | 8 | 8 | 11 | 26 | 18 |
| 10 7 | 19 | 28 | 7 | 7 | 36 | 26 | 18 | 19 | 28 | 8 | 8 | 13 | 27 | 18 | 19 | 28 | 9 | 8 | 51 | 26 | 18 |
| 13 51 | 20 | 29 | 8 | 8 | 16 | 26 | 19 | 20 | 29 | 8 | 8 | 53 | 27 | 19 | 20 | 29 | 9 | 9 | 30 | 27 | 19 |
| 1 17 35 | 21 | ♊ | 9 | 8 | 57 | 27 | 20 | 21 | ♊ | 9 | 9 | 33 | 28 | 20 | 21 | ♊ | 10 | 10 | 10 | 28 | 20 |
| 21 20 | 22 | 1 | 10 | 9 | 38 | 28 | 21 | 22 | 1 | 10 | 10 | 14 | 28 | 21 | 22 | 1 | 11 | 10 | 50 | 29 | 21 |
| 25 6 | 23 | 2 | 11 | 10 | 19 | 28 | 22 | 23 | 2 | 11 | 10 | 54 | 29 | 22 | 23 | 2 | 12 | 11 | 30 | ♍ | 22 |
| 1 28 52 | 24 | 3 | 11 | 11 | 0 | 29 | 23 | 24 | 3 | 12 | 11 | 35 | 29 | 23 | 24 | 3 | 12 | 12 | 10 | 1 | 23 |
| 32 38 | 25 | 4 | 12 | 11 | 41 | ♍ | 24 | 25 | 4 | 12 | 12 | 15 | ♍ | 24 | 25 | 5 | 13 | 12 | 50 | 1 | 24 |
| 36 25 | 26 | 5 | 13 | 12 | 22 | 1 | 25 | 26 | 5 | 13 | 12 | 56 | 1 | 25 | 26 | 6 | 14 | 13 | 30 | 2 | 25 |
| 1 40 12 | 27 | 6 | 14 | 13 | 3 | 2 | 26 | 27 | 6 | 14 | 13 | 36 | 2 | 26 | 27 | 7 | 15 | 14 | 10 | 3 | 26 |
| 44 0 | 28 | 7 | 15 | 13 | 44 | 3 | 27 | 28 | 7 | 15 | 14 | 17 | 3 | 27 | 28 | 7 | 15 | 14 | 50 | 3 | 26 |
| 47 48 | 29 | 8 | 16 | 14 | 26 | 4 | 28 | 29 | 8 | 16 | 14 | 58 | 4 | 28 | 29 | 8 | 16 | 15 | 31 | 4 | 27 |
| Houses | 4 | 5 | 6 | 7 | | 8 | 9 | 4 | 5 | 6 | 7 | | 8 | 9 | 4 | 5 | 6 | 7 | | 8 | 9 |

Latitude 49° S.        Latitude 50° S.        Latitude 51° S.

# SIMPLIFIED SCIENTIFIC TABLES OF HOUSES

## Latitude 49° N.

| Sider'l Time | 10 ♉ | 11 ♊ | 12 ♋ | Asc. ♌ ° | Asc. ♌ ' | 2 ♍ | 3 ♍ |
|---|---|---|---|---|---|---|---|
| 1 51 37 | 0 | 9 | 16 | 15 | 7 | 4 | 28 |
| 55 27 | 1 | 10 | 17 | 15 | 48 | 5 | 29 |
| 59 17 | 2 | 11 | 18 | 16 | 30 | 6 | 29 |
| 2 3 8 | 3 | 12 | 19 | 17 | 11 | 7 | ≏ |
| 6 59 | 4 | 13 | 19 | 17 | 53 | 8 | 1 |
| 10 51 | 5 | 14 | 20 | 18 | 35 | 8 | 2 |
| 2 14 44 | 6 | 15 | 21 | 19 | 16 | 9 | 3 |
| 18 37 | 7 | 16 | 22 | 19 | 58 | 10 | 4 |
| 22 31 | 8 | 17 | 23 | 20 | 41 | 11 | 5 |
| 2 26 25 | 9 | 18 | 24 | 21 | 23 | 12 | 6 |
| 30 20 | 10 | 18 | 24 | 22 | 5 | 12 | 7 |
| 34 16 | 11 | 19 | 25 | 22 | 48 | 13 | 8 |
| 2 38 13 | 12 | 20 | 26 | 23 | 30 | 14 | 9 |
| 42 10 | 13 | 21 | 26 | 24 | 13 | 15 | 10 |
| 46 8 | 14 | 22 | 27 | 24 | 56 | 16 | 11 |
| 2 50 7 | 15 | 23 | 27 | 25 | 39 | 16 | 12 |
| 54 7 | 16 | 24 | 28 | 26 | 22 | 17 | 13 |
| 58 7 | 17 | 25 | 29 | 27 | 5 | 18 | 14 |
| 3 2 8 | 18 | 26 | ♌ | 27 | 49 | 19 | 15 |
| 6 9 | 19 | 27 | 1 | 28 | 32 | 20 | 16 |
| 10 12 | 20 | 28 | 2 | 29 | 15 | 20 | 16 |
| 3 14 15 | 21 | 29 | 3 | 29 | 59 | 21 | 17 |
| 18 19 | 22 | ♋ | 4 | 0♍ | 43 | 22 | 18 |
| 22 23 | 23 | 1 | 5 | 1 | 27 | 23 | 19 |
| 3 26 29 | 24 | 1 | 6 | 2 | 11 | 24 | 20 |
| 30 35 | 25 | 2 | 6 | 2 | 56 | 24 | 21 |
| 34 41 | 26 | 3 | 7 | 3 | 40 | 25 | 22 |
| 3 38 49 | 27 | 4 | 8 | 4 | 25 | 26 | 23 |
| 42 57 | 28 | 5 | 8 | 5 | 10 | 27 | 24 |
| 47 6 | 29 | 6 | 9 | 5 | 55 | 27 | 25 |
| Houses | 4 | 5 | 6 | 7 | | 8 | 9 |

## Latitude 50° N.

| Sider'l Time | 10 ♉ | 11 ♊ | 12 ♋ | Asc. ♌ ° | Asc. ♌ ' | 2 ♍ | 3 ♍ |
|---|---|---|---|---|---|---|---|
| 1 51 37 | 0 | 9 | 16 | 15 | 39 | 4 | 28 |
| 55 27 | 1 | 10 | 17 | 16 | 19 | 5 | 29 |
| 59 17 | 2 | 11 | 18 | 17 | 0 | 6 | 29 |
| 2 3 8 | 3 | 12 | 19 | 17 | 41 | 7 | ≏ |
| 6 59 | 4 | 13 | 20 | 18 | 22 | 8 | 1 |
| 10 51 | 5 | 14 | 20 | 19 | 4 | 8 | 2 |
| 2 14 44 | 6 | 15 | 21 | 19 | 45 | 9 | 3 |
| 18 37 | 7 | 16 | 22 | 20 | 27 | 10 | 4 |
| 22 31 | 8 | 17 | 23 | 21 | 8 | 11 | 5 |
| 2 26 25 | 9 | 18 | 24 | 21 | 50 | 12 | 6 |
| 30 20 | 10 | 19 | 24 | 22 | 32 | 12 | 7 |
| 34 16 | 11 | 20 | 25 | 23 | 14 | 13 | 8 |
| 2 38 13 | 12 | 21 | 26 | 23 | 56 | 14 | 9 |
| 42 10 | 13 | 22 | 28 | 25 | 4 | 15 | 10 |
| 46 8 | 14 | 22 | 28 | 25 | 21 | 16 | 11 |
| 2 50 7 | 15 | 23 | 28 | 26 | 3 | 16 | 12 |
| 54 7 | 16 | 24 | 29 | 26 | 46 | 17 | 13 |
| 58 7 | 17 | 25 | ♌ | 27 | 28 | 18 | 14 |
| 3 2 8 | 18 | 26 | 1 | 28 | 11 | 19 | 15 |
| 6 9 | 19 | 27 | 2 | 28 | 54 | 20 | 15 |
| 10 12 | 20 | 28 | 2 | 29 | 37 | 20 | 16 |
| 3 14 15 | 21 | 29 | 3 | 0♍ | 20 | 21 | 17 |
| 18 19 | 22 | ♋ | 5 | 1 | 25 | 22 | 18 |
| 22 23 | 23 | 1 | 5 | 1 | 47 | 23 | 19 |
| 3 26 29 | 24 | 2 | 6 | 2 | 31 | 24 | 20 |
| 30 35 | 25 | 3 | 6 | 3 | 15 | 24 | 21 |
| 34 41 | 26 | 4 | 7 | 3 | 59 | 25 | 22 |
| 3 38 49 | 27 | 5 | 8 | 4 | 43 | 26 | 23 |
| 42 57 | 28 | 5 | 9 | 5 | 27 | 26 | 24 |
| 47 6 | 29 | 6 | 9 | 6 | 12 | 27 | 25 |
| Houses | 4 | 5 | 6 | 7 | | 8 | 9 |

## Latitude 51° N.

| Sider'l Time | 10 ♉ | 11 ♊ | 12 ♋ | Asc. ♌ ° | Asc. ♌ ' | 2 ♍ | 3 ♍ |
|---|---|---|---|---|---|---|---|
| 1 51 37 | 0 | 9 | 17 | 16 | 11 | 4 | 28 |
| 55 27 | 1 | 10 | 18 | 16 | 51 | 5 | 29 |
| 59 17 | 2 | 11 | 19 | 17 | 32 | 6 | ≏ |
| 2 3 8 | 3 | 12 | 20 | 18 | 12 | 6 | 1 |
| 6 59 | 4 | 13 | 21 | 18 | 53 | 7 | I |
| 10 51 | 5 | 14 | 21 | 19 | 33 | 8 | 2 |
| 2 14 44 | 6 | 15 | 22 | 20 | 14' | 9 | 3 |
| 18 37 | 7 | 16 | 23 | 20 | 55 | 10 | 4 |
| 22 31 | 8 | 17 | 24 | 21 | 36 | 10 | 5 |
| 2 26 25 | 9 | 18 | 25 | 22 | 18 | 11 | 6 |
| 30 20 | 10 | 19 | 25 | 22 | 59 | 12 | 7 |
| 34 16 | 11 | 20 | 26 | 23 | 41 | 13 | 8 |
| 2 38 13 | 12 | 21 | 27 | 24 | 23 | 14 | 9 |
| 42 10 | 13 | 22 | 28 | 15 | 4 | 15 | 10 |
| 46 8 | 14 | 2? | 28 | 25 | 46 | 16 | 11 |
| 2 50 7 | 15 | 24 | 29 | 26 | 28 | 16 | 12 |
| 54 7 | 16 | 25 | 29 | 27 | 10 | 17 | 13 |
| 58 7 | 17 | 26 | ♌ | 27 | 52 | 18 | 14 |
| 3 2 8 | 18 | 27 | 1 | 28 | 34 | 19 | 15 |
| 6 9 | 19 | 28 | 2 | 29 | 17 | 20 | 16 |
| 10 12 | 20 | 28 | 3 | 29 | 59 | 20 | 16 |
| 3 14 15 | 21 | 29 | 4 | 0♍ | 42 | 21 | 17 |
| 18 19 | 22 | ♋ | 5 | 2 | 25 | 22 | 18 |
| 22 23 | 23 | 1 | 6 | 2 | 8 | 23 | 19 |
| 3 26 29 | 24 | 2 | 7 | 2 | 51 | 24 | 20 |
| 30 35 | 25 | 3 | 7 | 3 | 34 | 24 | 21 |
| 34 41 | 26 | 4 | 8 | 4 | 18 | 25 | 22 |
| 3 38 49 | 27 | 5 | 9 | 5 | 1 | 26 | 23 |
| 42 57 | 28 | 6 | 10 | 5 | 45 | 27 | 24 |
| 47 6 | 29 | 7 | 10 | 6 | 29 | 27 | 25 |
| Houses | 4 | 5 | 6 | 7 | | 8 | 9 |

Latitude 49° S.      Latitude 50° S.      Latitude 51° S.

# SIMPLIFIED SCIENTIFIC TABLES OF HOUSES

|  | Latitude 49° N. | | | | | | Latitude 50° N. | | | | | | Latitude 51° N. | | | | | |
|---|---|---|---|---|---|---|---|---|---|---|---|---|---|---|---|---|---|---|
| Sider'l Time | 10 Π | 11 ♋ | 12 ♌ | Asc. ♍ | 2 ♍ | 3 ♎ | 10 Π | 11 ♋ | 12 ♌ | Asc. ♍ | 2 ♍ | 3 ♎ | 10 Π | 11 ♋ | 12 ♌ | Asc. ♍ | 2 ♍ | 3 ♎ |
| H M S | ° | ° | ° | ° | ′ | ° | ° | ° | ° | ° | ° | ′ | ° | ° | ° | ° | ° | ′ | ° | ° |
| 3 51 15 | 0 | 7 | 10 | 6 39 | 28 | 26 | 0 | 7 | 10 | 6 56 | 28 | 26 | 0 | 8 | 11 | 7 13 | 28 | 26 |
| 55 25 | 1 | 8 | 11 | 7 25 | 29 | 27 | 1 | 8 | 11 | 7 41 | 29 | 27 | 1 | 9 | 12 | 7 57 | 29 | 27 |
| 59 36 | 2 | 9 | 12 | 8 10 | ♎ | 28 | 2 | 9 | 12 | 8 25 | ♎ | 28 | 2 | 10 | 13 | 8 41 | ♎ | 28 |
| 4 3 48 | 3 | 10 | 13 | 8 55 | 1 | 29 | 3 | 10 | 13 | 9 10 | 1 | 29 | 3 | 11 | 14 | 9 25 | 1 | 29 |
| 8 0 | 4 | 11 | 14 | 9 41 | 2 | ♏ | 4 | 11 | 13 | 9 55 | 2 | 29 | 4 | 11 | 15 | 10 10 | 2 | 29 |
| 12 13 | 5 | 12 | 14 | 10 27 | 2 | 1 | 5 | 12 | 14 | 10 41 | 2 | ♏ | 5 | 12 | 15 | 10 55 | 2 | ♏ |
| 4 16 26 | 6 | 13 | 15 | 11 12 | 3 | 2 | 6 | 13 | 15 | 11 26 | 4 | 1 | 6 | 13 | 16 | 11 39 | 3 | 1 |
| 20 40 | 7 | 14 | 16 | 11 58 | 4 | 3 | 7 | 14 | 16 | 12 11 | 5 | 2 | 7 | 14 | 17 | 12 24 | 4 | 2 |
| 24 55 | 8 | 15 | 17 | 12 44 | 5 | 4 | 8 | 15 | 17 | 12 57 | 6 | 3 | 8 | 15 | 18 | 13 9 | 5 | 3 |
| 4 29 10 | 9 | 15 | 18 | 13 31 | 6 | 5 | 9 | 16 | 18 | 13 42 | 7 | 4 | 9 | 16 | 19 | 13 54 | 6 | 4 |
| 33 26 | 10 | 16 | 18 | 14 17 | 7 | 5 | 10 | 17 | 19 | 14 28 | 7 | 5 | 10 | 17 | 19 | 14 39 | 7 | 5 |
| 37 42 | 11 | 17 | 19 | 15 3 | 8 | 6 | 11 | 18 | 20 | 15 14 | 8 | 6 | 11 | 18 | 20 | 15 25 | 8 | 6 |
| 4 41 59 | 12 | 18 | 20 | 15 50 | 9 | 7 | 12 | 19 | 21 | 16 0 | 9 | 7 | 12 | 19 | 21 | 16 10 | 9 | 7 |
| 46 16 | 13 | 19 | 21 | 16 37 | 10 | 8 | 13 | 20 | 22 | 16 46 | 10 | 8 | 13 | 20 | 22 | 16 56 | 10 | 8 |
| 50 34 | 14 | 20 | 21 | 17 24 | 11 | 9 | 14 | 21 | 23 | 17 32 | 11 | 9 | 14 | 21 | 23 | 17 41 | 11 | 9 |
| 4 54 52 | 15 | 21 | 22 | 18 10 | 11 | 10 | 15 | 21 | 23 | 18 19 | 11 | 10 | 15 | 22 | 23 | 18 27 | 11 | 10 |
| 59 10 | 16 | 22 | 23 | 18 57 | 12 | 11 | 16 | 22 | 24 | 19 5 | 12 | 11 | 16 | 23 | 24 | 19 13 | 12 | 11 |
| 5 3 29 | 17 | 23 | 24 | 19 44 | 13 | 12 | 17 | 23 | 25 | 19 51 | 13 | 12 | 17 | 24 | 25 | 19 59 | 13 | 12 |
| 5 7 49 | 18 | 24 | 25 | 20 31 | 14 | 13 | 18 | 24 | 26 | 20 38 | 14 | 13 | 18 | 25 | 26 | 20 45 | 14 | 13 |
| 12 9 | 19 | 25 | 26 | 21 18 | 15 | 14 | 19 | 25 | 27 | 21 24 | 15 | 14 | 19 | 26 | 27 | 21 31 | 15 | 14 |
| 16 29 | 20 | 26 | 27 | 22 5 | 16 | 15 | 20 | 26 | 27 | 22 11 | 15 | 15 | 20 | 26 | 27 | 22 17 | 15 | 15 |
| 5 20 49 | 21 | 27 | 28 | 22 53 | 17 | 16 | 21 | 27 | 28 | 22 58 | 16 | 16 | 21 | 27 | 28 | 23 3 | 17 | 16 |
| 25 9 | 22 | 28 | 29 | 23 40 | 18 | 17 | 22 | 28 | 29 | 23 44 | 17 | 17 | 22 | 28 | 29 | 23 49 | 18 | 17 |
| 29 30 | 23 | 29 | ♍ | 24 27 | 19 | 18 | 23 | 29 | 30 | 24 31 | 18 | 18 | 23 | 29 | ♍ | 24 35 | 19 | 18 |
| 5 33 51 | 24 | ♌ | 1 | 25 15 | 20 | 19 | 24 | ♌ | ♍ | 25 18 | 19 | 19 | 24 | ♌ | 1 | 25 21 | 20 | 19 |
| 38 12 | 25 | 1 | 1 | 26 2 | 20 | 20 | 25 | 1 | 1 | 26 5 | 20 | 20 | 25 | 1 | 2 | 26 8 | 20 | 19 |
| 42 34 | 26 | 2 | 3 | 26 50 | 21 | 21 | 26 | 2 | 2 | 26 52 | 21 | 21 | 26 | 2 | 3 | 26 54 | 21 | 20 |
| 5 46 55 | 27 | 3 | 4 | 27 37 | 22 | 22 | 27 | 3 | 3 | 27 39 | 22 | 22 | 27 | 3 | 4 | 27 40 | 22 | 21 |
| 51 17 | 28 | 4 | 5 | 28 25 | 23 | 23 | 28 | 4 | 4 | 28 26 | 23 | 22 | 28 | 4 | 5 | 28 27 | 23 | 22 |
| 55 38 | 29 | 5 | 5 | 29 12 | 23 | 24 | 29 | 5 | 5 | 29 13 | 23 | 23 | 29 | 5 | 5 | 29 13 | 23 | 23 |
| Houses | 4 | 5 | 6 | 7 | 8 | 9 | 4 | 5 | 6 | 7 | 8 | 9 | 4 | 5 | 6 | 7 | 8 | 9 |

Latitude 49° S.        Latitude 50° S.        Latitude 51°S.

# SIMPLIFIED SCIENTIFIC TABLES OF HOUSES

Latitude 49° N.  Latitude 50° N.  Latitude 51° N.

| Sider'l Time (H M S) | 10 ♋ | 11 ♌ | 12 ♍ | Asc. ♎ | 2 ♎ | 3 ♏ | 10 ♋ | 11 ♌ | 12 ♍ | Asc. ♎ | 2 ♎ | 3 ♏ | 10 ♋ | 11 ♌ | 12 ♍ | Asc. ♎ | 2 ♎ | 3 ♏ |
|---|---|---|---|---|---|---|---|---|---|---|---|---|---|---|---|---|---|---|
| 6 0 0 | 0 | 5 | 6 | 0 0 | 24 | 25 | 0 | 6 | 6 | 0 0 | 24 | 24 | 0 | 6 | 6 | 0 0 | 24 | 24 |
| 4 22 | 1 | 6 | 7 | 0 48 | 25 | 26 | 1 | 7 | 7 | 0 47 | 25 | 25 | 1 | 7 | 7 | 0 47 | 25 | 25 |
| 8 43 | 2 | 7 | 8 | 1 35 | 26 | 27 | 2 | 8 | 8 | 1 34 | 26 | 26 | 2 | 8 | 8 | 1 33 | 26 | 26 |
| 6 13 5 | 3 | 8 | 9 | 2 23 | 27 | 28 | 3 | 9 | 9 | 2 21 | 27 | 27 | 3 | 9 | 9 | 2 20 | 27 | 27 |
| 17 26 | 4 | 9 | 10 | 3 10 | 28 | 29 | 4 | 10 | 10 | 3 8 | 28 | 28 | 4 | 10 | 10 | 3 6 | 28 | 28 |
| 21 48 | 5 | 10 | 10 | 3 58 | 29 | 29 | 5 | 10 | 10 | 3 55 | 29 | 29 | 5 | 11 | 10 | 3 52 | 28 | 29 |
| 6 26 9 | 6 | 11 | 11 | 4 45 | ♏ | ♐ | 6 | 11 | 11 | 4 42 | ♏ | ♐ | 6 | 12 | 11 | 4 39 | 29 | ♐ |
| 30 30 | 7 | 12 | 12 | 5 33 | 1 | 1 | 7 | 12 | 12 | 5 29 | 1 | 1 | 7 | 13 | 12 | 5 25 | ♏ | 1 |
| 34 51 | 8 | 13 | 13 | 6 20 | 2 | 2 | 8 | 13 | 13 | 6 16 | 2 | 2 | 8 | 14 | 13 | 6 11 | 1 | 2 |
| 6 39 11 | 9 | 14 | 14 | 7 7 | 3 | 3 | 9 | 14 | 14 | 7 2 | 3 | 3 | 9 | 15 | 14 | 6 57 | 2 | 3 |
| 43 31 | 10 | 15 | 14 | 7 55 | 3 | 4 | 10 | 15 | 14 | 7 49 | 3 | 4 | 10 | 15 | 15 | 7 43 | 3 | 3 |
| 47 51 | 11 | 16 | 15 | 8 42 | 4 | 5 | 11 | 16 | 15 | 8 36 | 4 | 5 | 11 | 16 | 16 | 8 29 | 4 | 4 |
| 6 52 11 | 12 | 17 | 16 | 9 29 | 5 | 6 | 12 | 17 | 16 | 9 22 | 5 | 6 | 12 | 17 | 17 | 9 15 | 5 | 5 |
| 56 31 | 13 | 18 | 17 | 10 16 | 6 | 7 | 13 | 18 | 17 | 10 9 | 6 | 7 | 13 | 18 | 18 | 10 1 | 6 | 6 |
| 7 0 50 | 14 | 19 | 18 | 11 3 | 7 | 8 | 14 | 19 | 18 | 10 55 | 7 | 8 | 14 | 19 | 19 | 10 47 | 7 | 7 |
| 7 5 8 | 15 | 20 | 19 | 11 50 | 7 | 9 | 15 | 20 | 19 | 11 41 | 7 | 8 | 15 | 20 | 19 | 11 33 | 7 | 8 |
| 9 26 | 16 | 21 | 20 | 12 36 | 8 | 10 | 16 | 21 | 20 | 12 28 | 9 | 9 | 16 | 21 | 20 | 12 19 | 8 | 9 |
| 13 44 | 17 | 22 | 21 | 13 23 | 9 | 11 | 17 | 22 | 21 | 13 14 | 10 | 10 | 17 | 22 | 21 | 13 4 | 9 | 10 |
| 7 18 1 | 18 | 23 | 22 | 14 10 | 10 | 12 | 18 | 23 | 22 | 14 0 | 10 | 11 | 18 | 23 | 22 | 13 50 | 10 | 11 |
| 22 18 | 19 | 24 | 23 | 14 57 | 11 | 13 | 19 | 24 | 23 | 14 46 | 11 | 12 | 19 | 24 | 23 | 14 35 | 11 | 12 |
| 26 34 | 20 | 25 | 23 | 15 43 | 12 | 13 | 20 | 25 | 23 | 15 32 | 11 | 13 | 20 | 25 | 23 | 15 21 | 11 | 13 |
| 7 30 50 | 21 | 26 | 24 | 16 29 | 13 | 14 | 21 | 26 | 24 | 16 18 | 12 | 14 | 21 | 26 | 24 | 16 6 | 12 | 14 |
| 35 5 | 22 | 27 | 25 | 17 16 | 14 | 15 | 22 | 27 | 25 | 17 3 | 13 | 15 | 22 | 27 | 25 | 16 51 | 13 | 15 |
| 39 20 | 23 | 28 | 26 | 18 2 | 15 | 16 | 23 | 28 | 26 | 17 49 | 14 | 16 | 23 | 28 | 26 | 17 36 | 14 | 16 |
| 7 43 34 | 24 | 29 | 27 | 18 48 | 16 | 17 | 24 | 28 | 27 | 18 34 | 15 | 17 | 24 | 28 | 27 | 18 21 | 15 | 17 |
| 47 47 | 25 | 29 | 27 | 19 33 | 16 | 18 | 25 | 29 | 27 | 19 19 | 16 | 18 | 25 | 29 | 27 | 19 5 | 15 | 18 |
| 52 0 | 26 | ♍ | 28 | 20 19 | 17 | 18 | 26 | ♍ | 28 | 20 5 | 17 | 19 | 26 | ♍ | 28 | 19 50 | 16 | 19 |
| 7 56 12 | 27 | 1 | 29 | 21 5 | 18 | 19 | 27 | 1 | 29 | 20 50 | 18 | 19 | 27 | 1 | 29 | 20 35 | 17 | 20 |
| 8 0 24 | 28 | 2 | ♎ | 21 50 | 19 | 20 | 28 | 2 | ♎ | 21 35 | 19 | 20 | 28 | 2 | ♎ | 21 19 | 18 | 21 |
| 4 35 | 29 | 3 | 1 | 22 35 | 19 | 20 | 29 | 3 | 1 | 22 19 | 19 | 21 | 29 | 3 | 1 | 22 3 | 18 | 21 |
| Houses | 4 | 5 | 6 | 7 | 8 | 9 | 4 | 5 | 6 | 7 | 8 | 9 | 4 | 5 | 6 | 7 | 8 | 9 |

# SIMPLIFIED SCIENTIFIC TABLES OF HOUSES
### Latitude 49° N.  Latitude 50° N.  Latitude 51° N.

| Sider'l Time | 10 Ω | 11 ♍ | 12 ♎ | Asc. ♎ | 2 ♏ | 3 ♐ | 10 Ω | 11 ♍ | 12 ♎ | Asc. ♎ | 2 ♏ | 3 ♐ | 10 Ω | 11 ♍ | 12 ♎ | Asc. ♎ | 2 ♏ | 3 ♐ |
|---|---|---|---|---|---|---|---|---|---|---|---|---|---|---|---|---|---|---|
| H M S | ° | ° | ° | ° ′ | ° | ° | ° | ° | ° | ° ′ | ° | ° | ° | ° | ° | ° ′ | ° | ° |
| 8 8 45 | 0 | 4 | 2 | 23 21 | 20 | 21 | 0 | 4 | 2 | 23 4 | 20 | 22 | 0 | 4 | 2 | 22 47 | 19 | 22 |
| 12 54 | 1 | 5 | 3 | 24 5 | 21 | 22 | 1 | 5 | 3 | 23 49 | 21 | 23 | 1 | 5 | 3 | 23 31 | 20 | 23 |
| 17 3 | 2 | 6 | 4 | 24 50 | 22 | 23 | 2 | 6 | 4 | 24 33 | 22 | 24 | 2 | 6 | 4 | 24 15 | 21 | 24 |
| 8 21 11 | 3 | 7 | 5 | 25 36 | 23 | 24 | 3 | 7 | 5 | 25 17 | 23 | 25 | 3 | 7 | 5 | 24 59 | 22 | 25 |
| 25 19 | 4 | 8 | 6 | 26 20 | 24 | 26 | 4 | 8 | 6 | 26 1 | 25 | 26 | 4 | 8 | 6 | 25 42 | 23 | 26 |
| 29 26 | 5 | 9 | 6 | 27 4 | 24 | 28 | 5 | 9 | 6 | 26 45 | 24 | 27 | 5 | 9 | 6 | 26 26 | 32 | 27 |
| 8 33 31 | 6 | 10 | 7 | 27 49 | 25 | 28 | 6 | 10 | 7 | 27 29 | 25 | 28 | 6 | 10 | 7 | 27 9 | 24 | 28 |
| 37 37 | 7 | 11 | 8 | 28 33 | 26 | 29 | 7 | 11 | 8 | 28 13 | 26 | 29 | 7 | 11 | 8 | 27 52 | 25 | 29 |
| 41 41 | 8 | 12 | 9 | 19 17 | 27 | ♑ | 8 | 12 | 9 | 28 56 | 27 | ♑ | 8 | 12 | 9 | 28 35 | 26 | ♑ |
| 8 45 45 | 9 | 13 | 10 | 0 ♏ 1 | 28 | 1 | 9 | 13 | 10 | 29 40 | 28 | 1 | 9 | 13 | 10 | 29 18 | 27 | 1 |
| 49 48 | 10 | 14 | 10 | 0 45 | 28 | 2 | 10 | 14 | 10 | 0 ♏ 23 | 28 | 2 | 10 | 14 | 10 | 0 ♏ 1 | 27 | 2 |
| 53 51 | 11 | 15 | 11 | 1 28 | 29 | 3 | 11 | 15 | 11 | 1 6 | 29 | 3 | 11 | 15 | 11 | 0 43 | 28 | 3 |
| 8 57 52 | 12 | 16 | 12 | 2 11 | ♐ | 4 | 12 | 16 | 12 | 1 49 | ♐ | 4 | 12 | 16 | 12 | 1 26 | 29 | 4 |
| 9 1 53 | 13 | 17 | 13 | 2 55 | 1 | 5 | 13 | 17 | 13 | 2 32 | 1 | 5 | 13 | 17 | 13 | 2 8 | 29 | 5 |
| 5 53 | 14 | 18 | 14 | 3 38 | 2 | 6 | 14 | 18 | 14 | 3 14 | 2 | 6 | 14 | 18 | 14 | 2 50 | ♐ | 6 |
| 9 9 53 | 15 | 18 | 14 | 4 21 | 2 | 6 | 15 | 18 | 14 | 3 57 | 2 | 6 | 15 | 18 | 14 | 3 32 | 1 | 6 |
| 13 52 | 16 | 19 | 15 | 5 4 | 3 | 7 | 16 | 19 | 15 | 4 39 | 3 | 7 | 16 | 19 | 15 | 4 14 | 2 | 7 |
| 17 50 | 17 | 20 | 16 | 5 47 | 4 | 8 | 17 | 20 | 16 | 5 22 | 4 | 8 | 17 | 20 | 16 | 4 56 | 3 | 8 |
| 9 21 47 | 18 | 21 | 17 | 6 30 | 5 | 10 | 18 | 21 | 17 | 6 4 | 5 | 10 | 18 | 21 | 17 | 5 37 | 4 | 9 |
| 25 44 | 19 | 22 | 18 | 7 12 | 6 | 11 | 19 | 22 | 18 | 6 46 | 6 | 11 | 19 | 22 | 18 | 6 19 | 5 | 10 |
| 29 40 | 20 | 23 | 18 | 7 55 | 6 | 12 | 20 | 23 | 18 | 7 28 | 6 | 11 | 20 | 23 | 18 | 7 1 | 5 | 11 |
| 9 33 35 | 21 | 24 | 19 | 8 37 | 7 | 13 | 21 | 24 | 19 | 8 10 | 7 | 12 | 21 | 24 | 19 | 7 42 | 6 | 12 |
| 37 29 | 22 | 25 | 20 | 9 19 | 8 | 14 | 22 | 25 | 20 | 8 52 | 8 | 13 | 22 | 25 | 20 | 8 24 | 7 | 13 |
| 41 23 | 23 | 26 | 21 | 10 2 | 9 | 15 | 23 | 26 | 21 | 9 33 | 9 | 14 | 23 | 26 | 21 | 9 5 | 8 | 14 |
| 9 45 16 | 24 | 27 | 22 | 10 44 | 10 | 16 | 24 | 27 | 22 | 10 15 | 10 | 15 | 24 | 26 | 22 | 9 46 | 9 | 15 |
| 49 9 | 25 | 27 | 22 | 11 25 | 10 | 16 | 25 | 27 | 22 | 10 56 | 10 | 16 | 25 | 27 | 22 | 10 27 | 9 | 16 |
| 53 1 | 26 | 28 | 23 | 12 7 | 11 | 17 | 26 | 28 | 23 | 11 38 | 11 | 17 | 26 | 28 | 23 | 11 7 | 10 | 17 |
| 9 56 52 | 27 | 29 | 24 | 12 49 | 12 | 18 | 27 | 29 | 24 | 12 19 | 12 | 18 | 27 | 29 | 24 | 11 48 | 11 | 18 |
| 10 0 43 | 28 | ♎ | 25 | 13 30 | 13 | 19 | 28 | ♎ | 25 | 13 0 | 13 | 19 | 28 | ♎ | 25 | 12 28 | 12 | 18 |
| 4 33 | 29 | 1 | 25 | 14 12 | 13 | 20 | 29 | 1 | 25 | 13 41 | 13 | 20 | 29 | 1 | 25 | 13 9 | 12 | 19 |

| Houses | 4 | 5 | 6 | 7 | 8 | 9 | 4 | 5 | 6 | 7 | 8 | 9 | 4 | 5 | 6 | 7 | 8 | 9 |
|---|---|---|---|---|---|---|---|---|---|---|---|---|---|---|---|---|---|---|

### Latitude 49° S.  Latitude 50° S.  Latitude 51° S.

## SIMPLIFIED SCIENTIFIC TABLES OF HOUSES

Latitude 49° N.  Latitude 50° N.  Latitude 51° N.

| Sider'l Time H M S | 10 ♍ | 11 ≏ | 12 ≏ | Asc. ♏ | 2 ♐ | 3 ♑ | 10 ♍ | 11 ≏ | 12 ≏ | Asc. ♏ | 2 ♐ | 3 ♑ | 10 ♍ | 11 ≏ | 12 ≏ | Asc. ♏ | 2 ♐ | 3 ♑ |
|---|---|---|---|---|---|---|---|---|---|---|---|---|---|---|---|---|---|---|
| 10 8 23 | 0 | 2 | 26 | 14 52 | 14 | 21 | 0 | 2 | 26 | 14 21 | 14 | 21 | 0 | 2 | 26 | 13 49 | 13 | 20 |
| 12 12 | 1 | 3 | 27 | 15 34 | 15 | 22 | 1 | 3 | 27 | 15 2 | 15 | 22 | 1 | 3 | 27 | 14 29 | 14 | 21 |
| 16 0 | 2 | 4 | 28 | 16 16 | 16 | 23 | 2 | 4 | 28 | 15 43 | 16 | 23 | 2 | 4 | 28 | 15 10 | 15 | 22 |
| 10 19 48 | 3 | 5 | 28 | 16 57 | 17 | 24 | 3 | 5 | 28 | 16 24 | 17 | 24 | 3 | 5 | 28 | 15 50 | 16 | 23 |
| 23 35 | 4 | 6 | 29 | 17 38 | 18 | 25 | 4 | 6 | 29 | 17 4 | 18 | 25 | 4 | 6 | 29 | 16 30 | 17 | 24 |
| 27 22 | 5 | 6 | ♏ | 18 19 | 18 | 26 | 5 | 6 | 29 | 17 45 | 18 | 26 | 5 | 6 | 29 | 17 10 | 17 | 25 |
| 10 31 8 | 6 | 7 | 1 | 19 0 | 19 | 27 | 6 | 7 | ♏ | 18 25 | 19 | 27 | 6 | 7 | ♏ | 17 50 | 18 | 26 |
| 34 54 | 7 | 8 | 2 | 19 41 | 20 | 28 | 7 | 8 | 1 | 19 6 | 20 | 28 | 7 | 8 | 1 | 18 30 | 19 | 27 |
| 38 40 | 8 | 9 | 2 | 20 22 | 21 | 29 | 8 | 9 | 2 | 19 46 | 21 | 29 | 8 | 9 | 2 | 19 10 | 20 | 28 |
| 10 42 25 | 9 | 10 | 3 | 21 3 | 22 | ♒ | 9 | 10 | 3 | 20 27 | 22 | ♒ | 9 | 10 | 3 | 19 50 | 21 | 29 |
| 46 9 | 10 | 11 | 4 | 21 44 | 22 | 1 | 10 | 11 | 3 | 21 7 | 22 | 1 | 10 | 11 | 3 | 20 30 | 21 | ♒ |
| 49 53 | 11 | 12 | 5 | 22 24 | 23 | 2 | 11 | 12 | 4 | 21 47 | 23 | 2 | 11 | 12 | 4 | 21 9 | 22 | 1 |
| 10 53 37 | 12 | 13 | 6 | 23 5 | 24 | 3 | 12 | 13 | 5 | 22 28 | 24 | 3 | 12 | 13 | 5 | 21 49 | 23 | 2 |
| 57 20 | 13 | 14 | 6 | 23 46 | 25 | 4 | 13 | 14 | 6 | 23 8 | 25 | 4 | 13 | 14 | 6 | 22 29 | 24 | 3 |
| 11 1 3 | 14 | 14 | 7 | 24 27 | 26 | 5 | 14 | 15 | 7 | 23 48 | 26 | 5 | 14 | 15 | 7 | 23 9 | 25 | 4 |
| 11 4 46 | 15 | 15 | 7 | 25 7 | 26 | 6 | 15 | 15 | 7 | 24 28 | 26 | 6 | 15 | 15 | 7 | 23 49 | 25 | 5 |
| 8 28 | 16 | 16 | 8 | 25 48 | 27 | 7 | 16 | 16 | 8 | 25 9 | 27 | 7 | 16 | 16 | 8 | 24 28 | 26 | 6 |
| 12 10 | 17 | 17 | 9 | 26 29 | 28 | 8 | 17 | 17 | 9 | 25 49 | 28 | 8 | 17 | 17 | 9 | 25 8 | 27 | 7 |
| 11 15 52 | 18 | 18 | 10 | 27 10 | 29 | 9 | 18 | 18 | 10 | 26 29 | 29 | 9 | 18 | 18 | 9 | 25 48 | 28 | 8 |
| 19 34 | 19 | 18 | 11 | 27 51 | ♑ | 10 | 19 | 19 | 11 | 27 10 | ♑ | 10 | 19 | 19 | 10 | 26 28 | 29 | 9 |
| 23 15 | 20 | 19 | 11 | 28 31 | 1 | 11 | 20 | 19 | 11 | 27 50 | 0 | 11 | 20 | 19 | 10 | 27 8 | 29 | 11 |
| 11 26 56 | 21 | 20 | 12 | 29 12 | 2 | 12 | 21 | 20 | 12 | 28 30 | 1 | 12 | 21 | 20 | 11 | 27 48 | ♑ | 12 |
| 30 37 | 22 | 21 | 13 | 29 53 | 3 | 13 | 22 | 21 | 12 | 29 11 | 2 | 13 | 22 | 21 | 12 | 28 27 | 1 | 13 |
| 34 18 | 23 | 22 | 13 | 0 ♐ 34 | 4 | 14 | 23 | 22 | 13 | 29 51 | 3 | 14 | 23 | 22 | 13 | 29 7 | 2 | 14 |
| 11 37 58 | 24 | 23 | 14 | 1 15 | 5 | 15 | 24 | 23 | 13 | 0 ♐ 32 | 4 | 15 | 24 | 23 | 14 | 29 47 | 3 | 15 |
| 41 39 | 25 | 24 | 15 | 1 57 | 5 | 16 | 25 | 24 | 14 | 1 13 | 4 | 16 | 25 | 24 | 14 | 0 ♐ 28 | 4 | 16 |
| 45 19 | 26 | 25 | 16 | 2 38 | 6 | 17 | 26 | 25 | 15 | 1 54 | 5 | 17 | 26 | 25 | 15 | 1 8 | 5 | 17 |
| 11 49 0 | 27 | 26 | 16 | 3 19 | 7 | 18 | 27 | 25 | 16 | 2 34 | 6 | 18 | 27 | 25 | 16 | 1 48 | 6 | 18 |
| 52 40 | 28 | 27 | 17 | 4 1 | 8 | 19 | 28 | 26 | 17 | 3 15 | 7 | 19 | 28 | 26 | 17 | 2 29 | 6 | 19 |
| 56 20 | 29 | 28 | 17 | 4 42 | 9 | 21 | 29 | 27 | 17 | 3 56 | 8 | 21 | 29 | 27 | 17 | 3 9 | 7 | 20 |
| Houses | 4 | 5 | 6 | 7 | 8 | 9 | 4 | 5 | 6 | 7 | 8 | 9 | 4 | 5 | 6 | 7 | 8 | 9 |

Latitude 49° S.  Latitude 50° S.  Latitude 51° S.

# SIMPLIFIED SCIENTIFIC TABLES OF HOUSES

Latitude 49° N.    Latitude 50° N.    Latitude 51° N.

| Sider'l Time | 10 ≏ | 11 ≏ | 12 m | Asc. ♐ | 2 ♑ | 3 ♒ | 10 ≏ | 11 ≏ | 12 m | Asc. ♐ | 2 ♑ | 3 ♒ | 10 ≏ | 11 ≏ | 12 m | Asc. ♐ | 2 ♑ | 3 ♒ |
|---|---|---|---|---|---|---|---|---|---|---|---|---|---|---|---|---|---|---|
| H M S | ° | ° | ° | ° ′ | ° | ° | ° | ° | ° | ° ′ | ° | ° | ° | ° | ° | ° ′ | ° | ° |
| 12 0 0 | 0 | 28 | 18 | 5 24 | 10 | 22 | 0 | 28 | 18 | 4 38 | 9 | 22 | 0 | 28 | 18 | 3 50 | 8 | 21 |
| 3 40 | 1 | 29 | 19 | 6 6 | 11 | 23 | 1 | 29 | 19 | 5 19 | 10 | 23 | 1 | 29 | 19 | 4 30 | 9 | 22 |
| 7 20 | 2 | m | 20 | 6 48 | 12 | 24 | 2 | m | 20 | 6 0 | 11 | 24 | 2 | m | 20 | 5 11 | 10 | 23 |
| 12 11 0 | 3 | 1 | 21 | 7 30 | 13 | 25 | 3 | 1 | 21 | 6 41 | 12 | 25 | 3 | 1 | 20 | 5 52 | 11 | 24 |
| 14 41 | 4 | 2 | 21 | 8 12 | 14 | 26 | 4 | 2 | 22 | 7 23 | 12 | 26 | 4 | 2 | 21 | 6 33 | 12 | 25 |
| 18 21 | 5 | 2 | 22 | 8 54 | 14 | 27 | 5 | 2 | 22 | 8 5 | 13 | 27 | 5 | 2 | 21 | 7 15 | 13 | 27 |
| 12 22 2 | 6 | 3 | 23 | 9 37 | 15 | 28 | 6 | 3 | 23 | 8 47 | 14 | 28 | 6 | 3 | 22 | 7 56 | 14 | 28 |
| 25 42 | 7 | 4 | 24 | 10 20 | 16 | 29 | 7 | 4 | 24 | 9 29 | 15 | 29 | 7 | 4 | 23 | 8 38 | 15 | 29 |
| 29 23 | 8 | 5 | 25 | 11 3 | 17 | ✕ | 8 | 5 | 24 | 10 12 | 16 | ✕ | 8 | 5 | 24 | 9 20 | 16 | ✕ |
| 12 33 4 | 9 | 6 | 26 | 11 47 | 18 | 1 | 9 | 6 | 25 | 10 55 | 17 | 1 | 9 | 6 | 25 | 10 2 | 16 | 1 |
| 36 45 | 10 | 6 | 26 | 12 30 | 19 | 3 | 10 | 6 | 25 | 11 38 | 18 | 3 | 10 | 6 | 25 | 10 44 | 17 | 3 |
| 40 26 | 11 | 7 | 27 | 13 13 | 20 | 4 | 11 | 7 | 26 | 12 21 | 19 | 4 | 11 | 7 | 26 | 11 27 | 18 | 5 |
| 12 44 8 | 12 | 8 | 28 | 13 57 | 21 | 5 | 12 | 8 | 27 | 13 4 | 20 | 5 | 12 | 8 | 27 | 12 9 | 19 | 6 |
| 47 50 | 13 | 9 | 28 | 14 42 | 22 | 6 | 13 | 9 | 28 | 13 48 | 21 | 7 | 13 | 9 | 27 | 12 52 | 20 | 7 |
| 51 32 | 14 | 9 | 29 | 15 25 | 23 | 7 | 14 | 10 | 28 | 14 31 | 22 | 8 | 14 | 10 | 28 | 13 36 | 21 | 8 |
| 12 55 14 | 15 | 10 | 29 | 16 11 | 24 | 9 | 15 | 10 | 29 | 15 16 | 23 | 9 | 15 | 10 | 28 | 14 19 | 23 | 9 |
| 58 57 | 16 | 11 | ♐ | 16 55 | 25 | 10 | 16 | 11 | ♐ | 16 0 | 24 | 10 | 16 | 11 | 29 | 15 3 | 24 | 10 |
| 13 2 40 | 17 | 12 | 1 | 17 41 | 26 | 11 | 17 | 12 | 1 | 16 45 | 25 | 11 | 17 | 12 | 29 | 15 48 | 25 | 11 |
| 13 6 23 | 18 | 13 | 2 | 18 27 | 27 | 13 | 18 | 13 | 2 | 17 31 | 26 | 13 | 18 | 13 | ♐ | 16 32 | 26 | 12 |
| 10 7 | 19 | 14 | 3 | 19 13 | 28 | 14 | 19 | 14 | 2 | 18 16 | 27 | 14 | 19 | 14 | 1 | 17 17 | 27 | 13 |
| 13 51 | 20 | 14 | 3 | 20 0 | 29 | 15 | 20 | 14 | 3 | 19 2 | 29 | 15 | 20 | 14 | 2 | 18 2 | 28 | 15 |
| 13 17 35 | 21 | 15 | 4 | 20 47 | ♒ | 16 | 21 | 15 | 3 | 19 48 | ♒ | 16 | 21 | 15 | 3 | 18 48 | 29 | 16 |
| 21 20 | 22 | 16 | 5 | 21 34 | 1 | 17 | 22 | 16 | 4 | 20 35 | 1 | 17 | 22 | 16 | 4 | 19 34 | ♒ | 17 |
| 25 6 | 23 | 17 | 6 | 22 22 | 2 | 19 | 23 | 17 | 4 | 21 22 | 2 | 18 | 23 | 17 | 4 | 20 20 | 1 | 19 |
| 13 28 52 | 24 | 18 | 7 | 23 10 | 3 | 20 | 24 | 18 | 5 | 22 10 | 3 | 20 | 24 | 18 | 5 | 21 7 | 2 | 20 |
| 32 38 | 25 | 19 | 7 | 23 58 | 5 | 21 | 25 | 18 | 6 | 22 58 | 4 | 21 | 25 | 18 | 6 | 21 55 | 4 | 21 |
| 36 25 | 26 | 20 | 8 | 24 48 | 6 | 22 | 26 | 19 | 7 | 23 46 | 5 | 22 | 26 | 19 | 7 | 22 42 | 5 | 22 |
| 13 40 12 | 27 | 21 | 9 | 25 37 | 7 | 23 | 27 | 20 | 8 | 24 35 | 7 | 24 | 27 | 20 | 8 | 23 31 | 6 | 24 |
| 44 0 | 28 | 22 | 10 | 26 27 | 8 | 24 | 28 | 21 | 9 | 25 25 | 8 | 25 | 28 | 21 | 9 | 24 20 | 7 | 25 |
| 47 48 | 29 | 23 | 10 | 27 18 | 10 | 26 | 29 | 21 | 9 | 26 14 | 10 | 26 | 29 | 21 | 9 | 25 9 | 9 | 26 |
| Houses | 4 | 5 | 6 | 7 | 8 | 9 | 4 | 5 | 6 | 7 | 8 | 9 | 4 | 5 | 6 | 7 | 8 | 9 |

Latitude 49° S.    Latitude 50° S.    Latitude 51°S.

# SIMPLIFIED SCIENTIFIC TABLES OF HOUSES
### Latitude 49° N.    Latitude 50° N.    Latitude 51° N.

| Sider'l Time | 10 ♏ | 11 ♏ | 12 ♐ | Asc. ♐ | 2 ♒ | 3 ♓ | 10 ♏ | 11 ♏ | 12 ♐ | Asc. ♐ | 2 ♒ | 3 ♓ | 10 ♏ | 11 ♏ | 12 ♐ | Asc. ♐ | 2 ♒ | 3 ♓ |
|---|---|---|---|---|---|---|---|---|---|---|---|---|---|---|---|---|---|---|
| H M S | ° | ° | ° | ° ' | ° | ° | ° | ° | ° | ° ' | ° | ° | ° | ° | ° | ° ' | ° | ° |
| 13 51 37 | 0 | 23 | 11 | 28 9 | 11 | 27 | 0 | 22 | 10 | 27 5 | 11 | 27 | 0 | 22 | 10 | 25 59 | 10 | 27 |
| 55 27 | 1 | 24 | 12 | 29 1 | 12 | 28 | 1 | 23 | 11 | 27 56 | 12 | 28 | 1 | 23 | 11 | 26 49 | 11 | 29 |
| 59 17 | 2 | 25 | 13 | 29 53 | 13 | 29 | 2 | 24 | 12 | 28 48 | 13 | 29 | 2 | 24 | 12 | 27 40 | 12 | ♈ |
| 14 3 8 | 3 | 26 | 14 | 0♑47 | 15 | ♈ | 3 | 25 | 13 | 29 41 | 14 | ♈ | 3 | 25 | 13 | 28 32 | 13 | 1 |
| 6 59 | 4 | 27 | 15 | 1 41 | 16 | 2 | 4 | 26 | 14 | 0♑34 | 15 | 2 | 4 | 26 | 14 | 29 24 | 14 | 2 |
| 10 51 | 5 | 27 | 15 | 2 35 | 18 | 4 | 5 | 27 | 14 | 1 28 | 17 | 4 | 5 | 26 | 14 | 0♑18 | 16 | 4 |
| 14 14 44 | 6 | 28 | 16 | 3 30 | 20 | 6 | 6 | 28 | 15 | 2 22 | 18 | 6 | 6 | 27 | 15 | 1 11 | 17 | 6 |
| 18 37 | 7 | 29 | 17 | 4 26 | 21 | 7 | 7 | 29 | 16 | 3 18 | 19 | 7 | 7 | 28 | 16 | 2 6 | 18 | 7 |
| 22 31 | 8 | ♐ | 18 | 5 23 | 22 | 8 | 8 | 29 | 17 | 4 14 | 20 | 8 | 8 | 29 | 17 | 3 1 | 20 | 8 |
| 14 26 25 | 9 | 1 | 19 | 6 20 | 23 | 9 | 9 | ♐ | 18 | 5 11 | 22 | 9 | 9 | ♐ | 18 | 3 58 | 22 | 9 |
| 30 20 | 10 | 1 | 19 | 7 19 | 25 | 10 | 10 | 1 | 18 | 6 8 | 24 | 10 | 10 | 1 | 18 | 4 55 | 24 | 10 |
| 34 16 | 11 | 2 | 20 | 8 18 | 27 | 11 | 11 | 2 | 19 | 7 7 | 25 | 11 | 11 | 2 | 19 | 5 52 | 26 | 11 |
| 14 38 13 | 12 | 3 | 21 | 9 19 | 29 | 12 | 12 | 3 | 20 | 8 7 | 27 | 13 | 12 | 3 | 20 | 6 51 | 27 | 12 |
| 42 10 | 13 | 4 | 22 | 10 20 | ♓ | 14 | 13 | 4 | 21 | 9 7 | 29 | 14 | 13 | 4 | 21 | 7 51 | 29 | 13 |
| 46 8 | 14 | 5 | 23 | 11 22 | 1 | 15 | 14 | 4 | 22 | 10 9 | ♓ | 15 | 14 | 5 | 22 | 8 52 | ♓ | 14 |
| 14 50 | 15 | 6 | 23 | 12 25 | 2 | 16 | 15 | 5 | 23 | 11 12 | 2 | 16 | 15 | 5 | 22 | 9 54 | 1 | 16 |
| 54 | 16 | 7 | 24 | 13 30 | 3 | 17 | 16 | 6 | 24 | 12 16 | 3 | 17 | 16 | 6 | 23 | 10 57 | 2 | 17 |
| 58 | 17 | 7 | 25 | 14 35 | 4 | 19 | 17 | 7 | 25 | 13 20 | 5 | 18 | 17 | 7 | 24 | 12 2 | 3 | 19 |
| 15 2 | 18 | 8 | 26 | 15 42 | 6 | 20 | 18 | 8 | 26 | 14 26 | 6 | 20 | 18 | 8 | 25 | 13 7 | 5 | 20 |
| 6 | 19 | 9 | 27 | 16 50 | 8 | 21 | 19 | 9 | 27 | 15 34 | 7 | 21 | 19 | 9 | 26 | 14 14 | 7 | 21 |
| 10 | 20 | 12 | 28 | 17 59 | 10 | 23 | 20 | 10 | 27 | 16 42 | 9 | 23 | 20 | 9 | 26 | 15 22 | 9 | 23 |
| 15 14 15 | 21 | 11 | 29 | 19 9 | 12 | 24 | 21 | 11 | 28 | 17 52 | 11 | 25 | 21 | 10 | 27 | 16 31 | 11 | 24 |
| 18 19 | 22 | 12 | ♑ | 20 21 | 13 | 25 | 22 | 12 | 29 | 19 4 | 12 | 26 | 22 | 11 | 28 | 17 42 | 12 | 26 |
| 22 23 | 23 | 13 | 1 | 21 35 | 14 | 27 | 23 | 13 | ♑ | 20 17 | 14 | 27 | 23 | 12 | 29 | 18 54 | 14 | 27 |
| 15 26 29 | 24 | 14 | 2 | 22 50 | 16 | 28 | 24 | 13 | 1 | 21 31 | 16 | 28 | 24 | 13 | ♑ | 20 8 | 16 | 28 |
| 30 35 | 25 | 14 | 2 | 24 6 | 18 | 29 | 25 | 14 | 2 | 22 47 | 18 | 29 | 25 | 14 | 1 | 21 24 | 18 | 29 |
| 34 41 | 26 | 15 | 3 | 25 24 | 20 | ♉ | 26 | 15 | 3 | 24 5 | 20 | ♉ | 26 | 15 | 2 | 22 41 | 20 | ♉ |
| 15 38 49 | 27 | 16 | 4 | 26 43 | 21 | 1 | 27 | 16 | 4 | 25 24 | 21 | 2 | 27 | 16 | 3 | 24 0 | 22 | 1 |
| 42 57 | 28 | 17 | 5 | 28 5 | 23 | 2 | 28 | 17 | 5 | 26 46 | 23 | 3 | 28 | 17 | 4 | 25 21 | 23 | 3 |
| 47 6 | 29 | 18 | 6 | 29 28 | 25 | 4 | 29 | 18 | 6 | 28 9 | 25 | 5 | 29 | 17 | 5 | 26 44 | 25 | 5 |
| Houses | 4 | 5 | 6 | 7 | 8 | 9 | 4 | 5 | 6 | 7 | 8 | 9 | 4 | 5 | 6 | 7 | 8 | 9 |

### Latitude 49° S.    Latitude 50° S    Latitude 51° S

# SIMPLIFIED SCIENTIFIC TABLES OF HOUSES
### Latitude 49° N.    Latitude 50° N.    Latitude 51° N.

| Sider'l Time | 10 | 11 | 12 | Asc. | 2 | 3 | 10 | 11 | 12 | Asc. | 2 | 3 | 10 | 11 | 12 | Asc. | 2 | 3 |
|---|---|---|---|---|---|---|---|---|---|---|---|---|---|---|---|---|---|---|
|  | ♐ | ♐ | ♑ | ♒ | ♓ | ♉ | ♐ | ♐ | ♑ | ♑ | ♓ | ♉ | ♐ | ♐ | ♑ | ♑ | ♓ | ♉ |
| H M S | ° | ° | ° | ° ' | ° | ° | ° | ° | ° | ° ' | ° | ° | ° | ° | ° | ° ' | ° | ° |
| 15 51 15 | 0 | 19 | 7 | 0 53 | 26 | 5 | 0 | 19 | 7 | 29 34 | 26 | 6 | 0 | 18 | 6 | 28 8 | 26 | 6 |
| 55 25 | 1 | 20 | 8 | 2 20 | 27 | 6 | 1 | 20 | 8 | 1♒0 | 27 | 7 | 1 | 19 | 7 | 29 35 | 28 | 8 |
| 59 36 | 2 | 21 | 9 | 3 49 | 29 | 7 | 2 | 21 | 9 | 2 29 | 28 | 9 | 2 | 20 | 8 | 1♒4 | ♈ | 9 |
| 16 3 48 | 3 | 22 | 10 | 5 20 | ♈ | 9 | 3 | 22 | 10 | 4 1 | ♈ | 10 | 3 | 21 | 9 | 2 36 | 2 | 10 |
| 8 0 | 4 | 23 | 11 | 6 53 | 2 | 10 | 4 | 22 | 11 | 5 34 | 2 | 11 | 4 | 22 | 10 | 4 9 | 3 | 11 |
| 12 13 | 5 | 24 | 13 | 8 28 | 5 | 12 | 5 | 23 | 12 | 7 10 | 5 | 12 | 5 | 23 | 11 | 5 45 | 5 | 12 |
| 16 16 26 | 6 | 25 | 14 | 10 5 | 6 | 14 | 6 | 24 | 13 | 8 48 | 7 | 14 | 6 | 24 | 12 | 7 24 | 7 | 14 |
| 20 40 | 7 | 26 | 15 | 11 45 | 8 | 15 | 7 | 25 | 14 | 10 28 | 9 | 15 | 7 | 25 | 13 | 9 5 | 9 | 15 |
| 24 55 | 8 | 27 | 16 | 13 27 | 9 | 16 | 8 | 27 | 15 | 12 11 | 10 | 16 | 8 | 26 | 14 | 10 49 | 11 | 16 |
| 16 29 10 | 9 | 28 | 17 | 15 11 | 11 | 17 | 9 | 27 | 16 | 13 56 | 12 | 17 | 9 | 27 | 15 | 12 35 | 13 | 17 |
| 33 26 | 10 | 28 | 18 | 16 58 | 13 | 18 | 10 | 28 | 17 | 15 44 | 14 | 18 | 10 | 28 | 16 | 14 24 | 14 | 18 |
| 37 42 | 11 | 29 | 19 | 18 46 | 15 | 19 | 11 | 29 | 18 | 17 35 | 16 | 20 | 11 | 29 | 17 | 16 16 | 16 | 19 |
| 16 41 59 | 12 | ♑ | 20 | 20 38 | 16 | 20 | 12 | ♑ | 19 | 19 28 | 17 | 21 | 12 | ♑ | 18 | 18 11 | 18 | 20 |
| 46 16 | 13 | 1 | 21 | 22 32 | 18 | 22 | 13 | 1 | 20 | 21 24 | 18 | 22 | 13 | 1 | 19 | 20 9 | 20 | 21 |
| 50 34 | 14 | 2 | 22 | 24 28 | 20 | 23 | 14 | 2 | 21 | 23 22 | 20 | 23 | 14 | 2 | 20 | 22 10 | 22 | 22 |
| 16 54 52 | 15 | 3 | 24 | 26 27 | 22 | 24 | 15 | 3 | 23 | 25 23 | 22 | 24 | 15 | 3 | 22 | 24 13 | 23 | 24 |
| 59 10 | 16 | 4 | 25 | 28 28 | 24 | 25 | 16 | 4 | 24 | 27 27 | 24 | 25 | 16 | 4 | 24 | 26 20 | 25 | 25 |
| 17 3 29 | 17 | 5 | 27 | 0♓32 | 26 | 26 | 17 | 5 | 25 | 29 34 | 26 | 26 | 17 | 5 | 25 | 28 29 | 27 | 26 |
| 17 7 49 | 18 | 6 | 28 | 2 37 | 28 | 27 | 18 | 6 | 26 | 1♓42 | 28 | 27 | 18 | 6 | 27 | 0♓42 | 29 | 27 |
| 12 9 | 19 | 7 | 29 | 4 45 | 29 | 28 | 19 | 7 | 28 | 3 54 | ♉ | 29 | 19 | 7 | 28 | 2 57 | ♉ | 29 |
| 16 29 | 20 | 8 | ♒ | 6 55 | ♉ | 29 | 20 | 8 | 29 | 6 8 | 1 | ♊ | 20 | 8 | 29 | 5 15 | 1 | ♊ |
| 17 20 49 | 21 | 9 | 1 | 9 8 | 2 | ♊ | 21 | 9 | ♒ | 8 24 | 3 | 1 | 21 | 9 | ♒ | 7 35 | 3 | 1 |
| 25 9 | 22 | 10 | 2 | 11 22 | 4 | 1 | 22 | 10 | 1 | 10 42 | 5 | 3 | 22 | 10 | 1 | 9 58 | 4 | 3 |
| 29 30 | 23 | 11 | 3 | 13 37 | 5 | 2 | 23 | 11 | 2 | 13 2 | 7 | 4 | 23 | 11 | 2 | 12 23 | 6 | 4 |
| 17 33 51 | 24 | 12 | 5 | 15 55 | 6 | 3 | 24 | 12 | 4 | 15 24 | 8 | 5 | 24 | 12 | 4 | 14 50 | 8 | 5 |
| 38 12 | 25 | 14 | 7 | 18 13 | 8 | 5 | 25 | 13 | 6 | 17 48 | 9 | 6 | 25 | 13 | 5 | 17 19 | 9 | 6 |
| 42 34 | 26 | 15 | 9 | 20 33 | 10 | 6 | 26 | 14 | 8 | 20 12 | 11 | 7 | 26 | 14 | 6 | 19 49 | 11 | 8 |
| 17 46 55 | 27 | 16 | 10 | 22 54 | 11 | 8 | 27 | 16 | 9 | 22 38 | 13 | 8 | 27 | 15 | 8 | 22 21 | 13 | 9 |
| 51 17 | 28 | 17 | 12 | 25 16 | 13 | 9 | 28 | 17 | 10 | 25 5 | 15 | 9 | 28 | 16 | 10 | 24 53 | 15 | 10 |
| 55 38 | 29 | 18 | 13 | 27 38 | 15 | 10 | 29 | 18 | 12 | 27 33 | 16 | 10 | 29 | 17 | 12 | 27 27 | 16 | 11 |
| Houses | 4 | 5 | 6 | 7 | 8 | 9 | 4 | 5 | 6 | 7 | 8 | 9 | 4 | 5 | 6 | 7 | 8 | 9 |

### Latitude 49° S.    Latitude 50° S.    Latitude 51° S.

# SIMPLIFIED SCIENTIFIC TABLES OF HOUSES

### Latitude 49° N.

| Sider'l Time | 10 ♑ | 11 ♑ | 12 ♒ | Asc. ♈ | | 2 ♉ | 3 ♊ |
|---|---|---|---|---|---|---|---|
| H M S | ° | ° | ° | ° | ′ | ° | ° |
| 18 0 0 | 0 | 19 | 14 | 0 | 0 | 16 | 11 |
| 4 22 | 1 | 20 | 15 | 2 | 22 | 17 | 12 |
| 8 43 | 2 | 21 | 16 | 4 | 44 | 19 | 13 |
| 18 13 5 | 3 | 22 | 18 | 7 | 6 | 20 | 14 |
| 17 26 | 4 | 23 | 20 | 9 | 27 | 21 | 15 |
| 21 48 | 5 | 25 | 22 | 11 | 47 | 23 | 16 |
| 18 26 9 | 6 | 26 | 24 | 14 | 5 | 24 | 17 |
| 30 30 | 7 | 27 | 26 | 16 | 23 | 25 | 18 |
| 34 51 | 8 | 28 | 27 | 18 | 38 | 26 | 19 |
| 18 39 11 | 9 | 29 | 28 | 20 | 52 | 27 | 20 |
| 43 31 | 10 | ♒ | 29 | 23 | 5 | 29 | 21 |
| 47 51 | 11 | 1 | ♓ | 25 | 15 | ♊ | 22 |
| 18 52 11 | 12 | 2 | 2 | 27 | 23 | 2 | 23 |
| 56 31 | 13 | 3 | 4 | 29 | 28 | 3 | 24 |
| 19 0 50 | 14 | 4 | 6 | 1♉ | 32 | 4 | 26 |
| 19 5 8 | 15 | 6 | 8 | 3 | 33 | 6 | 27 |
| 9 26 | 16 | 7 | 10 | 5 | 32 | 8 | 28 |
| 13 44 | 17 | 8 | 12 | 7 | 28 | 9 | 29 |
| 19 18 1 | 18 | 9 | 14 | 9 | 22 | 10 | ♋ |
| 22 18 | 19 | 10 | 15 | 11 | 14 | 11 | 0 |
| 26 34 | 20 | 12 | 16 | 13 | 2 | 12 | 1 |
| 19 30 50 | 21 | 13 | 18 | 14 | 49 | 13 | 2 |
| 35 5 | 22 | 14 | 20 | 16 | 33 | 14 | 3 |
| 39 20 | 23 | 15 | 22 | 18 | 15 | 15 | 4 |
| 19 43 34 | 24 | 16 | 24 | 19 | 55 | 16 | 5 |
| 47 47 | 25 | 18 | 25 | 21 | 32 | 17 | 6 |
| 52 0 | 26 | 19 | 27 | 23 | 7 | 18 | 7 |
| 19 56 12 | 27 | 20 | 29 | 24 | 40 | 19 | 8 |
| 20 0 24 | 28 | 22 | ♈ | 26 | 11 | 20 | 9 |
| 4 35 | 29 | 23 | 2 | 27 | 40 | 22 | 10 |
| Houses | 4 | 5 | 6 | 7 | | 8 | 9 |

### Latitude 50° N.

| Sider'l Time | 10 ♑ | 11 ♑ | 12 ♒ | Asc. ♈ | | 2 ♉ | 3 ♊ |
|---|---|---|---|---|---|---|---|
| H M S | ° | ° | ° | ° | ′ | ° | ° |
| 18 0 0 | 0 | 19 | 13 | 0 | 0 | 17 | 11 |
| 4 22 | 1 | 20 | 14 | 2 | 27 | 18 | 12 |
| 8 43 | 2 | 21 | 15 | 4 | 55 | 20 | 13 |
| 18 13 5 | 3 | 22 | 17 | 7 | 22 | 21 | 14 |
| 17 26 | 4 | 23 | 19 | 9 | 48 | 23 | 15 |
| 21 48 | 5 | 24 | 21 | 12 | 12 | 24 | 17 |
| 18 26 9 | 6 | 25 | 23 | 14 | 36 | 26 | 18 |
| 30 30 | 7 | 26 | 24 | 16 | 58 | 27 | 19 |
| 34 51 | 8 | 27 | 26 | 19 | 18 | 28 | 20 |
| 18 39 11 | 9 | 29 | 28 | 21 | 36 | 29 | 21 |
| 43 31 | 10 | ♒ | 29 | 23 | 52 | ♊ | 22 |
| 47 51 | 11 | 1 | ♓ | 26 | 6 | 2 | 23 |
| 18 52 11 | 12 | 2 | 2 | 28 | 18 | 3 | 24 |
| 56 31 | 13 | 3 | 4 | ♉ | 26 | 4 | 25 |
| 19 0 50 | 14 | 4 | 6 | 2 | 33 | 5 | 26 |
| 19 5 8 | 15 | 6 | 8 | 4 | 37 | 7 | 27 |
| 9 26 | 16 | 7 | 10 | 6 | 38 | 9 | 28 |
| 13 44 | 17 | 8 | 12 | 8 | 36 | 10 | 29 |
| 19 18 1 | 18 | 9 | 13 | 10 | 32 | 11 | ♋ |
| 22 18 | 19 | 10 | 14 | 12 | 25 | 12 | 1 |
| 26 34 | 20 | 12 | 16 | 14 | 16 | 13 | 2 |
| 19 30 50 | 21 | 13 | 17 | 16 | 4 | 14 | 3 |
| 35 5 | 22 | 14 | 19 | 17 | 49 | 15 | 4 |
| 39 20 | 23 | 15 | 21 | 19 | 32 | 16 | 5 |
| 19 43 34 | 24 | 16 | 23 | 21 | 12 | 17 | 6 |
| 47 47 | 25 | 18 | 25 | 22 | 50 | 18 | 7 |
| 52 0 | 26 | 20 | 27 | 24 | 26 | 19 | 8 |
| 19 56 12 | 27 | 21 | 29 | 25 | 59 | 20 | 9 |
| 20 0 24 | 28 | 22 | ♈ | 27 | 31 | 21 | 10 |
| 4 35 | 29 | 23 | 2 | 29 | 0 | 22 | 10 |
| Houses | 4 | 5 | 6 | 7 | | 8 | 9 |

### Latitude 51° N.

| Sider'l Time | 10 ♑ | 11 ♑ | 12 ♒ | Asc. ♈ | | 2 ♉ | 3 ♊ |
|---|---|---|---|---|---|---|---|
| H M S | ° | ° | ° | ° | ′ | ° | ° |
| 18 0 0 | 0 | 18 | 13 | 0 | 0 | 17 | 12 |
| 4 22 | 1 | 19 | 14 | 2 | 33 | 18 | 13 |
| 8 43 | 2 | 20 | 15 | 5 | 7 | 20 | 14 |
| 18 13 5 | 3 | 21 | 17 | 7 | 39 | 22 | 15 |
| 17 26 | 4 | 22 | 19 | 10 | 11 | 24 | 16 |
| 21 48 | 5 | 24 | 20 | 12 | 41 | 25 | 17 |
| 18 26 9 | 6 | 25 | 21 | 15 | 10 | 27 | 18 |
| 30 30 | 7 | 26 | 23 | 17 | 37 | 28 | 19 |
| 34 51 | 8 | 27 | 25 | 20 | 2 | 29 | 20 |
| 18 39 11 | 9 | 28 | 27 | 22 | 25 | ♊ | 21 |
| 43 31 | 10 | 29 | 29 | 24 | 45 | 1 | 22 |
| 47 51 | 11 | ♒ | ♓ | 27 | 3 | 3 | 23 |
| 18 52 11 | 12 | 1 | 2 | 29 | 18 | 4 | 24 |
| 56 31 | 13 | 2 | 4 | 1♉ | 31 | 5 | 25 |
| 19 0 50 | 14 | 3 | 6 | 3 | 40 | 6 | 26 |
| 19 5 8 | 15 | 6 | 7 | 5 | 47 | 8 | 27 |
| 9 26 | 16 | 7 | 9 | 7 | 50 | 9 | 28 |
| 13 44 | 17 | 8 | 11 | 9 | 51 | 10 | 29 |
| 19 18 1 | 18 | 9 | 12 | 11 | 49 | 11 | ♋ |
| 22 18 | 19 | 10 | 14 | 13 | 44 | 12 | 1 |
| 26 34 | 20 | 12 | 16 | 15 | 36 | 13 | 2 |
| 19 30 50 | 21 | 13 | 18 | 17 | 25 | 14 | 3 |
| 35 5 | 22 | 14 | 20 | 19 | 11 | 15 | 4 |
| 39 20 | 23 | 15 | 22 | 20 | 55 | 16 | 5 |
| 19 43 34 | 24 | 16 | 24 | 22 | 36 | 17 | 6 |
| 47 47 | 25 | 18 | 25 | 24 | 15 | 19 | 7 |
| 52 0 | 26 | 19 | 27 | 25 | 51 | 20 | 8 |
| 19 56 12 | 27 | 20 | 29 | 27 | 24 | 21 | 9 |
| 20 0 24 | 28 | 21 | ♈ | 28 | 56 | 22 | 10 |
| 4 35 | 29 | 23 | 2 | 0♊ | 25 | 23 | 11 |
| Houses | 4 | 5 | 6 | 7 | | 8 | 9 |

Latitude 49° S.   Latitude 50° S.   Latitude 51° S.

# SIMPLIFIED SCIENTIFIC TABLES OF HOUSES

**Latitude 49° N.    Latitude 50° N.    Latitude 51° N.**

| Sider'l Time | 10 ≈ | 11 ≈ | 12 ♈ | Asc. ♉ | 2 Ⅱ | 3 ♋ | 10 ≈ | 11 ≈ | 12 ♈ | Asc. Ⅱ | 2 Ⅱ | 3 ♋ | 10 ≈ | 11 ≈ | 12 ♈ | Asc. Ⅱ | 2 Ⅱ | 3 ♋ |
|---|---|---|---|---|---|---|---|---|---|---|---|---|---|---|---|---|---|---|
| H M S | ° | ° | ° | ° ' | ° | ° | ° | ° | ° | ° ' | ° | ° | ° | ° | ° | ° ' | ° | ° |
| 20 8 45 | 0 | 24 | 4 | 29 7 | 23 | 11 | 0 | 24 | 4 | 0 26 | 23 | 11 | 0 | 24 | 4 | 1 52 | 24 | 12 |
| 12 54 | 1 | 26 | 5 | 0Ⅱ32 | 24 | 12 | 1 | 25 | 6 | 1 51 | 24 | 12 | 1 | 25 | 5 | 3 16 | 25 | 13 |
| 17 3 | 2 | 27 | 7 | 1 55 | 25 | 13 | 2 | 27 | 7 | 3 14 | 25 | 13 | 2 | 26 | 6 | 4 39 | 26 | 14 |
| 20 21 11 | 3 | 28 | 9 | 3 17 | 26 | 14 | 3 | 28 | 9 | 4 36 | 26 | 14 | 3 | 28 | 8 | 6 0 | 27 | 15 |
| 25 19 | 4 | ♓ | 10 | 4 36 | 27 | 15 | 4 | ♓ | 10 | 5 55 | 27 | 15 | 4 | 29 | 10 | 7 19 | 28 | 16 |
| 29 26 | 5 | 1 | 12 | 5 54 | 27 | 16 | 5 | 1 | 12 | 7 13 | 28 | 16 | 5 | ♓ | 12 | 8 36 | 29 | 16 |
| 20 33 31 | 6 | 2 | 14 | 7 10 | 28 | 17 | 6 | 3 | 14 | 8 29 | 29 | 17 | 6 | 1 | 14 | 9 52 | ♋ | 17 |
| 37 37 | 7 | 3 | 15 | 8 25 | 29 | 18 | 7 | 4 | 15 | 9 43 | ♋ | 18 | 7 | 2 | 16 | 11 6 | 1 | 18 |
| 41 41 | 8 | 4 | 17 | 9 39 | ♋ | 19 | 8 | 5 | 16 | 10 56 | 1 | 19 | 8 | 4 | 18 | 12 18 | 2 | 19 |
| 20 45 45 | 9 | 6 | 18 | 10 51 | 1 | 20 | 9 | 6 | 18 | 12 8 | 2 | 20 | 9 | 5 | 20 | 13 29 | 3 | 20 |
| 49 48 | 10 | 7 | 20 | 12 1 | 2 | 20 | 10 | 7 | 20 | 13 18 | 3 | 20 | 10 | 7 | 21 | 14 38 | 4 | 21 |
| 53 51 | 11 | 8 | 22 | 13 10 | 3 | 21 | 11 | 8 | 22 | 14 26 | 4 | 21 | 11 | 9 | 23 | 15 46 | 5 | 22 |
| 20 57 52 | 12 | 9 | 24 | 14 18 | 4 | 22 | 12 | 10 | 24 | 15 34 | 5 | 22 | 12 | 10 | 25 | 16 53 | 6 | 23 |
| 21 1 53 | 13 | 11 | 25 | 15 25 | 5 | 23 | 13 | 11 | 25 | 16 40 | 6 | 23 | 13 | 11 | 26 | 17 58 | 7 | 24 |
| 5 53 | 14 | 12 | 26 | 16 30 | 6 | 24 | 14 | 12 | 26 | 17 44 | 7 | 24 | 14 | 12 | 27 | 19 3 | 8 | 25 |
| 21 9 53 | 15 | 14 | 28 | 17 35 | 7 | 24 | 15 | 14 | 28 | 18 48 | 7 | 25 | 15 | 13 | 29 | 20 6 | 8 | 25 |
| 13 52 | 16 | 15 | 29 | 18 38 | 8 | 25 | 16 | 16 | ♉ | 19 51 | 8 | 26 | 16 | 15 | ♉ | 21 8 | 9 | 26 |
| 17 50 | 17 | 17 | ♉ | 19 40 | 9 | 26 | 17 | 17 | 2 | 20 53 | 9 | 27 | 17 | 16 | 2 | 22 9 | 10 | 27 |
| 21 21 47 | 18 | 18 | 2 | 20 41 | 10 | 27 | 18 | 18 | 3 | 21 53 | 10 | 28 | 18 | 17 | 3 | 23 9 | 11 | 28 |
| 25 44 | 19 | 19 | 4 | 21 42 | 11 | 28 | 19 | 19 | 4 | 22 53 | 11 | 29 | 19 | 18 | 4 | 24 8 | 12 | 29 |
| 29 40 | 20 | 20 | 5 | 22 41 | 11 | 29 | 20 | 20 | 6 | 23 52 | 12 | 29 | 20 | 20 | 6 | 25 5 | 12 | 29 |
| 21 33 35 | 21 | 21 | 7 | 23 40 | 12 | ♌ | 21 | 22 | 8 | 24 49 | 13 | ♌ | 21 | 21 | 8 | 26 2 | 13 | ♌ |
| 37 29 | 22 | 22 | 8 | 24 37 | 13 | 1 | 22 | 23 | 10 | 25 46 | 14 | 1 | 22 | 22 | 10 | 26 59 | 14 | 1 |
| 41 23 | 23 | 24 | 9 | 25 34 | 14 | 2 | 23 | 24 | 11 | 26 42 | 15 | 1 | 23 | 23 | 11 | 27 54 | 15 | 2 |
| 21 45 16 | 24 | 25 | 10 | 26 30 | 15 | 2 | 24 | 25 | 12 | 27 38 | 16 | 2 | 24 | 24 | 12 | 28 49 | 16 | 3 |
| 49 9 | 25 | 26 | 12 | 27 25 | 15 | 3 | 25 | 26 | 13 | 28 32 | 16 | 3 | 25 | 26 | 13 | 29 42 | 16 | 4 |
| 53 1 | 26 | 27 | 13 | 28 19 | 16 | 4 | 26 | 27 | 15 | 29 26 | 17 | 4 | 26 | 27 | 14 | ♋ 36 | 17 | 5 |
| 21 56 52 | 27 | 28 | 15 | 29 13 | 17 | 5 | 27 | 29 | 16 | ♋ 19 | 18 | 5 | 27 | 28 | 15 | 1 28 | 18 | 6 |
| 22 0 43 | 28 | ♈ | 16 | ♋ 7 | 18 | 6 | 28 | ♈ | 17 | 1 12 | 19 | 6 | 28 | ♈ | 16 | 2 20 | 19 | 7 |
| 4 33 | 29 | 1 | 18 | 0 59 | 18 | 7 | 29 | 1 | 18 | 2 4 | 20 | 7 | 29 | 2 | 18 | 3 11 | 20 | 8 |
| Houses | 4 | 5 | 6 | 7 | 8 | 9 | 4 | 5 | 6 | 7 | 8 | 9 | 4 | 5 | 6 | 7 | 8 | 9 |

**Latitude 49° S.    Latitude 50° S.    Latitude 51° S.**

# SIMPLIFIED SCIENTIFIC TABLES OF HOUSES

### Latitude 49° N.    Latitude 50° N.    Latitude 51° N.

| Sider'l Time | 10 | 11 | 12 | Asc | 2 | 3 | 10 | 11 | 12 | Asc | 2 | 3 | 10 | 11 | 12 | Asc | 2 | 3 |
|---|---|---|---|---|---|---|---|---|---|---|---|---|---|---|---|---|---|---|
| H M S | ♓ | ♈ | ♉ | ♋ | ♋ | ♌ | ♓ | ♈ | ♉ | ♋ | ♋ | ♌ | ♓ | ♈ | ♉ | ♋ | ♋ | ♌ |
| 22 8 23 | 0 | 3 | 19 | 1 51 | 19 | 7 | 0 | 3 | 19 | 2 55 | 20 | 7 | 0 | 3 | 20 | 4 1 | 20 | 8 |
| 12 12 | 1 | 5 | 20 | 2 42 | 20 | 8 | 1 | 4 | 20 | 3 46 | 21 | 8 | 1 | 4 | 21 | 4 51 | 21 | 9 |
| 16 0 | 2 | 6 | 22 | 3 33 | 21 | 9 | 2 | 5 | 22 | 4 35 | 22 | 9 | 2 | 5 | 22 | 5 40 | 22 | 10 |
| 22 19 48 | 3 | 7 | 23 | 4 23 | 22 | 10 | 3 | 6 | 23 | 5 25 | 23 | 10 | 3 | 6 | 24 | 6 29 | 23 | 11 |
| 23 35 | 4 | 8 | 24 | 5 12 | 23 | 11 | 4 | 7 | 24 | 6 14 | 24 | 11 | 4 | 8 | 25 | 7 18 | 24 | 12 |
| 27 22 | 5 | 9 | 25 | 6 2 | 23 | 11 | 5 | 9 | 25 | 7 2 | 24 | 12 | 5 | 9 | 26 | 8 5 | 24 | 12 |
| 22 31 8 | 6 | 10 | 26 | 6 50 | 24 | 12 | 6 | 10 | 27 | 7 50 | 25 | 13 | 6 | 10 | 27 | 8 53 | 25 | 13 |
| 34 54 | 7 | 12 | 27 | 7 38 | 25 | 13 | 7 | 11 | 28 | 8 38 | 26 | 14 | 7 | 11 | 28 | 9 40 | 26 | 14 |
| 38 40 | 8 | 13 | 28 | 8 26 | 26 | 14 | 8 | 12 | 29 | 9 25 | 26 | 15 | 8 | 12 | 29 | 10 26 | 27 | 15 |
| 22 42 25 | 9 | 14 | 29 | 9 13 | 26 | 15 | 9 | 13 | ♊ | 10 12 | 27 | 15 | 9 | 14 | ♊ | 11 12 | 28 | 16 |
| 46 9 | 10 | 15 | ♊ | 10 0 | 27 | 16 | 10 | 15 | 1 | 10 58 | 27 | 16 | 10 | 15 | 2 | 11 58 | 28 | 16 |
| 49 53 | 11 | 16 | 2 | 10 47 | 27 | 17 | 11 | 16 | 2 | 11 44 | 28 | 17 | 11 | 16 | 3 | 12 43 | 29 | 17 |
| 22 53 37 | 12 | 17 | 3 | 11 33 | 28 | 18 | 12 | 17 | 3 | 12 29 | 28 | 18 | 12 | 18 | 4 | 13 28 | 29 | 18 |
| 57 20 | 13 | 19 | 4 | 12 19 | 28 | 19 | 13 | 18 | 4 | 13 15 | 29 | 19 | 13 | 19 | 5 | 14 12 | ♌ | 19 |
| 23 1 3 | 14 | 20 | 5 | 13 5 | 29 | 19 | 14 | 20 | 5 | 14 0 | ♌ | 20 | 14 | 20 | 6 | 14 57 | 0 | 20 |
| 23 4 46 | 15 | 21 | 6 | 13 49 | ♌ | 20 | 15 | 21 | 7 | 14 44 | 1 | 20 | 15 | 21 | 7 | 15 41 | 1 | 20 |
| 8 28 | 16 | 22 | 7 | 14 35 | 1 | 21 | 16 | 22 | 8 | 15 29 | 2 | 21 | 16 | 22 | 8 | 16 24 | 2 | 21 |
| 12 10 | 17 | 24 | 8 | 15 18 | 2 | 22 | 17 | 24 | 9 | 16 12 | 3 | 22 | 17 | 23 | 9 | 17 8 | 3 | 22 |
| 23 15 52 | 18 | 25 | 9 | 16 3 | 2 | 23 | 18 | 25 | 10 | 16 56 | 4 | 23 | 18 | 25 | 10 | 17 51 | 4 | 23 |
| 19 34 | 19 | 26 | 10 | 16 47 | 3 | 24 | 19 | 26 | 11 | 17 39 | 4 | 24 | 19 | 26 | 11 | 18 33 | 5 | 24 |
| 23 15 | 20 | 27 | 11 | 17 30 | 4 | 24 | 20 | 27 | 12 | 18 22 | 5 | 24 | 20 | 27 | 12 | 19 16 | 5 | 24 |
| 23 26 56 | 21 | 28 | 12 | 18 13 | 5 | 25 | 21 | 29 | 13 | 19 5 | 6 | 25 | 21 | 28 | 13 | 19 58 | 6 | 25 |
| 30 37 | 22 | 29 | 13 | 18 57 | 6 | 26 | 22 | ♉ | 14 | 19 48 | 7 | 26 | 22 | ♉ | 14 | 20 40 | 7 | 26 |
| 34 18 | 23 | ♉ | 14 | 19 40 | 6 | 27 | 23 | 1 | 15 | 20 31 | 7 | 27 | 23 | 1 | 15 | 21 22 | 8 | 27 |
| 23 37 58 | 24 | 1 | 15 | 20 23 | 7 | 28 | 24 | 2 | 16 | 21 13 | 8 | 28 | 24 | 2 | 16 | 22 4 | 9 | 28 |
| 41 39 | 25 | 2 | 16 | 21 6 | 8 | 28 | 25 | 3 | 17 | 21 55 | 8 | 28 | 25 | 3 | 17 | 22 45 | 9 | 28 |
| 45 19 | 26 | 3 | 17 | 21 48 | 9 | 29 | 26 | 4 | 18 | 22 37 | 9 | 29 | 26 | 4 | 18 | 23 27 | 10 | 29 |
| 23 49 0 | 27 | 5 | 18 | 22 30 | 10 | ♍ | 27 | 5 | 19 | 23 19 | 10 | 29 | 27 | 5 | 19 | 24 8 | 11 | ♍ |
| 52 40 | 28 | 6 | 19 | 23 12 | 11 | 0 | 28 | 6 | 20 | 24 0 | 10 | ♍ | 28 | 6 | 20 | 24 49 | 12 | 1 |
| 56 20 | 29 | 7 | 19 | 23 54 | 11 | 1 | 29 | 7 | 20 | 24 41 | 11 | 1 | 29 | 7 | 21 | 25 30 | 12 | 2 |
| Houses | 4 | 5 | 6 | 7 | 8 | 9 | 4 | 5 | 6 | 7 | 8 | 9 | 4 | 5 | 6 | 7 | 8 | 9 |

### Latitude 49° S.    Latitude 50° S.    Latitude 51° S.

# SIMPLIFIED SCIENTIFIC TABLES OF HOUSES

### Latitude 52° N.   Latitude 53° N.   Latitude 54° N.

| Sider'l Time (H M S) | 10 ♈ | 11 ♉ | 12 ♊ | Asc. ♋ | 2 ♌ | 3 ♍ | 10 ♈ | 11 ♉ | 12 ♊ | Asc. ♋ | 2 ♌ | 3 ♍ | 10 ♈ | 11 ♉ | 12 ♊ | Asc. ♋ | 2 ♌ | 3 ♍ |
|---|---|---|---|---|---|---|---|---|---|---|---|---|---|---|---|---|---|---|
| 0 0 0 | 0 | 9 | 23 | 26 59 | 13 | 3 | 0 | 9 | 24 | 27 50 | 13 | 3 | 0 | 9 | 25 | 28 43 | 14 | 3 |
| 3 40 | 1 | 10 | 24 | 27 40 | 14 | 4 | 1 | 10 | 25 | 28 30 | 14 | 4 | 1 | 10 | 26 | 29 22 | 15 | 4 |
| 7 20 | 2 | 11 | 25 | 28 20 | 15 | 5 | 2 | 11 | 26 | 29 9 | 15 | 5 | 2 | 11 | 27 | 0♌ 0 | 15 | 5 |
| 0 11 0 | 3 | 12 | 26 | 28 59 | 15 | 6 | 3 | 12 | 27 | 29 48 | 16 | 6 | 3 | 12 | 28 | 0 39 | 16 | 6 |
| 14 41 | 4 | 13 | 27 | 29 39 | 16 | 7 | 4 | 13 | 28 | 0♌27 | 16 | 7 | 4 | 13 | 28 | 1 17 | 16 | 6 |
| 18 21 | 5 | 14 | 27 | 0♌19 | 16 | 7 | 5 | 15 | 28 | 1 7 | 17 | 7 | 5 | 15 | 29 | 1 56 | 17 | 7 |
| 0 22 2 | 6 | 15 | 28 | 0 58 | 17 | 8 | 6 | 16 | 29 | 1 46 | 18 | 8 | 6 | 16 | 29 | 2 34 | 18 | 8 |
| 25 42 | 7 | 16 | 28 | 1 38 | 18 | 9 | 7 | 17 | 29 | 2 25 | 19 | 9 | 7 | 17 | ♋ | 3 13 | 19 | 9 |
| 29 23 | 8 | 17 | 29 | 2 18 | 19 | 10 | 8 | 18 | ♋ | 3 4 | 19 | 10 | 8 | 18 | 1 | 3 51 | 20 | 10 |
| 0 33 4 | 9 | 18 | ♋ | 2 57 | 20 | 11 | 9 | 19 | 1 | 3 42 | 20 | 11 | 9 | 19 | 2 | 4 29 | 21 | 11 |
| 36 45 | 10 | 20 | 1 | 3 36 | 20 | 11 | 10 | 20 | 2 | 4 21 | 20 | 11 | 10 | 20 | 3 | 5 7 | 21 | 11 |
| 40 26 | 11 | 21 | 2 | 4 15 | 21 | 12 | 11 | 21 | 3 | 5 0 | 21 | 12 | 11 | 21 | 4 | 5 45 | 22 | 12 |
| 0 44 8 | 12 | 22 | 3 | 4 55 | 22 | 13 | 12 | 22 | 4 | 5 38 | 22 | 13 | 12 | 22 | 5 | 6 23 | 23 | 13 |
| 47 50 | 13 | 23 | 4 | 5 34 | 23 | 14 | 13 | 23 | 5 | 6 17 | 23 | 14 | 13 | 23 | 6 | 7 2 | 23 | 14 |
| 51 32 | 14 | 24 | 5 | 6 13 | 24 | 15 | 14 | 24 | 6 | 6 56 | 24 | 15 | 14 | 24 | 7 | 7 40 | 24 | 15 |
| 0 55 14 | 15 | 25 | 6 | 6 52 | 24 | 15 | 15 | 25 | 6 | 7 34 | 24 | 15 | 15 | 26 | 7 | 8 18 | 24 | 15 |
| 58 57 | 16 | 26 | 7 | 7 32 | 25 | 16 | 16 | 26 | 7 | 8 13 | 25 | 16 | 16 | 27 | 8 | 8 56 | 25 | 16 |
| 1 2 40 | 17 | 27 | 8 | 8 11 | 25 | 17 | 17 | 27 | 8 | 8 52 | 26 | 17 | 17 | 28 | 9 | 9 34 | 26 | 17 |
| 1 6 23 | 18 | 28 | 9 | 8 50 | 26 | 18 | 18 | 28 | 9 | 9 31 | 26 | 18 | 18 | 29 | 10 | 10 12 | 27 | 18 |
| 10 7 | 19 | 29 | 10 | 9 29 | 27 | 19 | 19 | 29 | 10 | 10 9 | 27 | 19 | 19 | 29 | 11 | 10 50 | 28 | 19 |
| 13 51 | 20 | ♊ | 10 | 10 8 | 27 | 19 | 20 | ♊ | 10 | 10 48 | 27 | 19 | 20 | ♊ | 11 | 11 28 | 28 | 19 |
| 1 17 35 | 21 | 1 | 11 | 10 48 | 28 | 20 | 21 | 1 | 11 | 11 27 | 28 | 20 | 21 | 1 | 12 | 12 6 | 29 | 20 |
| 21 20 | 22 | 2 | 12 | 11 27 | 29 | 21 | 22 | 2 | 12 | 12 6 | 29 | 21 | 22 | 2 | 13 | 12 45 | 29 | 21 |
| 25 6 | 23 | 3 | 13 | 12 7 | 29 | 22 | 23 | 3 | 13 | 12 44 | ♍ | 22 | 23 | 3 | 14 | 13 23 | ♍ | 22 |
| 1 28 52 | 24 | 4 | 14 | 12 46 | ♍ | 23 | 24 | 4 | 14 | 13 23 | 1 | 23 | 24 | 4 | 15 | 14 1 | 0 | 23 |
| 32 38 | 25 | 5 | 14 | 13 26 | 1 | 24 | 25 | 5 | 14 | 14 2 | 1 | 24 | 25 | 6 | 15 | 14 40 | 1 | 24 |
| 36 25 | 26 | 6 | 15 | 14 5 | 2 | 25 | 26 | 6 | 15 | 14 41 | 2 | 25 | 26 | 7 | 16 | 15 18 | 2 | 25 |
| 1 40 12 | 27 | 7 | 15 | 14 45 | 2 | 26 | 27 | 7 | 16 | 15 20 | 3 | 26 | 27 | 8 | 17 | 15 57 | 3 | 26 |
| 44 0 | 28 | 8 | 16 | 15 25 | 3 | 27 | 28 | 8 | 16 | 16 0 | 4 | 27 | 28 | 9 | 18 | 16 35 | 4 | 27 |
| 47 48 | 29 | 9 | 17 | 16 4 | 3 | 27 | 29 | 9 | 17 | 16 39 | 4 | 27 | 29 | 10 | 18 | 17 14 | 4 | 27 |
| Houses | 4 | 5 | 6 | 7 | 8 | 9 | 4 | 5 | 6 | 7 | 8 | 9 | 4 | 5 | 6 | 7 | 8 | 9 |

### Latitude 52° S.   Latitude 53° S.   Latitude 54° S.

# SIMPLIFIED SCIENTIFIC TABLES OF HOUSES

### Latitude 52° N.    Latitude 53° N.    Latitude 54° N.

| Sider'l Time H M S | 10 ♉ | 11 ♊ | 12 ♋ | Asc. ♌ | 2 ♍ | 3 ♍ | 10 ♉ | 11 ♊ | 12 ♋ | Asc. ♌ | 2 ♍ | 3 ♍ | 10 ♉ | 11 ♊ | 12 ♋ | Asc. ♌ | 2 ♍ | 3 ♍ |
|---|---|---|---|---|---|---|---|---|---|---|---|---|---|---|---|---|---|---|
| 1 51 37 | 0 | 10 | 18 | 16 44 | 4 | 28 | 0 | 10 | 18 | 17 18 | 5 | 28 | 0 | 11 | 19 | 17 52 | 5 | 28 |
| 55 27 | 1 | 11 | 18 | 17 24 | 5 | 29 | 1 | 11 | 19 | 17 57 | 6 | 29 | 1 | 12 | 20 | 18 31 | 6 | 29 |
| 59 17 | 2 | 12 | 19 | 18 4 | 6 | 29 | 2 | 12 | 20 | 18 37 | 7 | 29 | 2 | 13 | 21 | 19 10 | 7 | 29 |
| 2 3 8 | 3 | 13 | 20 | 18 44 | 7 | ♎ | 3 | 13 | 21 | 19 16 | 7 | ♎ | 3 | 14 | 22 | 19 49 | 8 | ♎ |
| 6 59 | 4 | 14 | 21 | 19 24 | 8 | 1 | 4 | 14 | 22 | 19 55 | 8 | 1 | 4 | 15 | 23 | 20 28 | 9 | 1 |
| 10 51 | 5 | 15 | 21 | 20 4 | 8 | 2 | 5 | 15 | 22 | 20 35 | 8 | 2 | 5 | 16 | 23 | 21 7 | 9 | 2 |
| 2 14 44 | 6 | 16 | 22 | 20 44 | 9 | 3 | 6 | 16 | 23 | 21 15 | 9 | 3 | 6 | 17 | 24 | 21 47 | 10 | 3 |
| 18 37 | 7 | 17 | 23 | 21 25 | 10 | 4 | 7 | 17 | 24 | 21 55 | 10 | 4 | 7 | 18 | 25 | 22 26 | 11 | 4 |
| 22 31 | 8 | 18 | 24 | 22 5 | 11 | 5 | 8 | 18 | 25 | 22 35 | 11 | 5 | 8 | 19 | 26 | 23 5 | 11 | 5 |
| 2 26 25 | 9 | 19 | 25 | 22 46 | 11 | 6 | 9 | 19 | 26 | 23 15 | 11 | 6 | 9 | 20 | 27 | 23 45 | 12 | 6 |
| 30 20 | 10 | 19 | 25 | 23 27 | 12 | 7 | 10 | 20 | 26 | 23 56 | 12 | 7 | 10 | 20 | 27 | 24 25 | 12 | 7 |
| 34 16 | 11 | 20 | 26 | 24 8 | 13 | 8 | 11 | 21 | 27 | 24 36 | 13 | 8 | 11 | 21 | 28 | 25 5 | 13 | 8 |
| 2 38 13 | 12 | 21 | 27 | 24 50 | 14 | 9 | 12 | 22 | 28 | 25 17 | 14 | 9 | 12 | 22 | 28 | 25 45 | 14 | 9 |
| 42 10 | 13 | 22 | 28 | 25 30 | 15 | 10 | 13 | 23 | 28 | 25 57 | 15 | 10 | 13 | 23 | 29 | 26 25 | 15 | 10 |
| 46 8 | 14 | 23 | 28 | 26 12 | 16 | 11 | 14 | 24 | 29 | 26 38 | 15 | 11 | 14 | 24 | 29 | 27 5 | 15 | 11 |
| 2 50 7 | 15 | 24 | 29 | 26 53 | 16 | 11 | 15 | 25 | 29 | 27 19 | 16 | 11 | 15 | 25 | ♌ | 27 45 | 16 | 11 |
| 54 7 | 16 | 25 | ♌ | 27 35 | 17 | 12 | 16 | 26 | ♌ | 28 0 | 17 | 12 | 16 | 26 | 1 | 28 26 | 17 | 12 |
| 58 7 | 17 | 26 | 1 | 28 16 | 18 | 13 | 17 | 27 | 1 | 28 41 | 18 | 13 | 17 | 27 | 2 | 29 6 | 18 | 13 |
| 3 2 8 | 18 | 27 | 2 | 28 58 | 19 | 14 | 18 | 28 | 2 | 29 22 | 19 | 14 | 18 | 28 | 3 | 29 47 | 19 | 14 |
| 6 9 | 19 | 28 | 2 | 29 40 | 19 | 15 | 19 | 28 | 3 | ♍ 3 | 20 | 15 | 19 | 29 | 4 | 0♍28 | 20 | 15 |
| 10 12 | 20 | 29 | 3 | ♍ 22 | 20 | 16 | 20 | 29 | 4 | 0 45 | 20 | 16 | 20 | 29 | 4 | 1 9 | 20 | 16 |
| 3 14 15 | 21 | ♋ | 4 | 1 4 | 21 | 17 | 21 | ♋ | 5 | 1 26 | 21 | 17 | 21 | ♋ | 5 | 1 49 | 21 | 17 |
| 18 19 | 22 | 1 | 5 | 1 46 | 22 | 18 | 22 | 1 | 6 | 2 8 | 22 | 18 | 22 | 1 | 6 | 2 31 | 22 | 18 |
| 22 23 | 23 | 2 | 6 | 2 29 | 23 | 19 | 23 | 2 | 7 | 2 50 | 23 | 19 | 23 | 2 | 7 | 3 12 | 23 | 19 |
| 3 26 29 | 24 | 3 | 7 | 3 11 | 24 | 20 | 24 | 3 | 8 | 3 32 | 24 | 20 | 24 | 3 | 8 | 3 54 | 24 | 20 |
| 30 35 | 25 | 3 | 7 | 3 54 | 24 | 21 | 25 | 4 | 8 | 4 15 | 24 | 21 | 25 | 4 | 8 | 4 35 | 24 | 21 |
| 34 41 | 26 | 4 | 8 | 4 37 | 25 | 22 | 26 | 5 | 9 | 4 57 | 25 | 22 | 26 | 5 | 9 | 5 17 | 25 | 22 |
| 3 38 49 | 27 | 5 | 9 | 5 20 | 26 | 23 | 27 | 6 | 10 | 5 39 | 26 | 23 | 27 | 6 | 10 | 5 59 | 26 | 23 |
| 42 57 | 28 | 6 | 10 | 6 3 | 27 | 24 | 28 | 7 | 11 | 6 22 | 27 | 24 | 28 | 7 | 11 | 6 41 | 27 | 24 |
| 47 6 | 29 | 7 | 10 | 6 47 | 27 | 24 | 29 | 7 | 11 | 7 5 | 27 | 24 | 29 | 8 | 11 | 7 23 | 27 | 24 |
| Houses | 4 | 5 | 6 | 7 | 8 | 9 | 4 | 5 | 6 | 7 | 8 | 9 | 4 | 5 | 6 | 7 | 8 | 9 |

# SIMPLIFIED SCIENTIFIC TABLES OF HOUSES

### Latitude 52° N.  Latitude 53° N.  Latitude 54° N.

| Sider'l Time (H M S) | 10 ♊ | 11 ♋ | 12 ♌ | Asc ♍ | 2 ♍ | 3 ♎ | 10 ♊ | 11 ♋ | 12 ♌ | Asc ♍ | 2 ♍ | 3 ♎ | 10 ♊ | 11 ♋ | 12 ♌ | Asc ♍ | 2 ♍ | 3 ♎ |
|---|---|---|---|---|---|---|---|---|---|---|---|---|---|---|---|---|---|---|
| 3 51 15 | 0 | 8 | 11 | 7 30 | 28 | 25 | 0 | 8 | 12 | 7 48 | 28 | 25 | 0 | 9 | 12 | 8 5 | 28 | 25 |
| 55 25 | 1 | 9 | 12 | 8 13 | 29 | 26 | 1 | 9 | 13 | 8 30 | 29 | 26 | 1 | 10 | 13 | 8 48 | 29 | 26 |
| 59 36 | 2 | 10 | 13 | 8 57 | 29 | 27 | 2 | 10 | 14 | 9 13 | 29 | 27 | 2 | 11 | 14 | 9 30 | 29 | 27 |
| 4 3 48 | 3 | 11 | 14 | 9 41 | ♎ | 28 | 3 | 11 | 15 | 9 57 | ♎ | 28 | 3 | 12 | 15 | 10 13 | ♎ | 28 |
| 8 0 | 4 | 12 | 15 | 10 25 | 1 | 29 | 4 | 12 | 16 | 10 40 | 1 | 29 | 4 | 13 | 16 | 10 56 | 1 | 29 |
| 12 13 | 5 | 13 | 15 | 11 9 | 2 | ♏ | 5 | 13 | 16 | 11 24 | 2 | ♏ | 5 | 14 | 16 | 11 39 | 2 | 29 |
| 4 16 26 | 6 | 14 | 16 | 11 53 | 3 | 1 | 6 | 14 | 17 | 12 7 | 3 | 1 | 6 | 15 | 17 | 12 22 | 3 | ♏ |
| 20 40 | 7 | 15 | 17 | 12 37 | 4 | 2 | 7 | 15 | 18 | 12 51 | 4 | 2 | 7 | 16 | 18 | 13 5 | 4 | 1 |
| 24 55 | 8 | 16 | 18 | 13 22 | 5 | 3 | 8 | 16 | 19 | 13 35 | 5 | 3 | 8 | 17 | 19 | 13 48 | 5 | 2 |
| 4 29 10 | 9 | 17 | 19 | 14 6 | 6 | 4 | 9 | 17 | 20 | 14 19 | 6 | 4 | 9 | 18 | 20 | 14 31 | 6 | 3 |
| 33 26 | 10 | 17 | 19 | 14 51 | 7 | 5 | 10 | 18 | 20 | 15 3 | 7 | 5 | 10 | 18 | 20 | 15 15 | 7 | 4 |
| 37 42 | 11 | 18 | 20 | 15 36 | 8 | 6 | 11 | 19 | 21 | 15 47 | 8 | 6 | 11 | 19 | 21 | 15 58 | 8 | 5 |
| 4 41 59 | 12 | 19 | 21 | 16 21 | 9 | 7 | 12 | 20 | 22 | 16 31 | 9 | 7 | 12 | 20 | 22 | 16 42 | 9 | 6 |
| 46 16 | 13 | 20 | 22 | 17 6 | 10 | 8 | 13 | 21 | 23 | 17 16 | 10 | 8 | 13 | 21 | 23 | 17 26 | 10 | 7 |
| 50 34 | 14 | 21 | 23 | 17 51 | 11 | 9 | 14 | 22 | 24 | 18 0 | 11 | 9 | 14 | 22 | 24 | 18 10 | 11 | 8 |
| 4 54 52 | 15 | 22 | 23 | 18 36 | 11 | 10 | 15 | 22 | 24 | 18 45 | 11 | 9 | 15 | 23 | 24 | 18 54 | 11 | 9 |
| 59 10 | 16 | 23 | 24 | 19 21 | 12 | 11 | 16 | 23 | 25 | 19 29 | 12 | 10 | 16 | 24 | 25 | 19 38 | 12 | 10 |
| 5 3 29 | 17 | 24 | 25 | 20 6 | 13 | 12 | 17 | 24 | 26 | 20 14 | 13 | 11 | 17 | 25 | 26 | 20 22 | 13 | 11 |
| 5 7 49 | 18 | 25 | 26 | 20 52 | 14 | 13 | 18 | 25 | 27 | 20 59 | 14 | 12 | 18 | 26 | 27 | 21 6 | 14 | 12 |
| 12 9 | 19 | 26 | 27 | 21 37 | 15 | 14 | 19 | 26 | 28 | 21 44 | 15 | 13 | 19 | 27 | 28 | 21 50 | 15 | 13 |
| 16 29 | 20 | 27 | 28 | 22 23 | 15 | 14 | 20 | 27 | 28 | 22 29 | 15 | 14 | 20 | 27 | 28 | 22 35 | 15 | 14 |
| 5 20 49 | 21 | 28 | 29 | 23 8 | 16 | 15 | 21 | 28 | 29 | 23 13 | 17 | 15 | 21 | 28 | 29 | 23 19 | 16 | 15 |
| 25 9 | 22 | 29 | 29 | 23 54 | 17 | 16 | 22 | 29 | 29 | 23 58 | 18 | 16 | 22 | 29 | ♍ | 24 3 | 17 | 16 |
| 29 30 | 23 | 29 | ♍ | 24 39 | 18 | 17 | 23 | ♌ | ♍ | 24 43 | 18 | 17 | 23 | ♌ | 1 | 24 48 | 18 | 17 |
| 5 33 51 | 24 | ♌ | 1 | 25 25 | 19 | 18 | 24 | 1 | 1 | 25 29 | 19 | 18 | 24 | 1 | 2 | 25 32 | 19 | 18 |
| 38 12 | 25 | 1 | 2 | 26 11 | 19 | 19 | 25 | 2 | 2 | 26 14 | 19 | 19 | 25 | 2 | 2 | 26 17 | 19 | 18 |
| 42 34 | 26 | 2 | 3 | 26 56 | 20 | 20 | 26 | 3 | 3 | 26 59 | 20 | 20 | 26 | 3 | 3 | 27 1 | 20 | 19 |
| 5 46 55 | 27 | 3 | 4 | 27 42 | 21 | 21 | 27 | 4 | 4 | 27 44 | 21 | 21 | 27 | 4 | 4 | 27 46 | 21 | 20 |
| 51 17 | 28 | 4 | 5 | 28 28 | 22 | 22 | 28 | 5 | 5 | 28 29 | 22 | 22 | 28 | 5 | 5 | 28 31 | 22 | 21 |
| 55 38 | 29 | 5 | 5 | 29 14 | 23 | 23 | 29 | 5 | 5 | 29 15 | 23 | 23 | 29 | 6 | 6 | 29 15 | 22 | 22 |
| Houses | 4 | 5 | 6 | 7 | 8 | 9 | 4 | 5 | 6 | 7 | 8 | 9 | 4 | 5 | 6 | 7 | 8 | 9 |

### Latitude 52° S.  Latitude 53° S.  Latitude 54° S.

# SIMPLIFIED SCIENTIFIC TABLES OF HOUSES

| | Latitude 52° N. | | | | | | Latitude 53° N. | | | | | | Latitude 54° N. | | | | | |
|---|---|---|---|---|---|---|---|---|---|---|---|---|---|---|---|---|---|---|
| Sider'l Time | 10 ♋ | 11 ♌ | 12 ♍ | Asc. ♎ | 2 ♎ | 3 ♏ | 10 ♋ | 11 ♌ | 12 ♍ | Asc. ♎ | 2 ♎ | 3 ♏ | 10 ♋ | 11 ♌ | 12 ♍ | Asc. ♎ | 2 ♎ | 3 ♏ |
| H M S | ° | ° | ° | ° ' | ° | ° | ° | ° | ° | ° ' | ° | ° | ° | ° | ° | ° ' | ° | ° |
| 6 0 0 | 0 | 6 | 6 | 0 0 | 24 | 24 | 0 | 6 | 6 | 0 0 | 24 | 23 | 0 | 7 | 7 | 0 0 | 23 | 23 |
| 4 22 | 1 | 7 | 7 | 0 46 | 25 | 25 | 1 | 7 | 7 | 0 45 | 25 | 24 | 1 | 8 | 8 | 0 45 | 24 | 24 |
| 8 43 | 2 | 8 | 8 | 1 32 | 26 | 26 | 2 | 8 | 8 | 1 31 | 26 | 25 | 2 | 9 | 9 | 1 29 | 25 | 25 |
| 6 13 5 | 3 | 9 | 9 | 2 18 | 27 | 27 | 3 | 9 | 9 | 2 16 | 27 | 26 | 3 | 10 | 10 | 2 14 | 26 | 26 |
| 17 26 | 4 | 10 | 10 | 3 4 | 28 | 28 | 4 | 10 | 10 | 3 1 | 28 | 27 | 4 | 11 | 11 | 2 59 | 27 | 27 |
| 21 48 | 5 | 11 | 10 | 3 49 | 28 | 28 | 5 | 11 | 11 | 3 46 | 28 | 28 | 5 | 11 | 11 | 3 43 | 27 | 28 |
| 6 26 9 | 6 | 12 | 11 | 4 35 | 29 | 29 | 6 | 12 | 12 | 4 31 | 29 | 29 | 6 | 12 | 12 | 4 28 | 28 | 29 |
| 30 30 | 7 | 13 | 12 | 5 21 | ♏ | ♐ | 7 | 13 | 13 | 5 17 | ♏ | ♐ | 7 | 13 | 13 | 5 12 | 29 | 29 |
| 34 51 | 8 | 14 | 13 | 6 6 | 1 | 1 | 8 | 14 | 14 | 6 2 | 1 | 1 | 8 | 14 | 14 | 5 57 | ♏ | ♐ |
| 6 39 11 | 9 | 15 | 14 | 6 52 | 2 | 2 | 9 | 15 | 15 | 6 47 | 2 | 2 | 9 | 15 | 15 | 6 41 | 1 | 1 |
| 43 31 | 10 | 16 | 15 | 7 37 | 2 | 3 | 10 | 16 | 15 | 7 31 | 2 | 3 | 10 | 16 | 15 | 7 25 | 2 | 2 |
| 47 51 | 11 | 17 | 16 | 8 23 | 3 | 4 | 11 | 17 | 16 | 8 16 | 3 | 4 | 11 | 17 | 16 | 8 10 | 3 | 3 |
| 6 52 11 | 12 | 18 | 17 | 9 8 | 4 | 5 | 12 | 18 | 17 | 9 1 | 4 | 5 | 12 | 18 | 17 | 8 54 | 4 | 4 |
| 56 31 | 13 | 19 | 18 | 9 54 | 5 | 6 | 13 | 19 | 18 | 9 46 | 5 | 6 | 13 | 19 | 18 | 9 38 | 5 | 5 |
| 7 0 50 | 14 | 20 | 19 | 10 39 | 6 | 7 | 14 | 20 | 19 | 10 31 | 6 | 7 | 14 | 20 | 19 | 10 22 | 6 | 6 |
| 7 5 8 | 15 | 20 | 19 | 11 24 | 6 | 8 | 15 | 21 | 19 | 11 15 | 6 | 8 | 15 | 21 | 19 | 11 6 | 6 | 7 |
| 9 26 | 16 | 21 | 20 | 12 9 | 7 | 9 | 16 | 22 | 20 | 12 0 | 7 | 9 | 16 | 22 | 20 | 11 50 | 7 | 8 |
| 13 44 | 17 | 22 | 21 | 12 54 | 8 | 10 | 17 | 23 | 21 | 12 44 | 8 | 10 | 17 | 23 | 21 | 12 34 | 8 | 9 |
| 7 18 1 | 18 | 23 | 22 | 13 39 | 9 | 11 | 18 | 24 | 22 | 13 29 | 9 | 11 | 18 | 24 | 22 | 13 18 | 9 | 10 |
| 22 18 | 19 | 24 | 23 | 14 24 | 10 | 12 | 19 | 25 | 23 | 14 13 | 10 | 12 | 19 | 25 | 23 | 14 2 | 10 | 11 |
| 26 34 | 20 | 25 | 23 | 15 9 | 11 | 12 | 20 | 25 | 23 | 14 57 | 10 | 12 | 20 | 25 | 23 | 14 45 | 10 | 12 |
| 7 30 50 | 21 | 26 | 24 | 15 54 | 12 | 13 | 21 | 26 | 24 | 15 41 | 11 | 13 | 21 | 26 | 24 | 15 29 | 11 | 13 |
| 35 5 | 22 | 27 | 25 | 16 38 | 13 | 14 | 22 | 27 | 25 | 16 25 | 12 | 14 | 22 | 27 | 25 | 16 12 | 12 | 14 |
| 39 20 | 23 | 28 | 26 | 17 23 | 14 | 15 | 23 | 28 | 26 | 17 9 | 13 | 15 | 23 | 28 | 26 | 16 55 | 13 | 15 |
| 7 43 34 | 24 | 29 | 27 | 18 7 | 15 | 16 | 24 | 29 | 27 | 17 53 | 14 | 16 | 24 | 29 | 27 | 17 38 | 14 | 16 |
| 47 47 | 25 | 29 | 28 | 18 51 | 15 | 17 | 25 | ♍ | 28 | 18 36 | 14 | 17 | 25 | ♍ | 28 | 18 21 | 14 | 16 |
| 52 0 | 26 | ♍ | 29 | 19 35 | 16 | 18 | 26 | 1 | 29 | 19 20 | 15 | 18 | 26 | 1 | 29 | 19 4 | 15 | 17 |
| 7 56 12 | 27 | 1 | 29 | 20 19 | 17 | 19 | 27 | 2 | 29 | 20 3 | 16 | 19 | 27 | 2 | ≏ | 19 47 | 16 | 18 |
| 8 0 24 | 28 | 2 | ≏ | 21 3 | 18 | 20 | 28 | 3 | ≏ | 20 47 | 16 | 20 | 28 | 3 | 0 | 20 30 | 17 | 19 |
| 4 35 | 29 | 3 | 1 | 21 47 | 18 | 21 | 29 | 4 | 1 | 21 30 | 17 | 20 | 29 | 4 | 1 | 21 12 | 17 | 20 |
| Houses | 4 | 5 | 6 | 7 | 8 | 9 | 4 | 5 | 6 | 7 | 8 | 9 | 4 | 5 | 6 | 7 | 8 | 9 |

Latitude 52° S.   Latitude 53° S.   Latitude 54° S.

# SIMPLIFIED SCIENTIFIC TABLES OF HOUSES

**Latitude 52° N.    Latitude 53° N.    Latitude 54° N.**

| Sider'l Time | 10 ♌ | 11 ♍ | 12 ≏ | Asc. ≏ | 2 ♏ | 3 ♐ | 10 ♌ | 11 ♍ | 12 ≏ | Asc. ≏ | 2 ♏ | 3 ♐ | 10 ♌ | 11 ♍ | 12 ≏ | Asc. ≏ | 2 ♏ | 3 ♐ |
|---|---|---|---|---|---|---|---|---|---|---|---|---|---|---|---|---|---|---|
| H M S | ° | ° | ° | ° ′ | ° | ° | ° | ° | ° | ° ′ | ° | ° | ° | ° | ° | ° ′ | ° | ° |
| 8 8 45 | 0 | 4 | 2 | 22 30 | 19 | 22 | 0 | 5 | 2 | 22 12 | 18 | 21 | 0 | 5 | 2 | 21 55 | 18 | 21 |
| 12 54 | 1 | 5 | 3 | 23 13 | 20 | 23 | 1 | 6 | 3 | 22 55 | 19 | 22 | 1 | 6 | 3 | 22 37 | 19 | 22 |
| 17 3 | 2 | 6 | 4 | 23 57 | 21 | 24 | 2 | 7 | 4 | 23 38 | 20 | 23 | 2 | 7 | 4 | 23 19 | 20 | 23 |
| 8 21 11 | 3 | 7 | 5 | 24 40 | 22 | 25 | 3 | 8 | 5 | 24 21 | 21 | 24 | 3 | 8 | 5 | 24 1 | 21 | 24 |
| 25 19 | 4 | 8 | 6 | 25 23 | 23 | 26 | 4 | 9 | 6 | 25 3 | 22 | 25 | 4 | 9 | 6 | 24 43 | 22 | 25 |
| 29 26 | 5 | 9 | 6 | 26 6 | 23 | 26 | 5 | 9 | 6 | 25 45 | 22 | 26 | 5 | 9 | 6 | 25 25 | 22 | 26 |
| 8 33 31 | 6 | 10 | 7 | 26 49 | 24 | 27 | 6 | 10 | 7 | 26 28 | 23 | 27 | 6 | 10 | 7 | 26 6 | 23 | 27 |
| 37 37 | 7 | 11 | 8 | 27 31 | 25 | 28 | 7 | 11 | 8 | 27 10 | 24 | 28 | 7 | 11 | 8 | 26 48 | 24 | 28 |
| 41 41 | 8 | 12 | 9 | 28 14 | 26 | 29 | 8 | 12 | 9 | 27 52 | 25 | 29 | 8 | 12 | 9 | 27 29 | 25 | 29 |
| 8 45 45 | 9 | 13 | 10 | 28 56 | 27 | ♑ | 9 | 13 | 10 | 28 34 | 26 | ♑ | 9 | 13 | 10 | 28 11 | 26 | 29 |
| 49 48 | 10 | 14 | 10 | 29 38 | 27 | 1 | 10 | 14 | 10 | 29 15 | 26 | 1 | 10 | 14 | 10 | 28 51 | 26 | ♑ |
| 53 51 | 11 | 15 | 11 | 0♏20 | 28 | 2 | 11 | 15 | 11 | 29 57 | 27 | 2 | 11 | 15 | 11 | 29 32 | 26 | 1 |
| 8 57 52 | 12 | 16 | 12 | 1 2 | 29 | 3 | 12 | 16 | 12 | 0♏38 | 28 | 3 | 12 | 16 | 12 | 0♏13 | 27 | 2 |
| 9 1 53 | 13 | 17 | 13 | 1 44 | 29 | 4 | 13 | 17 | 13 | 1 19 | 29 | 4 | 13 | 17 | 13 | 0 54 | 27 | 3 |
| 5 53 | 14 | 18 | 14 | 2 25 | ♐ | 5 | 14 | 18 | 14 | 2 0 | 29 | 5 | 14 | 18 | 14 | 1 34 | 28 | 4 |
| 9 9 53 | 15 | 18 | 14 | 3 7 | 1 | 6 | 15 | 18 | 14 | 2 41 | ♐ | 5 | 15 | 19 | 14 | 2 15 | 29 | 5 |
| 13 52 | 16 | 19 | 15 | 3 48 | 2 | 7 | 16 | 20 | 15 | 3 22 | 1 | 6 | 16 | 20 | 15 | 2 55 | ♐ | 6 |
| 17 50 | 17 | 20 | 16 | 4 30 | 3 | 8 | 17 | 21 | 16 | 4 3 | 2 | 7 | 17 | 21 | 16 | 3 35 | 1 | 7 |
| 9 21 47 | 18 | 21 | 17 | 5 10 | 4 | 9 | 18 | 22 | 17 | 4 43 | 3 | 8 | 18 | 22 | 16 | 4 15 | 2 | 8 |
| 25 44 | 19 | 22 | 18 | 5 52 | 5 | 10 | 19 | 23 | 18 | 5 24 | 4 | 9 | 19 | 23 | 17 | 4 55 | 3 | 9 |
| 29 40 | 20 | 23 | 18 | 6 33 | 5 | 10 | 20 | 23 | 18 | 6 4 | 4 | 10 | 20 | 23 | 17 | 5 35 | 3 | 10 |
| 9 33 35 | 21 | 24 | 19 | 7 14 | 6 | 11 | 21 | 24 | 19 | 6 45 | 5 | 11 | 21 | 24 | 18 | 6 15 | 4 | 11 |
| 37 29 | 22 | 25 | 20 | 7 55 | 7 | 12 | 22 | 25 | 20 | 7 25 | 6 | 12 | 22 | 25 | 19 | 6 55 | 5 | 12 |
| 41 23 | 23 | 26 | 21 | 8 35 | 7 | 13 | 23 | 26 | 20 | 8 5 | 7 | 13 | 23 | 26 | 20 | 7 34 | 6 | 13 |
| 9 45 16 | 24 | 27 | 22 | 9 16 | 8 | 14 | 24 | 27 | 21 | 8 45 | 8 | 14 | 24 | 27 | 21 | 8 13 | 7 | 14 |
| 49 9 | 25 | 27 | 22 | 9 56 | 8 | 15 | 25 | 27 | 21 | 9 25 | 8 | 15 | 25 | 27 | 21 | 8 53 | 7 | 14 |
| 53 1 | 26 | 28 | 23 | 10 36 | 9 | 16 | 26 | 28 | 22 | 10 5 | 9 | 16 | 26 | 28 | 22 | 9 32 | 8 | 15 |
| 9 56 52 | 27 | 29 | 23 | 11 16 | 10 | 17 | 27 | 29 | 23 | 10 44 | 10 | 17 | 27 | 29 | 23 | 10 11 | 9 | 16 |
| 10 0 43 | 28 | ≏ | 24 | 11 56 | 10 | 18 | 28 | ≏ | 23 | 11 23 | 11 | 18 | 28 | ≏ | 24 | 10 50 | 10 | 17 |
| 4 33 | 29 | 1 | 24 | 12 36 | 11 | 19 | 29 | 1 | 24 | 12 3 | 11 | 19 | 29 | 1 | 24 | 11 28 | 10 | 18 |
| Houses | 4 | 5 | 6 | 7 | 8 | 9 | 4 | 5 | 6 | 7 | 8 | 9 | 4 | 5 | 6 | 7 | 8 | 9 |

**Latitude 52° S.    Latitude 53° S.    Latitude 54° S.**

# SIMPLIFIED SCIENTIFIC TABLES OF HOUSES

Latitude 52° N.  Latitude 53° N.  Latitude 54° N.

| Sider'l Time | 10 mp | 11 ≈ | 12 ≈ | Asc. m | 2 ↑ | 3 vs | 10 mp | 11 ≈ | 12 ≈ | Asc. m | 2 ↑ | 3 vs | 10 mp | 11 ≈ | 12 ≈ | Asc. m | 2 ↑ | 3 vs |
|---|---|---|---|---|---|---|---|---|---|---|---|---|---|---|---|---|---|---|
| H M S | ° | ° | ° | ° ′ | ° | ° | ° | ° | ° | ° ′ | ° | ° | ° | ° | ° | ° ′ | ° | ° |
| 10 8 23 | 0 | 2 | 25 | 13 16 | 12 | 20 | 0 | 2 | 25 | 12 42 | 12 | 20 | 0 | 2 | 25 | 12 8 | 11 | 19 |
| 12 12 | 1 | 3 | 26 | 13 56 | 13 | 21 | 1 | 3 | 26 | 13 21 | 13 | 21 | 1 | 3 | 26 | 12 46 | 12 | 20 |
| 16 0 | 2 | 4 | 27 | 14 35 | 14 | 22 | 2 | 4 | 27 | 14 0 | 14 | 22 | 2 | 4 | 27 | 13 25 | 13 | 21 |
| 10 19 48 | 3 | 5 | 28 | 15 15 | 15 | 23 | 3 | 5 | 28 | 14 40 | 15 | 23 | 3 | 5 | 27 | 14 3 | 14 | 22 |
| 23 35 | 4 | 6 | 28 | 15 55 | 16 | 24 | 4 | 6 | 28 | 15 19 | 16 | 24 | 4 | 6 | 28 | 14 42 | 15 | 23 |
| 27 22 | 5 | 6 | 29 | 16 34 | 16 | 25 | 5 | 6 | 29 | 15 58 | 16 | 25 | 5 | 6 | 28 | 15 20 | 15 | 24 |
| 10 31 8 | 6 | 7 | m | 17 14 | 17 | 26 | 6 | 7 | m | 16 37 | 17 | 26 | 6 | 7 | 29 | 15 59 | 16 | 25 |
| 34 54 | 7 | 8 | 1 | 17 53 | 18 | 27 | 7 | 8 | 1 | 17 16 | 18 | 27 | 7 | 8 | m | 16 37 | 17 | 26 |
| 38 40 | 8 | 9 | 2 | 18 33 | 19 | 28 | 8 | 9 | 1 | 17 54 | 19 | 28 | 8 | 9 | 1 | 17 15 | 18 | 27 |
| 10 42 25 | 9 | 10 | 3 | 19 12 | 20 | 29 | 9 | 10 | 2 | 18 33 | 20 | 28 | 9 | 10 | 2 | 17 54 | 19 | 28 |
| 46 9 | 10 | 11 | 3 | 19 52 | 20 | ~~~ | 10 | 10 | 2 | 19 12 | 20 | 29 | 10 | 10 | 2 | 18 32 | 19 | 29 |
| 49 53 | 11 | 12 | 4 | 20 31 | 21 | 1 | 11 | 11 | 3 | 19 51 | 21 | ~~~ | 11 | 11 | 3 | 19 10 | 20 | ~~~ |
| 10 53 37 | 12 | 13 | 4 | 21 10 | 22 | 2 | 12 | 12 | 4 | 20 29 | 22 | 1 | 12 | 12 | 4 | 19 48 | 21 | 1 |
| 57 20 | 13 | 14 | 5 | 21 49 | 23 | 3 | 13 | 13 | 5 | 21 8 | 23 | 2 | 13 | 13 | 5 | 20 26 | 22 | 2 |
| 11 1 3 | 14 | 15 | 5 | 22 28 | 24 | 4 | 14 | 14 | 6 | 21 47 | 24 | 3 | 14 | 14 | 6 | 21 4 | 23 | 3 |
| 11 4 46 | 15 | 15 | 6 | 23 8 | 24 | 5 | 15 | 15 | 6 | 22 26 | 24 | 5 | 15 | 15 | 6 | 21 42 | 23 | 4 |
| 8 28 | 16 | 16 | 7 | 23 47 | 25 | 6 | 16 | 16 | 7 | 23 4 | 25 | 6 | 16 | 16 | 7 | 22 20 | 24 | 5 |
| 12 10 | 17 | 17 | 8 | 24 26 | 26 | 7 | 17 | 17 | 8 | 23 43 | 26 | 7 | 17 | 17 | 7 | 22 58 | 25 | 6 |
| 11 15 52 | 18 | 18 | 9 | 25 5 | 27 | 8 | 18 | 18 | 9 | 24 22 | 27 | 8 | 18 | 18 | 8 | 23 37 | 26 | 7 |
| 19 34 | 19 | 19 | 9 | 25 45 | 28 | 9 | 19 | 19 | 10 | 25 0 | 28 | 9 | 19 | 19 | 8 | 24 15 | 27 | 8 |
| 23 15 | 20 | 19 | 10 | 26 24 | 28 | 10 | 20 | 19 | 10 | 25 39 | 28 | 10 | 20 | 19 | 9 | 24 53 | 27 | 10 |
| 11 26 56 | 21 | 20 | 11 | 27 3 | 29 | 11 | 21 | 20 | 11 | 26 18 | 29 | 11 | 21 | 20 | 10 | 25 31 | 28 | 11 |
| 30 37 | 22 | 21 | 12 | 27 42 | vs | 12 | 22 | 21 | 12 | 26 56 | vs | 12 | 22 | 21 | 11 | 26 9 | 29 | 12 |
| 34 18 | 23 | 22 | 13 | 28 22 | 1 | 13 | 23 | 22 | 12 | 27 35 | 1 | 13 | 23 | 22 | 12 | 26 47 | 29 | 13 |
| 11 37 58 | 24 | 23 | 14 | 29 2 | 2 | 14 | 24 | 23 | 13 | 28 14 | 2 | 14 | 24 | 23 | 13 | 27 26 | vs | 14 |
| 41 39 | 25 | 23 | 14 | 29 41 | 3 | 16 | 25 | 23 | 13 | 28 53 | 2 | 15 | 25 | 23 | 13 | 28 4 | 1 | 15 |
| 45 19 | 26 | 24 | 15 | 0 ↑ 21 | 4 | 17 | 26 | 24 | 14 | 29 33 | 3 | 16 | 26 | 24 | 14 | 28 43 | 2 | 16 |
| 11 49 0 | 27 | 25 | 15 | 1 1 | 5 | 18 | 27 | 25 | 15 | 0 ↑ 12 | 4 | 17 | 27 | 25 | 14 | 29 21 | 3 | 17 |
| 52 40 | 28 | 26 | 16 | 1 40 | 6 | 19 | 28 | 26 | 16 | 0 51 | 5 | 18 | 23 | 26 | 15 | 0 ↑ 0 | 4 | 18 |
| 56 20 | 29 | 26 | 16 | 2 20 | 6 | 20 | 29 | 26 | 16 | 1 30 | 5 | 20 | 29 | 26 | 15 | 0 38 | 4 | 19 |
| Houses | 4 | 5 | 6 | 7 | 8 | 9 | 4 | 5 | 6 | 7 | 8 | 9 | 4 | 5 | 6 | 7 | 8 | 9 |

Latitude 52° S.  Latitude 53° S.  Latitude 54° S.

# SIMPLIFIED SCIENTIFIC TABLES OF HOUSES

|  | Latitude 52° N. | | | | | | Latitude 53° N. | | | | | | Latitude 54° N. | | | | | |
|---|---|---|---|---|---|---|---|---|---|---|---|---|---|---|---|---|---|---|
| Sider'l Time | 10 ♎ | 11 ♎ | 12 ♏ | Asc. ♐ | 2 ♑ | 3 ♒ | 10 ♎ | 11 ♎ | 12 ♏ | Asc. ♐ | 2 ♑ | 3 ♒ | 10 ♎ | 11 ♎ | 12 ♏ | Asc. ♐ | 2 ♑ | 3 ♒ |
| H M S | ° | ° | ° | ° ′ | ° | ° | ° | ° | ° | ° ′ | ° | ° | ° | ° | ° | ° ′ | ° | ° |
| 12 0 0 | 0 | 27 | 17 | 3 1 | 7 | 21 | 0 | 27 | 17 | 2 10 | 6 | 21 | 0 | 27 | 16 | 1 17 | 5 | 20 |
| 3 40 | 1 | 28 | 18 | 3 40 | 8 | 22 | 1 | 28 | 18 | 2 49 | 7 | 22 | 1 | 28 | 17 | 1 56 | 6 | 21 |
| 7 20 | 2 | 29 | 19 | 4 21 | 9 | 23 | 2 | 29 | 19 | 3 29 | 8 | 23 | 2 | 29 | 18 | 2 35 | 7 | 22 |
| 12 11 0 | 3 | ♏ | 20 | 5 1 | 10 | 24 | 3 | 29 | 19 | 4 8 | 9 | 24 | 3 | 29 | 19 | 3 14 | 8 | 23 |
| 14 41 | 4 | 1 | 21 | 5 41 | 11 | 25 | 4 | ♏ | 20 | 4 48 | 10 | 25 | 4 | ♏ | 20 | 3 53 | 9 | 24 |
| 18 21 | 5 | 1 | 21 | 6 22 | 12 | 27 | 5 | 1 | 20 | 5 29 | 11 | 27 | 5 | 1 | 20 | 4 33 | 10 | 26 |
| 12 22 2 | 6 | 2 | 22 | 7 3 | 13 | 28 | 6 | 2 | 21 | 6 8 | 12 | 28 | 6 | 2 | 21 | 5 12 | 11 | 27 |
| 25 42 | 7 | 3 | 23 | 7 44 | 14 | 29 | 7 | 3 | 22 | 6 49 | 13 | 29 | 7 | 3 | 22 | 5 52 | 12 | 28 |
| 29 23 | 8 | 4 | 23 | 8 26 | 15 | ♓ | 8 | 4 | 23 | 7 30 | 14 | ♓ | 8 | 4 | 22 | 6 32 | 13 | ♓ |
| 12 33 4 | 9 | 5 | 24 | 9 7 | 16 | 1 | 9 | 5 | 24 | 8 10 | 15 | 1 | 9 | 5 | 23 | 7 12 | 14 | 1 |
| 36 45 | 10 | 6 | 24 | 9 49 | 17 | 3 | 10 | 5 | 24 | 8 52 | 16 | 2 | 10 | 5 | 23 | 7 53 | 14 | 2 |
| 40 26 | 11 | 7 | 25 | 10 31 | 18 | 4 | 11 | 6 | 25 | 9 33 | 17 | 3 | 11 | 6 | 24 | 8 33 | 15 | 3 |
| 12 44 8 | 12 | 8 | 26 | 11 13 | 19 | 5 | 12 | 7 | 26 | 10 14 | 18 | 4 | 12 | 7 | 25 | 9 14 | 16 | 4 |
| 47 50 | 13 | 9 | 27 | 11 55 | 20 | 7 | 13 | 8 | 26 | 10 55 | 19 | 5 | 13 | 8 | 26 | 9 54 | 17 | 5 |
| 51 32 | 14 | 10 | 28 | 12 38 | 21 | 8 | 14 | 9 | 27 | 11 38 | 20 | 6 | 14 | 9 | 26 | 10 36 | 18 | 7 |
| 12 55 14 | 15 | 10 | 28 | 13 20 | 22 | 9 | 15 | 9 | 27 | 12 20 | 21 | 8 | 15 | 9 | 27 | 11 17 | 20 | 8 |
| 58 57 | 16 | 11 | 29 | 14 4 | 23 | 10 | 16 | 10 | 28 | 13 3 | 22 | 9 | 16 | 10 | 28 | 11 59 | 21 | 9 |
| 13 2 40 | 17 | 12 | 29 | 14 48 | 24 | 11 | 17 | 11 | 29 | 13 46 | 23 | 10 | 17 | 11 | 29 | 12 42 | 22 | 10 |
| 13 6 23 | 18 | 13 | ♐ | 15 32 | 25 | 12 | 18 | 12 | ♐ | 14 29 | 24 | 11 | 18 | 12 | 29 | 13 24 | 23 | 12 |
| 10 7 | 19 | 14 | 1 | 16 16 | 26 | 13 | 19 | 13 | 1 | 15 12 | 25 | 12 | 19 | 13 | ♐ | 14 6 | 24 | 13 |
| 13 51 | 20 | 14 | 1 | 17 0 | 27 | 15 | 20 | 13 | 1 | 15 56 | 26 | 14 | 20 | 13 | 0 | 14 49 | 25 | 14 |
| 13 17 35 | 21 | 15 | 2 | 17 45 | 28 | 16 | 21 | 14 | 2 | 16 40 | 27 | 15 | 21 | 14 | 1 | 15 33 | 26 | 16 |
| 21 20 | 22 | 16 | 3 | 18 30 | 29 | 17 | 22 | 15 | 3 | 17 25 | 28 | 16 | 22 | 15 | 2 | 16 16 | 27 | 17 |
| 25 6 | 23 | 17 | 4 | 19 16 | ♒ | 18 | 23 | 16 | 4 | 18 10 | ♒ | 18 | 23 | 16 | 3 | 17 1 | 28 | 18 |
| 13 28 52 | 24 | 18 | 5 | 20 2 | 1 | 19 | 24 | 17 | 5 | 18 55 | 1. | 19 | 24 | 17 | 4 | 17 45 | ♒ | 19 |
| 32 38 | 25 | 18 | 5 | 20 49 | 3 | 21 | 25 | 18 | 5 | 19 41 | 2 | 21 | 25 | 17 | 4 | 18 30 | 1 | 21 |
| 36 25 | 26 | 19 | 6 | 21 36 | 4 | 22 | 26 | 19 | 6 | 20 27 | 3 | 22 | 26 | 18 | 5 | 19 16 | 2 | 22 |
| 13 40 12 | 27 | 20 | 7 | 22 24 | 6 | 23 | 27 | 20 | 6 | 21 14 | 4 | 24 | 27 | 19 | 6 | 20 1 | 3 | 24 |
| 44 0 | 28 | 21 | 8 | 23 12 | 7 | 24 | 28 | 21 | 7 | 22 1 | 5 | 25 | 28 | 20 | 7 | 20 48 | 4 | 25 |
| 47 48 | 29 | 21 | 8 | 24 0 | 8 | 26 | 29 | 21 | 7 | 22 49 | 7 | 26 | 29 | 20 | 7 | 21 35 | 6 | 26 |

| Houses | 4 | 5 | 6 | 7 | 8 | 9 | 4 | 5 | 6 | 7 | 8 | 9 | 4 | 5 | 6 | 7 | 8 | 9 |
|---|---|---|---|---|---|---|---|---|---|---|---|---|---|---|---|---|---|---|
|  | Latitude 52° S. | | | | | | Latitude 53° S. | | | | | | Latitude 54° S. | | | | | |

## SIMPLIFIED SCIENTIFIC TABLES OF HOUSES

|  | Latitude 52° N. | | | | | | Latitude 53° N. | | | | | | Latitude 54° N. | | | | | |
|---|---|---|---|---|---|---|---|---|---|---|---|---|---|---|---|---|---|---|
| Sider'l Time | 10 ♏ | 11 ♏ | 12 ♐ | Asc. ♐ | 2 ≈ | 3 ♓ | 10 ♏ | 11 ♏ | 12 ♐ | Asc. ♐ | 2 ≈ | 3 ♓ | 10 ♏ | 11 ♏ | 12 ♐ | Asc. ♐ | 2 ≈ | 3 ♓ |
| H M S | ° | ° | ° | ° ′ | ° | ° | ° | ° | ° | ° ′ | ° | ° | ° | ° | ° | ° ′ | ° | ° |
| 13 51 37 | 0 | 22 | 9 | 24 49 | 9 | 27 | 0 | 22 | 8 | 23 37 | 8 | 27 | 0 | 21 | 8 | 22 22 | 7 | 27 |
| 55 27 | 1 | 23 | 10 | 25 39 | 10 | 29 | 1 | 23 | 9 | 24 26 | 9 | 29 | 1 | 22 | 9 | 23 10 | 8 | 29 |
| 59 17 | 2 | 24 | 11 | 26 29 | 11 | ♈ | 2 | 24 | 10 | 25 16 | 10 | ♈ | 2 | 23 | 10 | 23 58 | 9 | ♈ |
| 14 3 8 | 3 | 25 | 12 | 27 20 | 12 | 1 | 3 | 25 | 11 | 26 6 | 12 | 1 | 3 | 24 | 10 | 24 48 | 10 | 1 |
| 6 59 | 4 | 26 | 13 | 28 12 | 14 | 3 | 4 | 26 | 12 | 26 56 | 14 | 3 | 4 | 25 | 11 | 25 37 | 12 | 3 |
| 10 51 | 5 | 26 | 13 | 29 4 | 16 | 4 | 5 | 26 | 12 | 27 48 | 15 | 4 | 5 | 25 | 11 | 26 28 | 14 | 4 |
| 14 14 44 | 6 | 27 | 14 | 29 57 | 17 | 6 | 6 | 27 | 13 | 28 40 | 16 | 5 | 6 | 26 | 12 | 27 19 | 15 | 6 |
| 18 37 | 7 | 28 | 15 | 0♑51 | 18 | 7 | 7 | 28 | 14 | 29 33 | 17 | 6 | 7 | 27 | 13 | 28 11 | 16 | 7 |
| 22 31 | 8 | 29 | 16 | 1 46 | 19 | 8 | 8 | 29 | 15 | 0♑26 | 18 | 7 | 8 | 28 | 14 | 29 3 | 18 | 8 |
| 14 26 25 | 9 | ♐ | 17 | 2 41 | 21 | 9 | 9 | ♐ | 16 | 1 21 | 20 | 8 | 9 | 29 | 15 | 29 57 | 20 | 9 |
| 30 20 | 10 | 0 | 17 | 3 37 | 23 | 10 | 10 | 0 | 16 | 2 16 | 22 | 10 | 10 | 29 | 14 | 0♑51 | 21 | 10 |
| 34 16 | 11 | 1 | 18 | 4 34 | 24 | 12 | 11 | 1 | 17 | 3 12 | 23 | 12 | 11 | ♐ | 16 | 1 46 | 22 | 11 |
| 14 38 13 | 12 | 2 | 19 | 5 32 | 26 | 14 | 12 | 2 | 18 | 4 9 | 24 | 13 | 12 | 1 | 17 | 2 42 | 24 | 12 |
| 42 10 | 13 | 3 | 20 | 6 31 | 28 | 15 | 13 | 3 | 19 | 5 7 | 26 | 14 | 13 | 2 | 18 | 3 39 | 26 | 14 |
| 46 8 | 14 | 4 | 20 | 7 32 | ♓ | 16 | 14 | 4 | 19 | 6 7 | 28 | 15 | 14 | 3 | 19 | 4 37 | 28 | 16 |
| 14 50 7 | 15 | 5 | 21 | 8 33 | 1 | 17 | 15 | 4 | 20 | 7 7 | ♓ | 17 | 15 | 4 | 19 | 5 36 | 29 | 17 |
| 54 7 | 16 | 6 | 22 | 9 35 | 2 | 19 | 16 | 5 | 21 | 8 8 | 1 | 19 | 16 | 5 | 20 | 6 37 | ♓ | 19 |
| 58 7 | 17 | 7 | 23 | 10 39 | 4 | 20 | 17 | 6 | 22 | 9 11 | 2 | 20 | 17 | 6 | 21 | 7 38 | 2 | 20 |
| 15 2 8 | 18 | 8 | 24 | 11 43 | 6 | 21 | 18 | 7 | 23 | 10 15 | 4 | 21 | 18 | 7 | 22 | 8 41 | 4 | 22 |
| 6 9 | 19 | 9 | 25 | 12 49 | 8 | 22 | 19 | 8 | 24 | 11 19 | 6 | 22 | 19 | 8 | 23 | 9 44 | 6 | 23 |
| 10 12 | 20 | 9 | 26 | 13 56 | 9 | 23 | 20 | 9 | 25 | 12 26 | 8 | 23 | 20 | 8 | 24 | 10 50 | 8 | 24 |
| 15 14 15 | 21 | 10 | 27 | 15 5 | 10 | 24 | 21 | 10 | 26 | 13 33 | 10 | 24 | 21 | 9 | 25 | 11 56 | 10 | 26 |
| 18 19 | 22 | 11 | 28 | 16 15 | 12 | 26 | 22 | 11 | 27 | 14 43 | 12 | 26 | 22 | 10 | 26 | 13 4 | 12 | 27 |
| 22 23 | 23 | 12 | 29 | 17 27 | 14 | 27 | 23 | 22 | 28 | 15 53 | 14 | 27 | 23 | 11 | 27 | 14 14 | 13 | 28 |
| 15 26 29 | 24 | 13 | 29 | 18 40 | 16 | 28 | 24 | 13 | 28 | 17 6 | 15 | 28 | 24 | 12 | 28 | 15 26 | 15 | 29 |
| 30 35 | 25 | 13 | ♑ | 19 55 | 17 | 29 | 25 | 13 | 29 | 18 20 | 17 | 29 | 25 | 13 | 28 | 16 39 | 17 | ♉ |
| 34 41 | 26 | 14 | 1 | 21 11 | 19 | ♉ | 26 | 14 | ♑ | 19 36 | 19 | ♉ | 26 | 14 | 29 | 17 54 | 19 | 2 |
| 15 38 49 | 27 | 15 | 2 | 22 30 | 21 | 2 | 27 | 15 | 1 | 20 53 | 21 | 2 | 27 | 15 | ♑ | 19 10 | 21 | 3 |
| 42 57 | 28 | 16 | 3 | 23 50 | 23 | 4 | 28 | 16 | 2 | 22 13 | 23 | 4 | 28 | 16 | 1 | 20 29 | 23 | 4 |
| 47 6 | 29 | 17 | 4 | 25 13 | 25 | 5 | 29 | 16 | 3 | 23 35 | 25 | 5 | 29 | 16 | 2 | 21 51 | 25 | 6 |
| Houses | 4 | 5 | 6 | 7 | 8 | 9 | 4 | 5 | 6 | 7 | 8 | 9 | 4 | 5 | 6 | 7 | 8 | 9 |

Latitude 52° S        Latitude 53° S.        Latitude 54° S.

## SIMPLIFIED SCIENTIFIC TABLES OF HOUSES

| Sider'l Time | \| Latitude 52° N. 10 ♐ | 11 ♐ | 12 ♑ | Asc. ♑ | 2 ♓ | 3 ♉ | \| Latitude 53° N. 10 ♐ | 11 ♐ | 12 ♑ | Asc. ♑ | 2 ♓ | 3 ♉ | \| Latitude 54° N. 10 ♐ | 11 ♐ | 12 ♑ | Asc. ♑ | 2 ♓ | 3 ♉ |
|---|---|---|---|---|---|---|---|---|---|---|---|---|---|---|---|---|---|---|
| H M S | ° | ° | ° | ° ' | ° | ° | ° | ° | ° | ° ' | ° | ° | ° | ° | ° | ° ' | ° | ° |
| 15 51 15 | 0 | 18 | 5 | 26 37 | 26 | 6 | 0 | 17 | 4 | 24 59 | 26 | 6 | 0 | 17 | 3 | 23 14 | 26 | 7 |
| 55 25 | 1 | 19 | 6 | 28 4 | 28 | 8 | 1 | 18 | 5 | 26 25 | 28 | 7 | 1 | 18 | 4 | 24 39 | 28 | 8 |
| 59 36 | 2 | 20 | 7 | 29 33 | ♈ | 9 | 2 | 19 | 6 | 27 54 | ♈ | 8 | 2 | 19 | 5 | 26 7 | ♈ | 9 |
| 16 3 48 | 3 | 21 | 8 | 1≈ 4 | 2 | 10 | 3 | 20 | 7 | 29 25 | 2 | 9 | 3 | 20 | 6 | 27 38 | 2 | 10 |
| 8 0 | 4 | 22 | 9 | 2 38 | 4 | 11 | 4 | 21 | 8 | 0≈59 | 4 | 11 | 4 | 21 | 7 | 29 11 | 4 | 11 |
| 12 13 | 5 | 23 | 10 | 4 14 | 5 | 12 | 5 | 22 | 9 | 2 35 | 5 | 13 | 5 | 22 | 8 | 0≈47 | 6 | 13 |
| 16 16 26 | 6 | 24 | 11 | 5 53 | 6 | 14 | 6 | 23 | 10 | 4 14 | 7 | 15 | 6 | 23 | 9 | 2 27 | 8 | 14 |
| 20 40 | 7 | 25 | 12 | 7 35 | 8 | 16 | 7 | 24 | 11 | 5 57 | 9 | 16 | 7 | 24 | 10 | 4 9 | 10 | 15 |
| 24 55 | 8 | 26 | 13 | 9 19 | 10 | 17 | 8 | 25 | 12 | 7 42 | 11 | 17 | 8 | 25 | 12 | 5 54 | 12 | 16 |
| 16 29 10 | 9 | 27 | 15 | 11 7 | 12 | 18 | 9 | 26 | 13 | 9 30 | 13 | 18 | 9 | 25 | 13 | 7 43 | 14 | 17 |
| 33 26 | 10 | 27 | 16 | 12 57 | 14 | 19 | 10 | 27 | 15 | 11 21 | 15 | 19 | 10 | 26 | 14 | 9 35 | 15 | 19 |
| 37 42 | 11 | 28 | 17 | 14 50 | 16 | 21 | 11 | 28 | 16 | 13 15 | 16 | 21 | 11 | 27 | 15 | 11 31 | 17 | 20 |
| 16 41 59 | 12 | 29 | 18 | 16 47 | 17 | 22 | 12 | 29 | 17 | 15 14 | 18 | 22 | 12 | 28 | 16 | 13 31 | 19 | 21 |
| 46 16 | 13 | ♑ | 19 | 18 46 | 19 | 23 | 13 | ♑ | 18 | 17 15 | 20 | 23 | 13 | 29 | 17 | 15 34 | 21 | 22 |
| 50 34 | 14 | 1 | 20 | 20 50 | 21 | 24 | 14 | 1 | 19 | 19 21 | 22 | 24 | 14 | ♑ | 18 | 17 41 | 23 | 24 |
| 16 54 52 | 15 | 2 | 21 | 22 56 | 23 | 25 | 15 | 2 | 20 | 21 30 | 24 | 25 | 15 | 1 | 19 | 19 53 | 24 | 26 |
| 59 10 | 16 | 3 | 22 | 25 5 | 25 | 26 | 16 | 3 | 21 | 23 42 | 26 | 26 | 16 | 2 | 20 | 22 9 | 26 | 28 |
| 17 3 29 | 17 | 4 | 23 | 27 18 | 27 | 27 | 17 | 4 | 23 | 25 58 | 28 | 28 | 17 | 3 | 21 | 24 28 | 28 | 29 |
| 17 7 49 | 18 | 5 | 24 | 29 34 | 29 | 29 | 18 | 5 | 25 | 28 18 | 29 | 29 | 18 | 4 | 23 | 26 52 | ♉ | ♊ |
| 12 9 | 19 | 6 | 26 | 1♓53 | ♉ | ♊ | 19 | 6 | 26 | 0♓42 | ♉ | ♊ | 19 | 5 | 25 | 29 20 | 1 | 1 |
| 16 29 | 20 | 7 | 28 | 4 15 | 2 | 1 | 20 | 7 | 27 | 3 8 | 3 | 1 | 20 | 6 | 26 | 1♓52 | 3 | 2 |
| 17 20 49 | 21 | 8 | 29 | 6 41 | 3 | 2 | 21 | 8 | 29 | 5 39 | 4 | 2 | 21 | 7 | 28 | 4 28 | 5 | 3 |
| 25 9 | 22 | 9 | ≈ | 9 9 | 4 | 3 | 22 | 9 | ≈ | 8 13 | 6 | 3 | 22 | 8 | 29 | 7 8 | 7 | 4 |
| 29 30 | 23 | 10 | 1 | 11 39 | 6 | 4 | 23 | 10 | 1 | 10 48 | 8 | 4 | 23 | 9 | ≈ | 9 51 | 8 | 5 |
| 17 33 51 | 24 | 11 | 2 | 14 12 | 8 | 5 | 24 | 11 | 2 | 13 28 | 10 | 5 | 24 | 10 | 1 | 12 37 | 10 | 6 |
| 38 12 | 25 | 13 | 4 | 16 46 | 10 | 6 | 25 | 12 | 3 | 16 9 | 11 | 7 | 25 | 12 | 2 | 15 26 | 12 | 7 |
| 42 34 | 26 | 14 | 6 | 19 23 | 12 | 7 | 26 | 13 | 5 | 18 52 | 13 | 8 | 26 | 13 | 4 | 18 18 | 14 | 8 |
| 17 46 55 | 27 | 15 | 8 | 22 1 | 14 | 8 | 27 | 14 | 7 | 21 38 | 15 | 9 | 27 | 14 | 6 | 21 12 | 16 | 9 |
| 51 17 | 28 | 16 | 9 | 24 40 | 16 | 9 | 28 | 15 | 8 | 24 25 | 16 | 10 | 28 | 15 | 8 | 24 7 | 18 | 10 |
| 55 38 | 29 | 17 | 11 | 27 20 | 17 | 11 | 29 | 16 | 10 | 27 12 | 18 | 11 | 29 | 16 | 9 | 27 3 | 19 | 12 |
| Houses | 4 | 5 | 6 | 7 | 8 | 9 | 4 | 5 | 6 | 7 | 8 | 9 | 4 | 5 | 6 | 7 | 8 | 9 |

Latitude 52° S.      Latitude 53° S.      Latitude 54° S.

# SIMPLIFIED SCIENTIFIC TABLES OF HOUSES

|  | Latitude 52° N. | | | | | | Latitude 53° N. | | | | | | Latitude 54° N. | | | | | |
|---|---|---|---|---|---|---|---|---|---|---|---|---|---|---|---|---|---|---|
| Sider'l Time | 10 ♑ | 11 ♑ | 12 ≈ | Asc ♈ | 2 ♉ | 3 Ⅱ | 10 ♑ | 11 ♑ | 12 ≈ | Asc ♈ | 2 ♉ | 3 Ⅱ | 10 ♑ | 11 ♑ | 12 ≈ | Asc ♈ | 2 ♉ | 3 Ⅱ |
| H M S | ° | ° | ° | ° ' | ° | ° | ° | ° | ° | ° ' | ° | ° | ° | ° | ° | ° ' | ° | ° |
| 18 0 0 | 0 | 18 | 12 | 0 0 | 18 | 12 | 0 | 17 | 11 | 0 0 | 19 | 12 | 0 | 17 | 10 | 0 0 | 20 | 13 |
| 4 22 | 1 | 19 | 13 | 2 40 | 19 | 13 | 1 | 18 | 12 | 2 48 | 20 | 13 | 1 | 18 | 11 | 2 57 | 21 | 14 |
| 8 43 | 2 | 20 | 14 | 5 20 | 20 | 14 | 2 | 19 | 14 | 5 35 | 21 | 14 | 2 | 19 | 13 | 5 53 | 23 | 15 |
| 18 13 5 | 3 | 21 | 16 | 7 59 | 22 | 15 | 3 | 20 | 16 | 8 22 | 22 | 15 | 3 | 20 | 15 | 8 48 | 25 | 16 |
| 17 26 | 4 | 22 | 18 | 10 37 | 24 | 16 | 4 | 21 | 18 | 11 8 | 24 | 16 | 4 | 21 | 16 | 11 42 | 26 | 17 |
| 21 48 | 5 | 23 | 20 | 13 14 | 26 | 17 | 5 | 23 | 19 | 13 51 | 26 | 18 | 5 | 23 | 18 | 14 34 | 27 | 18 |
| 18 26 9 | 6 | 24 | 22 | 15 48 | 28 | 18 | 6 | 24 | 21 | 16 32 | 28 | 19 | 6 | 24 | 20 | 17 23 | 29 | 19 |
| 30 30 | 7 | 25 | 24 | 18 21 | 29 | 19 | 7 | 25 | 23 | 19 12 | 29 | 20 | 7 | 25 | 22 | 20 9 | Ⅱ | 20 |
| 34 51 | 8 | 26 | 25 | 20 51 | Ⅱ | 20 | 8 | 26 | 25 | 21 47 | Ⅱ | 21 | 8 | 26 | 24 | 22 52 | 2 | 21 |
| 18 39 11 | 9 | 27 | 27 | 23 19 | 1 | 21 | 9 | 27 | 26 | 24 21 | 1 | 22 | 9 | 27 | 26 | 25 32 | 3 | 22 |
| 43 31 | 10 | 29 | 28 | 25 45 | 2 | 23 | 10 | 29 | 27 | 26 52 | 3 | 23 | 10 | 28 | 27 | 28 8 | 4 | 24 |
| 47 51 | 11 | ≈ | ✕ | 28 7 | 3 | 24 | 11 | ≈ | 29 | 29 18 | 4 | 24 | 11 | 29 | 29 | 0♉40 | 5 | 25 |
| 18 52 11 | 12 | 1 | 2 | 0♉26 | 4 | 25 | 12 | 1 | ✕ | 1♉42 | 6 | 25 | 12 | ≈ | ✕ | 3 8 | 6 | 26 |
| 56 31 | 13 | 2 | 4 | 2 42 | 8 | 27 | 13 | 2 | 2 | 4 2 | 8 | 26 | 13 | 1 | 2 | 5 32 | 7 | 27 |
| 19 0 50 | 14 | 3 | 6 | 4 55 | 8 | 27 | 14 | 3 | 4 | 6 18 | 9 | 27 | 14 | 3 | 4 | 7 51 | 9 | 28 |
| 19 5 8 | 15 | 5 | 7 | 7 4 | 9 | 28 | 15 | 5 | 6 | 8 30 | 10 | 28 | 15 | 4 | 6 | 10 7 | 11 | 29 |
| 9 26 | 16 | 6 | 9 | 9 10 | 10 | 29 | 16 | 6 | 8 | 10 39 | 11 | 29 | 16 | 5 | 8 | 12 19 | 12 | ♋ |
| 13 44 | 17 | 7 | 11 | 11 14 | 11 | ♋ | 17 | 7 | 10 | 12 45 | 12 | ♋ | 17 | 6 | 10 | 14 26 | 13 | 1 |
| 19 18 1 | 18 | 8 | 13 | 13 13 | 12 | 1 | 18 | 8 | 12 | 14 46 | 13 | 1 | 18 | 7 | 12 | 16 29 | 14 | 2 |
| 22 18 | 19 | 10 | 15 | 15 10 | 13 | 2 | 19 | 9 | 13 | 16 45 | 14 | 2 | 19 | 9 | 14 | 18 29 | 15 | 3 |
| 26 34 | 20 | 11 | 16 | 17 3 | 14 | 3 | 20 | 11 | 15 | 18 39 | 15 | 3 | 20 | 11 | 15 | 20 25 | 16 | 3 |
| 19 30 50 | 21 | 12 | 18 | 18 53 | 15 | 4 | 21 | 12 | 17 | 20 30 | 16 | 4 | 21 | 12 | 17 | 22 17 | 17 | 4 |
| 35 5 | 22 | 13 | 20 | 20 41 | 16 | 5 | 22 | 13 | 19 | 22 18 | 17 | 5 | 22 | 13 | 19 | 24 6 | 18 | 5 |
| 39 20 | 23 | 14 | 22 | 22 25 | 17 | 6 | 23 | 14 | 21 | 24 3 | 18 | 6 | 23 | 14 | 20 | 25 51 | 19 | 6 |
| 19 43 34 | 24 | 15 | 24 | 24 7 | 18 | 7 | 24 | 15 | 23 | 25 46 | 19 | 7 | 24 | 15 | 22 | 27 33 | 20 | 7 |
| 47 47 | 25 | 17 | 25 | 25 46 | 20 | 7 | 25 | 17 | 25 | 27 25 | 21 | 8 | 25 | 17 | 24 | 29 13 | 22 | 8 |
| 52 0 | 26 | 19 | 27 | 27 22 | 21 | 8 | 26 | 19 | 27 | 29 1 | 22 | 9 | 26 | 19 | 26 | 0Ⅱ29 | 23 | 9 |
| 19 56 12 | 27 | 20 | 29 | 28 56 | 22 | 9 | 27 | 20 | 29 | 0Ⅱ35 | 23 | 10 | 27 | 20 | 28 | 2 22 | 24 | 10 |
| 20 0 24 | 28 | 21 | ♈ | 0Ⅱ27 | 23 | 10 | 28 | 21 | ♈ | 2 6 | 24 | 11 | 28 | 21 | ♈ | 3 53 | 25 | 11 |
| 4 35 | 29 | 23 | 3 | 1 56 | 24 | 11 | 29 | 23 | 3 | 3 35 | 25 | 11 | 29 | 22 | 3 | 5 21 | 20 | 12 |
| Houses | 4 | 5 | 6 | 7 | 8 | 9 | 4 | 5 | 6 | 7 | 8 | 9 | 4 | 5 | 6 | 7 | 8 | 9 |

Latitude 52° S.          Latitude 53° S.          Latitude 54° S.

# SIMPLIFIED SCIENTIFIC TABLES OF HOUSES

|  | Latitude 52° N. | | | | | | Latitude 53° N. | | | | | | Latitude 54° N. | | | | | |
|---|---|---|---|---|---|---|---|---|---|---|---|---|---|---|---|---|---|---|
| Sider'l Time | 10 ♒ | 11 ♒ | 12 ♈ | Asc. ♊ | 2 ♊ | 3 ♋ | 10 ♒ | 11 ♒ | 12 ♈ | Asc. ♊ | 2 ♊ | 3 ♋ | 10 ♒ | 11 ♒ | 12 ♈ | Asc. ♊ | 2 ♊ | 3 ♋ |
| H M S | ° | ° | ° | ° ' | ° | ° | ° | ° | ° | ° ' | ° | ° | ° | ° | ° | ° ' | ° | ° |
| 20 8 45 | 0 | 24 | 4 | 3 23 | 25 | 12 | 0 | 24 | 4 | 5 1 | 26 | 12 | 0 | 23 | 4 | 6 46 | 27 | 13 |
| 12 54 | 1 | 25 | 6 | 4 47 | 26 | 13 | 1 | 26 | 6 | 6 25 | 27 | 13 | 1 | 25 | 4 | 8 9 | 28 | 14 |
| 17 3 | 2 | 26 | 8 | 6 10 | 27 | 14 | 2 | 27 | 8 | 7 47 | 28 | 14 | 2 | 26 | 7 | 9 31 | 29 | 15 |
| 20 21 11 | 3 | 27 | 9 | 7 30 | 28 | 15 | 3 | 28 | 10 | 9 7 | 29 | 15 | 3 | 27 | 9 | 10 50 | 29 | 16 |
| 25 19 | 4 | 28 | 11 | 8 49 | 29 | 16 | 4 | 29 | 11 | 10 24 | 29 | 16 | 4 | 28 | 11 | 12 6 | ♋ | 17 |
| 29 26 | 5 | ♓ | 13 | 10 5 | 29 | 17 | 5 | ♓ | 13 | 11 40 | ♋ | 17 | 5 | 29 | 13 | 13 21 | 2 | 17 |
| 20 33 31 | 6 | 1 | 15 | 11 20 | ♋ | 18 | 6 | 2 | 15 | 12 54 | 1 | 18 | 6 | ♓ | 15 | 14 34 | 3 | 18 |
| 37 37 | 7 | 3 | 17 | 12 33 | 1 | 19 | 7 | 3 | 17 | 14 7 | 2 | 19 | 7 | 2 | 16 | 15 46 | 4 | 19 |
| 41 41 | 8 | 5 | 19 | 13 45 | 2 | 20 | 8 | 4 | 19 | 15 17 | 3 | 20 | 8 | 3 | 18 | 16 56 | 5 | 20 |
| 20 45 45 | 9 | 6 | 21 | 14 55 | 3 | 21 | 9 | 5 | 20 | 16 27 | 4 | 21 | 9 | 5 | 20 | 18 4 | 6 | 21 |
| 49 48 | 10 | 7 | 22 | 16 4 | 4 | 21 | 10 | 7 | 22 | 17 34 | 5 | 21 | 10 | 6 | 22 | 19 10 | 6 | 22 |
| 53 51 | 11 | 8 | 24 | 17 11 | 5 | 22 | 11 | 8 | 24 | 18 41 | 6 | 22 | 11 | 8 | 24 | 20 16 | 7 | 23 |
| 20 57 52 | 12 | 9 | 26 | 18 17 | 6 | 23 | 12 | 9 | 26 | 19 45 | 7 | 23 | 12 | 9 | 26 | 21 19 | 8 | 24 |
| 21 1 53 | 13 | 10 | 27 | 19 21 | 7 | 24 | 13 | 10 | 28 | 20 49 | 8 | 24 | 13 | 10 | 28 | 22 22 | 9 | 25 |
| 5 53 | 14 | 11 | 28 | 20 25 | 8 | 25 | 14 | 12 | 29 | 21 52 | 9 | 25 | 14 | 11 | 29 | 23 23 | 10 | 26 |
| 21 9 53 | 15 | 13 | 29 | 21 27 | 9 | 25 | 15 | 13 | ♉ | 22 53 | 10 | 26 | 15 | 13 | ♉ | 24 24 | 10 | 26 |
| 13 52 | 16 | 14 | ♉ | 22 28 | 10 | 26 | 16 | 14 | 2 | 23 53 | 11 | 27 | 16 | 15 | 1 | 25 23 | 11 | 27 |
| 17 50 | 17 | 16 | 2 | 23 29 | 11 | 27 | 17 | 15 | 4 | 24 53 | 12 | 28 | 17 | 16 | 3 | 26 21 | 12 | 28 |
| 21 21 47 | 18 | 17 | 4 | 24 28 | 12 | 28 | 18 | 17 | 5 | 25 51 | 13 | 29 | 18 | 17 | 5 | 27 18 | 13 | 29 |
| 25 44 | 19 | 18 | 6 | 25 26 | 13 | 29 | 19 | 19 | 6 | 26 48 | 14 | 29 | 19 | 18 | 7 | 28 14 | 14 | 29 |
| 29 40 | 20 | 20 | 7 | 26 23 | 13 | 29 | 20 | 20 | 8 | 27 44 | 14 | ♌ | 20 | 20 | 9 | 29 9 | 15 | ♌ |
| 21 33 35 | 21 | 21 | 9 | 27 19 | 14 | ♌ | 21 | 22 | 10 | 28 39 | 15 | 1 | 21 | 22 | 11 | 0♋ 3 | 16 | 1 |
| 37 29 | 22 | 23 | 11 | 28 14 | 15 | 1 | 22 | 23 | 11 | 29 34 | 16 | 2 | 22 | 23 | 13 | 0 57 | 17 | 2 |
| 41 23 | 23 | 24 | 12 | 29 9 | 16 | 2 | 23 | 24 | 12 | ♋ 27 | 17 | 3 | 23 | 24 | 14 | 1 49 | 17 | 3 |
| 21 45 16 | 24 | 26 | 13 | ♋ 3 | 17 | 3 | 24 | 25 | 13 | 1 20 | 18 | 4 | 24 | 25 | 15 | 2 41 | 18 | 4 |
| 49 9 | 25 | 26 | 14 | 0 56 | 17 | 4 | 25 | 26 | 15 | 2 12 | 18 | 4 | 25 | 26 | 16 | 3 32 | 18 | 4 |
| 53 1 | 26 | 28 | 16 | 1 48 | 18 | 5 | 26 | 28 | 17 | 3 4 | 19 | 5 | 26 | 28 | 18 | 4 23 | 19 | 5 |
| 21 56 52 | 27 | 29 | 18 | 2 40 | 19 | 6 | 27 | ♈ | 18 | 3 54 | 20 | 6 | 27 | ♈ | 19 | 5 12 | 20 | 6 |
| 22 0 43 | 28 | ♈ | 19 | 3 31 | 20 | 7 | 28 | 1 | 20 | 4 44 | 21 | 7 | 28 | 1 | 20 | 6 2 | 20 | 7 |
| 4 33 | 29 | 2 | 20 | 4 21 | 20 | 7 | 29 | 2 | 21 | 5 34 | 21 | 7 | 29 | 2 | 22 | 6 50 | 21 | 8 |
| Houses | 4 | 5 | 6 | 7 | 8 | 9 | 4 | 5 | 6 | 7 | 8 | 9 | 4 | 5 | 6 | 7 | 8 | 9 |

Latitude 52° S.  Latitude 53° S.  Latitude 54° S.

# SIMPLIFIED SCIENTIFIC TABLES OF HOUSES

|  | Latitude 52° N. | | | | | | Latitude 53° N. | | | | | | Latitude 54° N. | | | | | |
|---|---|---|---|---|---|---|---|---|---|---|---|---|---|---|---|---|---|---|
| Sider'l Time | 10 ♓ | 11 ♈ | 12 ♉ | Asc. ♋ | 2 ♋ | 3 ♌ | 10 ♓ | 11 ♈ | 12 ♉ | Asc. ♋ | 2 ♋ | 3 ♌ | 10 ♓ | 11 ♈ | 12 ♉ | Asc. ♋ | 2 ♋ | 3 ♌ |
| H M S | ° | ° | ° | ° ′ | ° | ° | ° | ° | ° | ° ′ | ° | ° | ° | ° | ° | ° ′ | ° | ° |
| 22 8 23 | 0 | 3 | 21 | 5 11 | 21 | 8 | 0 | 3 | 22 | 6 23 | 22 | 8 | 0 | 3 | 23 | 7 38 | 22 | 9 |
| 12 12 | 1 | 4 | 22 | 6 0 | 22 | 9 | 1 | 4 | 23 | 7 11 | 23 | 9 | 1 | 4 | 24 | 8 25 | 23 | 10 |
| 16 0 | 2 | 5 | 23 | 6 48 | 23 | 10 | 2 | 5 | 24 | 7 59 | 24 | 10 | 2 | 5 | 25 | 9 12 | 24 | 11 |
| 22 19 48 | 3 | 6 | 25 | 7 36 | 24 | 11 | 3 | 6 | 25 | 8 46 | 24 | 11 | 3 | 6 | 26 | 9 59 | 25 | 12 |
| 23 35 | 4 | 7 | 26 | 8 24 | 25 | 12 | 4 | 7 | 26 | 9 33 | 25 | 12 | 4 | 7 | 27 | 10 44 | 26 | 13 |
| 27 22 | 5 | 9 | 27 | 9 11 | 25 | 12 | 5 | 9 | 28 | 10 19 | 25 | 12 | 5 | 9 | 29 | 11 30 | 26 | 13 |
| 22 31 8 | 6 | 10 | 28 | 9 58 | 26 | 13 | 6 | 10 | 29 | 11 5 | 26 | 13 | 6 | 10 | ♊ | 12 15 | 27 | 15 |
| 34 54 | 7 | 12 | 29 | 10 44 | 27 | 14 | 7 | 11 | ♊ | 11 50 | 27 | 14 | 7 | 11 | 2 | 12 59 | 28 | 15 |
| 38 40 | 8 | 13 | ♊ | 11 30 | 28 | 15 | 8 | 12 | 1 | 12 35 | 27 | 15 | 8 | 13 | 3 | 13 44 | 28 | 16 |
| 22 42 25 | 9 | 14 | 1 | 12 15 | 28 | 16 | 9 | 13 | 3 | 13 20 | 28 | 16 | 9 | 15 | 4 | 14 27 | 29 | 16 |
| 46 9 | 10 | 15 | 3 | 13 0 | 28 | 16 | 10 | 15 | 4 | 14 4 | 29 | 16 | 10 | 16 | 5 | 15 11 | 29 | 17 |
| 49 53 | 11 | 16 | 4 | 13 44 | 29 | 17 | 11 | 16 | 5 | 14 48 | ♌ | 17 | 11 | 17 | 6 | 15 54 | ♌ | 18 |
| 22 53 37 | 12 | 17 | 5 | 14 28 | ♌ | 18 | 12 | 17 | 6 | 15 31 | 1 | 18 | 12 | 18 | 7 | 16 36 | 1 | 19 |
| 57 20 | 13 | 19 | 6 | 15 12 | 1 | 19 | 13 | 19 | 7 | 16 14 | 2 | 19 | 13 | 19 | 8 | 17 18 | 2 | 20 |
| 23 1 3 | 14 | 20 | 7 | 15 56 | 2 | 20 | 14 | 20 | 8 | 16 57 | 2 | 20 | 14 | 20 | 9 | 18 1 | 2 | 21 |
| 23 4 46 | 15 | 21 | 8 | 16 40 | 2 | 20 | 15 | 22 | 9 | 17 40 | 3 | 21 | 15 | 22 | 10 | 18 43 | 3 | 21 |
| 8 28 | 16 | 22 | 9 | 17 22 | 3 | 21 | 16 | 23 | 10 | 18 22 | 4 | 22 | 16 | 23 | 11 | 19 24 | 4 | 22 |
| 12 10 | 17 | 23 | 10 | 18 5 | 4 | 22 | 17 | 24 | 11 | 19 5 | 5 | 23 | 17 | 24 | 12 | 20 6 | 5 | 23 |
| 23 15 52 | 18 | 25 | 11 | 18 47 | 5 | 23 | 18 | 25 | 12 | 19 46 | 5 | 24 | 18 | 25 | 13 | 20 46 | 6 | 24 |
| 19 34 | 19 | 26 | 12 | 19 29 | 6 | 24 | 19 | 26 | 13 | 20 27 | 6 | 25 | 19 | 26 | 14 | 21 27 | 7 | 25 |
| 23 15 | 20 | 27 | 13 | 20 11 | 6 | 24 | 20 | 28 | 14 | 21 8 | 6 | 25 | 20 | 28 | 15 | 22 7 | 7 | 25 |
| 23 26 56 | 21 | 29 | 14 | 20 53 | 7 | 25 | 21 | 29 | 15 | 21 50 | 7 | 26 | 21 | 29 | 16 | 22 48 | 8 | 26 |
| 30 37 | 22 | ♉ | 15 | 21 34 | 8 | 26 | 22 | ♉ | 16 | 22 30 | 8 | 27 | 22 | ♉ | 17 | 23 28 | 9 | 27 |
| 34 18 | 23 | 1 | 16 | 22 16 | 8 | 27 | 23 | 1 | 17 | 23 11 | 9 | 28 | 23 | 1 | 18 | 24 8 | 9 | 28 |
| 23 37 58 | 24 | 2 | 17 | 22 57 | 9 | 28 | 24 | 2 | 18 | 23 52 | 10 | 29 | 24 | 3 | 19 | 24 48 | 10 | 29 |
| 41 39 | 25 | 3 | 18 | 23 38 | 9 | 29 | 25 | 3 | 19 | 24 31 | 10 | 29 | 25 | 4 | 20 | 25 27 | 10 | 29 |
| 45 19 | 26 | 5 | 19 | 24 19 | 10 | ♍ | 26 | 4 | 20 | 25 12 | 11 | ♍ | 26 | 5 | 21 | 26 7 | 11 | ♍ |
| 23 49 0 | 27 | 6 | 20 | 24 59 | 11 | 1 | 27 | 5 | 21 | 25 52 | 12 | 1 | 27 | 6 | 22 | 26 46 | 12 | 1 |
| 52 40 | 28 | 7 | 21 | 25 39 | 12 | 2 | 28 | 7 | 22 | 26 31 | 13 | 2 | 28 | 7 | 23 | 27 25 | 13 | 2 |
| 56 20 | 29 | 8 | 22 | 26 20 | 12 | 2 | 29 | 8 | 23 | 27 11 | 13 | 2 | 29 | 8 | 24 | 28 4 | 13 | 2 |
| Houses | 4 | 5 | 6 | 7 | 8 | 9 | 4 | 5 | 6 | 7 | 8 | 9 | 4 | 5 | 6 | 7 | 8 | 9 |

Latitude 52° S.　　　　Latitude 53° S.　　　　Latitude 54° S.

# SIMPLIFIED SCIENTIFIC TABLES OF HOUSES

|  | Latitude 55° N. | | | | | | | Latitude 56° N. | | | | | | | Latitude 57° N. | | | | | | |
|---|---|---|---|---|---|---|---|---|---|---|---|---|---|---|---|---|---|---|---|---|---|
| Sidor'l Time | 10 ♈ | 11 ♉ | 12 ♊ | Asc. ♋ | | 2 ♌ | 3 ♍ | 10 ♈ | 11 ♉ | 12 ♊ | Asc. ♌ | | 2 ♌ | 3 ♍ | 10 ♈ | 11 ♉ | 12 ♊ | Asc. ♌ | | 2 ♌ | 3 ♍ |
| H M S | ° | ° | ° | ° | ′ | ° | ° | ° | ° | ° | ° | ′ | ° | ° | ° | ° | ° | ° | ′ | ° | ° |
| 0 0 0 | 0 | 10 | 26 | 29 | 37 | 14 | 3 | 0 | 10 | 27 | 0♌32 | | 15 | 3 | 0 | 11 | 28 | 1 | 39 | 16 | 4 |
| 3 40 | 1 | 11 | 27 | 0♌15 | | 15 | 4 | 1 | 11 | 28 | 1 | 10 | 16 | 4 | 1 | 12 | 29 | 2 | 15 | 17 | 5 |
| 7 20 | 2 | 12 | 28 | 0 | 53 | 16 | 5 | 2 | 12 | 29 | 1 | 47 | 17 | 5 | 2 | 13 | ♋ | 2 | 52 | 18 | 6 |
| 0 11 0 | 3 | 13 | 29 | 1 | 31 | 17 | 6 | 3 | 12 | ♋ | 2 | 25 | 17 | 6 | 3 | 14 | 0 | 3 | 28 | 18 | 7 |
| 14 41 | 4 | 14 | 29 | 2 | 9 | 17 | 6 | 4 | 14 | 0 | 3 | 2 | 18 | 6 | 4 | 15 | 1 | 4 | 5 | 19 | 7 |
| 18 21 | 5 | 15 | ♋ | 2 | 47 | 18 | 7 | 5 | 16 | 1 | 3 | 39 | 18 | 7 | 5 | 17 | 2 | 4 | 41 | 19 | 8 |
| 0 22 2 | 6 | 16 | 0 | 3 | 24 | 19 | 8 | 6 | 17 | 2 | 4 | 16 | 19 | 8 | 6 | 18 | 3 | 5 | 17 | 20 | 9 |
| 25 42 | 7 | 17 | 1 | 4 | 2 | 19 | 9 | 7 | 18 | 3 | 4 | 53 | 20 | 9 | 7 | 19 | 4 | 5 | 53 | 20 | 10 |
| 29 23 | 8 | 10 | 2 | 4 | 40 | 20 | 10 | 8 | 19 | 4 | 5 | 30 | 21 | 10 | 8 | 20 | 5 | 6 | 29 | 21 | 11 |
| 0 33 4 | 9 | 19 | 3 | 5 | 17 | 20 | 10 | 9 | 20 | 4 | 6 | 7 | 21 | 10 | 9 | 21 | 5 | 7 | 6 | 21 | 11 |
| 36 45 | 10 | 21 | 4 | 5 | 55 | 21 | 11 | 10 | 21 | 5 | 6 | 44 | 22 | 11 | 10 | 22 | 6 | 7 | 42 | 22 | 12 |
| 40 26 | 11 | 22 | 5 | 6 | 32 | 22 | 12 | 11 | 22 | 6 | 7 | 21 | 23 | 12 | 11 | 23 | 7 | 8 | 18 | 23 | 13 |
| 0 44 8 | 12 | 23 | 6 | 7 | 10 | 23 | 13 | 12 | 23 | 7 | 7 | 57 | 24 | 13 | 12 | 24 | 8 | 8 | 54 | 24 | 14 |
| 47 50 | 13 | 24 | 7 | 7 | 47 | 24 | 14 | 13 | 24 | 8 | 8 | 34 | 24 | 14 | 13 | 25 | 9 | 9 | 30 | 25 | 15 |
| 51 32 | 14 | 25 | 7 | 8 | 25 | 24 | 14 | 14 | 25 | 8 | 9 | 11 | 25 | 14 | 14 | 26 | 9 | 10 | 6 | 25 | 15 |
| 0 55 14 | 15 | 26 | 8 | 9 | 2 | 25 | 15 | 15 | 27 | 9 | 9 | 48 | 25 | 15 | 15 | 28 | 10 | 10 | 42 | 26 | 16 |
| 58 57 | 16 | 27 | 9 | 9 | 40 | 26 | 16 | 16 | 28 | 10 | 10 | 25 | 26 | 16 | 16 | 29 | 11 | 11 | 18 | 26 | 17 |
| 1 2 40 | 17 | 28 | 10 | 10 | 17 | 27 | 17 | 17 | 29 | 11 | 11 | 2 | 27 | 17 | 17 | ♊ | 12 | 11 | 54 | 27 | 18 |
| 1 6 23 | 18 | 29 | 11 | 10 | 55 | 27 | 18 | 18 | ♊ | 12 | 11 | 39 | 28 | 18 | 18 | 1 | 13 | 12 | 31 | 28 | 19 |
| 10 7 | 19 | ♊ | 11 | 11 | 32 | 28 | 19 | 19 | 1 | 12 | 12 | 15 | 28 | 19 | 19 | 2 | 13 | 13 | 7 | 28 | 19 |
| 13 51 | 20 | 1 | 12 | 12 | 10 | 28 | 20 | 20 | 2 | 13 | 12 | 53 | 29 | 20 | 20 | 3 | 14 | 13 | 43 | 29 | 20 |
| 1 17 35 | 21 | 2 | 13 | 12 | 47 | 29 | 21 | 21 | 3 | 14 | 13 | 29 | ♍ | 21 | 21 | 4 | 15 | 14 | 19 | ♍ | 21 |
| 21 20 | 22 | 3 | 14 | 13 | 25 | ♍ | 22 | 22 | 4 | 15 | 14 | 6 | 0 | 22 | 22 | 5 | 16 | 14 | 56 | 0 | 22 |
| 25 6 | 23 | 4 | 15 | 15 | 3 | 0 | 23 | 23 | 5 | 16 | 14 | 43 | 1 | 23 | 23 | 6 | 17 | 15 | 32 | 1 | 23 |
| 1 28 52 | 24 | 5 | 15 | 14 | 40 | 1 | 23 | 24 | 6 | 16 | 15 | 21 | 1 | 23 | 24 | 7 | 17 | 16 | 8 | 2 | 23 |
| 32 38 | 25 | 6 | 16 | 16 | 17 | 2 | 24 | 25 | 7 | 17 | 15 | 28 | 2 | 24 | 25 | 8 | 18 | 16 | 45 | 3 | 24 |
| 36 25 | 26 | 7 | 17 | 16 | 56 | 3 | 25 | 26 | 8 | 18 | 16 | 35 | 3 | 25 | 26 | 9 | 19 | 17 | 21 | 4 | 25 |
| 1 40 12 | 27 | 8 | 18 | 16 | 34 | 4 | 26 | 27 | 9 | 19 | 17 | 13 | 4 | 26 | 27 | 10 | 20 | 17 | 58 | 5 | 26 |
| 44 0 | 28 | 9 | 19 | 17 | 12 | 4 | 27 | 28 | 10 | 20 | 17 | 50 | 5 | 27 | 28 | 11 | 21 | 18 | 34 | 5 | 27 |
| 47 48 | 29 | 10 | 20 | 17 | 50 | 5 | 28 | 29 | 11 | 21 | 18 | 27 | 6 | 28 | 29 | 12 | 22 | 19 | 11 | 6 | 28 |
| Houses | 4 | 5 | 6 | 7 | | 8 | 9 | 4 | 5 | 6 | 7 | | 8 | 9 | 4 | 5 | 6 | 7 | | 8 | 9 |

Latitude 55° S.   Latitude 56° S.   Latitude 57° S.

# SIMPLIFIED SCIENTIFIC TABLES OF HOUSES

Latitude 55° N.  Latitude 56° N.  Latitude 57° N.

| Sider'l Time | 10 ♉ | 11 ♊ | 12 ♋ | Asc. ♌ | 2 ♍ | 3 ♍ | 10 ♉ | 11 ♊ | 12 ♋ | Asc. ♌ | 2 ♍ | 3 ♍ | 10 ♉ | 11 ♊ | 12 ♋ | Asc. ♌ | 2 ♍ | 3 ♍ |
|---|---|---|---|---|---|---|---|---|---|---|---|---|---|---|---|---|---|---|
| H M S | ° | ° | ° | ° ' | ° | ° | ° | ° | ° | ° ' | ° | ° | ° | ° | ° | ° ' | ° | ° |
| 1 51 37 | 0 | 11 | 20 | 18 28 | 5 | 28 | 0 | 12 | 21 | 19 5 | 6 | 28 | 0 | 13 | 22 | 19 48 | 6 | 28 |
| 55 27 | 1 | 12 | 21 | 19 6 | 6 | 28 | 1 | 13 | 22 | 19 42 | 6 | 29 | 1 | 14 | 23 | 20 25 | 7 | 29 |
| 59 17 | 2 | 13 | 22 | 19 45 | 7 | 29 | 2 | 14 | 22 | 20 20 | 7 | ♎ | 2 | 15 | 23 | 21 2 | 8 | ♎ |
| 2 3 8 | 3 | 14 | 23 | 20 23 | 8 | ♎ | 3 | 15 | 23 | 20 58 | 7 | 0 | 3 | 16 | 24 | 21 39 | 9 | 0 |
| 6 59 | 4 | 15 | 23 | 21 1 | 8 | 1 | 4 | 16 | 23 | 21 36 | 8 | 1 | 4 | 16 | 24 | 22 16 | 9 | 1 |
| 10 51 | 5 | 16 | 24 | 21 40 | 9 | 2 | 5 | 17 | 24 | 22 14 | 9 | 2 | 5 | 17 | 25 | 22 54 | 10 | 2 |
| 2 14 44 | 6 | 17 | 25 | 22 19 | 10 | 3 | 6 | 18 | 25 | 22 52 | 10 | 3 | 6 | 18 | 26 | 23 31 | 11 | 3 |
| 18 37 | 7 | 18 | 26 | 22 58 | 11 | 4 | 7 | 19 | 26 | 23 30 | 11 | 4 | 7 | 19 | 27 | 24 8 | 11 | 4 |
| 22 31 | 8 | 19 | 26 | 23 36 | 12 | 5 | 8 | 20 | 27 | 24 8 | 12 | 5 | 8 | 20 | 28 | 24 46 | 12 | 5 |
| 2 26 25 | 9 | 20 | 27 | 24 16 | 12 | 6 | 9 | 20 | 27 | 24 47 | 12 | 6 | 9 | 21 | 28 | 25 24 | 12 | 6 |
| 30 20 | 10 | 21 | 27 | 24 55 | 13 | 7 | 10 | 21 | 28 | 25 25 | 13 | 7 | 10 | 22 | 29 | 26 2 | 13 | 7 |
| 34 16 | 11 | 22 | 28 | 25 34 | 14 | 8 | 11 | 22 | 28 | 26 4 | 14 | 8 | 11 | 23 | ♋ | 26 39 | 14 | 8 |
| 2 38 13 | 12 | 23 | 28 | 26 13 | 15 | 9 | 12 | 23 | 29 | 26 46 | 15 | 9 | 12 | 24 | 0 | 27 18 | 15 | 9 |
| 42 10 | 13 | 24 | 29 | 26 53 | 15 | 10 | 13 | 24 | ♋ | 27 22 | 16 | 10 | 13 | 25 | 1 | 27 56 | 16 | 10 |
| 46 8 | 14 | 25 | ♋ | 27 33 | 16 | 10 | 14 | 25 | 1 | 28 1 | 16 | 10 | 14 | 26 | 2 | 28 34 | 16 | 10 |
| 2 50 7 | 15 | 26 | 1 | 28 12 | 16 | 11 | 15 | 26 | 2 | 28 40 | 17 | 11 | 15 | 27 | 3 | 29 12 | 17 | 11 |
| 54 7 | 16 | 27 | 2 | 28 52 | 17 | 12 | 16 | 27 | 3 | 29 19 | 18 | 12 | 16 | 28 | 4 | 29 51 | 18 | 12 |
| 58 7 | 17 | 28 | 3 | 29 32 | 18 | 13 | 17 | 28 | 4 | 29 58 | 18 | 13 | 17 | 29 | 5 | 0 ♍30 | 19 | 13 |
| 3 2 8 | 18 | 29 | 4 | 0 ♍12 | 19 | 14 | 18 | 29 | 4 | 0 ♍38 | 19 | 14 | 18 | ♋ | 5 | 1 9 | 20 | 14 |
| 6 9 | 19 | 29 | 4 | 0 52 | 19 | 15 | 19 | 29 | 5 | 1 18 | 19 | 15 | 19 | 0 | 6 | 1 47 | 21 | 14 |
| 10 12 | 20 | ♋ | 5 | 1 32 | 20 | 16 | 20 | ♋ | 5 | 1 57 | 20 | 16 | 20 | 1 | 6 | 2 27 | 21 | 15 |
| 3 14 15 | 21 | 1 | 6 | 2 13 | 21 | 17 | 21 | 1 | 6 | 2 37 | 21 | 17 | 21 | 2 | 7 | 3 6 | 22 | 16 |
| 18 19 | 22 | 2 | 7 | 2 54 | 22 | 18 | 22 | 2 | 7 | 3 17 | 22 | 18 | 22 | 3 | 8 | 3 45 | 23 | 17 |
| 22 23 | 23 | 3 | 8 | 3 35 | 23 | 19 | 23 | 3 | 8 | 3 57 | 23 | 19 | 23 | 4 | 9 | 4 24 | 24 | 18 |
| 3 26 29 | 24 | 4 | 8 | 4 15 | 23 | 19 | 24 | 4 | 8 | 4 38 | 23 | 19 | 24 | 5 | 9 | 5 4 | 24 | 19 |
| 30 35 | 25 | 5 | 9 | 4 57 | 24 | 20 | 25 | 5 | 9 | 5 18 | 24 | 20 | 25 | 6 | 10 | 5 44 | 25 | 20 |
| 34 41 | 26 | 6 | 10 | 5 38 | 25 | 21 | 26 | 6 | 10 | 5 59 | 25 | 21 | 26 | 7 | 11 | 6 24 | 26 | 21 |
| 3 38 49 | 27 | 7 | 11 | 6 19 | 26 | 22 | 27 | 7 | 11 | 6 40 | 26 | 22 | 27 | 8 | 12 | 7 4 | 27 | 22 |
| 42 57 | 28 | 8 | 12 | 7 0 | 27 | 23 | 28 | 8 | 12 | 7 20 | 27 | 23 | 28 | 9 | 13 | 7 44 | 27 | 23 |
| 47 6 | 29 | 9 | 13 | 7 42 | 28 | 24 | 29 | 9 | 13 | 8 1 | 28 | 24 | 29 | 10 | 14 | 8 24 | 28 | 24 |
| Houses | 4 | 5 | 6 | 7 | 8 | 9 | 4 | 5 | 6 | 7 | 8 | 9 | 4 | 5 | 6 | 7 | 8 | 9 |

Latitude 55° S.  Latitude 56° S.  Latitude 57° S.

# SIMPLIFIED SCIENTIFIC TABLES OF HOUSES

|  | Latitude 55° N. | | | | | | Latitude 56° N. | | | | | | Latitude 57° N. | | | | | |
|---|---|---|---|---|---|---|---|---|---|---|---|---|---|---|---|---|---|---|
| Sider'l Time | 10 ∏ | 11 ♋ | 12 ♌ | Asc. ♍ | 2 ♍ | 3 ≏ | 10 ∏ | 11 ♋ | 12 ♌ | Asc. ♍ | 2 ♍ | 3 ≏ | 10 ∏ | 11 ♋ | 12 ♌ | Asc. ♍ | 2 ♍ | 3 ≏ |
| H M S | ° | ° | ° | ° ′ | ° | ° | ° | ° | ° | ° ′ | ° | ° | ° | ° | ° | ° ′ | ° | ° |
| 3 51 15 | 0 | 9 | 13 | 8 24 | 28 | 25 | 0 | 10 | 13 | 8 42 | 28 | 25 | 0 | 11 | 14 | 9 4 | 28 | 24 |
| 55 25 | 1 | 10 | 14 | 9 5 | 29 | 26 | 1 | 11 | 14 | 9 23 | 29 | 26 | 1 | 11 | 15 | 9 45 | 29 | 25 |
| 59 36 | 2 | 11 | 15 | 9 47 | ≏ | 27 | 2 | 12 | 15 | 10 5 | ≏ | 27 | 2 | 13 | 16 | 10 25 | ≏ | 26 |
| 4 3 48 | 3 | 12 | 16 | 10 29 | 0 | 28 | 3 | 13 | 16 | 10 46 | 0 | 28 | 3 | 14 | 17 | 11 6 | 0 | 27 |
| 8 0 | 4 | 13 | 16 | 11 11 | 1 | 28 | 4 | 14 | 16 | 11 28 | 1 | 28 | 4 | 14 | 17 | 11 47 | 1 | 28 |
| 12 13 | 5 | 14 | 17 | 11 54 | 2 | 29 | 5 | 15 | 17 | 12 10 | 2 | 29 | 5 | 15 | 18 | 12 28 | 2 | 29 |
| 4 16 26 | 6 | 15 | 18 | 12 36 | 3 | ♏ | 6 | 16 | 18 | 12 51 | 3 | ♏ | 6 | 16 | 19 | 13 9 | 3 | ♏ |
| 20 40 | 7 | 16 | 19 | 13 19 | 4 | 1 | 7 | 17 | 19 | 13 33 | 4 | 1 | 7 | 17 | 20 | 13 50 | 4 | 0 |
| 24 55 | 8 | 17 | 20 | 14 .1 | 5 | 2 | 8 | 18 | 20 | 14 15 | 5 | 2 | 8 | 18 | 21 | 14 32 | 5 | 1 |
| 4 29 10 | 9 | 18 | 20 | 14 44 | 5 | 3 | 9 | 18 | 20 | 14 57 | 5 | 3 | 9 | 19 | 21 | 15 13 | 5 | 2 |
| 33 26 | 10 | 19 | 21 | 15 27 | 6 | 4 | 10 | 19 | 21 | 15 40 | 6 | 4 | 10 | 20 | 22 | 15 55 | 6 | 3 |
| 37 42 | 11 | 20 | 22 | 16 10 | 7 | 5 | 11 | 20 | 22 | 16 22 | 7 | 5 | 11 | 21 | 23 | 16 36 | 7 | 4 |
| 4 41 59 | 12 | 21 | 23 | 16 53 | 8 | 6 | 12 | 21 | 23 | 17 4 | 8 | 6 | 12 | 22 | 24 | 17 18 | 8 | 5 |
| 46 16 | 13 | 22 | 24 | 17 36 | 9 | 7 | 13 | 22 | 24 | 17 47 | 9 | 7 | 13 | 23 | 25 | 18 0 | 9 | 6 |
| 50 34 | 14 | 22 | 24 | 18 20 | 10 | 8 | 14 | 23 | 24 | 18 30 | 9 | 8 | 14 | 23 | 25 | 18 42 | 9 | 7 |
| 4 54 52 | 15 | 23 | 25 | 19 3 | 11 | 9 | 15 | 24 | 25 | 19 12 | 10 | 9 | 15 | 24 | 26 | 19 24 | 10 | 8 |
| 59 10 | 16 | 24 | 26 | 19 46 | 12 | 10 | 16 | 25 | 26 | 19 55 | 11 | 10 | 16 | 25 | 27 | 20 6 | 11 | 9 |
| 5 3 29 | 17 | 25 | 27 | 20 30 | 13 | 11 | 17 | 26 | 27 | 20 38 | 12 | 11 | 17 | 26 | 28 | 20 48 | 12 | 10 |
| 5 7 49 | 18 | 26 | 28 | 21 13 | 14 | 12 | 18 | 27 | 28 | 21 21 | 13 | 12 | 18 | 27 | 28 | 21 30 | 13 | 11 |
| 12 9 | 19 | 27 | 28 | 21 57 | 14 | 13 | 19 | 27 | 28 | 22 4 | 13 | 12 | 19 | 28 | 29 | 22 12 | 13 | 12 |
| 16 29 | 20 | 28 | 29 | 22 41 | 15 | 14 | 20 | 28 | 29 | 22 47 | 14 | 13 | 20 | 29 | ♍ | 22 55 | 14 | 13 |
| 5 20 49 | 21 | 29 | ♍ | 23 24 | 16 | 15 | 21 | 29 | ♍ | 23 30 | 15 | 14 | 21 | ♌ | 0 | 23 27 | 15 | 14 |
| 25 9 | 22 | ♌ | 0 | 24 8 | 17 | 16 | 22 | ♌ | 0 | 24 13 | 16 | 15 | 22 | 0 | 1 | 24 19 | 16 | 15 |
| 29 30 | 23 | 0 | 1 | 24 52 | 18 | 17 | 23 | 1 | 1 | 24 56 | 17 | 16 | 23 | 1 | 2 | 25 2 | 17 | 16 |
| 5 33 51 | 24 | 1 | 2 | 25 36 | 18 | 17 | 24 | 2 | 2 | 25 40 | 18 | 17 | 24 | 2 | 3 | 25 44 | 17 | 16 |
| 38 12 | 25 | 2 | 3 | 26 20 | 19 | 18 | 25 | 3 | 3 | 26 23 | 19 | 18 | 25 | 3 | 4 | 26 27 | 18 | 17 |
| 42 34 | 26 | 3 | 4 | 27 4 | 20 | 19 | 26 | 4 | 4 | 27 6 | 20 | 19 | 26 | 4 | 5 | 27 9 | 19 | 18 |
| 5 46 55 | 27 | 4 | 5 | 27 48 | 21 | 20 | 27 | 5 | 5 | 27 50 | 21 | 20 | 27 | 5 | 6 | 27 52 | 20 | 19 |
| 51 17 | 28 | 5 | 6 | 28 32 | 22 | 21 | 28 | 6 | 6 | 28 23 | 22 | 21 | 28 | 6 | 7 | 28 35 | 21 | 20 |
| 55 38 | 29 | 6 | 7 | 29 16 | 23 | 22 | 29 | 7 | 7 | 29 16 | 23 | 22 | 29 | 7 | 8 | 29 17 | 22 | 21 |
| Houses | 4 | 5 | 6 | 7 | 8 | 9 | 4 | 5 | 6 | 7 | 8 | 9 | 4 | 5 | 6 | 7 | 8 | 9 |

Latitude 55° S.  Latitude 56° S.  Latitude 57° S.

# SIMPLIFIED SCIENTIFIC TABLES OF HOUSES

Latitude 55° N.  Latitude 56° N.  Latitude 57° N.

| Sider'l Time | 10 ♋ | 11 ♌ | 12 ♍ | Asc. ♎ | | 2 ♎ | 3 ♏ | 10 ♋ | 11 ♌ | 12 ♍ | Asc. ♎ | | 2 ♎ | 3 ♏ | 10 ♋ | 11 ♌ | 12 ♍ | Asc. ♎ | | 2 ♎ | 3 ♏ |
|---|---|---|---|---|---|---|---|---|---|---|---|---|---|---|---|---|---|---|---|---|---|
| H M S | ° | ° | ° | ° | ′ | ° | ° | ° | ° | ° | ° | ′ | ° | ° | ° | ° | ° | ° | ′ | ° | ° |
| 6 0 0 | 0 | 7 | 7 | 0 | 0 | 23 | 23 | 0 | 7 | 7 | 0 | 0 | 23 | 23 | 0 | 8 | 8 | 0 | 0 | 22 | 22 |
| 4 22 | 1 | 8 | 8 | 0 | 44 | 24 | 24 | 1 | 8 | 8 | 0 | 44 | 24 | 24 | 1 | 9 | 9 | 0 | 43 | 23 | 23 |
| 8 43 | 2 | 9 | 9 | 1 | 28 | 25 | 25 | 2 | 9 | 9 | 1 | 27 | 25 | 25 | 2 | 10 | 10 | 1 | 25 | 24 | 24 |
| 6 13 5 | 3 | 10 | 10 | 2 | 12 | 26 | 26 | 3 | 10 | 10 | 2 | 10 | 26 | 26 | 3 | 11 | 11 | 2 | 8 | 25 | 25 |
| 17 26 | 4 | 11 | 10 | 2 | 56 | 26 | 26 | 4 | 11 | 10 | 2 | 54 | 26 | 26 | 4 | 12 | 11 | 2 | 51 | 25 | 26 |
| 21 48 | 5 | 12 | 11 | 3 | 40 | 27 | 27 | 5 | 12 | 11 | 3 | 37 | 27 | 27 | 5 | 13 | 12 | 3 | 33 | 26 | 27 |
| 6 26 9 | 6 | 13 | 12 | 4 | 24 | 28 | 28 | 6 | 13 | 12 | 4 | 20 | 28 | 28 | 6 | 14 | 13 | 4 | 16 | 27 | 28 |
| 30 30 | 7 | 14 | 13 | 5 | 8 | 29 | 29 | 7 | 14 | 13 | 5 | 3 | 29 | 29 | 7 | 15 | 14 | 4 | 58 | 28 | 29 |
| 34 51 | 8 | 15 | 14 | 5 | 52 | ♏ | ♐ | 8 | 15 | 14 | 5 | 47 | ♏ | ♐ | 8 | 16 | 15 | 5 | 41 | 29 | ♐ |
| 6 39 11 | 9 | 15 | 14 | 6 | 36 | 0 | 1 | 9 | 16 | 14 | 6 | 30 | 0 | 1 | 9 | 17 | 16 | 6 | 23 | ♏ | 0 |
| 43 31 | 10 | 16 | 15 | 7 | 19 | 1 | 2 | 10 | 17 | 15 | 7 | 13 | 1 | 2 | 10 | 18 | 17 | 7 | 5 | 0 | 1 |
| 47 51 | 11 | 17 | 16 | 8 | 3 | 2 | 3 | 11 | 18 | 16 | 7 | 56 | 2 | 3 | 11 | 19 | 18 | 7 | 48 | 1 | 2 |
| 6 52 11 | 12 | 18 | 17 | 8 | 47 | 3 | 4 | 12 | 19 | 17 | 8 | 39 | 3 | 4 | 12 | 20 | 18 | 8 | 30 | 2 | 3 |
| 56 31 | 13 | 19 | 18 | 9 | 30 | 4 | 5 | 13 | 20 | 18 | 9 | 22 | 4 | 5 | 13 | 21 | 19 | 9 | 12 | 3 | 4 |
| 7 0 50 | 14 | 20 | 18 | 10 | 14 | 4 | 6 | 14 | 20 | 18 | 10 | 5 | 4 | 5 | 14 | 21 | 19 | 9 | 54 | 3 | 5 |
| 7 5 8 | 15 | 21 | 19 | 10 | 57 | 5 | 7 | 15 | 21 | 19 | 10 | 48 | 5 | 6 | 15 | 22 | 20 | 10 | 36 | 4 | 6 |
| 9 26 | 16 | 22 | 20 | 11 | 40 | 6 | 8 | 16 | 22 | 20 | 11 | 30 | 6 | 7 | 16 | 23 | 21 | 11 | 18 | 5 | 7 |
| 13 44 | 17 | 23 | 21 | 12 | 24 | 7 | 9 | 17 | 23 | 21 | 12 | 13 | 7 | 8 | 17 | 24 | 22 | 12 | 0 | 6 | 8 |
| 7 18 1 | 18 | 24 | 22 | 13 | 7 | 8 | 10 | 18 | 24 | 22 | 12 | 56 | 8 | 9 | 18 | 25 | 23 | 12 | 42 | 7 | 9 |
| 22 18 | 19 | 25 | 22 | 13 | 50 | 8 | 10 | 19 | 25 | 23 | 13 | 38 | 8 | 10 | 19 | 26 | 23 | 13 | 24 | 7 | 9 |
| 26 34 | 20 | 26 | 23 | 14 | 33 | 9 | 11 | 20 | 26 | 24 | 14 | 20 | 9 | 11 | 20 | 27 | 24 | 14 | 5 | 8 | 10 |
| 7 30 50 | 21 | 27 | 24 | 15 | 16 | 10 | 12 | 21 | 27 | 25 | 15 | 3 | 10 | 12 | 21 | 27 | 25 | 14 | 47 | 9 | 11 |
| 35 5 | 22 | 28 | 25 | 15 | 59 | 11 | 13 | 22 | 28 | 26 | 16 | 45 | 11 | 13 | 22 | 28 | 26 | 15 | 28 | 10 | 12 |
| 39 20 | 23 | 29 | 26 | 16 | 41 | 12 | 14 | 23 | 29 | 27 | 16 | 27 | 12 | 14 | 23 | 28 | 27 | 16 | 10 | 11 | 13 |
| 7 43 34 | 24 | 29 | 27 | 17 | 24 | 12 | 15 | 24 | 29 | 27 | 17 | 9 | 12 | 14 | 24 | 29 | 27 | 16 | 51 | 11 | 14 |
| 47 47 | 25 | ♍ | 28 | 18 | 6 | 13 | 16 | 25 | ♍ | 28 | 17 | 50 | 13 | 15 | 25 | ♍ | 28 | 17 | 32 | 12 | 15 |
| 52 0 | 26 | 1 | 29 | 18 | 49 | 14 | 17 | 26 | 1 | 29 | 18 | 32 | 14 | 16 | 26 | 2 | 29 | 18 | 13 | 13 | 16 |
| 7 56 12 | 27 | 2 | ♎ | 19 | 31 | 15 | 18 | 27 | 2 | ♎ | 19 | 14 | 15 | 17 | 27 | 3 | ♎ | 18 | 54 | 14 | 17 |
| 8 0 24 | 28 | 3 | 1 | 20 | 13 | 16 | 19 | 28 | 3 | 1 | 19 | 55 | 16 | 18 | 28 | 4 | 1 | 19 | 35 | 15 | 18 |
| 4 35 | 29 | 4 | 2 | 20 | 55 | 17 | 20 | 29 | 4 | 2 | 20 | 37 | 17 | 19 | 29 | 5 | 2 | 20 | 15 | 16 | 19 |
| Houses | 4 | 5 | 6 | 7 | | 8 | 9 | 4 | 5 | 6 | 7 | | 8 | 9 | 4 | 5 | 6 | 7 | | 8 | 9 |

Latitude 55° S.  Latitude 56° S.  Latitude 57° S.

# SIMPLIFIED SCIENTIFIC TABLES OF HOUSES

Latitude 55° N.  Latitude 56° N.  Latitude 57° N.

| Sider'l Time | 10 ♌ | 11 ♍ | 12 ♎ | Asc. ♎ | 2 ♏ | 3 ♐ | 10 ♌ | 11 ♍ | 12 ♎ | Asc. ♎ | 2 ♏ | 3 ♐ | 10 ♌ | 11 ♍ | 12 ♎ | Asc. ♎ | 2 ♏ | 3 ♐ |
|---|---|---|---|---|---|---|---|---|---|---|---|---|---|---|---|---|---|---|
| H M S | ° | ° | ° | ° ′ | ° | ° | ° | ° | ° | ° ′ | ° | ° | ° | ° | ° | ° ′ | ° | ° |
| 8  8 45 | 0 | 5 | 2 | 21 36 | 17 | 20 | 0 | 5 | 2 | 21 18 | 17 | 20 | 0 | 6 | 2 | 20 56 | 16 | 19 |
| 12 54 | 1 | 6 | 3 | 22 18 | 18 | 21 | 1 | 6 | 3 | 21 59 | 18 | 21 | 1 | 7 | 3 | 21 36 | 17 | 20 |
| 17  3 | 2 | 7 | 4 | 23  0 | 19 | 22 | 2 | 7 | 4 | 22 40 | 19 | 22 | 2 | 8 | 3 | 22 16 | 18 | 21 |
| 8 21 11 | 3 | 8 | 5 | 23 41 | 20 | 23 | 3 | 8 | 5 | 23 20 | 20 | 23 | 3 | 9 | 4 | 22 56 | 19 | 22 |
| 25 19 | 4 | 9 | 5 | 24 22 | 20 | 24 | 4 | 9 | 5 | 24  1 | 20 | 24 | 4 | 9 | 4 | 23 36 | 19 | 23 |
| 29 26 | 5 | 10 | 6 | 25  3 | 21 | 25 | 5 | 10 | 6 | 24 42 | 21 | 25 | 5 | 10 | 5 | 24 16 | 20 | 24 |
| 8 33 31 | 6 | 11 | 7 | 25 45 | 22 | 26 | 6 | 11 | 7 | 25 22 | 22 | 26 | 6 | 11 | 6 | 24 56 | 21 | 25 |
| 37 37 | 7 | 12 | 8 | 26 25 | 23 | 27 | 7 | 12 | 8 | 26  3 | 22 | 27 | 7 | 12 | 7 | 25 36 | 22 | 26 |
| 41 41 | 8 | 13 | 9 | 27  6 | 24 | 28 | 8 | 13 | 8 | 26 43 | 23 | 28 | 8 | 13 | 8 | 26 15 | 23 | 27 |
| 8 45 45 | 9 | 13 | 10 | 27 47 | 24 | 28 | 9 | 13 | 9 | 27 23 | 23 | 28 | 9 | 14 | 8 | 26 54 | 23 | 28 |
| 49 48 | 10 | 14 | 10 | 28 27 | 25 | 29 | 10 | 14 | 9 | 28  3 | 24 | 29 | 10 | 15 | 9 | 27 33 | 24 | 29 |
| 53 51 | 11 | 15 | 11 | 29  8 | 26 | ♑ | 11 | 15 | 10 | 28 42 | 25 | ♑ | 11 | 16 | 10 | 28 13 | 25 | ♑ |
| 8 57 52 | 12 | 16 | 12 | 29 48 | 27 | 1 | 12 | 16 | 11 | 29 22 | 26 | 1 | 12 | 17 | 11 | 28 52 | 26 | 0 |
| 9  1 53 | 13 | 17 | 12 | 0♏28 | 28 | 2 | 13 | 17 | 12 | 0♏2 | 27 | 2 | 13 | 18 | 12 | 29 30 | 26 | 1 |
| 5 53 | 14 | 18 | 13 | 1  8 | 28 | 3 | 14 | 18 | 12 | 0 41 | 27 | 3 | 14 | 18 | 12 | 0♏09 | 27 | 2 |
| 9  9 53 | 15 | 19 | 13 | 1 48 | 29 | 4 | 15 | 19 | 13 | 1 20 | 28 | 4 | 15 | 19 | 13 | 0 48 | 27 | 3 |
| 13 52 | 16 | 20 | 14 | 2 27 | ♐ | 5 | 16 | 20 | 14 | 1 59 | 29 | 5 | 16 | 20 | 14 | 1 26 | 28 | 4 |
| 17 50 | 17 | 21 | 15 | 3  7 | 0 | 6 | 17 | 21 | 15 | 2 38 | ♐ | 6 | 17 | 21 | 15 | 2  4 | 29 | 5 |
| 9 21 47 | 18 | 22 | 16 | 3 47 | 1 | 7 | 18 | 22 | 16 | 3 17 | 0 | 7 | 18 | 22 | 16 | 2 42 | 29 | 6 |
| 25 44 | 19 | 22 | 17 | 4 26 | 2 | 8 | 19 | 22 | 16 | 3 56 | 1 | 7 | 19 | 22 | 16 | 3 21 | ♐ | 7 |
| 29 40 | 20 | 23 | 17 | 5  5 | 3 | 9 | 20 | 23 | 17 | 4 35 | 2 | 8 | 20 | 23 | 17 | 3 58 | 1 | 8 |
| 9 33 35 | 21 | 24 | 18 | 5 44 | 4 | 10 | 21 | 24 | 18 | 5 13 | 3 | 9 | 21 | 24 | 18 | 4 36 | 2 | 9 |
| 37 29 | 22 | 25 | 19 | 6 24 | 5 | 11 | 22 | 25 | 19 | 5 52 | 4 | 10 | 22 | 25 | 18 | 5 14 | 3 | 10 |
| 41 23 | 23 | 26 | 20 | 7  2 | 5 | 12 | 23 | 26 | 20 | 6 30 | 5 | 11 | 23 | 26 | 19 | 5 52 | 4 | 11 |
| 9 45 16 | 24 | 27 | 20 | 7 41 | 6 | 13 | 24 | 27 | 20 | 7  8 | 5 | 12 | 24 | 27 | 19 | 6 29 | 4 | 12 |
| 49  9 | 25 | 28 | 21 | 8 20 | 6 | 14 | 25 | 28 | 21 | 7 46 | 6 | 13 | 25 | 28 | 20 | 7  6 | 5 | 13 |
| 53  1 | 26 | 29 | 22 | 8 59 | 7 | 15 | 26 | 29 | 22 | 8 24 | 7 | 14 | 26 | 29 | 21 | 7 44 | 6 | 14 |
| 9 56 52 | 27 | ♎ | 23 | 9 37 | 8 | 16 | 27 | ♎ | 23 | 9  2 | 8 | 15 | 27 | ♎ | 22 | 8 21 | 7 | 15 |
| 10  0 43 | 28 | 1 | 24 | 10 15 | 9 | 17 | 28 | 1 | 24 | 9 40 | 8 | 16 | 28 | 1 | 23 | 8 58 | 7 | 16 |
| 4 33 | 29 | 2 | 25 | 10 54 | 10 | 18 | 29 | 2 | 25 | 10 18 | 9 | 17 | 29 | 2 | 24 | 9 35 | 8 | 17 |
| Houses | 4 | 5 | 6 | 7 | 8 | 9 | 4 | 5 | 6 | 7 | 8 | 9 | 4 | 5 | 6 | 7 | 8 | 9 |

Latitude 55° S.  Latitude 56° S.  Latitude 57° S.

|  | Latitude 55° N. | | | | | | Latitude 56° N. | | | | | | Latitude 57° N. | | | | | |
|---|---|---|---|---|---|---|---|---|---|---|---|---|---|---|---|---|---|---|
| Sider'l Time | 10 ♍ | 11 ≏ | 12 ≏ | Asc. ♏ | 2 ♐ | 3 ♑ | 10 ♍ | 11 ≏ | 12 ≏ | Asc. ♏ | 2 ♐ | 3 ♑ | 10 ♍ | 11 ≏ | 12 ≏ | Asc. ♏ | 2 ♐ | 3 ♑ |
| H M S | ° | ° | ° | ′ ° | ° | ° | ° | ° | ° | ′ ° | ° | ° | ° | ° | ° | ′ ° | ° | ° |
| 10 8 23 | 0 | 2 | 25 | 11 32 | 10 | 19 | 0 | 2 | 24 | 10 55 | 9 | 18 | 0 | 2 | 24 | 10 12 | 8 | 17 |
| 12 12 | 1 | 3 | 26 | 12 10 | 11 | 20 | 1 | 3 | 25 | 11 33 | 10 | 19 | 1 | 3 | 25 | 10 49 | 9 | 18 |
| 16 0 | 2 | 4 | 27 | 12 48 | 12 | 21 | 2 | 4 | 26 | 12 10 | 11 | 20 | 2 | 4 | 25 | 11 26 | 10 | 19 |
| 10 19 48 | 3 | 5 | 27 | 13 26 | 13 | 22 | 3 | 5 | 27 | 12 47 | 12 | 21 | 3 | 5 | 26 | 12 2 | 11 | 20 |
| 23 35 | 4 | 5 | 28 | 14 4 | 13 | 23 | 4 | 5 | 27 | 13 25 | 12 | 22 | 4 | 5 | 26 | 12 39 | 11 | 21 |
| 27 22 | 5 | 6 | 28 | 14 43 | 14 | 24 | 5 | 6 | 28 | 14 2 | 13 | 23 | 5 | 6 | 27 | 13 15 | 12 | 22 |
| 10 31 8 | 6 | 7 | 29 | 15 20 | 15 | 25 | 6 | 7 | 28 | 14 39 | 14 | 24 | 6 | 7 | 28 | 13 52 | 13 | 23 |
| 34 54 | 7 | 8 | ♏ | 15 57 | 16 | 26 | 7 | 8 | 29 | 15 17 | 15 | 25 | 7 | 8 | 29 | 14 28 | 14 | 24 |
| 38 40 | 8 | 9 | 0 | 16 35 | 17 | 27 | 8 | 9 | ♏ | 15 54 | 16 | 26 | 8 | 9 | ♏ | 15 5 | 15 | 25 |
| 10 42 25 | 9 | 9 | 1 | 17 13 | 17 | 28 | 9 | 9 | 0 | 16 31 | 16 | 27 | 9 | 9 | 0 | 15 41 | 15 | 26 |
| 46 9 | 10 | 10 | 2 | 17 50 | 18 | 29 | 10 | 10 | 1 | 17 7 | 17 | 28 | 10 | 10 | 1 | 16 17 | 16 | 27 |
| 49 53 | 11 | 11 | 3 | 18 28 | 19 | ♒ | 11 | 11 | 2 | 17 45 | 18 | 29 | 11 | 11 | 2 | 16 53 | 17 | 28 |
| 10 53 37 | 12 | 12 | 4 | 19 5 | 20 | 1 | 12 | 12 | 3 | 18 21 | 19 | ♒ | 12 | 12 | 3 | 17 29 | 18 | 29 |
| 57 20 | 13 | 13 | 4 | 19 43 | 21 | 2 | 13 | 13 | 4 | 18 58 | 20 | 1 | 13 | 13 | 3 | 18 6 | 19 | ♒ |
| 11 1 3 | 14 | 14 | 5 | 20 20 | 21 | 3 | 14 | 13 | 4 | 19 35 | 20 | 2 | 14 | 13 | 4 | 18 42 | 19 | 1 |
| 11 4 46 | 15 | 15 | 5 | 20 58 | 22 | 4 | 15 | 14 | 5 | 20 12 | 21 | 3 | 15 | 14 | 4 | 19 18 | 20 | 2 |
| 8 28 | 16 | 16 | 6 | 21 35 | 23 | 5 | 16 | 15 | 6 | 20 49 | 22 | 4 | 16 | 15 | 5 | 19 54 | 21 | 3 |
| 12 10 | 17 | 17 | 7 | 22 13 | 24 | 6 | 17 | 16 | 7 | 21 26 | 23 | 5 | 17 | 16 | 6 | 20 30 | 22 | 4 |
| 11 15 52 | 18 | 18 | 8 | 22 50 | 25 | 7 | 18 | 17 | 7 | 22 3 | 24 | 6 | 18 | 17 | 7 | 21 6 | 23 | 5 |
| 19 34 | 19 | 18 | 8 | 23 28 | 25 | 8 | 19 | 18 | 8 | 22 39 | 24 | 7 | 19 | 17 | 7 | 21 42 | 23 | 6 |
| 23 15 | 20 | 19 | 9 | 24 5 | 26 | 9 | 20 | 19 | 8 | 23 16 | 25 | 9 | 20 | 18 | 8 | 22 18 | 24 | 8 |
| 11 26 56 | 21 | 20 | 10 | 24 43 | 27 | 10 | 21 | 20 | 9 | 23 53 | 26 | 10 | 21 | 19 | 9 | 22 54 | 25 | 9 |
| 30 37 | 22 | 21 | 10 | 25 20 | 28 | 11 | 22 | 21 | 10 | 24 30 | 27 | 11 | 22 | 20 | 9 | 23 31 | 26 | 10 |
| 34 18 | 23 | 22 | 11 | 25 58 | 28 | 12 | 23 | 22 | 11 | 25 7 | 28 | 12 | 23 | 21 | 10 | 24 7 | 27 | 11 |
| 11 37 58 | 24 | 22 | 12 | 26 36 | 29 | 13 | 24 | 22 | 11 | 25 44 | 28 | 13 | 24 | 21 | 10 | 24 43 | 27 | 12 |
| 41 39 | 25 | 23 | 12 | 27 13 | ♑ | 15 | 25 | 23 | 12 | 26 21 | 29 | 14 | 25 | 22 | 11 | 25 19 | 28 | 13 |
| 45 19 | 26 | 24 | 13 | 27 51 | 1 | 16 | 26 | 24 | 13 | 26 58 | ♑ | 15 | 26 | 23 | 12 | 25 55 | 29 | 14 |
| 11 49 0 | 27 | 24 | 14 | 28 29 | 2 | 17 | 27 | 24 | 13 | 27 35 | 1 | 16 | 27 | 24 | 13 | 26 32 | ♑ | 15 |
| 52 40 | 28 | 25 | 14 | 29 6 | 2 | 18 | 28 | 25 | 14 | 28 13 | 1 | 18 | 28 | 25 | 13 | 27 8 | 1 | 17 |
| 56 20 | 29 | 26 | 15 | 29 45 | 3 | 19 | 29 | 26 | 15 | 28 50 | 2 | 19 | 29 | 26 | 14 | 27 45 | 1 | 18 |
| Houses | 4 | 5 | 6 | 7 | 8 | 9 | 4 | 5 | 6 | 7 | 8 | 9 | 4 | 5 | 6 | 7 | 8 | 9 |

Latitude 55° S.          Latitude 56° S.          Latitude 57° S.

# SIMPLIFIED SCIENTIFIC TABLES OF HOUSES

Latitude 55° N.  Latitude 56° N.  Latitude 57° N.

| Sider'l Time H M S | Lat 55° N 10 ♎ | 11 ♎ | 12 ♏ | Asc. ♐ | 2 ♑ | 3 ♒ | Lat 56° N 10 ♎ | 11 ♎ | 12 ♏ | Asc. ♏ | 2 ♑ | 3 ♒ | Lat 57° N 10 ♏ | 11 ♏ | 12 ♏ | Asc. | 2 ♑ | 3 ♒ |
|---|---|---|---|---|---|---|---|---|---|---|---|---|---|---|---|---|---|---|
| 12 0 0 | 0 | 27 | 16 | 0 23 | 4 | 20 | 0 | 27 | 15 | 29 28 | 3 | 20 | 0 | 26 | 14 | 28 21 | 2 | 19 |
| 3 40 | 1 | 28 | 16 | 1 1 | 5 | 21 | 1 | 28 | 16 | 0 ♐5 | 4 | 21 | 1 | 27 | 15 | 28 58 | 3 | 20 |
| 7 20 | 2 | 28 | 17 | 1 40 | 6 | 23 | 2 | 28 | 17 | 0 42 | 5 | 22 | 2 | 28 | 16 | 29 35 | 4 | 21 |
| 12 11 0 | 3 | 29 | 18 | 2 18 | 7 | 24 | 3 | 29 | 17 | 1 20 | 6 | 23 | 3 | 29 | 17 | 0 ♐11 | 5 | 22 |
| 14 41 | 4 | ♏ | 18 | 2 56 | 8 | 25 | 4 | ♏ | 18 | 1 58 | 7 | 25 | 4 | 29 | 17 | 0 48 | 5 | 23 |
| 18 21 | 5 | 1 | 19 | 3 35 | 9 | 26 | 5 | 1 | 19 | 2 36 | 8 | 26 | 5 | ♏ | 18 | 1 25 | 6 | 25 |
| 12 22 2 | 6 | 2 | 20 | 4 14 | 10 | 27 | 6 | 2 | 19 | 3 14 | 8 | 27 | 6 | 0 | 19 | 2 5 | 7 | 26 |
| 25 42 | 7 | 3 | 21 | 4 53 | 11 | 28 | 7 | 3 | 20 | 3 52 | 9 | 28 | 7 | 1 | 19 | 2 40 | 8 | 28 |
| 29 23 | 8 | 4 | 22 | 5 32 | 12 | 29 | 8 | 4 | 21 | 4 31 | 10 | 29 | 8 | 2 | 20 | 3 17 | 9 | 29 |
| 12 33 4 | 9 | 4 | 22 | 6 12 | 12 | ♓ | 9 | 4 | 21 | 5 10 | 11 | ♓ | 9 | 3 | 20 | 3 55 | 10 | ♓ |
| 36 45 | 10 | 5 | 23 | 6 51 | 13 | 2 | 10 | 5 | 22 | 5 48 | 12 | 2 | 10 | 4 | 21 | 4 33 | 11 | 1 |
| 40 26 | 11 | 6 | 24 | 7 31 | 14 | 3 | 11 | 6 | 23 | 6 27 | 13 | 3 | 11 | 5 | 22 | 5 11 | 12 | 2 |
| 12 44 8 | 12 | 7 | 24 | 8 11 | 15 | 4 | 12 | 7 | 23 | 7 6 | 14 | 4 | 12 | 6 | 23 | 5 49 | 13 | 3 |
| 47 50 | 13 | 8 | 25 | 8 51 | 16 | 5 | 13 | 8 | 24 | 7 46 | 15 | 6 | 13 | 7 | 24 | 6 27 | 14 | 4 |
| 51 32 | 14 | 8 | 25 | 9 32 | 17 | 6 | 14 | 8 | 24 | 8 25 | 16 | 7 | 14 | 7 | 24 | 7 6 | 15 | 5 |
| 12 55 14 | 15 | 9 | 26 | 10 13 | 18 | 8 | 15 | 9 | 25 | 9 5 | 17 | 8 | 15 | 8 | 25 | 7 45 | 16 | 7 |
| 58 57 | 16 | 10 | 27 | 10 54 | 19 | 9 | 16 | 10 | 26 | 9 45 | 18 | 9 | 16 | 9 | 26 | 8 24 | 17 | 8 |
| 13 2 40 | 17 | 11 | 27 | 11 35 | 20 | 10 | 17 | 11 | 27 | 10 26 | 19 | 10 | 17 | 10 | 26 | 9 3 | 18 | 9 |
| 13 6 23 | 18 | 12 | 28 | 12 16 | 21 | 11 | 18 | 12 | 28 | 11 6 | 20 | 11 | 18 | 11 | 27 | 9 43 | 19 | 11 |
| 10 7 | 19 | 12 | 28 | 12 58 | 22 | 12 | 19 | 12 | 28 | 11 47 | 21 | 12 | 19 | 11 | 27 | 10 23 | 20 | 13 |
| 13 51 | 20 | 13 | 29 | 13 40 | 24 | 14 | 20 | 13 | 29 | 12 28 | 23 | 14 | 20 | 12 | 28 | 11 3 | 21 | 14 |
| 13 17 35 | 21 | 14 | ♐ | 14 23 | 25 | 15 | 21 | 14 | ♐ | 13 10 | 24 | 15 | 21 | 13 | 29 | 11 42 | 22 | 15 |
| 21 20 | 22 | 15 | 0 | 15 6 | 26 | 17 | 22 | 15 | 0 | 13 52 | 25 | 16 | 22 | 14 | ♐ | 12 24 | 23 | 16 |
| 25 6 | 23 | 16 | 1 | 15 49 | 27 | 19 | 23 | 16 | 1 | 14 34 | 26 | 17 | 23 | 15 | 0 | 13 5 | 24 | 17 |
| 13 28 52 | 24 | 16 | 2 | 16 32 | 28 | 20 | 24 | 16 | 1 | 15 17 | 27 | 18 | 24 | 15 | 1 | 13 46 | 25 | 18 |
| 32 38 | 25 | 17 | 3 | 17 17 | 29 | 21 | 25 | 17 | 2 | 16 0 | 29 | 20 | 25 | 16 | 2 | 14 28 | 27 | 20 |
| 36 25 | 26 | 18 | 4 | 18 1 | ♒ | 22 | 26 | 18 | 3 | 16 43 | ♒ | 21 | 26 | 17 | 2 | 15 10 | 28 | 21 |
| 13 40 12 | 27 | 19 | 5 | 18 46 | 1 | 23 | 27 | 19 | 4 | 17 27 | 1 | 23 | 27 | 18 | 3 | 15 53 | 29 | 23 |
| 44 0 | 28 | 20 | 6 | 19 31 | 3 | 24 | 28 | 20 | 5 | 18 12 | 2 | 25 | 28 | 19 | 3 | 16 36 | ♒ | 25 |
| 47 48 | 29 | 21 | 7 | 20 17 | 4 | 25 | 29 | 20 | 5 | 18 56 | 3 | 26 | 29 | 19 | 4 | 17 19 | 1 | 26 |

| Houses | 4 | 5 | 6 | 7 | 8 | 9 | 4 | 5 | 6 | 7 | 8 | 9 | 4 | 5 | 6 | 7 | 8 | 9 |

Latitude 55° S.  Latitude 56° S.  Latitude 57° S.

# SIMPLIFIED SCIENTIFIC TABLES OF HOUSES

### Latitude 55° N.   Latitude 56° N.   Latitude 57° N.

| Sider'l Time | 10 ♏ | 11 ♏ | 12 ♐ | Asc. ♐ | 2 ♒ | 3 ♓ | 10 ♏ | 11 ♏ | 12 ♐ | Asc. ♐ | 2 ♒ | 3 ♓ | 10 ♏ | 11 ♏ | 12 ♐ | Asc. ♐ | 2 ♒ | 3 ♓ |
|---|---|---|---|---|---|---|---|---|---|---|---|---|---|---|---|---|---|---|
| H M S | ° | ° | ° | ° ' | ° | ° | ° | ° | ° | ° ' | ° | ° | ° | ° | ° | ° ' | ° | ° |
| 13 51 37 | 0 | 21 | 7 | 21 3 | 6 | 27 | 0 | 21 | 6 | 19 42 | 5 | 27 | 0 | 20 | 5 | 18 4 | 3 | 27 |
| 55 27 | 1 | 22 | 8 | 21 50 | 7 | 29 | 1 | 22 | 7 | 20 27 | 6 | 28 | 1 | 21 | 6 | 18 48 | 4 | 28 |
| 59 17 | 2 | 23 | 9 | 22 38 | 8 | ♈ | 2 | 23 | 8 | 21 14 | 7 | 29 | 2 | 22 | 7 | 19 33 | 5 | 29 |
| 14 3 8 | 3 | 24 | 10 | 23 26 | 10 | 1 | 3 | 24 | 9 | 22 1 | 8 | ♈ | 3 | 23 | 8 | 20 18 | 7 | ♈ |
| 6 59 | 4 | 24 | 10 | 24 15 | 12 | 3 | 4 | 24 | 9 | 22 48 | 10 | 2 | 4 | 24 | 9 | 21 4 | 9 | 2 |
| 10 51 | 5 | 25 | 11 | 25 4 | 13 | 4 | 5 | 25 | 10 | 23 36 | 12 | 4 | 5 | 25 | 10 | 21 51 | 11 | 3 |
| 14 14 44 | 6 | 26 | 12 | 25 54 | 14 | 5 | 6 | 26 | 11 | 24 25 | 13 | 5 | 6 | 26 | 10 | 22 38 | 12 | 5 |
| 18 37 | 7 | 27 | 13 | 26 45 | 15 | 6 | 7 | 27 | 12 | 25 15 | 14 | 6 | 7 | 26 | 11 | 23 26 | 13 | 7 |
| 22 31 | 8 | 28 | 14 | 27 36 | 17 | 7 | 8 | 28 | 13 | 26 5 | 15 | 7 | 8 | 27 | 12 | 24 15 | 14 | 9 |
| 14 26 25 | 9 | 28 | 14 | 28 28 | 19 | 8 | 9 | 28 | 13 | 26 56 | 17 | 8 | 9 | 27 | 12 | 25 4 | 16 | 10 |
| 30 20 | 10 | 29 | 15 | 29 21 | 20 | 10 | 10 | 29 | 14 | 27 48 | 19 | 10 | 10 | 28 | 13 | 25 54 | 18 | 11 |
| 34 16 | 11 | ♐ | 16 | 0♑15 | 20 | 11 | 11 | ♐ | 15 | 28 40 | 20 | 11 | 11 | 29 | 14 | 26 45 | 19 | 12 |
| 14 38 13 | 12 | 1 | 17 | 1 10 | 22 | 12 | 12 | 0 | 16 | 29 34 | 22 | 12 | 12 | ♐ | 15 | 27 37 | 21 | 13 |
| 42 10 | 13 | 2 | 18 | 2 6 | 24 | 14 | 13 | 1 | 17 | 0♑28 | 24 | 13 | 13 | 1 | 16 | 28 30 | 23 | 14 |
| 46 8 | 14 | 3 | 18 | 3 3 | 26 | 16 | 14 | 2 | 17 | 1 24 | 26 | 15 | 14 | 2 | 16 | 29 23 | 25 | 16 |
| 14 50 7 | 15 | 4 | 19 | 4 1 | 28 | 17 | 15 | 3 | 18 | 2 20 | 28 | 17 | 15 | 3 | 17 | 0♑18 | 26 | 18 |
| 54 7 | 16 | 5 | 20 | 5 0 | 29 | 18 | 16 | 4 | 19 | 3 18 | 29 | 18 | 16 | 4 | 18 | 1 13 | 29 | 19 |
| 58 7 | 17 | 6 | 21 | 6 0 | ♓ | 19 | 17 | 5 | 20 | 4 17 | ♓ | 19 | 17 | 5 | 19 | 2 10 | ♓ | 20 |
| 15 2 8 | 18 | 7 | 22 | 7 1 | 2 | 20 | 18 | 6 | 21 | 5 16 | 2 | 20 | 18 | 6 | 20 | 3 8 | 2 | 21 |
| 6 9 | 19 | 7 | 22 | 8 4 | 5 | 22 | 19 | 6 | 21 | 6 17 | 4 | 22 | 19 | 6 | 20 | 4 7 | 4 | 22 |
| 10 12 | 20 | 8 | 23 | 9 8 | 7 | 24 | 20 | 7 | 22 | 7 20 | 6 | 24 | 20 | 7 | 21 | 5 8 | 5 | 24 |
| 15 14 15 | 21 | 9 | 24 | 10 13 | 9 | 26 | 21 | 8 | 23 | 8 24 | 7 | 25 | 21 | 8 | 22 | 6 10 | 7 | 25 |
| 18 19 | 22 | 10 | 25 | 11 20 | 11 | 27 | 22 | 9 | 24 | 9 29 | 9 | 26 | 22 | 9 | 23 | 7 13 | 9 | 27 |
| 22 23 | 23 | 11 | 26 | 12 29 | 13 | 28 | 23 | 10 | 25 | 10 36 | 11 | 27 | 23 | 10 | 24 | 8 18 | 11 | 29 |
| 15 26 29 | 24 | 11 | 26 | 13 39 | 15 | 29 | 24 | 11 | 25 | 11 45 | 15 | 20 | 24 | 10 | 24 | 9 24 | 13 | ♉ |
| 30 35 | 25 | 12 | 27 | 14 51 | 16 | ♉ | 25 | 12 | 26 | 12 55 | 16 | ♉ | 25 | 11 | 25 | 10 32 | 15 | 2 |
| 34 41 | 26 | 13 | 28 | 16 4 | 18 | 2 | 26 | 13 | 27 | 14 7 | 18 | 2 | 26 | 12 | 26 | 11 43 | 17 | 3 |
| 15 38 49 | 27 | 14 | 29 | 17 20 | 20 | 3 | 27 | 14 | 28 | 15 22 | 20 | 4 | 27 | 13 | 27 | 12 55 | 19 | 4 |
| 42 57 | 28 | 15 | ♑ | 18 38 | 22 | 4 | 28 | 15 | 29 | 16 38 | 22 | 5 | 28 | 14 | 28 | 14 9 | 21 | 5 |
| 47 6 | 29 | 16 | 1 | 19 58 | 24 | 6 | 29 | 15 | 29 | 17 56 | 24 | 6 | 29 | 15 | 29 | 15 25 | 23 | 6 |
| Houses | 4 | 5 | 6 | 7 | 8 | 9 | 4 | 5 | 6 | 7 | 8 | 9 | 4 | 5 | 6 | 7 | 8 | 9 |

### Latitude 55° S.   Latitude 56° S.   Latitude 57° S.

# SIMPLIFIED SCIENTIFIC TABLES OF HOUSES

| | Latitude 55° N. | | | | | | Latitude 56° N. | | | | | | Latitude 57° N. | | | | | |
|---|---|---|---|---|---|---|---|---|---|---|---|---|---|---|---|---|---|---|
| Sider'l Time | 10 ♐ | 11 ♐ | 12 ♑ | Asc. ♑ | 2 ♓ | 3 ♉ | 10 ♐ | 11 ♐ | 12 ♑ | Asc. ♑ | 2 ♓ | 3 ♉ | 10 ♐ | 11 ♐ | 12 ♑ | Asc. ♑ | 2 ♓ | 3 ♉ |
| H M S | ° | ° | ° | ° ′ | ° | ° | ° | ° | ° | ° ′ | ° | ° | ° | ° | ° | ° ′ | ° | ° |
| 15 51 15 | 0 | 17 | 2 | 21 20 | 26 | 7 | 0 | 16 | 1 | 19 17 | 26 | 7 | 0 | 16 | 0 | 16 44 | 26 | 8 |
| 55 25 | 1 | 18 | 3 | 22 44 | 29 | 8 | 1 | 17 | 2 | 20 40 | 29 | 8 | 1 | 17 | 1 | 18 5 | 29 | 9 |
| 59 36 | 2 | 19 | 4 | 24 11 | ♈ | 9 | 2 | 18 | 3 | 22 6 | ♈ | 10 | 2 | 18 | 2 | 19 29 | ♈ | 10 |
| 16 3 48 | 3 | 20 | 5 | 25 41 | 2 | 10 | 3 | 19 | 4 | 23 35 | 2 | 11 | 3 | 19 | 3 | 20 55 | 2 | 12 |
| 8 0 | 4 | 20 | 6 | 27 14 | 4 | 11 | 4 | 20 | 5 | 25 6 | 4 | 12 | 4 | 19 | 4 | 22 26 | 4 | 14 |
| 12 13 | 5 | 21 | 7 | 28 50 | 6 | 13 | 5 | 21 | 6 | 26 41 | 6 | 14 | 5 | 20 | 5 | 23 58 | 6 | 15 |
| 16 16 26 | 6 | 22 | 8 | 0♒28 | 8 | 14 | 6 | 22 | 7 | 28 19 | 8 | 15 | 6 | 21 | 6 | 25 35 | 8 | 16 |
| 20 40 | 7 | 23 | 9 | 2 10 | 10 | 15 | 7 | 23 | 8 | 0♒ 0 | 10 | 16 | 7 | 22 | 7 | 27 15 | 11 | 17 |
| 24 55 | 8 | 24 | 10 | 3 56 | 12 | 17 | 8 | 24 | 9 | 1 45 | 12 | 17 | 8 | 23 | 8 | 28 59 | 13 | 18 |
| 16 29 10 | 9 | 25 | 11 | 5 45 | 14 | 19 | 9 | 24 | 10 | 3 34 | 14 | 18 | 9 | 24 | 9 | 0♒47 | 15 | 19 |
| 33 26 | 10 | 26 | 12 | 7 38 | 15 | 20 | 10 | 25 | 11 | 5 27 | 16 | 20 | 10 | 25 | 10 | 2 40 | 17 | 21 |
| 37 42 | 11 | 27 | 13 | 9 35 | 17 | 21 | 11 | 26 | 12 | 7 25 | 18 | 21 | 11 | 26 | 11 | 4 37 | 19 | 22 |
| 16 41 59 | 12 | 28 | 14 | 11 36 | 19 | 22 | 12 | 28 | 13 | 9 27 | 20 | 22 | 12 | 27 | 12 | 6 39 | 21 | 23 |
| 46 16 | 13 | 29 | 15 | 13 41 | 21 | 23 | 13 | 29 | 14 | 11 33 | 22 | 23 | 13 | 28 | 13 | 8 47 | 23 | 24 |
| 50 34 | 14 | ♑ | 16 | 15 50 | 23 | 24 | 14 | ♑ | 15 | 13 45 | 24 | 24 | 14 | 29 | 14 | 11 0 | 25 | 25 |
| 16 54 52 | 15 | 1 | 18 | 18 4 | 25 | 21 | 15 | 0 | 17 | 16 1 | 26 | 26 | 15 | ♑ | 16 | 13 18 | 27 | 27 |
| 59 10 | 16 | 2 | 19 | 20 23 | 27 | 28 | 16 | 1 | 18 | 18 22 | 28 | 28 | 16 | 1 | 17 | 15 43 | 29 | 29 |
| 17 3 29 | 17 | 3 | 20 | 22 46 | 29 | 29 | 17 | 2 | 19 | 20 50 | 29 | 29 | 17 | 2 | 18 | 18 14 | ♉ | 29 |
| 17 7 49 | 18 | 4 | 21 | 25 14 | ♉ | ♊ | 18 | 3 | 20 | 23 22 | ♉ | ♊ | 18 | 3 | 19 | 20 52 | 3 | ♊ |
| 12 9 | 19 | 5 | 23 | 27 47 | 2 | 1 | 19 | 4 | 21 | 26 0 | 2 | 1 | 19 | 4 | 20 | 23 36 | 5 | 1 |
| 16 29 | 20 | 6 | 25 | 0♓25 | 4 | 2 | 20 | 5 | 23 | 28 44 | 5 | 2 | 20 | 5 | 22 | 26 27 | 7 | 3 |
| 17 20 49 | 21 | 7 | 27 | 3 7 | 6 | 3 | 21 | 6 | 25 | 1♓33 | 7 | 3 | 21 | 6 | 23 | 29 24 | 9 | 4 |
| 25 9 | 22 | 8 | 28 | 5 54 | 8 | 4 | 22 | 7 | 27 | 4 27 | 9 | 5 | 22 | 7 | 24 | 2♓28 | 11 | 5 |
| 29 30 | 23 | 9 | 29 | 8 44 | 10 | 6 | 23 | 8 | 29 | 7 26 | 11 | 6 | 23 | 8 | 26 | 5 38 | 13 | 6 |
| 17 33 51 | 24 | 10 | ♒ | 11 38 | 12 | 7 | 24 | 9 | ♒ | 10 30 | 13 | 7 | 24 | 9 | 28 | 8 54 | 15 | 7 |
| 38 12 | 25 | 11 | 1 | 14 36 | 13 | 8 | 25 | 10 | 0 | 13 38 | 14 | 8 | 25 | 10 | 29 | 12 16 | 16 | 9 |
| 42 34 | 26 | 12 | 3 | 17 37 | 15 | 9 | 26 | 11 | 2 | 16 49 | 16 | 9 | 26 | 11 | ♒ | 15 43 | 18 | 10 |
| 17 46 55 | 27 | 13 | 5 | 20 41 | 16 | 10 | 27 | 12 | 4 | 20 4 | 18 | 11 | 27 | 12 | 2 | 19 13 | 20 | 11 |
| 51 17 | 28 | 14 | 7 | 23 46 | 18 | 11 | 28 | 13 | 5 | 23 21 | 20 | 12 | 28 | 13 | 4 | 22 47 | 21 | 13 |
| 55 38 | 29 | 15 | 8 | 26 53 | 19 | 12 | 29 | 14 | 6 | 26 40 | 21 | 13 | 29 | 14 | 5 | 26 23 | 22 | 14 |
| Houses | 4 | 5 | 6 | 7 | 8 | 9 | 4 | 5 | 6 | 7 | 8 | 9 | 4 | 5 | 6 | 7 | 8 | 9 |

Latitude 55° S.    Latitude 56° S.    Latitude 57° S.

# SIMPLIFIED SCIENTIFIC TABLES OF HOUSES

### Latitude 55° N.  Latitude 56° N.  Latitude 57° N.

| Sider'l Time | 10 ♑ | 11 ♑ | 12 ♒ | Asc. ♈ ° | ' | 2 ♉ | 3 ♊ | 10 ♑ | 11 ♑ | 12 ♒ | Asc. ♈ ° | ' | 2 ♉ | 3 ♊ | 10 ♑ | 11 ♑ | 12 ♒ | Asc. ♈ ° | ' | 2 ♉ | 3 ♊ |
|---|---|---|---|---|---|---|---|---|---|---|---|---|---|---|---|---|---|---|---|---|---|
| **H M S** | | | | | | | | | | | | | | | | | | | | | |
| 18 0 0 | 0 | 16 | 9 | 0 | 0 | 21 | 13 | 0 | 16 | 8 | 0 | 0 | 22 | 14 | 0 | 15 | 6 | 0 | 0 | 24 | 15 |
| 4 22 | 1 | 17 | 10 | 3 | 7 | 23 | 14 | 1 | 17 | 10 | 3 | 20 | 23 | 15 | 1 | 16 | 7 | 3 | 37 | 26 | 16 |
| 8 43 | 2 | 18 | 12 | 6 | 14 | 25 | 15 | 2 | 18 | 12 | 6 | 39 | 25 | 16 | 2 | 17 | 9 | 7 | 13 | 28 | 17 |
| 18 13 5 | 3 | 19 | 14 | 9 | 19 | 27 | 16 | 3 | 19 | 14 | 9 | 56 | 27 | 17 | 3 | 18 | 11 | 10 | 47 | 29 | 18 |
| 17 26 | 4 | 20 | 16 | 12 | 23 | 28 | 17 | 4 | 20 | 15 | 13 | 11 | 28 | 18 | 4 | 19 | 13 | 14 | 17 | ♊ | 19 |
| 21 48 | 5 | 22 | 17 | 15 | 24 | 29 | 19 | 5 | 21 | 16 | 16 | 22 | 29 | 19 | 5 | 21 | 14 | 17 | 44 | 1 | 20 |
| 18 26 9 | 6 | 23 | 19 | 18 | 22 | ♊ | 20 | 6 | 22 | 18 | 19 | 30 | ♊ | 20 | 6 | 23 | 16 | 21 | 6 | 2 | 21 |
| 30 30 | 7 | 24 | 21 | 21 | 16 | 1 | 21 | 7 | 23 | 20 | 22 | 34 | 2 | 21 | 7 | 24 | 18 | 24 | 22 | 4 | 22 |
| 34 51 | 8 | 25 | 23 | 24 | 6 | 2 | 22 | 8 | 24 | 22 | 25 | 33 | 4 | 22 | 8 | 25 | 20 | 27 | 32 | 6 | 23 |
| 18 39 11 | 9 | 27 | 25 | 26 | 53 | 3 | 23 | 9 | 25 | 24 | 28 | 27 | 6 | 23 | 9 | 26 | 21 | 0♉ | 36 | 7 | 24 |
| 43 31 | 10 | 28 | 26 | 29 | 35 | 5 | 24 | 10 | 27 | 25 | 0♉ | 16 | 7 | 25 | 10 | 27 | 23 | 3 | 33 | 8 | 25 |
| 47 51 | 11 | 29 | 28 | 2♉ | 13 | 6 | 25 | 11 | 28 | 27 | 4 | 0 | 8 | 25 | 11 | 28 | 25 | 6 | 24 | 9 | 26 |
| 18 52 11 | 12 | ♒ | 29 | 4 | 46 | 7 | 26 | 12 | 29 | 29 | 6 | 38 | 9 | 26 | 12 | 29 | 27 | 9 | 8 | 10 | 27 |
| 56 31 | 13 | 2 | ♓ | 7 | 14 | 9 | 27 | 13 | ♒ | ♓ | 9 | 10 | 10 | 27 | 13 | ♒ | 29 | 11 | 46 | 11 | 28 |
| 19 0 50 | 14 | 3 | 2 | 9 | 37 | 11 | 28 | 14 | 1 | 2 | 11 | 38 | 11 | 28 | 14 | 2 | ♓ | 14 | 17 | 12 | 29 |
| 19 5 8 | 15 | 4 | 5 | 11 | 56 | 12 | 29 | 15 | 3 | 4 | 13 | 59 | 13 | 29 | 15 | 3 | 3 | 16 | 42 | 14 | ♋ |
| 9 26 | 16 | 5 | 7 | 14 | 10 | 13 | ♋ | 16 | 5 | 6 | 16 | 15 | 14 | ♋ | 16 | 4 | 5 | 19 | 0 | 15 | 1 |
| 13 44 | 17 | 6 | 9 | 16 | 19 | 14 | 1 | 17 | 6 | 8 | 18 | 27 | 15 | 1 | 17 | 5 | 7 | 21 | 13 | 16 | 2 |
| 19 18 1 | 18 | 7 | 11 | 18 | 24 | 15 | 2 | 18 | 7 | 10 | 20 | 33 | 16 | 2 | 18 | 6 | 9 | 23 | 21 | 17 | 3 |
| 22 18 | 19 | 8 | 13 | 20 | 25 | 16 | 3 | 19 | 8 | 12 | 22 | 35 | 17 | 3 | 19 | 7 | 11 | 25 | 23 | 18 | 4 |
| 26 34 | 20 | 10 | 15 | 22 | 22 | 17 | 4 | 20 | 10 | 14 | 24 | 33 | 19 | 4 | 20 | 9 | 13 | 27 | 20 | 20 | 5 |
| 19 30 50 | 21 | 11 | 17 | 24 | 15 | 18 | 5 | 21 | 11 | 16 | 26 | 26 | 20 | 5 | 21 | 10 | 16 | 29 | 13 | 21 | 6 |
| 35 5 | 22 | 12 | 19 | 26 | 4 | 19 | 6 | 22 | 12 | 18 | 28 | 15 | 21 | 6 | 22 | 11 | 18 | 1♊ | 1 | 22 | 7 |
| 39 20 | 23 | 13 | 21 | 27 | 50 | 20 | 7 | 23 | 13 | 20 | 0♊ | 0 | 22 | 7 | 23 | 12 | 22 | 2 | 45 | 23 | 8 |
| 19 43 34 | 24 | 14 | 23 | 29 | 32 | 21 | 8 | 24 | 14 | 22 | 1 | 41 | 23 | 8 | 24 | 13 | 22 | 4 | 25 | 24 | 9 |
| 47 47 | 25 | 16 | 24 | 1♊ | 10 | 23 | 9 | 25 | 16 | 24 | 3 | 19 | 24 | 9 | 25 | 15 | 24 | 6 | 2 | 25 | 10 |
| 52 0 | 26 | 17 | 27 | 2 | 46 | 24 | 10 | 26 | 17 | 26 | 4 | 54 | 26 | 10 | 26 | 16 | 26 | 7 | 34 | 26 | 11 |
| 19 56 12 | 27 | 18 | 29 | 4 | 19 | 26 | 11 | 27 | 18 | 28 | 6 | 25 | 26 | 11 | 27 | 17 | 28 | 9 | 5 | 27 | 12 |
| 20 0 24 | 28 | 20 | ♈ | 5 | 49 | 26 | 12 | 28 | 19 | 29 | 7 | 54 | 27 | 12 | 28 | 19 | 29 | 10 | 31 | 28 | 13 |
| 4 35 | 29 | 22 | 2 | 7 | 16 | 27 | 12 | 29 | 21 | ♉ | 9 | 20 | 28 | 13 | 29 | 21 | ♈ | 11 | 55 | 29 | 13 |
| **Houses** | 4 | 5 | 6 | 7 | | 8 | 9 | 4 | 5 | 6 | 7 | | 8 | 9 | 4 | 5 | 6 | 7 | | 8 | 9 |

### Latitude 55° S.  Latitude 56° S.  Latitude 57° S.

# SIMPLIFIED SCIENTIFIC TABLES OF HOUSES

Latitude 55° N.  Latitude 56° N.  Latitude 57° N.

| Sider'l Time (H M S) | 10 ♒ | 11 ♒ | 12 ♈ | Asc. ♊ | 2 ♊ | 3 ♋ | 10 ♒ | 11 ♒ | 12 ♈ | Asc. ♊ | 2 ♊ | 3 ♋ | 10 ♒ | 11 ♒ | 12 ♈ | Asc. ♊ | 2 ♊ | 3 ♋ |
|---|---|---|---|---|---|---|---|---|---|---|---|---|---|---|---|---|---|---|
| 20 8 45 | 0 | 23 | 4 | 8 40 | 28 | 13 | 0 | 23 | 4 | 10 43 | 29 | 14 | 0 | 22 | 4 | 13 16 | 0 | 14 |
| 12 54 | 1 | 25 | 6 | 10 2 | 28 | 14 | 1 | 24 | 6 | 12 4 | ♋ | 15 | 1 | 23 | 6 | 14 35 | 1 | 15 |
| 17 3 | 2 | 26 | 8 | 11 22 | 29 | 15 | 2 | 25 | 8 | 13 22 | 1 | 16 | 2 | 24 | 8 | 15 51 | 2 | 16 |
| 20 21 11 | 3 | 27 | 10 | 12 40 | ♋ | 16 | 3 | 26 | 10 | 14 38 | 2 | 17 | 3 | 25 | 10 | 17 5 | 3 | 17 |
| 25 19 | 4 | 28 | 12 | 13 56 | 1 | 16 | 4 | 27 | 12 | 15 53 | 3 | 18 | 4 | 26 | 12 | 18 17 | 4 | 18 |
| 29 26 | 5 | 29 | 13 | 15 9 | 2 | 17 | 5 | 29 | 14 | 17 5 | 3 | 18 | 5 | 28 | 15 | 19 28 | 5 | 19 |
| 20 33 31 | 6 | ♓ | 15 | 16 21 | 3 | 18 | 6 | ♓ | 16 | 18 15 | 4 | 19 | 6 | 29 | 17 | 20 36 | 6 | 20 |
| 37 37 | 7 | 1 | 17 | 17 31 | 4 | 19 | 7 | 2 | 18 | 19 24 | 5 | 20 | 7 | ♓ | 19 | 21 42 | 7 | 21 |
| 41 41 | 8 | 3 | 19 | 18 40 | 5 | 20 | 8 | 3 | 20 | 20 31 | 6 | 21 | 8 | 2 | 21 | 22 47 | 8 | 22 |
| 20 45 45 | 9 | 5 | 21 | 19 47 | 6 | 21 | 9 | 4 | 22 | 21 36 | 7 | 22 | 9 | 4 | 23 | 23 50 | 9 | 23 |
| 49 48 | 10 | 6 | 23 | 20 52 | 7 | 22 | 10 | 6 | 24 | 22 40 | 8 | 23 | 10 | 5 | 25 | 24 52 | 9 | 23 |
| 53 51 | 11 | 8 | 25 | 21 56 | 8 | 23 | 11 | 8 | 25 | 23 43 | 9 | 24 | 11 | 6 | 27 | 25 53 | 10 | 24 |
| 20 57 52 | 12 | 9 | 27 | 22 59 | 9 | 24 | 12 | 10 | 27 | 24 44 | 10 | 25 | 12 | 8 | 29 | 26 52 | 11 | 25 |
| 21 1 53 | 13 | 10 | 29 | 24 0 | 10 | 25 | 13 | 11 | 29 | 25 43 | 11 | 26 | 13 | 10 | ♉ | 27 50 | 12 | 26 |
| 5 53 | 14 | 12 | ♉ | 25 0 | 11 | 25 | 14 | 12 | ♉ | 26 42 | 12 | 27 | 14 | 11 | 2 | 28 47 | 13 | 27 |
| 21 9 53 | 15 | 13 | 1 | 25 59 | 11 | 26 | 15 | 13 | 2 | 27 40 | 12 | 27 | 15 | 12 | 4 | 29 42 | 13 | 27 |
| 13 52 | 16 | 14 | 3 | 26 57 | 12 | 27 | 16 | 14 | 4 | 28 36 | 13 | 28 | 16 | 13 | 6 | 0♋ 37 | 14 | 28 |
| 17 50 | 17 | 15 | 5 | 27 54 | 13 | 28 | 17 | 15 | 6 | 29 32 | 14 | 28 | 17 | 14 | 8 | 1 30 | 15 | 29 |
| 21 21 47 | 18 | 17 | 7 | 28 50 | 14 | 29 | 18 | 16 | 8 | 0♋ 26 | 15 | 29 | 18 | 16 | 10 | 2 23 | 16 | ♌ |
| 25 44 | 19 | 19 | 8 | 29 45 | 14 | ♌ | 19 | 17 | 9 | 1 20 | 16 | ♌ | 19 | 18 | 11 | 3 15 | 17 | 1 |
| 29 40 | 20 | 20 | 9 | 0♋ 39 | 15 | 1 | 20 | 19 | 10 | 2 12 | 16 | 1 | 20 | 19 | 12 | 4 6 | 17 | 2 |
| 21 33 35 | 21 | 21 | 11 | 1 32 | 16 | 2 | 21 | 20 | 12 | 3 4 | 17 | 2 | 21 | 20 | 14 | 4 56 | 18 | 2 |
| 37 29 | 22 | 22 | 13 | 2 24 | 16 | 2 | 22 | 22 | 14 | 3 55 | 18 | 3 | 22 | 22 | 16 | 5 45 | 19 | 3 |
| 41 23 | 23 | 23 | 15 | 3 15 | 17 | 4 | 23 | 24 | 16 | 4 45 | 19 | 4 | 23 | 24 | 17 | 6 34 | 20 | 4 |
| 21 45 16 | 24 | 24 | 16 | 4 6 | 18 | 4 | 24 | 25 | 17 | 5 35 | 20 | 5 | 24 | 26 | 18 | 7 22 | 20 | 5 |
| 49 9 | 25 | 26 | 17 | 4 56 | 19 | 5 | 25 | 26 | 18 | 6 24 | 20 | 6 | 25 | 28 | 19 | 8 9 | 21 | 6 |
| 53 1 | 26 | 27 | 18 | 5 45 | 20 | 6 | 26 | 27 | 19 | 7 12 | 21 | 6 | 26 | 29 | 20 | 8 56 | 22 | 6 |
| 21 56 52 | 27 | 28 | 20 | 6 34 | 21 | 7 | 27 | 28 | 20 | 7 59 | 22 | 7 | 27 | ♈ | 22 | 9 42 | 22 | 7 |
| 22 0 43 | 28 | 29 | 21 | 7 22 | 22 | 8 | 28 | ♈ | 22 | 8 46 | 23 | 8 | 28 | 1 | 24 | 10 27 | 23 | 8 |
| 4 33 | 29 | ♈ | 22 | 8 10 | 23 | 9 | 29 | 2 | 24 | 9 33 | 23 | 8 | 29 | 2 | 26 | 11 12 | 24 | 9 |

| Houses | 4 | 5 | 6 | 7 | 8 | 9 | 4 | 5 | 6 | 7 | 8 | 9 | 4 | 5 | 6 | 7 | 8 | 9 |
|---|---|---|---|---|---|---|---|---|---|---|---|---|---|---|---|---|---|---|

Latitude 55° S.  Latitude 56° S.  Latitude 57° S.

# SIMPLIFIED SCIENTIFIC TABLES OF HOUSES

### Latitude 55° N.  Latitude 56° N.  Latitude 57° N.

| Sider'l Time | 10 ♓ | 11 ♈ | 12 ♉ | Asc. ♋ | | 2 ♋ | 3 ♌ | 10 ♓ | 11 ♈ | 12 ♉ | Asc. ♋ | | 2 ♋ | 3 ♌ | 10 ♓ | 11 ♈ | 12 ♉ | Asc. ♋ | | 2 ♋ | 3 ♌ |
|---|---|---|---|---|---|---|---|---|---|---|---|---|---|---|---|---|---|---|---|---|---|
| H M S | ° | ° | ° | ° | ' | ° | ° | ° | ° | ° | ° | ' | ° | ° | ° | ° | ° | ° | ' | ° | ° |
| 22 8 23 | 0 | 3 | 24 | 8 | 57 | 23 | 9 | 0 | 3 | 25 | 10 | 18 | 24 | 9 | 0 | 3 | 27 | 11 | 57 | 25 | 10 |
| 12 12 | 1 | 4 | 25 | 9 | 43 | 24 | 10 | 1 | 4 | 27 | 11 | 4 | 24 | 9 | 1 | 4 | 28 | 12 | 41 | 26 | 11 |
| 16 0 | 2 | 5 | 26 | 10 | 29 | 25 | 11 | 2 | 6 | 28 | 11 | 48 | 26 | 10 | 2 | 5 | 29 | 13 | 24 | 27 | 11 |
| 22 19 48 | 3 | 6 | 27 | 11 | 14 | 26 | 11 | 3 | 7 | 29 | 12 | 33 | 26 | 11 | 3 | 6 | ♊ | 14 | 7 | 27 | 12 |
| 23 35 | 4 | 7 | 28 | 11 | 59 | 27 | 12 | 4 | 8 | ♊ | 13 | 17 | 27 | 12 | 4 | 8 | 1 | 14 | 50 | 28 | 13 |
| 27 22 | 5 | 9 | ♊ | 12 | 43 | 27 | 13 | 5 | 10 | 1 | 14 | 0 | 27 | 13 | 5 | 10 | 3 | 15 | 32 | 28 | 14 |
| 22 31 8 | 6 | 10 | 1 | 13 | 28 | 28 | 14 | 6 | 11' | 3 | 14 | 43 | 28 | 14 | 6 | 12 | 5 | 16 | 14 | 29 | 15 |
| 34 54 | 7 | 12 | 2 | 14 | 11 | 28 | 15 | 7 | 12 | 4 | 15 | 26 | 28 | 15 | 7 | 13 | 6 | 16 | 55 | 29 | 16 |
| 38 40 | 8 | 14 | 3 | 14 | 54 | 29 | 16 | 8 | 14 | 5 | 16 | 8 | 29 | 16 | 8 | 14 | 7 | 17 | 36 | ♌ | 17 |
| 22 42 25 | 9 | 15 | 4 | 15 | 37 | 29 | 17 | 9 | 15 | 6 | 16 | 50 | ♌ | 17 | 9 | 15 | 8 | 18 | 17 | 1 | 18 |
| 46 9 | 10 | 16 | 6 | 16 | 20 | ♌ | 17 | 10 | 16 | 7 | 17 | 32 | 1 | 17 | 10 | 16 | 9 | 18 | 57 | 2 | 18 |
| 49 53 | 11 | 17 | 7 | 17 | 2 | 1 | 18 | 11 | 17 | 8 | 18 | 13 | 2 | 18 | 11 | 17 | 10 | 19 | 37 | 3 | 19 |
| 22 53 37 | 12 | 18 | 8 | 17 | 44 | 2 | 18 | 12 | 18 | 9 | 18 | 54 | 3 | 19 | 12 | 18 | 11 | 20 | 17 | 4 | 20 |
| 57 20 | 13 | 19 | 9 | 18 | 25 | 2 | 19 | 13 | 19 | 10 | 19 | 34 | 3 | 20 | 13 | 20 | 12 | 20 | 57 | 5 | 21 |
| 23 1 3 | 14 | 20 | 10 | 19 | 6 | 3 | 20 | 14 | 20 | 11 | 20 | 15 | 4 | 21 | 14 | 22 | 13 | 21 | 36 | 6 | 22 |
| 23 4 46 | 15 | 22 | 11 | 19 | 47 | 4 | 21 | 15 | 22 | 13 | 20 | 55 | 4 | 21 | 15 | 23 | 14 | 22 | 15 | 6 | 22 |
| 8 28 | 16 | 23 | 13 | 20 | 28 | 5 | 22 | 16 | 23 | 14 | 21 | 35 | 5 | 22 | 16 | 24 | 15 | 22 | 54 | 7 | 23 |
| 12 10 | 17 | 24 | 14 | 21 | 9 | 6 | 22 | 17 | 24 | 15 | 22 | 14 | 6 | 22 | 17 | 25 | 16 | 23 | 33 | 7 | 24 |
| 23 15 52 | 18 | 25 | 15 | 21 | 49 | 6 | 23 | 18 | 25 | 16 | 22 | 54 | 7 | 23 | 18 | 26 | 17 | 24 | 11 | 8 | 24 |
| 19 34 | 19 | 26 | 16 | 22 | 29 | 7 | 24 | 19 | 26 | 17 | 23 | 33 | 8 | 24 | 19 | 27 | 18 | 24 | 49 | 9 | 25 |
| 23 15 | 20 | 28 | 17 | 23 | 9 | 7 | 25 | 20 | 28 | 18 | 24 | 12 | 8 | 25 | 20 | 29 | 19 | 25 | 27 | 10 | 26 |
| 23 26 56 | 21 | 29 | 18 | 23 | 48 | 8 | 26 | 21 | 29 | 19 | 24 | 50 | 9 | 26 | 21 | ♉ | 20 | 26 | 5 | 10 | 27 |
| 30 37 | 22 | ♉ | 19 | 24 | 28 | 9 | 27 | 22 | ♉ | 19 | 25 | 29 | 10 | 27 | 22 | 1 | 21 | 26 | 43 | 11 | 28 |
| 34 18 | 23 | 1 | 20 | 25 | 7 | 10 | 28 | 23 | 1 | 20 | 26 | 8 | 10 | 27 | 23 | 2 | 22 | 27 | 20 | 11 | 29 |
| 23 37 58 | 24 | 2 | 20 | 25 | 46 | 11 | 28 | 24 | 2 | 21 | 26 | 46 | 11 | 28 | 24 | 3 | 23 | 27 | 57 | 12 | 29 |
| 41 39 | 25 | 4 | 21 | 26 | 25 | 11 | 29 | 25 | 4 | 22 | 27 | 24 | 11 | 29 | 25 | 5 | 24 | 28 | 35 | 12 | ♍ |
| 45 19 | 26 | 6 | 22 | 27 | 4 | 12 | ♍ | 26 | 6 | 23 | 28 | 2 | 12 | ♍ | 26 | 6 | 25 | 29 | 12 | 13 | 1 |
| 23 49 0 | 27 | 7 | 23 | 27 | 42 | 13 | 1 | 27 | 7 | 24 | 28 | 40 | 13 | 1 | 27 | 7 | 26 | 0♌ | 11 | 14 | 2 |
| 52 40 | 28 | 8 | 24 | 28 | 20 | 14 | 2 | 28 | 8 | 25 | 29 | 18 | 14 | 2 | 28 | 8 | 27 | 0 | 25 | 15 | 3 |
| 56 20 | 29 | 9 | 25 | 28 | 59 | 14 | 2 | 29 | 9 | 26 | 29 | 55 | 14 | 2 | 29 | 9 | 28 | 1 | 2 | 16 | 4 |
| Houses | 4 | 5 | 6 | 7 | | 8 | 9 | 4 | 5 | 6 | 7 | | 8 | 9 | 4 | 5 | 6 | 7 | | 8 | 9 |

### Latitude 55° S.  Latitude 56° S.  Latitude 57° S.

# SIMPLIFIED SCIENTIFIC TABLES OF HOUSES

|  | Latitude 58° N. | | | | | | Latitude 59° N. | | | | | | Latitude 60° N. | | | | | |
|---|---|---|---|---|---|---|---|---|---|---|---|---|---|---|---|---|---|---|
| Sider'l Time | 10 ♈ | 11 ♉ | 12 ♊ | Asc. ♌ | | 2 ♌ | 3 ♍ | 10 ♈ | 11 ♉ | 12 ♋ | Asc. ♌ | | 2 ♌ | 3 ♍ | 10 ♈ | 11 ♉ | 12 ♋ | Asc. ♌ | | 2 ♌ | 3 ♍ |
| H M S | ° | ° | ° | ° | ′ | ° | ° | ° | ° | ° | ° | ′ | ° | ° | ° | ° | ° | ° | ′ | ° | ° |
| 0 0 0 | 0 | 11 | 28 | 1 | 58 | 16 | 4 | 0 | 12 | 0 | 2 | 57 | 17 | 4 | 0 | 12 | 0 | 3 | 31 | 17 | 4 |
| 3 40 | 1 | 12 | 29 | 2 | 35 | 16 | 5 | 1 | 13 | 1 | 3 | 33 | 18 | 4 | 1 | 13 | 1 | 4 | 6 | 18 | 4 |
| 7 20 | 2 | 13 | 29 | 3 | 11 | 17 | 6 | 2 | 14 | 2 | 4 | 8 | 18 | 5 | 2 | 14 | 2 | 4 | 41 | 18 | 5 |
| 0 11 0 | 3 | 14 | ♋ | 3 | 47 | 17 | 7 | 3 | 15 | 3 | 4 | 43 | 19 | 6 | 3 | 15 | 2 | 5 | 16 | 19 | 6 |
| 14 41 | 4 | 15 | 1 | 4 | 23 | 18 | 8 | 4 | 15 | 4 | 5 | 19 | 19 | 7 | 4 | 16 | 3 | 5 | 51 | 19 | 7 |
| 18 21 | 5 | 17 | 2 | 4 | 59 | 19 | 8 | 5 | 18 | 4 | 5 | 54 | 20 | 8 | 5 | 18 | 4 | 6 | 26 | 20 | 8 |
| 0 22 2 | 6 | 18 | 3 | 5 | 35 | 20 | 9 | 6 | 19 | 5 | 6 | 29 | 21 | 9 | 6 | 19 | 5 | 7 | 1 | 21 | 9 |
| 25 42 | 7 | 19 | 4 | 6 | 11 | 20 | 10 | 7 | 20 | 6 | 7 | 5 | 21 | 10 | 7 | 20 | 6 | 7 | 35 | 22 | 10 |
| 29 23 | 8 | 20 | 5 | 6 | 47 | 21 | 11 | 8 | 21 | 7 | 7 | 40 | 22 | 11 | 8 | 21 | 7 | 8 | 10 | 22 | 10 |
| 0 33 4 | 9 | 21 | 5 | 7 | 23 | 21 | 12 | 9 | 22 | 8 | 8 | 15 | 23 | 12 | 9 | 22 | 8 | 8 | 45 | 23 | 11 |
| 36 45 | 10 | 22 | 6 | 7 | 59 | 22 | 12 | 10 | 23 | 8 | 8 | 50 | 23 | 12 | 10 | 23 | 8 | 9 | 20 | 23 | 12 |
| 40 26 | 11 | 23 | 7 | 8 | 35 | 23 | 13 | 11 | 24 | 9 | 9 | 25 | 24 | 13 | 11 | 24 | 9 | 9 | 54 | 24 | 13 |
| 0 44 8 | 12 | 24 | 8 | 9 | 11 | 24 | 14 | 12 | 25 | 10 | 10 | 0 | 25 | 14 | 12 | 25 | 10 | 10 | 29 | 24 | 14 |
| 47 50 | 13 | 25 | 9 | 9 | 47 | 25 | 15 | 13 | 26 | 11 | 10 | 36 | 26 | 15 | 13 | 26 | 11 | 11 | 4 | 25 | 15 |
| 51 32 | 14 | 26 | 10 | 10 | 22 | 26 | 16 | 14 | 27 | 11 | 11 | 11 | 27 | 16 | 14 | 27 | 12 | 11 | 39 | 26 | 16 |
| 0 55 14 | 15 | 28 | 10 | 10 | 58 | 26 | 16 | 15 | 29 | 12 | 11 | 46 | 27 | 16 | 15 | 29 | 12 | 12 | 13 | 27 | 16 |
| 58 57 | 16 | 29 | 11 | 11 | 34 | 27 | 17 | 16 | ♊ | 3 | 12 | 21 | 28 | 17 | 16 | ♊ | 13 | 12 | 48 | 27 | 17 |
| 1 2 40 | 17 | ♊ | 12 | 12 | 10 | 27 | 18 | 17 | 1 | 14 | 12 | 56 | 28 | 18 | 17 | 1 | 14 | 13 | 23 | 28 | 18 |
| 1 6 23 | 18 | 1 | 13 | 12 | 46 | 28 | 19 | 18 | 2 | 14 | 13 | 32 | 29 | 19 | 18 | 2 | 15 | 13 | 58 | 28 | 19 |
| 10 7 | 19 | 2 | 14 | 13 | 22 | 29 | 20 | 19 | 3 | 15 | 14 | 7 | 29 | 20 | 19 | 3 | 16 | 14 | 33 | 29 | 21 |
| 13 51 | 20 | 3 | 14 | 13 | 58 | 29 | 20 | 20 | 4 | 16 | 14 | 42 | ♍ | 20 | 20 | 4 | 16 | 15 | 8 | ♍ | 20 |
| 1 17 35 | 21 | 4 | 15 | 14 | 34 | ♍ | 21 | 21 | 5 | 17 | 15 | 18 | 1 | 21 | 21 | 5 | 17 | 15 | 43 | 1 | 21 |
| 21 20 | 22 | 5 | 16 | 15 | 10 | 1 | 22 | 22 | 6 | 18 | 15 | 53 | 2 | 22 | 22 | 6 | 18 | 16 | 18 | 1 | 22 |
| 25 6 | 23 | 6 | 17 | 15 | 46 | 2 | 23 | 23 | 7 | 18 | 16 | 28 | 2 | 23 | 23 | 7 | 18 | 16 | 53 | 2 | 23 |
| 1 28 52 | 24 | 7 | 18 | 16 | 22 | 2 | 24 | 24 | 8 | 19 | 17 | 4 | 3 | 24 | 24 | 8 | 19 | 17 | 28 | 3 | 24 |
| 32 38 | 25 | 8 | 18 | 16 | 59 | 3 | 24 | 25 | 9 | 19 | 17 | 40 | 3 | 24 | 25 | 9 | 19 | 18 | 3 | 3 | 24 |
| 36 25 | 26 | 9 | 19 | 17 | 35 | 4 | 25 | 26 | 10 | 20 | 18 | 15 | 4 | 25 | 26 | 10 | 20 | 18 | 39 | 4 | 25 |
| 1 40 12 | 27 | 10 | 20 | 18 | 11 | 5 | 26 | 27 | 11 | 21 | 18 | 51 | 5 | 26 | 27 | 11 | 20 | 19 | 14 | 4 | 26 |
| 44 0 | 28 | 11 | 21 | 18 | 48 | 5 | 27 | 28 | 12 | 22 | 19 | 27 | 5 | 26 | 28 | 12 | 21 | 19 | 49 | 5 | 27 |
| 47 48 | 29 | 12 | 22 | 19 | 24 | 6 | 27 | 29 | 13 | 22 | 20 | 3 | 6 | 27 | 29 | 13 | 22 | 20 | 25 | 6 | 27 |
| Houses | 4 | 5 | 6 | 7 | | 8 | 9 | 4 | 5 | 6 | 7 | | 8 | 9 | 4 | 5 | 6 | 7 | | 8 | 9 |

Latitude 58° S.     Latitude 59° S.     Latitude 60° S.

# SIMPLIFIED SCIENTIFIC TABLES OF HOUSES

### Latitude 58° N.   Latitude 59° N.   Latitude 60° N.

Signs under columns: 10 = ♉, 11 = ♊, 12 = ♋, Asc. = ♌, 2 = ♍, 3 = ♍

| Sider'l Time | 10 | 11 | 12 | Asc. | 2 | 3 | 10 | 11 | 12 | Asc. | 2 | 3 | 10 | 11 | 12 | Asc. | 2 | 3 |
|---|---|---|---|---|---|---|---|---|---|---|---|---|---|---|---|---|---|---|
| 1 51 37 | 0 | 13 | 22 | 20 1 | 6 | 28 | 0 | 14 | 23 | 20 39 | 7 | 28 | 0 | 14 | 23 | 21 1 | 7 | 28 |
| 55 27 | 1 | 14 | 23 | 20 38 | 7 | 29 | 1 | 15 | 24 | 21 15 | 8 | 29 | 1 | 15 | 24 | 21 36 | 8 | 29 |
| 59 17 | 2 | 15 | 23 | 21 14 | 8 | 29 | 2 | 16 | 25 | 21 51 | 9 | ♎ | 2 | 16 | 25 | 22 12 | 8 | ♎ |
| 2 3 8 | 3 | 16 | 24 | 21 51 | 8 | ♎ | 3 | 17 | 26 | 22 27 | 9 | 1 | 3 | 17 | 26 | 22 48 | 9 | 1 |
| 6 59 | 4 | 17 | 24 | 22 28 | 9 | 1 | 4 | 18 | 27 | 23 4 | 10 | 2 | 4 | 18 | 27 | 23 24 | 9 | 2 |
| 10 51 | 5 | 17 | 25 | 23 5 | 10 | 2 | 5 | 19 | 27 | 23 40 | 10 | 2 | 5 | 19 | 27 | 24 0 | 10 | 2 |
| 2 14 44 | 6 | 18 | 26 | 23 42 | 11 | 3 | 6 | 20 | 28 | 24 17 | 11 | 3 | 6 | 20 | 28 | 24 36 | 11 | 3 |
| 18 37 | 7 | 19 | 27 | 24 20 | 12 | 4 | 7 | 21 | 28 | 24 53 | 12 | 4 | 7 | 21 | 28 | 25 13 | 12 | 4 |
| 22 31 | 8 | 20 | 28 | 24 57 | 12 | 5 | 8 | 22 | 29 | 25 30 | 13 | 5 | 8 | 22 | 29 | 25 49 | 13 | 5 |
| 2 26 25 | 9 | 21 | 29 | 25 35 | 13 | 6 | 9 | 23 | 29 | 26 7 | 14 | 6 | 9 | 23 | 29 | 26 26 | 14 | 6 |
| 30 20 | 10 | 22 | 29 | 26 12 | 13 | 7 | 10 | 23 | ♌ | 26 44 | 14 | 7 | 10 | 23 | ♌ | 27 2 | 14 | 7 |
| 34 16 | 11 | 23 | ♌ | 26 50 | 14 | 8 | 11 | 24 | 1 | 27 21 | 15 | 8 | 11 | 24 | 1 | 27 39 | 15 | 8 |
| 2 38 13 | 12 | 24 | 1 | 27 28 | 14 | 9 | 12 | 25 | 2 | 27 58 | 16 | 9 | 12 | 25 | 2 | 28 16 | 16 | 9 |
| 42 10 | 13 | 25 | 2 | 28 6 | 15 | 10 | 13 | 26 | 3 | 28 36 | 16 | 10 | 13 | 26 | 2 | 28 53 | 16 | 10 |
| 46 8 | 14 | 26 | 2 | 28 44 | 16 | 11 | 14 | 27 | 4 | 29 13 | 17 | 11 | 14 | 27 | 3 | 29 30 | 17 | 11 |
| 2 50 7 | 15 | 27 | 3 | 29 22 | 17 | 11 | 15 | 28 | 4 | 29 51 | 17 | 11 | 15 | 28 | 4 | 0 ♍ 7 | 17 | 11 |
| 54 7 | 16 | 28 | 4 | 0 ♍ 0 | 18 | 12 | 16 | 29 | 5 | 0 ♍ 28 | 18 | 12 | 16 | 29 | 5 | 0 45 | 18 | 12 |
| 58 7 | 17 | 29 | 5 | 0 39 | 19 | 13 | 17 | ♋ | 6 | 1 6 | 19 | 13 | 17 | ♋ | 6 | 1 22 | 19 | 13 |
| 3 2 8 | 18 | 29 | 5 | 1 18 | 20 | 14 | 18 | 1 | 7 | 1 44 | 19 | 14 | 18 | 1 | 7 | 2 0 | 20 | 14 |
| 6 9 | 19 | ♋ | 6 | 1 56 | 21 | 15 | 19 | 1 | 8 | 2 22 | 20 | 15 | 19 | 2 | 8 | 2 37 | 21 | 15 |
| 10 12 | 20 | 1 | 6 | 2 35 | 21 | 15 | 20 | 2 | 8 | 3 1 | 21 | 15 | 20 | 2 | 8 | 3 15 | 21 | 15 |
| 3 14 15 | 21 | 2 | 7 | 3 14 | 22 | 16 | 21 | 3 | 9 | 3 39 | 22 | 16 | 21 | 3 | 9 | 3 53 | 22 | 16 |
| 18 19 | 22 | 3 | 8 | 3 53 | 23 | 17 | 22 | 4 | 10 | 4 17 | 23 | 17 | 22 | 4 | 10 | 4 31 | 23 | 17 |
| 22 23 | 23 | 4 | 9 | 4 32 | 24 | 18 | 23 | 5 | 10 | 4 56 | 24 | 18 | 23 | 5 | 10 | 5 10 | 24 | 18 |
| 3 26 29 | 24 | 5 | 10 | 5 12 | 25 | 19 | 24 | 6 | 11 | 5 35 | 24 | 19 | 24 | 6 | 11 | 5 48 | 25 | 19 |
| 30 35 | 25 | 6 | 10 | 5 51 | 25 | 20 | 25 | 7 | 11 | 6 14 | 25 | 19 | 25 | 7 | 11 | 6 27 | 25 | 19 |
| 34 41 | 26 | 7 | 11 | 6 31 | 26 | 21 | 26 | 8 | 12 | 6 53 | 26 | 20 | 26 | 8 | 12 | 7 5 | 26 | 20 |
| 3 38 49 | 27 | 8 | 12 | 7 11 | 26 | 22 | 27 | 9 | 13 | 7 32 | 26 | 21 | 27 | 9 | 13 | 7 44 | 26 | 21 |
| 42 57 | 28 | 9 | 13 | 7 51 | 27 | 23 | 28 | 10 | 14 | 8 11 | 27 | 22 | 28 | 10 | 14 | 8 23 | 27 | 22 |
| 47 6 | 29 | 10 | 14 | 8 31 | 27 | 24 | 29 | 11 | 14 | 8 50 | 27 | 23 | 29 | 11 | 14 | 9 2 | 27 | 23 |
| Houses | 4 | 5 | 6 | 7 | 8 | 9 | 4 | 5 | 6 | 7 | 8 | 9 | 4 | 5 | 6 | 7 | 8 | 9 |

### Latitude 58° S.   Latitude 59° S.   Latitude 60° S.

# SIMPLIFIED SCIENTIFIC TABLES OF HOUSES

Latitude 58° N.  Latitude 59° N.  Latitude 60° N.

| Sider'l Time | 10 | 11 | 12 | Asc. | 2 | 3 | 10 | 11 | 12 | Asc. | 2 | 3 | 10 | 11 | 12 | Asc. | 2 | 3 |
|---|---|---|---|---|---|---|---|---|---|---|---|---|---|---|---|---|---|---|
| H M S | ♊ | ♋ | ♌ | ♍ | ♍ | ♎ | ♊ | ♋ | ♌ | ♍ | ♍ | ♎ | ♊ | ♋ | ♌ | ♍ | ♍ | ♎ |
| 3 51 15 | 0 | 11 | 14 | 9 11 | 28 | 24 | 0 | 12 | 15 | 9 30 | 28 | 24 | 0 | 12 | 15 | 9 41 | 28 | 24 |
| 55 25 | 1 | 12 | 15 | 9 51 | 29 | 25 | 1 | 13 | 16 | 10 10 | 29 | 25 | 1 | 13 | 16 | 10 20 | 28 | 25 |
| 59 36 | 2 | 13 | 16 | 10 32 | ♎ | 26 | 2 | 14 | 17 | 10 49 | ♎ | 26 | 2 | 14 | 17 | 11 0 | ♎ | 26 |
| 4 3 48 | 3 | 14 | 17 | 11 12 | 1 | 27 | 3 | 15 | 18 | 11 29 | 1 | 27 | 3 | 15 | 18 | 11 39 | 1 | 27 |
| 8 0 | 4 | 15 | 18 | 11 53 | 2 | 28 | 4 | 16 | 19 | 12 9 | 2 | 28 | 4 | 16 | 19 | 12 19 | 2 | 28 |
| 12 13 | 5 | 15 | 18 | 12 33 | 2 | 29 | 5 | 16 | 19 | 12 49 | 2 | 28 | 5 | 16 | 19 | 12 59 | 2 | 28 |
| 4 16 26 | 6 | 16 | 19 | 13 14 | 3 | ♏ | 6 | 17 | 20 | 13 30 | 3 | 29 | 6 | 17 | 20 | 13 59 | 3 | 29 |
| 20 40 | 7 | 17 | 20 | 13 55 | 4 | 1 | 7 | 18 | 21 | 14 10 | 4 | ♏ | 7 | 18 | 21 | 14 19 | 4 | ♏ |
| 24 55 | 8 | 18 | 21 | 14 36 | 4 | 2 | 8 | 19 | 22 | 14 51 | 5 | 1 | 8 | 19 | 22 | 14 59 | 5 | 1 |
| 4 29 10 | 9 | 19 | 22 | 15 18 | 5 | 3 | 9 | 20 | 23 | 15 31 | 6 | 2 | 9 | 20 | 23 | 15 39 | 6 | 2 |
| 33 26 | 10 | 20 | 22 | 15 59 | 6 | 3 | 10 | 21 | 23 | 16 12 | 6 | 3 | 10 | 21 | 23 | 16 19 | 6 | 3 |
| 37 42 | 11 | 21 | 23 | 16 40 | 7 | 4 | 11 | 22 | 24 | 16 53 | 7 | 4 | 11 | 22 | 24 | 17 0 | 7 | 4 |
| 4 41 59 | 12 | 22 | 24 | 17 22 | 8 | 5 | 12 | 23 | 25 | 17 33 | 8 | 5 | 12 | 23 | 25 | 17 40 | 8 | 5 |
| 46 16 | 13 | 23 | 24 | 18 3 | 9 | 6 | 13 | 24 | 26 | 18 14 | 9 | 6 | 13 | 24 | 26 | 18 21 | 9 | 6 |
| 50 34 | 14 | 24 | 25 | 18 45 | 10 | 7 | 14 | 25 | 27 | 18 55 | 10 | 7 | 14 | 25 | 27 | 19 1 | 10 | 7 |
| 4 54 52 | 15 | 24 | 26 | 19 27 | 10 | 8 | 15 | 25 | 27 | 19 36 | 10 | 7 | 15 | 25 | 27 | 19 42 | 10 | 7 |
| 59 10 | 16 | 25 | 27 | 20 9 | 11 | 9 | 16 | 26 | 28 | 20 18 | 11 | 8 | 16 | 26 | 28 | 20 23 | 11 | 8 |
| 5 3 29 | 17 | 26 | 27 | 20 51 | 12 | 10 | 17 | 27 | 28 | 20 59 | 12 | 9 | 17 | 27 | 28 | 21 4 | 12 | 9 |
| 5 7 49 | 18 | 27 | 28 | 21 33 | 13 | 11 | 18 | 28 | 29 | 21 40 | 13 | 10 | 18 | 28 | 29 | 21 45 | 13 | 10 |
| 12 9 | 19 | 28 | 29 | 22 15 | 14 | 12 | 19 | 29 | 29 | 22 22 | 14 | 11 | 19 | 29 | 29 | 22 26 | 14 | 11 |
| 16 29 | 20 | 29 | ♍ | 22 57 | 14 | 13 | 20 | ♌ | ♍ | 23 3 | 14 | 12 | 20 | ♌ | ♍ | 23 7 | 14 | 12 |
| 5 20 49 | 21 | ♌ | 1 | 23 39 | 15 | 14 | 21 | 1 | 1 | 23 45 | 15 | 13 | 21 | 1 | 1 | 23 48 | 15 | 13 |
| 25 9 | 22 | 1 | 2 | 24 21 | 16 | 15 | 22 | 2 | 2 | 24 26 | 16 | 14 | 22 | 2 | 2 | 24 29 | 16 | 14 |
| 29 30 | 23 | 2 | 3 | 25 3 | 17 | 16 | 23 | 3 | 3 | 25 8 | 17 | 15 | 23 | 3 | 3 | 25 10 | 17 | 15 |
| 5 33 51 | 24 | 3 | 4 | 25 46 | 18 | 17 | 24 | 4 | 4 | 25 50 | 18 | 16 | 24 | 4 | 4 | 25 52 | 18 | 16 |
| 38 12 | 25 | 4 | 5 | 26 28 | 19 | 18 | 25 | 4 | 4 | 26 31 | 18 | 16 | 25 | 4 | 4 | 26 33 | 18 | 16 |
| 42 34 | 26 | 5 | 6 | 27 10 | 20 | 18 | 26 | 5 | 5 | 27 13 | 19 | 17 | 26 | 5 | 5 | 27 14 | 19 | 18 |
| 5 46 55 | 27 | 6 | 6 | 27 53 | 20 | 19 | 27 | 6 | 6 | 27 55 | 20 | 18 | 27 | 6 | 6 | 27 56 | 19 | 18 |
| 51 17 | 28 | 7 | 7 | 28 35 | 21 | 20 | 28 | 7 | 7 | 28 36 | 21 | 19 | 28 | 7 | 7 | 28 37 | 20 | 19 |
| 55 38 | 29 | 8 | 7 | 29 18 | 21 | 21 | 29 | 8 | 7 | 29 18 | 21 | 20 | 29 | 8 | 7 | 29 19 | 21 | 20 |
| Houses | 4 | 5 | 6 | 7 | 8 | 9 | 4 | 5 | 6 | 7 | 8 | 9 | 4 | 5 | 6 | 7 | 8 | 9 |

Latitude 58° S.  Latitude 59° S.  Latitude 60° S.

# SIMPLIFIED SCIENTIFIC TABLES OF HOUSES

|                | Latitude 58° N. | | | | | | Latitude 59° N. | | | | | | Latitude 60° N. | | | | | |
|----------------|----|----|----|------|----|----|----|----|----|------|----|----|----|----|----|------|----|----|
| Sider'l Time   | 10 ♋ | 11 ♌ | 12 ♍ | Asc. ♎ | 2 ♎ | 3 ♏ | 10 ♋ | 11 ♌ | 12 ♍ | Asc. ♎ | 2 ♎ | 3 ♏ | 10 ♋ | 11 ♌ | 12 ♍ | Asc. ♎ | 2 ♎ | 3 ♏ |
| H  M  S | ° | ° | ° | ° ′ | ° | ° | ° | ° | ° | ° ′ | ° | ° | ° | ° | ° | ° ′ | ° | ° |
| 6  0  0 | 0 | 8 | 8 | 0 0 | 22 | 22 | 0 | 9 | 8 | 0 0 | 22 | 21 | 0 | 9 | 8 | 0 0 | 22 | 21 |
| 4 22 | 1 | 9 | 9 | 0 42 | 23 | 23 | 1 | 10 | 9 | 0 42 | 23 | 22 | 1 | 10 | 9 | 0 41 | 23 | 22 |
| 8 43 | 2 | 10 | 10 | 1 25 | 24 | 24 | 2 | 11 | 10 | 1 24 | 24 | 23 | 2 | 11 | 10 | 1 23 | 24 | 23 |
| 6 13 5 | 3 | 11 | 11 | 2 7 | 24 | 25 | 3 | 12 | 11 | 2 5 | 25 | 24 | 3 | 12 | 11 | 2 4 | 25 | 24 |
| 17 26 | 4 | 12 | 12 | 2 50 | 25 | 26 | 4 | 13 | 12 | 2 47 | 26 | 25 | 4 | 13 | 12 | 2 46 | 26 | 25 |
| 21 48 | 5 | 13 | 12 | 3 32 | 26 | 27 | 5 | 13 | 12 | 3 29 | 26 | 26 | 5 | 13 | 12 | 3 27 | 26 | 26 |
| 6 26 9 | 6 | 14 | 13 | 4 14 | 27 | 27 | 6 | 14 | 13 | 4 10 | 27 | 27 | 6 | 14 | 13 | 4 8 | 27 | 27 |
| 30 30 | 7 | 15 | 14 | 4 57 | 28 | 28 | 7 | 15 | 14 | 4 52 | 28 | 27 | 7 | 15 | 14 | 4 50 | 28 | 28 |
| 34 51 | 8 | 16 | 15 | 5 39 | 28 | 29 | 8 | 16 | 15 | 5 34 | 28 | 28 | 8 | 16 | 15 | 5 31 | 28 | 29 |
| 6 39 11 | 9 | 17 | 16 | 6 21 | 29 | ♐ | 9 | 17 | 16 | 6 15 | 29 | 29 | 9 | 17 | 16 | 6 12 | 29 | 29 |
| 43 31 | 10 | 17 | 16 | 7 3 | ♏ | 1 | 10 | 18 | 16 | 6 57 | ♏ | ♐ | 10 | 18 | 16 | 6 53 | ♏ | ♐ |
| 47 51 | 11 | 18 | 17 | 7 45 | 1 | 2 | 11 | 19 | 17 | 7 38 | 1 | 1 | 11 | 19 | 17 | 7 34 | 1 | 1 |
| 6 52 11 | 12 | 19 | 18 | 8 27 | 1 | 3 | 12 | 20 | 18 | 8 20 | 2 | 2 | 12 | 20 | 18 | 8 15 | 2 | 2 |
| 56 31 | 13 | 20 | 19 | 9 9 | 2 | 4 | 13 | 21 | 19 | 9 1 | 3 | 3 | 13 | 21 | 19 | 8. 56 | 3 | 3 |
| 7 0 50 | 14 | 21 | 20 | ♎ 51 | 3 | 5 | 14 | 22 | 20 | 9 42 | 4 | 4 | 14 | 22 | 20 | 9 37 | 4 | 4 |
| 7 5 8 | 15 | 22 | 20 | 10 33 | 4 | 6 | 15 | 23 | 20 | 10 24 | 4 | 5 | 15 | 23 | 20 | 10 18 | 4 | 5 |
| 9 26 | 16 | 23 | 21 | 11 15 | 5 | 7 | 16 | 24 | 21 | 11 5 | 5 | 6 | 16 | 24 | 21 | 10 59 | 5 | 5 |
| 13 44 | 17 | 24 | 22 | 11 57 | 6 | 8 | 17 | 25 | 22 | 11 46 | 6 | 7 | 17 | 25 | 22 | 11 39 | 6 | 7 |
| 7 18 1 | 18 | 25 | 23 | 12 39 | 7 | 9 | 18 | 26 | 23 | 12 27 | 6 | 8 | 18 | 26 | 23 | 12 20 | 6 | 8 |
| 22 18 | 19 | 26 | 24 | 13 20 | 8 | 10 | 19 | 27 | 24 | 13 7 | 7 | 9 | 19 | 27 | 24 | 13 0 | 7 | 9 |
| 26 34 | 20 | 27 | 24 | 14 1 | 8 | 10 | 20 | 27 | 24 | 13 48 | 7 | 9 | 20 | 27 | 24 | 13 41 | 7 | 9 |
| 7 30 50 | 21 | 28 | 25 | 14 42 | 9 | 11 | 21 | 28 | 25 | 14 29 | 8 | 10 | 21 | 28 | 25 | 14 21 | 8 | 10 |
| 35 5 | 22 | 28 | 26 | 15 24 | 10 | 12 | 22 | 29 | 26 | 15 9 | 9 | 11 | 22 | 29 | 26 | 15 1 | 9 | 11 |
| 39 20 | 23 | 29 | 27 | 16 5 | 11 | 13 | 23 | ♍ | 27 | 15 50 | 10 | 12 | 23 | ♍ | 27 | 15 41 | 10 | 12 |
| 7 43 34 | 24 | ♍ | 28 | 16 46 | 12 | 14 | 24 | 1 | 28 | 16 30 | 11 | 13 | 24 | 1 | 28 | 16 21 | 11 | 13 |
| 47 47 | 25 | 1 | 28 | 17 27 | 12 | 15 | 25 | 2 | 28 | 17 11 | 11 | 14 | 25 | 2 | 28 | 17 1 | 11 | 14 |
| 52 0 | 26 | 2 | 29 | 18 7 | 13 | 16 | 26 | 3 | 29 | 17 51 | 12 | 15 | 26 | 3 | 29 | 17 41 | 12 | 15 |
| 7 56 12 | 27 | 3 | 29 | 18 48 | 14 | 17 | 27 | 4 | 29 | 18 31 | 13 | 16 | 27 | 4 | 29 | 18 21 | 13 | 16 |
| 8 0 24 | 28 | 4 | ♎ | 19 28 | 15 | 18 | 28 | 5 | ♎ | 19 11 | 14 | 17 | 28 | 5 | ♎ | 19 0 | 14 | 17 |
| 4 35 | 29 | 5 | 1 | 20 9 | 15 | 19 | 29 | 5 | 1 | 19 50 | 14 | 17 | 29 | 5 | 1 | 19 40 | 14 | 17 |
| Houses | 4 | 5 | 6 | 7 | 8 | 9 | 4 | 5 | 6 | 7 | 8 | 9 | 4 | 5 | 6 | 7 | 8 | 9 |

Latitude 58° S.    Latitude 59° S.    Latitude 60° S.

# SIMPLIFIED SCIENTIFIC TABLES OF HOUSES

### Latitude 58° N.  Latitude 59° N.  Latitude 60° N.

| Sider'l Time (H M S) | 10 Ω | 11 mp | 12 ≏ | Asc ≏ | 2 m | 3 ♐ | 10 Ω | 11 mp | 12 ≏ | Asc ≏ | 2 m | 3 ♐ | 10 Ω | 11 mp | 12 ≏ | Asc ≏ | 2 m | 3 ♐ |
|---|---|---|---|---|---|---|---|---|---|---|---|---|---|---|---|---|---|---|
| 8 8 45 | 0 | 6 | 2 | 20°49′ | 16 | 19 | 0 | 6 | 2 | 20°30′ | 15 | 18 | 0 | 6 | 2 | 20°19′ | 15 | 18 |
| 8 12 54 | 1 | 7 | 3 | 21°29′ | 17 | 20 | 1 | 7 | 3 | 21°10′ | 16 | 19 | 1 | 7 | 3 | 20°58′ | 16 | 19 |
| 8 17 3 | 2 | 8 | 3 | 22°9′ | 18 | 21 | 2 | 8 | 4 | 21°49′ | 17 | 20 | 2 | 8 | 4 | 21°37′ | 17 | 20 |
| 8 21 11 | 3 | 9 | 4 | 22°49′ | 19 | 22 | 3 | 9 | 4 | 22°28′ | 18 | 21 | 3 | 9 | 4 | 22°16′ | 18 | 21 |
| 8 25 19 | 4 | 10 | 4 | 23°29′ | 19 | 23 | 4 | 10 | 5 | 23°7′ | 19 | 22 | 4 | 10 | 5 | 22°55′ | 19 | 22 |
| 8 29 26 | 5 | 10 | 5 | 24°9′ | 20 | 24 | 5 | 10 | 5 | 23°46′ | 19 | 23 | 5 | 10 | 5 | 23°33′ | 19 | 23 |
| 8 33 31 | 6 | 11 | 6 | 24°48′ | 21 | 25 | 6 | 11 | 6 | 24°25′ | 20 | 24 | 6 | 11 | 6 | 24°12′ | 20 | 24 |
| 8 37 37 | 7 | 12 | 7 | 25°28′ | 22 | 26 | 7 | 12 | 7 | 25°4′ | 21 | 25 | 7 | 12 | 7 | 24°50′ | 21 | 25 |
| 8 41 41 | 8 | 13 | 8 | 26°7′ | 23 | 27 | 8 | 13 | 8 | 25°43′ | 22 | 26 | 8 | 13 | 8 | 25°29′ | 22 | 26 |
| 8 45 45 | 9 | 14 | 9 | 26°46′ | 24 | 28 | 9 | 14 | 9 | 26°21′ | 23 | 27 | 9 | 14 | 9 | 26°7′ | 23 | 27 |
| 8 49 48 | 10 | 15 | 9 | 27°25′ | 24 | 29 | 10 | 15 | 9 | 26°59′ | 23 | 28 | 10 | 15 | 9 | 26°45′ | 23 | 28 |
| 8 53 51 | 11 | 16 | 10 | 28°4′ | 25 | 29 | 11 | 16 | 10 | 27°38′ | 24 | 28 | 11 | 16 | 10 | 27°23′ | 24 | 29 |
| 8 57 52 | 12 | 17 | 11 | 28°42′ | 26 | ♑ | 12 | 17 | 11 | 28°16′ | 25 | 29 | 12 | 17 | 11 | 28°0′ | 25 | 29 |
| 9 1 53 | 13 | 18 | 12 | 29°21′ | 26 | 1 | 13 | 18 | 12 | 28°54′ | 25 | ♑ | 13 | 18 | 12 | 28°38′ | 25 | ♑ |
| 9 5 53 | 14 | 19 | 13 | 0♏0′ | 27 | 2 | 14 | 19 | 13 | 29°32′ | 26 | 1 | 14 | 19 | 13 | 29°15′ | 26 | 1 |
| 9 9 53 | 15 | 19 | 13 | 0♏38′ | 27 | 3 | 15 | 19 | 13 | 0♏9′ | 26 | 2 | 15 | 19 | 13 | 29°53′ | 26 | 2 |
| 9 13 52 | 16 | 20 | 14 | 1°16′ | 28 | 4 | 16 | 20 | 14 | 0♏47′ | 26 | 3 | 16 | 20 | 14 | 0♏30′ | 27 | 3 |
| 9 17 50 | 17 | 21 | 15 | 1°54′ | 29 | 5 | 17 | 21 | 15 | 1°24′ | 27 | 4 | 17 | 21 | 15 | 1°7′ | 28 | 4 |
| 9 21 47 | 18 | 22 | 15 | 2°32′ | 29 | 6 | 18 | 22 | 15 | 2°2′ | 28 | 5 | 18 | 22 | 15 | 1°44′ | 28 | 5 |
| 9 25 44 | 19 | 23 | 16 | 3°10′ | ♐ | 7 | 19 | 22 | 16 | 2°39′ | 28 | 6 | 19 | 22 | 16 | 2°21′ | 29 | 6 |
| 9 29 40 | 20 | 23 | 17 | 3°48′ | 1 | 8 | 20 | 23 | 16 | 3°16′ | 29 | 7 | 20 | 23 | 16 | 2°58′ | 29 | 7 |
| 9 33 35 | 21 | 24 | 18 | 4°25′ | 2 | 9 | 21 | 24 | 17 | 3°53′ | ♐ | 8 | 21 | 24 | 17 | 3°34′ | ♐ | 8 |
| 9 37 29 | 22 | 25 | 18 | 5°3′ | 2 | 10 | 22 | 25 | 18 | 4°30′ | 1 | 9 | 22 | 25 | 18 | 4°11′ | 1 | 9 |
| 9 41 23 | 23 | 26 | 19 | 5°40′ | 3 | 11 | 23 | 26 | 19 | 5°7′ | 2 | 10 | 23 | 26 | 19 | 4°47′ | 2 | 10 |
| 9 45 16 | 24 | 27 | 20 | 6°18′ | 4 | 12 | 24 | 27 | 20 | 5°43′ | 3 | 11 | 24 | 27 | 20 | 5°24′ | 3 | 11 |
| 9 49 9 | 25 | 28 | 20 | 6°55′ | 5 | 13 | 25 | 28 | 20 | 6°20′ | 3 | 12 | 25 | 28 | 20 | 6°0′ | 3 | 12 |
| 9 53 1 | 26 | 29 | 21 | 7°32′ | 6 | 14 | 26 | 29 | 21 | 6°56′ | 4 | 13 | 26 | 28 | 21 | 6°36′ | 4 | 13 |
| 9 56 52 | 27 | 29 | 22 | 8°9′ | 7 | 15 | 27 | 29 | 22 | 7°33′ | 5 | 14 | 27 | 29 | 22 | 7°12′ | 5 | 14 |
| 10 0 43 | 28 | ≏ | 23 | 8°46′ | 7 | 16 | 28 | ≏ | 23 | 8°9′ | 5 | 14 | 28 | ≏ | 23 | 7°48′ | 6 | 15 |
| 10 4 33 | 29 | 1 | 23 | 9°22′ | 8 | 17 | 29 | 1 | 23 | 8°45′ | 6 | 15 | 29 | 1 | 23 | 8°24′ | 6 | 15 |

| Houses | 4 | 5 | 6 | 7 | 8 | 9 | 4 | 5 | 6 | 7 | 8 | 9 | 4 | 5 | 6 | 7 | 8 | 9 |
|---|---|---|---|---|---|---|---|---|---|---|---|---|---|---|---|---|---|---|

### Latitude 58° S.  Latitude 59° S.  Latitude 60° S.

# SIMPLIFIED SCIENTIFIC TABLES OF HOUSES

### Latitude 58° N.   Latitude 59° N.   Latitude 60° N.

| Sider'l Time | 10 ♍ | 11 ≏ | 12 ≏ | Asc. ♏ | ♐ | 2 ♑ | 3 | 10 ♍ | 11 ≏ | 12 ≏ | Asc. ♏ | ♐ | 2 ♑ | 3 | 10 ♍ | 11 ≏ | 12 ≏ | Asc. ♏ | ♐ | 2 ♑ | 3 |
|---|---|---|---|---|---|---|---|---|---|---|---|---|---|---|---|---|---|---|---|---|---|
| H  M  S | ° | ° | ° | ° ' | ° | ° | ° | ° | ° | ° | ° ' | ° | ° | ° | ° | ° | ° | ° ' | ° | ° | ° |
| 10  8 23 | 0 | 2 | 24 | 9 59 | 8 | 17 | 0 | 2 | 24 | 9 21 | 7 | 16 | 0 | 2 | 24 | 8 59 | 7 | 16 | | | |
| 10 12 12 | 1 | 3 | 25 | 10 36 | 9 | 18 | 1 | 3 | 25 | 9 57 | 8 | 17 | 1 | 3 | 25 | 9 35 | 8 | 17 | | | |
| 10 16  0 | 2 | 4 | 25 | 11 12 | 10 | 19 | 2 | 4 | 26 | 10 33 | 9 | 18 | 2 | 4 | 26 | 10 11 | 9 | 18 | | | |
| 10 19 48 | 3 | 5 | 26 | 11 49 | 11 | 20 | 3 | 5 | 26 | 11 9 | 10 | 19 | 3 | 5 | 26 | 10 46 | 10 | 19 | | | |
| 10 23 35 | 4 | 6 | 27 | 12 25 | 12 | 21 | 4 | 6 | 27 | 11 45 | 11 | 20 | 4 | 6 | 27 | 11 21 | 11 | 20 | | | |
| 10 27 22 | 5 | 6 | 27 | 13 1 | 12 | 22 | 5 | 6 | 27 | 12 20 | 11 | 21 | 5 | 6 | 27 | 11 57 | 11 | 21 | | | |
| 10 31  8 | 6 | 7 | 28 | 13 38 | 13 | 23 | 6 | 7 | 28 | 12 56 | 12 | 22 | 6 | 7 | 28 | 12 32 | 12 | 22 | | | |
| 10 34 54 | 7 | 8 | 29 | 14 14 | 14 | 24 | 7 | 8 | 28 | 13 32 | 13 | 23 | 7 | 8 | 28 | 13 7 | 13 | 23 | | | |
| 10 38 40 | 8 | 9 | 29 | 14 50 | 15 | 25 | 8 | 9 | 29 | 14 7 | 13 | 24 | 8 | 9 | 29 | 13 42 | 13 | 24 | | | |
| 10 42 25 | 9 | 10 ♏ | 15 | 26 16 | 26 | | 9 | 10 | 29 | 14 42 | 14 | 25 | 9 | 10 | 29 | 14 17 | 14 | 25 | | | |
| 10 46  9 | 10 | 10 | 1 | 16 2 | 16 | 27 | 10 | 10 ♏ | 15 | 18 14 | 26 | | 10 | 10 ♏ | 14 | 52 14 | 26 | | | | |
| 10 49 53 | 11 | 11 | 2 | 16 38 | 17 | 28 | 11 | 11 | 1 | 15 53 | 15 | 27 | 11 | 11 | 1 | 15 27 | 15 | 27 | | | |
| 10 53 37 | 12 | 12 | 2 | 17 14 | 18 | 29 | 12 | 12 | 2 | 16 28 | 16 | 28 | 12 | 12 | 2 | 16 2 | 16 | 28 | | | |
| 10 57 20 | 13 | 13 | 3 | 17 50 | 19 | ♒ | 13 | 13 | 2 | 17 4 | 17 | 29 | 13 | 13 | 2 | 16 37 | 17 | 29 | | | |
| 11  1  3 | 14 | 14 | 4 | 18 26 | 20 | 1 | 14 | 14 | 3 | 17 39 | 18 | ♒ | 14 | 14 | 3 | 17 12 | 18 | ♒ | | | |
| 11  4 46 | 15 | 14 | 4 | 19 2 | 20 | 2 | 15 | 14 | 3 | 18 14 | 18 | 1 | 15 | 14 | 3 | 17 47 | 18 | 1 | | | |
| 11  8 28 | 16 | 15 | 5 | 19 38 | 21 | 3 | 16 | 15 | 4 | 18 49 | 19 | 2 | 16 | 14 | 4 | 18 21 | 19 | 2 | | | |
| 11 12 10 | 17 | 16 | 6 | 20 13 | 22 | 4 | 17 | 16 | 5 | 19 24 | 20 | 3 | 17 | 16 | 5 | 18 56 | 20 | 3 | | | |
| 11 15 52 | 18 | 17 | 7 | 20 49 | 23 | 5 | 18 | 17 | 6 | 20 0 | 21 | 4 | 18 | 16 | 6 | 19 31 | 21 | 4 | | | |
| 11 19 34 | 19 | 18 | 8 | 21 25 | 24 | 6 | 19 | 18 | 7 | 20 35 | 22 | 5 | 19 | 17 | 7 | 20 6 | 22 | 5 | | | |
| 11 23 15 | 20 | 18 | 8 | 22 1 | 24 | 8 | 20 | 18 | 7 | 21 10 | 22 | 7 | 20 | 18 | 7 | 20 40 | 22 | 7 | | | |
| 11 26 56 | 21 | 19 | 9 | 22 37 | 25 | 9 | 21 | 19 | 8 | 21 45 | 23 | 8 | 21 | 19 | 8 | 21 15 | 23 | 8 | | | |
| 11 30 37 | 22 | 20 | 10 | 23 13 | 26 | 10 | 22 | 20 | 9 | 22 20 | 24 | 9 | 22 | 20 | 9 | 21 50 | 24 | 9 | | | |
| 11 34 18 | 23 | 21 | 10 | 23 49 | 27 | 11 | 23 | 21 | 9 | 22 55 | 25 | 10 | 23 | 21 | 9 | 22 25 | 25 | 10 | | | |
| 11 37 58 | 24 | 22 | 11 | 24 25 | 28 | 12 | 24 | 22 | 10 | 23 31 | 26 | 11 | 24 | 22 | 10 | 22 59 | 26 | 11 | | | |
| 11 41 39 | 25 | 22 | 11 | 25 1 | 28 | 13 | 25 | 22 | 10 | 24 6 | 26 | 12 | 25 | 22 | 10 | 23 34 | 16 | 12 | | | |
| 11 45 19 | 26 | 23 | 12 | 25 37 | 29 | 14 | 26 | 23 | 11 | 24 41 | 27 | 13 | 26 | 23 | 11 | 24 9 | 27 | 13 | | | |
| 11 49  0 | 27 | 24 | 12 | 26 13 | 29 | 16 | 27 | 24 | 11 | 25 17 | 28 | 14 | 27 | 24 | 11 | 24 44 | 28 | 14 | | | |
| 11 52 40 | 28 | 25 | 13 | 26 49 | ♑ | 17 | 28 | 25 | 12 | 25 52 | 28 | 15 | 28 | 25 | 12 | 25 19 | 28 | 15 | | | |
| 11 56 20 | 29 | 26 | 13 | 27 25 | 1 | 18 | 29 | 25 | 12 | 26 27 | 29 | 17 | 29 | 25 | 12 | 25 54 | 29 | 17 | | | |
| Houses | 4 | 5 | 6 | 7 | 8 | 9 | 4 | 5 | 6 | 7 | 8 | 9 | 4 | 5 | 6 | 7 | 8 | 9 | | | |

### Latitude 58° S.   Latitude 59° S.   Latitude 60° S.

# SIMPLIFIED SCIENTIFIC TABLES OF HOUSES

### Latitude 58° N.  Latitude 59° N.  Latitude 60° N.

| Sider'l Time (H M S) | 10 | 11 | 12 | Asc. | 2 | 3 | 10 | 11 | 12 | Asc. | 2 | 3 | 10 | 11 | 12 | Asc. | 2 | 3 |
|---|---|---|---|---|---|---|---|---|---|---|---|---|---|---|---|---|---|---|
| | ≏ | ≏ | ♏ | ♏ | ♑ | ♒ | ≏ | ≏ | ♏ | ♏ | ♑ | ♒ | ≏ | ≏ | ♏ | ♏ | ♑ | ♒ |
| 12 0 0 | 0 | 26 | 14 | 28 2 | 2 | 19 | 0 | 26 | 13 | 27 3 | 0 | 18 | 0 | 26 | 13 | 26 29 | 0 | 18 |
| 3 40 | 1 | 27 | 15 | 28 38 | 3 | 20 | 1 | 27 | 14 | 27 39 | 1 | 19 | 1 | 27 | 14 | 27 4 | 1 | 19 |
| 7 20 | 2 | 28 | 16 | 29 14 | 4 | 21 | 2 | 27 | 15 | 28 14 | 2 | 20 | 2 | 28 | 15 | 27 39 | 2 | 20 |
| 12 11 0 | 3 | 28 | 17 | 29 51 | 4 | 22 | 3 | 28 | 15 | 28 50 | 3 | 21 | 3 | 28 | 15 | 28 15 | 3 | 21 |
| 14 41 | 4 | 29 | 18 | ♐ 28 | 5 | 23 | 4 | 29 | 16 | 29 26 | 4 | 22 | 4 | 29 | 16 | 28 50 | 4 | 22 |
| 18 21 | 5 | ♏ | 18 | 1 4 | 6 | 25 | 5 | ♏ | 17 | 0♐ 2 | 4 | 24 | 5 | ♏ | 17 | 29 25 | 4 | 24 |
| 12 22 2 | 6 | 1 | 19 | 1 41 | 7 | 26 | 6 | 1 | 18 | 0 38 | 5 | 25 | 6 | 1 | 18 | 0♐ 1 | 5 | 25 |
| 25 42 | 7 | 2 | 20 | 2 18 | 8 | 27 | 7 | 2 | 19 | 1 14 | 6 | 26 | 7 | 2 | 19 | 0 37 | 6 | 26 |
| 29 23 | 8 | 3 | 20 | 2 56 | 9 | 28 | 8 | 3 | 19 | 1 51 | 7 | 27 | 8 | 3 | 19 | 1 13 | 7 | 27 |
| 12 33 4 | 9 | 3 | 21 | 3 33 | 10 | ♓ | 9 | 4 | 20 | 2 27 | 8 | 28 | 9 | 4 | 20 | 1 49 | 8 | 28 |
| 36 45 | 10 | 4 | 21 | 4 11 | 11 | 1 | 10 | 4 | 20 | 3 4 | 9 | ♓ | 10 | 4 | 20 | 2 25 | 9 | ♓ |
| 40 26 | 11 | 5 | 22 | 4 48 | 12 | 2 | 11 | 5 | 21 | 3 40 | 10 | 1 | 11 | 5 | 21 | 3 1 | 10 | 1 |
| 12 44 8 | 12 | 6 | 23 | 5 26 | 13 | 3 | 12 | 6 | 22 | 4 17 | 11 | 2 | 12 | 6 | 22 | 3 37 | 11 | 2 |
| 47 50 | 13 | 7 | 24 | 6 4 | 14 | 4 | 13 | 7 | 23 | 4 55 | 12 | 3 | 13 | 7 | 23 | 4 14 | 12 | 3 |
| 51 32 | 14 | 8 | 24 | 6 42 | 15 | 5 | 14 | 8 | 24 | 5 32 | 13 | 4 | 14 | 8 | 24 | 4 51 | 13 | 4 |
| 12 55 14 | 15 | 8 | 25 | 7 21 | 16 | 7 | 15 | 8 | 24 | 6 9 | 14 | 6 | 15 | 8 | 24 | 5 28 | 14 | 6 |
| 58 57 | 16 | 9 | 26 | 8 0 | 17 | 8 | 16 | 9 | 25 | 6 47 | 15 | 7 | 16 | 9 | 25 | 6 5 | 15 | 7 |
| 13 2 40 | 17 | 10 | 27 | 8 39 | 18 | 9 | 17 | 10 | 26 | 7 25 | 16 | 8 | 17 | 10 | 26 | 6 42 | 16 | 8 |
| 13 6 23 | 18 | 10 | 27 | 9 18 | 19 | 10 | 18 | 11 | 26 | 8 3 | 17 | 10 | 18 | 11 | 26 | 7 20 | 17 | 10 |
| 10 7 | 19 | 11 | 28 | 9 57 | 20 | 12 | 19 | 12 | 27 | 8 42 | 18 | 12 | 19 | 12 | 27 | 7 58 | 18 | 12 |
| 13 51 | 20 | 12 | 28 | 10 37 | 21 | 14 | 20 | 12 | 27 | 9 21 | 19 | 13 | 20 | 12 | 27 | 8 36 | 19 | 13 |
| 13 17 35 | 21 | 13 | 29 | 11 17 | 22 | 15 | 21 | 13 | 28 | 10 0 | 20 | 15 | 21 | 13 | 28 | 9 14 | 20 | 15 |
| 21 20 | 22 | 14 | 29 | 11 57 | 23 | 16 | 22 | 14 | 28 | 10 39 | 22 | 16 | 22 | 14 | 29 | 9 53 | 22 | 16 |
| 25 6 | 23 | 15 | ♐ | 12 38 | 24 | 17 | 23 | 15 | 29 | 11 18 | 23 | 17 | 23 | 15 | 29 | 10 32 | 23 | 17 |
| 13 28 52 | 24 | 15 | 1 | 13 19 | 25 | 18 | 24 | 16 | ♐ | 11 58 | 24 | 18 | 24 | 16 | ♐ | 11 11 | 24 | 18 |
| 32 38 | 25 | 16 | 2 | 14 1 | 27 | 20 | 25 | 16 | 1 | 12 39 | 25 | 20 | 25 | 16 | 1 | 11 51 | 25 | 20 |
| 36 25 | 26 | 17 | 3 | 14 43 | 29 | 22 | 26 | 17 | 2 | 13 19 | 26 | 22 | 26 | 17 | 2 | 12 31 | 26 | 21 |
| 13 40 12 | 27 | 18 | 4 | 15 25 | ♒ | 23 | 27 | 17 | 2 | 14 0 | 27 | 23 | 27 | 17 | 2 | 13 11 | 27 | 22 |
| 44 0 | 28 | 19 | 4 | 16 7 | 1 | 24 | 28 | 18 | 3 | 14 42 | 28 | 24 | 28 | 18 | 3 | 13 52 | 28 | 24 |
| 47 48 | 29 | 20 | 5 | 16 50 | 2 | 25 | 29 | 18 | 3 | 15 23 | ♒ | 26 | 29 | 18 | 3 | 14 33 | ♒ | 26 |

| Houses | 4 | 5 | 6 | 7 | 8 | 9 | 4 | 5 | 6 | 7 | 8 | 9 | 4 | 5 | 6 | 7 | 8 | 9 |

### Latitude 58° S.  Latitude 59° S.  Latitude 60° S.

## SIMPLIFIED SCIENTIFIC TABLES OF HOUSES

### Latitude 58° N.    Latitude 59° N.    Latitude 60° N.

| Sider'l Time | 10 ♏ | 11 ♏ | 12 ♐ | Asc. ♐ | 2 ♒ | 3 ♓ | 10 ♏ | 11 ♏ | 12 ♐ | Asc. ♐ | 2 ♒ | 3 ♓ | 10 ♏ | 11 ♏ | 12 ♐ | Asc. ♐ | 2 ♒ | 3 ♓ |
|---|---|---|---|---|---|---|---|---|---|---|---|---|---|---|---|---|---|---|
| 13 51 37 | 0 | 20 | 5 | 17 34 | 3 | 27 | 0 | 19 | 4 | 16 6 | 1 | 27 | 0 | 19 | 4 | 15 14 | 1 | 27 |
| 55 27 | 1 | 21 | 6 | 18 18 | 4 | 29 | 1 | 20 | 5 | 16 48 | 2 | 28 | 1 | 20 | 5 | 15 56 | 2 | 28 |
| 59 17 | 2 | 22 | 7 | 19 2 | 5 | ♈ | 2 | 21 | 6 | 17 32 | 4 | ♈ | 2 | 21 | 6 | 16 38 | 4 | 29 |
| 14 3 8 | 3 | 23 | 8 | 19 47 | 7 | 1 | 3 | 22 | 6 | 18 15 | 6 | 1 | 3 | 22 | 6 | 17 21 | 6 | ♈ |
| 6 59 | 4 | 24 | 9 | 20 33 | 9 | 3 | 4 | 23 | 7 | 18 59 | 7 | 3 | 4 | 23 | 7 | 18 4 | 7 | 2 |
| 10 51 | 5 | 24 | 9 | 21 19 | 10 | 4 | 5 | 24 | 7 | 19 44 | 8 | 4 | 5 | 24 | 7 | 18 48 | 8 | 4 |
| 14 14 44 | 6 | 25 | 10 | 22 6 | 12 | 6 | 6 | 25 | 8 | 20 29 | 10 | 5 | 6 | 25 | 8 | 19 33 | 10 | 6 |
| 18 37 | 7 | 26 | 11 | 22 54 | 14 | 7 | 7 | 26 | 9 | 21 15 | 11 | 6 | 7 | 26 | 9 | 20 18 | 11 | 7 |
| 22 31 | 8 | 27 | 12 | 23 42 | 15 | 8 | 8 | 27 | 10 | 22 2 | 12 | 7 | 8 | 27 | 10 | 21 4 | 12 | 8 |
| 14 26 25 | 9 | 28 | 13 | 24 30 | 16 | 9 | 9 | 27 | 11 | 22 49 | 14 | 9 | 9 | 28 | 11 | 21 50 | 14 | 9 |
| 30 20 | 10 | 28 | 13 | 25 20 | 18 | 11 | 10 | 28 | 12 | 23 37 | 16 | 11 | 10 | 28 | 12 | 22 37 | 16 | 11 |
| 34 16 | 11 | 29 | 14 | 26 11 | 20 | 13 | 11 | 29 | 13 | 24 26 | 17 | 12 | 11 | 28 | 13 | 23 25 | 17 | 12 |
| 14 38 13 | 12 | ♐ | 15 | 27 2 | 22 | 15 | 12 | 29 | 13 | 25 16 | 18 | 13 | 12 | 29 | 13 | 24 13 | 18 | 14 |
| 42 10 | 13 | 1 | 16 | 27 54 | 24 | 16 | 13 | ♐ | 14 | 26 6 | 20 | 14 | 13 | ♐ | 14 | 25 2 | 20 | 16 |
| 46 8 | 14 | 2 | 17 | 28 48 | 25 | 17 | 14 | 1 | 14 | 26 57 | 22 | 16 | 14 | 1 | 14 | 25 53 | 22 | 17 |
| 14 50 7 | 15 | 3 | 17 | 29 41 | 26 | 18 | 15 | 2 | 15 | 27 49 | 24 | 18 | 15 | 2 | 15 | 26 44 | 24 | 18 |
| 54 7 | 16 | 4 | 18 | 0♑36 | 28 | 20 | 16 | 3 | 16 | 28 43 | 26 | 19 | 16 | 3 | 16 | 27 36 | 26 | 20 |
| 58 7 | 17 | 5 | 19 | 1 32 | ♓ | 21 | 17 | 4 | 17 | 29 37 | 28 | 20 | 17 | 4 | 17 | 28 29 | 28 | 21 |
| 15 2 8 | 18 | 6 | 20 | 2 30 | 2 | 22 | 18 | 4 | 18 | 0♑32 | ♓ | 22 | 18 | 4 | 18 | 29 23 | ♓ | 22 |
| 6 9 | 19 | 7 | 21 | 3 28 | 4 | 23 | 19 | 5 | 19 | 1 29 | 2 | 24 | 19 | 5 | 19 | 0♑18 | 2 | 23 |
| 10 12 | 20 | 7 | 21 | 4 28 | 5 | 24 | 20 | 6 | 19 | 2 26 | 4 | 25 | 20 | 6 | 19 | 1 15 | 4 | 25 |
| 15 14 15 | 21 | 8 | 22 | 5 29 | 7 | 26 | 21 | 7 | 20 | 3 26 | 6 | 27 | 21 | 7 | 20 | 2 12 | 6 | 26 |
| 18 19 | 22 | 9 | 23 | 6 32 | 9 | 28 | 22 | 8 | 21 | 4 26 | 8 | 28 | 22 | 8 | 21 | 3 11 | 8 | 27 |
| 22 23 | 23 | 10 | 24 | 7 36 | 11 | ♉ | 23 | 9 | 22 | 5 28 | 10 | 29 | 23 | 9 | 22 | 4 12 | 10 | 28 |
| 15 26 29 | 24 | 11 | 25 | 8 42 | 13 | 1 | 24 | 10 | 23 | 6 31 | 12 | ♉ | 24 | 10 | 23 | 5 14 | 12 | ♉ |
| 30 35 | 25 | 11 | 25 | 9 49 | 15 | 2 | 25 | 11 | 23 | 7 37 | 14 | 2 | 25 | 11 | 23 | 6 18 | 14 | 2 |
| 34 41 | 26 | 12 | 26 | 10 58 | 17 | 3 | 26 | 12 | 24 | 8 44 | 16 | 4 | 26 | 12 | 24 | 7 23 | 16 | 4 |
| 15 38 49 | 27 | 13 | 27 | 12 10 | 19 | 4 | 27 | 12 | 25 | 9 53 | 18 | 5 | 27 | 13 | 25 | 8 31 | 18 | 5 |
| 42 57 | 28 | 14 | 28 | 13 23 | 22 | 5 | 28 | 13 | 26 | 11 4 | 20 | 6 | 28 | 14 | 26 | 9 40 | 20 | 6 |
| 47 6 | 29 | 15 | 29 | 14 39 | 24 | 7 | 29 | 14 | 27 | 12 17 | 23 | 8 | 29 | 14 | 27 | 10 52 | 23 | 8 |
| Houses | 4 | •5 | 6 | 7 | 8 | 9 | 4 | 5 | 6 | 7 | 8 | 9 | 4 | 5 | 6 | 7 | 8 | 9 |

### Latitude 58° S.    Latitude 59° S.    Latitude 60° S.

# SIMPLIFIED SCIENTIFIC TABLES OF HOUSES

### Latitude 58° N.  Latitude 59° N.  Latitude 60° N.

| Sider'l Time (H M S) | 10 ♐ | 11 ♐ | 12 ♑ | Asc. ♑ | 2 ♓ | 3 ♉ | 10 ♐ | 11 ♐ | 12 ♐ | Asc. ♑ | 2 ♓ | 3 ♉ | 10 ♐ | 11 ♐ | 12 ♐ | Asc. ♑ | 2 ♓ | 3 ♉ |
|---|---|---|---|---|---|---|---|---|---|---|---|---|---|---|---|---|---|---|
| 15 51 15 | 0 | 16 | 0 | 15 57 | 26 | 8 | 0 | 15 | 28 | 13 32 | 25 | 9 | 0 | 15 | 28 | 12 6 | 25 | 9 |
| 55 25 | 1 | 17 | 1 | 17 17 | 28 | 10 | 1 | 16 | 29 | 15 40 | 27 | 10 | 1 | 16 | 29 | 13 22 | 27 | 10 |
| 59 36 | 2 | 18 | 2 | 18 40 | ♈ | 11 | 2 | 17 | ♑ | 16 11 | ♈ | 12 | 2 | 17 | ♑ | 14 41 | ♈ | 12 |
| 16 3 48 | 3 | 19 | 3 | 20 6 | 2 | 12 | 3 | 18 | 1 | 17 35 | 2 | 13 | 3 | 18 | 1 | 16 3 | 2 | 13 |
| 8 0 | 4 | 20 | 4 | 21 36 | 4 | 13 | 4 | 18 | 2 | 19 1 | 4 | 14 | 4 | 19 | 2 | 17 28 | 4 | 14 |
| 12 13 | 5 | 20 | 5 | 23 8 | 6 | 15 | 5 | 19 | 3 | 20 31 | 6 | 16 | 5 | 19 | 3 | 18 56 | 6 | 16 |
| 16 16 26 | 6 | 21 | 6 | 24 44 | 8 | 17 | 6 | 20 | 4 | 22 5 | 8 | 17 | 6 | 20 | 4 | 20 28 | 8 | 17 |
| 20 40 | 7 | 22 | 7 | 26 23 | 10 | 18 | 7 | 21 | 5 | 23 43 | 10 | 18 | 7 | 22 | 5 | 22 5 | 10 | 18 |
| 24 55 | 8 | 23 | 8 | 28 7 | 12 | 19 | 8 | 22 | 6 | 25 24 | 12 | 20 | 8 | 23 | 6 | 23 45 | 12 | 20 |
| 16 29 10 | 9 | 24 | 9 | 29 55 | 15 | 20 | 9 | 23 | 7 | 27 10 | 14 | 21 | 9 | 24 | 7 | 25 29 | 14 | 21 |
| 33 26 | 10 | 25 | 10 | 1 ♒ 47 | 17 | 21 | 10 | 24 | 8 | 29 1 | 18 | 22 | 10 | 24 | 8 | 27 19 | 18 | 22 |
| 37 42 | 11 | 26 | 11 | 3 44 | 20 | 22 | 11 | 25 | 9 | 0 ♒ 57 | 20 | 24 | 11 | 25 | 9 | 29 14 | 20 | 24 |
| 16 41 59 | 12 | 27 | 12 | 5 46 | 22 | 24 | 12 | 26 | 10 | 2 58 | 22 | 25 | 12 | 26 | 10 | 1 ♒ 14 | 22 | 25 |
| 46 16 | 13 | 28 | 14 | 7 54 | 24 | 25 | 13 | 27 | 12 | 5 6 | 24 | 26 | 13 | 27 | 12 | 3 21 | 24 | 26 |
| 50 34 | 14 | 29 | 15 | 10 7 | 25 | 26 | 14 | 28 | 13 | 7 19 | 27 | 27 | 14 | 28 | 13 | 5 34 | 27 | 27 |
| 16 54 52 | 15 | ♑ | 16 | 12 26 | 27 | 27 | 15 | 29 | 14 | 9 40 | 29 | 29 | 15 | 29 | 14 | 7 54 | 29 | 29 |
| 59 10 | 16 | 1 | 18 | 14 52 | 29 | 29 | 16 | ♑ | 16 | 12 7 | ♉ | Ⅱ | 16 | ♑ | 16 | 10 22 | ♉ | Ⅱ |
| 17 3 29 | 17 | 2 | 19 | 17 25 | ♉ | Ⅱ | 17 | 1 | 17 | 14 42 | 2 | 1 | 17 | 1 | 17 | 12 58 | 2 | 1 |
| 17 7 49 | 18 | 3 | 20 | 20 3 | 3 | 1 | 18 | 2 | 18 | 17 25 | 4 | 2 | 18 | 2 | 18 | 15 43 | 4 | 2 |
| 12 9 | 19 | 4 | 21 | 22 48 | 5 | 2 | 19 | 3 | 19 | 20 15 | 7 | 3 | 19 | 3 | 19 | 18 36 | 7 | 3 |
| 16 29 | 20 | 5 | 22 | 25 42 | 7 | 3 | 20 | 4 | 20 | 23 15 | 9 | 4 | 20 | 4 | 20 | 21 39 | 9 | 4 |
| 17 20 49 | 21 | 6 | 24 | 28 42 | 9 | 4 | 21 | 5 | 22 | 26 23 | 10 | 6 | 21 | 5 | 22 | 24 52 | 10 | 5 |
| 25 9 | 22 | 7 | 26 | 1 ♓ 49 | 11 | 5 | 22 | 6 | 23 | 29 39 | 12 | 6 | 22 | 6 | 23 | 28 14 | 12 | 6 |
| 29 30 | 23 | 8 | 27 | 5 3 | 13 | 6 | 23 | 7 | 24 | 3 ♓ 4 | 14 | 6 | 23 | 7 | 24 | 1 ♓ 46 | 14 | 7 |
| 17 33 51 | 24 | 9 | 28 | 8 23 | 15 | 7 | 24 | 8 | 25 | 6 37 | 16 | 8 | 24 | 8 | 25 | 5 27 | 16 | 8 |
| 38 12 | 25 | 10 | 29 | 11 49 | 16 | 9 | 25 | 9 | 26 | 10 18 | 18 | 10 | 25 | 9 | 26 | 9 17 | 18 | 10 |
| 42 34 | 26 | 11 | ♒ | 15 20 | 18 | 10 | 26 | 10 | 27 | 14 5 | 20 | 12 | 26 | 10 | 28 | 13 15 | 20 | 12 |
| 17 46 55 | 27 | 12 | 1 | 18 56 | 19 | 11 | 27 | 11 | 28 | 17 58 | 22 | 13 | 27 | 11 | 29 | 17 20 | 22 | 13 |
| 51 17 | 28 | 13 | 3 | 22 35 | 20 | 12 | 28 | 12 | ♒ | 21 56 | 24 | 14 | 28 | 12 | ♒ | 21 30 | 23 | 14 |
| 55 38 | 29 | 14 | 5 | 26 17 | 22 | 13 | 29 | 13 | 2 | 25 57 | 25 | 15 | 29 | 13 | 2 | 25 44 | 24 | 15 |
| Houses | 4 | 5 | 6 | 7 | 8 | 9 | 4 | 5 | 6 | 7 | 8 | 9 | 4 | 5 | 6 | 7 | 8 | 9 |

### Latitude 58° S.  Latitude 59° S.  Latitude 60° S.

# SIMPLIFIED SCIENTIFIC TABLES OF HOUSES
### Latitude 58° N.   Latitude 59° N.   Latitude 60° N.

| Sider'l Time H M S | 10 VS | 11 VS | 12 ≈ | Asc. ♈ | 2 ♉ | 3 Π | 10 VS | 11 VS | 12 ≈ | Asc. ♈ | 2 ♉ | 3 Π | 10 VS | 11 VS | 12 ≈ | Asc. ♈ | 2 ♉ | 3 Π |
|---|---|---|---|---|---|---|---|---|---|---|---|---|---|---|---|---|---|---|
| 18 0 0 | 0 | 15 | 6 | 0 0 | 24 | 15 | 0 | 14 | 4 | 0 0 | 26 | 16 | 0 | 14 | 4 | 0 0 | 26 | 16 |
| 4 22 | 1 | 16 | 8 | 3 43 | 26 | 16 | 1 | 15 | 6 | 4 3 | 28 | 17 | 1 | 15 | 6 | 4 16 | 28 | 17 |
| 8 43 | 2 | 17 | 10 | 7 25 | 27 | 17 | 2 | 16 | 8 | 8 4 | Π | 18 | 2 | 16 | 7 | 8 30 | Π | 18 |
| 18 13 5 | 3 | 18 | 12 | 11 4 | 28 | 18 | 3 | 17 | 9 | 12 2 | 1 | 19 | 3 | 17 | 8 | 12 40 | 1 | 19 |
| 17 26 | 4 | 19 | 13 | 14 40 | Π | 19 | 4 | 18 | 10 | 15 55 | 3 | 20 | 4 | 18 | 10 | 16 45 | 3 | 20 |
| 21 48 | 5 | 21 | 14 | 18 11 | 1 | 20 | 5 | 20 | 12 | 19 42 | 4 | 21 | 5 | 20 | 12 | 20 43 | 4 | 21 |
| 18 26 9 | 6 | 22 | 16 | 21 37 | 3 | 21 | 6 | 21 | 14 | 23 23 | 5 | 22 | 6 | 21 | 14 | 24 33 | 5 | 22 |
| 30 30 | 7 | 23 | 18 | 24 57 | 4 | 22 | 7 | 22 | 16 | 26 56 | 6 | 23 | 7 | 22 | 16 | 28 14 | 6 | 23 |
| 34 51 | 8 | 24 | 20 | 28 11 | 6 | 23 | 8 | 23 | 18 | 0♉ 21 | 7 | 24 | 8 | 23 | 18 | 1♉ 46 | 7 | 24 |
| 18 39 11 | 9 | 25 | 22 | 1♉ 18 | 7 | 24 | 9 | 24 | 20 | 3 27 | 8 | 25 | 9 | 24 | 20 | 5 8 | 8 | 25 |
| 43 31 | 10 | 27 | 23 | 4 18 | 8 | 25 | 10 | 26 | 21 | 6 45 | 10 | 26 | 10 | 26 | 21 | 8 21 | 10 | 26 |
| 47 51 | 11 | 28 | 25 | 7 12 | 9 | 26 | 11 | 27 | 23 | 9 45 | 11 | 27 | 11 | 27 | 23 | 11 24 | 11 | 27 |
| 18 52 11 | 12 | 29 | 26 | 9 57 | 10 | 27 | 12 | 28 | 25 | 12 35 | 12 | 28 | 12 | 28 | 25 | 14 17 | 12 | 28 |
| 56 31 | 13 | ≈ | 28 | 12 36 | 12 | 28 | 13 | 29 | 27 | 15 18 | 13 | 29 | 13 | 29 | 27 | 17 2 | 13 | 29 |
| 19 0 50 | 14 | 2 | ♓ | 15 8 | 13 | 29 | 14 | ≈ | 29 | 17 53 | 14 | ♋ | 14 | ≈ | 29 | 19 38 | 14 | ♋ |
| 19 5 8 | 15 | 3 | 3 | 17 34 | 14 | ♋ | 15 | 1 | ♓ | 20 20 | 16 | 1 | 15 | 1 | ♓ | 22 6 | 16 | 1 |
| 9 26 | 16 | 4 | 5 | 19 53 | 16 | 1 | 16 | 2 | 2 | 22 41 | 17 | 2 | 16 | 2 | 2 | 24 26 | 17 | 2 |
| 13 44 | 17 | 5 | 7 | 22 6 | 17 | 2 | 17 | 4 | 4 | 24 54 | 18 | 3 | 17 | 4 | 4 | 26 39 | 18 | 3 |
| 19 18 1 | 18 | 6 | 9 | 24 14 | 18 | 3 | 18 | 5 | 6 | 27 2 | 19 | 4 | 18 | 5 | 6 | 28 48 | 19 | 4 |
| 22 18 | 19 | 7 | 11 | 26 16 | 19 | 4 | 19 | 6 | 8 | 29 3 | 20 | 5 | 19 | 6 | 8 | 0♊ 46 | 20 | 5 |
| 26 34 | 20 | 9 | 13 | 28 13 | 20 | 5 | 20 | 8 | 12 | 0♊ 59 | 22 | 6 | 20 | 8 | 12 | 2 41 | 22 | 6 |
| 19 30 50 | 21 | 10 | 15 | 0♊ 5 | 21 | 6 | 21 | 10 | 14 | 2 50 | 23 | 7 | 21 | 10 | 14 | 4 31 | 23 | 7 |
| 35 5 | 22 | 11 | 17 | 1 53 | 22 | 7 | 22 | 11 | 16 | 4 36 | 24 | 8 | 22 | 11 | 16 | 6 15 | 24 | 8 |
| 39 20 | 23 | 12 | 20 | 3 37 | 23 | 8 | 23 | 12 | 18 | 6 17 | 25 | 9 | 23 | 12 | 18 | 7 55 | 25 | 9 |
| 19 43 34 | 24 | 13 | 22 | 5 16 | 24 | 9 | 24 | 13 | 20 | 7 55 | 26 | 10 | 24 | 13 | 20 | 9 32 | 26 | 10 |
| 47 47 | 25 | 15 | 24 | 6 52 | 25 | 10 | 25 | 14 | 23 | 9 26 | 27 | 11 | 25 | 14 | 23 | 11 4 | 27 | 11 |
| 52 0 | 26 | 16 | 26 | 8 24 | 26 | 11 | 26 | 16 | 25 | 10 59 | 28 | 12 | 26 | 16 | 25 | 12 32 | 28 | 12 |
| 19 56 12 | 27 | 17 | 28 | 9 54 | 27 | 12 | 27 | 18 | 27 | 12 25 | 29 | 13 | 27 | 18 | 27 | 13 57 | 29 | 13 |
| 20 0 24 | 28 | 18 | ♈ | 11 20 | 28 | 13 | 28 | 19 | ♈ | 13 49 | ♋ | 14 | 28 | 19 | ♈ | 15 19 | ♋ | 14 |
| 4 35 | 29 | 20 | 2 | 12 43 | 29 | 13 | 29 | 20 | 3 | 15 10 | 1 | 14 | 29 | 20 | 3 | 16 38 | 1 | 14 |

| Houses | 4 | 5 | 6 | 7 | 8 | 9 | 4 | 5 | 6 | 7 | 8 | 9 | 4 | 5 | 6 | 7 | 8 | 9 |
|---|---|---|---|---|---|---|---|---|---|---|---|---|---|---|---|---|---|---|

### Latitude 58° S.   Latitude 59° S.   Latitude 60° S.

# SIMPLIFIED SCIENTIFIC TABLES OF HOUSES
### Latitude 58° N.   Latitude 59° N.   Latitude 60° N.

| Sider'l Time (H M S) | 10 ≈ | 11 ≈ | 12 ♈ | Asc. ♊ | 2 ♋ | 3 ♋ | 10 ≈ | 11 ≈ | 12 ♈ | Asc. ♊ | 2 ♋ | 3 ♋ | 10 ≈ | 11 ≈ | 12 ♈ | Asc. ♊ | 2 ♋ | 3 ♋ |
|---|---|---|---|---|---|---|---|---|---|---|---|---|---|---|---|---|---|---|
| 20 8 45 | 0 | 22 | 4 | 14° 3' | 0 | 14 | 0 | 21 | 5 | 16° 28' | 2 | 15 | 0 | 21 | 5 | 17° 54' | 2 | 15 |
| 12 54 | 1 | 23 | 6 | 15° 21' | 1 | 15 | 1 | 22 | 7 | 17° 43' | 3 | 16 | 1 | 22 | 7 | 19° 8' | 3 | 16 |
| 17 3 | 2 | 24 | 8 | 16° 37' | 2 | 16 | 2 | 23 | 9 | 18° 56' | 4 | 17 | 2 | 23 | 9 | 20° 20' | 4 | 17 |
| 20 21 11 | 3 | 25 | 10 | 17° 50' | 3 | 17 | 3 | 25 | 12 | 20° 7' | 5 | 18 | 3 | 25 | 12 | 21° 29' | 5 | 18 |
| 25 19 | 4 | 26 | 13 | 19° 2' | 4 | 18 | 4 | 27 | 14 | 21° 16' | 6 | 19 | 4 | 27 | 14 | 22° 37' | 6 | 19 |
| 29 26 | 5 | 28 | 15 | 20° 11' | 5 | 19 | 5 | 28 | 16 | 22° 23' | 7 | 20 | 5 | 28 | 16 | 23° 42' | 7 | 20 |
| 20 33 31 | 6 | ♓ | 17 | 21° 18' | 6 | 20 | 6 | 29 | 18 | 23° 29' | 8 | 21 | 6 | 29 | 18 | 24° 46' | 8 | 21 |
| 37 37 | 7 | 2 | 19 | 22° 24' | 7 | 21 | 7 | ♓ | 20 | 24° 32' | 9 | 22 | 7 | ♓ | 20 | 25° 48' | 9 | 22 |
| 41 41 | 8 | 3 | 21 | 23° 28' | 8 | 22 | 8 | 2 | 22 | 25° 34' | 10 | 23 | 8 | 2 | 22 | 26° 49' | 10 | 23 |
| 20 45 45 | 9 | 4 | 23 | 24° 31' | 9 | 23 | 9 | 4 | 24 | 26° 34' | 11 | 24 | 9 | 4 | 24 | 27° 48' | 11 | 24 |
| 49 48 | 10 | 5 | 25 | 25° 32' | 9 | 23 | 10 | 5 | 26 | 27° 34' | 11 | 24 | 10 | 5 | 26 | 28° 45' | 11 | 24 |
| 53 51 | 11 | 7 | 27 | 26° 32' | 10 | 24 | 11 | 6 | 28 | 28° 31' | 12 | 25 | 11 | 6 | 28 | 29° 42' | 12 | 25 |
| 20 57 52 | 12 | 8 | 29 | 27° 30' | 11 | 25 | 12 | 7 | ♉ | 29° 28' | 13 | 26 | 12 | 7 | ♉ | 0♋ 37' | 13 | 26 |
| 21 1 53 | 13 | 9 | ♉ | 28° 28' | 12 | 26 | 13 | 9 | 2 | 0♋ 23' | 14 | 27 | 13 | 9 | 2 | 1° 31' | 14 | 27 |
| 5 53 | 14 | 10 | 2 | 29° 24' | 13 | 27 | 14 | 10 | 4 | 1° 17' | 15 | 28 | 14 | 10 | 4 | 2° 24' | 15 | 28 |
| 21 9 53 | 15 | 12 | 4 | 0♋ 19' | 13 | 27 | 15 | 12 | 6 | 2° 11' | 15 | 28 | 15 | 12 | 6 | 3° 16' | 15 | 28 |
| 13 52 | 16 | 14 | 6 | 1° 12' | 14 | 28 | 16 | 13 | 7 | 3° 3' | 16 | 29 | 16 | 13 | 7 | 4° 7' | 16 | 29 |
| 17 50 | 17 | 15 | 7 | 2° 6' | 15 | 29 | 17 | 14 | 8 | 3° 54' | 17 | ♌ | 17 | 14 | 8 | 4° 58' | 17 | ♌ |
| 21 21 47 | 18 | 16 | 9 | 2° 58' | 16 | ♌ | 18 | 15 | 10 | 4° 44' | 18 | 1 | 18 | 15 | 10 | 5° 47' | 18 | 1 |
| 25 44 | 19 | 17 | 11 | 3° 49' | 17 | 1 | 19 | 17 | 12 | 5° 34' | 19 | 2 | 19 | 17 | 12 | 6° 35' | 19 | 2 |
| 29 40 | 20 | 19 | 12 | 4° 40' | 17 | 2 | 20 | 19 | 14 | 6° 23' | 19 | 3 | 20 | 19 | 14 | 7° 23' | 19 | 3 |
| 21 33 35 | 21 | 20 | 14 | 5° 30' | 18 | 3 | 21 | 20 | 16 | 7° 11' | 20 | 4 | 21 | 20 | 16 | 8° 10' | 20 | 4 |
| 37 29 | 22 | 21 | 16 | 6° 18' | 19 | 4 | 22 | 21 | 17 | 7° 58' | 21 | 5 | 22 | 21 | 17 | 8° 56' | 21 | 5 |
| 41 23 | 23 | 23 | 17 | 7° 6' | 20 | 5 | 23 | 22 | 18 | 8° 45' | 22 | 6 | 23 | 22 | 18 | 9° 42' | 22 | 6 |
| 21 45 16 | 24 | 25 | 18 | 7° 54' | 21 | 6 | 24 | 24 | 20 | 9° 31' | 23 | 7 | 24 | 24 | 20 | 10° 27' | 23 | 7 |
| 49 9 | 25 | 26 | 20 | 8° 41' | 21 | 6 | 25 | 26 | 22 | 10° 16' | 23 | 7 | 25 | 26 | 22 | 11° 12' | 23 | 7 |
| 53 1 | 26 | 27 | 21 | 9° 27' | 22 | 7 | 26 | 28 | 24 | 11° 1' | 24 | 8 | 26 | 28 | 24 | 11° 56' | 24 | 8 |
| 21 56 52 | 27 | 28 | 23 | 10° 13' | 23 | 8 | 27 | 29 | 25 | 11° 45' | 24 | 9 | 27 | 29 | 25 | 12° 39' | 24 | 9 |
| 22 0 43 | 28 | ♈ | 25 | 10° 58' | 24 | 9 | 28 | ♈ | 26 | 12° 28' | 25 | 10 | 28 | ♈ | 26 | 13° 22' | 25 | 10 |
| 4 33 | 29 | 1 | 26 | 11° 42' | 24 | 10 | 29 | 1 | 27 | 13° 12' | 25 | 10 | 29 | 1 | 27 | 14° 4' | 25 | 10 |
| Houses | 4 | 5 | 6 | 7 | 8 | 9 | 4 | 5 | 6 | 7 | 8 | 9 | 4 | 5 | 6 | 7 | 8 | 9 |

### Latitude 58° S.   Latitude 59° S.   Latitude 60° S.

# SIMPLIFIED SCIENTIFIC TABLES OF HOUSES
### Latitude 58° N.    Latitude 59° N.    Latitude 60° N.

| Time Sider'l H M S | ℋ 10 | ♈ 11 | ♉ 12 | ♋ Asc. | ♋ 2 | ♌ 3 | ℋ 10 | ♈ 11 | ♉ 12 | ♋ Asc. | ♋ 2 | ♌ 3 | ℋ 10 | ♈ 11 | ♉ 12 | ♋ Asc. | ♋ 2 | ♌ 3 |
|---|---|---|---|---|---|---|---|---|---|---|---|---|---|---|---|---|---|---|
| 22 8 23 | 0 | 3 | 27 | 12 26 | 25 | 10 | 0 | 3 | 29 | 13 54 | 26 | 11 | 0 | 3 | 29 | 14 26 | 26 | 11 |
| 12 12 | 1 | 4 | 28 | 13 10 | 26 | 11 | 1 | 5 | ♊ | 14 37 | 27 | 12 | 1 | 5 | ♊ | 15 27 | 27 | 12 |
| 16 0 | 2 | 5 | 29 | 13 53 | 26 | 12 | 2 | 7 | 1 | 15 18 | 28 | 12 | 2 | 7 | 1 | 16 8 | 28 | 12 |
| 22 19 48 | 3 | 7 | ♊ | 14 35 | 27 | 13 | 3 | 8 | 2 | 16 0 | 28 | 13 | 3 | 8 | 2 | 16 49 | 28 | 13 |
| 23 35 | 4 | 8 | 1 | 15 17 | 27 | 14 | 4 | 9 | 4 | 16 41 | 29 | 14 | 4 | 9 | 4 | 17 29 | 29 | 14 |
| 27 22 | 5 | 10 | 3 | 15 59 | 28 | 14 | 5 | 10 | 5 | 17 21 | 29 | 15 | 5 | 10 | 5 | 18 9 | 29 | 15 |
| 22 31 8 | 6 | 12 | 5 | 16 41 | 29 | 15 | 6 | 12 | 6 | 18 2 | ♌ | 16 | 6 | 12 | 6 | 18 49 | ♌ | 16 |
| 34 54 | 7 | 13 | 6 | 17 22 | ♌ | 16 | 7 | 13 | 7 | 18 42 | 1 | 17 | 7 | 13 | 7 | 19 28 | 1 | 17 |
| 38 40 | 8 | 14 | 7 | 18 3 | 1 | 16 | 8 | 14 | 8 | 19 21 | 2 | 18 | 8 | 14 | 8 | 20 7 | 2 | 18 |
| 22 42 25 | 9 | 15 | 8 | 18 43 | 1 | 17 | 9 | 15 | 10 | 20 0 | 2 | 19 | 9 | 15 | 10 | 20 46 | 2 | 19 |
| 46 9 | 10 | 16 | 9 | 19 23 | 2 | 18 | 10 | 17 | 11 | 20 39 | 3 | 19 | 10 | 17 | 11 | 21 24 | 3 | 19 |
| 49 53 | 11 | 18 | 10 | 20 3 | 3 | 19 | 11 | 18 | 12 | 21 18 | 4 | 20 | 11 | 18 | 12 | 22 2 | 4 | 20 |
| 22 53 37 | 12 | 19 | 11 | 20 42 | 4 | 20 | 12 | 19 | 13 | 21 57 | 5 | 20 | 12 | 19 | 13 | 22 40 | 5 | 20 |
| 57 20 | 13 | 21 | 12 | 21 21 | 5 | 21 | 13 | 20 | 14 | 22 35 | 6 | 21 | 13 | 20 | 14 | 23 18 | 6 | 21 |
| 23 1 3 | 14 | 22 | 13 | 22 0 | 6 | 22 | 14 | 21 | 15 | 23 13 | 6 | 21 | 14 | 21 | 15 | 23 55 | 7 | 21 |
| 23 4 46 | 15 | 23 | 14 | 22 39 | 6 | 22 | 15 | 23 | 16 | 23 51 | 7 | 22 | 15 | 23 | 16 | 24 32 | 7 | 22 |
| 8 28 | 16 | 24 | 15 | 23 18 | 7 | 23 | 16 | 25 | 17 | 24 28 | 8 | 23 | 16 | 25 | 17 | 25 9 | 8 | 23 |
| 12 10 | 17 | 25 | 16 | 23 56 | 8 | 24 | 17 | 27 | 18 | 25 5 | 8 | 24 | 17 | 27 | 18 | 25 46 | 8 | 24 |
| 23 15 52 | 18 | 26 | 17 | 24 34 | 8 | 25 | 18 | 28 | 19 | 25 43 | 9 | 25 | 18 | 28 | 19 | 26 23 | 9 | 25 |
| 19 34 | 19 | 27 | 18 | 25 12 | 9 | 26 | 19 | 29 | 20 | 26 20 | 9 | 26 | 19 | 29 | 20 | 26 59 | 9 | 26 |
| 23 15 | 20 | 29 | 19 | 25 49 | 9 | 26 | 20 | ♉ | 21 | 26 56 | 10 | 26 | 20 | ♉ | 21 | 27 35 | 10 | 26 |
| 23 26 56 | 21 | ♉ | 20 | 26 27 | 10 | 27 | 21 | 1 | 22 | 27 33 | 10 | 27 | 21 | 1 | 22 | 28 11 | 10 | 27 |
| 30 37 | 22 | 1 | 21 | 27 4 | 10 | 28 | 22 | 2 | 23 | 28 9 | 11 | 28 | 22 | 2 | 23 | 28 47 | 11 | 28 |
| 34 18 | 23 | 2 | 22 | 27 42 | 11 | 28 | 23 | 3 | 24 | 28 46 | 12 | 28 | 23 | 3 | 24 | 29 23 | 12 | 28 |
| 23 37 58 | 24 | 4 | 23 | 28 19 | 12 | 29 | 24 | 4 | 25 | 29 22 | 12 | 29 | 24 | 4 | 25 | 29 59 | 12 | 29 |
| 41 39 | 25 | 5 | 24 | 28 56 | 12 | ♍ | 25 | 6 | 26 | 29 58 | 13 | ♍ | 25 | 6 | 26 | 0♌35 | 13 | ♍ |
| 45 19 | 26 | 6 | 25 | 29 32 | 13 | 1 | 26 | 7 | 27 | 0♌34 | 14 | 1 | 26 | 7 | 27 | 1 10 | 14 | 1 |
| 23 49 0 | 27 | 7 | 26 | 0♌ 9 | 14 | 2 | 27 | 8 | 28 | 1 10 | 15 | 2 | 27 | 8 | 28 | 1 45 | 15 | 2 |
| 52 40 | 28 | 8 | 27 | 0 46 | 15 | 3 | 28 | 9 | 29 | 1 46 | 16 | 3 | 28 | 9 | 29 | 2 21 | 16 | 3 |
| 56 20 | 29 | 9 | 28 | 1 22 | 16 | 4 | 29 | 10 | ♋ | 2 21 | 17 | 4 | 29 | 10 | ♋ | 2 56 | 17 | 4 |
| Houses | 4 | 5 | 6 | 7 | 8 | 9 | 4 | 5 | 6 | 7 | 8 | 9 | 4 | 5 | 6 | 7 | 8 | 9 |

### Latitude 58° S.    Latitude 59° S.    Latitude 60° S.

# SIMPLIFIED SCIENTIFIC TABLES OF HOUSES

### Latitude 61° N.  Latitude 62° N.  Latitude 63° N.

| Sider'l Time H M S | 10 ♈ | 11 ♉ | 12 ♋ | Asc. ♌ | 2 ♌ | 3 ♍ | 10 ♈ | 11 ♉ | 12 ♋ | Asc. ♌ | 2 ♌ | 3 ♍ | 10 ♈ | 11 ♉ | 12 ♋ | Asc. ♌ | 2 ♌ | 3 ♍ |
|---|---|---|---|---|---|---|---|---|---|---|---|---|---|---|---|---|---|---|
| 0 0 0 | 0 | 12 | 3 | 5 | 17 | 4 | 0 | 13 | 5 | 6 | 18 | 4 | 0 | 14 | 7 | 8 | 18 | 4 |
| 3 40 | 1 | 13 | 4 | 6 | 18 | 5 | 1 | 14 | 6 | 7 | 18 | 5 | 1 | 15 | 8 | 8 | 19 | 5 |
| 7 20 | 2 | 15 | 5 | 6 | 18 | 5 | 2 | 15 | 7 | 7 | 19 | 6 | 2 | 16 | 9 | 9 | 20 | 6 |
| 0 11 0 | 3 | 16 | 6 | 7 | 19 | 6 | 3 | 17 | 8 | 8 | 20 | 7 | 3 | 17 | 9 | 9 | 20 | 7 |
| 14 41 | 4 | 17 | 7 | 7 | 20 | 7 | 4 | 18 | 8 | 9 | 20 | 7 | 4 | 18 | 10 | 10 | 21 | 7 |
| 18 21 | 5 | 18 | 7 | 8 | 20 | 8 | 5 | 19 | 9 | 9 | 21 | 8 | 5 | 20 | 11 | 10 | 22 | 8 |
| 0 22 2 | 6 | 19 | 8 | 9 | 21 | 9 | 6 | 20 | 10 | 10 | 22 | 9 | 6 | 21 | 12 | 11 | 22 | 9 |
| 25 42 | 7 | 20 | 9 | 9 | 22 | 9 | 7 | 21 | 10 | 10 | 22 | 9 | 7 | 22 | 12 | 11 | 23 | 10 |
| 29 23 | 8 | 22 | 10 | 10 | 22 | 10 | 8 | 22 | 11 | 11 | 23 | 10 | 8 | 23 | 13 | 12 | 23 | 10 |
| 0 33 4 | 9 | 23 | 10 | 10 | 23 | 11 | 9 | 24 | 12 | 11 | 24 | 11 | 9 | 25 | 14 | 12 | 24 | 11 |
| 36 45 | 10 | 24 | 11 | 11 | 24 | 12 | 10 | 25 | 12 | 12 | 24 | 12 | 10 | 26 | 14 | 13 | 25 | 12 |
| 40 26 | 11 | 25 | 12 | 11 | 24 | 12 | 11 | 26 | 13 | 12 | 25 | 13 | 11 | 27 | 15 | 13 | 25 | 13 |
| 0 44 8 | 12 | 26 | 13 | 12 | 25 | 13 | 12 | 27 | 14 | 13 | 25 | 13 | 12 | 28 | 16 | 14 | 26 | 14 |
| 47 50 | 13 | 27 | 13 | 12 | 25 | 14 | 13 | 28 | 15 | 13 | 25 | 14 | 13 | 29 | 16 | 14 | 27 | 14 |
| 51 32 | 14 | 28 | 14 | 13 | 26 | 15 | 14 | 29 | 15 | 14 | 27 | 15 | 14 | ♊ | 17 | 15 | 27 | 15 |
| 0 55 14 | 15 | 29 | 15 | 14 | 27 | 16 | 15 | ♊ | 16 | 15 | 27 | 16 | 15 | 1 | 18 | 15 | 28 | 16 |
| 58 57 | 16 | ♊ | 15 | 14 | 27 | 16 | 16 | 1 | 17 | 15 | 28 | 16 | 16 | 2 | 18 | 16 | 28 | 17 |
| 1 2 40 | 17 | 2 | 16 | 15 | 28 | 17 | 17 | 2 | 17 | 16 | 29 | 17 | 17 | 3 | 19 | 16 | 29 | 17 |
| 1 6 23 | 18 | 3 | 17 | 15 | 29 | 18 | 18 | 4 | 18 | 16 | 29 | 18 | 18 | 5 | 19 | 17 | ♍ | 18 |
| 10 7 | 19 | 4 | 17 | 16 | 29 | 19 | 19 | 5 | 19 | 17 | ♍ | 19 | 19 | 6 | 20 | 18 | 0 | 19 |
| 13 51 | 20 | 5 | 18 | 16 | ♍ | 20 | 20 | 6 | 19 | 17 | 0 | 20 | 20 | 7 | 21 | 18 | 1 | 20 |
| 1 17 35 | 21 | 6 | 19 | 17 | 1 | 20 | 21 | 7 | 20 | 18 | 1 | 21 | 21 | 8 | 21 | 19 | 2 | 21 |
| 21 20 | 22 | 7 | 19 | 17 | 1 | 21 | 22 | 8 | 21 | 18 | 2 | 21 | 22 | 9 | 22 | 19 | 2 | 21 |
| 25 6 | 23 | 8 | 20 | 18 | 2 | 22 | 23 | 9 | 21 | 19 | 3 | 22 | 23 | 10 | 23 | 20 | 3 | 22 |
| 1 28 52 | 24 | 9 | 21 | 19 | 3 | 23 | 24 | 10 | 22 | 19 | 3 | 23 | 24 | 11 | 23 | 20 | 3 | 23 |
| 32 38 | 25 | 10 | 21 | 19 | 3 | 24 | 25 | 11 | 23 | 20 | 4 | 24 | 25 | 12 | 24 | 21 | 4 | 24 |
| 36 25 | 26 | 11 | 22 | 20 | 4 | 25 | 26 | 12 | 23 | 20 | 4 | 25 | 26 | 13 | 25 | 21 | 5 | 25 |
| 1 40 12 | 27 | 12 | 23 | 20 | 5 | 25 | 27 | 13 | 24 | 21 | 5 | 25 | 27 | 14 | 25 | 22 | 5 | 25 |
| 44 0 | 28 | 13 | 24 | 21 | 5 | 26 | 28 | 14 | 25 | 22 | 6 | 26 | 28 | 15 | 26 | 22 | 6 | 26 |
| 47 48 | 29 | 14 | 24 | 21 | 6 | 27 | 29 | 15 | 25 | 22 | 6 | 27 | 29 | 16 | 27 | 23 | 7 | 27 |
| Houses | 4 | 5 | 6 | 7 | 8 | 9 | 4 | 5 | 6 | 7 | 8 | 9 | 4 | 5 | 6 | 7 | 8 | 9 |

### Latitude 61° S.  Latitude 62° S.  Latitude 63° S.

## SIMPLIFIED SCIENTIFIC TABLES OF HOUSES
### Latitude 61° N.  Latitude 62° N.  Latitude 63° N.

| Sider'l Time | 10 ♉ | 11 ♊ | 12 ♋ | Asc. ♌ | 2 ♍ | 3 ♍ | 10 ♉ | 11 ♊ | 12 ♋ | Asc. ♌ | 2 ♍ | 3 ♍ | 10 ♉ | 11 ♊ | 12 ♋ | Asc. ♌ | 2 ♍ | 3 ♍ |
|---|---|---|---|---|---|---|---|---|---|---|---|---|---|---|---|---|---|---|
| H M S | ° | ° | ° | ° | ° | ° | ° | ° | ° | ° | ° | ° | ° | ° | ° | ° | ° | ° |
| 1 51 37 | 0 | 15 | 25 | 22 | 7 | 28 | 0 | 16 | 26 | 23 | 7 | 28 | 0 | 17 | 27 | 23 | 7 | 28 |
| 55 27 | 1 | 16 | 26 | 23 | 7 | 29 | 1 | 17 | 27 | 23 | 8 | 29 | 1 | 18 | 28 | 24 | 8 | 29 |
| 59 17 | 2 | 17 | 26 | 23 | 8 | 29 | 2 | 18 | 27 | 24 | 8 | 29 | 2 | 19 | 29 | 25 | 9 | 29 |
| 2 3 8 | 3 | 18 | 27 | 24 | 9 | ♎ | 3 | 19 | 28 | 24 | 9 | ♎ | 3 | 20 | 29 | 25 | 9 | ♎ |
| 6 59 | 4 | 19 | 28 | 24 | 9 | 1 | 4 | 20 | 29 | 25 | 10 | 1 | 4 | 21 | ♌ | 26 | 10 | 1 |
| 10 51 | 5 | 20 | 28 | 25 | 10 | 2 | 5 | 21 | 29 | 25 | 10 | 2 | 5 | 22 | 0 | 26 | 11 | 2 |
| 2 14 44 | 6 | 21 | 29 | 25 | 11 | 3 | 6 | 22 | ♌ | 26 | 11 | 3 | 6 | 23 | 1 | 27 | 11 | 3 |
| 18 37 | 7 | 22 | ♌ | 26 | 11 | 4 | 7 | 23 | 1 | 27 | 12 | 4 | 7 | 24 | 2 | 27 | 12 | 4 |
| 22 31 | 8 | 23 | 0 | 27 | 12 | 4 | 8 | 24 | 1 | 27 | 12 | 4 | 8 | 25 | 2 | 28 | 13 | 4 |
| 2 26 25 | 9 | 24 | 1 | 27 | 13 | 5 | 9 | 25 | 2 | 28 | 13 | 5 | 9 | 26 | 3 | 28 | 13 | 5 |
| 30 20 | 10 | 25 | 2 | 28 | 14 | 6 | 10 | 26 | 3 | 28 | 14 | 6 | 10 | 27 | 4 | 29 | 14 | 6 |
| 34 16 | 11 | 26 | 2 | 28 | 14 | 7 | 11 | 27 | 3 | 29 | 15 | 7 | 11 | 28 | 4 | ♍ | 15 | 7 |
| 2 38 13 | 12 | 27 | 3 | 29 | 15 | 8 | 12 | 28 | 4 | ♍ | 15 | 8 | 12 | 29 | 5 | 0 | 15 | 8 |
| 42 10 | 13 | 28 | 4 | ♍ | 16 | 9 | 13 | 29 | 5 | 0 | 16 | 9 | 13 | ♋ | 6 | 1 | 16 | 9 |
| 46 8 | 14 | 29 | 5 | 0 | 16 | 9 | 14 | ♋ | 5 | 1 | 17 | 10 | 14 | 1 | 6 | 1 | 17 | 9 |
| 2 50 7 | 15 | ♋ | 5 | 1 | 17 | 11 | 15 | 0 | 6 | 1 | 17 | 10 | 15 | 1 | 7 | 2 | 18 | 10 |
| 54 7 | 16 | 0 | 6 | 1 | 18 | 11 | 16 | 1 | 7 | 2 | 18 | 11 | 16 | 2 | 8 | 2 | 18 | 11 |
| 58 7 | 17 | 1 | 7 | 2 | 19 | 12 | 17 | 2 | 7 | 3 | 19 | 12 | 17 | 3 | 8 | 3 | 19 | 12 |
| 3 2 8 | 18 | 2 | 7 | 3 | 19 | 13 | 18 | 3 | 8 | 3 | 19 | 13 | 18 | 4 | 9 | 4 | 20 | 13 |
| 6 9 | 19 | 3 | 8 | 3 | 20 | 14 | 19 | 4 | 9 | 4 | 20 | 14 | 19 | 5 | 10 | 4 | 20 | 14 |
| 10 12 | 20 | 4 | 9 | 4 | 21 | 15 | 20 | 5 | 9 | 4 | 21 | 15 | 20 | 6 | 10 | 5 | 21 | 15 |
| 3 14 15 | 21 | 5 | 9 | 4 | 21 | 16 | 21 | 6 | 10 | 5 | 22 | 15 | 21 | 7 | 11 | 5 | 22 | 15 |
| 18 19 | 22 | 6 | 10 | 5 | 22 | 16 | 22 | 7 | 11 | 5 | 22 | 16 | 22 | 8 | 12 | 6 | 22 | 16 |
| 22 23 | 23 | 7 | 11 | 6 | 23 | 17 | 23 | 7 | 12 | 6 | 23 | 17 | 23 | 8 | 12 | 7 | 23 | 17 |
| 3 26 29 | 24 | 7 | 11 | 6 | 24 | 18 | 24 | 8 | 12 | 7 | 24 | 18 | 24 | 9 | 13 | 7 | 24 | 18 |
| 30 35 | 25 | 8 | 12 | 7 | 24 | 19 | 25 | 9 | 13 | 7 | 24 | 19 | 25 | 10 | 14 | 8 | 24 | 19 |
| 34 41 | 26 | 9 | 13 | 7 | 25 | 21 | 26 | 10 | 14 | 8 | 25 | 20 | 26 | 11 | 14 | 8 | 25 | 20 |
| 3 38 49 | 27 | 10 | 14 | 8 | 26 | 21 | 27 | 11 | 14 | 8 | 26 | 20 | 27 | 12 | 15 | 9 | 26 | 20 |
| 42 57 | 28 | 11 | 14 | 9 | 26 | 22 | 28 | 12 | 15 | 9 | 27 | 21 | 28 | 13 | 16 | 9 | 27 | 21 |
| 47 6 | 29 | 12 | 15 | 9 | 27 | 23 | 29 | 13 | 16 | 10 | 27 | 22 | 29 | 14 | 16 | 10 | 27 | 22 |
| Houses | 4 | 5 | 6 | 7 | 8 | 9 | 4 | 5 | 6 | 7 | 8 | 9 | 4 | 5 | 6 | 7 | 8 | 9 |

### Latitude 61° S.  Latitude 62° S.  Latitude 63° S.

# SIMPLIFIED SCIENTIFIC TABLES OF HOUSES

### Latitude 61° N.   Latitude 62° N.   Latitude 63° N.

| Sider'l Time | 10 ♊ | 11 ♋ | 12 ♌ | Asc. ♍ | 2 ♍ | 3 ♎ | 10 ♊ | 11 ♋ | 12 ♌ | Asc. ♍ | 2 ♍ | 3 ♎ | 10 ♊ | 11 ♋ | 12 ♌ | Asc. ♍ | 2 ♍ | 3 ♎ |
|---|---|---|---|---|---|---|---|---|---|---|---|---|---|---|---|---|---|---|
| H M S | ° | ° | ° | ° | ° | ° | ° | ° | ° | ° | ° | ° | ° | ° | ° | ° | ° | ° |
| 3 51 15 | 0 | 13 | 16 | 10 | 28 | 24 | 0 | 14 | 16 | 10 | 28 | 23 | 0 | 14 | 17 | 11 | 28 | 23 |
| 55 25 | 1 | 14 | 16 | 11 | 29 | 24 | 1 | 14 | 17 | 11 | 29 | 24 | 1 | 15 | 18 | 11 | 29 | 24 |
| 59 36 | 2 | 14 | 17 | 11 | 29 | 25 | 2 | 15 | 18 | 12 | 29 | 25 | 2 | 16 | 18 | 12 | 29 | 25 |
| 4 3 48 | 3 | 15 | 18 | 12 | ♎ | 26 | 3 | 16 | 18 | 12 | ♎ | 26 | 3 | 17 | 19 | 12 | ♎ | 26 |
| 8 0 | 4 | 16 | 19 | 13 | 1 | 27 | 4 | 17 | 19 | 13 | 1 | 27 | 4 | 18 | 20 | 13 | 1 | 27 |
| 12 13 | 5 | 17 | 19 | 13 | 2 | 28 | 5 | 18 | 20 | 13 | 2 | 28 | 5 | 19 | 21 | 14 | 2 | 27 |
| 4 16 26 | 6 | 18 | 20 | 14 | 3 | 29 | 6 | 19 | 21 | 14 | 2 | 29 | 6 | 20 | 21 | 14 | 2 | 28 |
| 20 40 | 7 | 19 | 21 | 14 | 3 | ♏ | 7 | 20 | 21 | 15 | 3 | 29 | 7 | 20 | 22 | 15 | 3 | 29 |
| 24 55 | 8 | 20 | 21 | 15 | 4 | 0 | 8 | 20 | 22 | 15 | 4 | ♏ | 8 | 21 | 23 | 16 | 4 | ♏ |
| 4 29 10 | 9 | 21 | 22 | 16 | 5 | 1 | 9 | 21 | 23 | 16 | 5 | 1 | 9 | 22 | 23 | 16 | 5 | 1 |
| 33 26 | 10 | 21 | 23 | 16 | 6 | 2 | 10 | 22 | 24 | 17 | 5 | 2 | 10 | 23 | 24 | 17 | 5 | 2 |
| 37 42 | 11 | 22 | 24 | 17 | 6 | 3 | 11 | 23 | 24 | 17 | 6 | 3 | 11 | 24 | 25 | 17 | 6 | 3 |
| 4 41 59 | 12 | 23 | 24 | 18 | 7 | 4 | 12 | 24 | 25 | 18 | 7 | 4 | 12 | 25 | 25 | 18 | 7 | 3 |
| 46 16 | 13 | 24 | 25 | 18 | 8 | 5 | 13 | 25 | 26 | 19 | 8 | 5 | 13 | 25 | 26 | 19 | 8 | 4 |
| 50 34 | 14 | 25 | 26 | 19 | 9 | 6 | 14 | 26 | 26 | 19 | 8 | 6 | 14 | 26 | 27 | 19 | 8 | 5 |
| 4 54 52 | 15 | 26 | 27 | 20 | 9 | 7 | 15 | 26 | 27 | 20 | 9 | 6 | 15 | 27 | 28 | 20 | 9 | 6 |
| 59 10 | 16 | 27 | 28 | 20 | 10 | 8 | 16 | 27 | 28 | 21 | 10 | 7 | 16 | 28 | 29 | 21 | 10 | 7 |
| 5 3 29 | 17 | 28 | 28 | 21 | 11 | 9 | 17 | 28 | 29 | 21 | 11 | 8 | 17 | 29 | 29 | 21 | 11 | 8 |
| 5 7 49 | 18 | 28 | 29 | 22 | 12 | 9 | 18 | 29 | 29 | 22 | 11 | 9 | 18 | ♌ | ♍ | 22 | 11 | 9 |
| 12 9 | 19 | 29 | ♍ | 22 | 13 | 10 | 19 | ♌ | ♍ | 22 | 12 | 10 | 19 | 1 | 1 | 23 | 12 | 10 |
| 16 29 | 20 | ♌ | 1 | 23 | 13 | 11 | 20 | 1 | 1 | 23 | 13 | 11 | 20 | 1 | 1 | 23 | 13 | 10 |
| 5 20 49 | 21 | 1 | 1 | 24 | 14 | 12 | 21 | 2 | 2 | 24 | 14 | 12 | 21 | 2 | 2 | 24 | 14 | 11 |
| 25 9 | 22 | 2 | 2 | 24 | 15 | 13 | 22 | 3 | 3 | 24 | 15 | 13 | 22 | 3 | 3 | 24 | 14 | 12 |
| 29 30 | 23 | 3 | 3 | 25 | 16 | 14 | 23 | 3 | 3 | 25 | 15 | 14 | 23 | 4 | 4 | 25 | 15 | 13 |
| 5 33 51 | 24 | 4 | 4 | 26 | 16 | 15 | 24 | 4 | 4 | 26 | 16 | 14 | 24 | 5 | 4 | 26 | 16 | 14 |
| 38 12 | 25 | 5 | 4 | 26 | 17 | 16 | 25 | 5 | 5 | 26 | 17 | 15 | 25 | 6 | 5 | 26 | 17 | 15 |
| 42 34 | 26 | 5 | 5 | 27 | 18 | 17 | 26 | 6 | 5 | 27 | 18 | 16 | 26 | 7 | 6 | 27 | 17 | 16 |
| 5 46 55 | 27 | 6 | 6 | 28 | 19 | 17 | 27 | 7 | 6 | 28 | 18 | 17 | 27 | 7 | 7 | 28 | 18 | 16 |
| 51 17 | 28 | 7 | 7 | 28 | 19 | 18 | 28 | 8 | 7 | 28 | 19 | 18 | 28 | 8 | 7 | 28 | 19 | 17 |
| 55 38 | 29 | 8 | 7 | 29 | 20 | 19 | 29 | 9 | 8 | 29 | 20 | 19 | 29 | 9 | 8 | 29 | 20 | 18 |
| Houses | 4 | 5 | 6 | 7 | 8 | 9 | 4 | 5 | 6 | 7 | 8 | 9 | 4 | 5 | 6 | 7 | 8 | 9 |

## SIMPLIFIED SCIENTIFIC TABLES OF HOUSES

| | Latitude 61° N. | | | | | | Latitude 62° N. | | | | | | Latitude 63° N. | | | | | |
|---|---|---|---|---|---|---|---|---|---|---|---|---|---|---|---|---|---|---|
| Sider'l Time | 10 | 11 | 12 | Asc. | 2 | 3 | 10 | 11 | 12 | Asc. | 2 | 3 | 10 | 11 | 12 | Asc. | 2 | 3 |
| | ♋ | ♌ | ♍ | ♎ | ♎ | ♏ | ♋ | ♌ | ♍ | ♎ | ♎ | ♏ | ♋ | ♌ | ♍ | ♎ | ♎ | ♏ |
| H M S | ° | ° | ° | ° | ° | ° | ° | ° | ° | ° | ° | ° | ° | ° | ° | ° | ° | ° |
| 6 0 0 | 0 | 9 | 8 | 0 | 21 | 20 | 0 | 10 | 8 | 0 | 21 | 20 | 0 | 10 | 9 | 0 | 20 | 19 |
| 4 22 | 1 | 10 | 9 | 0 | 22 | 21 | 1 | 10 | 9 | 0 | 22 | 21 | 1 | 11 | 10 | 0 | 21 | 20 |
| 8 43 | 2 | 11 | 10 | 1 | 22 | 22 | 2 | 11 | 10 | 1 | 22 | 21 | 2 | 12 | 10 | 1 | 22 | 21 |
| 6 13 5 | 3 | 12 | 11 | 2 | 23 | 23 | 3 | 12 | 11 | 2 | 23 | 22 | 3 | 13 | 11 | 2 | 23 | 22 |
| 17 26 | 4 | 13 | 11 | 2 | 24 | 24 | 4 | 13 | 12 | 2 | 24 | 23 | 4 | 13 | 12 | 2 | 23 | 23 |
| 21 48 | 5 | 13 | 12 | 3 | 25 | 25 | 5 | 14 | 12 | 3 | 24 | 24 | 5 | 14 | 13 | 3 | 24 | 23 |
| 6 26 9 | 6 | 14 | 13 | 4 | 26 | 26 | 6 | 15 | 13 | 4 | 25 | 25 | 6 | 15 | 13 | 3 | 25 | 24 |
| 30 30 | 7 | 15 | 14 | 4 | 26 | 26 | 7 | 16 | 14 | 4 | 26 | 26 | 7 | 16 | 14 | 4 | 26 | 25 |
| 34 51 | 8 | 16 | 14 | 5 | 27 | 27 | 8 | 16 | 15 | 5 | 27 | 27 | 8 | 17 | 15 | 5 | 26 | 26 |
| 6 39 11 | 9 | 17 | 15 | 6 | 28 | 28 | 9 | 17 | 15 | 5 | 28 | 28 | 9 | 18 | 16 | 5 | 27 | 27 |
| 43 31 | 10 | 18 | 16 | 6 | 29 | 29 | 10 | 18 | 16 | 6 | 28 | 28 | 10 | 19 | 16 | 6 | 28 | 28 |
| 47 51 | 11 | 19 | 17 | 7 | ♏ | ♐ | 11 | 19 | 17 | 7 | 29 | 29 | 11 | 20 | 17 | 7 | 28 | 29 |
| 6 52 11 | 12 | 20 | 18 | 8 | 0 | 1 | 12 | 20 | 18 | 7 | ♏ | ♐ | 12 | 21 | 18 | 7 | 29 | ♐ |
| 56 31 | 13 | 21 | 18 | 8 | 1 | 2 | 13 | 21 | 18 | 8 | 0 | 1 | 13 | 21 | 19 | 8 | ♏ | 0 |
| 7 0 50 | 14 | 21 | 19 | 9 | 2 | 2 | 14 | 22 | 19 | 9 | 1 | 2 | 14 | 22 | 19 | 8 | 1 | 1 |
| 7 5 8 | 15 | 22 | 20 | 9 | 2 | 3 | 15 | 23 | 20 | 9 | 2 | 3 | 15 | 23 | 20 | 9 | 1 | 2 |
| 9 26 | 16 | 23 | 21 | 10 | 3 | 4 | 16 | 24 | 21 | 10 | 3 | 4 | 16 | 24 | 21 | 10 | 2 | 3 |
| 13 44 | 17 | 24 | 21 | 11 | 4 | 5 | 17 | 24 | 21 | 11 | 3 | 4 | 17 | 25 | 22 | 10 | 3 | 4 |
| 7 18 1 | 18 | 25 | 22 | 12 | 5 | 6 | 18 | 25 | 22 | 11 | 4 | 5 | 18 | 26 | 22 | 11 | 4 | 5 |
| 22 18 | 19 | 26 | 23 | 12 | 5 | 7 | 19 | 26 | 23 | 12 | 5 | 6 | 19 | 27 | 23 | 12 | 4 | 5 |
| 26 34 | 20 | 27 | 24 | 13 | 6 | 8 | 20 | 27 | 24 | 13 | 6 | 7 | 20 | 27 | 24 | 12 | 5 | 6 |
| 7 30 50 | 21 | 28 | 24 | 13 | 7 | 9 | 21 | 28 | 25 | 13 | 6 | 8 | 21 | 28 | 24 | 13 | 6 | 7 |
| 35 5 | 22 | 29 | 25 | 14 | 8 | 9 | 22 | 29 | 25 | 14 | 7 | 9 | 22 | 29 | 25 | 14 | 7 | 8 |
| 39 20 | 23 | ♍ | 26 | 15 | 8 | 10 | 23 | ♍ | 26 | 14 | 8 | 10 | 23 | ♍ | 26 | 14 | 7 | 9 |
| 7 43 34 | 24 | 0 | 27 | 15 | 9 | 11 | 24 | 1 | 27 | 15 | 8 | 10 | 24 | 1 | 27 | 15 | 8 | 10 |
| 47 47 | 25 | 1 | 27 | 16 | 10 | 12 | 25 | 1 | 27 | 16 | 9 | 11 | 25 | 2 | 27 | 15 | 9 | 10 |
| 52 0 | 26 | 2 | 28 | 17 | 11 | 13 | 26 | 2 | 28 | 16 | 10 | 12 | 26 | 3 | 28 | 16 | 9 | 11 |
| 7 56 12 | 27 | 3 | 29 | 17 | 11 | 14 | 27 | 3 | 29 | 17 | 11 | 13 | 27 | 4 | 29 | 17 | 10 | 12 |
| 8 0 24 | 28 | 4 | ♎ | 18 | 12 | 15 | 28 | 4 | ♎ | 18 | 11 | 14 | 28 | 4 | ♎ | 17 | 11 | 13 |
| 4 35 | 29 | 5 | 0 | 19 | 13 | 16 | 29 | 5 | 0 | 18 | 12 | 15 | 29 | 5 | 0 | 18 | 11 | 14 |
| Houses | 4 | 5 | 6 | 7 | 8 | 9 | 4 | 5 | 6 | 7 | 8 | 9 | 4 | 5 | 6 | 7 | 8 | 9 |

Latitude 61° S.     Latitude 62° S.     Latitude 63° S.

# SIMPLIFIED SCIENTIFIC TABLES OF HOUSES
### Latitude 61° N.    Latitude 62° N.    Latitude 63° N.

| Sider'l Time | 10 ♌ | 11 ♍ | 12 ♎ | Asc. ♎ | 2 ♏ | 3 ♐ | 10 ♌ | 11 ♍ | 12 ♎ | Asc. ♎ | 2 ♏ | 3 ♐ | 10 ♌ | 11 ♍ | 12 ♎ | Asc. ♎ | 2 ♏ | 3 ♐ |
|---|---|---|---|---|---|---|---|---|---|---|---|---|---|---|---|---|---|---|
| H M S | ° | ° | ° | ° | ° | ° | ° | ° | ° | ° | ° | ° | ° | ° | ° | ° | ° | ° |
| 8 8 45 | 0 | 6 | 1 | 19 | 13 | 16 | 0 | 6 | 1 | 19 | 13 | 16 | 0 | 6 | 1 | 18 | 12 | 15 |
| 12 54 | 1 | 7 | 2 | 20 | 14 | 17 | 1 | 7 | 2 | 19 | 13 | 16 | 1 | 7 | 2 | 19 | 13 | 16 |
| 17 3 | 2 | 8 | 3 | 21 | 15 | 18 | 2 | 8 | 3 | 20 | 14 | 17 | 2 | 8 | 3 | 20 | 14 | 17 |
| 8 21 11 | 3 | 8 | 3 | 21 | 16 | 19 | 3 | 9 | 3 | 21 | 15 | 18 | 3 | 9 | 3 | 20 | 14 | 17 |
| 25 19 | 4 | 9 | 4 | 22 | 16 | 20 | 4 | 9 | 4 | 21 | 16 | 19 | 4 | 10 | 4 | 21 | 15 | 18 |
| 29 26 | 5 | 10 | 5 | 22 | 17 | 21 | 5 | 10 | 5 | 22 | 16 | 20 | 5 | 10 | 5 | 21 | 16 | 19 |
| 8 33 31 | 6 | 11 | 6 | 23 | 18 | 22 | 6 | 11 | 5 | 23 | 17 | 21 | 6 | 11 | 5 | 22 | 16 | 20 |
| 37 37 | 7 | 12 | 6 | 24 | 18 | 23 | 7 | 12 | 6 | 23 | 18 | 22 | 7 | 12 | 6 | 23 | 17 | 21 |
| 41 41 | 8 | 13 | 7 | 24 | 19 | 24 | 8 | 13 | 7 | 24 | 18 | 23 | 8 | 13 | 7 | 23 | 18 | 22 |
| 8 45 45 | 9 | 14 | 8 | 25 | 20 | 24 | 9 | 14 | 8 | 24 | 19 | 23 | 9 | 14 | 7 | 24 | 18 | 22 |
| 49 48 | 10 | 14 | 8 | 25 | 20 | 25 | 10 | 15 | 8 | 25 | 20 | 24 | 10 | 15 | 8 | 24 | 19 | 23 |
| 53 51 | 11 | 15 | 9 | 26 | 21 | 26 | 11 | 15 | 9 | 25 | 20 | 25 | 11 | 16 | 9 | 25 | 19 | 24 |
| 8 57 52 | 12 | 16 | 10 | 27 | 22 | 27 | 12 | 16 | 10 | 26 | 21 | 26 | 12 | 16 | 10 | 26 | 20 | 25 |
| 9 1 53 | 13 | 17 | 11 | 27 | 23 | 28 | 13 | 17 | 10 | 27 | 22 | 27 | 13 | 17 | 10 | 26 | 21 | 26 |
| 5 53 | 14 | 18 | 11 | 28 | 23 | 29 | 14 | 18 | 11 | 27 | 22 | 28 | 14 | 18 | 11 | 27 | 21 | 27 |
| 9 9 53 | 15 | 19 | 12 | 28 | 24 | ♑ | 15 | 19 | 12 | 28 | 23 | 29 | 15 | 19 | 12 | 27 | 22 | 28 |
| 13 52 | 16 | 20 | 13 | 29 | 25 | 1 | 16 | 20 | 13 | 28 | 24 | ♑ | 16 | 20 | 12 | 28 | 23 | 29 |
| 17 50 | 17 | 20 | 13 | ♏ | 25 | 2 | 17 | 21 | 13 | 29 | 24 | 1 | 17 | 21 | 13 | 28 | 23 | ♑ |
| 9 21 47 | 18 | 21 | 14 | 0 | 26 | 3 | 18 | 21 | 14 | ♏ | 25 | 2 | 18 | 21 | 14 | 29 | 24 | 0 |
| 25 44 | 19 | 22 | 15 | 1 | 27 | 4 | 19 | 22 | 15 | 0 | 26 | 3 | 19 | 22 | 14 | ♏ | 25 | 1 |
| 29 40 | 20 | 23 | 16 | 1 | 27 | 4 | 20 | 23 | 15 | 1 | 26 | 3 | 20 | 23 | 15 | 0 | 25 | 2 |
| 9 33 35 | 21 | 24 | 16 | 2 | 28 | 5 | 21 | 24 | 16 | 1 | 27 | 4 | 21 | 24 | 16 | 1 | 26 | 3 |
| 37 29 | 22 | 25 | 17 | 3 | 29 | 6 | 22 | 25 | 17 | 2 | 28 | 5 | 22 | 25 | 16 | 1 | 27 | 4 |
| 41 23 | 23 | 26 | 18 | 3 | ♐ | 7 | 23 | 26 | 17 | 3 | 29 | 6 | 23 | 26 | 17 | 2 | 27 | 5 |
| 9 45 16 | 24 | 26 | 18 | 4 | 0 | 8 | 24 | 27 | 18 | 3 | 29 | 7 | 24 | 27 | 18 | 2 | 28 | 6 |
| 49 9 | 25 | 27 | 19 | 4 | 1 | 9 | 25 | 27 | 19 | 4 | ♐ | 8 | 25 | 27 | 19 | 3 | 29 | 7 |
| 53 1 | 26 | 28 | 20 | 5 | 2 | 10 | 26 | 28 | 20 | 4 | 0 | 9 | 26 | 28 | 19 | 4 | 29 | 8 |
| 9 56 52 | 27 | 29 | 20 | 5 | 2 | 11 | 27 | 29 | 20 | 5 | 1 | 10 | 27 | 29 | 20 | 4 | ♐ | 9 |
| 10 0 43 | 28 | ♎ | 21 | 6 | 3 | 12 | 28 | ♎ | 21 | 5 | 2 | 11 | 28 | ♎ | 20 | 5 | 1 | 10 |
| 4 33 | 29 | 1 | 22 | 7 | 4 | 13 | 29 | 1 | 21 | 6 | 2 | 12 | 29 | 1 | 21 | 5 | 1 | 11 |
| Houses | 4 | 5 | 6 | 7 | 8 | 9 | 4 | 5 | 6 | 7 | 8 | 9 | 4 | 5 | 6 | 7 | 8 | 9 |

### Latitude 61° S.    Latitude 62° S.    Latitude 63° S.

# SIMPLIFIED SCIENTIFIC TABLES OF HOUSES

| | Latitude 61° N. | | | | | | Latitude 62° N. | | | | | | Latitude 63° N. | | | | | |
|---|---|---|---|---|---|---|---|---|---|---|---|---|---|---|---|---|---|---|
| Sider'l Time | 10 ♍ | 11 ≏ | 12 ≏ | Asc. ♏ | 2 ♐ | 3 ♑ | 10 ♍ | 11 ≏ | 12 ≏ | Asc. ♏ | 2 ♐ | 3 ♑ | 10 ♍ | 11 ≏ | 12 ≏ | Asc. ♏ | 2 ♐ | 3 ♑ |
| H M S | ° | ° | ° | ° | ° | ° | ° | ° | ° | ° | ° | ° | ° | ° | ° | ° | ° | ° |
| 10 8 23 | 0 | 1 | 22 | 7 | 4 | 14 | 0 | 1 | 22 | 6 | 3 | 13 | 0 | 1 | 22 | 6 | 2 | 12 |
| 12 12 | 1 | 2 | 23 | 8 | 5 | 15 | 1 | 2 | 23 | 7 | 4 | 14 | 1 | 2 | 22 | 6 | 3 | 13 |
| 16 0 | 2 | 3 | 24 | 8 | 6 | 16 | 2 | 3 | 24 | 8 | 5 | 15 | 2 | 3 | 23 | 7 | 3 | 14 |
| 10 19 48 | 3 | 4 | 24 | 9 | 6 | 17 | 3 | 4 | 24 | 8 | 5 | 16 | 3 | 4 | 24 | 7 | 4 | 15 |
| 23 35 | 4 | 5 | 25 | 9 | 7 | 18 | 4 | 5 | 25 | 9 | 6 | 17 | 4 | 5 | 24 | 8 | 5 | 16 |
| 27 22 | 5 | 6 | 26 | 10 | 8 | 19 | 5 | 5 | 25 | 9 | 6 | 18 | 5 | 5 | 25 | 8 | 5 | 17 |
| 10 31 8 | 6 | 6 | 27 | 11 | 8 | 20 | 6 | 6 | 26 | 10 | 7 | 19 | 6 | 6 | 26 | 9 | 6 | 18 |
| 34 54 | 7 | 7 | 27 | 11 | 9 | 21 | 7 | 7 | 27 | 10 | 8 | 20 | 7 | 7 | 26 | 9 | 6 | 19 |
| 10 38 40 | 8 | 8 | 28 | 12 | 10 | 22 | 8 | 8 | 27 | 11 | 8 | 21 | 8 | 8 | 27 | 10 | 7 | 20 |
| 10 42 25 | 9 | 9 | 28 | 12 | 10 | 23 | 9 | 9 | 28 | 11 | 9 | 22 | 9 | 8 | 28 | 11 | 8 | 21 |
| 46 9 | 10 | 10 | 29 | 13 | 11 | 24 | 10 | 10 | 29 | 12 | 10 | 24 | 10 | 9 | 28 | 11 | 8 | 22 |
| 49 53 | 11 | 10 | ♏ | 13 | 12 | 25 | 11 | 10 | 29 | 12 | 10 | 25 | 11 | 10 | 29 | 12 | 9 | 23 |
| 10 53 37 | 12 | 11 | 0 | 14 | 12 | 27 | 12 | 11 | ♏ | 13 | 11 | 26 | 12 | 11 | 29 | 12 | 10 | 25 |
| 57 20 | 13 | 12 | 1 | 15 | 13 | 28 | 13 | 12 | 1 | 14 | 12 | 27 | 13 | 12 | ♏ | 13 | 10 | 26 |
| 11 1 3 | 14 | 13 | 2 | 15 | 14 | 29 | 14 | 13 | 1 | 14 | 13 | 28 | 14 | 13 | 1 | 13 | 11 | 27 |
| 11 4 46 | 15 | 14 | 2 | 16 | 15 | ♒ | 15 | 13 | 2 | 15 | 13 | 29 | 15 | 13 | 1 | 14 | 12 | 28 |
| 8 28 | 16 | 14 | 3 | 16 | 15 | 1 | 16 | 14 | 3 | 15 | 14 | ♒ | 16 | 14 | 2 | 14 | 12 | 29 |
| 12 10 | 17 | 15 | 4 | 17 | 16 | 2 | 17 | 15 | 3 | 16 | 15 | 1 | 17 | 15 | 3 | 15 | 13 | ♒ |
| 11 15 52 | 18 | 16 | 4 | 17 | 17 | 3 | 18 | 16 | 4 | 16 | 15 | 2 | 18 | 16 | 3 | 15 | 14 | 1 |
| 19 34 | 19 | 17 | 5 | 18 | 17 | 4 | 19 | 17 | 4 | 17 | 16 | 3 | 19 | 16 | 4 | 16 | 14 | 2 |
| 23 15 | 20 | 18 | 6 | 18 | 18 | 5 | 20 | 17 | 5 | 17 | 17 | 5 | 20 | 17 | 5 | 16 | 15 | 4 |
| 11 26 56 | 21 | 18 | 6 | 19 | 19 | 6 | 21 | 18 | 6 | 18 | 17 | 6 | 21 | 18 | 5 | 17 | 16 | 5 |
| 30 37 | 22 | 19 | 7 | 19 | 20 | 8 | 22 | 19 | 6 | 18 | 18 | 7 | 22 | 19 | 6 | 17 | 16 | 6 |
| 34 18 | 23 | 20 | 8 | 20 | 20 | 9 | 23 | 20 | 7 | 19 | 19 | 8 | 23 | 20 | 6 | 18 | 17 | 7 |
| 11 37 58 | 24 | 21 | 8 | 21 | 21 | 10 | 24 | 20 | 7 | 19 | 19 | 9 | 24 | 20 | 7 | 18 | 18 | 8 |
| 41 39 | 25 | 21 | 9 | 21 | 22 | 11 | 25 | 21 | 8 | 20 | 20 | 10 | 25 | 21 | 8 | 19 | 18 | 10 |
| 45 19 | 26 | 22 | 9 | 22 | 23 | 12 | 26 | 22 | 9 | 21 | 21 | 12 | 26 | 22 | 8 | 20 | 19 | 11 |
| 11 49 0 | 27 | 23 | 10 | 22 | 23 | 13 | 27 | 23 | 10 | 21 | 22 | 13 | 27 | 23 | 9 | 20 | 20 | 12 |
| 52 40 | 28 | 24 | 11 | 23 | 24 | 15 | 28 | 24 | 10 | 22 | 22 | 14 | 28 | 23 | 9 | 21 | 21 | 13 |
| 56 20 | 29 | 25 | 11 | 23 | 25 | 16 | 29 | 24 | 11 | 22 | 23 | 15 | 29 | 24 | 10 | 21 | 21 | 14 |
| Houses | 4 | 5 | 6 | 7 | 8 | 9 | 4 | 5 | 6 | 7 | 8 | 9 | 4 | 5 | 6 | 7 | 8 | 9 |

Latitude 61° S.    Latitude 62° S.    Latitude 63° S.

|  | Latitude 61° N. | | | | | | Latitude 62° N. | | | | | | Latitude 63° N. | | | | | |
|---|---|---|---|---|---|---|---|---|---|---|---|---|---|---|---|---|---|---|
| Sider'l Time | 10 ≈ | 11 ≈ | 12 ♏ | Asc. ♏ | 2 ♐ | 3 ≈ | 10 ≈ | 11 ≈ | 12 ♏ | Asc. ♏ | 2 ♐ | 3 ≈ | 10 ≈ | 11 ≈ | 12 ♏ | Asc. ♏ | 2 ♐ | 3 ≈ |
| H M S | ° | ° | ° | ° | ° | ° | ° | ° | ° | ° | ° | ° | ° | ° | ° | ° | ° | ° |
| 12 0 0 | 0 | 25 | 12 | 24 | 26 | 17 | 0 | 25 | 11 | 23 | 24 | 16 | 0 | 25 | 11 | 22 | 22 | 16 |
| 3 40 | 1 | 26 | 13 | 24 | 27 | 18 | 1 | 26 | 12 | 23 | 25 | 18 | 1 | 26 | 11 | 22 | 23 | 17 |
| 7 20 | 2 | 27 | 13 | 25 | 27 | 19 | 2 | 27 | 13 | 24 | 26 | 19 | 2 | 26 | 12 | 23 | 24 | 18 |
| 12 11 0 | 3 | 28 | 14 | 26 | 28 | 21 | 3 | 28 | 13 | 24 | 26 | 20 | 3 | 27 | 13 | 23 | 24 | 20 |
| 14 41 | 4 | 28 | 14 | 26 | 29 | 22 | 4 | 28 | 14 | 25 | 27 | 21 | 4 | 28 | 13 | 24 | 25 | 21 |
| 18 21 | 5 | 29 | 15 | 27 | ♑ | 23 | 5 | 29 | 14 | 25 | 28 | 23 | 5 | 29 | 14 | 24 | 26 | 22 |
| 12 22 2 | 6 | ♏ | 16 | 27 | 1 | 25 | 6 | ♏ | 15 | 26 | 29 | 24 | 6 | ♏ | 14 | 25 | 27 | 23 |
| 25 42 | 7 | 1 | 16 | 28 | 2 | 26 | 7 | 0 | 16 | 27 | ♑ | 25 | 7 | 0 | 15 | 25 | 27 | 25 |
| 29 23 | 8 | 2 | 17 | 28 | 2 | 27 | 8 | 1 | 16 | 27 | 0 | 27 | 8 | 1 | 16 | 26 | 28 | 26 |
| 12 33 4 | 9 | 2 | 18 | 28 | 3 | 28 | 9 | 2 | 17 | 28 | 1 | 28 | 9 | 2 | 16 | 26 | 29 | 27 |
| 36 45 | 10 | 3 | 18 | 29 | 4 | 29 | 10 | 3 | 17 | 28 | 2 | 29 | 10 | 2 | 17 | 27 | ♑ | 29 |
| 40 26 | 11 | 4 | 19 | ♐ | 5 | ♓ | 11 | 4 | 18 | 29 | 3 | ♓ | 11 | 3 | 17 | 27 | 1 | ♓ |
| 12 44 8 | 12 | 5 | 20 | 1 | 6 | 2 | 12 | 4 | 19 | 29 | 4 | 2 | 12 | 4 | 18 | 28 | 2 | 1 |
| 47 50 | 13 | 5 | 20 | 1 | 7 | 3 | 13 | 5 | 19 | ♐ | 5 | 3 | 13 | 5 | 19 | 28 | 2 | 3 |
| 51 32 | 14 | 6 | 21 | 2 | 8 | 5 | 14 | 6 | 20 | 0 | 6 | 4 | 14 | 5 | 19 | 29 | 3 | 4 |
| 12 55 14 | 15 | 7 | 22 | 2 | 9 | 6 | 15 | 7 | 21 | 1 | 7 | 6 | 15 | 6 | 20 | ♐ | 4 | 5 |
| 58 57 | 16 | 8 | 22 | 3 | 10 | 7 | 16 | 7 | 21 | 1 | 8 | 7 | 16 | 7 | 20 | 0 | 5 | 7 |
| 13 2 40 | 17 | 8 | 23 | 4 | 11 | 9 | 17 | 8 | 22 | 2 | 9 | 8 | 17 | 8 | 21 | 1 | 6 | 8 |
| 13 6 23 | 18 | 9 | 23 | 4 | 12 | 10 | 18 | 9 | 23 | 3 | 10 | 10 | 18 | 8 | 22 | 1 | 7 | 9 |
| 10 7 | 19 | 10 | 24 | 5 | 13 | 11 | 19 | 10 | 23 | 3 | 11 | 11 | 19 | 9 | 22 | 2 | 8 | 11 |
| 13 51 | 20 | 11 | 25 | 5 | 14 | 13 | 20 | 10 | 24 | 4 | 12 | 12 | 20 | 10 | 23 | 2 | 9 | 12 |
| 13 17 35 | 21 | 12 | 25 | 6 | 15 | 14 | 21 | 11 | 24 | 4 | 13 | 14 | 21 | 11 | 23 | 3 | 10 | 14 |
| 21 20 | 22 | 12 | 26 | 7 | 16 | 15 | 22 | 12 | 25 | 5 | 14 | 15 | 22 | 11 | 24 | 3 | 12 | 15 |
| 25 6 | 23 | 13 | 27 | 7 | 18 | 17 | 23 | 13 | 26 | 6 | 16 | 17 | 23 | 12 | 25 | 4 | 13 | 17 |
| 13 28 52 | 24 | 14 | 27 | 8 | 19 | 18 | 24 | 13 | 26 | 6 | 17 | 18 | 24 | 13 | 25 | 4 | 14 | 18 |
| 32 38 | 25 | 15 | 28 | 8 | 20 | 20 | 25 | 14 | 27 | 7 | 18 | 19 | 25 | 14 | 26 | 5 | 15 | 19 |
| 36 25 | 26 | 15 | 29 | 9 | 21 | 21 | 26 | 15 | 28 | 7 | 19 | 21 | 26 | 15 | 27 | 6 | 16 | 21 |
| 13 40 12 | 27 | 16 | 29 | 10 | 23 | 22 | 27 | 16 | 28 | 8 | 20 | 22 | 27 | 15 | 27 | 6 | 18 | 22 |
| 44 0 | 28 | 17 | ♐ | 10 | 24 | 24 | 28 | 17 | 29 | 9 | 22 | 24 | 28 | 16 | 28 | 7 | 19 | 24 |
| 47 48 | 29 | 18 | 1 | 11 | 25 | 25 | 29 | 17 | ♐ | 9 | 23 | 25 | 29 | 17 | 28 | 7 | 20 | 25 |
| Houses | 4 | 5 | 6 | 7 | 8 | 9 | 4 | 5 | 6 | 7 | 8 | 9 | 4 | 5 | 6 | 7 | 8 | 9 |

Latitude 61° S.   Latitude 62° S.   Latitude 63° S.

# SIMPLIFIED SCIENTIFIC TABLES OF HOUSES

Latitude 61° N.  Latitude 62° N.  Latitude 63° N.

| Sider'l Time | 10 ♏ | 11 ♏ | 12 ♐ | Asc. ♐ | 2 ♑ | 3 ♓ | 10 ♏ | 11 ♏ | 12 ♐ | Asc. ♐ | 2 ♑ | 3 ♓ | 10 ♏ | 11 ♏ | 12 ♏ | Asc. ♐ | 2 ♑ | 3 ♓ |
|---|---|---|---|---|---|---|---|---|---|---|---|---|---|---|---|---|---|---|
| H M S | ° | ° | ° | ° | ° | ° | ° | ° | ° | ° | ° | ° | ° | ° | ° | ° | ° | ° |
| 13 51 37 | 0 | 18 | 1 | 11 | 27 | 26 | 0 | 18 | 0 | 10 | 24 | 27 | 0 | 17 | 29 | 8 | 22 | 26 |
| 55 27 | 1 | 19 | 2 | 12 | 28 | 28 | 1 | 19 | 1 | 10 | 26 | 28 | 1 | 18 | ♐ | 8 | 23 | 28 |
| 59 17 | 2 | 20 | 3 | 13 | ♒ | 29 | 2 | 20 | 2 | 11 | 27 | 29 | 2 | 19 | 0 | 9 | 25 | 29 |
| 14 3 8 | 3 | 21 | 3 | 14 | 1 | ♈ | 3 | 20 | 2 | 12 | 29 | ♈ | 3 | 20 | 1 | 10 | 26 | ♈ |
| 6 59 | 4 | 21 | 4 | 14 | 2 | 2 | 4 | 21 | 3 | 12 | ♒ | 2 | 4 | 20 | 2 | 10 | 28 | 2 |
| 10 51 | 5 | 22 | 5 | 15 | 4 | 4 | 5 | 22 | 4 | 13 | 2 | 4 | 5 | 21 | 2 | 11 | 29 | 4 |
| 14 14 44 | 6 | 23 | 5 | 15 | 6 | 5 | 6 | 23 | 4 | 13 | 4 | 5 | 6 | 22 | 3 | 11 | ♒ | 5 |
| 18 37 | 7 | 24 | 6 | 16 | 7 | 6 | 7 | 23 | 5 | 14 | 5 | 7 | 7 | 23 | 4 | 12 | 3 | 7 |
| 22 31 | 8 | 25 | 7 | 17 | 9 | 8 | 8 | 24 | 6 | 15 | 7 | 8 | 8 | 24 | 5 | 13 | 5 | 8 |
| 14 26 25 | 9 | 26 | 8 | 18 | 11 | 9 | 9 | 25 | 6 | 16 | 9 | 10 | 9 | 24 | 5 | 13 | 6 | 10 |
| 30 20 | 10 | 27 | 8 | 18 | 13 | 11 | 10 | 26 | 7 | 16 | 11 | 11 | 10 | 25 | 6 | 14 | 8 | 11 |
| 34 16 | 11 | 28 | 9 | 19 | 14 | 12 | 11 | 27 | 8 | 17 | 13 | 13 | 11 | 26 | 6 | 15 | 10 | 13 |
| 14 38 13 | 12 | 28 | 10 | 20 | 16 | 14 | 12 | 27 | 8 | 18 | 14 | 14 | 12 | 27 | 7 | 15 | 12 | 14 |
| 42 10 | 13 | 29 | 10 | 21 | 18 | 15 | 13 | 28 | 9 | 18 | 16 | 16 | 13 | 28 | 8 | 16 | 14 | 16 |
| 46 8 | 14 | ♐ | 11 | 21 | 20 | 17 | 14 | 29 | 10 | 19 | 18 | 17 | 14 | 28 | 8 | 17 | 16 | 17 |
| 14 50 7 | 15 | 0 | 12 | 22 | 22 | 18 | 15 | ♐ | 10 | 20 | 20 | 18 | 15 | 29 | 9 | 17 | 18 | 19 |
| 54 7 | 16 | 1 | 13 | 23 | 24 | 19 | 16 | 1 | 11 | 21 | 22 | 20 | 16 | ♐ | 10 | 18 | 20 | 20 |
| 58 7 | 17 | 2 | 13 | 24 | 26 | 21 | 17 | 1 | 12 | 21 | 24 | 21 | 17 | 1 | 11 | 19 | 23 | 22 |
| 15 2 8 | 18 | 3 | 14 | 25 | 28 | 22 | 18 | 2 | 13 | 22 | 27 | 23 | 18 | 2 | 11 | 19 | 25 | 23 |
| 6 9 | 19 | 4 | 15 | 25 | ♓ | 24 | 19 | 3 | 13 | 23 | 29 | 24 | 19 | 2 | 12 | 20 | 27 | 25 |
| 10 12 | 20 | 4 | 16 | 26 | 2 | 25 | 20 | 4 | 14 | 24 | ♓ | 26 | 20 | 3 | 13 | 21 | 29 | 26 |
| 15 14 15 | 21 | 5 | 16 | 27 | 4 | 26 | 21 | 5 | 15 | 24 | 2 | 27 | 21 | 4 | 13 | 22 | ♓ | 28 |
| 18 19 | 22 | 6 | 17 | 28 | 6 | 28 | 22 | 5 | 16 | 25 | 5 | 29 | 22 | 5 | 14 | 22 | 4 | 29 |
| 22 23 | 23 | 7 | 18 | 29 | 8 | ♉ | 23 | 6 | 16 | 26 | 8 | ♉ | 23 | 5 | 15 | 23 | 7 | ♉ |
| 15 26 29 | 24 | 8 | 19 | ♑ | 11 | 1 | 24 | 7 | 17 | 27 | 10 | 1 | 24 | 6 | 16 | 24 | 9 | 2 |
| 30 35 | 25 | 9 | 20 | 1 | 13 | 2 | 25 | 8 | 18 | 28 | 12 | 3 | 25 | 7 | 16 | 25 | 11 | 3 |
| 34 41 | 26 | 9 | 20 | 2 | 15 | 4 | 26 | 9 | 19 | 29 | 15 | 4 | 26 | 8 | 17 | 26 | 14 | 5 |
| 15 38 49 | 27 | 10 | 21 | 3 | 18 | 5 | 27 | 9 | 20 | ♑ | 17 | 6 | 27 | 9 | 18 | 26 | 16 | 6 |
| 42 57 | 28 | 11 | 22 | 4 | 20 | 6 | 28 | 10 | 20 | 1 | 19 | 7 | 28 | 9 | 19 | 27 | 19 | 8 |
| 47 6 | 29 | 12 | 23 | 5 | 22 | 8 | 29 | 11 | 21 | 2 | 22 | 9 | 29 | 10 | 20 | 28 | 22 | 9 |
| Houses | 4 | 5 | 6 | 7 | 8 | 9 | 4 | 5 | 6 | 7 | 8 | 9 | 4 | 5 | 6 | 7 | 8 | 9 |

Latitude 61° S.  Latitude 62° S.  Latitude 63° S.

# SIMPLIFIED SCIENTIFIC TABLES OF HOUSES

### Latitude 61° N.  Latitude 62° N.  Latitude 63° N.

| Sider'l Time | 10 ♐ | 11 ♐ | 12 ♐ | Asc. ♑ | 2 ♓ | 3 ♉ | 10 ♐ | 11 ♐ | 12 ♐ | Asc. ♑ | 2 ♓ | 3 ♉ | 10 ♐ | 11 ♐ | 12 ♐ | Asc. ♑ | 2 ♓ | 3 ♉ |
|---|---|---|---|---|---|---|---|---|---|---|---|---|---|---|---|---|---|---|
| H M S | ° | ° | ° | ° | ° | ° | ° | ° | ° | ° | ° | ° | ° | ° | ° | ° | ° | ° |
| 15 51 15 | 0 | 13 | 24 | 6 | 25 | 9 | 0 | 12 | 22 | 3 | 25 | 10 | 0 | 11 | 20 | 29 | 24 | 11 |
| 55 25 | 1 | 14 | 25 | 7 | 27 | 11 | 1 | 13 | 23 | 4 | 27 | 11 | 1 | 12 | 21 | ♑ | 27 | 12 |
| 59 36 | 2 | 15 | 26 | 8 | 29 | 12 | 2 | 14 | 24 | 5 | 29 | 13 | 2 | 13 | 22 | 1 | 29 | 13 |
| 16 3 48 | 3 | 15 | 27 | 9 | ♈ | 13 | 3 | 15 | 25 | 6 | ♈ | 14 | 3 | 14 | 23 | 2 | ♈ | 15 |
| 8 0 | 4 | 16 | 28 | 11 | 4 | 15 | 4 | 16 | 26 | 7 | 5 | 16 | 4 | 15 | 24 | 3 | 5 | 16 |
| 12 13 | 5 | 17 | 29 | 12 | 7 | 16 | 5 | 16 | 27 | 8 | 7 | 17 | 5 | 16 | 25 | 4 | 8 | 18 |
| 16 16 26 | 6 | 18 | 29 | 13 | 9 | 18 | 6 | 17 | 28 | 10 | 10 | 18 | 6 | 16 | 25 | 5 | 10 | 19 |
| 20 40 | 7 | 19 | ♑ | 15 | 11 | 19 | 7 | 18 | 28 | 11 | 12 | 20 | 7 | 17 | 26 | 7 | 13 | 20 |
| 24 55 | 8 | 20 | 1 | 16 | 14 | 20 | 8 | 19 | 29 | 12 | 14 | 21 | 8 | 18 | 27 | 8 | 15 | 22 |
| 16 29 10 | 9 | 21 | 2 | 18 | 16 | 21 | 9 | 20 | ♑ | 14 | 17 | 22 | 9 | 19 | 28 | 9 | 18 | 23 |
| 33 26 | 10 | 22 | 3 | 20 | 18 | 23 | 10 | 21 | 1 | 15 | 19 | 24 | 10 | 20 | 29 | 11 | 21 | 25 |
| 37 42 | 11 | 23 | 4 | 21 | 21 | 24 | 11 | 22 | 2 | 17 | 22 | 25 | 11 | 21 | ♑ | 12 | 23 | 26 |
| 16 41 59 | 12 | 24 | 5 | 23 | 23 | 25 | 12 | 23 | 3 | 19 | 24 | 26 | 12 | 22 | 1 | 14 | 25 | 27 |
| 46 16 | 13 | 25 | 7 | 25 | 25 | 27 | 13 | 24 | 4 | 21 | 27 | 28 | 13 | 23 | 2 | 15 | 28 | 29 |
| 50 34 | 14 | 26 | 8 | 27 | 28 | 28 | 14 | 25 | 6 | 23 | 29 | 29 | 14 | 24 | 3 | 17 | ♉ | ♊ |
| 16 54 52 | 15 | 27 | 9 | ♒ | ♉ | 29 | 15 | 25 | 7 | 25 | ♉ | ♊ | 15 | 24 | 4 | 19 | 3 | 1 |
| 59 10 | 16 | 28 | 10 | 2 | 2 | ♊ | 16 | 26 | 8 | 27 | 4 | 2 | 16 | 25 | 5 | 21 | 6 | 3 |
| 17 3 29 | 17 | 28 | 11 | 5 | 4 | 2 | 17 | 27 | 9 | ♒ | 6 | 3 | 17 | 26 | 6 | 24 | 8 | 4 |
| 17 7 49 | 18 | 29 | 12 | 8 | 6 | 3 | 18 | 28 | 10 | 2 | 8 | 4 | 18 | 27 | 8 | 26 | 10 | 5 |
| 12 9 | 19 | ♑ | 14 | 11 | 9 | 4 | 19 | 29 | 12 | 5 | 10 | 5 | 19 | 28 | 9 | 29 | 13 | 6 |
| 16 29 | 29 | 1 | 15 | 14 | 11 | 6 | 20 | ♑ | 13 | 8 | 13 | 6 | 20 | 29 | 10 | ♒ | 15 | 8 |
| 17 20 49 | 21 | 2 | 16 | 17 | 13 | 7 | 21 | 1 | 14 | 12 | 15 | 8 | 21 | ♑ | 11 | 6 | 17 | 9 |
| 25 9 | 22 | 3 | 18 | 21 | 15 | 8 | 22 | 2 | 16 | 16 | 17 | 9 | 22 | 1 | 13 | 9 | 19 | 10 |
| 29 30 | 23 | 4 | 19 | 25 | 17 | 9 | 23 | 3 | 17 | 20 | 19 | 10 | 23 | 2 | 14 | 14 | 21 | 11 |
| 17 33 51 | 24 | 5 | 20 | 29 | 19 | 10 | 24 | 4 | 18 | 25 | 21 | 11 | 24 | 3 | 15 | 18 | 23 | 12 |
| 38 12 | 25 | 7 | 22 | ♓ | 21 | 12 | 25 | 5 | 20 | ♓ | 23 | 13 | 25 | 4 | 17 | 24 | 25 | 14 |
| 42 34 | 26 | 8 | 24 | 8 | 22 | 13 | 26 | 7 | 21 | 5 | 25 | 14 | 26 | 5 | 18 | ♓ | 27 | 15 |
| 17 46 55 | 27 | 9 | 25 | 13 | 24 | 14 | 27 | 8 | 23 | 10 | 26 | 15 | 27 | 6 | 20 | 7 | 29 | 16 |
| 51 17 | 28 | 10 | 27 | 19 | 26 | 15 | 28 | 9 | 24 | 17 | 28 | 16 | 28 | 8 | 22 | 14 | ♊ | 17 |
| 55 38 | 29 | 11 | 28 | 24 | 28 | 16 | 29 | 10 | 26 | 23 | ♊ | 17 | 29 | 9 | 23 | 22 | 3 | 18 |
| Houses | 4 | 5 | 6 | 7 | 8 | 9 | 4 | 5 | 6 | 7 | 8 | 9 | 4 | 5 | 6 | 7 | 8 | 9 |

### Latitude 61° S.  Latitude 62° S.  Latitude 63° S.

# SIMPLIFIED SCIENTIFIC TABLES OF HOUSES
### Latitude 61° N.  Latitude 62° N.  Latitude 63° N.

| Sider'l Time | 10 ♑ | 11 ♑ | 12 ♒ | Asc. ♈ | 2 ♉ | 3 ♊ | 10 ♑ | 11 ♑ | 12 ♑ | Asc. ♈ | 2 ♊ | 3 ♊ | 10 ♑ | 11 ♑ | 12 ♑ | Asc. ♈ | 2 ♊ | 3 ♊ |
|---|---|---|---|---|---|---|---|---|---|---|---|---|---|---|---|---|---|---|
| H M S | ° | ° | ° | ° | ° | ° | ° | ° | ° | ° | ° | ° | ° | ° | ° | ° | ° | ° |
| 18 0 0 | 0 | 12 | 0 | 0 | 29 | 17 | 0 | 11 | 28 | 0 | 2 | 18 | 0 | 10 | 25 | 0 | 4 | 19 |
| 4 22 | 1 | 13 | 2 | 5 | ♊ | 18 | 1 | 12 | 29 | 6 | 3 | 19 | 1 | 11 | 27 | 8 | 6 | 21 |
| 8 43 | 2 | 14 | 3 | 10 | 3 | 19 | 2 | 13 | ♒ | 12 | 5 | 20 | 2 | 12 | 28 | 15 | 8 | 22 |
| 18 13 5 | 3 | 15 | 5 | 16 | 4 | 21 | 3 | 14 | 3 | 18 | 7 | 22 | 3 | 13 | ♒ | 23 | 10 | 23 |
| 17 26 | 4 | 17 | 7 | 21 | 6 | 22 | 4 | 15 | 5 | 24 | 8 | 23 | 4 | 14 | 2 | 29 | 11 | 24 |
| 21 48 | 5 | 18 | 9 | 26 | 7 | 23 | 5 | 17 | 7 | ♉ | 10 | 24 | 5 | 16 | 4 | ♉ | 12 | 25 |
| 18 26 9 | 6 | 19 | 11 | ♉ | 9 | 24 | 6 | 18 | 9 | 5 | 11 | 25 | 6 | 17 | 6 | 11 | 14 | 26 |
| 30 30 | 7 | 20 | 13 | 4 | 10 | 25 | 7 | 19 | 11 | 9 | 12 | 26 | 7 | 18 | 8 | 16 | 15 | 27 |
| 34 51 | 8 | 21 | 14 | 8 | 11 | 26 | 8 | 20 | 13 | 13 | 14 | 27 | 8 | 19 | 10 | 20 | 16 | 28 |
| 18 39 11 | 9 | 22 | 17 | 12 | 13 | 27 | 9 | 21 | 15 | 18 | 15 | 28 | 9 | 20 | 12 | 24 | 18 | 29 |
| 43 31 | 10 | 24 | 19 | 15 | 14 | 28 | 10 | 23 | 17 | 21 | 16 | 29 | 10 | 22 | 15 | 27 | 19 | ♋ |
| 47 51 | 11 | 25 | 21 | 19 | 15 | 29 | 11 | 24 | 19 | 24 | 18 | ♋ | 11 | 23 | 17 | ♊ | 20 | 1 |
| 18 52 11 | 12 | 26 | 23 | 22 | 17 | ♋ | 12 | 25 | 21 | 27 | 19 | 1 | 12 | 24 | 19 | 3 | 22 | 2 |
| 56 31 | 13 | 27 | 25 | 24 | 18 | 1 | 13 | 26 | 23 | ♊ | 20 | 2 | 13 | 25 | 22 | 6 | 23 | 3 |
| 19 0 50 | 14 | 29 | 27 | 27 | 19 | 2 | 14 | 28 | 26 | 2 | 21 | 3 | 14 | 27 | 24 | 8 | 24 | 4 |
| 19 5 8 | 15 | ♒ | ♓ | ♊ | 20 | 3 | 15 | 29 | 28 | 5 | 23 | 4 | 15 | 28 | 27 | 10 | 25 | 5 |
| 9 26 | 16 | 1 | 2 | 2 | 21 | 4 | 16 | ♒ | ♓ | 7 | 24 | 5 | 16 | 29 | 29 | 12 | 26 | 6 |
| 13 44 | 17 | 2 | 4 | 4 | 22 | 5 | 17 | 1 | 3 | 9 | 25 | 6 | 17 | ♒ | ♓ | 14 | 27 | 7 |
| 19 18 1 | 18 | 4 | 7 | 6 | 24 | 6 | 18 | 3 | 5 | 11 | 26 | 7 | 18 | 2 | 4 | 16 | 28 | 8 |
| 22 18 | 19 | 5 | 9 | 8 | 25 | 7 | 19 | 4 | 8 | 12 | 27 | 7 | 19 | 3 | 6 | 17 | 29 | 8 |
| 26 34 | 20 | 6 | 11 | 10 | 26 | 7 | 20 | 6 | 10 | 14 | 28 | 8 | 20 | 5 | 9 | 19 | ♋ | 9 |
| 19 30 50 | 21 | 8 | 13 | 11 | 27 | 8 | 21 | 7 | 12 | 15 | 29 | 9 | 21 | 6 | 11 | 20 | 1 | 10 |
| 35 5 | 22 | 9 | 16 | 13 | 28 | 9 | 22 | 8 | 15 | 17 | ♋ | 10 | 22 | 8 | 14 | 21 | 2 | 11 |
| 39 20 | 23 | 11 | 18 | 14 | 29 | 10 | 23 | 10 | 18 | 18 | 1 | 11 | 23 | 9 | 17 | 23 | 3 | 12 |
| 19 43 34 | 24 | 12 | 20 | 16 | ♋ | 11 | 24 | 11 | 20 | 20 | 2 | 12 | 24 | 10 | 19 | 24 | 4 | 13 |
| 47 47 | 25 | 13 | 23 | 17 | 1 | 12 | 25 | 12 | 22 | 21 | 3 | 13 | 25 | 12 | 22 | 25 | 5 | 14 |
| 52 0 | 26 | 15 | 26 | 19 | 2 | 13 | 26 | 14 | 25 | 22 | 4 | 14 | 26 | 13 | 25 | 26 | 6 | 15 |
| 19 56 12 | 27 | 16 | 28 | 20 | 3 | 14 | 27 | 15 | 28 | 23 | 5 | 15 | 27 | 15 | 27 | 27 | 6 | 16 |
| 20 0 24 | 28 | 17 | ♈ | 21 | 4 | 15 | 28 | 16 | ♈ | 24 | 5 | 16 | 28 | 16 | ♈ | 28 | 7 | 16 |
| 4 35 | 29 | 19 | 2 | 22 | 4 | 15 | 29 | 18 | 2 | 26 | 6 | 16 | 29 | 17 | 3 | 29 | 8 | 17 |
| Houses | 4 | 5 | 6 | 7 | 8 | 9 | 4 | 5 | 6 | 7 | 8 | 9 | 4 | 5 | 6 | 7 | 8 | 9 |

### Latitude 61° S.  Latitude 62° S.  Latitude 63° S.

# SIMPLIFIED SCIENTIFIC TABLES OF HOUSES

### Latitude 61° N.  Latitude 62° N.  Latitude 63° N.

| Sider'l Time | 10 ≈ | 11 ≈ | 12 ♈ | Asc. ♊ | 2 ♋ | 3 ♋ | 10 ≈ | 11 ≈ | 12 ♈ | Asc. ♊ | 2 ♋ | 3 ♋ | 10 ≈ | 11 ≈ | 12 ♈ | Asc. ♋ | 2 ♋ | 3 ♋ |
|---|---|---|---|---|---|---|---|---|---|---|---|---|---|---|---|---|---|---|
| H M S | ° | ° | ° | ° ′ | ° | .° | ° | ° | ° | ° ′ | ° | ° | ° | ° | ° | ° ′ | ° | .° |
| 20 8 45 | 0 | 20 | 5 | 23 | 5 | 16 | 0 | 19 | 5 | 27 | 7 | 17 | 0 | 19 | 5 | 0 | 9 | 18 |
| 12 54 | 1 | 21 | 7 | 24 | 7 | 17 | 1 | 20 | 7 | 28 | 8 | 18 | 1 | 20 | 8 | 1 | 10 | 19 |
| 17 3 | 2 | 23 | 10 | 26 | 7 | 18 | 2 | 22 | 10 | 29 | 9 | 19 | 2 | 22 | 11 | 2 | 11 | 20 |
| 20 21 11 | 3 | 24 | 12 | 27 | 8 | 19 | 3 | 24 | 13 | ♋ | 10 | 20 | 3 | 23 | 13 | 3 | 11 | 21 |
| 25 19 | 4 | 26 | 14 | 28 | 9 | 20 | 4 | 25 | 15 | 1 | 10 | 21 | 4 | 24 | 16 | 4 | 12 | 21 |
| 29 26 | 5 | 27 | 16 | 29 | 10 | 21 | 5 | 27 | 17 | 1 | 11 | 21 | 5 | 26 | 18 | 4 | 13 | 22 |
| 20 33 31 | 6 | 28 | 19 | 29 | 10 | 21 | 6 | 28 | 20 | 2 | 12 | 22 | 6 | 27 | 21 | 5 | 14 | 23 |
| 37 37 | 7 | ♓ | 21 | ♋ | 11 | 22 | 7 | 29 | 22 | 3 | 13 | 23 | 7 | 29 | 23 | 6 | 14 | 24 |
| 41 41 | 8 | 1 | 23 | 1 | 12 | 23 | 8 | ♓ | 24 | 4 | 13 | 24 | 8 | ♓ | 25 | 7 | 15 | 25 |
| 20 45 45 | 9 | 3 | 25 | 2 | 13 | 24 | 9 | 2 | 26 | 5 | 14 | 25 | 9 | 2 | 28 | 8 | 16 | 25 |
| 49 48 | 10 | 4 | 27 | 3 | 13 | 25 | 10 | 4 | 29 | 6 | 15 | 25 | 10 | 3 | ♉ | 8 | 16 | 26 |
| 53 51 | 11 | 5 | 29 | 4 | 14 | 26 | 11 | 5 | ♉ | 6 | 16 | 26 | 11 | 5 | 2 | 9 | 17 | 27 |
| 20 57 52 | 12 | 7 | ♉ | 5 | 15 | 26 | 12 | 7 | 3 | 7 | 16 | 27 | 12 | 6 | 5 | 10 | 18 | 28 |
| 21 1 53 | 13 | 8 | 3 | 5 | 16 | 27 | 13 | 8 | 5 | 8 | 17 | 28 | 13 | 8 | 7 | 10 | 19 | 29 |
| 5 53 | 14 | 10 | 5 | 6 | 17 | 28 | 14 | 9 | 7 | 9 | 18 | 29 | 14 | 9 | 9 | 11 | 19 | 29 |
| 21 9 53 | 15 | 11 | 7 | 7 | 17 | 29 | 15 | 11 | 9 | 9 | 19 | 29 | 15 | 11 | 11 | 12 | 20 | ♌ |
| 13 52 | 16 | 13 | 9 | 9 | 18 | ♌ | 16 | 12 | 11 | 10 | 19 | ♌ | 16 | 12 | 13 | 13 | 21 | 1 |
| 17 50 | 17 | 14 | 11 | 9 | 19 | 0 | 17 | 14 | 13 | 11 | 20 | 1 | 17 | 14 | 15 | 13 | 21 | 2 |
| 21 21 47 | 18 | 16 | 13 | 9 | 19 | 1 | 18 | 15 | 15 | 12 | 21 | 2 | 18 | 15 | 17 | 14 | 22 | 2 |
| 25 44 | 19 | 17 | 15 | 10 | 20 | 2 | 19 | 17 | 17 | 12 | 21 | 3 | 19 | 17 | 19 | 15 | 23 | 3 |
| 29 40 | 20 | 18 | 17 | 11 | 21 | 3 | 20 | 18 | 19 | 13 | 22 | 3 | 20 | 18 | 21 | 15 | 23 | 4 |
| 21 33 35 | 21 | 20 | 19 | 12 | 22 | 4 | 21 | 20 | 21 | 14 | 23 | 4 | 21 | 20 | 23 | 16 | 24 | 5 |
| 37 29 | 22 | 21 | 20 | 12 | 22 | 4 | 22 | 21 | 22 | 14 | 24 | 5 | 22 | 21 | 25 | 16 | 25 | 6 |
| 41 23 | 23 | 23 | 22 | 13 | 23 | 5 | 23 | 23 | 24 | 15 | 24 | 6 | 23 | 23 | 27 | 17 | 25 | 6 |
| 21 45 16 | 24 | 24 | 24 | 14 | 24 | 6 | 24 | 24 | 26 | 16 | 25 | 7 | 24 | 24 | 28 | 18 | 26 | 7 |
| 49 9 | 25 | 26 | 25 | 14 | 25 | 7 | 25 | 25 | 28 | 16 | 26 | 7 | 25 | 25 | ♊ | 18 | 27 | 8 |
| 53 1 | 26 | 27 | 27 | 15 | 25 | 8 | 26 | 27 | 29 | 17 | 26 | 8 | 26 | 27 | 2 | 19 | 28 | 9 |
| 21 56 52 | 27 | 28 | 28 | 16 | 26 | 8 | 27 | 28 | ♊ | 18 | 27 | 9 | 27 | 28 | 3 | 19 | 28 | 9 |
| 22 0 43 | 28 | ♈ | ♊ | 16 | 26 | 9 | 28 | ♈ | 2 | 18 | 28 | 10 | 28 | ♈ | 5 | 20 | 29 | 10 |
| 4 33 | 29 | 1 | 1 | 17 | 27 | 10 | 29 | 1 | 3 | 19 | 28 | 11 | 29 | 1 | 6 | 21 | 29 | 11 |
| Houses | 4 | 5 | 6 | 7 | 8 | 9 | 4 | 5 | 6 | 7 | 8 | 9 | 4 | 5 | 6 | 7 | 8 | 9 |

### Latitude 61° S.  Latitude 62° S.  Latitude 63° S.

# SIMPLIFIED SCIENTIFIC TABLES OF HOUSES

Latitude 61° N.  Latitude 62° N.  Latitude 63° .N

| Sider'l Time | 10 ℋ | 11 ♈ | 12 ♊ | Asc. ♋ | 2 ♋ | 3 ♌ | 10 ℋ | 11 ♈ | 12 ♊ | Asc. ♋ | 2 ♋ | 3 ♌ | 10 ℋ | 11 ♈ | 12 ♊ | Asc. ♋ | 2 ♋ | 3 ♌ |
|---|---|---|---|---|---|---|---|---|---|---|---|---|---|---|---|---|---|---|
| H M S | ° | ° | ° | ° ′ | ° | ° | ° | ° | ° | ° ′ | ° | ° | ° | ° | ° | ° ′ | ° | ° |
| 22 8 23 | 0 | 3 | 3 | 18 | 28 | 11 | 0 | 3 | 5 | 19 | 29 | 11 | 0 | 3 | 8 | 21 | 0 | 12 |
| 12 12 | 1 | 4 | 4 | 18 | 29 | 12 | 1 | 4 | 6 | 20 | ♌ | 12 | 1 | 4 | 9 | 22 | 1 | 12 |
| 16 0 | 2 | 6 | 5 | 19 | 29 | 12 | 2 | 6 | 8 | 21 | 0 | 13 | 2 | 6 | 11 | 23 | 1 | 13 |
| 22 19 48 | 3 | 7 | 6 | 20 | ♌ | 13 | 3 | 7 | 9 | 21 | 1 | 13 | 3 | 7 | 12 | 23 | 2 | 14 |
| 23 35 | 4 | 8 | 8 | 20 | 1 | 14 | 4 | 8 | 10 | 22 | 2 | 14 | 4 | 9 | 13 | 24 | 3 | 15 |
| 27 22 | 5 | 10 | 9 | 21 | 1 | 15 | 5 | 10 | 11 | 22 | 2 | 15 | 5 | 10 | 14 | 24 | 3 | 15 |
| 22 31 8 | 6 | 11 | 10 | 21 | 2 | 15 | 6 | 11 | 13 | 23 | 3 | 16 | 6 | 12 | 16 | 25 | 4 | 16 |
| 34 54 | 7 | 12 | 11 | 22 | 2 | 16 | 7 | 13 | 14 | 24 | 3 | 16 | 7 | 13 | 16 | 25 | 4 | 17 |
| 38 40 | 8 | 14 | 13 | 23 | 3 | 17 | 8 | 14 | 15 | 24 | 4 | 17 | 8 | 14 | 18 | 26 | 5 | 18 |
| 22 42 25 | 9 | 15 | 14 | 23 | 4 | 18 | 9 | 15 | 16 | 25 | 5 | 18 | 9 | 16 | 19 | 26 | 6 | 19 |
| 46 9 | 10 | 17 | 15 | 24 | 5 | 19 | 10 | 17 | 17 | 25 | 5 | 19 | 10 | 17 | 20 | 27 | 6 | 19 |
| 49 53 | 11 | 18 | 16 | 24 | 5 | 19 | 11 | 18 | 18 | 26 | 6 | 20 | 11 | 18 | 21 | 27 | 7 | 20 |
| 22 53 37 | 12 | 19 | 17 | 25 | 6 | 20 | 12 | 19 | 19 | 26 | 7 | 20 | 12 | 20 | 22 | 28 | 8 | 21 |
| 57 20 | 13 | 21 | 18 | 26 | 6 | 21 | 13 | 21 | 20 | 27 | 7 | 21 | 13 | 21 | 23 | 29 | 8 | 22 |
| 23 1 3 | 14 | 22 | 19 | 26 | 7 | 22 | 14 | 22 | 21 | 28 | 8 | 22 | 14 | 23 | 24 | 29 | 9 | 22 |
| 23 4 46 | 15 | 23 | 20 | 27 | 8 | 22 | 15 | 24 | 22 | 28 | 8 | 23 | 15 | 24 | 25 | ♌ | 9 | 23 |
| 8 28 | 16 | 25 | 21 | 27 | 8 | 23 | 16 | 25 | 23 | 29 | 9 | 23 | 16 | 25 | 26 | 0 | 10 | 24 |
| 12 10 | 17 | 26 | 22 | 28 | 9 | 24 | 17 | 26 | 24 | 29 | 10 | 24 | 17 | 27 | 27 | 1 | 11 | 25 |
| 23 15 52 | 18 | 27 | 23 | 28 | 10 | 25 | 18 | 27 | 25 | ♌ | 10 | 25 | 18 | 28 | 28 | 1 | 11 | 25 |
| 19 34 | 19 | 28 | 24 | 29 | 10 | 25 | 19 | 29 | 26 | 0. | 11 | 26 | 19 | 29 | 28 | 2 | 12 | 26 |
| 23 15 | 20 | ♉ | 25 | ♌ | 11 | 26 | 20 | ♉ | 27 | 1 | 12 | 27 | 20 | ♉ | 29 | 2 | 12 | 27 |
| 23 26 56 | 21 | 1 | 26 | 0 | 11 | 27 | 21 | 1 | 28 | 1 | 12 | 27 | 21 | 2 | ♋ | 3 | 13 | 27 |
| 30 37 | 22 | 2 | 27 | 1 | 12 | 28 | 22 | 3 | 29 | 2 | 13 | 28 | 22 | 3 | 1 | 3 | 14 | 28 |
| 34 18 | 23 | 4 | 28 | 1 | 13 | 29 | 23 | 4 | ♋ | 3 | 14 | 29 | 23 | 5 | 2 | 4 | 14 | 29 |
| 23 37 58 | 24 | 5 | 28 | 2 | 13 | 29 | 24 | 5 | 0 | 3 | 14 | 29 | 24 | 6 | 3 | 4 | 15 | ♍ |
| 41 39 | 25 | 6 | 29 | 2 | 14 | ♍ | 25 | 7 | 1 | 4 | 15 | ♍ | 25 | 7 | 3 | 5 | 15 | 1 |
| 45 19 | 26 | 7 | ♋ | 3 | 15 | 1 | 26 | 8 | 2 | 4 | 15 | 1 | 26 | 9 | 4 | 5 | 16 | 1 |
| 23 49 0 | 27 | 9 | 1 | 4 | 15 | 2 | 27 | 9 | 3 | 5 | 16 | 2 | 27 | 10 | 5 | 6 | 17 | 2 |
| 52 40 | 28 | 10 | 2 | 4 | 16 | 2 | 28 | 10 | 4 | 5 | 17 | 3 | 28 | 11 | 6 | 6 | 17 | 3 |
| 56 20 | 29 | 11 | 3 | 5 | 17 | 3 | 29 | 12 | 5 | 6 | 17 | 3 | 29 | 12 | 7 | 7 | 18 | 4 |
| Houses | 4 | 5 | 6 | 7 | 8 | 9 | 4 | 5 | 6 | 7 | 8 | 9 | 4 | 5 | 6 | 7 | 8 | 9 |

Latitude 61° S.  Latitude 62° S.  Latitude 63° S.

## SIMPLIFIED SCIENTIFIC TABLES OF HOUSES
### Latitude 64° N.   Latitude 65° N.   Latitude 66° N.

| Sider'l Time | 10 ♈ | 11 ♉ | 12 ♋ | Asc. ♌ | 2 ♌ | 3 ♍ | 10 ♈ | 11 ♉ | 12 ♋ | Asc. ♌ | 2 ♌ | 3 ♍ | 10 ♈ | 11 ♉ | 12 ♋ | Asc. ♌ | 2 ♌ | 3 ♍ |
|---|---|---|---|---|---|---|---|---|---|---|---|---|---|---|---|---|---|---|
| H M S | ° | ° | ° | ° | ′ | ° | ° | ° | ° | ° | ′ | ° | ° | ° | ° | ° | ′ | ° |
| 0 0 0 | 0 | 15 | 9 | 9 | 19 | 5 | 0 | 15 | 12 | 10 | 20 | 5 | 0 | 16 | 14 | 11 | 21 | 5 |
| 3 40 | 1 | 16 | 10 | 9 | 20 | 5 | 1 | 17 | 12 | 10 | 21 | 6 | 1 | 18 | 15 | 12 | 21 | 6 |
| 7 20 | 2 | 17 | 11 | 10 | 20 | 6 | 2 | 18 | 13 | 11 | 21 | 6 | 2 | 19 | 16 | 12 | 22 | 7 |
| 0 11 0 | 3 | 18 | 11 | 10 | 21 | 7 | 3 | 19 | 14 | 11 | 22 | 7 | 3 | 21 | 16 | 13 | 22 | 7 |
| 14 41 | 4 | 19 | 12 | 11 | 22 | 8 | 4 | 20 | 14 | 12 | 22 | 8 | 4 | 22 | 17 | 13 | 23 | 8 |
| 18 21 | 5 | 21 | 13 | 11 | 22 | 8 | 5 | 22 | 15 | 12 | 23 | 9 | 5 | 23 | 17 | 14 | 24 | 9 |
| 0 22 2 | 6 | 22 | 13 | 12 | 23 | 9 | 6 | 23 | 16 | 13 | 24 | 9 | 6 | 25 | 18 | 14 | 24 | 10 |
| 25 42 | 7 | 23 | 14 | 12 | 23 | 10 | 7 | 24 | 16 | 13 | 24 | 10 | 7 | 26 | 18 | 15 | 25 | 10 |
| 29 23 | 8 | 24 | 15 | 13 | 24 | 11 | 8 | 25 | 17 | 14 | 25 | 11 | 8 | 27 | 19 | 15 | 25 | 11 |
| 0 33 4 | 9 | 26 | 15 | 13 | 25 | 12 | 9 | 27 | 17 | 14 | 25 | 12 | 9 | 28 | 20 | 16 | 26 | 12 |
| 36 45 | 10 | 27 | 16 | 14 | 25 | 12 | 10 | 28 | 18 | 15 | 26 | 12 | 10 | 29 | 20 | 16 | 26 | 12 |
| 40 26 | 11 | 28 | 17 | 14 | 26 | 13 | 11 | 29 | 19 | 15 | 26 | 13 | 11 | ♊ | 21 | 17 | 27 | 13 |
| 0 44 8 | 12 | 29 | 17 | 15 | 27 | 14 | 12 | ♊ | 19 | 16 | 27 | 14 | 12 | 2 | 21 | 17 | 28 | 14 |
| 47 50 | 13 | ♊ | 18 | 15 | 27 | 14 | 13 | 1 | 20 | 16 | 28 | 15 | 13 | 3 | 22 | 17 | 28 | 15 |
| 51 32 | 14 | 1 | 19 | 16 | 28 | 15 | 14 | 3 | 20 | 17 | 28 | 15 | 14 | 5 | 22 | 18 | 29 | 16 |
| 0 55 14 | 15 | 3 | 19 | 16 | 28 | 16 | 15 | 4 | 21 | 17 | 29 | 16 | 15 | 6 | 23 | 18 | 29 | 16 |
| 58 57 | 16 | 4 | 20 | 17 | 29 | 17 | 16 | 5 | 21 | 18 | 29 | 17 | 16 | 7 | 23 | 19 | ♍ | 17 |
| 1 2 40 | 17 | 5 | 20 | 17 | ♍ | 17 | 17 | 6 | 22 | 18 | ♍ | 17 | 17 | 8 | 24 | 19 | 1 | 18 |
| 1 6 23 | 18 | 6 | 21 | 18 | 0 | 18 | 18 | 7 | 23 | 19 | 1 | 18 | 18 | 9 | 24 | 20 | 1 | 19 |
| 10 7 | 19 | 7 | 22 | 18 | 1 | 19 | 19 | 9 | 23 | 19 | 1 | 19 | 19 | 11 | 25 | 20 | 2 | 19 |
| 13 51 | 20 | 8 | 22 | 19 | 1 | 20 | 20 | 10 | 24 | 20 | 2 | 20 | 20 | 12 | 26 | 21 | 2 | 20 |
| 1 17 35 | 21 | 9 | 23 | 19 | 2 | 21 | 21 | 11 | 24 | 20 | 3 | 21 | 21 | 13 | 26 | 21 | 3 | 21 |
| 21 20 | 22 | 10 | 24 | 20 | 3 | 22 | 22 | 12 | 25 | 21 | 3 | 22 | 22 | 14 | 27 | 22 | 4 | 22 |
| 25 6 | 23 | 11 | 24 | 21 | 3 | 22 | 23 | 13 | 26 | 21 | 4 | 22 | 23 | 15 | 27 | 22 | 4 | 22 |
| 1 28 52 | 24 | 12 | 25 | 21 | 4 | 23 | 24 | 14 | 26 | 22 | 4 | 23 | 24 | 16 | 28 | 23 | 5 | 23 |
| 32 38 | 25 | 13 | 25 | 22 | 5 | 24 | 25 | 15 | 27 | 22 | 5 | 24 | 25 | 18 | 28 | 23 | 5 | 24 |
| 36 25 | 26 | 15 | 26 | 22 | 5 | 25 | 26 | 16 | 27 | 23 | 6 | 25 | 26 | 19 | 29 | 24 | 6 | 25 |
| 1 40 12 | 27 | 16 | 27 | 23 | 6 | 26 | 27 | 17 | 28 | 23 | 6 | 26 | 27 | 20 | ♌ | 24 | 7 | 26 |
| 44 0 | 28 | 17 | 27 | 23 | 7 | 26 | 28 | 18 | 29 | 24 | 7 | 26 | 28 | 21 | 0 | 25 | 7 | 26 |
| 47 48 | 29 | 18 | 28 | 24 | 7 | 27 | 29 | 19 | 29 | 24 | 7 | 27 | 29 | 22 | 1 | 25 | 8 | 27 |
| Houses | 4 | 5 | 6 | 7 | 8 | 9 | 4 | 5 | 6 | 7 | 8 | 9 | 4 | 5 | 6 | 7 | 8 | 9 |

### Latitude 64° S.   Latitude 65° S.   Latitude 66° S.

# SIMPLIFIED SCIENTIFIC TABLES OF HOUSES

Latitude 64° N.  Latitude 65° N.  Latitude 66° N.

| Sider'l Time | 10 ♉ | 11 ♊ | 12 ♋ | Asc. ♌ | 2 ♍ | 3 ♍ | 10 ♉ | 11 ♊ | 12 ♌ | Asc. ♌ | 2 ♍ | 3 ♍ | 10 ♉ | 11 ♊ | 12 ♌ | Asc. ♌ | 2 ♍ | 3 |
|---|---|---|---|---|---|---|---|---|---|---|---|---|---|---|---|---|---|---|
| H M S | ° | ° | ° | ° | ° | ° | ° | ° | ° | ° | ° | ° | ° | ° | ° | ° | ° | ° |
| 1 51 37 | 0 | 19 | 28 | 24 | 8 | 28 | 0 | 20 | 0 | 25 | 8 | 28 | 0 | 23 | 1 | 26 | 8 | 28 |
| 55 27 | 1 | 20 | 29 | 25 | 8 | 29 | 1 | 21 | 0 | 26 | 9 | 29 | 1 | 24 | 2 | 26 | 9 | 29 |
| 59 17 | 2 | 21 | ♌ | 25 | 9 | 29 | 2 | 22 | 1 | 26 | 10 | 29 | 2 | 25 | 2 | 27 | 10 | 29 |
| 2 3 8 | 3 | 22 | 0 | 26 | 10 | ♎ | 3 | 23 | 2 | 27 | 10 | ♎ | 3 | 26 | 3 | 27 | 10 | ♎ |
| 6 59 | 4 | 23 | 1 | 26 | 10 | 1 | 4 | 24 | 2 | 27 | 11 | 1 | 4 | 27 | 3 | 28 | 11 | 1 |
| 10 51 | 5 | 23 | 2 | 27 | 11 | 2 | 5 | 25 | 3 | 28 | 11 | 2 | 5 | 28 | 4 | 28 | 12 | 2 |
| 2 14 44 | 6 | 24 | 2 | 27 | 12 | 3 | 6 | 26 | 3 | 28 | 12 | 3 | 6 | 29 | 5 | 29 | 12 | 3 |
| 18 37 | 7 | 25 | 3 | 28 | 12 | 3 | 7 | 27 | 4 | 29 | 13 | 3 | 7 | ♋ | 5 | 29 | 13 | 3 |
| 22 31 | 8 | 26 | 3 | 29 | 13 | 4 | 8 | 28 | 5 | 29 | 13 | 4 | 8 | 1 | 6 | ♍ | 14 | 4 |
| 2 26 25 | 9 | 27 | 4 | 29 | 14 | 5 | 9 | 29 | 5 | ♍ | 14 | 5 | 9 | 2 | 6 | 0 | 14 | 5 |
| 30 20 | 10 | 28 | 5 | ♍ | 14 | 6 | 10 | ♋ | 6 | 0 | 15 | 6 | 10 | 3 | 7 | 1 | 15 | 6 |
| 34 16 | 11 | 29 | 5 | 0 | 15 | 7 | 11 | 1 | 6 | 1 | 15 | 7 | 11 | 3 | 8 | 1 | 15 | 7 |
| 2 38 13 | 12 | ♋ | 6 | 1 | 16 | 8 | 12 | 2 | 7 | 1 | 16 | 8 | 12 | 4 | 8 | 2 | 16 | 7 |
| 42 10 | 13 | 1 | 7 | 1 | 16 | 9 | 13 | 3 | 8 | 2 | 17 | 8 | 13 | 5 | 9 | 3 | 17 | 8 |
| 46 8 | 14 | 2 | 7 | 2 | 17 | 9 | 14 | 4 | 8 | 3 | 17 | 9 | 14 | 6 | 9 | 3 | 17 | 9 |
| 2 50 7 | 15 | 3 | 8 | 2 | 18 | 10 | 15 | 4 | 9 | 3 | 18 | 10 | 15 | 7 | 10 | 4 | 18 | 10 |
| 54 7 | 16 | 4 | 9 | 3 | 18 | 11 | 16 | 5 | 10 | 4 | 19 | 11 | 16 | 7 | 11 | 4 | 19 | 11 |
| 58 7 | 17 | 5 | 9 | 4 | 19 | 12 | 17 | 6 | 10 | 4 | 19 | 12 | 17 | 8 | 11 | 5 | 19 | 12 |
| 3 2 8 | 18 | 5 | 10 | 4 | 20 | 13 | 18 | 7 | 11 | 5 | 20 | 13 | 18 | 9 | 12 | 5 | 20 | 12 |
| 6 9 | 19 | 6 | 11 | 5 | 20 | 14 | 19 | 8 | 12 | 5 | 21 | 13 | 19 | 10 | 13 | 6 | 21 | 13 |
| 10 12 | 20 | 7 | 11 | 5 | 21 | 14 | 20 | 9 | 12 | 6 | 21 | 14 | 20 | 10 | 13 | 6 | 21 | 14 |
| 3 14 15 | 21 | 8 | 12 | 6 | 22 | 15 | 21 | 9 | 13 | 6 | 22 | 15 | 21 | 11 | 14 | 7 | 22 | 15 |
| 18 19 | 22 | 9 | 13 | 6 | 22 | 16 | 22 | 10 | 13 | 7 | 23 | 16 | 22 | 12 | 14 | 7 | 23 | 16 |
| 22 23 | 23 | 10 | 13 | 7 | 23 | 17 | 23 | 11 | 14 | 7 | 23 | 17 | 23 | 13 | 15 | 8 | 23 | 16 |
| 3 26 29 | 24 | 10 | 14 | 8 | 24 | 18 | 24 | 12 | 15 | 8 | 24 | 18 | 24 | 13 | 16 | 9 | 24 | 17 |
| 30 35 | 25 | 11 | 14 | 8 | 25 | 19 | 25 | 13 | 15 | 9 | 25 | 18 | 25 | 14 | 16 | 9 | 25 | 18 |
| 34 41 | 26 | 12 | 15 | 9 | 25 | 19 | 26 | 13 | 16 | 9 | 25 | 19 | 26 | 15 | 17 | 10 | 25 | 19 |
| 3 38 49 | 27 | 13 | 16 | 9 | 26 | 20 | 27 | 14 | 17 | 10 | 26 | 20 | 27 | 16 | 17 | 10 | 26 | 20 |
| 42 57 | 28 | 14 | 16 | 10 | 27 | 21 | 28 | 15 | 17 | 10 | 27 | 21 | 28 | 16 | 18 | 11 | 27 | 21 |
| 47 6 | 29 | 15 | 17 | 11 | 27 | 22 | 29 | 16 | 18 | 11 | 27 | 22 | 29 | 17 | 19 | 11 | 28 | 21 |

| Houses | 4 | 5 | 6 | 7 | 8 | 9 | 4 | 5 | 6 | 7 | 8 | 9 | 4 | 5 | 6 | 7 | 8 | 9 |
|---|---|---|---|---|---|---|---|---|---|---|---|---|---|---|---|---|---|---|

Latitude 64° S.  Latitude 65° S.  Latitude 66° S.

# SIMPLIFIED SCIENTIFIC TABLES OF HOUSES
### Latitude 64° N.   Latitude 65° N.   Latitude 66° N.

| Sider'l Time | 10 Π | 11 ♋ | 12 ♌ | Asc. ♍ | 2 ♍ | 3 ≏ | 10 Π | 11 ♋ | 12 ♌ | Asc. ♍ | 2 ♍ | 3 ≏ | 10 Π | 11 ♋ | 12 ♌ | Asc. ♍ | 2 ♍ | 3 ≏ |
|---|---|---|---|---|---|---|---|---|---|---|---|---|---|---|---|---|---|---|
| H M S | ° | ° | ° | ° | ° | ° | ° | ° | ° | ° | ° | ° | ° | ° | ° | ° | ° | ° |
| 3 51 15 | 0 | 16 | 18 | 11 | 28 | 23 | 0 | 17 | 19 | 12 | 28 | 23 | 0 | 18 | 19 | 12 | 28 | 22 |
| 55 25 | 1 | 16 | 19 | 12 | 29 | 24 | 1 | 17 | 19 | 12 | 29 | 23 | 1 | 19 | 20 | 12 | 29 | 23 |
| 59 36 | 2 | 17 | 19 | 12 | 29 | 25 | 2 | 18 | 20 | 13 | 29 | 24 | 2 | 19 | 21 | 13 | 29 | 24 |
| 4 3 48 | 3 | 18 | 20 | 13 | ≏ | 25 | 3 | 19 | 21 | 13 | ≏ | 25 | 3 | 20 | 21 | 14 | ≏ | 25 |
| 8 0 | 4 | 19 | 21 | 14 | 1 | 26 | 4 | 20 | 21 | 14 | 1 | 26 | 4 | 21 | 22 | 14 | 1 | 26 |
| 12 13 | 5 | 20 | 21 | 14 | 2 | 27 | 5 | 21 | 22 | 14 | 2 | 27 | 5 | 22 | 23 | 15 | 2 | 27 |
| 4 16 26 | 6 | 20 | 22 | 15 | 2 | 28 | 6 | 21 | 23 | 15 | 2 | 28 | 6 | 23 | 23 | 15 | 2 | 27 |
| 20 40 | 7 | 21 | 23 | 15 | 3 | 29 | 7 | 22 | 23 | 16 | 3 | 28 | 7 | 23 | 24 | 16 | 3 | 28 |
| 24 55 | 8 | 22 | 23 | 16 | 4 | ♏ | 8 | 23 | 24 | 16 | 4 | 29 | 8 | 24 | 25 | 16 | 4 | 29 |
| 4 29 10 | 9 | 23 | 24 | 17 | 5 | 1 | 9 | 24 | 25 | 17 | 5 | ♏ | 9 | 25 | 25 | 17 | 4 | ♏ |
| 33 26 | 10 | 24 | 25 | 17 | 6 | 1 | 10 | 25 | 25 | 17 | 5 | 1 | 10 | 26 | 26 | 18 | 5 | 1 |
| 37 42 | 11 | 25 | 25 | 18 | 6 | 2 | 11 | 25 | 26 | 18 | 6 | 2 | 11 | 26 | 27 | 18 | 6 | 2 |
| 4 41 59 | 12 | 25 | 26 | 18 | 7 | 3 | 12 | 26 | 27 | 19 | 7 | 3 | 12 | 27 | 27 | 19 | 6 | 2 |
| 46 16 | 13 | 26 | 27 | 19 | 8 | 4 | 13 | 27 | 27 | 19 | 7 | 4 | 13 | 28 | 28 | 19 | 7 | 3 |
| 50 34 | 14 | 27 | 28 | 20 | 8 | 5 | 14 | 28 | 28 | 20 | 8 | 4 | 14 | 29 | 29 | 20 | 8 | 4 |
| 4 54 52 | 15 | 28 | 28 | 20 | 9 | 6 | 15 | 29 | 29 | 20 | 9 | 5 | 15 | ♌ | 29 | 21 | 9 | 5 |
| 59 10 | 16 | 29 | 29 | 21 | 10 | 7 | 16 | ♌ | ♍ | 21 | 10 | 6 | 16 | 0 | ♍ | 21 | 9 | 6 |
| 5 3 29 | 17 | ♌ | ♍ | 21 | 10 | 7 | 17 | 0 | 0 | 22 | 10 | 7 | 17 | 1 | 1 | 22 | 10 | 7 |
| 5 7 49 | 18 | 0 | 0 | 22 | 11 | 8 | 18 | 1 | 1 | 22 | 11 | 8 | 18 | 2 | 1 | 22 | 11 | 7 |
| 12 9 | 19 | 1 | 1 | 23 | 12 | 9 | 19 | 2 | 2 | 23 | 12 | 9 | 19 | 3 | 2 | 23 | 12 | 8 |
| 16 29 | 20 | 2 | 2 | 23 | 13 | 10 | 20 | 3 | 2 | 23 | 12 | 10 | 20 | 4 | 3 | 24 | 12 | 9 |
| 5 20 49 | 21 | 3 | 3 | 24 | 13 | 11 | 21 | 4 | 3 | 24 | 13 | 10 | 21 | 4 | 3 | 24 | 13 | 10 |
| 25 9 | 22 | 4 | 4 | 25 | 14 | 12 | 22 | 5 | 4 | 25 | 14 | 11 | 22 | 5 | 4 | 25 | 14 | 11 |
| 29 30 | 23 | 5 | 4 | 25 | 15 | 13 | 23 | 5 | 4 | 25 | 15 | 12 | 23 | 6 | 5 | 25 | 14 | 12 |
| 5 33 51 | 24 | 5 | 5 | 26 | 16 | 13 | 24 | 6 | 5 | 26 | 15 | 13 | 24 | 7 | 6 | 26 | 15 | 12 |
| 38 12 | 25 | 6 | 6 | 26 | 16 | 14 | 25 | 7 | 6 | 27 | 16 | 14 | 25 | 8 | 6 | 27 | 16 | 13 |
| 42 34 | 26 | 7 | 6 | 27 | 17 | 15 | 26 | 8 | 7 | 27 | 17 | 15 | 26 | 8 | 7 | 27 | 16 | 14 |
| 5 46 55 | 27 | 8 | 7 | 28 | 18 | 16 | 27 | 9 | ·7 | 28 | 17 | 15 | 27 | 9 | 8 | 28 | 17 | 15 |
| 51 17 | 28 | 9 | 8 | 28 | 19 | 17 | 28 | 10 | 8 | 28 | 18 | 16 | 28 | 10 | 8 | 28 | 18 | 16 |
| 55 38 | 29 | 10 | 8 | 29 | 19 | 18 | 29 | 10 | 9 | 29 | 19 | 17 | 29 | 11 | 9 | 29 | 19 | 17 |
| Houses | 4 | 5 | 6 | 7 | 8 | 9 | 4 | 5 | 6 | 7 | 8 | 9 | 4 | 5 | 6 | 7 | 8 | 9 |

### Latitude 64° S.   Latitude 65° S.   Latitude 66° S.

# SIMPLIFIED SCIENTIFIC TABLES OF HOUSES
### Latitude 64° N.   Latitude 65° N.   Latitude 66° N.

| Sider'l Time | 10 ♋ | 11 ♌ | 12 ♍ | Asc. ♎ | 2 ♎ | 3 ♏ | 10 ♋ | 11 ♌ | 12 ♍ | Asc. ♎ | 2 ♎ | 3 ♏ | 10 ♋ | 11 ♌ | 12 ♍ | Asc. ♎ | 2 ♎ | 3 ♏ |
|---|---|---|---|---|---|---|---|---|---|---|---|---|---|---|---|---|---|---|
| H M S | ° | ° | ° | ° | ° | ° | ° | ° | ° | ° | ° | ° | ° | ° | ° | ° | ° | ° |
| 6 0 0 | 0 | 11 | 9 | 0 | 20 | 19 | 0 | 11 | 9 | 0 | 20 | 18 | 0 | 12 | 10 | 0 | 19 | 17 |
| 4 22 | 1 | 11 | 10 | 0 | 21 | 20 | 1 | 12 | 10 | 0 | 20 | 19 | 1 | 13 | 11 | 0 | 20 | 18 |
| 8 43 | 2 | 12 | 11 | 1 | 21 | 20 | 2 | 13 | 11 | 1 | 21 | 20 | 2 | 13 | 11 | 1 | 21 | 19 |
| 6 13 5 | 3 | 13 | 11 | 2 | 22 | 21 | 3 | 14 | 12 | 1 | 22 | 21 | 3 | 14 | 12 | 1 | 21 | 20 |
| 17 26 | 4 | 14 | 12 | 2 | 23 | 22 | 4 | 15 | 12 | 2 | 23 | 21 | 4 | 15 | 13 | 2 | 22 | 21 |
| 21 48 | 5 | 15 | 13 | 3 | 24 | 23 | 5 | 15 | 13 | 3 | 23 | 22 | 5 | 16 | 13 | 3 | 23 | 21 |
| 6 26 9 | 6 | 16 | 14 | 3 | 24 | 24 | 6 | 16 | 14 | 3 | 24 | 23 | 6 | 17 | 14 | 3 | 24 | 22 |
| 30 30 | 7 | 17 | 14 | 4 | 25 | 25 | 7 | 17 | 15 | 4 | 25 | 24 | 7 | 18 | 15 | 4 | 24 | 23 |
| 34 51 | 8 | 17 | 15 | 5 | 26 | 25 | 8 | 18 | 15 | 4 | 25 | 25 | 8 | 18 | 15 | 4 | 25 | 24 |
| 6 39 11 | 9 | 18 | 16 | 5 | 27 | 26 | 9 | 19 | 16 | 5 | 26 | 26 | 9 | 19 | 16 | 5 | 26 | 25 |
| 43 31 | 10 | 19 | 17 | 6 | 27 | 27 | 10 | 20 | 17 | 6 | 27 | 26 | 10 | 20 | 17 | 6 | 26 | 26 |
| 47 51 | 11 | 20 | 17 | 6 | 28 | 28 | 11 | 20 | 17 | 6 | 27 | 27 | 11 | 21 | 18 | 6 | 27 | 26 |
| 6 52 11 | 12 | 21 | 18 | 7 | 29 | 29 | 12 | 21 | 18 | 7 | 28 | 28 | 12 | 22 | 18 | 7 | 28 | 27 |
| 56 31 | 13 | 22 | 19 | 8 | 29 | ♐ | 13 | 22 | 19 | 8 | 29 | 29 | 13 | 23 | 19 | 7 | 28 | 28 |
| 7 0 50 | 14 | 23 | 19 | 8 | ♏ | 0 | 14 | 23 | 20 | 8 | ♏ | ♐ | 14 | 23 | 20 | 8 | 29 | 29 |
| 7 5 8 | 15 | 24 | 20 | 9 | 1 | 1 | 15 | 24 | 20 | 9 | 0 | 1 | 15 | 24 | 21 | 9 | ♏ | ♐ |
| 9 26 | 16 | 24 | 21 | 10 | 2 | 2 | 16 | 25 | 21 | 9 | 1 | 1 | 16 | 25 | 21 | 9 | 0 | 0 |
| 13 44 | 17 | 25 | 22 | 10 | 2 | 3 | 17 | 26 | 22 | 10 | 2 | 2 | 17 | 26 | 22 | 10 | 1 | 1 |
| 7 18 1 | 18 | 26 | 22 | 11 | 3 | 4 | 18 | 27 | 23 | 11 | 3 | 3 | 18 | 27 | 23 | 10 | 2 | 2 |
| 22 18 | 19 | 27 | 23 | 11 | 4 | 5 | 19 | 27 | 23 | 11 | 3 | 4 | 19 | 28 | 23 | 11 | 2 | 3 |
| 26 34 | 20 | 28 | 24 | 12 | 4 | 5 | 20 | 28 | 24 | 12 | 4 | 5 | 20 | 28 | 24 | 11 | 3 | 3 |
| 7 30 50 | 21 | 29 | 25 | 13 | 5 | 6 | 21 | 29 | 25 | 12 | 4 | 5 | 21 | 29 | 25 | 12 | 4 | 4 |
| 35 5 | 22 | ♍ | 25 | 13 | 6 | 7 | 22 | ♍ | 25 | 13 | 5 | 6 | 22 | ♍ | 26 | 13 | 5 | 5 |
| 39 20 | 23 | 0 | 26 | 14 | 7 | 8 | 23 | 1 | 26 | 14 | 6 | 7 | 23 | 1 | 26 | 13 | 5 | 6 |
| 7 43 34 | 24 | 1 | 27 | 14 | 7 | 9 | 24 | 2 | 27 | 14 | 7 | 8 | 24 | 2 | 27 | 14 | 6 | 7 |
| 47 47 | 25 | 2 | 27 | 15 | 8 | 10 | 25 | 2 | 27 | 15 | 8 | 10 | 25 | 3 | 28 | 14 | 6 | 7 |
| 52 0 | 26 | 3 | 28 | 16 | 9 | 11 | 26 | 3 | 28 | 15 | 9 | 11 | 26 | 4 | 28 | 15 | 7 | 8 |
| 7 56 12 | 27 | 4 | 29 | 16 | 9 | 11 | 27 | 4 | 29 | 16 | 9 | 10 | 27 | 4 | 29 | 16 | 8 | 9 |
| 8 0 24 | 28 | 5 | ♎ | 17 | 10 | 12 | 28 | 5 | ♎ | 17 | 9 | 11 | 28 | 5 | ♎ | 16 | 8 | 10 |
| 4 35 | 29 | 6 | 1 | 17 | 11 | 13 | 29 | 6 | 0 | 17 | 10 | 12 | 29 | 6 | 0 | 17 | 9 | 10 |
| Houses | 4 | 5 | 6 | 7 | 8 | 9 | 4 | 5 | 6 | 7 | 8 | 9 | 4 | 5 | 6 | 7 | 8 | 9 |

### Latitude 64° S.   Latitude 65° S.   Latitude 66° S.

## SIMPLIFIED SCIENTIFIC TABLES OF HOUSES
### Latitude 64° N.    Latitude 65° N.    Latitude 66° N.

| Sider'l Time | 10 ♌ | 11 ♍ | 12 ♎ | Asc. ♎ | 2 ♏ | 3 ♐ | 10 ♌ | 11 ♍ | 12 ♎ | Asc. ♎ | 2 ♏ | 3 ♐ | 10 ♌ | 11 ♍ | 12 ♎ | Asc. ♎ | 2 ♏ | 3 ♐ |
|---|---|---|---|---|---|---|---|---|---|---|---|---|---|---|---|---|---|---|
| H M S | ° | ° | ° | ° | ° | ° | ° | ° | ° | ° | ° | ° | ° | ° | ° | ° | ° | ° |
| 8 8 45 | 0 | 6 | 1 | 18 | 11 | 14 | 0 | 7 | 1 | 18 | 11 | 13 | 0 | 7 | 1 | 17 | 10 | 11 |
| 12 54 | 1 | 7 | 2 | 19 | 12 | 14 | 1 | 7 | 2 | 18 | 11 | 13 | 1 | 8 | 2 | 18 | 10 | 12 |
| 17 3 | 2 | 8 | 3 | 19 | 13 | 15 | 2 | 8 | 3 | 19 | 12 | 14 | 2 | 9 | 2 | 18 | 11 | 13 |
| 8 21 11 | 3 | 9 | 3 | 20 | 13 | 16 | 3 | 9 | 3 | 19 | 13 | 15 | 3 | 9 | 3 | 19 | 12 | 13 |
| 25 19 | 4 | 10 | 4 | 20 | 14 | 17 | 4 | 10 | 4 | 20 | 13 | 16 | 4 | 10 | 4 | 20 | 12 | 14 |
| 29 26 | 5 | 11 | 5 | 21 | 15 | 18 | 5 | 11 | 5 | 21 | 14 | 17 | 5 | 11 | 4 | 20 | 13 | 15 |
| 8 33 31 | 6 | 12 | 5 | 22 | 15 | 19 | 6 | 12 | 5 | 21 | 14 | 17 | 6 | 12 | 5 | 21 | 14 | 16 |
| 37 37 | 7 | 12 | 6 | 22 | 16 | 20 | 7 | 13 | 6 | 22 | 15 | 18 | 7 | 13 | 6 | 21 | 14 | 16 |
| 41 41 | 8 | 13 | 7 | 23 | 17 | 20 | 8 | 13 | 7 | 22 | 16 | 19 | 8 | 14 | 6 | 22 | 15 | 17 |
| 8 45 45 | 9 | 14 | 7 | 23 | 17 | 21 | 9 | 14 | 7 | 23 | 16 | 20 | 9 | 14 | 7 | 22 | 15 | 18 |
| 49 48 | 10 | 15 | 8 | 24 | 18 | 22 | 10 | 15 | 8 | 23 | 17 | 21 | 10 | 15 | 8 | 23 | 16 | 19 |
| 53 51 | 11 | 16 | 9 | 24 | 19 | 23 | 11 | 16 | 9 | 24 | 18 | 21 | 11 | 16 | 8 | 23 | 17 | 20 |
| 8 57 52 | 12 | 16 | 9 | 25 | 19 | 24 | 12 | 17 | 9 | 24 | 18 | 22 | 12 | 17 | 9 | 24 | 17 | 20 |
| 9 1 53 | 13 | 17 | 10 | 26 | 20 | 25 | 13 | 17 | 10 | 25 | 19 | 23 | 13 | 18 | 10 | 24 | 18 | 21 |
| 5 53 | 14 | 18 | 11 | 26 | 21 | 26 | 14 | 18 | 11 | 26 | 20 | 24 | 14 | 18 | 10 | 25 | 18 | 22 |
| 9 9 53 | 15 | 19 | 11 | 27 | 21 | 26 | 15 | 19 | 11 | 26 | 20 | 25 | 15 | 19 | 11 | 25 | 19 | 23 |
| 13 52 | 16 | 20 | 12 | 27 | 22 | 27 | 16 | 20 | 12 | 27 | 21 | 26 | 16 | 20 | 12 | 26 | 20 | 23 |
| 17 50 | 17 | 21 | 13 | 28 | 22 | 28 | 17 | 21 | 13 | 27 | 21 | 27 | 17 | 21 | 12 | 27 | 20 | 24 |
| 9 21 47 | 18 | 22 | 13 | 28 | 23 | 29 | 18 | 22 | 13 | 28 | 22 | 27 | 18 | 22 | 13 | 27 | 21 | 25 |
| 25 44 | 19 | 22 | 14 | 29 | 24 | ♑ | 19 | 22 | 14 | 28 | 23 | 28 | 19 | 23 | 14 | 28 | 21 | 26 |
| 29 40 | 20 | 23 | 15 | 29 | 24 | 1 | 20 | 23 | 15 | 29 | 23 | 29 | 20 | 23 | 14 | 28 | 22 | 27 |
| 9 33 35 | 21 | 24 | 16 | ♏ | 25 | 2 | 21 | 24 | 15 | 29 | 24 | ♑ | 21 | 24 | 15 | 29 | 23 | 28 |
| 37 29 | 22 | 25 | 16 | 1 | 26 | 3 | 22 | 25 | 16 | ♏ | 25 | 1 | 22 | 25 | 16 | 29 | 23 | 28 |
| 41 23 | 23 | 26 | 17 | 1 | 26 | 4 | 23 | 26 | 17 | 0 | 25 | 2 | 23 | 26 | 16 | ♏ | 24 | 29 |
| 9 45 16 | 24 | 27 | 18 | 2 | 27 | 5 | 24 | 27 | 17 | 1 | 26 | 3 | 24 | 27 | 17 | 0 | 24 | ♑ |
| 49 9 | 25 | 27 | 18 | 2 | 28 | 6 | 25 | 27 | 18 | 2 | 26 | 4 | 25 | 27 | 18 | 1 | 25 | 1 |
| 53 1 | 26 | 28 | 19 | 3 | 28 | 7 | 26 | 28 | 19 | 2 | 27 | 5 | 26 | 28 | 18 | 1 | 26 | 2 |
| 9 56 52 | 27 | 29 | 19 | 3 | 29 | 8 | 27 | 29 | 19 | 3 | 28 | 6 | 27 | 29 | 19 | 2 | 26 | 3 |
| 10 0 42 | 28 | ♎ | 20 | 4 | 29 | 9 | 28 | ♎ | 20 | 3 | 28 | 7 | 28 | ♎ | 19 | 2 | 27 | 4 |
| 4 33 | 29 | 1 | 21 | 4 | ♐ | 10 | 29 | 1 | 20 | 4 | 29 | 8 | 29 | 1 | 20 | 3 | 27 | 5 |
| Houses | 4 | 5 | 6 | 7 | 8 | 9 | 4 | 5 | 6 | 7 | 8 | 9 | 4 | 5 | 6 | 7 | 8 | 9 |

### Latitude 64° S.    Latitude 65° S.    Latitude 66° S.

## SIMPLIFIED SCIENTIFIC TABLES OF HOUSES
### Latitude 64° N.  Latitude 65° N.  Latitude 66° N.

| Sider'l Time | 10 ♍ | 11 ≏ | 12 ≏ | Asc. ♏ | 2 ♐ | 3 ♑ | 10 ♍ | 11 ≏ | 12 ≏ | Asc. ♏ | 2 ♏ | 3 ♑ | 10 ♍ | 11 ≏ | 12 ≏ | Asc. ♏ | 2 ♏ | 3 ♑ |
|---|---|---|---|---|---|---|---|---|---|---|---|---|---|---|---|---|---|---|
| H M S | ° | ° | ° | ° | ° | ° | ° | ° | ° | ° | ° | ° | ° | ° | ° | ° | ° | ° |
| 10 8 23 | 0 | 1 | 21 | 5 | 1 | 11 | 0 | 1 | 21 | 4 | 29 | 9 | 0 | 1 | 21 | 3 | 28 | 6 |
| 12 12 | 1 | 2 | 22 | 5 | 1 | 12 | 1 | 2 | 22 | 5 | ♐ | 10 | 1 | 2 | 21 | 4 | 29 | 7 |
| 16 0 | 2 | 3 | 23 | 6 | 2 | 13 | 2 | 3 | 22 | 5 | 1 | 11 | 2 | 3 | 22 | 4 | 29 | 8 |
| 10 19 48 | 3 | 4 | 23 | 6 | 3 | 14 | 3 | 4 | 23 | 6 | 1 | 12 | 3 | 4 | 22 | 5 | ♐ | 9 |
| 23 35 | 4 | 5 | 24 | 7 | 3 | 15 | 4 | 4 | 24 | 6 | 2 | 13 | 4 | 4 | 23 | 5 | 0 | 10 |
| 27 22 | 5 | 5 | 25 | 7 | 4 | 16 | 5 | 5 | 24 | 7 | 2 | 14 | 5 | 5 | 24 | 6 | 1 | 12 |
| 10 31 8 | 6 | 6 | 25 | 8 | 4 | 17 | 6 | 6 | 25 | 7 | 3 | 15 | 6 | 6 | 24 | 6 | 1 | 13 |
| 34 54 | 7 | 7 | 26 | 9 | 5 | 18 | 7 | 7 | 25 | 8 | 3 | 16 | 7 | 7 | 25 | 7 | 2 | 14 |
| 38 40 | 8 | 8 | 26 | 9 | 6 | 19 | 8 | 8 | 26 | 8 | 4 | 17 | 8 | 8 | 26 | 7 | 2 | 15 |
| 10 42 25 | 9 | 9 | 27 | 10 | 6 | 20 | 9 | 8 | 27 | 9 | 5 | 18 | 9 | 8 | 26 | 8 | 3 | 16 |
| 46 9 | 10 | 9 | 28 | 10 | 7 | 21 | 10 | 9 | 27 | 9 | 5 | 19 | 10 | 9 | 27 | 8 | 4 | 17 |
| 49 53 | 11 | 10 | 28 | 11 | 7 | 22 | 11 | 10 | 28 | 10 | 6 | 21 | 11 | 10 | 27 | 9 | 4 | 18 |
| 10 53 37 | 12 | 11 | 29 | 11 | 8 | 23 | 12 | 11 | 28 | 10 | 6 | 22 | 12 | 11 | 28 | 9 | 5 | 20 |
| 57 20 | 13 | 12 | ♏ | 12 | 9 | 25 | 13 | 12 | 29 | 11 | 7 | 23 | 13 | 11 | 29 | 10 | 5 | 21 |
| 11 1 3 | 14 | 12 | 0 | 12 | 9 | 26 | 14 | 12 | ♏ | 11 | 8 | 24 | 14 | 12 | 29 | 10 | 6 | 22 |
| 11 4 46 | 15 | 13 | 1 | 13 | 10 | 27 | 15 | 13 | 0 | 12 | 8 | 25 | 15 | 12 | ♏ | 11 | 6 | 23 |
| 8 28 | 16 | 14 | 1 | 13 | 11 | 28 | 16 | 14 | 1 | 12 | 9 | 27 | 16 | 14 | 0 | 11 | 7 | 25 |
| 12 10 | 17 | 15 | 2 | 14 | 11 | 29 | 17 | 15 | 2 | 13 | 9 | 28 | 17 | 14 | 1 | 12 | 7 | 26 |
| 11 15 52 | 18 | 15 | 3 | 14 | 12 | ♒ | 18 | 15 | 2 | 13 | 10 | 29 | 18 | 15 | 1 | 12 | 8 | 27 |
| 19 34 | 19 | 16 | 3 | 15 | 13 | 1 | 19 | 16 | 3 | 14 | 11 | ♒ | 19 | 16 | 2 | 13 | 9 | 29 |
| 23 15 | 20 | 17 | 4 | 15 | 13 | 3 | 20 | 17 | 3 | 14 | 11 | 1 | 20 | 17 | 3 | 13 | 9 | ♒ |
| 11 26 56 | 21 | 18 | 4 | 16 | 14 | 4 | 21 | 18 | 4 | 15 | 12 | 2 | 21 | 17 | 3 | 13 | 10 | 1 |
| 30 37 | 22 | 19 | 5 | 16 | 14 | 5 | 22 | 18 | 4 | 15 | 12 | 4 | 22 | 18 | 4 | 14 | 10 | 2 |
| 34 18 | 23 | 19 | 6 | 17 | 15 | 6 | 23 | 19 | 5 | 16 | 13 | 5 | 23 | 19 | 4 | 14 | 11 | 4 |
| 11 37 58 | 24 | 20 | 6 | 17 | 16 | 7 | 24 | 20 | 6 | 16 | 14 | 6 | 24 | 20 | 5 | 15 | 11 | 5 |
| 41 39 | 25 | 21 | 7 | 18 | 16 | 9 | 25 | 21 | 6 | 17 | 14 | 8 | 25 | 20 | 6 | 15 | 12 | 6 |
| 45 19 | 26 | 22 | 8 | 18 | 17 | 10 | 26 | 21 | 7 | 17 | 15 | 9 | 26 | 21 | 6 | 16 | 12 | 7 |
| 11 49 0 | 27 | 22 | 8 | 19 | 18 | 11 | 27 | 22 | 7 | 18 | 16 | 10 | 27 | 22 | 7 | 16 | 13 | 9 |
| 52 40 | 28 | 23 | 9 | 19 | 18 | 12 | 28 | 23 | 8 | 18 | 16 | 11 | 28 | 23 | 7 | 17 | 13 | 10 |
| 56 20 | 29 | 24 | 9 | 20 | 19 | 14 | 29 | 24 | 9 | 19 | 17 | 13 | 29 | 23 | 8 | 17 | 14 | 12 |

| Houses | 4 | 5 | 6 | 7 | 8 | 9 | 4 | 5 | 6 | 7 | 8 | 9 | 4 | 5 | 6 | 7 | 8 | 9 |

### Latitude 64° S.  Latitude 65° S.  Latitude 66° S.

## SIMPLIFIED SCIENTIFIC TABLES OF HOUSES

Latitude 64° N.    Latitude 65° N.    Latitude 66° N.

| Sider'l Time | 10 ≏ | 11 ≏ | 12 ♏ | Asc. ♏ | 2 ♐ | 3 ♒ | 10 ≏ | 11 ≏ | 12 ♏ | Asc. ♏ | 2 ♐ | 3 ♒ | 10 ≏ | 11 ≏ | 12 ♏ | Asc. ♏ | 2 ♐ | 3 ♒ |
|---|---|---|---|---|---|---|---|---|---|---|---|---|---|---|---|---|---|---|
| H M S | ° | ° | ° | ° | ° | ° | ° | ° | ° | ° | ° | ° | ° | ° | ° | ° | ° | ° |
| 12 0 0 | 0 | 25 | 10 | 20 | 20 | 15 | 0 | 24 | 9 | 19 | 17 | 14 | 0 | 24 | 8 | 18 | 15 | 13 |
| 3 40 | 1 | 25 | 10 | 21 | 20 | 16 | 1 | 25 | 10 | 19 | 18 | 15 | 1 | 25 | 9 | 18 | 15 | 14 |
| 7 20 | 2 | 26 | 11 | 21 | 21 | 18 | 2 | 26 | 10 | 20 | 19 | 17 | 2 | 26 | 10 | 19 | 16 | 16 |
| 12 11 0 | 3 | 27 | 12 | 22 | 22 | 19 | 3 | 27 | 11 | 20 | 19 | 18 | 3 | 26 | 10 | 19 | 16 | 17 |
| 14 41 | 4 | 28 | 12 | 22 | 23 | 20 | 4 | 27 | 11 | 21 | 20 | 19 | 4 | 27 | 11 | 20 | 17 | 18 |
| 18 21 | 5 | 28 | 13 | 23 | 23 | 21 | 5 | 28 | 12 | 21 | 21 | 21 | 5 | 28 | 11 | 20 | 17 | 20 |
| 12 22 2 | 6 | 29 | 14 | 23 | 24 | 23 | 6 | 29 | 13 | 22 | 21 | 22 | 6 | 29 | 12 | 21 | 18 | 21 |
| 25 42 | 7 | ♏ | 14 | 24 | 25 | 24 | 7 | 29 | 13 | 22 | 22 | 23 | 7 | 29 | 12 | 21 | 19 | 22 |
| 29 23 | 8 | 1 | 15 | 24 | 26 | 25 | 8 | ♏ | 14 | 23 | 23 | 25 | 8 | ♏ | 13 | 22 | 19 | 24 |
| 12 33 4 | 9 | 1 | 15 | 25 | 27 | 27 | 9 | 1 | 14 | 23 | 24 | 26 | 9 | 1 | 14 | 22 | 20 | 25 |
| 36 45 | 10 | 2 | 16 | 25 | 27 | 28 | 10 | 2 | 15 | 24 | 24 | 27 | 10 | 1 | 14 | 22 | 20 | 27 |
| 40 26 | 11 | 3 | 16 | 26 | 28 | 29 | 11 | 2 | 16 | 24 | 25 | 29 | 11 | 2 | 15 | 23 | 21 | 28 |
| 12 44 8 | 12 | 4 | 17 | 26 | 29 | ♓ | 12 | 3 | 16 | 25 | 26 | ♓ | 12 | 3 | 15 | 23 | 22 | 29 |
| 47 50 | 13 | 4 | 18 | 27 | ♑ | 2 | 13 | 4 | 17 | 25 | 26 | 1 | 13 | 3 | 16 | 24 | 22 | ♓ |
| 51 32 | 14 | 5 | 18 | 27 | 1 | 4 | 14 | 5 | 17 | 26 | 27 | 3 | 14 | 4 | 16 | 24 | 23 | 2 |
| 12 55 14 | 15 | 6 | 19 | 28 | 2 | 5 | 15 | 5 | 18 | 26 | 28 | 5 | 15 | 5 | 17 | 25 | 24 | 4 |
| 58 57 | 16 | 6 | 19 | 28 | 2 | 6 | 16 | 6 | 18 | 27 | 29 | 6 | 16 | 6 | 17 | 25 | 24 | 5 |
| 13 2 40 | 17 | 7 | 20 | 29 | 3 | 8 | 17 | 7 | 19 | 27 | ♑ | 7 | 17 | 6 | 18 | 26 | 25 | 7 |
| 13 6 23 | 18 | 8 | 21 | ♐ | 4 | 9 | 18 | 8 | 20 | 28 | 1 | 9 | 18 | 7 | 19 | 26 | 26 | 8 |
| 10 7 | 19 | 9 | 21 | 0 | 5 | 11 | 19 | 8 | 20 | 28 | 1 | 10 | 19 | 8 | 19 | 27 | 26 | 10 |
| 13 51 | 20 | 9 | 22 | 1 | 6 | 12 | 20 | 9 | 21 | 29 | 2 | 11 | 20 | 9 | 20 | 27 | 27 | 11 |
| 13 17 35 | 21 | 10 | 22 | 1 | 7 | 13 | 21 | 10 | 21 | 29 | 3 | 13 | 21 | 9 | 20 | 28 | 28 | 13 |
| 21 20 | 22 | 11 | 23 | 2 | 8 | 15 | 22 | 11 | 22 | ♐ | 4 | 15 | 22 | 10 | 21 | 28 | 29 | 14 |
| 25 6 | 23 | 12 | 24 | 2 | 9 | 16 | 23 | 11 | 23 | 0 | 5 | 16 | 23 | 11 | 21 | 29 | ♑ | 16 |
| 13 28 52 | 24 | 12 | 24 | 3 | 10 | 18 | 24 | 12 | 23 | 1 | 6 | 17 | 24 | 11 | 22 | 29 | 0 | 17 |
| 32 38 | 25 | 13 | 25 | 3 | 11 | 19 | 25 | 13 | 24 | 1 | 7 | 19 | 25 | 12 | 23 | 29 | 1 | 19 |
| 36 25 | 26 | 14 | 26 | 4 | 13 | 21 | 26 | 14 | 24 | 2 | 9 | 20 | 26 | 13 | 23 | ♐ | 2 | 20 |
| 13 40 12 | 27 | 15 | 26 | 4 | 14 | 22 | 27 | 14 | 25 | 2 | 10 | 22 | 27 | 14 | 24 | 0 | 3 | 22 |
| 44 0 | 28 | 16 | 27 | 5 | 15 | 24 | 28 | 15 | 26 | 3 | 11 | 24 | 28 | 14 | 24 | 1 | 4 | 23 |
| 47 48 | 29 | 16 | 27 | 5 | 17 | 25 | 29 | 16 | 26 | 3 | 12 | 25 | 29 | 15 | 25 | 1 | 6 | 25 |
| Houses | 4 | 5 | 6 | 7 | 8 | 9 | 4 | 5 | 6 | 7 | 8 | 9 | 4 | 5 | 6 | 7 | 8 | 9 |

Latitude 64° S.    Latitude 65° S.    Latitude 66° S.

## SIMPLIFIED SCIENTIFIC TABLES OF HOUSES

Latitude 64° N.  Latitude 65° N.  Latitude 66° N.

| Sider'l Time H M S | 10 ♏ | 11 ♏ | 12 ♏ | Asc. ♐ | 2 ♑ | 3 ♓ | 10 ♏ | 11 ♏ | 12 ♏ | Asc. ♐ | 2 ♑ | 3 ♓ | 10 ♏ | 11 ♏ | 12 ♏ | Asc. ♐ | 2 ♑ | 3 ♓ |
|---|---|---|---|---|---|---|---|---|---|---|---|---|---|---|---|---|---|---|
| 13 51 37 | 0 | 17 | 28 | 6 | 18 | 26 | 0 | 16 | 27 | 4 | 14 | 26 | 0 | 16 | 25 | 2 | 7 | 26 |
| 55 27 | 1 | 18 | 29 | 7 | 20 | 28 | 1 | 17 | 27 | 4 | 15 | 28 | 1 | 17 | 26 | 2 | 8 | 28 |
| 59 17 | 2 | 19 | 29 | 7 | 21 | 29 | 2 | 18 | 28 | 5 | 17 | 29 | 2 | 17 | 27 | 3 | 10 | 29 |
| 14 3 8 | 3 | 19 | ♐ | 8 | 23 | ♈ | 3 | 19 | 29 | 5 | 19 | ♈ | 3 | 18 | 27 | 3 | 12 | ♈ |
| 6 59 | 4 | 20 | 0 | 8 | 24 | 2 | 4 | 19 | 29 | 6 | 20 | 2 | 4 | 19 | 28 | 4 | 13 | 2 |
| 10 51 | 5 | 21 | 1 | 9 | 26 | 4 | 5 | 20 | ♐ | 6 | 22 | 4 | 5 | 19 | 28 | 4 | 15 | 4 |
| 14 14 44 | 6 | 21 | 2 | 9 | 28 | 5 | 6 | 21 | 0 | 7 | 23 | 5 | 6 | 20 | 29 | 5 | 17 | 6 |
| 18 37 | 7 | 22 | 2 | 10 | ♒ | 7 | 7 | 22 | 1 | 8 | 25 | 7 | 7 | 21 | 29 | 5 | 19 | 7 |
| 22 31 | 8 | 23 | 3 | 10 | 1 | 8 | 8 | 22 | 2 | 8 | 27 | 9 | 8 | 22 | ♐ | 6 | 21 | 9 |
| 14 26 25 | 9 | 24 | 4 | 11 | 3 | 10 | 9 | 23 | 2 | 9 | 29 | 10 | 9 | 22 | 1 | 6 | 23 | 10 |
| 30 20 | 10 | 25 | 4 | 12 | 5 | 11 | 10 | 24 | 3 | 9 | ♒ | 12 | 10 | 23 | 1 | 7 | 26 | 12 |
| 34 16 | 11 | 25 | 5 | 12 | 6 | 13 | 11 | 25 | 3 | 10 | 3 | 13 | 11 | 24 | 2 | 7 | 28 | 13 |
| 14 38 13 | 12 | 26 | 6 | 13 | 9 | 15 | 12 | 25 | 4 | 10 | 6 | 15 | 12 | 25 | 2 | 8 | ♒ | 15 |
| 42 10 | 13 | 27 | 6 | 14 | 11 | 16 | 13 | 26 | 5 | 11 | 8 | 16 | 13 | 25 | 3 | 8 | 3 | 17 |
| 46 8 | 14 | 28 | 7 | 14 | 14 | 18 | 14 | 27 | 5 | 11 | 10 | 18 | 14 | 26 | 4 | 9 | 6 | 18 |
| 14 50 7 | 15 | 28 | 8 | 15 | 16 | 19 | 15 | 28 | 6 | 12 | 13 | 19 | 15 | 27 | 4 | 9 | 8 | 20 |
| 54 7 | 16 | 29 | 8 | 15 | 18 | 21 | 16 | 28 | 7 | 13 | 15 | 21 | 16 | 28 | 5 | 10 | 11 | 21 |
| 58 7 | 17 | ♐ | 9 | 16 | 20 | 22 | 17 | 29 | 7 | 13 | 18 | 23 | 17 | 28 | 5 | 10 | 14 | 23 |
| 15 2 8 | 18 | 1 | 10 | 17 | 23 | 24 | 18 | ♐ | 8 | 14 | 20 | 24 | 18 | 29 | 6 | 11 | 16 | 25 |
| 6 9 | 19 | 2 | 10 | 17 | 25 | 25 | 19 | 1 | 9 | 14 | 22 | 26 | 19 | ♐ | 7 | 11 | 19 | 26 |
| 10 12 | 20 | 2 | 11 | 18 | 27 | 27 | 20 | 1 | 9 | 15 | 25 | 27 | 20 | 1 | 7 | 12 | 22 | 28 |
| 15 14 15 | 21 | 3 | 12 | 19 | ♓ | 28 | 21 | 2 | 10 | 16 | 28 | 29 | 21 | 1 | 8 | 12 | 25 | 29 |
| 18 19 | 22 | 4 | 12 | 19 | 2 | 29 | 22 | 3 | 10 | 16 | ♓ | ♉ | 22 | 2 | 8 | 13 | 28 | ♉ |
| 22 23 | 23 | 4 | 13 | 20 | 5 | ♉ | 23 | 4 | 11 | 17 | 3 | 2 | 23 | 3 | 9 | 13 | ♓ | 2 |
| 15 26 29 | 24 | 5 | 14 | 21 | 8 | 2 | 24 | 5 | 12 | 17 | 6 | 3 | 24 | 3 | 10 | 14 | 4 | 4 |
| 30 35 | 25 | 6 | 14 | 21 | 10 | 4 | 25 | 5 | 12 | 18 | 9 | 5 | 25 | 4 | 10 | 14 | 7 | 5 |
| 34 41 | 26 | 7 | 15 | 22 | 13 | 5 | 26 | 6 | 13 | 19 | 12 | 6 | 26 | 5 | 11 | 15 | 10 | 7 |
| 15 38 49 | 27 | 8 | 16 | 23 | 16 | 7 | 27 | 7 | 14 | 19 | 14 | 8 | 27 | 6 | 11 | 15 | 13 | 8 |
| 42 57 | 28 | 9 | 17 | 24 | 18 | 8 | 28 | 8 | 14 | 20 | 17 | 9 | 28 | 6 | 12 | 16 | 16 | 10 |
| 47 6 | 29 | 10 | 18 | 25 | 21 | 10 | 29 | 8 | 15 | 21 | 20 | 11 | 29 | 7 | 13 | 17 | 20 | 12 |
| Houses | 4 | 5 | 6 | 7 | 8 | 9 | 4 | 5 | 6 | 7 | 8 | 9 | 4 | 5 | 6 | 7 | 8 | 9 |

Latitude 64° S.  Latitude 65° S.  Latitude 66° S.

# SIMPLIFIED SCIENTIFIC TABLES OF HOUSES
### Latitude 64° N.     Latitude 65° N.     Latitude 66° N.

| Sider'l Time H M S | 10 ♐ | 11 ♐ | 12 ♐ | Asc. ♐ | 2 ♓ | 3 ♉ | 10 ♐ | 11 ♐ | 12 ♐ | Asc. ♐ | 2 ♓ | 3 ♉ | 10 ♐ | 11 ♐ | 12 ♐ | Asc. ♐ | 2 ♓ | 3 ♉ |
|---|---|---|---|---|---|---|---|---|---|---|---|---|---|---|---|---|---|---|
| 15 51 15 | 0 | 10 | 18 | 25 | 24 | 11 | 0 | 9 | 16 | 21 | 23 | 12 | 0 | 8 | 14 | 17 | 23 | 13 |
| 55 25 | 1 | 11 | 19 | 26 | 27 | 13 | 1 | 10 | 17 | 22 | 26 | 14 | 1 | 9 | 14 | 18 | 26 | 15 |
| 59 36 | 2 | 12 | 20 | 27 | 29 | 14 | 2 | 11 | 17 | 23 | 29 | 15 | 2 | 10 | 15 | 18 | 29 | 16 |
| 16 3 48 | 3 | 13 | 20 | 28 | ♈ | 16 | 3 | 12 | 18 | 23 | ♈ | 17 | 3 | 10 | 15 | 19 | ♈ | 18 |
| 8 0 | 4 | 14 | 21 | 29 | 5 | 17 | 4 | 13 | 19 | 24 | 5 | 18 | 4 | 11 | 16 | 19 | 6 | 19 |
| 12 13 | 5 | 14 | 22 | ♑ | 8 | 19 | 5 | 13 | 20 | 25 | 8 | 20 | 5 | 12 | 17 | 20 | 9 | 21 |
| 16 16 26 | 6 | 15 | 23 | 1 | 11 | 20 | 6 | 14 | 20 | 26 | 11 | 21 | 6 | 13 | 17 | 21 | 12 | 22 |
| 20 40 | 7 | 16 | 24 | 2 | 13 | 21 | 7 | 15 | 21 | 27 | 14 | 22 | 7 | 13 | 18 | 21 | 16 | 24 |
| 24 55 | 8 | 17 | 25 | 3 | 16 | 23 | 8 | 16 | 22 | 28 | 17 | 24 | 8 | 14 | 18 | 22 | 19 | 25 |
| 16 29 10 | 9 | 18 | 26 | 4 | 19 | 24 | 9 | 17 | 23 | 29 | 20 | 25 | 9 | 15 | 19 | 23 | 22 | 27 |
| 33 26 | 10 | 19 | 27 | 5 | 22 | 26 | 10 | 17 | 24 | ♑ | 23 | 27 | 10 | 16 | 20 | 23 | 25 | 28 |
| 37 42 | 11 | 20 | 27 | 7 | 24 | 27 | 11 | 18 | 24 | 0 | 26 | 28 | 11 | 16 | 21 | 24 | 28 | ♊ |
| 16 41 59 | 12 | 20 | 28 | 8 | 27 | 28 | 12 | 19 | 25 | 1 | 29 | 29 | 12 | 17 | 21 | 25 | ♉ | 1 |
| 46 16 | 13 | 21 | 29 | 10 | ♉ | ♊ | 13 | 20 | 26 | 3 | ♉ | ♊ | 13 | 18 | 22 | 25 | 5 | 3 |
| 50 34 | 14 | 22 | ♑ | 11 | 2 | 1 | 14 | 21 | 27 | 4 | 5 | 2 | 14 | 19 | 23 | 26 | 8 | 4 |
| 16 54 52 | 15 | 23 | 1 | 13 | 5 | 2 | 15 | 22 | 28 | 5 | 7 | 4 | 15 | 20 | 23 | 27 | 11 | 6 |
| 59 10 | 16 | 24 | 2 | 15 | 8 | 4 | 16 | 23 | 29 | 7 | 10 | 5 | 16 | 21 | 24 | 28 | 14 | 7 |
| 17 3 29 | 17 | 25 | 3 | 17 | 10 | 5 | 17 | 24 | ♑ | 8 | 13 | 7 | 17 | 21 | 25 | 29 | 17 | 9 |
| 17 7 49 | 18 | 26 | 5 | 19 | 12 | 6 | 18 | 24 | 1 | 10 | 16 | 8 | 18 | 22 | 26 | ♑ | 20 | 10 |
| 12 9 | 19 | 27 | 6 | 21 | 15 | 8 | 19 | 25 | 2 | 12 | 18 | 9 | 19 | 23 | 27 | 1 | 23 | 11 |
| 16 29 | 20 | 28 | 7 | 24 | 17 | 9 | 20 | 26 | 3 | 14 | 21 | 11 | 20 | 24 | 28 | 2 | 25 | 13 |
| 17 20 49 | 21 | 29 | 8 | 27 | 19 | 10 | 21 | 27 | 4 | 16 | 23 | 12 | 21 | 25 | 29 | 3 | 28 | 14 |
| 25 9 | 22 | ♑ | 10 | ≈ | 22 | 11 | 22 | 28 | 5 | 19 | 26 | 13 | 22 | 26 | ♑ | 4 | ♊ | 16 |
| 29 30 | 23 | 1 | 11 | 5 | 24 | 13 | 23 | 29 | 7 | 22 | 28 | 14 | 23 | 27 | 1 | 6 | 3 | 17 |
| 17 33 51 | 24 | 2 | 12 | 9 | 26 | 14 | 24 | ♑ | 8 | 27 | ♊ | 15 | 24 | 28 | 2 | 8 | 6 | 18 |
| 38 12 | 25 | 3 | 14 | 15 | 29 | 15 | 25 | 1 | 9 | ≈ | 2 | 16 | 25 | 29 | 3 | 11 | 9 | 19 |
| 42 34 | 26 | 4 | 15 | 22 | ♊ | 16 | 26 | 2 | 11 | 9 | 4 | 18 | 26 | ♑ | 4 | 15 | 11 | 21 |
| 17 46 55 | 27 | 5 | 16 | ✕ | 2 | 17 | 27 | 3 | 12 | 17 | 6 | 19 | 27 | 1 | 5 | 20 | 13 | 22 |
| 51 17 | 28 | 6 | 18 | 9 | 4 | 19 | 28 | 4 | 14 | 29 | 8 | 20 | 28 | 2 | 7 | ≈ | 15 | 23 |
| 55 38 | 29 | 7 | 20 | 19 | 6 | 20 | 29 | 9 | 15 | ✕ | 10 | 21 | 29 | 3 | 9 | 21 | 17 | 24 |
| Houses | 4 | 5 | 6 | 7 | 8 | 9 | 4 | 5 | 6 | 7 | 8 | 9 | 4 | 5 | 6 | 7 | 8 | 9 |

### Latitude 64° S.     Latitude 65° S.     Latitude 66° S.

# SIMPLIFIED SCIENTIFIC TABLES OF HOUSES

### Latitude 64° N.    Latitude 65° N.    Latitude 66° N.

Signs: 10 = ♑, 11 = ♑, 12 = ♑, Asc. = ♈, 2 = ♊, 3 = ♊ (for each latitude section)

| Sider'l Time (H M S) | 10 | 11 | 12 | Asc. | 2 | 3 | 10 | 11 | 12 | Asc. | 2 | 3 | 10 | 11 | 12 | Asc. | 2 | 3 |
|---|---|---|---|---|---|---|---|---|---|---|---|---|---|---|---|---|---|---|
| 18  0  0 | 0 | 9 | 22 | 0 | 8 | 21 | 0 | 6 | 17 | 0 | 12 | 23 | 0 | 4 | 10 | 0 | 19 | 25 |
|     4 22 | 1 | 10 | 23 | 10 | 10 | 22 | 1 | 8 | 19 | 16 | 4 | 24 | 1 | 5 | 12 | ♉ | 21 | 26 |
|     8 43 | 2 | 11 | 25 | 20 | 11 | 23 | 2 | 9 | 21 | ♉ | 16 | 25 | 2 | 6 | 14 | 29 | 22 | 28 |
| 18 13  5 | 3 | 12 | 27 | ♉ | 13 | 24 | 3 | 10 | 23 | 13 | 17 | 26 | 3 | 7 | 16 | ♊ | 24 | 29 |
|    17 26 | 4 | 13 | 29 | 7 | 14 | 25 | 4 | 11 | 25 | 21 | 19 | 27 | 4 | 9 | 18 | 14 | 25 | ♋ |
|    21 48 | 5 | 14 | ♒ | 14 | 16 | 26 | 5 | 12 | 27 | 27 | 20 | 28 | 5 | 10 | 21 | 18 | 26 | 1 |
| 18 26  9 | 6 | 16 | 3 | 20 | 17 | 27 | 6 | 14 | 29 | ♊ | 21 | 29 | 6 | 11 | 23 | 21 | 27 | 2 |
|    30 30 | 7 | 17 | 5 | 25 | 19 | 28 | 7 | 15 | ♒ | 7 | 23 | ♋ | 7 | 12 | 26 | 23 | 29 | 3 |
|    34 51 | 8 | 18 | 7 | 28 | 20 | 29 | 8 | 16 | 4 | 10 | 24 | 1 | 8 | 14 | 28 | 25 | ♋ | 3 |
| 18 39 11 | 9 | 19 | 10 | ♊ | 21 | ♋ | 9 | 17 | 6 | 13 | 25 | 2 | 9 | 15 | ♒ | 26 | 1 | 4 |
|    43 31 | 10 | 20 | 12 | 6 | 22 | 1 | 10 | 19 | 9 | 16 | 26 | 3 | 10 | 17 | 4 | 27 | 1 | 5 |
|    47 51 | 11 | 22 | 14 | 8 | 23 | 2 | 11 | 20 | 11 | 18 | 27 | 4 | 11 | 18 | 7 | 29 | 2 | 6 |
| 18 52 11 | 12 | 23 | 17 | 11 | 25 | 3 | 12 | 21 | 14 | 20 | 28 | 5 | 12 | 19 | 9 | ♋ | 3 | 7 |
|    56 31 | 13 | 24 | 19 | 13 | 26 | 4 | 13 | 23 | 16 | 21 | 29 | 6 | 13 | 21 | 12 | 1 | 4 | 8 |
| 19  0 50 | 14 | 26 | 22 | 15 | 27 | 5 | 14 | 24 | 19 | 23 | ♋ | 7 | 14 | 22 | 15 | 1 | 5 | 9 |
| 19  5  8 | 15 | 27 | 25 | 17 | 28 | 6 | 15 | 26 | 22 | 24 | 1 | 8 | 15 | 24 | 18 | 2 | 6 | 9 |
|     9 26 | 16 | 28 | 27 | 18 | 29 | 7 | 16 | 27 | 25 | 25 | 2 | 8 | 16 | 25 | 21 | 3 | 6 | 10 |
|    13 44 | 17 | ♒ | 29 | 20 | ♋ | 8 | 17 | 28 | 27 | 26 | 3 | 9 | 17 | 26 | 24 | 4 | 7 | 11 |
| 19 18  1 | 18 | 1 | ♓ | 21 | 1 | 9 | 18 | 29 | ♓ | 28 | 4 | 10 | 18 | 28 | 28 | 5 | 8 | 12 |
|    22 18 | 19 | 2 | 5 | 23 | 2 | 10 | 19 | ♒ | 3 | 29 | 5 | 11 | 19 | 29 | ♓ | 5 | 9 | 13 |
|    26 34 | 20 | 4 | 8 | 24 | 3 | 10 | 20 | 2 | 6 | ♋ | 6 | 12 | 20 | ♒ | 4 | 6 | 9 | 13 |
| 19 30 50 | 21 | 5 | 10 | 25 | 4 | 11 | 21 | 4 | 9 | 1 | 6 | 13 | 21 | 2 | 7 | 7 | 10 | 14 |
|    35  5 | 22 | 7 | 14 | 26 | 5 | 12 | 22 | 5 | 12 | 2 | 7 | 14 | 22 | 4 | 10 | 7 | 11 | 15 |
|    39 20 | 23 | 8 | 16 | 27 | 5 | 13 | 23 | 7 | 15 | 2 | 8 | 14 | 23 | 5 | 14 | 8 | 11 | 16 |
| 19 43 34 | 24 | 9 | 19 | 28 | 6 | 14 | 24 | 8 | 18 | 3 | 9 | 15 | 24 | 7 | 17 | 8 | 12 | 17 |
|    47 47 | 25 | 11 | 21 | 29 | 7 | 15 | 25 | 10 | 21 | 4 | 10 | 16 | 25 | 8 | 20 | 9 | 13 | 17 |
|    52  0 | 26 | 12 | 24 | ♋ | 8 | 16 | 26 | 11 | 24 | 5 | 10 | 17 | 26 | 10 | 23 | 10 | 13 | 18 |
| 19 56 12 | 27 | 14 | 27 | 1 | 9 | 16 | 27 | 13 | 27 | 6 | 11 | 18 | 27 | 12 | 27 | 10 | 14 | 19 |
| 20  0 24 | 28 | 15 | ♈ | 2 | 9 | 17 | 28 | 14 | ♈ | 6 | 12 | 18 | 28 | 13 | ♈ | 11 | 15 | 20 |
|     4 35 | 29 | 17 | 3 | 3 | 10 | 18 | 29 | 16 | 3 | 7 | 13 | 19 | 29 | 15 | 3 | 11 | 15 | 20 |

| Houses | 4 | 5 | 6 | 7 | 8 | 9 | 4 | 5 | 6 | 7 | 8 | 9 | 4 | 5 | 6 | 7 | 8 | 9 |
|---|---|---|---|---|---|---|---|---|---|---|---|---|---|---|---|---|---|---|

### Latitude 64° S.    Latitude 65° S.    Latitude 66° S.

# SIMPLIFIED SCIENTIFIC TABLES OF HOUSES

### Latitude 64° N.  Latitude 65° N.  Latitude 66° N.

| Sider'l Time (H M S) | 10 ♒ | 11 ♒ | 12 ♈ | Asc ♋ | 2 ♋ | 3 ♋ | 10 ♒ | 11 ♒ | 12 ♈ | Asc ♋ | 2 ♋ | 3 ♋ | 10 ♒ | 11 ♒ | 12 ♈ | Asc ♋ | 2 ♋ | 3 ♋ |
|---|---|---|---|---|---|---|---|---|---|---|---|---|---|---|---|---|---|---|
| 20 8 45 | 0 | 18 | 6 | 4 | 11 | 19 | 0 | 17 | 6 | 8 | 13 | 20 | 0 | 16 | 6 | 12 | 16 | 21 |
| 12 54 | 1 | 19 | 8 | 5 | 12 | 20 | 1 | 19 | 9 | 8 | 14 | 21 | 1 | 18 | 10 | 13 | 16 | 22 |
| 17 3 | 2 | 21 | 11 | 6 | 13 | 21 | 2 | 20 | 12 | 9 | 15 | 22 | 2 | 19 | 13 | 13 | 17 | 23 |
| 20 21 11 | 3 | 23 | 14 | 6 | 13 | 21 | 3 | 22 | 15 | 10 | 15 | 22 | 3 | 21 | 16 | 14 | 18 | 23 |
| 25 19 | 4 | 24 | 16 | 7 | 14 | 22 | 4 | 23 | 18 | 10 | 16 | 23 | 4 | 22 | 19 | 14 | 18 | 24 |
| 29 26 | 5 | 25 | 19 | 8 | 15 | 23 | 5 | 25 | 21 | 11 | 17 | 24 | 5 | 24 | 22 | 15 | 19 | 25 |
| 20 33 31 | 6 | 27 | 22 | 8 | 15 | 24 | 6 | 26 | 23 | 12 | 17 | 25 | 6 | 25 | 25 | 15 | 20 | 26 |
| 37 37 | 7 | 28 | 24 | 9 | 16 | 25 | 7 | 28 | 26 | 12 | 18 | 25 | 7 | 27 | 28 | 16 | 20 | 26 |
| 41 41 | 8 | ♓ | 27 | 10 | 17 | 25 | 8 | 29 | 29 | 13 | 19 | 26 | 8 | 29 | ♉ | 16 | 21 | 27 |
| 20 45 45 | 9 | 1 | 29 | 11 | 17 | 26 | 9 | ♓ | ♉ | 14 | 19 | 27 | 9 | ♓ | 4 | 17 | 21 | 28 |
| 49 48 | 10 | 3 | ♉ | 11 | 18 | 27 | 10 | 2 | 4 | 14 | 20 | 28 | 10 | 2 | 7 | 17 | 22 | 29 |
| 53 51 | 11 | 4 | 4 | 12 | 19 | 28 | 11 | 4 | 7 | 15 | 21 | 28 | 11 | 3 | 10 | 18 | 23 | 29 |
| 20 57 52 | 12 | 6 | 7 | 12 | 20 | 28 | 12 | 5 | 9 | 15 | 21 | 29 | 12 | 5 | 13 | 18 | 23 | ♌ |
| 21 1 53 | 13 | 7 | 9 | 13 | 20 | 29 | 13 | 7 | 12 | 16 | 22 | ♌ | 13 | 6 | 16 | 19 | 24 | 1 |
| 5 53 | 14 | 9 | 11 | 14 | 21 | ♌ | 14 | 8 | 14 | 17 | 23 | 1 | 14 | 8 | 18 | 19 | 24 | 2 |
| 21 9 53 | 15 | 10 | 14 | 14 | 22 | 1 | 15 | 10 | 17 | 17 | 23 | 1 | 15 | 9 | 21 | 20 | 25 | 2 |
| 13 52 | 16 | 12 | 16 | 15 | 22 | 2 | 16 | 11 | 19 | 18 | 24 | 2 | 16 | 11 | 24 | 20 | 26 | 3 |
| 17 50 | 17 | 13 | 18 | 16 | 23 | 2 | 17 | 13 | 21 | 18 | 24 | 3 | 17 | 13 | 26 | 21 | 26 | 4 |
| 21 21 47 | 18 | 15 | 20 | 16 | 24 | 3 | 18 | 15 | 24 | 19 | 25 | 4 | 18 | 14 | 29 | 21 | 27 | 5 |
| 25 44 | 19 | 16 | 22 | 17 | 24 | 4 | 19 | 16 | 26 | 19 | 26 | 5 | 19 | 16 | ♊ | 22 | 27 | 5 |
| 29 40 | 20 | 18 | 24 | 17 | 25 | 5 | 20 | 18 | 28 | 20 | 26 | 5 | 20 | 17 | 4 | 22 | 28 | 6 |
| 21 33 35 | 21 | 19 | 26 | 18 | 26 | 5 | 21 | 19 | ♊ | 20 | 27 | 6 | 21 | 19 | 6 | 23 | 29 | 7 |
| 37 29 | 22 | 21 | 28 | 19 | 26 | 6 | 22 | 21 | 2 | 21 | 28 | 7 | 22 | 21 | 8 | 23 | 29 | 7 |
| 41 23 | 23 | 23 | ♊ | 19 | 27 | 7 | 23 | 22 | 4 | 22 | 28 | 8 | 23 | 22 | 10 | 24 | ♌ | 8 |
| 21 45 16 | 24 | 24 | 2 | 20 | 27 | 8 | 24 | 24 | 6 | 22 | 29 | 8 | 24 | 24 | 12 | 24 | 0 | 9 |
| 49 9 | 25 | 26 | 3 | 20 | 28 | 9 | 25 | 25 | 8 | 23 | 29 | 9 | 25 | 25 | 14 | 25 | 1 | 10 |
| 53 1 | 26 | 27 | 5 | 21 | 29 | 9 | 26 | 27 | 9 | 23 | ♌ | 10 | 26 | 27 | 16 | 25 | 1 | 10 |
| 21 56 52 | 27 | 28 | 6 | 21 | 29 | 10 | 27 | 28 | 11 | 24 | 1 | 10 | 27 | 28 | 18 | 26 | 2 | 11 |
| 22 0 43 | 28 | ♈ | 8 | 22 | ♌ | 11 | 28 | ♈ | 12 | 24 | 1 | 11 | 28 | ♈ | 19 | 26 | 3 | 12 |
| 4 33 | 29 | 1 | 10 | 23 | 1 | 11 | 29 | 1 | 14 | 25 | 2 | 12 | 29 | 2 | 21 | 27 | 3 | 13 |
| Houses | 4 | 5 | 6 | 7 | 8 | 9 | 4 | 5 | 6 | 7 | 8 | 9 | 4 | 5 | 6 | 7 | 8 | 9 |

### Latitude 64° S.  Latitude 65° S.  Latitude 66° S.

## SIMPLIFIED SCIENTIFIC TABLES OF HOUSES
### Latitude 64° N.  Latitude 65° N.  Latitude 66° N.

| Sider'l Time | 10 ♓ | 11 ♈ | 12 ♊ | Asc. ♋ | 2 ♌ | 3 ♌ | 10 ♓ | 11 ♈ | 12 ♊ | Asc. ♋ | 2 ♌ | 3 ♌ | 10 ♓ | 11 ♈ | 12 ♊ | Asc. ♋ | 2 ♌ | 3 ♌ |
|---|---|---|---|---|---|---|---|---|---|---|---|---|---|---|---|---|---|---|
| H M S | ° | ° | ° | ° | ° | ° | ° | ° | ° | ° | ° | ° | ° | ° | ° | ° | ° | ° |
| 22 8 23 | 0 | 3 | 11 | 23 | 1 | 12 | 0 | 3 | 15 | 25 | 2 | 13 | 0 | 3 | 22 | 27 | 4 | 13 |
| 12 12 | 1 | 5 | 13 | 24 | 2 | 13 | 1 | 5 | 17 | 26 | 3 | 14 | 1 | 5 | 24 | 28 | 4 | 14 |
| 16 0 | 2 | 6 | 14 | 24 | 2 | 14 | 2 | 6 | 18 | 26 | 4 | 14 | 2 | 6 | 25 | 28 | 5 | 15 |
| 22 19 48 | 3 | 7 | 15 | 25 | 3 | 14 | 3 | 7 | 19 | 27 | 4 | 15 | 3 | 8 | 26 | 29 | 5 | 15 |
| 23 35 | 4 | 9 | 16 | 25 | 4 | 15 | 4 | 9 | 21 | 27 | 5 | 16 | 4 | 9 | 27 | 29 | 6 | 16 |
| 27 22 | 5 | 10 | 18 | 26 | 4 | 16 | 5 | 10 | 22 | 28 | 5 | 16 | 5 | 11 | 28 | ♌ | 7 | 17 |
| 22 31 8 | 6 | 12 | 19 | 26 | 5 | 17 | 6 | 12 | 23 | 28 | 6 | 17 | 6 | 12 | 29 | 0 | 7 | 18 |
| 34 54 | 7 | 13 | 20 | 27 | 5 | 17 | 7 | 13 | 24 | 29 | 6 | 18 | 7 | 14 | ♋ | 1 | 8 | 18 |
| 38 40 | 8 | 15 | 21 | 27 | 6 | 18 | 8 | 15 | 25 | 29 | 7 | 19 | 8 | 15 | 0 | 1 | 8 | 19 |
| 22 42 25 | 9 | 16 | 22 | 28 | 7 | 19 | 9 | 16 | 26 | ♌ | 8 | 19 | 9 | 17 | 1 | 2 | 9 | 20 |
| 46 9 | 10 | 18 | 23 | 29 | 7 | 20 | 10 | 18 | 27 | 0 | 8 | 20 | 10 | 18 | 2 | 2 | 9 | 21 |
| 49 53 | 11 | 19 | 24 | 29 | 8 | 20 | 11 | 19 | 28 | 1 | 9 | 21 | 11 | 20 | 3 | 2 | 10 | 21 |
| 22 53 37 | 12 | 20 | 25 | ♌ | 8 | 21 | 12 | 21 | 29 | 1 | 9 | 22 | 12 | 21 | 3 | 3 | 11 | 22 |
| 57 20 | 13 | 22 | 26 | 0 | 9 | 22 | 13 | 22 | ♋ | 2 | 10 | 22 | 13 | 23 | 4 | 3 | 11 | 23 |
| 23 1 3 | 14 | 23 | 27 | 1 | 10 | 23 | 14 | 24 | 1 | 2 | 11 | 23 | 14 | 24 | 5 | 4 | 12 | 24 |
| 23 4 46 | 15 | 24 | 28 | 1 | 10 | 23 | 15 | 25 | 1 | 3 | 11 | 24 | 15 | 25 | 6 | 4 | 12 | 24 |
| 8 28 | 16 | 26 | 29 | 2 | 11 | 24 | 16 | 26 | 2 | 3 | 12 | 25 | 16 | 27 | 6 | 5 | 13 | 25 |
| 12 10 | 17 | 27 | ♋ | 2 | 12 | 25 | 17 | 28 | 3 | 4 | 12 | 25 | 17 | 29 | 7 | 5 | 13 | 26 |
| 23 15 53 | 18 | 28 | 0 | 3 | 12 | 26 | 18 | 29 | 4 | 4 | 13 | 26 | 18 | ♉ | 7 | 6 | 14 | 26 |
| 19 34 | 19 | ♉ | 1 | 3 | 13 | 26 | 19 | ♉ | 4 | 5 | 14 | 27 | 19 | 1 | 8 | 6 | 14 | 27 |
| 23 15 | 20 | 1 | 2 | 4 | 13 | 27 | 20 | 2 | 5 | 5 | 14 | 28 | 20 | 3 | 9 | 7 | 15 | 28 |
| 23 26 56 | 21 | 2 | 3 | 4 | 14 | 28 | 21 | 3 | 6 | 6 | 15 | 28 | 21 | 4 | 9 | 7 | 16 | 28 |
| 30 37 | 22 | 4 | 4 | 5 | 14 | 29 | 22 | 5 | 6 | 6 | 15 | 29 | 22 | 5 | 10 | 8 | 16 | 29 |
| 34 18 | 23 | 5 | 4 | 5 | 15 | 29 | 23 | 6 | 7 | 7 | 16 | ♍ | 23 | 7 | 11 | 8 | 17 | ♍ |
| 23 37 58 | 24 | 6 | 5 | 6 | 16 | ♍ | 24 | 7 | 8 | 7 | 16 | 0 | 24 | 8 | 11 | 8 | 17 | 1 |
| 41 39 | 25 | 8 | 6 | 6 | 16 | 1 | 25 | 9 | 9 | 8 | 17 | 1 | 25 | 10 | 12 | 9 | 18 | 1 |
| 45 19 | 26 | 9 | 7 | 7 | 17 | 2 | 26 | 10 | 9 | 8 | 18 | 2 | 26 | 11 | 12 | 9 | 18 | 2 |
| 23 49 0 | 27 | 11 | 7 | 7 | 18 | 2 | 27 | 11 | 10 | 9 | 18 | 3 | 27 | 12 | 13 | 10 | 19 | 3 |
| 52 40 | 28 | 12 | 8 | 8 | 18 | 3 | 28 | 13 | 10 | 9 | 19 | 3 | 28 | 14 | 13 | 10 | 20 | 4 |
| 56 20 | 29 | 13 | 9 | 8 | 19 | 4 | 29 | 14 | 11 | 10 | 19 | 4 | 29 | 15 | 14 | 11 | 20 | 4 |
| Houses | 4 | 5 | 6 | 7 | 8 | 9 | 4 | 5 | 6 | 7 | 8 | 9 | 4 | 5 | 6 | 7 | 8 | 9 |

### Latitude 64° S.  Latitude 65° S.  Latitude 66° S.

## CHANGES OF NAMES OF CITIES—1972

| | | |
|---|---|---|
| Aux Cayes, Haiti | now | Les Cayes |
| Bahia, Brazil | now | Salvador |
| Bareli, India | now | Bareilly |
| Batavia, Java | now | Djakarta, Indonesia |
| Breslau, Poland | now | Wroclaw |
| Chemnitz, Germany | now | Karl Marx Stadt, E. Germany |
| Chisinau, USSR | now | Kishinev |
| Constantinople, Turkey | now | Istanbul |
| Danzig, Poland | now | Gdansk |
| Dehra, India | now | Dehra Dun |
| Fiume, Yugoslavia | now | Rijeka |
| Gleiwitz, Poland | now | Gliwice |
| Hindenburg, Poland | now | Zabrze |
| Insterburg, USSR | now | Cherbiakowsk |
| Ispahan, Iran | now | Esfahan |
| Keijo, Korea | now | Seoul |
| Kiang May, Thailand | now | Chiang May |
| Konigsberg, USSR | now | Kaliningrad |
| Kottbus, E. Germany | now | Cottbus |
| Leopoldville, Zaire | now | Kinshasa |
| Liegnitz, Poland | now | Legnica |
| Mariupol, USSR | now | Zhdanov |
| Morocco, Morocco | now | Marrakech |
| Mukden, China | now | Shenyang |
| Neusatz, Yugoslavia | now | Novi Sad |
| Newchwang, China | now | Yingkou |
| Para, Brazil | now | Belem |
| Pernambuco, Brazil | now | Recife |
| Pilsen, Czechoslov. | now | Plzen |
| Pola, Yugoslavia | now | Pula |
| Ryojun, China | now | Lushun |
| Schweidnitz, Poland | now | Swidnice |
| Sebenico, Yugoslavia | now | Sibenik |
| St Paul de Loanda, Angola | now | Luanda |
| Stettin, Poland | now | Szczecin |
| Stolp, Poland | now | Slupsk |
| Taiku, Korea | now | Taegu |
| Tarnopol, USSR | now | Ternopol |
| Tilsit, USSR | now | Sovetsk |
| Viipuri, USSR | now | Vyborg |
| Wilno, USSR | now | Vilnius |

# The Rosicrucian Cosmo-Conception

## By Max Heindel

An inspiring book containing investigated facts which bridge the seeming gap between Religion and Science; facts that thrill the modern intellect and comfort the old-fashioned heart.

*This is the*

*textbook*

*used in the*

*Rosicrucian*

*Philosophy*

*Correspondence*

*Courses*

702 pages, with Topical Index of 57 pages and Alphabetical Index of 95 pages.

———

Paper Bound

607 p a g e s. Identical with cloth, but has Topical Index only.

*PARTIAL CONTENTS*

Visible and invisible worlds.
Man, and method of evolution.
Spirit, soul, and body.
Thought, memory, soulgrowth.
Conscious, subconscious, and superconscious mind.
Science of death, the beneficence of Purgatory, life in Heaven.
Preparation for rebirth.
The Law of Consequence.
The Relation of man to God.
Genesis and evolution of our solar system; Chaos the seedground of Cosmos.
Birth of the planets: planetary Spirits.
The moon an eighth sphere of retrogression.
Separation of the sexes.
Lucifer Spirits and the Fall.
Sixteen paths to destruction.
Christ and His mission.
The mystery of Golgotha and the cleansing blood.
Future development and Initiation.
The method of acquiring first-hand knowledge.
Western methods for Western people.

*Price List on Request*

## THE ROSICRUCIAN FELLOWSHIP
*Oceanside, California, U.S.A.*

# ASTRO-DIAGNOSIS—A GUIDE TO HEALING

### By Max Heindel *and* Augusta Foss Heindel

A chapter is devoted to each of the parts of the body, and instructions are given in reading the chart for the purpose of diagnosis. Also natural methods for curing diseased conditions are indicated.

Of special value to those engaged in healing or nursing, whether attached to the orthodox medical school or to the nature-cure school. *The authors are recognized authorities in this field.*

Illustrated with about one hundred astrological charts. Bound in green cloth, stamped in red and gold.

482 Pages       Indexed       Cloth Bound

---

# THE MESSAGE OF THE STARS

### By Max Heindel and Augusta Foss Heindel

A practical textbook for the student who is learning to read his chart. The fundamentals of astrological interpretation are given in clear, understandable language. Keyword System of horoscopical analysis outlined.

PART I—Nature and Effects of signs and planets, progressions, Prediction.

PART II—Medical Astrology gives method of astro-diagnosis with 36 actual charts and delineation.

729 Pages       Fully Indexed       Cloth Bound

Prices on request

# THE ROSICRUCIAN FELLOWSHIP
*Oceanside, California, U.S.A.*

# THE ROSICRUCIAN MYSTERIES

### By MAX HEINDEL

The author has written the sublime truths of the Western Wisdom Teachings in almost narrative style in this book intended specially to give busy people a solution to life's basic problems as contained in the mind- and heart-satisfying Rosicrucian Philosophy.

## LIST OF CONTENTS

*Twenty pages of Index facilitate quick reference.*

Cloth Bound            Indexed            226 Pages

### Prices on request

# THE ROSICRUCIAN FELLOWSHIP
*Oceanside, California, U.S.A.*

# Ancient and Modern Initiation

## By MAX HEINDEL

**PART I**—*The Tabernacle in the Wilderness*
The Atlantean Mystery Temple—Brazen Altar and Laver—East Room of Temple—Ark of Covenant—Sacred Shekinah Glory—New Moon and Initiation.

**PART II**—*The Christian Mystic Initiation*
Annunciation and Immaculate Conception—Mystic Rite of Baptism—The Temptation—The Transfiguration—Last Supper and Footwashing—Gethsemane, the Garden of Grief—The Stigmata and the Crucifixion.

148 Pages               Cloth Bound               Indexed

# The Rosicrucian Christianity Lectures

This set of 20 Lectures was Mr. Heindel's first presentation to the public of the authentic Western Wisdom Teachings given to him directly by the Elder Brothers of the Order of the Rose Cross. Read consecutively they give a comprehensive understanding of the Rosicrucian Philosophy, but each lecture is complete in itself.

Bound in uniform style with other Fellowship books in green cloth and stamped with red and gold. Illustrated with charts and diagrams.

374 Pages               Cloth Bound               Indexed

# Mysteries of the Great Operas

Wagner the Master Musician and Goethe the Poet-Initiate have touched with magic the Story of Evolution. A Myth is a veiled symbol containing a great cosmic truth. The myths conceal many of the hidden truths which are now being translated from symbol and allegory.

176 Pages               Cloth Bound               Indexed

*These magnificent Operas expound the most profound
truths of God and Nature.*

*Prices on request*

## THE ROSICRUCIAN FELLOWSHIP

Oceanside, California, U. S. A.

# Freemasonry and Catholicism

## By Max Heindel

An Esoteric Treatise on the Underlying Facts regarding these two great Institutions as determined by occult investigation.

It explains in terms of Mystic Masonry the conflict between the Sons of Cain and the Sons of Seth, and unravels the allegory dealing with the building of Solomon's Temple, the Queen of Sheba, and the Grand Master, Hiram Abiff.

If you are interested in the symbols of Masonry, in knowing the source of these mysteries which have come down to us from past ages, this is the book you want.

Only a trained Seer could have read the Akashic Records of the past and given such a clear explanation of their meaning.

In addition, read what the author says about the famous Philosopher's Stone of the Alchemists, the Path of Initiation, and the Coming Age.

*This Book Should Be in Every Mason's Library.*

98 Pages.           Cloth Bound.

*The Rosicrucian Fellowship,*
*Mt. Ecclesia*
*Oceanside, California.*

# THE WEB OF DESTINY

*By* MAX HEINDEL

*Sixteen of the ninety-seven monthly lessons sent out to his students by this illumined teacher. They are the fruitage of true esoteric research.*

•

## TABLE OF CONTENTS

Cloth Bound          167 Pages

*Prices on request*

THE ROSICRUCIAN FELLOWSHIP
*Oceanside California, U.S.A.*

# TEACHINGS OF AN INITIATE

### By MAX HEINDEL

This book is compiled from the writings of an Initiate of the Rosicrucian Order.

It comprises a series of lessons issued by the author to his students, together with various public addresses. A few chapter headings will give an idea of the contents of the book:

*The Scientific Method of Spiritual Unfoldment*
*The Death of the Soul*
*Our Work in the World* (Three chapters)
*Mystic Light on the World War* (Three chapters)
*The Secret of Success*
*The Sign of the Master*
*Religion and Healing*

Max Heindel was well qualified to impart esoteric knowledge on these subjects, by virtue of his various Initiations into the Mysteries. TEACHINGS OF AN INITIATE contains the later fruit of the author's extensive occult investigations. It is of value to both the beginner and the advanced student of occultism. Indexed for ready reference.

212 Pages      Indexed      Cloth Bound

\* \* \*

## THE ROSICRUCIAN FELLOWSHIP
*Oceanside, California, U.S.A.*